KU-357-294

Westermann Großer Atlas zur Weltgeschichte

Herausgegeben von Prof. Dr. Hans-Erich Stier, Prof. Dr. Ernst Kirsten, Prof. Dr. Wilhelm Wühr, Prof. Dr. Heinz Quirin, Prof. Dr. Werner Trillmich, Dr. Gerhard Czybulka, Dr. Hermann Pinnow und Hans Ebeling

Bearbeitet von Prof. Dr. Hans-Erich Stier, Dr. Ernst Kirsten, Prof. Dr. Heinz Quirin, Prof. Dr. Werner Trillmich, Dr. Gerhard Czybulka

Unter Mitarbeit von Dr. Ekkehard Aner, Dr. Gisela Asmus, Prof. Dr. Bertold Spuler, Prof. Dr. Walter Kuhn, Dr. Wolfgang Haberland, Dr. Gert Hatz, Dr. Helene Münscher, Prof. Dr. Rudolf Schreiber und anderen

1988 1987 1986 1985
Die letzte Zahl bezeichnet das Jahr der Herstellung

Einbandgestaltung: Gerd Gücker
Gesamtherstellung: westermann druck GmbH, Braunschweig

ISBN 3-14-**10 0919**-8

INHALTSVERZEICHNIS

Kulturen und Reiche der Frühzeit

Anfänge menschlicher Kultur

Der altsteinzeitliche Mensch und seine Vorläufer . . 1
Stufen der Menschwerdung 1
Frühe, mittlere und 1. Stufe der jüngeren Altsteinzeit . 1
2. Stufe der jüngeren Altsteinzeit 1
Mittlere Steinzeit (ca. 8000—3000 v. Chr.) 1
Jungsteinzeit (4. und 3. Jahrtausend v. Chr.) 2
Ausgehende Jungsteinzeit (Kupferzeit) ca. 20. und 19. Jahrhundert v. Chr. 2

Entstehung der Hochkulturen im Orient und in Alt-China

Ausbreitung der Semiten und Indoeuropäer vom 8. Jahrtausend bis ins 3. Jahrhundert v. Chr. . . 3
Erste Blütezeit der Hochkulturen im Orient (ca. 3000—1900 v. Chr.) 3

Die chinesische Kultur:

Die Anfänge der chinesischen Kultur (3. Jahrtausend bis ca 1100 v. Chr.) 3
Das Lehensreich der Tschou-Dynastie seit dem 11. Jahrhundert v. Chr. 3
Das Werden des chinesischen Kaiserreichs bis zum 2. Jahrhundert v. Chr. 3

Vorgeschichtliche Siedlungen und Kulturströme in Europa

Altsteinzeit: Jägerstation Vogelherdhöhle (Schwäbische Alb) 4

Jungsteinzeit (3. Jahrtausend v. Chr.):

a) Bandkeramische Reihensiedlung: Köln-Lindenthal . 4
b) Ringsiedlung der Tripolje-Kultur: Kolomyjscyna (Dnjepr) 4
Jüngere Bronzezeit (7. Jahrh. v. Chr.): Befestigte Inselsiedlung der Lausitzer Kultur: Biskupin (Wartheland) . 4
Vorgeschichtliche Besiedlung in der Po-Ebene 4
Ägäis-Raum in vorgriechischer Zeit (bis 1900 v. Chr.) . 4
Rohstoffquellen, Kulturströme u. Handelsverbindungen in der Bronzezeit 4
Europäische Hochbronzezeit (ca. 16.—13. Jahrh. v. Chr.) 5
Ausgang der europäischen Bronzezeit — Beginn der Eisenzeit (um 1200 bis 900 v. Chr.) 5

Der Alte Orient

Siedlung in Ägypten und Mesopotamien:

Ägypten in altorientalischer Zeit 6
Mesopotamien in der Stein-Kupfer Zeit (ca. 3900—2900 v. Chr.) 6
Mesopotamien zur Zeit der Sumerer (ca. 2900—1955 v. Chr.) 6
Mesopotamien von Hammurabi bis zur Zerstörung von Ninive (ca. 1955—612 v. Chr.) 6

Altorientalische Kulturstätten:

Die Pyramiden des ägyptischen Alten Reiches (4. Dynastie 2550—2450 v. Chr.) bei Memphis (Giseh) . 7
Die Totenstadt von Theben (Neues Reich) 7
Amun-Tempel in Theben (Karnak) 7
Tempelbezirk von Ur (Chaldäa/Irak) a) bis 2000 v. Chr., b) bis zum 6. Jahrhundert v. Chr. 7
Babylon zur Zeit Nebukadnezars II. (605—562 v. Chr.)
Assur (Residenz der assyrischen Könige) 7
Mohenjo-Daro (Indien), ca. 2000—1500 v. Chr. 7
Hattusa, Hauptstadt der Hethiter, ca. 19.—13. Jahrhundert v. Chr. 7

Völkerbewegungen im Alten Orient:

Vorderasien und Ägypten im Zeitalter Hammurabis von Babel (1728—1686 v. Chr.) 8
Kerngebiet der Hethiter (ca. 1440—700 v. Chr.) 8
Besiedlung Palästinas (ca. 1650—587 v. Chr.) 8
Palästina von der Einwanderung Israels bis zur Perserzeit (13. Jahrhundert bis 587 v. Chr.) 8

Großreiche im Alten Orient:

Die Großreiche der Ägypter und Hethiter (um 1450 bis zum 13. Jahrhundert) 9
Verbreitung der Alphabetschrift (seit 1000 v. Chr.) . . 9
Höhepunkt und Auflösung des Assyrerreiches (7. und 6. Jahrhundert v. Chr.) 9

Griechische Kultur und Staatenwelt

Vorgriechen und Griechen in der Ägäis

Kreta in minoischer Zeit 10
Die Ägäis in mykenischer Zeit 10
Kreta in dorischer Zeit 10
Der minoische Palast von Knossos 11
Palast- und Hafenstadt Knossos 11
Burg und Stadt Mykene 11
Die griechische Welt im 9. und 8. Jahrhundert v. Chr. . 11

Eintritt der Griechen in die Mittelmeerwelt:

Phönikische und griechische Kolonisation vom 11. bis 6. Jahrhundert v. Chr. 11

Die griechische Polis

Mykenische Burg von Tiryns 12
Akropolis (Burg) von Athen von mykenischer Zeit bis 470 v. Chr. 12
Akropolis von Athen in klassischer Zeit 12
Agora (Markt) von Athen 12
Die Stadt Athen 12
Athen und seine Häfen 12
Die Polis der Athener 13
Sparta 12
Sparta und die Poleis in Lakonien 13
Polis-Staaten der Ioner 13

Griechenland und das Persische Reich im 5. Jahrhundert

Die antike Welt z. Z. der Perserkriege (um 480 v. Chr.) 14/15
Persepolis (Residenz der persischen Großkönige) . . 14
Olympia 14
Perserkriege bis zum Xerxeszug 15
Schlacht von Salamis (480 v. Chr.) 15
Welttafel nach Herodot 14/15

Athen als hellenische Großmacht

Griechenland im Zeitalter des Perikles (446/445 v. Chr.) 16
Hellas bei Ausbruch des Peloponnesischen Krieges (431 v. Chr.) 16
Griechen und Karthager in Sizilien und Unteritalien . 17
Syrakus im 5. und 4. Jahrhundert v. Chr. 17

Das klassische Griechenland

Apollon-Heiligtum von Delphi 17
Apollon-Heiligtum von Delos 17
Landschaften und Poleis in Griechenland 18/19
Makedonien (Siedlungsgeschichte) 19
Thermopylai 19
Polis-Staaten und Bundesorganisation in Böotien um 395 v. Chr. 19
West-Kleinasiatische Gau- und Tempelfürstentümer mit ihren Dörfern 19
Das Heiligtum von Eleusis (Attika) 20

Die griechische Welt im 4. Jahrhundert v. Chr. 20

Griechenland z. Z. des Epaminondas 20
Der Aufstieg Makedoniens 20

Stadtanlagen aus griechischer und hellenistischer Zeit

Akragas (Agrigent/Sizilien) 21
Emporion (Nordspanien) 21
Karthago 21
Cosa (Etrurien) 21
Taxila (Indien) 21
(Neu-)Milet 21

Die hellenistische Welt, Karthago und der Aufstieg Roms

Alexander der Große und die Hellenisierung des Perserreiches

Zug der 10 000 (401/400 v. Chr.) 22
Schlacht von Chaironeia (338 v. Chr.) 22
Das Alexanderreich 323 v. Chr. 22/23
Städtegründungen des Hellenismus 22/23
Hellenistische Königsburg Pergamon. 23

Völker und Staaten am westlichen Mittelmeer

Kelten und Frühgermanen 24
Griechische Kolonisation und griechischer Kultureinfluß am Tyrrhenischen und Ligurischen Meer 24
Das Kernland der Etrusker 25
Roms Weg zur Vorherrschaft in Italien: Einigung Italiens und ihre Bedrohung durch Hannibal 25
Sizilien und Unteritalien in der römischen Kaiserzeit . 25

Großmächte im 3. Jahrhundert v. Chr.

Die Mittelmeerwelt um 270 v. Chr. 26/27
Alexandria (Ägypten) 26
Der Kampf um das westliche Mittelmeer zwischen Rom und Karthago 26
Griechenland um 202 v. Chr. (am Vorabend des zweiten Makedonischen Krieges) 26/27
Vorderasien 188 v. Chr. (Friede von Apamea) 27
Schlacht bei Cannae (Apulien) 216 v. Chr. 28

Roms Aufstieg zur Weltherrschaft

Das Römische Reich im 2. Jahrhundert v. Chr. 28
Das Römische Reich zur Zeit Caesars und Octavians (bis 31 v. Chr.) 28
Karthago und Umgebung in römischer Zeit 28
Römisches Heerlager (Scipios Lager auf Castillejo vor Numantia (Spanien) 133 v. Chr. 29
Vorderasien um 90 v. Chr. 29
Vorderasien (Die Neuordnung des Pompeius 67—63 v. Chr.) 29
Gallien z. Z. Caesars 29
Belagerung und Schlacht von Alesia (52 v. Chr.) . . . 29
Ägypten unter den Ptolemäern 29

Das Reich der Römer

Italien als Kernland des Römerreiches

Das römische Italien 30/31
Latium (Rom und Umgebung) 31
Campanien (Neapel und Umgebung) 30

Römische Städte

Pompeji vor der Zerstörung 79 n. Chr. 32
Hafenstadt Ostia 32
Cambodunum (Kempten/Allgäu) 32
Xanten (Niederrhein) 32
Thamugadi (Timgad/Nordafrika) 32

Die Stadt Rom

Rom zur Zeit der Republik 32
Rom zur Kaiserzeit 33
Forum Romanum 33
Die Kaiserfora in Rom 33

Das Römerreich von Augustus bis Hadrian 34/35

Das Erdbild der Kaiserzeit (nach Claudius Ptolemaeus, um 150 n. Chr.) 34

Die Provinzen des Römerreiches

Nordafrika 34
Palästina zur Römerzeit 35
Jerusalem 35
Die Tempel in Heliopolis (Baalbek) 35
Gallien, Britannien und Germanien zur Römerzeit . . 36
Germanien und Rätien zur Römerzeit 37
Varusschlacht und Germanicuszüge 15/16 n. Chr. . . 37
Kohortenkastell Saalburg (um 210 n. Chr.) 37
Die Iberische Halbinsel zur Römerzeit 38
Die Provinzen zwischen Donau- und Euphratgrenze 38/39

Römische Grenzsicherung

Der Hadrianswall (Nordengland) 40
Römische Wegkontrolle, Grenzsperre und Flußsicherung in Germanien 40
Spätrömische Grenzwehr am Oberrhein (ab 360 n. Chr.) 40
Verulamium (St. Albans) und Umgebung 40
Augusta Treverorum (Trier) 40
Trier und Umgebung 40
Germanien (nach Tacitus „Germania") 41
Feldzüge des Germanicus (14—16 n. Chr.) 41
Römische Routenkarte um 400 n. Chr. (Peutingersche Tafel) 41
Grenzsicherung gegen die Beduinen 41

Auflösung und Neubau des Römischen Reiches in der Spätantike

Das Römische Reich unter den Soldatenkaisern (3. Jahrhundert n. Chr.) 42/43
Das Römische Reich nach der Neuordnung des Diocletian (284—305 n. Chr.) 42
Aventicum (Avanches/Schweiz) 43
Barcino (Barcelona/Spanien) 43
Vesunna (Périgueux/Frankreich) 43
Gerasa (Dscherasch/Jordanien) 43
Dura-Europos (Euphrat) 43
Palatium Diocletiani/Spalato 43

Rom und das Christentum

Orientalische Religionen im Römischen Reich 44
Die Ausbreitung des Christentums im Römischen Reich bis ins 5. Jahrhundert 44

Die geistigen Mittelpunkte der christlichen Welt

Das christliche Rom des Mittelalters (um 1550) 45

Roms Umgebung. Katakomben 45
Alt-St. Peter 45

Konstantinopel im Mittelalter 45

Hagia Sophia 45
Die Mönchsrepublik vom Heiligen Berge Athos . . . 45

Das frühe Mittelalter

Völkerwanderungen und Reichsbildungen in Asien

Asien um 174 v. Chr. 47
Asien 100 v. Chr. bis 100 n. Chr. 46/47
Asiatische Reiche des 4. bis 6. Jahrhunderts und der Ansturm der Barbaren 46/47
Ostasien im 8. Jahrhundert 47

Römerreich, Christentum und germanische Völkerwanderungen

Hunneneinbruch und Ostgermanenzüge (375—476) . . 48
Germanische Reichsbildungen in der Zeit Chlodwigs (482—511) und Theoderichs (493—526) 48
Europa und die Reichserneuerung Justinians (um 565) . 49
Frankreichs sprachliche Entwicklung unter germanischem Einfluß 49
Romanen und Germanen im Alpenraum (ca. 8. Jahrh.) 49

Slawenwanderung und Ausbreitung des Islam im 7. und 8. Jahrhundert 50/51

Die christliche Welt im Frühmittelalter

Die Ausbreitung des Christentums bis zur Kirchentrennung (1054) 52
Keltische Mönchskirche und römisches Christentum bis ins 8. Jahrhundert 52
Iren- und Angelsachsen-Mission um 590—768 52
Der Kirchenstaat vom 8.—13. Jahrhundert 53
Kirchenbau und Buchmalerei (ca. 750—950) 53
Benediktiner-Kloster (Nach dem St. Gallener Bauriß von ca. 820) 53

Das Reich Karls des Großen

Europa und das abendländische Kaisertum der Franken 54/55
Das fränkische Königtum 55
Die karolingischen Teilreiche seit 843 55
Kerngebiet des fränkischen Radenzgaues (um 1000) . 56
Gau Daleminze (Mark Meißen, um 1000) 56
Karolingische Sachsen-Mission seit 780 56
Slawen-Mission im 9. Jahrhundert 56
Grundbesitz und Einkünfte der Abtei Werden an Ruhr und Lippe und um Helmstedt im 12. Jahrhundert . . . 56

Verteidigung des Abendlandes (9.—10. Jahrh.)

Die Gegner des Abendlandes: Araber, Wikinger und Ungarn (9.—10. Jahrhundert) 57
Die Wikinger in England (um 900) 57
Island im Mittelalter 57

Das Reich und Europa im Mittelalter

Europa in der Zeit der Ottonen und Salier

Deutschland und Frankreich zur Zeit Ottos d. Gr. . 58/59
Die bairischen Ostmarken bis zum Ende des 9. Jahrh. 59
Die bairischen Ostmarken im 11. und 12. Jahrhundert 59
Die Pfalz Werla 59
Nordgermanische Staatenbildungen um 1000 60
Wikinger-Heerlager Trelleborg (um 1000) 60
Wikinger-Handelsplatz Haithabu (vom 9. Jahrhundert bis ca. 1066) 60
Landenge Eider—Schlei um 1000 61
Danewerk und Schleppstrecke Haithabu—Hollingstedt 61
Nordgermanen-Mission im 10. und 11. Jahrhundert . . 61
Slawen-Mission im 10. und 11. Jahrhundert bis zur Kirchenspaltung (1054) 61
Das Kiewer Reich im 10. und 11. Jahrhundert 61

Das deutsche Königtum

Das Reichsgut zur Zeit der Karolinger und Ottonen . 62
Reichs- und Hausgut der Staufer / Hausgut der Welfen und Wittelsbacher 62
Der „reisende" König: Otto I. (936—973) / Friedrich I. (1152—1190) 62
Herrschaftsbereich der Markgräfin Mathilde von Tuscien 63

Kreuzzüge und normannische Staatenbildungen am Mittelmeer

Italien vom 11. bis zur Mitte des 12. Jahrhunderts . . 63
Mittelmeerwelt und Vorderasien vor Beginn der Kreuzzüge (1096) 65
Staaten und Bekenntnisse im Mittelmeerraum nach den ersten Kreuzzügen (um 1120) 64/65
Der Zusammenbruch von Byzanz und die Kreuzzüge des 13. Jahrhunderts 64/65
Kreuzfahrerstaaten 65
Kreuzfahrerschloß Giblet (Donjontyp) 65
Crac des Chevaliers (Höhenburg) 65
Deutschordens-Schloß Marienburg 65

Europa zur Zeit der Hohenstaufen

Das Reich und Frankreich zur Zeit Kaiser Friedrichs I. Barbarossa (1152—90) 66
Europa zur Zeit Friedrichs II. (1212—50) 66
Romanische Baukunst im 11. und 12. Jahrhundert . . 67
Verbreitung der Kathedrale (Nordfranzösischer Typ der Königskirche) 67
Mongoleneinbrüche in das östliche Abendland im 13. Jahrhundert 67

Europa im 14. Jahrhundert: Die Zeit der Luxemburger und des Papsttums in Avignon

Mitteleuropa zur Zeit der Luxemburger (um 1380) . 68/69
Kreuzzüge im baltischen Raum und der Staat des Deutschen Ordens 68
Frankreich in der 2. Hälfte des 14. Jahrhunderts (100jähriger Krieg) und die Entstehung Burgunds . . . 68
Hausmachtpolitik in Mitteleuropa (1273—1347) 70
Anfänge des Osmanischen Reiches und Balkanraum um 1355 70
Vordringen der Türken in Europa 1355—1402 71
Der Aufstieg Litauens und seine Union mit Polen (1386) 71
Europa 1402 71

Asien zur Zeit der Mongolenherrschaft

Ostasien vom 10. bis 12. Jahrhundert 72
Türkische Staatenbildungen im Orient (11.—12. Jahrh.) 72
Dschingis-Chan 1155 (1167?)—1227 und die Mongolenreiche des 13. Jahrhunderts 72/73
Buddhismus und Hinduismus (um 1200) 72
Indien unter islamischer Herrschaft (1192—1398) . . . 73
Westasien zur Zeit Timurs (um 1400) 73

Recht, Wirtschaft und Kultur im Mittelalter

Siedlung und Recht

Mittelalterliche Ostsiedlung:
Bäuerliche deutsche Ostsiedlung 74
Deutsche und schwedische Siedlung im Baltikum um 1400 74
Dorfformen in Mitteleuropa 74

Stadtentstehung und Stadtrechte im Osten:
Deutsche und deutschrechtliche Städte im Osten . . . 75

Ländliche Siedlungsformen:
Drubbel / Weiler / Haufendorf / Rundling / Angerdorf / Marschhufendorf / Waldhufendorf / Gassendorf 76

Landausbau und Wüstung:
Besiedlung des Oberrheingebietes bis zum 12. Jahrh. 77
Kolonisation der Leipziger Bucht bis Ende des 12. Jahrh. 77
Siedlung im schlesischen Waldgebiet seit dem 13. Jahrh. 77
Siedlungsverluste in Thüringen bis Ende des 14. Jahrhunderts 77

Entwicklung der mittelalterlichen Stadt

Der Rheinische Bund von 1254 78
Stadtrecht und Städtewesen im Rheinmündungsgebiet 78
Venedig / Köln / Prag / Nowgorod 78
Aachen / Freiburg / Hildesheim / Brügge / Magdeburg / Lübeck / Krakau / Elbing 79

Territorien des Spätmittelalters

Kurfürstentum Trier 80
Die Eidgenossenschaft (um 1536) 80
Herrschaftsbereich der Reichsstadt Nürnberg um 1500 81
Schwäbischer Städtebund 81
Bund der Sassenstädte 81

Bevölkerung und Wirtschaft

Die Bevölkerung der mittelalterlichen Stadt:
Der Markt von Lübeck Anfang des 14. Jahrhunderts . 82
Markt (Ring) und Rathaus von Breslau um 1300 . . . 82
Bevölkerung der Stadt Hannover um 1435 82
Volkstumszugehörigkeit der Bevölkerung von Brünn im 13. Jahrhundert 82
Herkunft und Volkstum der Krakauer Neubürger im 15. Jahrhundert 82

Geldwesen und Messen:
Anfänge der Münzprägung in Deutschland 83
Der Wendische Münzverein vom 14.—16. Jahrhundert 83
Der Rappenmünzbund vom 14.—16. Jahrhundert . . . 83
Die Messen der Champagne und ihr Einzugsgebiet im 12.—14. Jahrhundert 83
Die Frankfurter Messen und ihr Einzugsgebiet im 14. und 15. Jahrhundert 83

Politik und Wirtschaft in Nordeuropa:
Die Hanse zur Zeit des Friedens von Stralsund (1370) 84
Die Hanse und ihre Gegner zur Zeit des Friedens von Utrecht (1474) 84

Wirtschaft und Politik in West- und Südeuropa:
Das Tuchmachergewerbe Nordwesteuropas 85
Westeuropas Handel im Spätmittelalter 85
Der Levantehandel und der Einbruch der Osmanen . 85

Bergbau und Kapital:
Deutsches Bergbau- und Hüttenwesen (bis 1800) . . . 86
Handel und Finanzwirtschaft des Frühkapitalismus . . 86

Die Kirche im Mittelalter

Das Mönchtum:
Cluny und die Klosterreformen im 10. und 11. Jahrh. 87
Ausbreitung des Zisterzienser-Ordens im 12. Jahrh. . . 87
Rheinische Zisterzienserklöster und ihre Tochterklöster im Osten 89

Kirchliche Organisation:
Kirchliche Einteilung Europas im 15. Jahrhundert . . 88/89
Die Bistümer Mitteleuropas 89

Kunst und Wissenschaft

Die Gotik in Westeuropa von 1250 bis zum 16. Jahrh. 90
Die Renaissance in Westeuropa im 16. und 17. Jahrh. . 90
Italiens Kunstprovinzen im 13. und 14. Jahrhundert . . 90
Die Renaissance in Italien 90
Deutsche Gotik von etwa 1250 bis ins 16. Jahrhundert . 91
Buchdruckerkunst und frühe Landkartenherstellung . . 91
Die europäischen Universitäten bis 1500 91
Die „Deutsche Nation" an der Universität Bologna im 13.—15. Jahrhundert 91
Die Studenten der Universität Wittenberg 1502/1522 . 91

Das Zeitalter der Entdeckungen und der Glaubenskämpfe

Europa im 15. Jahrhundert

Hussitenkriege (1420—36) 93
Frankreich in der 1. Hälfte des 15. Jahrhunderts (Die Wende des 100jährigen Krieges) 93
Europa 1476 . . . . 92/93
Italien 1226 bis ca. 1400 94
Italien nach dem Frieden von Lodi (1454) 94
Die burgundische Staatsbildung (1363—1477) 95

Deutschland im 16. Jahrhundert

Deutschlands Kreiseinteilung 1500/1512 97
Deutschland zur Zeit Karls V. (1547) 96/97
Küstenveränderungen im Mündungsgebiet von Rhein, Maas und Schelde 97

Asien 1400—1600

Asien im 15. und 16. Jahrhundert und die Handelsfahrten der Araber und Portugiesen 98/99
Peking 98
Kairo 98

Weltkarten

Das Weltbild der Araber (Weltkarte nach Idrisi, 1154) 99
Das christliche Weltbild des 13. Jahrhunderts (Schema der Londoner Psalterkarte, 13. Jahrhundert) 99
Das Weltbild zur Zeit des Kolumbus (Karte des Atlantik von Zorzi [?] um 1503) 99
Das Weltbild in der Mitte des 16. Jahrhunderts (Weltkarte des Benedetto Bordone, Venedig 1528) . . 99

Das alte Amerika

Mexiko zur Zeit der Entdeckung 100
Tempelbezirk von Uaxactún 100
Tempelbezirk von Teotihuacán 100
Tenochtitlán (Mexiko) 100
Die Entwicklung des Inkareiches 100

Europa und der Seeweg nach Indien

Der Islam in Afrika bis 1500 und die portugiesischen Entdeckungen 98
Entdeckungen und Reisen im 15. u. 16. Jahrh. . . 100/101
Entdeckungen und Eroberungen im Karibischen Raume 101
Entdeckungen in der Südsee im 17. u. 18. Jahrhundert 101

Europa im 16. Jahrhundert

Europa in der Zeit der spanischen Vormachtstellung (1580) 102/103

Mittelpunkte katholischen Geisteslebens:
El Escorial 103
Paris 103
Der Vatikan 103

Die Reformation und ihre Folgen:
Die Konfessionen Westeuropas (nach dem Dreißigjährigen Krieg) 104
Glaubensspaltung in Mitteleuropa (um 1580) 104
Die Lösung der Niederlande vom Reich (1586—1648) . 104
Säkularisierung und Auflösung des Ordensstaates . . 104
Gegenreformation und Ansiedlung Glaubensvertriebener (1525—1732) 105

Osteuropa

Der Aufstieg des Moskauer Zarentums. Rußland 1462—1667 105
Das russische Vordringen in Asien im 17. Jahrhundert . 105
Moskau im 17. Jahrhundert 105

Das Zeitalter des Absolutismus

Europa im 17. Jahrhundert

Mitteleuropa nach dem Dreißigjährigen Kriege (1660):
Westfälischer Frieden 1648, Pyrenäenfrieden 1659, Machtverfall des Reiches und Aufstieg Frankreichs und Schwedens 106/107
Bevölkerungsverluste durch Krieg und Seuchen im Reich 1618—1648 107
Volkstumsverschiebungen und Neusiedlung im 15.—17. Jahrhundert 107

Baukunst der Barockzeit:
Baukunst des 17. Jahrhunderts (um 1580 bis um 1680) . 108
Baukunst des 18. Jahrhunderts (um 1680 bis um 1780) . 108

Europäische Großstädte im 17. und 18. Jahrhundert:
London 109
Amsterdam 109
St. Petersburg 109
Paris 109
Wien 109

Die Seemächte
Die westeuropäischen Großmächte im 17. Jahrhundert . 110
Kolonisation im atlantischen und indischen Raum im 17. Jahrhundert:
Der atlantische Raum um 1700 111
Der indische Raum im 17. Jahrhundert 111

Osteuropa
Die Türkengefahr:
Der Aufstieg des Osmanischen Reiches (1453—1683) . . 112
Die abendländische Rückgewinnung des Donauraums durch Habsburg im 18. Jahrhundert 112
Schwedens Ostseeherrschaft und Polens Abwehrkampf im Osten von der Lubliner Union (1569) bis zum Frieden von Nystad (1721) 113

Frankreich im Kampf um die Vormachtstellung und seine Gegner
Frankreichs Nordostgrenze vom 16. Jahrhundert bis 1795 114
Die Großmächte Habsburg und Preußen (1525—1795) . 115
Die Welt zur Zeit des Pariser Friedens 1763 (Englands Sieg und das Ende der französischen Kolonialmacht) 115

Europa in der 2. Hälfte des 18. Jahrhunderts
England, das europäische Gleichgewicht, Preußens Aufstieg und die Teilungen Polens 116/117
Der Siebenjährige Krieg (1756—1763) 117
Das Ende des französischen Kolonialreiches in Amerika 1763 117

Der Zerfall des Großmogulreiches und die Festsetzung Englands in Indien in der 2. Hälfte des 18. Jahrhunderts 117

Amerika als kolonialer Siedlungs- und Wirtschaftsraum
Die ibero-amerikanischen Kolonialreiche 118
Neuengland-Kolonien und die USA als Siedlungsraum bis 1800 118
Ansiedlung in Pennsylvanien um 1700 118

Die russische Großmacht
Rußlands Aufstieg von 1689 bis 1812 119

Staatsmacht und Siedlungspolitik des Absolutismus
Französischer und deutscher Absolutismus:
Die Festungen Straßburg und Neu-Breisach 120
Schloß Versailles 120
Stadt und Residenz Dresden 120
Barocke Kulturdichte und Kleinstaaterei in Schwaben (1789) 120
Besitz und deutsche Siedlung im Osten (18./19. Jahrh.):
Grundbesitzverhältnisse in der Neumark um 1720 . . 121
Grundbesitzverhältnisse im nördlichen Ostpreußen um 1720 121
Friderizianische Kolonisation im Oderbruch 121
Preußische Siedlung in Schlesien 121
Habsburger Siedlung im Banat 121
Lodz. Die Anfänge einer Industriestadt 121
Deutschland und Frankreich am Ende des 18. Jahrhunderts:
Die Territorien des Reiches 1789 . . . . 122/123
Die französischen Gouvernements vor 1789 123
Die französischen Départements nach 1789 123

Das 19. Jahrhundert

Europa, die Französische Revolution und das Kaiserreich Napoleons I.
Italiens Neuordnung durch die Französische Republik . 124
Die französische Neuordnung Mitteleuropas bis zum Frieden von Tilsit (1807) 124
Zivilrechts-Kodifikationen im 19. Jahrhundert 124
Europa unter französischer Vorherrschaft (1812) . . . 125
Weltpolitische Folgen des französischen Zusammenbruchs 125

Restauration, Revolution und Nationalismus
Europa 1815. Die Friedensordnung des Wiener Kongresses 126/127
Nordwestdeutschlands Territorien 1806 127
Der Herbstfeldzug 1813 gegen Napoleon 127
Belgiens Entstehung (1831) 127
Süddeutschlands Neuordnung 1789—1815 128
Revolutionen und Verfassungen im 19. Jahrhundert in Europa:
Restauration und Revolution bis 1847 128
Verfassungen im Deutschen Bund 1814—1847 128
Revolution und Reaktion 1848—1851 128
Verfassungswandlungen 1851—1914 128
Deutschlands Einigung:
Der Deutsche Zollverein 129
Entwicklung zum Bismarckreich 129
Europäische Großmachtpolitik um den Mittelmeerraum im 19. Jahrhundert (bis 1882):
Nationalismus in Italien und auf der Balkanhalbinsel, das Erlahmen der Türkei und der Imperialismus der Großmächte 130/131
Oberitaliens Einigung 1859—1866 130
Die Schweiz vor 1848:
Ihre Entwicklung vom Staatenbund zum Bundesstaat . 130

Die überseeischen Kontinente im 19. Jahrhundert
Afrika seit der Mitte des 19. Jahrhunderts
Die Aufteilung Afrikas von der 2. Hälfte des 19. Jahrhunderts bis 1914 132
Die Entdeckung Innerafrikas im 19. Jahrhundert . . . 132
Bevölkerungsdichte, Völker, Rassen Afrikas und die Verbreitung des Islams 132
Bodennutzung und Bodenschätze Afrikas 132
Amerikas Staaten im 19. und 20. Jahrhundert:
Die staatliche Entwicklung Nord- und Mittelamerikas seit 1800 133
Die staatliche Entwicklung Südamerikas seit den Unabhängigkeitskriegen 133
Die Erschließung Nordamerikas durch Siedlung und Verkehr 133
Asien und der pazifische Raum
Kaukasien und Vorderasien:
Rußlands Vordringen in Kaukasien 1783—1921 134
Vorderasien vom Ende des 18. Jahrhunderts bis 1918 . 134
Indien und Java:
Indiens politische Entwicklung von der Mitte des 18. Jahrhunderts bis 1918 135
Javas politische Entwicklung seit dem 16. Jahrhundert . 135
Ostasien vom 19. Jahrhundert bis zum 2. Weltkrieg:
Chinas Zerfall vom 19. Jahrhundert bis zum 2. Weltkriege 136
Hinterindien vom 19. Jahrh. bis zum 2. Weltkriege . . 136
Bevölkerung und Wirtschaft Ostasiens um 1935 . . . 136
Der pazifische Raum vom 19. Jahrhundert bis 1941:
Interessensphären und politische Spannungen der Großmächte im Pazifik vom 19. Jahrhundert bis 1941 . 137
Bevölkerung und Wirtschaft Australiens und Neuseelands 137
Religionen in Süd- und Ostasien 137

Probleme imperialistischer Kolonialpolitik
Das Britische Empire um 1900 . . . . 138/139
Von der Kapkolonie (1652) zur Südafrikanischen Union (1910) 138
Das Streben nach dem Sudan (um 1898) 138
Der Suez-Kanal 139
Die Malaienhalbinsel unter britischer Herrschaft bis 1910 139
Der Russisch-Japanische Krieg 1904/05 139

Wirtschaft und Bevölkerung
Agrarreform und Siedlung:
Flurbereinigung im 19. Jahrhundert 140
Neugründung im 18. Jahrhundert 140
Fehnkolonien im Moorgebiet seit 1630 140
Volkstumsmischung und Kolonisation in Bessarabien seit 1812 140
Erschließung der Pußta 140
Das Wachstum der Bevölkerung Mitteleuropas:
Bevölkerungsdichte Mitteleuropas um 1870 und 1930 . 141
Geburtenhäufigkeit um 1900 und um 1930 im deutsch-slawischen Grenzgebiet 141
Industrieentwicklung seit 1800:
Kohlengruben um Newcastle um 1645, 1830 und 1930 . 142
Das Rheinisch-Westfälische Industriegebiet um 1840 und um 1950 142
Siedlungsentwicklung:
Stadtentwicklung von Berlin 1230 bis 1950 143
Entwicklung d. Hafenstadt Antwerpen von 1700 bis 1950 143
San Francisco von seiner Gründung 1848 bis 1906 . . 143
San Francisco und Umgebung um 1950 143
Währungen, Bevölkerungsfragen, Farbigen-Probleme:
Die Weltbedeutung des Talers — Dollars 144
Einwanderung und Bevölkerung der USA:
Einwanderung von 1831 bis 1910 144
Wachstum der Bevölkerung seit 1776 und Dichte 1960 . 144
Indianer-Reservationen und Verbreitung der Neger in den USA von 1875 bis 1930 144
Rassenprobleme in Südafrika 144

Das Zeitalter der Weltpolitik und der Weltkriege

Bismarckreich und Europa
Katholische Kirche, Nationale Minderheiten und Partikularisten im Deutschen Reich 145
Die Anfänge der Sozialdemokratischen Partei 145
Bismarcks Bündnissystem (1887) 145
Bündnissysteme in Europa (1912) 145
Die Großmächte im Balkanraum (1877/78) 145
Die Balkankriege 1912/13 und die Aufteilung der europäischen Türkei 145

Imperialismus und Völkerrecht
Die koloniale Aufteilung Afrikas bis 1914 146
Genfer Konvention und Haager Abkommen bis zum 1. Weltkrieg 146
Europa vor dem 1. Weltkrieg (1914) 147

Der 1. Weltkrieg 1914—1918
Europäische Kriegsschauplätze 148
Die Westfront 148
Türkischer Kriegsschauplatz 148
Der Friede von Brest-Litowsk (3. März 1918) 149
Die Welt im Herbst 1918 149

Die Folgen des 1. Weltkrieges
Der bolschewistische Umsturz. Gegenrevolution und Intervention in Rußland 1917—1921 149
Sibirische Intervention u. Beginn d. chines. Bürgerkrieges 149
Europa nach dem 1. Weltkrieg (1918—1937) . . . 150/151
Nationalitäten im zwischeneuropäischen Grenzraum . 151
Das Deutsche Reich z. Z. der Weimarer Rep. (1918—33) 152
Bevölkerungsverluste durch den 1. Weltkrieg 1914—1918 152
Der Völkerbund (1920—1937) 152
Genfer Konvention und Haager Abkommen seit 1919 . 152
Wahl zur Deutschen Nationalversammlung 19. 1. 1919 . 153
Feinde der Weimarer Republik 153
Sicherungsbündnisse in Europa nach 1920 153
Regierungsformen in Europa nach 1925 153
Vertreibung von Minderheiten nach dem 1. Weltkriege . 153
Der Vordere Orient nach 1918 153

Von der Demokratie zur Diktatur
Wahl zum Deutschen Reichstag 20. 5. 1928 154
Wahl zum Deutschen Reichstag 6. 11. 1932 154
Italienischer Überfall auf Äthiopien 1934—1936 154
Japanische Expansion in der Mandschurei 1932—1934 . 154
Bürgerkrieg in Spanien 1936—1939 154
Europa bei Ausbruch des 2. Weltkrieges (1939) 154

Der NS-Staat
Das „Großdeutsche Reich" u. die NSDAP 1933—1944 . 155
Das „Großdeutsche Reich" und Europa 1938—1944 . . 155

Der 2. Weltkrieg 1939—1945
Europa im 2. Weltkrieg 1939—1945:
Kriegshandlungen von 1939 bis Frühjahr 1944 . . 156/157
Das Eingreifen der USA 1941 157
Von der Invasion zur Kapitulation 1944—1945 157
Der 2. Weltkrieg im Pazifik:
Japans Offensive 1941/42 158
Die Gegenoffensive der Alliierten 1943—1945 158
Ostasien 1945 158
Rußlands Aufstieg zur kommunistischen Weltmacht:
Das Russische Reich um 1900 / Die Sowjetunion um 1960 . 159

Die Folgen des 2. Weltkrieges
1939—1944: Folgen des deutsch-sowjetischen Paktes von 1939 und der NS-Rassengesetzgebung (Umsiedlung, Vertreibung, Vernichtung) 160
1945—1950: Folgen des deutschen Zusammenbruches (Vertreibung, Umsiedlung) 160
Mitteleuropa nach dem 2. Weltkriege 1945—1949 . . . 160
Die finnische Ostgrenze 160
Bevölkerungsverluste durch den 2. Weltkrieg 161

Die Welt der Gegenwart

Das „geteilte" Deutschland
Deutschland nach 1949 161
Der „Eiserne Vorhang" 161
Die „Insel" Berlin und ihre Verbindung zur Bundesrepublik 161
Die „geteilte" Stadt Berlin 161
Die Katholische Kirche in Deutschland nach 1945 . . . 161
Die Evangelische Kirche in Deutschland nach 1945 . . 161

Das Streben nach Unabhängigkeit
Der Kommunismus in China 1934—1950 162
Neue Staaten in Asien nach 1945 162
Afrikas Weg in die Unabhängigkeit 162
Israel 162

Grenz- und Wirtschaftsprobleme junger Staaten
Grenzprobleme neuer Staaten in Südasien und Austausch religiöser Minderheiten 163
Erdölwirtschaft 163

Die Welt der Gegenwart
Die Staaten der Erde 164/165
Vereinte Nationen (United Nations = UN) 164/165
Wirtschaftliche Zusammenschlüsse 166
Nordpolargebiet 166
Südpolargebiet 166
Politische Zusammenschlüsse 167
Militärische Bündnisse 167
Religionen 167
Industrieländer / Entwicklungsländer (Dritte Welt)
Bruttosozialprodukt 168
Ernährung / Bevölkerungswachstum 168
Bruttosozialprodukt und Bevölkerung 169
Explosionsartiger Anstieg der Weltbevölkerung bis zum Jahre 2000 169
Entwicklungshilfe 169
Arme und reiche Länder 170
Analphabeten 170
Lebenserwartung / Ärztliche Versorgung 170

Anfänge menschlicher Kultur in der Altsteinzeit

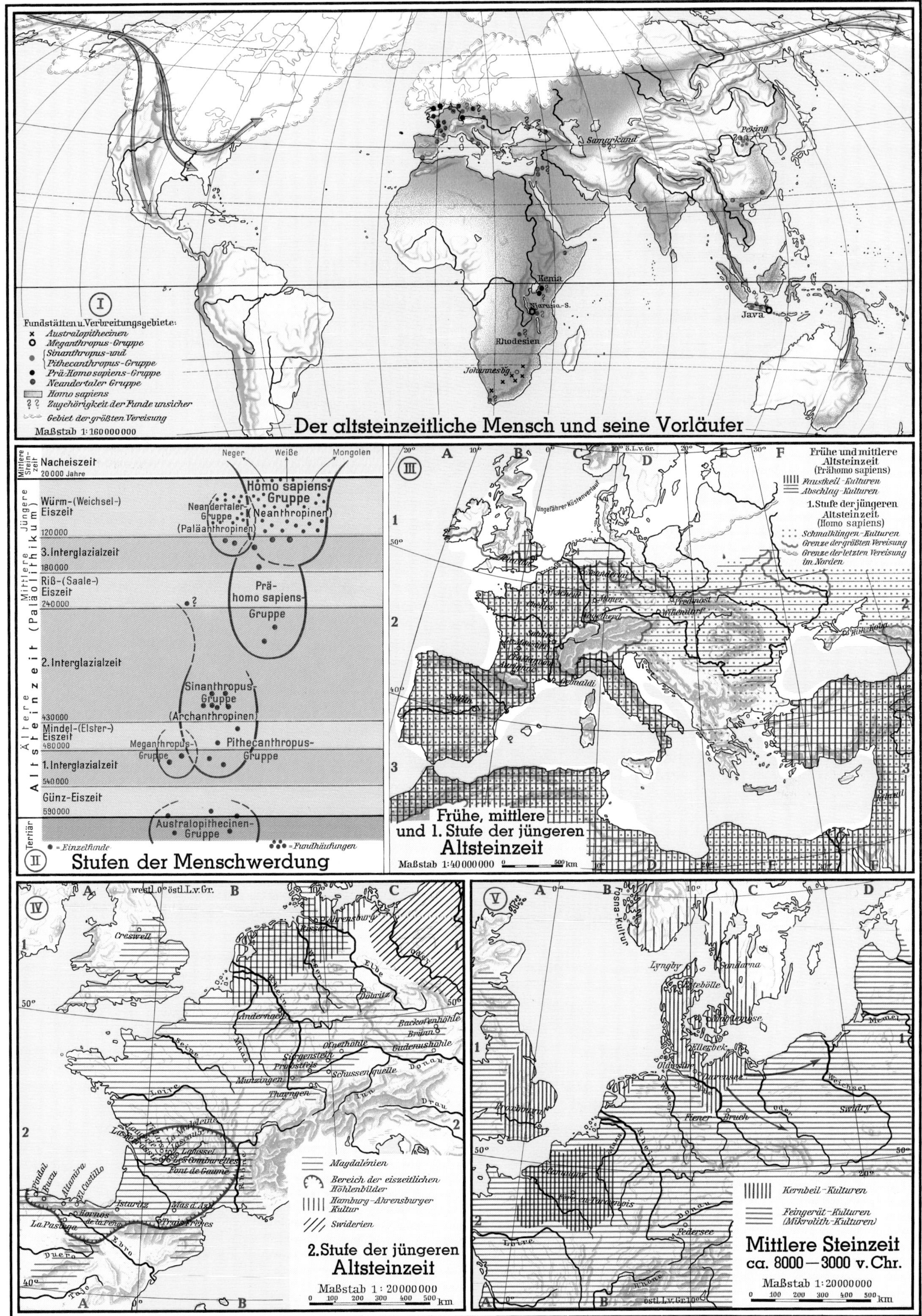

Kulturen der Jungsteinzeit

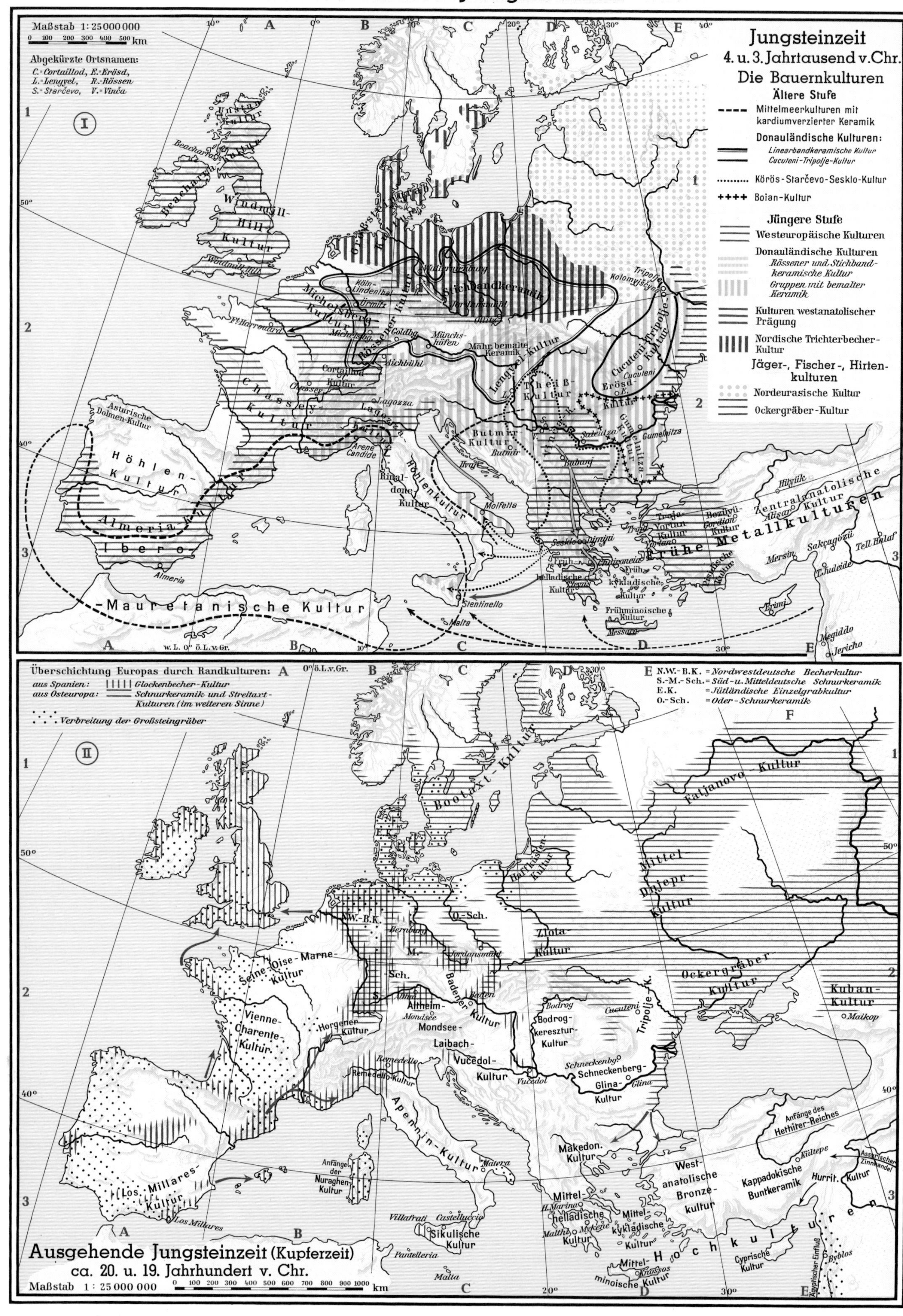

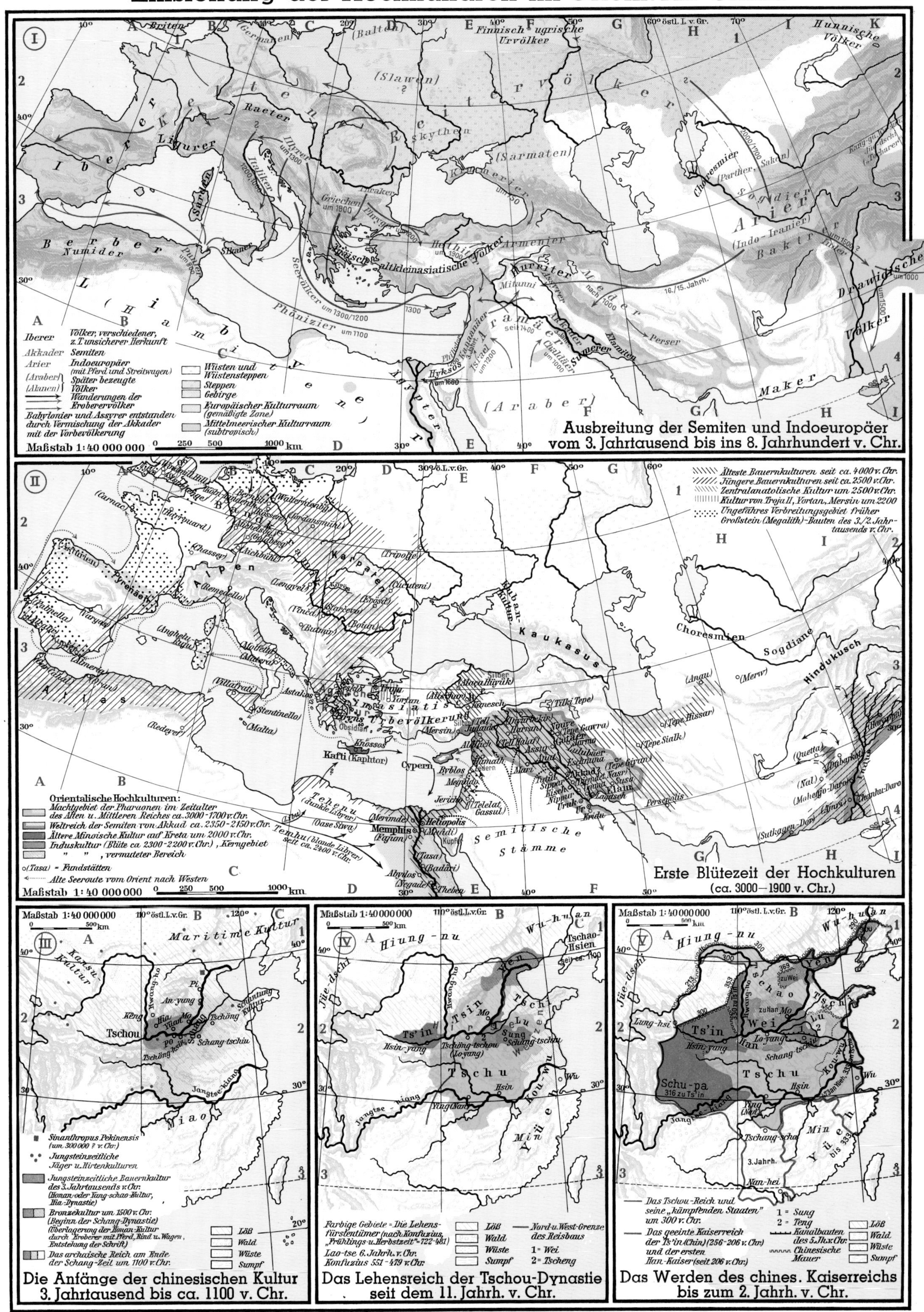

I
Ausbreitung der Semiten und Indoeuropäer vom 3. Jahrtausend bis ins 8. Jahrhundert v. Chr.
Iberer – Völker, verschiedener, z. T. unsicherer Herkunft
Akkader – Semiten
Arier – Indoeuropäer (mit Pferd und Streitwagen)
(Araber) (Alanen) – Später bezeugte Völker
Wanderungen der Erobervölker
Babylonier und Assyrer entstanden durch Vermischung der Akkader mit der Vorbevölkerung
Wüsten und Wüstensteppen
Steppen
Gebirge
Europäischer Kulturraum (gemäßigte Zone)
Mittelmeerischer Kulturraum (subtropisch)
Maßstab 1: 40 000 000
0 250 500 1000 km
II
Erste Blütezeit der Hochkulturen (ca. 3000–1900 v. Chr.)
Älteste Bauernkulturen seit ca. 4000 v. Chr.
Jüngere Bauernkulturen seit ca. 2500 v. Chr.
Zentralanatolische Kultur um 2500 v. Chr.
Kultur von Troja II, Yortan, Mersin um 2200
Ungefähres Verbreitungsgebiet früher Großstein (Megalith)-Bauten des 3./2. Jahrtausends v. Chr.
Orientalische Hochkulturen:
Machtgebiet der Pharaonen im Zeitalter des Alten u. Mittleren Reiches ca. 3000–1700 v. Chr.
Weltreich der Semiten von Akkad ca. 2350–2150 v. Chr.
Ältere Minoische Kultur auf Kreta um 2000 v. Chr.
Induskultur (Blüte ca 2300–2200 v. Chr.), Kerngebiet
" " , vermuteter Bereich
o (Tasa) = Fundstätten
Alte Seeroute vom Orient nach Westen
Maßstab 1: 40 000 000
0 250 500 1000 km
III
Die Anfänge der chinesischen Kultur 3. Jahrtausend bis ca. 1100 v. Chr.
Sinanthropus Pekinensis (um 300 000 ? v. Chr.)
Jungsteinzeitliche Jäger u. Hirtenkulturen
Jungsteinzeitliche Bauernkultur des 3. Jahrtausends v. Chr. (Honan- oder Yang-schao-Kultur, Hia-Dynastie)
Bronzekultur um 1500 v. Chr. (Beginn der Schang-Dynastie) (Überlagerung der Honan-Kultur durch Eroberer mit Pferd, Rind u. Wagen, Entstehung der Schrift)
Das archaische Reich am Ende der Schang-Zeit um 1100 v. Chr.
Löß
Wald
Wüste
Sumpf
Maßstab 1: 40 000 000
IV
Das Lehensreich der Tschou-Dynastie seit dem 11. Jahrh. v. Chr.
Farbige Gebiete = Die Lehensfürstentümer (nach Konfuzius, „Frühlings- u. Herbstzeit" = 722–481)
Lao-tse 6. Jahrh. v. Chr.
Konfuzius 551–479 v. Chr.
Löß
Wald
Wüste
Sumpf
Nord- u. West-Grenze des Reisbaus
1 = Wei
2 = Tscheng
Maßstab 1: 40 000 000
V
Das Werden des chines. Kaiserreichs bis zum 2. Jahrh. v. Chr.
Das Tschou-Reich und seine „kämpfenden Staaten" um 300 v. Chr.
Das geeinte Kaiserreich der Ts'in (Chin) (256–206 v. Chr.) und der ersten Han-Kaiser (seit 206 v. Chr.)
1 = Sung
2 = Teng
Kanalbauten des 5. Jh. v. Chr.
Chinesische Mauer
Löß
Wald
Wüste
Sumpf
Maßstab 1: 40 000 000

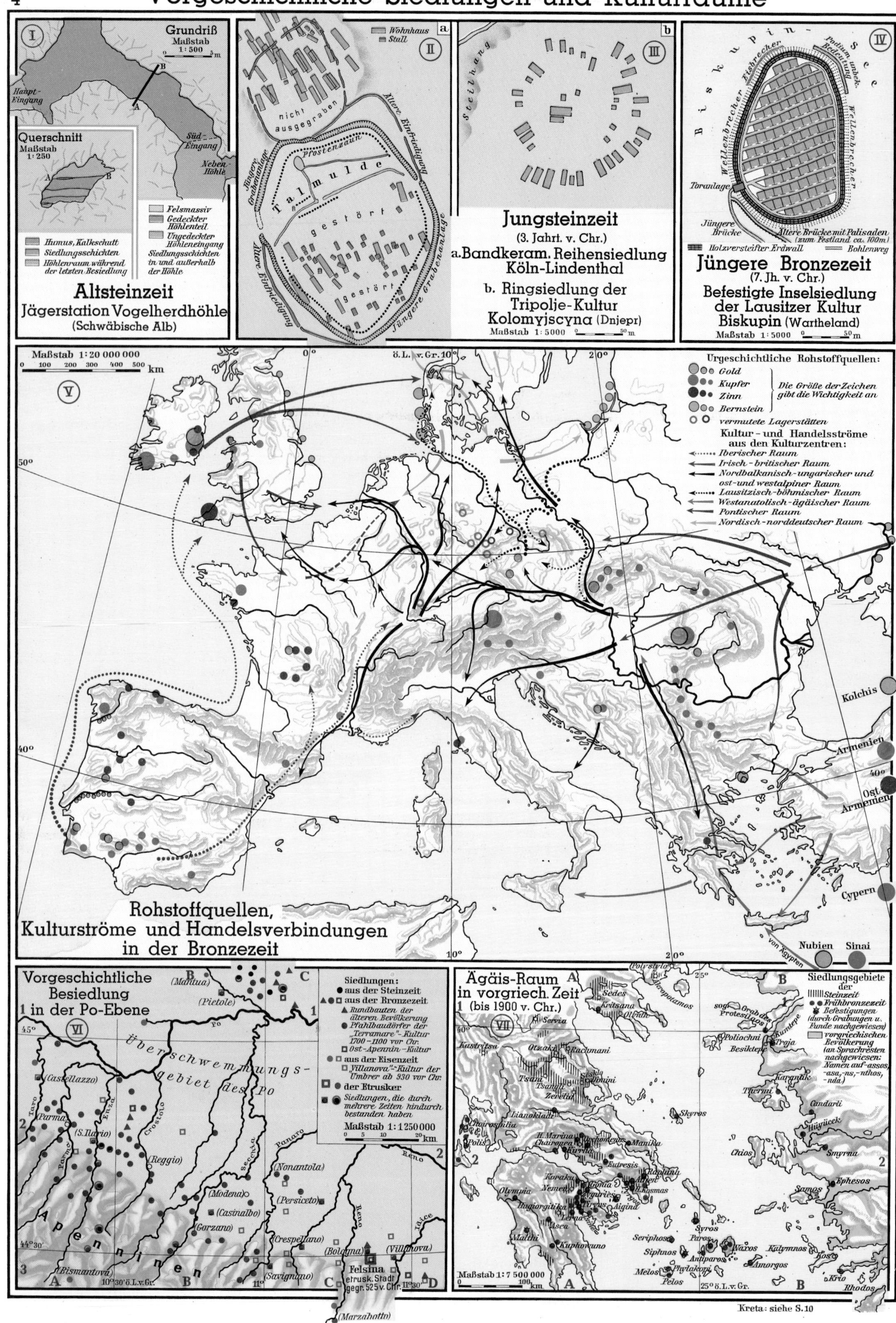

Kreta: siehe S. 10

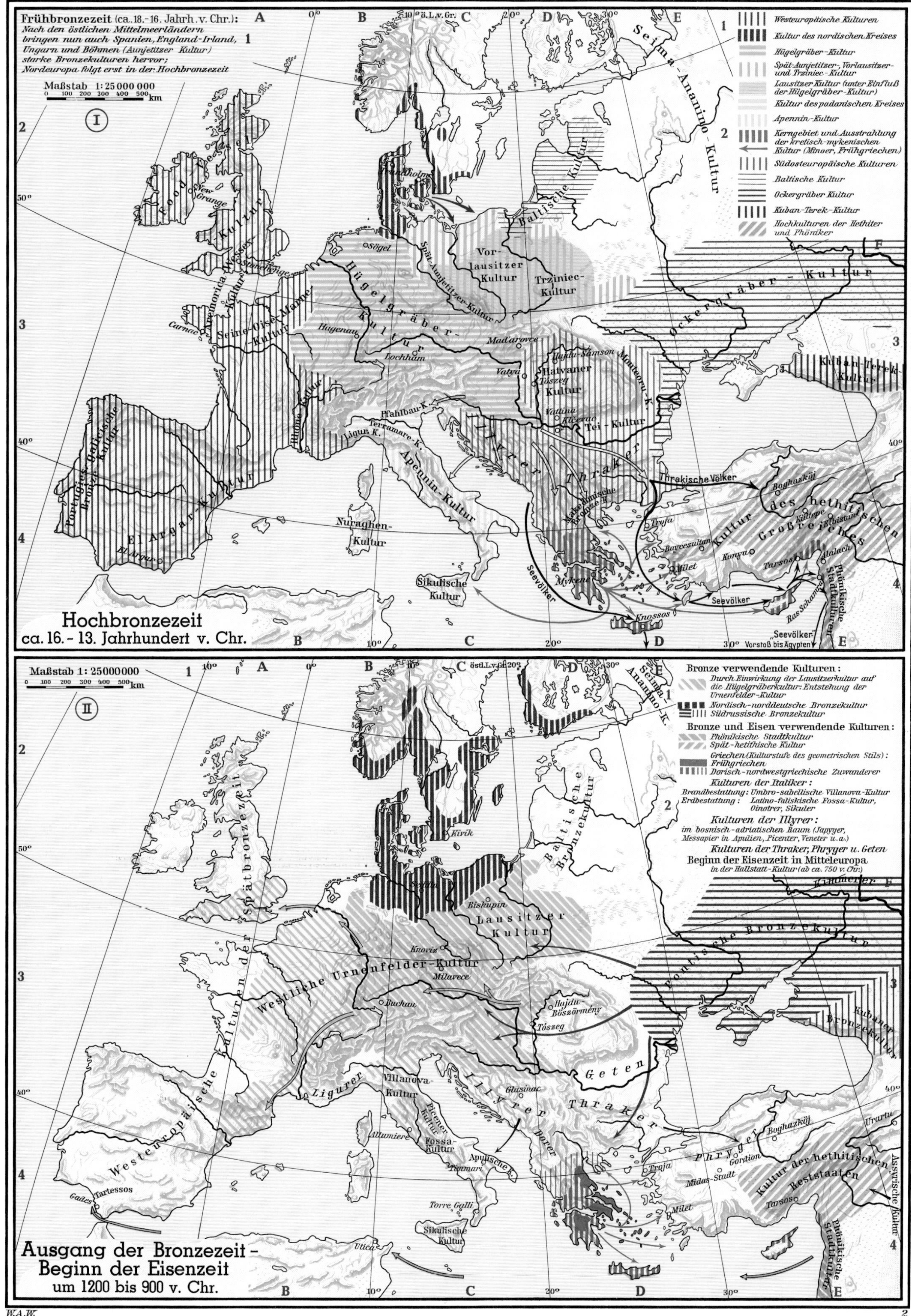

Frühbronzezeit (ca. 18.-16. Jahrh. v. Chr.):
Nach den östlichen Mittelmeerländern bringen nun auch Spanien, England-Irland, Ungarn und Böhmen (Aunjetitzer Kultur) starke Bronzekulturen hervor; Nordeuropa folgt erst in der Hochbronzezeit
Maßstab 1:25 000 000
0 100 200 300 400 500 km
I
Westeuropäische Kulturen
Kultur des nordischen Kreises
Hügelgräber-Kultur
Spät-Aunjetitzer-, Vorlausitzer- und Trziniec-Kultur
Lausitzer Kultur (unter Einfluß der Hügelgräber-Kultur)
Kultur des padanischen Kreises
Apennin-Kultur
Kerngebiet und Ausstrahlung der kretisch-mykenischen Kultur (Minoer, Frühgriechen)
Südosteuropäische Kulturen
Baltische Kultur
Ockergräber Kultur
Kuban-Terek-Kultur
Hochkulturen der Hethiter und Phöniker
Seima-Ananino-Kultur
Baltische Kultur
Vor-lausitzer Kultur
Trziniec-Kultur
Hügelgräber-Kultur
Spät-Aunjetitzer-Kultur
Ockergräber-Kultur
Kuban-Terek-Kultur
Food Vessel
New Grange
Wessex-Kultur
Stonehenge
Armorica
Seine-Oise-Marne-Kultur
Carnac
Hagenau
Lochham
Sögel
Madarovce
Hatvaner Kultur
Tószeg
Vatya
Hajdu-Samson
Monteoru-K.
Tei-Kultur
Pfahlbau-K.
Terramare-K.
Ligur. K.
Rhône-Kultur
Portugiesische Bronze-Kultur
Galicische Kultur
El Argar-Kultur
El Argar
Nuraghen-Kultur
Apennin-Kultur
Illyrer
Thraker
Thrakische Völker
Makedonische Bronze-K.
Sikulische Kultur
Seevölker
Mykene
Knossos
Troja
Beycesultan
Milet
Konya
Boghazköj
Kültepe
Tarsos
Alalach
Ras Schamra
Kultur des hethitischen Großreiches
Phönikische Stadtkulturen
„Seevölker" Vorstoß bis Ägypten
Hochbronzezeit
ca. 16.-13. Jahrhundert v. Chr.
Maßstab 1:25000000
0 100 200 300 400 500 km
II
Bronze verwendende Kulturen:
Durch Einwirkung der Lausitzerkultur auf die Hügelgräberkultur: Entstehung der Urnenfelder-Kultur
Nordisch-norddeutsche Bronzekultur
Südrussische Bronzekultur
Bronze und Eisen verwendende Kulturen:
Phönikische Stadtkultur
Spät-hethitische Kultur
Griechen (Kulturstufe des geometrischen Stils): Frühgriechen
Dorisch-nordwestgriechische Zuwanderer
Kulturen der Italiker:
Brandbestattung: Umbro-sabellische Villanova-Kultur
Erdbestattung: Latino-faliskische Fossa-Kultur, Oinotrer, Sikuler
Kulturen der Illyrer:
im bosnisch-adriatischen Raum (Japyger, Messapier in Apulien, Picenter, Veneter u.a.)
Kulturen der Thraker, Phryger u. Geten
Beginn der Eisenzeit in Mitteleuropa in der Hallstatt-Kultur (ab ca. 750 v. Chr.)
Seima-Ananino-K.
Baltische Bronzekultur
Kirik
Seddin
Biskupin
Lausitzer Kultur
Knoviz
Milavece
Westliche Urnenfelder-Kultur
Buchau
Westeuropäische Kulturen der Spätbronzezeit
Hajdu-Böszörmény
Tószeg
Pontische Bronzekultur
Kimmerier
Kubaner Bronzekultur
Geten
Thraker
Illyrer
Glasinac
Ligurer
Villanova-Kultur
Picener Kultur
Allumiere
Fossa-Kultur
Apulische K.
Timmari
Torre Galli
Sikulische Kultur
Dorer
Phryger
Gordion
Midas-Stadt
Troja
Milet
Boghazköj
Urartu
Kultur der hethitischen Reststaaten
Tarsos
Assyrische Kultur
Phönikische Stadtkultur
Gades
Tartessos
Utica
Ausgang der Bronzezeit - Beginn der Eisenzeit
um 1200 bis 900 v. Chr.

Ägypten und Mesopotamien

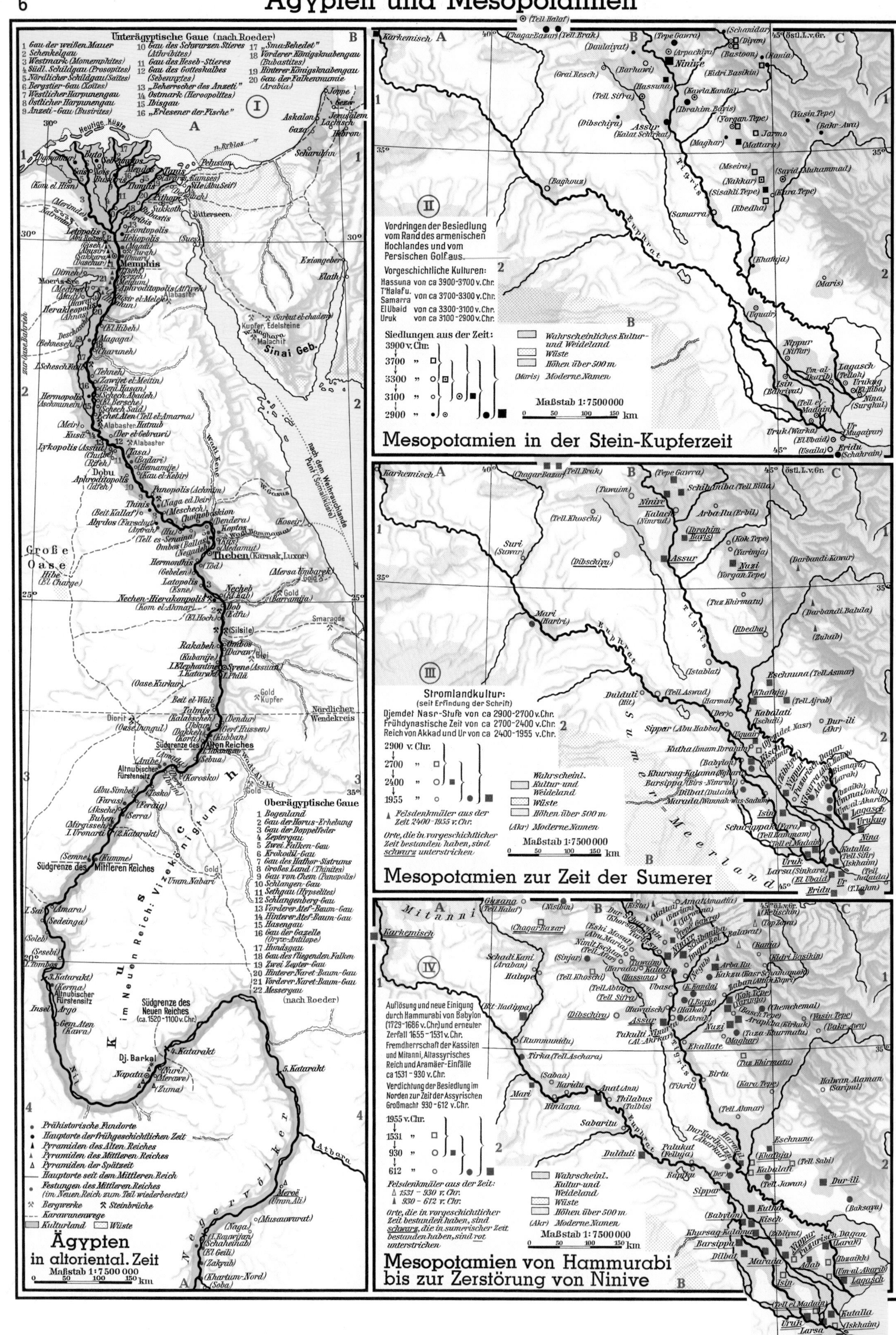

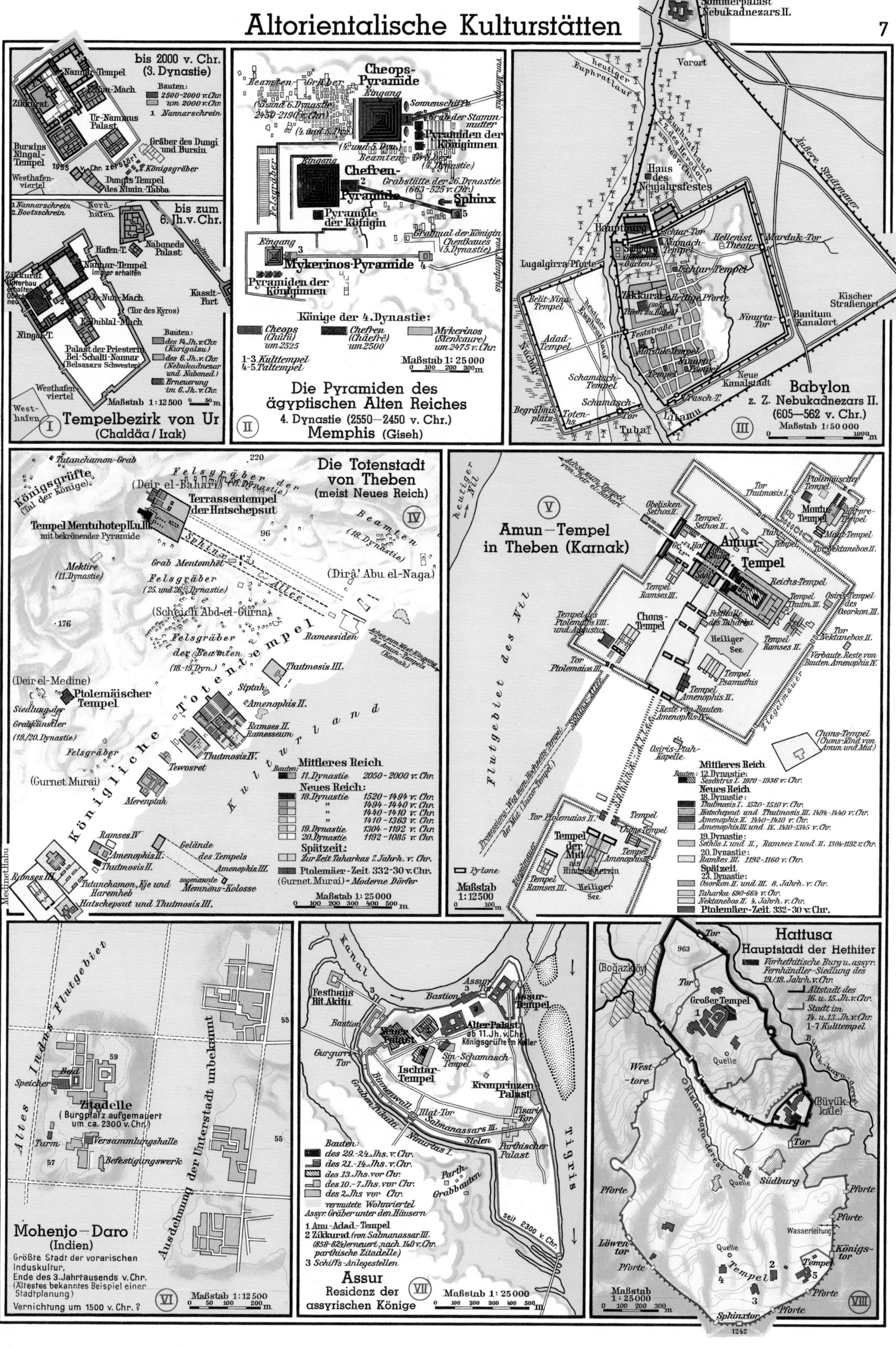

Tempelbezirk von Ur (Chaldäa / Irak)
bis 2000 v. Chr. (3. Dynastie)
bis zum 6. Jh. v. Chr.
Maßstab 1:12 500
Die Pyramiden des ägyptischen Alten Reiches
4. Dynastie (2550–2450 v. Chr.)
Memphis (Giseh)
Cheops-Pyramide
Chefren-Pyramide
Mykerinos-Pyramide
Sphinx
Könige der 4. Dynastie:
Cheops (Chufu) um 2525
Chefren (Chaefrê) um 2500
Mykerinos (Menkaure) um 2475 v. Chr.
1-3 Kulttempel
4-5 Taltempel
Maßstab 1: 25 000
Babylon
z. Z. Nebukadnezars II. (605—562 v. Chr.)
Maßstab 1: 50 000
Sommerpalast Nebukadnezars II.
Die Totenstadt von Theben (meist Neues Reich)
Maßstab 1: 25 000
Amun-Tempel in Theben (Karnak)
Maßstab 1:12 500
Mohenjo-Daro (Indien)
Größte Stadt der vorarischen Induskultur, Ende des 3. Jahrtausends v. Chr.
(Ältestes bekanntes Beispiel einer Stadtplanung)
Vernichtung um 1500 v. Chr.?
Maßstab 1:12 500
Assur
Residenz der assyrischen Könige
Maßstab 1: 25 000
Hattusa
Hauptstadt der Hethiter
Maßstab 1: 25 000

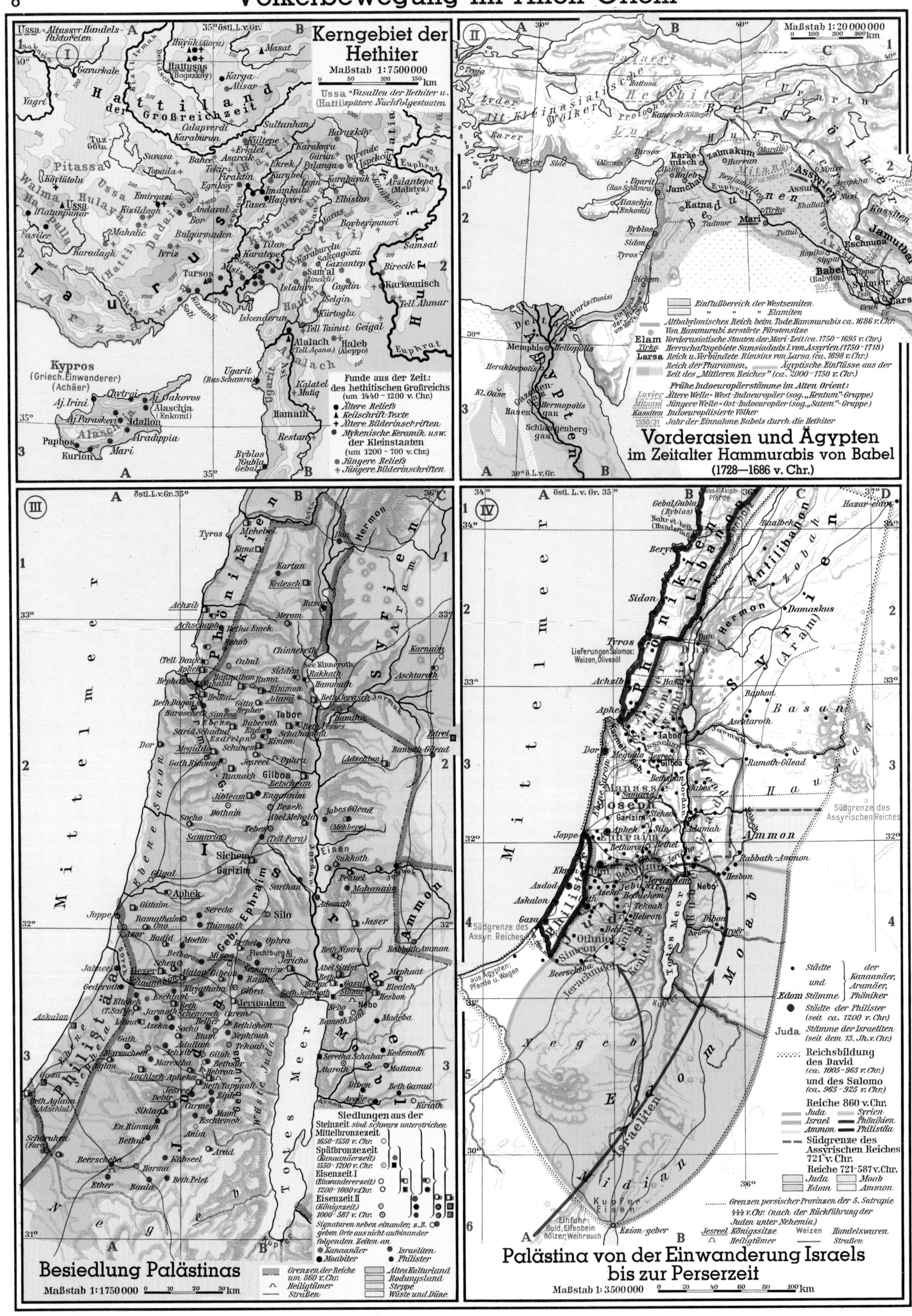
Kerngebiet der Hethiter
Maßstab 1:7500000
Ussa = Vasallen der Hethiter u.
(Hatti) spätere Nachfolgestaaten
Ussa = Altassyr. Handelsfaktoreien
Hattiland der Großreichzeit
Kypros (Griech. Einwanderer) (Achäer)
Funde aus der Zeit: des hethitischen Großreichs (um 1440 - 1200 v. Chr.)
Ältere Reliefs
Keilschrift-Texte
Ältere Bilderinschriften
Mykenische Keramik usw. der Kleinstaaten (um 1200 - 700 v. Chr.)
Jüngere Reliefs
Jüngere Bilderinschriften
Maßstab 1: 20000000
Einflußbereich der Westsemiten
" " " Elamiten
Altbabylonisches Reich beim Tode Hammurabis ca. 1686 v. Chr.
Von Hammurabi zerstörte Fürstensitze
Elam Vorderasiatische Staaten der Mari-Zeit (ca. 1750 - 1695 v. Chr.)
Tirka Herrschaftsgebiete Samsiadads I. von Assyrien (1750 - 1718)
Larsa Reich u. Verbündete Rimsins von Larsa (ca. 1698 v. Chr.)
Reich der Pharaonen, Ägyptische Einflüsse aus der Zeit des „Mittleren Reiches" (ca. 2000 - 1750 v. Chr.)
Frühe Indoeuropäerstämme im Alten Orient:
Luvier Ältere Welle = West-Indoeuropäer (sog. „Kentum"-Gruppe)
Mitanni Jüngere Welle = Ost-Indoeuropäer (sog. „Satem"-Gruppe)
Kassiten Indoeuropäisierte Völker
1550/31 Jahr der Einnahme Babels durch die Hethiter
Vorderasien und Ägypten
im Zeitalter Hammurabis von Babel
(1728—1686 v. Chr.)
Siedlungen aus der Steinzeit sind schwarz unterstrichen
Mittelbronzezeit 1650 - 1550 v. Chr.
Spätbronzezeit (Kanaanäerzeit) 1550 - 1200 v. Chr.
Eisenzeit I (Einwandererzeit) 1200 - 1000 v. Chr.
Eisenzeit II (Königszeit) 1000 - 587 v. Chr.
Signaturen neben einander, z. B. geben Orte aus nicht aufeinander folgenden Zeiten an
Kanaanäer
Moabiter
Israeliten
Philister
Grenzen der Reiche um 860 v. Chr.
Heiligtümer
Straßen
Altes Kulturland
Rodungsland
Steppe
Wüste und Düne
Besiedlung Palästinas
Maßstab 1:1750000
Städte und Stämme der Kanaanäer, Aramäer, Phöniker
Städte der Philister (seit ca. 1200 v. Chr.)
Juda Stämme der Israeliten (seit dem 13. Jh. v. Chr.)
Reichsbildung des David (ca. 1005 - 965 v. Chr.) und des Salomo (ca. 965 - 925 v. Chr.)
Reiche 860 v. Chr.
Juda
Israel
Ammon
Syrien
Phönikien
Philistäa
Südgrenze des Assyrischen Reiches 721 v. Chr.
Reiche 721 - 587 v. Chr.
Juda
Edom
Moab
Ammon
Grenzen persischer Provinzen der 5. Satrapie 444 v. Chr. (nach der Rückführung der Juden unter Nehemia)
Königssitze
Heiligtümer
Handelswaren
Straßen
Palästina von der Einwanderung Israels bis zur Perserzeit
Maßstab 1: 3500000

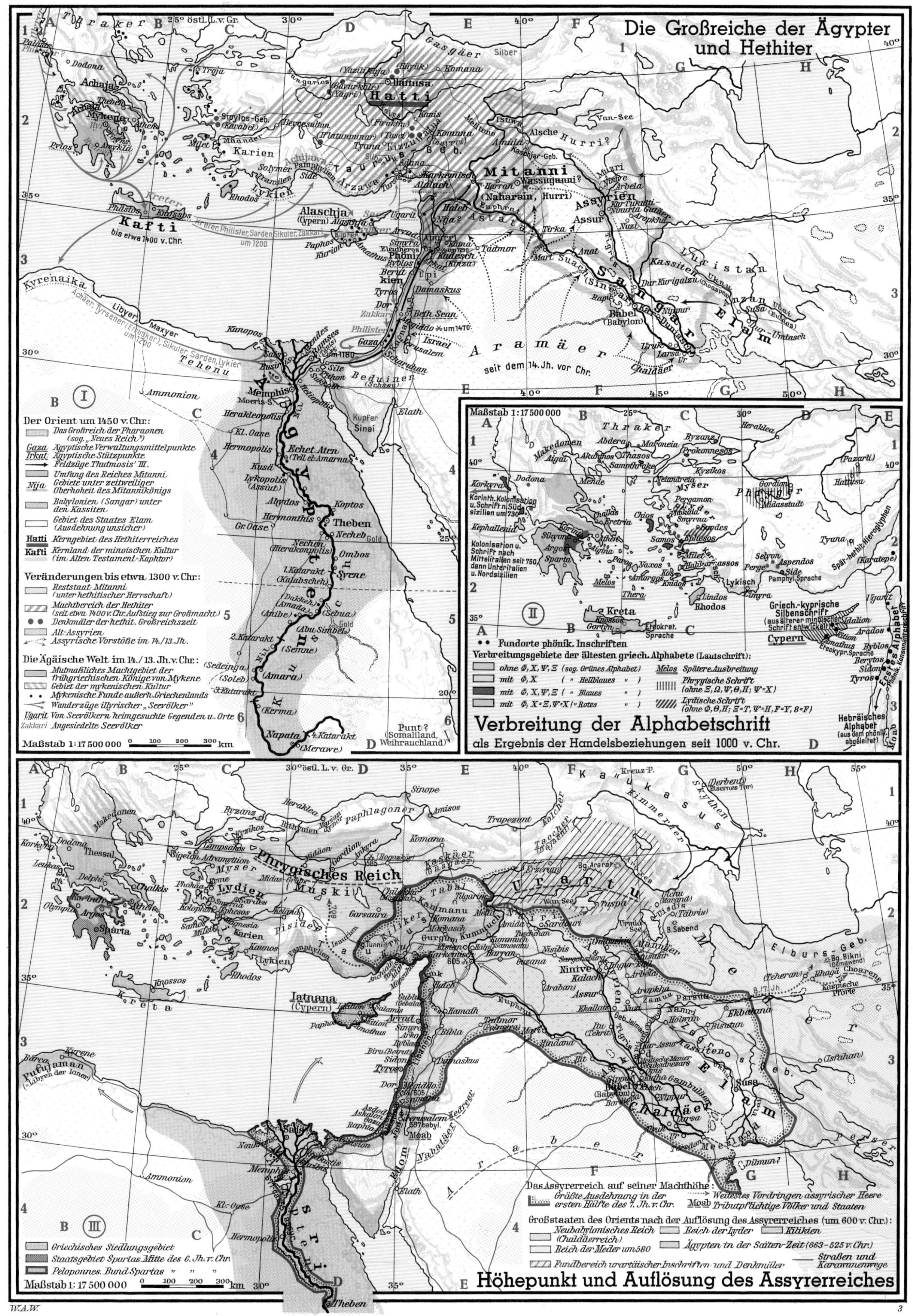

Die Großreiche der Ägypter und Hethiter
I
Der Orient um 1450 v. Chr.:
Das Großreich der Pharaonen (sog. „Neues Reich")
Gaza Ägyptische Verwaltungsmittelpunkte
Irkat Ägyptische Stützpunkte
Feldzüge Thutmosis' III.
Umfang des Reiches Mitanni
Nija Gebiete unter zeitweiliger Oberhoheit des Mitannikönigs
Babylonien (Sangar) unter den Kassiten
Gebiet des Staates Elam (Ausdehnung unsicher)
Hatti Kerngebiet des Hethiterreiches
Kafti Kernland der minoischen Kultur (im Alten Testament-Kaphtor)
Veränderungen bis etwa 1300 v. Chr.:
Reststaat Mitanni (unter hethitischer Herrschaft)
Machtbereich der Hethiter (seit etwa 1400 v. Chr. Aufstieg zur Großmacht)
Denkmäler der hethit. Großreichszeit
Alt-Assyrien
Assyrische Vorstöße im 14./13. Jh.
Die Ägäische Welt im 14./13. Jh. v. Chr.:
Mutmaßliches Machtgebiet der frühgriechischen Könige von Mykene
Gebiet der mykenischen Kultur
Mykenische Funde außerh. Griechenlands
Wanderzüge illyrischer „Seevölker"
Ugarit Von Seevölkern heimgesuchte Gegenden u. Orte
Zakkari Angesiedelte Seevölker
Maßstab 1:17 500 000 0 100 200 300 km
Hatti
Kafti
Mitanni
Assyrien
Sangar
Elam
Aramäer
seit dem 14. Jh. vor Chr.
Ägypten
Theben
Memphis
Babel (Babylon)
II
Maßstab 1:17 500 000
Fundorte phönik. Inschriften
Verbreitungsgebiete der ältesten griech. Alphabete (Lautschrift):
ohne Φ, X, Ψ, Ξ (sog. Grünes Alphabet)
mit Φ, X („ Hellblaues ")
mit Φ, X, Ψ, Ξ („ Blaues ")
mit Φ, X = Ξ, Ψ = X („ Rotes ")
Melos Spätere Ausbreitung
Phrygische Schrift
Lydische Schrift
Griech.-kyprische Silbenschrift
Hebräisches Alphabet (aus dem phönik. abgeleitet)
Verbreitung der Alphabetschrift
als Ergebnis der Handelsbeziehungen seit 1000 v. Chr.
III
Griechisches Siedlungsgebiet
Staatsgebiet Spartas Mitte des 6. Jh. v. Chr.
Peloponnes. Bund Spartas " " "
Maßstab 1:17 500 000 0 100 200 300 km
Das Assyrerreich auf seiner Machthöhe:
Größte Ausdehnung in der ersten Hälfte des 7. Jh. v. Chr.
Weitestes Vordringen assyrischer Heere
Moab Tributpflichtige Völker und Staaten
Großstaaten des Orients nach der Auflösung des Assyrerreiches (um 600 v. Chr.):
Neubabylonisches Reich (Chaldäerreich)
Reich der Lyder
Kilikien
Reich der Meder um 580
Ägypten in der Saïten-Zeit (663–525 v. Chr.)
Fundbereich urartäischer Inschriften und Denkmäler
Straßen und Karawanenwege
Höhepunkt und Auflösung des Assyrerreiches
Phrygisches Reich
Urartu
Medien

I
Kreta in minoischer Zeit
Entstehungszeiten:
Späte Jungsteinzeit:
(Neolithisch u. frühminoisch I vor 2300 v. Chr.)
Rundgräber-Kultur:
(Messara-Kultur)(Frühminoisch II u. III 2300–2050 v. Chr.)
Zeit der ersten Paläste:
(Kamares-Kultur)(Mittelminoisch I u. II 2050–1700 v. Chr.)
Zeit der zweiten Paläste:
(Naturalistische Malerei)(Mittelminoisch III bis spätminoisch IIIa 1700 – ca. 1400 v. Chr.)
Siedlungen: Grab- und Wohnhöhlen:
Wahrscheinl. Kulturland
Grasland mit eingestreutem Kulturland
Vereinzelt Weide- und Grasland
Wald und Buschland
Gortyn = Antike Namen
Pseira = Moderne Namen
Mallia = Paläste
Zakro = Schriftfunde
Heiligtümer
Straßen
Maßstab 1:1000000
II
Die Ägäis in mykenischer Zeit
Minoisches Kulturgebiet
Minoisches Restgebiet
Argos Königssitze der griechischen Heldensage
Fortbestehen als Heiligtümer
Athen Hauptfundorte der mykenischen Kultur
Mittelhelladische u. frühmykenische Siedlungen
Mykenische Siedlungen
Spätmykenische Siedlungen im Rückzugsgebiet
Siedlungen im alt-thrakischen Kerngebiet der Spätbronzezeit
Von Homer bezeugte Siedlungen im Ausweichgebiet der Thraker-Stämme
Dialektgebiete:
Ioner Achäer (Aioler, Arkado-Kyprier)
Kerngebiet, nicht überlagert
Nachmykenischer Verlust an die Dorier
Nachmykenischer Verlust an die Dorier (vordorisches Element ist maßgebend geblieben)
Frühgriechische Sprachreste, durch die dorische Einwanderung (nach 1100 v. Chr.) vernichtet
Maßstab 1:5000000
Nächste mykenische Funde in Kilikien (S. 8)
III
Kreta in dorischer Zeit
Fortwirken vordorischen Volkstums:
Eteokreter (Minoer)
Achäer (Griech. Mykenäer) (Durch Überlieferung, Sprache oder Namen bezeugt)
Dorer (seit ca. 1000 v. Chr.):
Alte Hauptorte (Poleis)
Seit 400 v. Chr. durch Hauptorte einverleibte Poleis
Hafenorte in Polisgebieten
Antike Namen unbekannt
Hauptorte der hellenistisch-römischen Zeit
Hellenistische Befestigungen
Heiligtümer
(Gras) = Moderne Namen
Maßstab 1:2000000

Eintritt der Griechen in die Mittelmeerwelt

Athen und Sparta

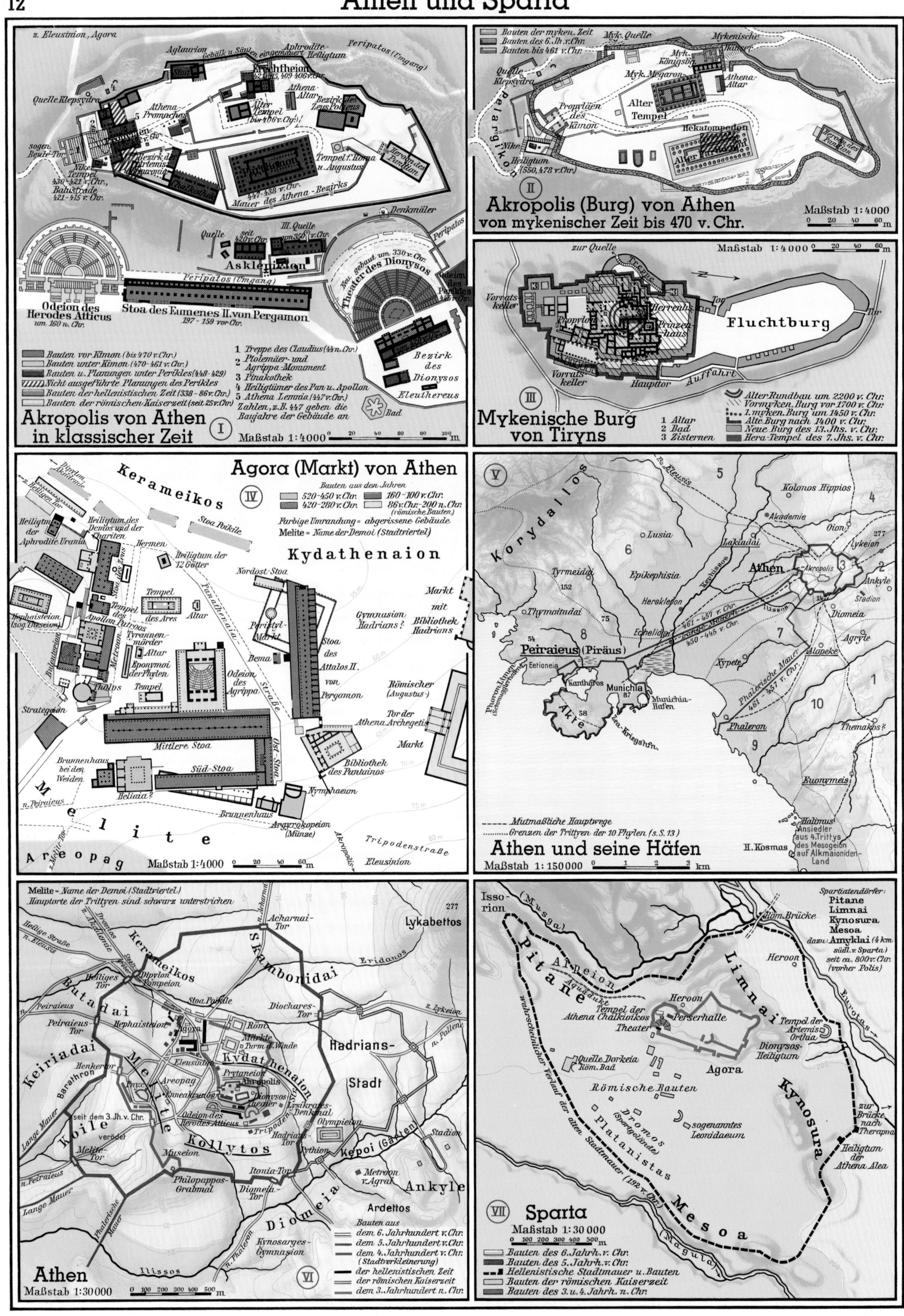

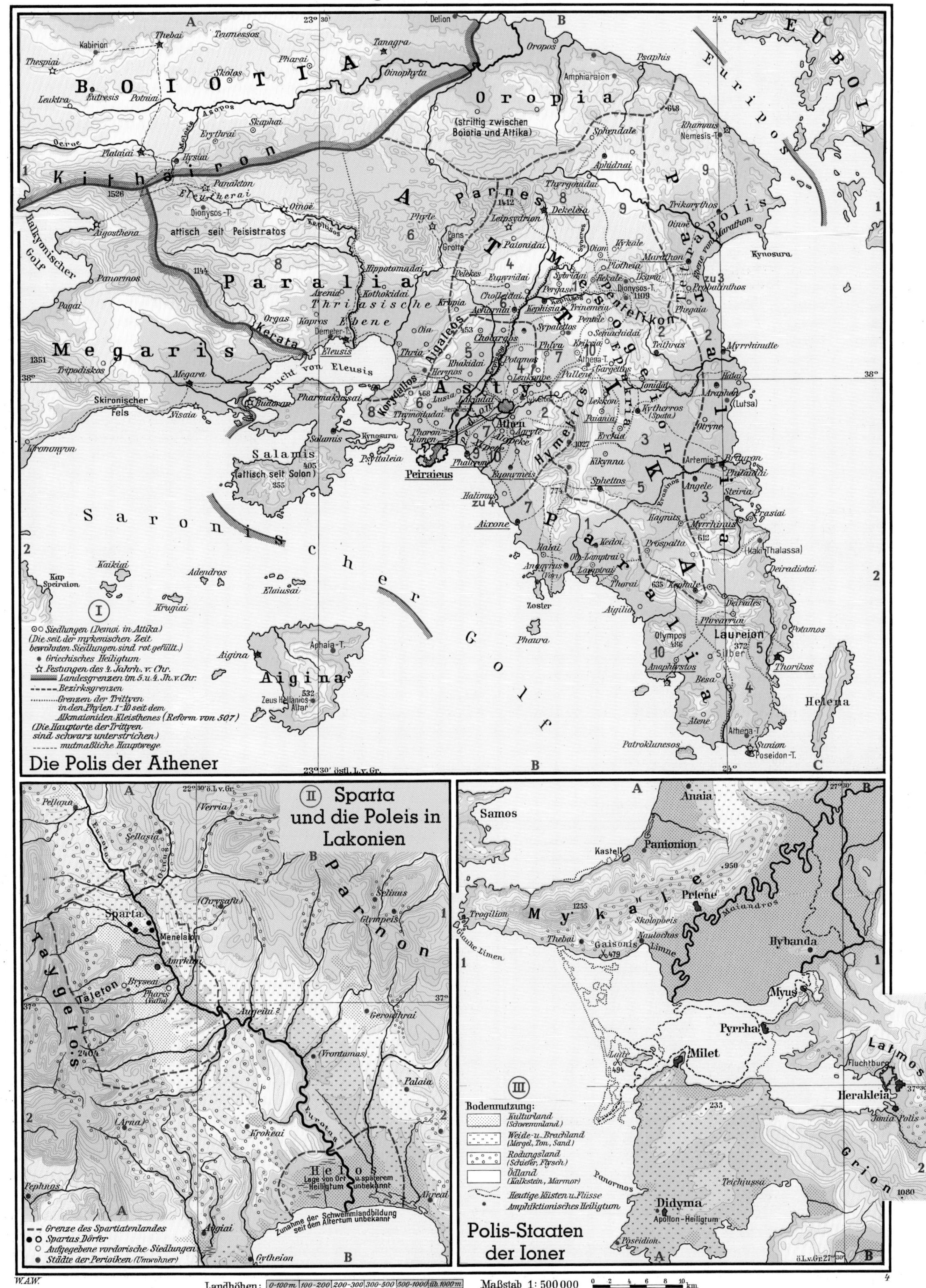
Die Polis der Athener
I
Siedlungen (Demoi in Attika)
(Die seit der mykenischen Zeit bewohnten Siedlungen sind rot gefüllt.)
Griechisches Heiligtum
Festungen des 4. Jahrh. v. Chr.
Landesgrenzen im 5. u. 4. Jh. v. Chr.
Bezirksgrenzen
Grenzen der Trittyen in den Phylen 1–10 seit dem Alkmaioniden Kleisthenes (Reform von 507)
(Die Hauptorte der Trittyen sind schwarz unterstrichen)
mutmaßliche Hauptwege
B O I O T I A
Oropia
(strittig zwischen Boiotia und Attika)
Kithairon
A T T I K A
Parnes
Paralia
Thriasische Ebene
Megaris
Mesogeia
Pentelikon
Hymettos
Asty
Athen
Peiraieus
Salamis
(attisch seit Solon)
Saronischer Golf
Aigina
Euripos
EUBOIA
Laureion
Silber
Sunion
Poseidon-T.
Helena
Marathon
Eleusis
Bucht von Eleusis
Megara
Skironischer Fels
Halkyonischer Golf
attisch seit Peisistratos
Sparta und die Poleis in Lakonien
II
Sparta
Menelaion
Taygetos
Parnon
Eurotas
Helos
Lage von Ort u. späterem Heiligtum unbekannt
Zunahme der Schwemmlandbildung seit dem Altertum unbekannt
Gytheion
Grenze des Spartiatenlandes
Spartas Dörfer
Aufgegebene vordorische Siedlungen
Städte der Perioiken (Umwohner)
Polis-Staaten der Ioner
III
Bodennutzung:
Kulturland (Schwemmland)
Weide- u. Brachland (Mergel, Ton, Sand)
Rodungsland (Schiefer, Flysch)
Ödland (Kalkstein, Marmor)
Heutige Küsten u. Flüsse
Amphiktionisches Heiligtum
Samos
Mykale
Panionion
Priene
Maiandros
Milet
Myus
Pyrrha
Latmos
Herakleia
Didyma
Apollon-Heiligtum
Grion
W.A.W.
Landhöhen: 0-100 m 100-200 200-300 300-500 500-1000 üb. 1000 m
Maßstab 1: 500 000
km

I
20° westl. L. v. Greenw.
Zinn Kelten
Germanen
Gesichtsurnen-Kultur
Hallstatt-Kultur
La Tène-Kultur
Kelten
Räter
Ostrymner
Keltiberer
Kempser
Iberer
Ligurer
Massilia
Emporion
Korsika
Etrusker
Veneter
Adria
Spina
Illyrer
Umbrer
Clusium
Tarquinii
Veji
Rom
Caere
Alalia
Balearen (Gymnesische In.)
Ebusos
Hemeroskopion
Gades
Sexi
Mainake
Sardinien
Kyme
Capua
Japyger
Poseidonia
Elea
Tarent
Oenotrer
Kroton
Korkyra
Messana
Rhegion
Himera
Panormos
Motye
Selinunt
Akragas
Sizilien
Syrakus
480
Utica
Karchedon, Karthago
Mittelmeer
Mauren
Numider
Melita (Malta)
Agathyrsen
Geten
Thrakien
Makedonien
Byzantion
Abydos
Daskyleion
Thessal.
Epiros
Delphi
Korinth
Olympia
Sparta
Athen
Lesbos
Phokaea
Sardes
Chios
Samos
Ephesos
Milet
Naxos
Karien
Lykien
Rhodos
Kreta
Leptis
Kinyps-Fl.
Barka
Kyrene
Libyer
Philänen-Altäre
Ammonion (Siwa)
Kleine Oase
Große Oase
Naukratis
Memphis
Athene
513
546
525
454
Perserreich
(Hellere Tönung innerhalb des Perserreiches deutet auf schwächere Besiedlung hin)
550 Jahr der Erwerbung durch die Perser
Ariana Satrapien (Länder) nach der Neuordnung des Dareios (518 v. Chr.)
Geten Von Persien abhängige Völker
Karthago und seine Besitzungen (mit den Persern verbündet)
Gebiete der Etrusker (mit Karthago verbündet)
Gegen Persien und Karthago stehende Griechenstaaten
Wüsten
Ionisches Aufstandsgebiet (500-494)
Neutrale Griechenstaaten
Steppen
465 Griechische Siege
Persische Siege
Zinn Einfuhrwaren in den griechischen Raum
Maßstab 1:20 000 000
0 100 200 300 400 500 km
Die antike Welt z. Zt. der Perserkriege (um 480)
II
Befestigungswerk
Säulenhallen
Freitreppen
zerstörte Paläste
B Beratungssaal
Maßstab 1:5000
0 50 m
Eingangs-treppe
Feststraße
Tor (unvollendet)
Tor des Xerxes (485-465)
Grabmal des Artaxerxes II. od. III.
Apadana (Große Audienzhalle) des Darius und Xerxes
Thronhalle
Zisterne
Befestigungswerk
Schatzkammer
Palast des Darius I. (521-485)
Palast des Xerxes
Palast des Artaxerxes II. (405-359)
Persepolis (Residenz der persischen Großkönige)
III
Erklärung der Schatzhäuser:
1 Sikyon 5.Jh. 4 Syrakus 2.H.6.J. 7 Sybaris v.510 10 Metapont 3.V.6.J.
2 unbekannt 5 Epidamnos 1.H.6.J. 8 Kyrene Anf.6.J. 11 Megara 4.V.6.J.
3 unbekannt 6 Byzanz 2.H.6.J. 9 Selinus 4.V.6.J. 12 Gela Anf.6.J.
(Anf.=Anfang, H.=Hälfte, V.=Viertel, J.=Jahrhundert)
Gymnasion
Östl. Halle 210,50 m lang
Römisches Bad
Kronos-Hügel
Kladeos
Prytaneion
Exedra des Herodes Atticus
nördl. Altismauer
Schatzhäuser
Südhalle
Palaistra
Philippeion
Heraion
Altar
Altar des Zeus
Metroon
Hippodameion
(Westende des älteren Stadions)
Echo-Halle
Stadion
Pelopion
Altis
Tempel des Zeus
Theokoleion
Heroon
Röm. Thermen
Nike des Paionios
Altismauer (4.Jh.v.Chr.)
Feststraße
Werkstatt des Pheidias
Südost Halle
Palast des Nero
Buleuterion?
Leonidaion (Gästehaus)
Agora
Südhalle (Proëdria)
Hippodrom
Alpheios-Überschwemmungsgebiet
Bauten:
des 7. Jahrhunderts v. Chr.
des 6. Jahrhunderts v. Chr.
zwischen 468 u. 456 v. Chr. (Kultbild nach 438 v. Chr.)
des 4. u. 3. Jahrh. v. Chr.
Römische Bauten seit Kaiser Nero
Olympia
Maßstab 1:5000
0 20 40 60 80 100 m
Weltafel nach H
(Versuch einer Rekon
nach Niebuhr
VI
Pyrene
Kelten
Iberer
Ligyer
Gadeira
Das äußere Meer
Karchedon
Triton
Atlas
Garamanten
Meroë
Reich
Ät

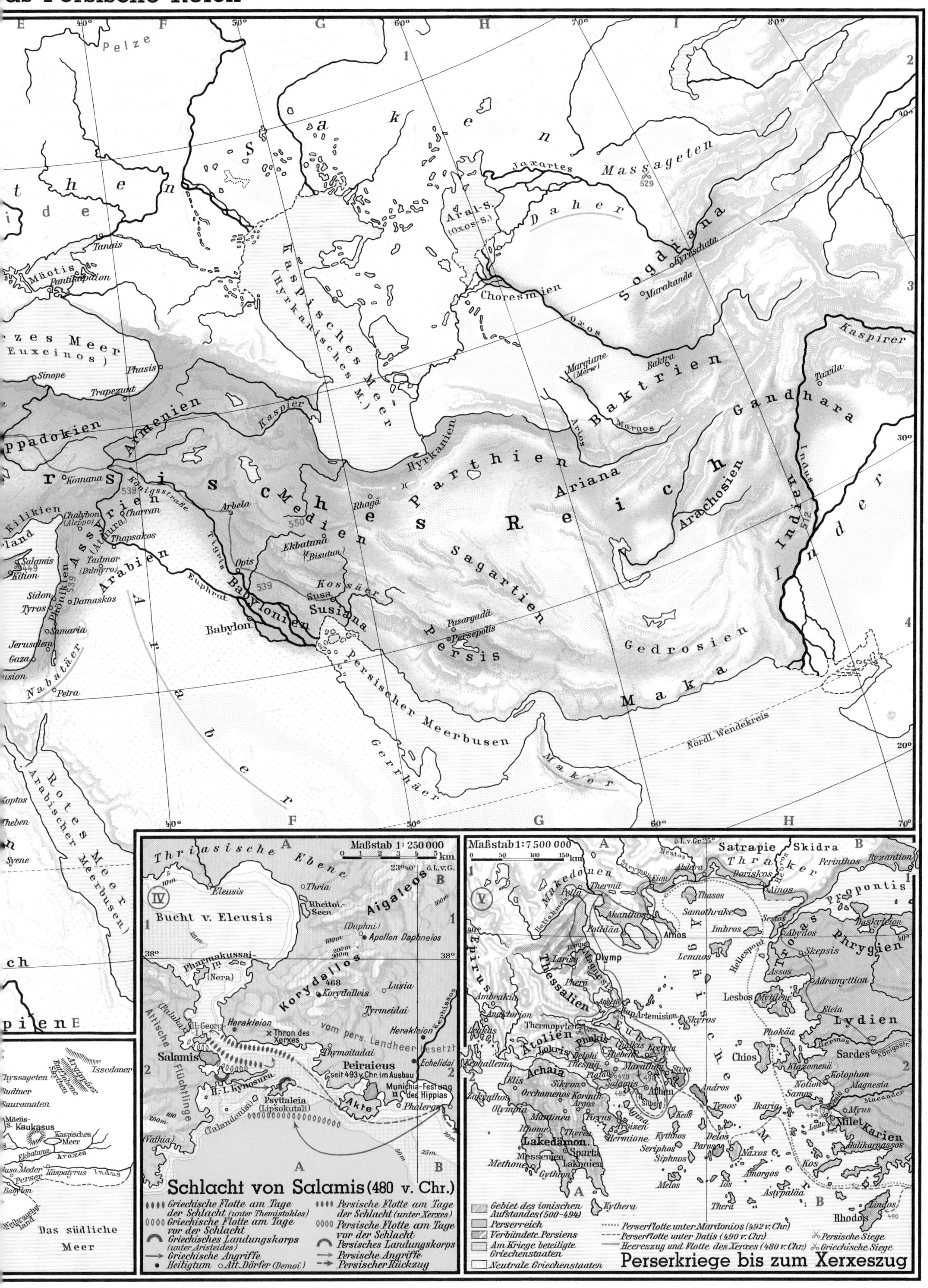
Pelze
Saken
Massageten
Jaxartes
Aral-S. (Oxos-S.)
Daher
Sogdiana
Kyreschata
Marakanda
Choresmien
Oxos
Kaspisches Meer (Hyrkanisches M.)
Tanais
Mäotis
Pantikapaion
Schwarzes Meer (Euxeinos)
Sinope
Phasis
Trapezunt
Kappadokien
Armenien
Kaspier
Kaspirer
Margiane (Merw)
Baktra
Baktrien
Taxila
Gandhara
Arios
Margos
Hyrkanien
Parthien
Ariana
Arachosien
Indus
Inder
Komana
Persisches Reich
Königsstraße
Arbela
Charran
Chalybon (Aleppo)
Assyrien (Athura)
Thapsakos
Medien
Rhagä
Ekbatana
Bisutun
Kilikien
Salamis
Kition
Tadmor (Palmyra)
Arabien
Tigris
Opis
Sidon
Tyros
Phönikien
Damaskos
Euphrat
Babylonien
Susa
Susiana
Kossäer
Sagartien
Babylon
Samaria
Jerusalem
Gaza
Nabatäer
Petra
Pasargadä
Persepolis
Persis
Gedrosien
Maka
Persischer Meerbusen
Gerrhäer
Maker
Nördl. Wendekreis
Arabien
Rotes Meer (Arabischer Meerbusen)
Koptos
Theben
Syene
Tyrsageten
Budiner
Sauromaten
Issedoner
Argippäer
Mäotis
Kaukasus
Kaspisches Meer
Ekbatana
Araxes
Susa Meder
Perser
Kaspatyros
Indus
Babylon
Weihrauchland
Das südliche Meer
Maßstab 1: 250 000
Thriasische Ebene
Eleusis
Bucht v. Eleusis
Thria
Rheitoi-Seen
Aigaleos
(Daphni)
Apollon Daphneios
Phamakussai-I.
(Nera)
Korydallos
Korydalleis
Lusia
Tyrmeidai
Herakleion
Thron des Xerxes
vom pers. Landheer besetzt
Thymoitadai
Herakleion
Kephissos
Echelidai
Salamis
Peiraieus
seit 493 v. Chr. im Ausbau
Munichia-Festung des Hippias
Psyttaleia (Lipsokutali)
Akte
Phaleron
H.-I. Kynosura
Attische Flüchtlinge
(Talandonisi)
(Vathia)
Schlacht von Salamis (480 v. Chr.)
Griechische Flotte am Tage der Schlacht (unter Themistokles)
Griechische Flotte am Tage vor der Schlacht (unter Aristeides)
Griechisches Landungskorps
Griechische Angriffe
Heiligtum
Att. Dörfer (Demoi)
Persische Flotte am Tage der Schlacht (unter Xerxes)
Persische Flotte am Tage vor der Schlacht
Persisches Landungskorps
Persische Angriffe
Persischer Rückzug
Maßstab 1: 7 500 000
Satrapie Skidra
Thraker
Perinthos
Byzantion
Abdera
Doriskos
Ainos
Makedonen
Pella
Therma
Thasos
Samothrake
Propontis
Akanthos
Potidäa
Athos
Imbros
Sestos
Abydos
Daskyleion
Troas
Phrygien
Epirus
Thessalien
Larisa
Olymp
Lemnos
Hellespont
Skepsis
Assos
Adramyttion
Ambrakia
Pherä
Ägäisches Meer
Lesbos
Mytilene
Kap Artemision
Skyros
Eleia
Lydien
Thermopylen
Ätolien
Lokris
Phokis
Euböa
Eretria
Phokäa
Delphi
Theben
Chios
Sardes
Königsstr.
Kephallenia
Achaia
Elis
Sikyon
Korinth
Argos
Marathon
Styra
Salamis
Athen
Klazomenä
Kolophon
Magnesia
Notion
Samos
Mäander
Zakynthos
Olympia
Orchomenos
Mantinea
Tiryns
Andros
Tenos
Ikaria
Mykale
Milet
Karien
Ägina
Troizen
Hermione
Keos
Kythnos
Delos
Lade
Halikarnassos
Ithome
Thyrea
Lakedämon
Sparta
Seriphos
Siphnos
Paros
Naxos
Kos
Messenien
Methone
Lakonien
Gythion
Melos
Ios
Amorgos
Thera
Astypaläa
Lindos
Rhodos
Kythera
Gebiet des ionischen Aufstandes (500–494)
Perserreich
Verbündete Persiens
Am Kriege beteiligte Griechenstaaten
Neutrale Griechenstaaten
Perserflotte unter Mardonios (492 v. Chr.)
Perserflotte unter Datis (490 v. Chr.)
Heereszug und Flotte des Xerxes (480 v. Chr.)
Persische Siege
Griechische Siege
Perserkriege bis zum Xerxeszug

Athen und sein Seereich:
Attika
Mit Athen verbündete westgriech. Inseln
Achaia Mit Athen sympathisierende Gebiete
Machtsphäre des attischen Seebundes
Bundesstädte, die Kriegsschiffe stellen
Naxos Wichtige athenische Stützpunkte (Kleruchien) im Bundesgebiet
Athens zeitweiliger Festlandsbesitz (456 - 446 v. Chr.)
Verluste des Seebundes
475 Jahr der Erwerbung
434 Neu- bzw. Wiedererwerb nach 446, Aufstände usw.
Spartanischer Machtbereich:
Spartanisches Staatsgebiet
Peloponnesischer Bund Spartas
Leukas Mit den Peloponnesiern sympathisierende Gebiete
Griechenland
im Zeitalter des Perikles (446/445 v. Chr.)
Maßstab 1:5000000
0 20 40 60 80 100 km
...... Grenzen der attischen Steuerbezirke (seit 443)
I Thrakischer Bezirk
II Hellespontischer Bezirk
III Ionischer Bezirk
IV Karischer Bezirk
V Inselbezirk
Thrakien
Odrysenreich
Pontos
Bithynien
Makedonien
Reich von Pella
Päonien
Thessalien
Epiros
Aitolien
Achaia
Arkadien
Messenien
Lakonien
Sparta
Athen
Korinth
Argos
Theben
Euboia
Lesbos
Chios
Samos
Naxos
Rhodos
Perserreich
Phrygien
Mysien
Lydien
Karien
Lykien
Propontis
Königsstraße
(438 mit III verein.)
ca. 466 nach Phaselis (Sieg am Eurymedon)
Athen und seine Verbündeten 431 v. Chr.
Kyme Mit Athen befreundet bzw. verbündet
Seezüge der Athener
424 Erfolge der Athener
Spartas Peloponnesischer Bund und Verbündete 431 v. Chr.
Spätere Verbündete Spartas
418 Erfolge der Peloponnesier
Neutrale griech. Staaten
Sardes Sitze der pers. Statthalter
Abkürzungen:
Ak. = Akarnanien
N. = Naupaktos
Hellas bei Ausbruch
des Peloponnesischen Krieges (431 v. Chr.)
Maßstab 1:15000000
0 250 km
Schwarzes Meer (Pontos Euxeinos)
Mittelmeer
Attisches Reich
Groß-Hellas
Sizilien
Sardinien
Korsika
Etrusker
Italiker
Illyrer
Geten
Odrysenreich (Thraker)
Kappadokien
Kilikien
Syrien
Phönikien
Kreta
Cypern
Ägypten
Kyrene
Karthago
Syrakus
seit 412 mit Sparta verbündet

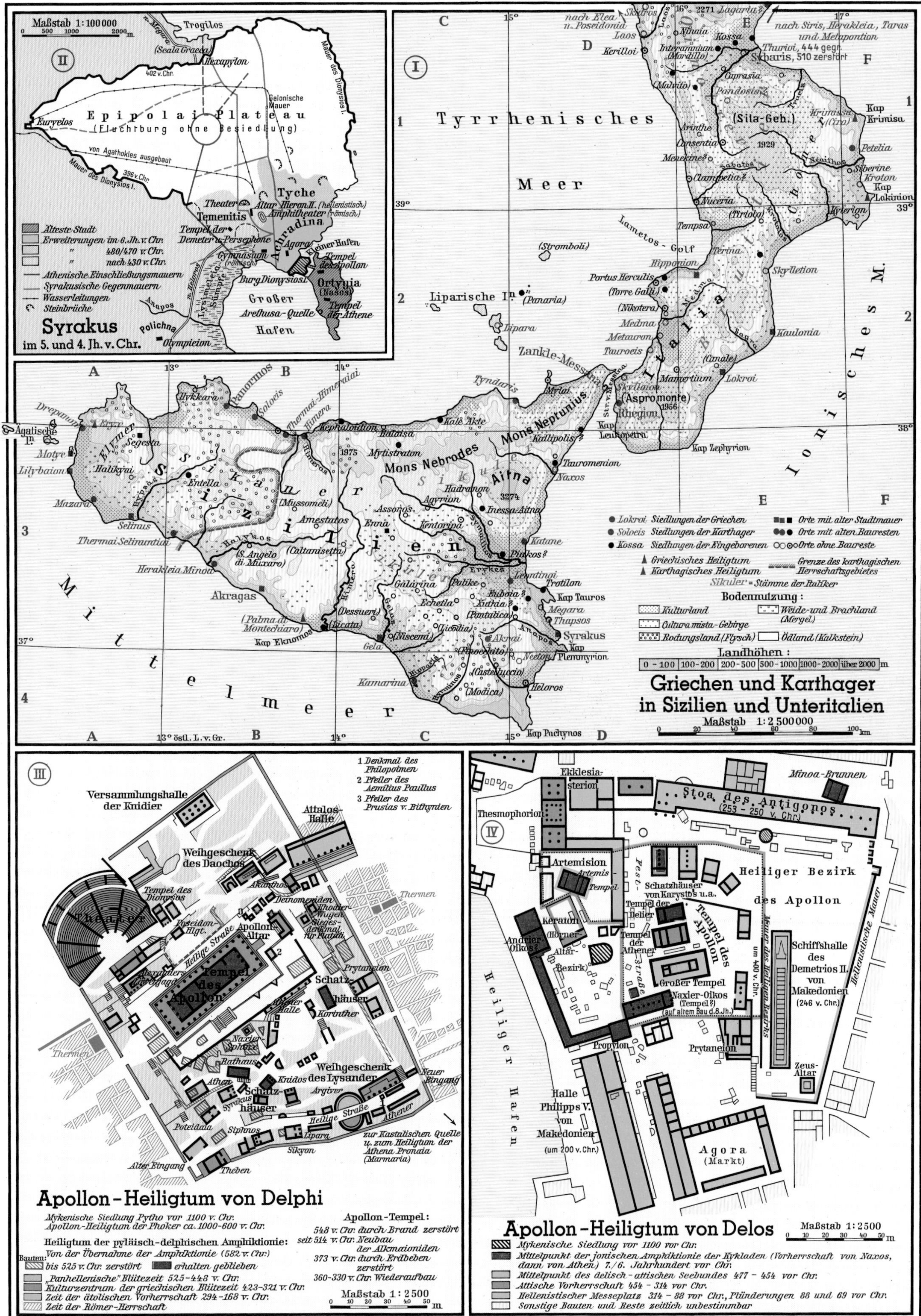

Syrakus
im 5. und 4. Jh. v. Chr.
Maßstab 1 : 100 000
Epipolai-Plateau
(Fluchtburg ohne Besiedlung)
Älteste Stadt
Erweiterungen im 6. Jh. v. Chr.
" 480/470 v. Chr.
" nach 430 v. Chr.
Athenische Einschließungsmauern
Syrakusische Gegenmauern
Wasserleitungen
Steinbrüche
Griechen und Karthager
in Sizilien und Unteritalien
Maßstab 1 : 2 500 000
Tyrrhenisches Meer
Ionisches M.
Mittelmeer
Lokroi Siedlungen der Griechen
Soloeis Siedlungen der Karthager
Kossa Siedlungen der Eingeborenen
Orte mit alter Stadtmauer
Orte mit alten Bauresten
Orte ohne Baureste
Griechisches Heiligtum
Karthagisches Heiligtum
Grenze des karthagischen Herrschaftsgebietes
Sikuler = Stämme der Italiker
Bodennutzung:
Kulturland
Weide- und Brachland (Mergel)
Cultura mista - Gebirge
Rodungsland (Flysch)
Ödland (Kalkstein)
Landhöhen:
0 - 100 | 100 - 200 | 200 - 500 | 500 - 1000 | 1000 - 2000 | über 2000 m
Apollon-Heiligtum von Delphi
1 Denkmal des Philopoimen
2 Pfeiler des Aemilius Paullus
3 Pfeiler des Prusias v. Bithynien
Mykenische Siedlung Pytho vor 1100 v. Chr.
Apollon-Heiligtum der Phoker ca. 1000-600 v. Chr.
Heiligtum der pyläisch-delphischen Amphiktionie:
Bauten: Von der Übernahme der Amphiktionie (582 v. Chr.)
bis 525 v. Chr. zerstört
erhalten geblieben
„Panhellenische" Blütezeit 525-448 v. Chr.
Kulturzentrum der griechischen Blütezeit 423-321 v. Chr.
Zeit der ätolischen Vorherrschaft 294-168 v. Chr.
Zeit der Römer-Herrschaft
Apollon-Tempel:
548 v. Chr. durch Brand zerstört
seit 514 v. Chr. Neubau der Alkmaioniden
373 v. Chr. durch Erdbeben zerstört
360-330 v. Chr. Wiederaufbau
Maßstab 1 : 2 500
Apollon-Heiligtum von Delos
Maßstab 1 : 2 500
Mykenische Siedlung vor 1100 vor Chr.
Mittelpunkt der jonischen Amphiktionie der Kykladen (Vorherrschaft von Naxos, dann von Athen) 7./6. Jahrhundert vor Chr.
Mittelpunkt des delisch-attischen Seebundes 477 - 454 vor Chr.
Attische Vorherrschaft 454 - 314 vor Chr.
Hellenistischer Messeplatz 314 - 88 vor Chr., Plünderungen 88 und 69 vor Chr.
Sonstige Bauten und Reste zeitlich unbestimmbar
Heiliger Bezirk des Apollon
Stoa des Antigonos (253 - 250 v. Chr.)
Agora (Markt)
Heiliger Hafen

Hauptorte
Poleis
Hafenorte und Dörfer
Befestigungen
Ländliche Heiligtümer
Gortys Heiligtümer in Orten
[Eion] Orte im 6.-4. Jh. verödet
Neugründungen des 4. Jh.
Messa Neugründungen der hellenistischen Zeit
(Emporio) Moderne Namen antiker Orte
Heutige Küsten u. Flüsse
Landschaftsgrenzen und ihre Veränderungen
Maßstab 1:2000000
0 10 20 30 40 50 km
Landschaften und Poleis
Makedonia
Chalkidike
Thessalia
Epeiros
Akarnania
Aitolia
Boiotia
Attika
Euboia
Achaia
Elis
Arkadia
Argolis
Messenia
Lakonia
Peloponnesos
Thrakisches Meer
Ionisches Meer
Myrtoisches Meer
Landhöhen: 0-200

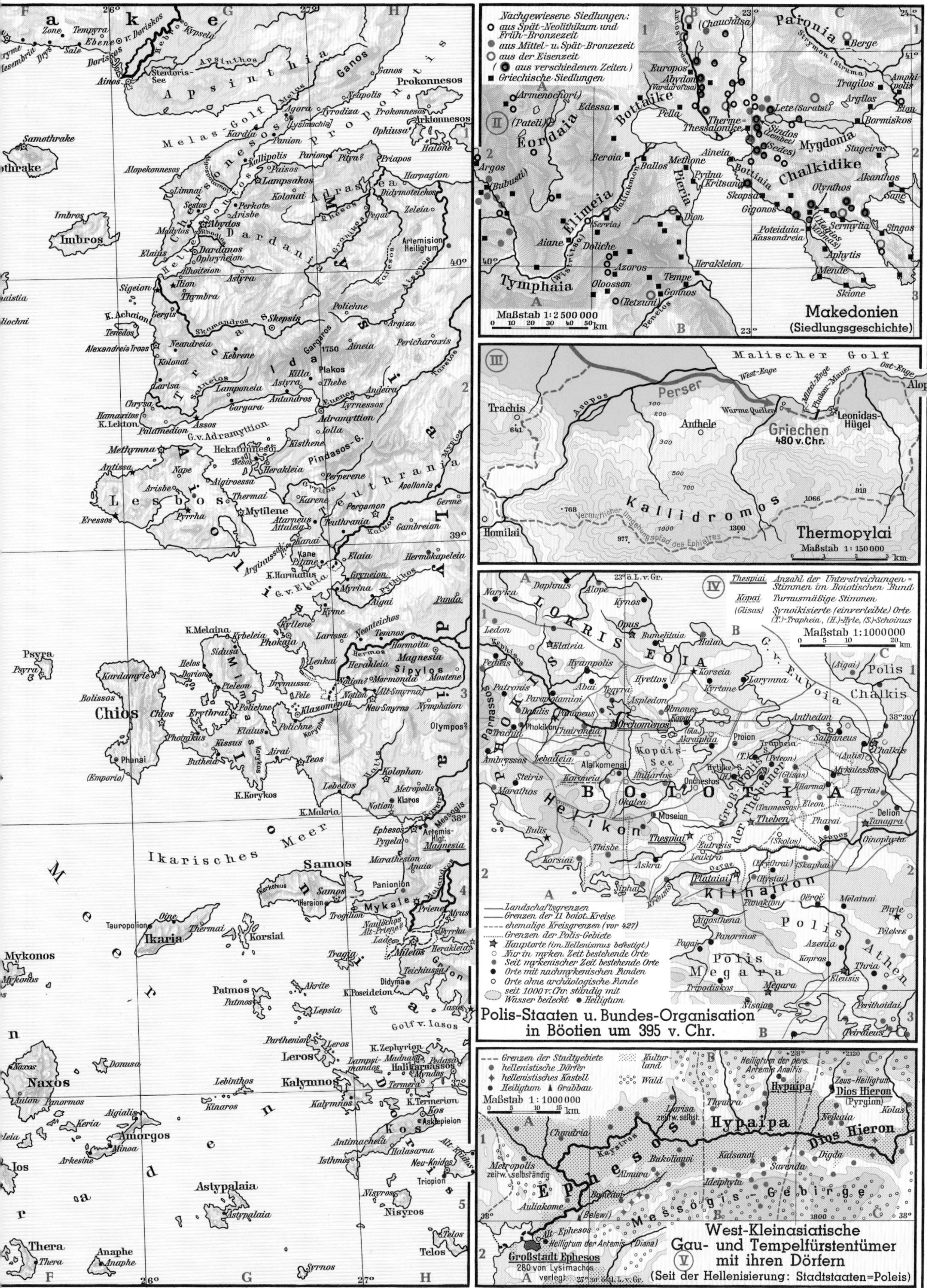
Nachgewiesene Siedlungen:
aus Spät-Neolithikum und Früh-Bronzezeit
aus Mittel- u. Spät-Bronzezeit
aus der Eisenzeit
(aus verschiedenen Zeiten)
Griechische Siedlungen
Maßstab 1: 2 500 000
Makedonien (Siedlungsgeschichte)
Malischer Golf
Perser
Griechen 480 v. Chr.
Leonidas-Hügel
Kallidromos
Thermopylai
Maßstab 1: 150 000
Anzahl der Unterstreichungen = Stimmen im Boiotischen Bund
Turnusmäßige Stimmen
Synoikisierte (einverleibte) Orte
Maßstab 1:1000000
Landschaftsgrenzen
Grenzen der 11 boiot. Kreise
ehemalige Kreisgrenzen (vor 427)
Grenzen der Polis-Gebiete
Hauptorte (im Hellenismus befestigt)
Nur in myken. Zeit bestehende Orte
Seit mykenischer Zeit bestehende Orte
Orte mit nachmykenischen Funden
Orte ohne archäologische Funde
seit 1000 v. Chr. ständig mit Wasser bedeckt
Heiligtum
Polis-Staaten u. Bundes-Organisation in Böotien um 395 v. Chr.
Grenzen der Stadtgebiete
hellenistische Dörfer
hellenistisches Kastell
Heiligtum
Grabbau
Kulturland
Wald
Maßstab 1: 1000 000
Großstadt Ephesos
280 von Lysimachos verlegt
West-Kleinasiatische Gau- und Tempelfürstentümer mit ihren Dörfern
(Seit der Hellenisierung: Stadtstaaten=Poleis)
Apsinthia
Propontis
Prokonnesos
Samothrake
Imbros
Tenedos
Lesbos
Chios
Samos
Ikaria
Ikarisches Meer
Mykonos
Naxos
Amorgos
Astypalaia
Thera
Anaphe
Patmos
Leros
Kalymnos
Kos
Nisyros
Telos
Ephesos
Milet
Mykale
Ida
Troas
Pergamon
Smyrna
Paionia
Mygdonia
Chalkidike
Eordaia
Bottiaike
Elimeia
Pieria
Tymphaia
Lokris
Phokis
Boiotia
Helikon
Kithairon
Polis Megara
Polis Athen
Theben
Plataiai
Chalkis
Hypaipa
Dios Hieron
Messogis-Gebirge

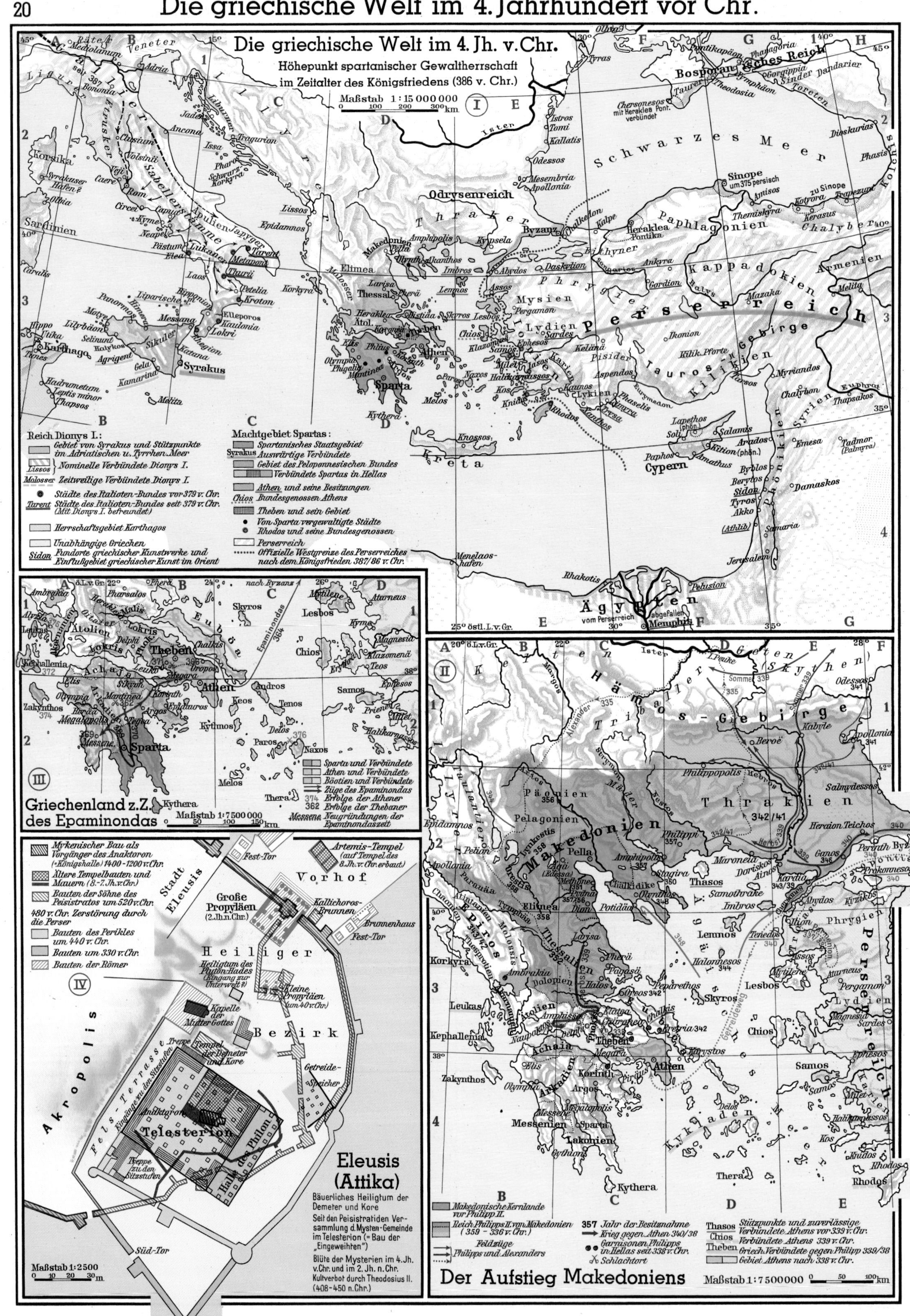

Die griechische Welt im 4. Jh. v. Chr.
Höhepunkt spartanischer Gewaltherrschaft im Zeitalter des Königsfriedens (386 v. Chr.)
Maßstab 1 : 15 000 000
I
Reich Dionys I.:
Gebiet von Syrakus und Stützpunkte im Adriatischen u. Tyrrhen. Meer
Lissos Nominelle Verbündete Dionys I.
Molosser Zeitweilige Verbündete Dionys I.
Städte des Italioten-Bundes vor 379 v. Chr.
Tarent Städte des Italioten-Bundes seit 379 v. Chr. (Mit Dionys I. befreundet)
Herrschaftsgebiet Karthagos
Unabhängige Griechen
Sidon Fundorte griechischer Kunstwerke und Einflußgebiet griechischer Kunst im Orient
Machtgebiet Spartas:
Spartanisches Staatsgebiet
Syrakus Auswärtige Verbündete
Gebiet des Peloponnesischen Bundes
Verbündete Spartas in Hellas
Athen und seine Besitzungen
Chios Bundesgenossen Athens
Theben und sein Gebiet
Von Sparta vergewaltigte Städte
Rhodos und seine Bundesgenossen
Perserreich
Offizielle Westgrenze des Perserreiches nach dem Königsfrieden 387/86 v. Chr.
Schwarzes Meer
Perserreich
Odrysenreich
Bosporanisches Reich
Kreta
Cypern
Ägypten
III
Griechenland z. Z. des Epaminondas
Maßstab 1 : 7 500 000
Sparta und Verbündete
Athen und Verbündete
Böotien und Verbündete
Züge des Epaminondas
374 Erfolge der Athener
362 Erfolge der Thebaner
Messene Neugründungen der Epaminondaszeit
IV
Mykenischer Bau als Vorgänger des Anaktoron („Königshalle") 1400–1200 v. Chr.
Ältere Tempelbauten und Mauern (8.–7. Jh. v. Chr.)
Bauten der Söhne des Peisistratos um 520 v. Chr.
480 v. Chr. Zerstörung durch die Perser
Bauten des Perikles um 440 v. Chr.
Bauten um 330 v. Chr.
Bauten der Römer
Artemis-Tempel (auf Tempel des 8. Jh. v. Chr. erbaut)
Stadt Eleusis
Vorhof
Große Propyläen (2. Jh. n. Chr.)
Heiliger Bezirk
Akropolis
Telesterion
Süd-Tor
Eleusis (Attika)
Bäuerliches Heiligtum der Demeter und Kore
Seit den Peisistratiden Versammlung d. Mysten-Gemeinde im Telesterion (= Bau der „Eingeweihten")
Blüte der Mysterien im 4. Jh. v. Chr. und im 2. Jh. n. Chr. Kultverbot durch Theodosius II. (408–450 n. Chr.)
Maßstab 1 : 2500
II
Makedonische Kernlande vor Philipp II.
Reich Philipps II. von Makedonien (359 – 336 v. Chr.)
Feldzüge Philipps und Alexanders
357 Jahr der Besitznahme
Krieg gegen Athen 340/38
Garnisonen Philipps in Hellas seit 338 v. Chr.
Schlachtort
Thasos Stützpunkte und zuverlässige Verbündete Athens vor 339 v. Chr.
Chios Verbündete Athens 339 v. Chr.
Theben Griech. Verbündete gegen Philipp 339/38
Gebiet Athens nach 338 v. Chr.
Der Aufstieg Makedoniens
Maßstab 1 : 7 500 000

Stadtanlagen aus griechischer und hellenistischer Zeit

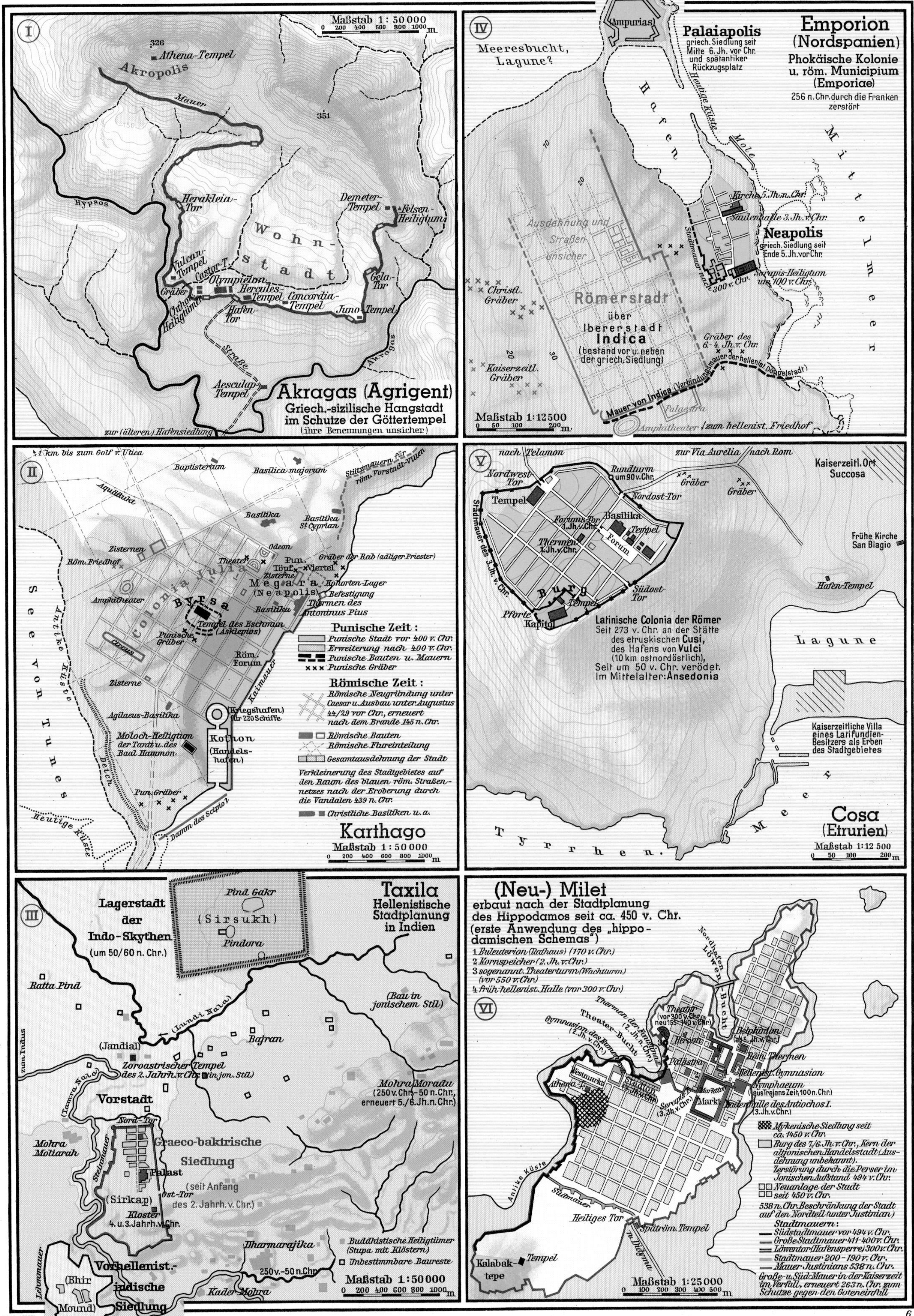

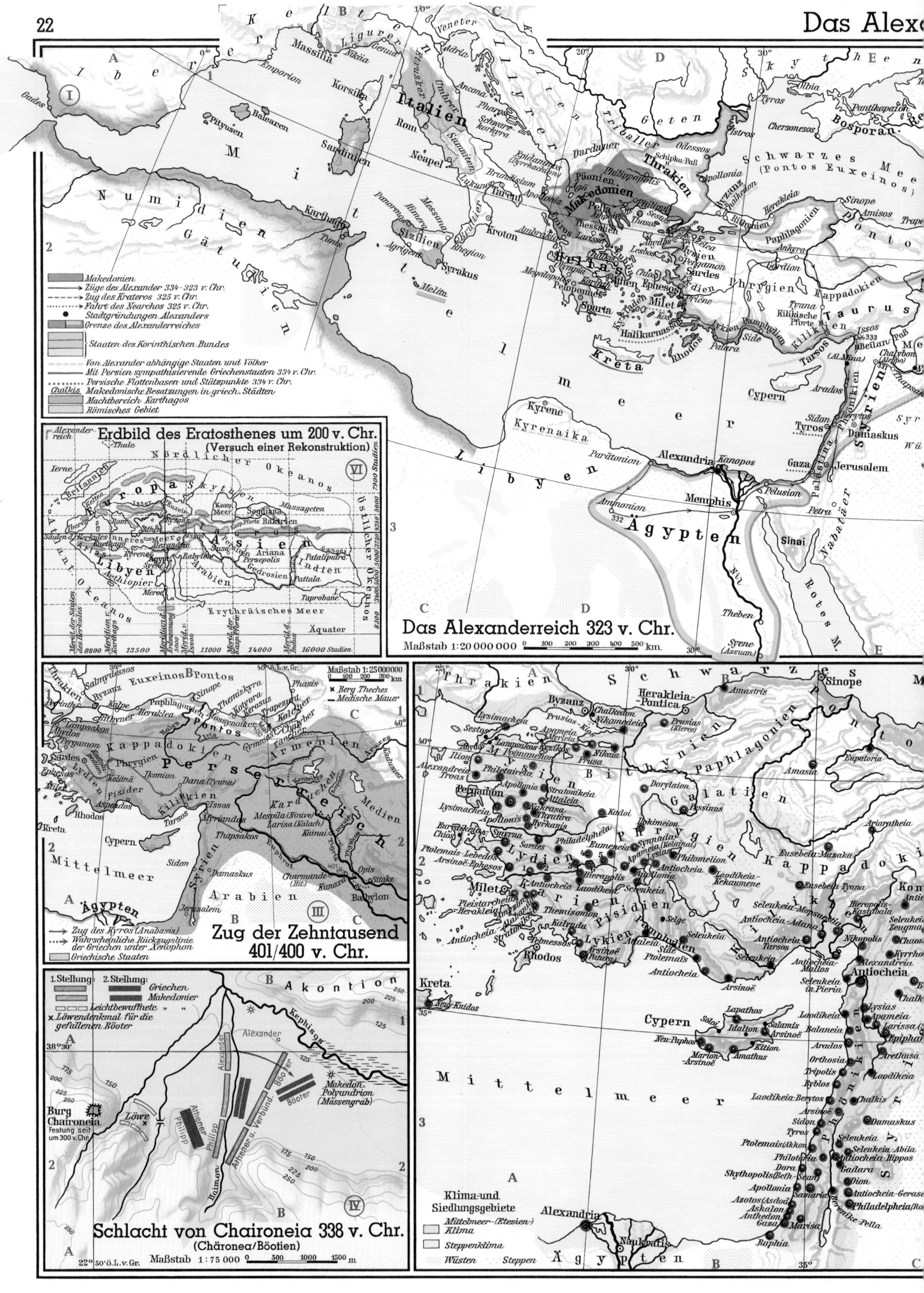
Das Alexanderreich 323 v. Chr.
Maßstab 1:20 000 000 0 100 200 300 400 500 km
Makedonien
Züge des Alexander 334–323 v. Chr.
Zug des Krateros 325 v. Chr.
Fahrt des Nearchos 325 v. Chr.
Stadtgründungen Alexanders
Grenze des Alexanderreiches
Staaten des Korinthischen Bundes
Von Alexander abhängige Staaten und Völker
Mit Persien sympathisierende Griechenstaaten 334 v. Chr.
Persische Flottenbasen und Stützpunkte 334 v. Chr.
Chalkis Makedonische Besatzungen in griech. Städten
Machtbereich Karthagos
Römisches Gebiet
Erdbild des Eratosthenes um 200 v. Chr.
(Versuch einer Rekonstruktion)
Zug der Zehntausend 401/400 v. Chr.
Maßstab 1:25 000 000
Berg Theches
Medische Mauer
Zug des Kyros (Anabasis)
Wahrscheinliche Rückzugslinie der Griechen unter Xenophon
Griechische Staaten
Schlacht von Chaironeia 338 v. Chr.
(Chäronea/Böotien)
Maßstab 1:75 000 0 500 1000 1500 m
1. Stellung: 2. Stellung:
Griechen
Makedonier
Leichtbewaffnete
Löwendenkmal für die gefallenen Böoter
Burg Chaironeia Festung seit um 300 v. Chr.
Makedon. Polyandrion (Massengrab)
Klima- und Siedlungsgebiete
Mittelmeer- (Etesien-) Klima
Steppenklima
Wüsten Steppen

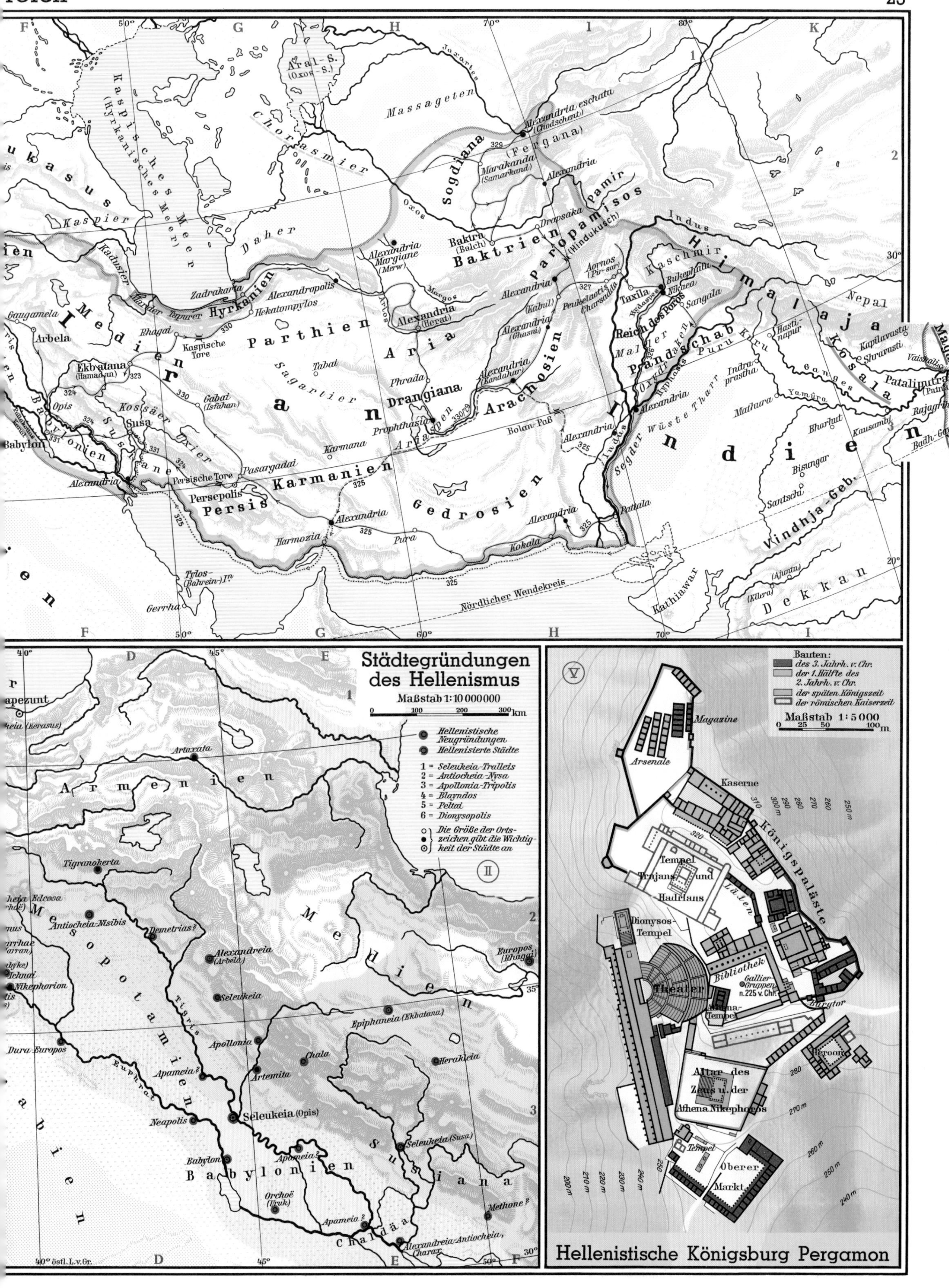
Aral-S. (Oxos-S.)
Kaspisches Meer (Hyrkanisches Meer)
Massageten
Jaxartes
Chorasmier
Alexandria eschata (Chodschent)
Sogdiana
(Fergana)
Marakanda (Samarkand)
Alexandria
Pamir
Paropamisos (Hindukusch)
Oxos
Drapsaka
Baktra (Balch)
Baktrien
Daher
Kaspier
Kadusier
Alexandria Margiane (Merw)
Margos
Areios
Zadrakarta
Hyrkanien
Alexandropolis
Hekatompylos
Marder
Tapurer
Gaugamela
Arbela
Medien
Parthien
Aria
Alexandria (Herat)
Alexandria (Kabul)
Alexandria (Ghasni)
Alexandria (Kandahar)
Arachosien
Aornos (Pir-sar)
Peukelaotis Charsadda
Taxila
Kaschmir
Bukephala
Nikaea
Reich des Poros
Sangala
Himalaja
Nepal
Maller
Oxydraker
Pandschab
Hyphasis
Puru
Kuru
Hastinapur
Indraprastha
Kapilavastu
Shravasti
Kosala
Vaisali
Magadha
Pataliputra
Ganges
Yamuna
Mathura
Rajagriha
Bharhut
Kausambi
Budh-Gaya
Bisungar
Santschi
Vindhja-Geb.
Indien
Indus
Alexandria
Segder Wüste Tharr
Bolan-Paß
Ekbatana (Hamadan)
Rhagai
Kaspische Tore
Sagartier
Tabai
Phrada
Drangiana
Prophthasia
Gabai (Isfahan)
Iran
Kossäer
Susa
Opis
Babylon
Babylonien
Susiane
Uxier
Pasargadai
Persische Tore
Persepolis
Persis
Karmana
Karmanien
Ariaspen
Gedrosien
Alexandria
Harmozia
Pura
Kokala
Pattala
Alexandria
Kathiawar
Dekkan
(Ajunta)
(Ellora)
Tylos- (Bahrein-)In.
Gerrha
Nördlicher Wendekreis
Alexandria
Arabien
Städtegründungen des Hellenismus
Maßstab 1:10 000 000
0 100 200 300 km
Hellenistische Neugründungen
Hellenisierte Städte
1 = Seleukeia-Tralleis
2 = Antiocheia-Nysa
3 = Apollonia-Tripolis
4 = Blayndos
5 = Peltai
6 = Dionysopolis
Die Größe der Ortszeichen gibt die Wichtigkeit der Städte an
Armenien
Artaxata
Tigranokerta
Antiocheia-Nisibis
Demetrias?
Mesopotamien
Alexandreia (Arbela)
Seleukeia
Medien
Europos (Rhagai)
Epiphaneia (Ekbatana)
Apollonia
Chala
Herakleia
Artemita
Apameia?
Dura-Europos
Nikephorion
Tigris
Euphrat
Seleukeia (Opis)
Neapolis
Babylon
Babylonien
Apameia?
Seleukeia (Susa)
Susiana
Orchoë (Uruk)
Apameia?
Methone?
Chaldäa
Alexandreia-Antiocheia, Charax
40° östl. L. v. Gr.
Hellenistische Königsburg Pergamon
Bauten:
des 3. Jahrh. v. Chr.
der 1. Hälfte des 2. Jahrh. v. Chr.
der späten Königszeit
der römischen Kaiserzeit
Maßstab 1:5000
0 25 50 100 m
Magazine
Arsenale
Kaserne
Königspaläste
Tempel Trajans und Hadrians
Läden
Dionysos-Tempel
Theater
Bibliothek
Gallier-Gruppen n. 225 v. Chr.
Athena-Tempel
Burgtor
Heroon
Altar des Zeus u. der Athena Nikephoros
Tempel
Oberer Markt

I
Kelten und Frühgermanen
Kelten und Skythen:
Mutmaßliche Keltenheimat
Eroberungen im 6. u. 5. Jh. v. Chr.
" " seit ca. 400 v. Chr.
" " im 3. Jh. v. Chr.
Bojer keltische Stämme
Nervier keltisierte germanische Stämme
keltische Ausbreitung
Fahrt des Griechen Pytheas von Massilia um 350 v. Chr.
Vorstöße der Skythen
skythische Fürstengräber (Kurgane) aus der Zeit von 600–400 v. Chr.
Wichtige Kurgane aus der Zeit nach 440 v. Chr.
Hauptstätten griech. Einwirkung im Bereich der Hallstatt- und der La Tène-Kultur
Frühgermanen:
Mutmaßl. Urheimat der Germanen
Chatten Vor dem 3. Jh. v. Chr. in altkeltisches Gebiet eingewanderte Germanenstämme
Zug der Kimbern, Teutonen und Ambronen
Zug der Sweben, Haruden, Markomannen, Triboker, Vangionen und Nemeter unter Ariovist nach Gallien
Bastarnen- und Skiren-Züge
Frühe westgerman. Ausbreitung
Der Stamm der Germani, nach dem alle Germanen benannt sind, zerfiel in Cäsars Zeiten in die drei Stämme der Kondruser, Segner und Pämanen
Zinn Bodenschätze
Maßstab 1: 20 000 000
II
Griechische Kolonisation und griechischer Kultureinfluß am Tyrrhenischen u. Ligurischen Meer
Maßstab 1:5 000 000
Etrusker: (stärkster griechischer Kultureinfluß)
Kerngebiet
Ausweitung und Verlust (zwischen 600 u. 450 v. Chr.)
Zugewonnenes Hoheitsgebiet bis zum Kelteneinbruch (um 400 v. Chr.)
Fundorte
Bezeugte Orte
Volci Hauptorte (Capita)
Rückzugswege
Italiker:
Umbri Stämme
Siedlungen
Heiligtümer
Illyrer:
Dauni Stämme
Siedlungen
Heiligtümer
Rückzugswege
Ligurer:
Siedlungen
Heiligtümer
Castellieri Höhenfluchtburgen
Griechen:
Massalia Kolonien des 6. Jh. v. Chr.
Olbia Kolonien des 4. Jh. v. Chr.
Genua Einfluß im 6.–4. Jh. v. Chr.
Orte mit starkem griechischen Einfluß
Handelswege
Übernahme der griechischen Schrift von Chalkis nach Mittelitalien (Latium, Falerii, Süd-Etrurien)
Weiterbildung in Nord-Etrurien
Griech. u. etrusk. Einfluß an der mittleren Adriaküste
Verbreitung auf etruskischem Rückzugsweg nach Venetien und venetischem Wegnach Gurina (Plöckenpaß)
Wirkung auf die Gallier
Vertreibung der Phokäer um 535 v. Chr.
Castellieri-Kultur seit der Bronzezeit

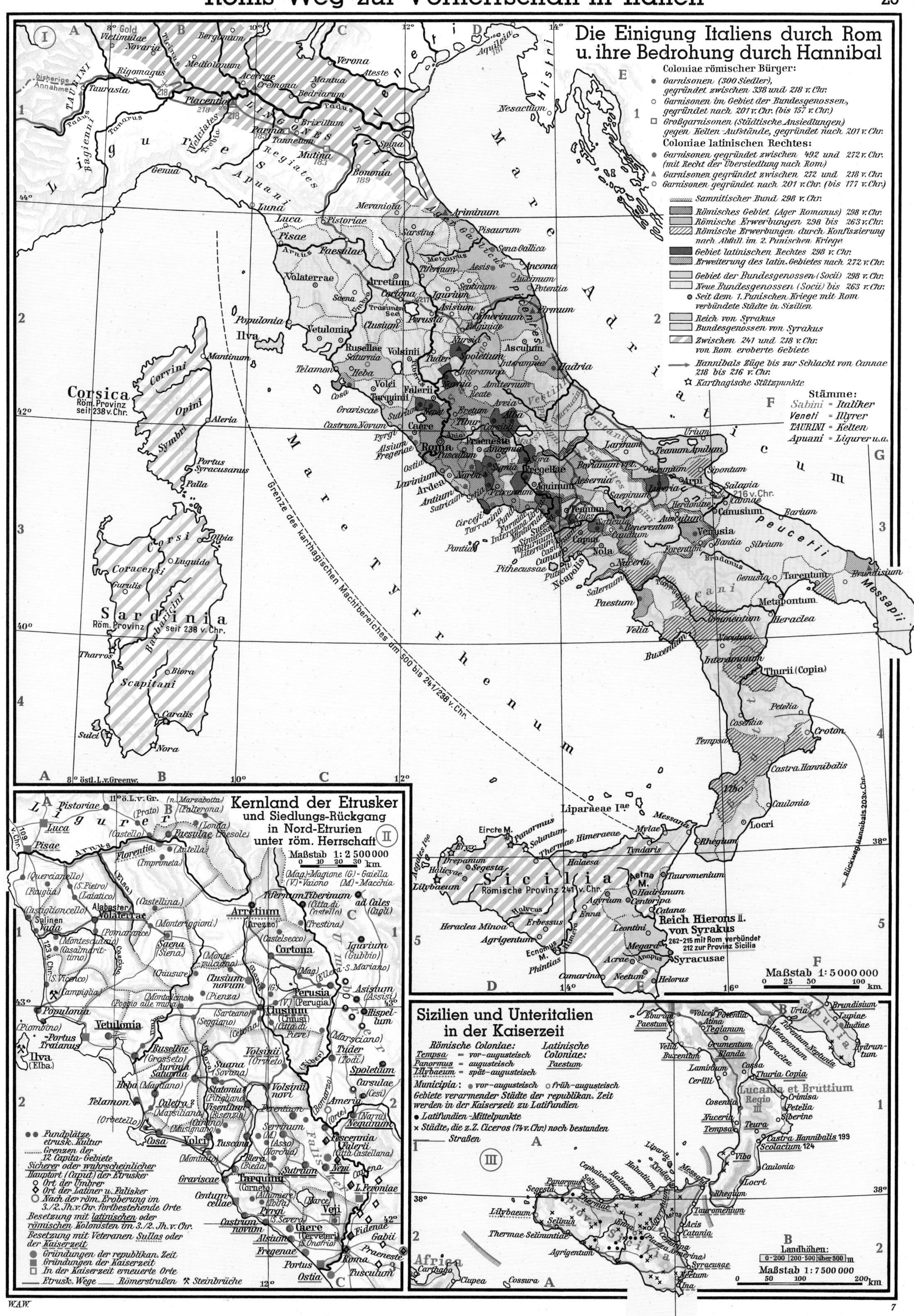
Die Einigung Italiens durch Rom u. ihre Bedrohung durch Hannibal
Coloniae römischer Bürger:
Garnisonen (300 Siedler), gegründet zwischen 338 und 218 v. Chr.
Garnisonen im Gebiet der Bundesgenossen, gegründet nach 201 v. Chr. (bis 157 v. Chr.)
Großgarnisonen (Städtische Ansiedlungen) gegen Kelten-Aufstände, gegründet nach 201 v. Chr.
Coloniae latinischen Rechtes:
Garnisonen gegründet zwischen 492 und 272 v. Chr. (mit Recht der Übersiedlung nach Rom)
Garnisonen gegründet zwischen 272 und 218 v. Chr.
Garnisonen gegründet nach 201 v. Chr. (bis 177 v. Chr.)
Samnitischer Bund 298 v. Chr.
Römisches Gebiet (Ager Romanus) 298 v. Chr.
Römische Erwerbungen 298 bis 263 v. Chr.
Römische Erwerbungen durch Konfiszierung nach Abfall im 2. Punischen Kriege
Gebiet latinischen Rechtes 298 v. Chr.
Erweiterung des latin. Gebietes nach 272 v. Chr.
Gebiet der Bundesgenossen (Socii) 298 v. Chr.
Neue Bundesgenossen (Socii) bis 263 v. Chr.
Seit dem 1. Punischen Kriege mit Rom verbündete Städte in Sizilien
Reich von Syrakus
Bundesgenossen von Syrakus
Zwischen 241 und 218 v. Chr. von Rom eroberte Gebiete
Hannibals Züge bis zur Schlacht von Cannae 218 bis 216 v. Chr.
Karthagische Stützpunkte
Stämme:
Sabini = Italiker
Veneti = Illyrer
TAURINI = Kelten
Apuani = Ligurer u.a.
Mare Adriaticum
Mare Tyrrhenum
Grenze des karthagischen Machtbereiches um 500 bis 241/238 v. Chr.
Corsica Röm. Provinz seit 238 v. Chr.
Sardinia Röm. Provinz seit 238 v. Chr.
Sicilia Römische Provinz 241 v. Chr.
Reich Hierons II. von Syrakus 262–215 mit Rom verbündet 212 zur Provinz Sicilia
Rückweg Hannibals 203 v. Chr.
Roma
Maßstab 1: 5 000 000
Kernland der Etrusker und Siedlungs-Rückgang in Nord-Etrurien unter röm. Herrschaft
Maßstab 1: 2 500 000
(Mag.) = Magione (G.) = Gaiella (V.) = Vaiono (M.) = Macchia
Fundplätze etrusk. Kultur
Grenzen der 12 Capita-Gebiete
Sicherer oder wahrscheinlicher Hauptort (Caput) der Etrusker
Ort der Umbrer
Ort der Latiner u. Falisker
Nach der röm. Eroberung im 3./2. Jh. v. Chr. fortbestehende Orte
Besetzung mit latinischen oder römischen Kolonisten im 3./2. Jh. v. Chr.
Besetzung mit Veteranen Sullas oder der Kaiserzeit
Gründungen der republikan. Zeit
Gründungen der Kaiserzeit
In der Kaiserzeit erneuerte Orte
Etrusk. Wege
Römerstraßen
Steinbrüche
Sizilien und Unteritalien in der Kaiserzeit
Römische Coloniae:
Tempsa = vor-augusteisch
Panormus = augusteisch
Lilybaeum = spät-augusteisch
Latinische Coloniae: Paestum
Municipia: vor-augusteisch, früh-augusteisch
Gebiete verarmender Städte der republikan. Zeit werden in der Kaiserzeit zu Latifundien
Latifundien-Mittelpunkte
Städte, die z.Z. Ciceros (74 v. Chr.) noch bestanden
Straßen
Lucania et Bruttium Regio III
Landhöhen: 0-200 200-500 über 500 m
Maßstab 1: 7 500 000

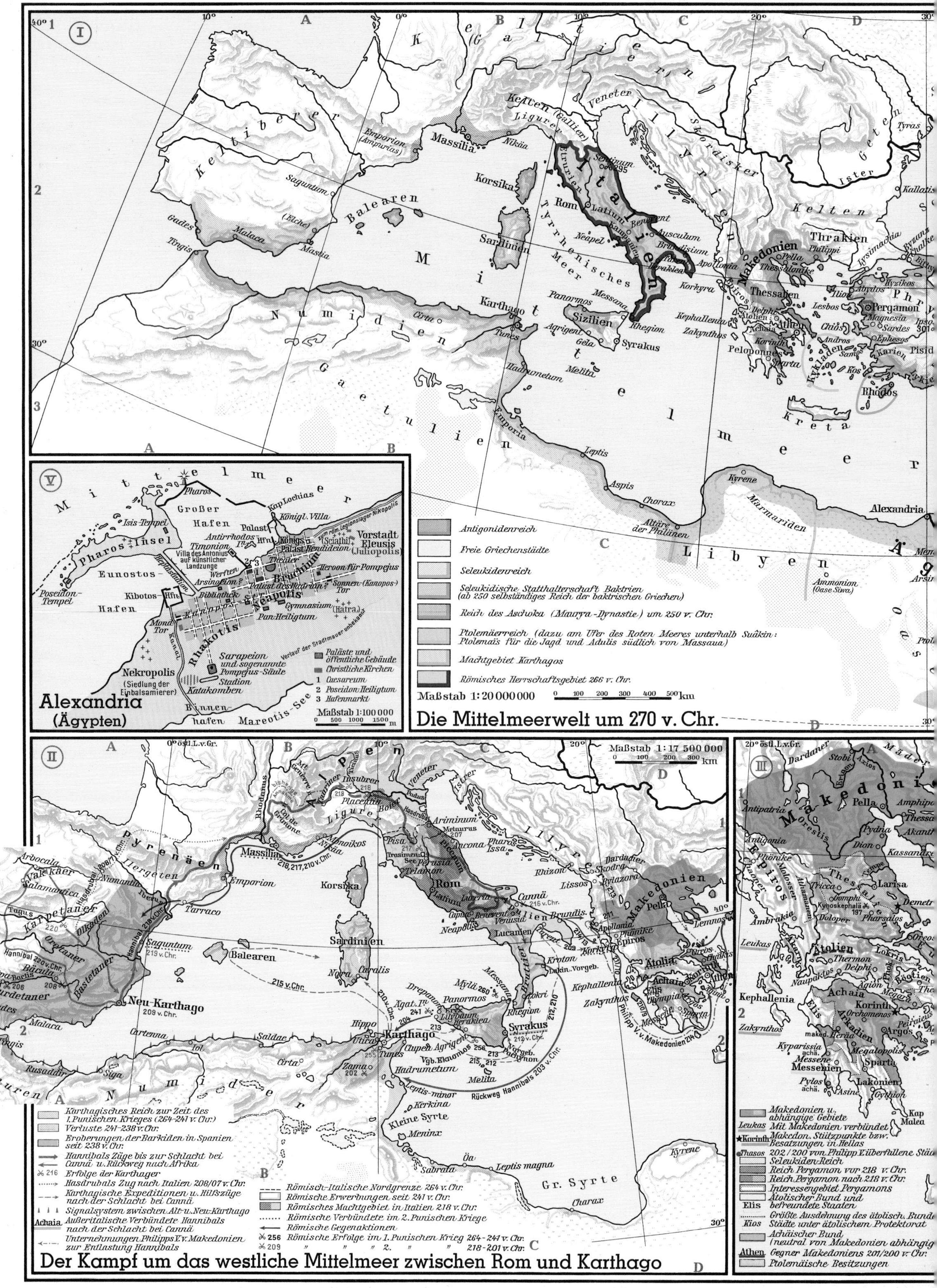
I
Die Mittelmeerwelt um 270 v. Chr.
Antigonidenreich
Freie Griechenstädte
Seleukidenreich
Seleukidische Statthalterschaft Baktrien (ab 250 selbständiges Reich der baktrischen Griechen)
Reich des Aschoka (Maurya-Dynastie) um 250 v. Chr.
Ptolemäerreich (dazu am Ufer des Roten Meeres unterhalb Suâkin: Ptolemaïs für die Jagd und Adulis südlich von Massaua)
Machtgebiet Karthagos
Römisches Herrschaftsgebiet 266 v. Chr.
Maßstab 1:20 000 000
V
Alexandria (Ägypten)
Paläste und öffentliche Gebäude
Christliche Kirchen
1 Caesareum
2 Poseidon-Heiligtum
3 Hafenmarkt
Maßstab 1:100 000
II
Der Kampf um das westliche Mittelmeer zwischen Rom und Karthago
Maßstab 1:17 500 000
Karthagisches Reich zur Zeit des 1. Punischen Krieges (264-241 v. Chr.)
Verluste 241-238 v. Chr.
Eroberungen der Barkiden in Spanien seit 238 v. Chr.
Hannibals Züge bis zur Schlacht bei Cannä u. Rückweg nach Afrika
Erfolge der Karthager
Hasdrubals Zug nach Italien 208/07 v. Chr.
Karthagische Expeditionen u. Hilfszüge nach der Schlacht bei Cannä
Signalsystem zwischen Alt- u. Neu-Karthago
Außeritalische Verbündete Hannibals nach der Schlacht bei Cannä
Unternehmungen Philipps V. v. Makedonien zur Entlastung Hannibals
Römisch-Italische Nordgrenze 264 v. Chr.
Römische Erwerbungen seit 241 v. Chr.
Römisches Machtgebiet in Italien 218 v. Chr.
Römische Verbündete im 2. Punischen Kriege
Römische Gegenaktionen
Römische Erfolge im 1. Punischen Krieg 264-241 v. Chr.
" " 2. " " 218-201 v. Chr.
III
Makedonien u. abhängige Gebiete
Mit Makedonien verbündet
Makedon. Stützpunkte bzw. Besatzungen in Hellas
202/200 von Philipp V. überfallene Städte
Seleukiden-Reich
Reich Pergamon vor 218 v. Chr.
Reich Pergamon nach 218 v. Chr.
Interessengebiet Pergamons
Ätolischer Bund und befreundete Staaten
Größte Ausdehnung des ätolisch. Bundes
Städte unter ätolischem Protektorat
Achäischer Bund (neutral von Makedonien abhängig)
Gegner Makedoniens 201/200 v. Chr.
Ptolemäische Besitzungen

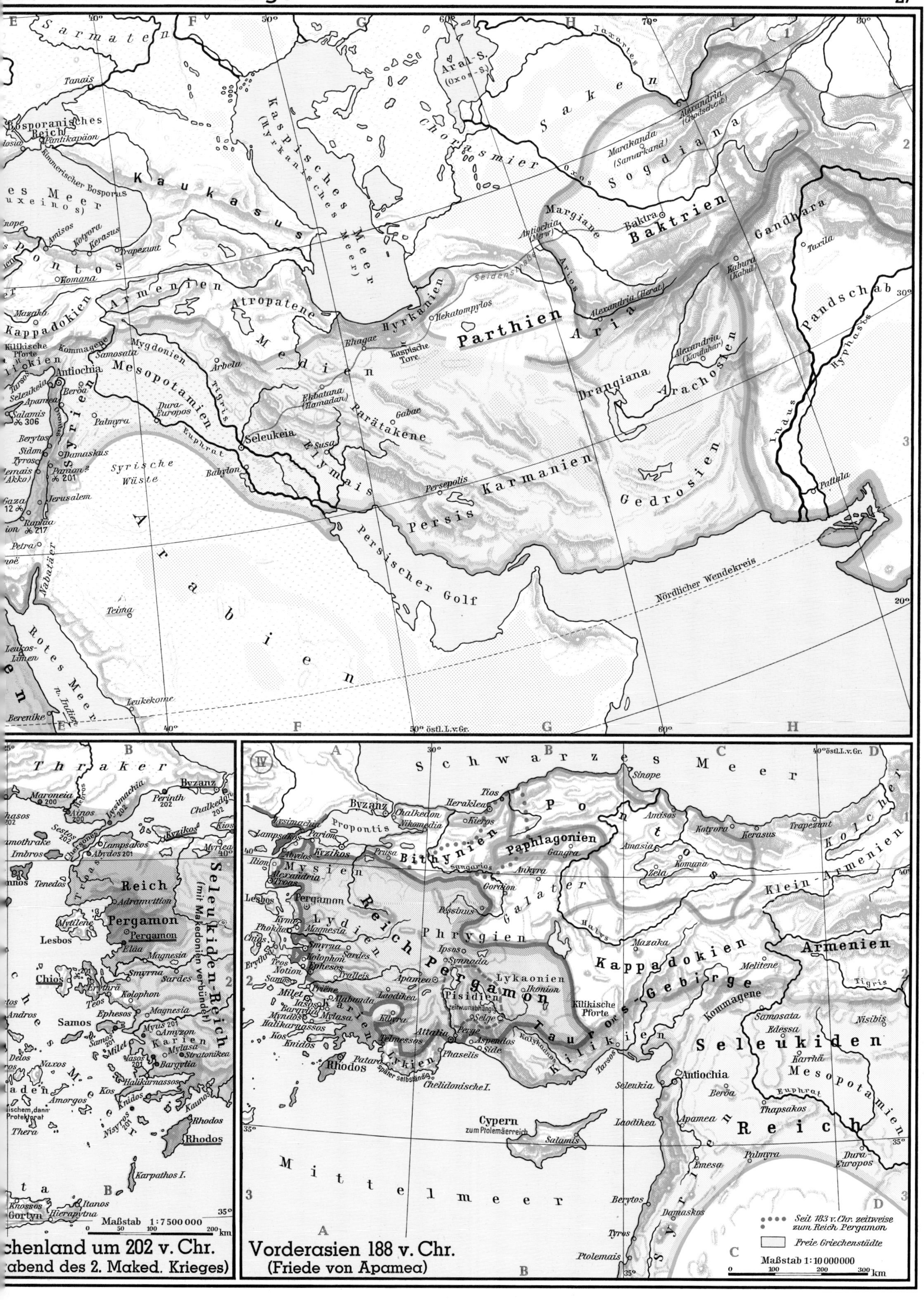
Sarmaten
Tanais
Bosporanisches Reich
Pantikapäon
Kimmerischer Bosporus
Kaukasus
Kaspisches Meer (Hyrkanisches Meer)
Aral-S. (Oxos-S.)
Chorasmier
Saken
Jaxartes
Alexandria (Chodschend)
Marakanda (Samarkand)
Sogdiana
Oxos
Margiane
Antiochia (Merw)
Baktra
Baktrien
Gandhara
Taxila
Seidenstraße
Arios
Alexandria (Herat)
Kabura (Kabul)
Pandschab
Hyphasis
Indus
Pattala
Amisos
Kotyora
Kerasus
Trapezunt
Pontos
Komana
Armenien
Atropatene
Hyrkanien
Hekatompylos
Parthien
Aria
Mazaka
Kappadokien
Kilikische Pforte
Kommagene
Samosata
Mygdonien
Medien
Rhagae
Kaspische Tore
Arbela
Alexandria (Kandahar)
Arachosien
Drangiana
Antiochia
Seleukeia
Tarsos
Apameia
Beroa
Salamis 306
Mesopotamien
Tigris
Dura-Europos
Ekbatana (Hamadan)
Gabae
Parätakene
Palmyra
Syrien
Berytos
Sidon
Tyros
Damaskus
Paniom 201
Seleukeia
Euphrat
Susa
Elymais
Syrische Wüste
Babylon
Persepolis
Karmanien
Gedrosien
Jerusalem
Gaza 12
Raphia 217
Petra
Nabatäer
Arabien
Persis
Persischer Golf
Nördlicher Wendekreis
Teima
Leukos-Limen
Rotes Meer
Leukekome
Berenike
50° östl. L. v. Gr.

Thraker
Byzanz
Maroneia 200
Perinth 202
Chalkedon 202
Lysimachia 202
Ainos
Sestos
Kios
Samothrake
Imbros
Lampsakos
Abydos 201
Kyzikos
Myrlea
Tenedos
Reich Pergamon
Adramyttion
Pergamon
Seleukiden-Reich (mit Makedonien verbündet)
Mytilene
Lesbos
Eläa
Magnesia
Chios
Smyrna
Sardes
Erythrä
Kolophon
Teos
Andros
Samos
Ephesos
Magnesia
Myus 201
Amyzon
Samos 201
Milet 201
Karien
Mylasa
Stratonikeia
Iasos 201
Bargylia
Delos
Naxos
Halikarnassos
Amorgos
Kos
Knidos
Kaunos
Nisyros 201
Thera
Rhodos
Karpathos I.
Knossos
Itanos
Gortyn
Hierapytna
Maßstab 1:7500000
chenland um 202 v. Chr.
abend des 2. Maked. Krieges

Schwarzes Meer
Sinope
Tios
Herakleia
Byzanz
Chalkedon
Nikomedia
Kieros
Pontos
Amisos
Kotyora
Kerasus
Trapezunt
Kolcher
Lysimachia
Propontis
Lampsakos
Parion
Paphlagonien
Gangra
Amasia
Komana
Zela
Abydos
Kyzikos
Prusa
Bithynien
Sangarios
Ankyra
Klein-Armenien
Ilion
Mysien
Alexandria Troas
Gordion
Galater
Lesbos
Pergamon
Reich Pergamon
Pessinus
Kyme
Phokäa
Lydien
Magnesia
Phrygien
Halys
Mazaka
Armenien
Chios
Smyrna
Sardes
Ipsos
Kappadokien
Melitene
Erythrä
Teos
Kolophon
Notion
Ephesos
Synnada
Samos
Tralleis
Apameia
Lykaonien
Ikonion
Taurus-Gebirge
Tigris
Priene
Milet
Alabanda
Laodikea
Pisidien
Kilikische Pforte
Kommagene
Iasos
Bargylia
Karien
Mylasa
Myndos
Halikarnassos
Kibyra
Selge
zeitw. unabhängig
Samosata
Nisibis
Kos
Knidos
Telmessos
Attalia
Perge
Aspendos
Side
Kilikien
Edessa
Seleukiden
Rhodos
Patara
Lykien
später selbständig
Phaselis
Chelidonische I.
Tarsos
Antiochia
Karrhä
Mesopotamien
Beröa
Euphrat
Seleukia
Thapsakos
Cypern
zum Ptolemäerreich
Salamis
Laodikea
Apamea
Reich
Mittelmeer
Emesa
Palmyra
Dura-Europos
Berytos
Damaskos
Syrien
Tyros
Ptolemais
Seit 183 v. Chr. zeitweise zum Reich Pergamon
Freie Griechenstädte
Maßstab 1:10000000
Vorderasien 188 v. Chr.
(Friede von Apamea)

I
Das Römische Reich im 2. Jahrhundert v. Chr.
Maßstab 1:25000000
Rom u. die italische Wehrgemeinschaft seit 268
Römische Erwerbungen bis 201 v. Chr.
Römische Erwerbungen bis 121 v. Chr.
Staaten unter römischem Einfluß
Grenze des Reiches von Pergamon vor 133 v. Chr.
Mare Internum
Pontus Euxinus
II
Das Römische Reich zur Zeit Caesars und Octavians (bis 31 v. Chr.)
Maßstab 1:25 000 000
Das Römische Reich zu Beginn der Bürgerkriege
Erwerbungen bis zum Abschluß des 1. Triumvirats (60 v. Chr.)
Erwerbungen bis zum Tode Caesars (44 v. Chr.)
Von Rom abhängige Staaten
Provinzen des Triumvirn Caesar
" " " Pompeius
" " " Crassus
Vorcaesarische Kolonien
Caesarische Kolonien
Caesarische Municipien
Kolonien der Triumvirn in Griechenland
III
Schlacht bei Cannae (Apulien) 216 v. Chr.
Maßstab 1:150000
Römer: Karthager:
Reiter
Fußvolk
Leichtbewaffnete
Durch den römischen Gewaltstoß zurückgedrücktes Zentrum der Karthager
Flucht der römischen Reiter
Anmarsch der Römer
Reitergefecht
Großes Lager der Römer
Kleines Lager der Römer
Zweites Lager Hannibals
Erstes Lager Hannibals
Adriatisches Meer
IV
Karthago und Umgebung
Maßstab 1:1000 000
Siedlungen
Straßen und Wege
Römische Flureinteilung
Die vorrömischen Siedlungen, von der römischen Landaufteilung (centuratio) nicht berücksichtigt, verselbständigen sich in der Kaiserzeit wieder
Heutige Küsten und Flüsse
Golf von Utica

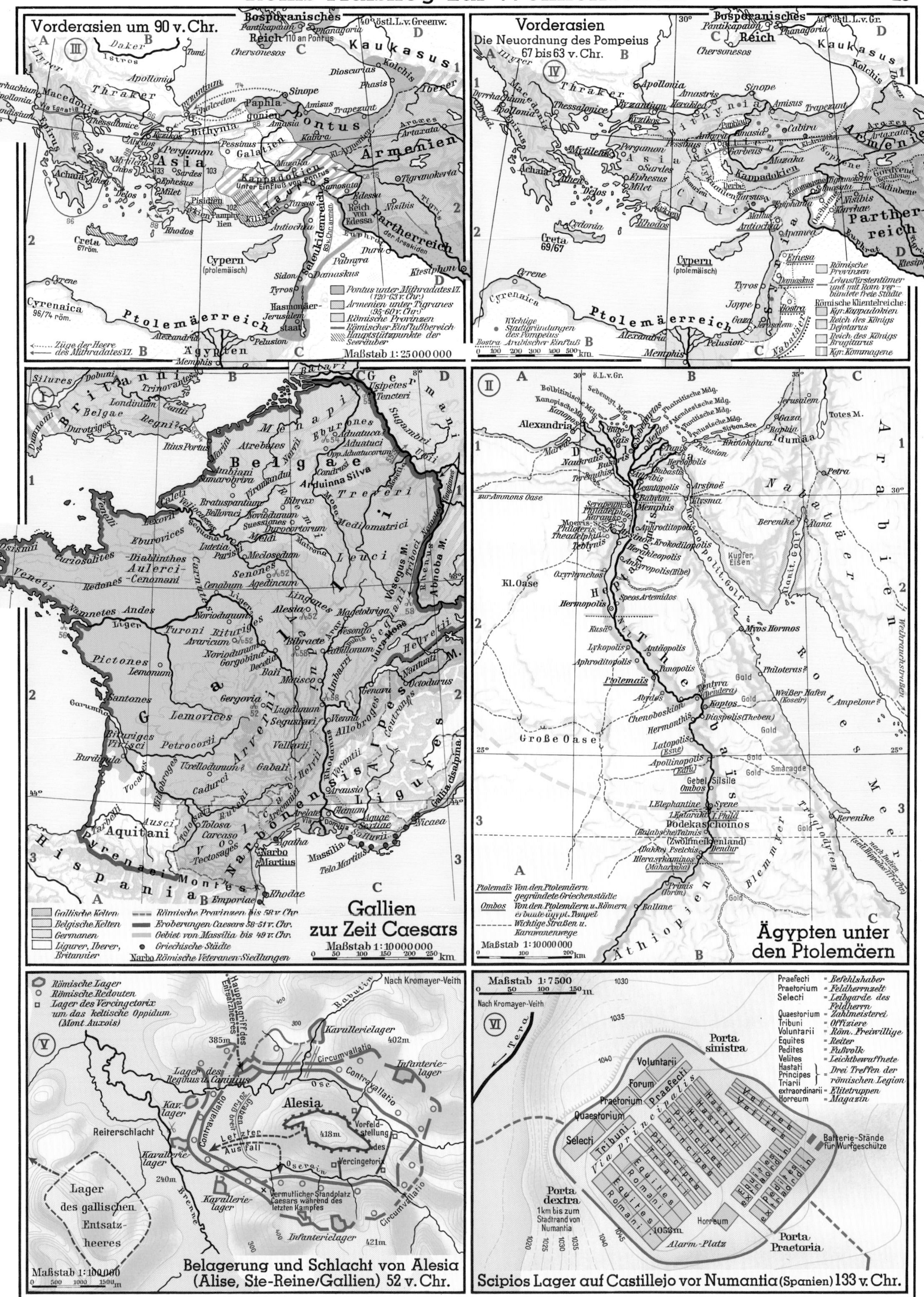
Vorderasien um 90 v. Chr.
III
Pontus unter Mithradates VI. (120–63 v. Chr.)
Armenien unter Tigranes (95–60 v. Chr.)
Römische Provinzen
Römischer Einflußbereich
Hauptstützpunkte der Seeräuber
Züge der Heere des Mithradates VI.
Maßstab 1: 25 000 000
Vorderasien
Die Neuordnung des Pompeius 67 bis 63 v. Chr.
IV
Römische Provinzen
Lehnsfürstentümer und mit Rom verbündete freie Städte
Römische Klientelreiche:
Kgr. Kappadokien
Reich des Königs Dejotarus
Reich des Königs Brogitarus
Kgr. Kommagene
Wichtige Stadtgründungen des Pompeius
Arabischer Einfluß
I
Gallien zur Zeit Caesars
Gallische Kelten
Belgische Kelten
Germanen
Ligurer, Iberer, Britannier
Römische Provinzen bis 58 v. Chr.
Eroberungen Caesars 58–51 v. Chr.
Gebiet von Massilia bis 49 v. Chr.
Griechische Städte
Narbo Römische Veteranen-Siedlungen
Maßstab 1: 10 000 000
II
Ägypten unter den Ptolemäern
Ptolemaïs Von den Ptolemäern gegründete Griechenstädte
Ombos Von den Ptolemäern u. Römern erbaute ägypt. Tempel
Wichtige Straßen u. Karawanenwege
Maßstab 1: 10 000 000
V
Römische Lager
Römische Redouten
Lager des Vercingetorix um das keltische Oppidum (Mont Auxois)
Nach Kromayer-Veith
Belagerung und Schlacht von Alesia (Alise, Ste-Reine/Gallien) 52 v. Chr.
Maßstab 1: 100 000
VI
Maßstab 1: 7500
Nach Kromayer-Veith
Praefecti = Befehlshaber
Praetorium = Feldherrnzelt
Selecti = Leibgarde des Feldherrn
Quaestorium = Zahlmeisterei
Tribuni = Offiziere
Voluntarii = Röm. Freiwillige
Equites = Reiter
Pedites = Fußvolk
Velites = Leichtbewaffnete
Hastati, Principes, Triarii = Drei Treffen der römischen Legion
extraordinarii = Elitetruppen
Horreum = Magazin
Scipios Lager auf Castillejo vor Numantia (Spanien) 133 v. Chr.

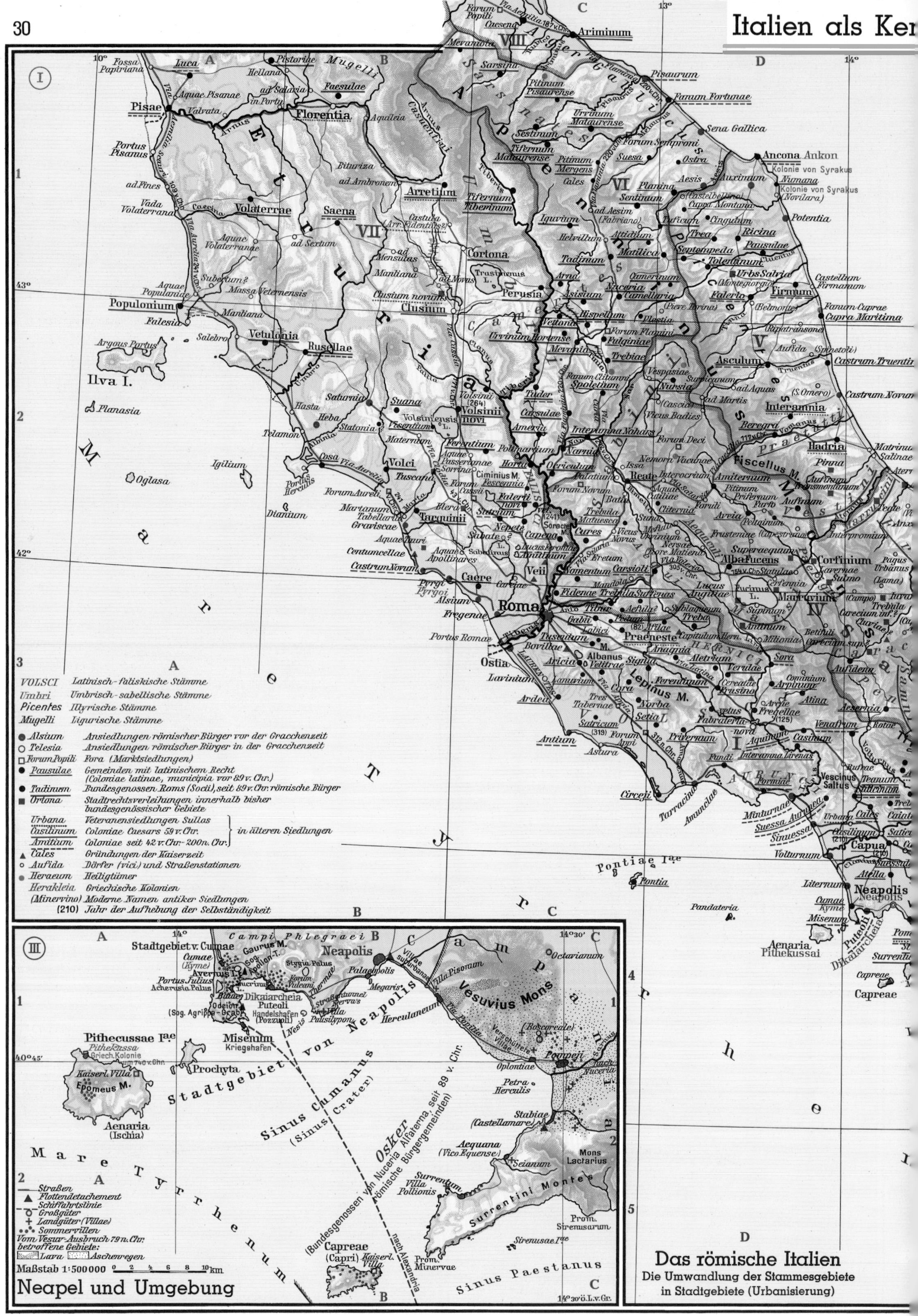

Neapel und Umgebung

Das römische Italien

Die Umwandlung der Stammesgebiete in Stadtgebiete (Urbanisierung)

Rom und Umgebung
Maßstab 1 : 750 000
0 5 10 km
Rom im Schnittpunkt der Kulturgrenzen u. Straßen:
Westgrenze der Erdbestattung
Ostgrenze der Brandbestattung
Alte — Jüngere Straßen
Heerstraßen
Grenzen des Ager Romanus der ländl. Tribus bis 369 v. Chr.
Stadtgrenzen der Latiner und Bundesgenossen (seit 89 v. Chr. sämtlich Municipia und um die Tribus-Gebiete erweitert:
1 Sabatina 2 Stellatina 3 Tromentina 4 Arnensis 5 Scaptia 6 Maecia 7 Poblilia 8 Pomptina 9 Oufentina 10 Aniensis) 11 Ager Pedanus 12 Ager Labicanus
Kaiserliche Villen
Mittelpunkte von Großgütern der Kaiserzeit: 1 Torrenuova in Tribus Pupinia 2 Villa di Sette Bassi 3 Villa Quintiliorum
Gräber: 4 Tor de Pignattara (Mausoleum) 5 Mausoleum der Caecilia Metella
Verödeter Ort
Heiligtum
Steinbruch
Wasserleitung
Aquae = Schwefelquelle
Etruria
Latium
Sabini
Aequi
Hernici
Volsci
Roma
Ostia
Portus Romae seit Claudius und Trajan
Mare Tyrrhenum
Tibur (Tivoli)
Praeneste (Palestrina)
Tusculum
Mons Albanus
Antium
Lepinus Mons
Einteilung in XI Regiones durch Augustus:
I Latium et Campania
II Apulia et Calabria
III Lucania
IV Samnium
V Picenum
VI Umbria
VII Etruria
VIII Aemilia
IX Liguria
X Venetia et Histria
XI Transpadana
Mare Adriaticum
Diomedeae Ins.
Garganus M.
Apulia
Daunia
Peucetia
Calabria
Messapia
Sallentini
Lucania
Bruttii
Sinus Tarentinus
Tarentum
Brundisium
Barium
Canusium
Venusia
Luceria
Metapontum
Heraclea
Thurii
Sybaris
Hydruntum
Callipolis
Paestum
Velia
Via Appia
Via Traiana
Via Popilia
Sallentinum Pr. Iapygium
Maßstab 1 : 2 000 000
0 20 40 60 80 100 km
15° östl. L. v. Greenw.
1000 1000-2000 über 2000 m

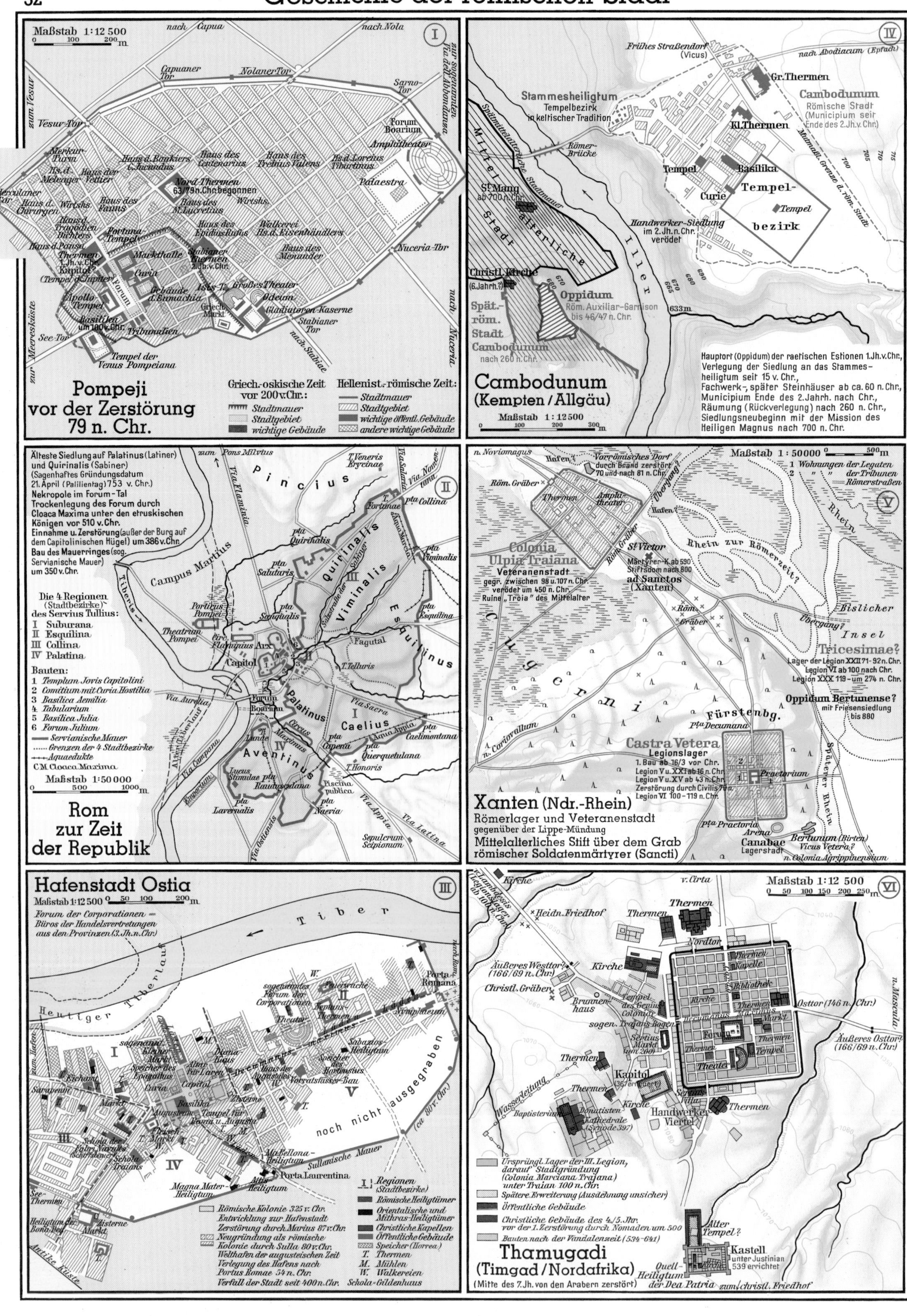
I
Maßstab 1:12 500
0 100 200 m
nach Capua
nach Nola
Capuaner Tor
Nolaner Tor
Sarno-Tor
Vesuv-Tor
zum Vesuv
zur sogenannten Via dell'Abbondanza
nach Neapel / zur Mysterien-Villa
Forum Boarium
Amphitheater
Palaestra
Merkur-Turm
Hs.d. Meleager
Haus der Vettier
Haus d. Bankiers C. Iucundus
Haus des Centenarius
Haus des Trebius Valens
Hs. d. Loreius Tiburtinus
Nord-Thermen
63/79 n. Chr. begonnen
Haus des M. Lucretius
Wirtshs.
Herculaner Tor
Haus d. Chirurgen
Wirtshs.
Haus des Fauns
Haus d. Tragöd. Dichters
Fortuna-Tempel
Haus des Epidius Rufus
Walkerei
Hs. d. Eisenhändlers
Haus d. Pansa
Thermen 1. Jh. v. Chr.
Kapitol (Tempel d. Jupiter)
Markthalle
Curia
Stabianer Thermen 2. Jh. v. Chr.
Haus des Menander
Nuceria-Tor
Apollo-Tempel
Forum
Gebäude d. Eumachia
Isis-T.
Großes Theater
Odeum
Griech. Markt
Gladiatoren-Kaserne
Stabianer Tor
Basilika um 100 v. Chr.
Tribunalien
See-Tor
zur Meeresküste
nach Stabiae
nach Nuceria
Tempel der Venus Pompeiana
Pompeji vor der Zerstörung 79 n. Chr.
Griech.-oskische Zeit vor 200 v. Chr.:
Stadtmauer
Stadtgebiet
wichtige Gebäude
Hellenist.-römische Zeit:
Stadtmauer
Stadtgebiet
wichtige öffentl. Gebäude
andere wichtige Gebäude
IV
Frühes Straßendorf (Vicus)
nach Abodiacum (Epfach)
Gr. Thermen
Cambodunum
Römische Stadt (Municipium seit Ende des 2. Jh. v. Chr.)
Stammesheiligtum
Tempelbezirk in keltischer Tradition
Kl. Thermen
Römer-Brücke
Spätmittelalterliche Stadtmauer
Mittelalterliche Stadt
St. Mang ab 700 n. Chr.
Tempel
Basilika
Curie
Tempel-bezirk
Tempel
Mutmaßl. Grenze d. röm. Stadt
Handwerker-Siedlung im 2. Jh. n. Chr. verödet
Iller
Christl. Kirche (6. Jahrh.?)
Spät-röm. Stadt Cambodunum nach 260 n. Chr.
Oppidum
Röm. Auxiliar-Garnison bis 46/47 n. Chr.
633 m
Hauptort (Oppidum) der raetischen Estionen 1. Jh. v. Chr., Verlegung der Siedlung an das Stammesheiligtum seit 15 v. Chr., Fachwerk-, später Steinhäuser ab ca. 60 n. Chr., Municipium Ende des 2. Jahrh. nach Chr., Räumung (Rückverlegung) nach 260 n. Chr., Siedlungsneubeginn mit der Mission des Heiligen Magnus nach 700 n. Chr.
Cambodunum (Kempten / Allgäu)
Maßstab 1:12500
0 100 200 300 m
II
Älteste Siedlung auf Palatinus (Latiner) und Quirinalis (Sabiner) (Sagenhaftes Gründungsdatum 21. April (Palilienfag) 753 v. Chr.)
Nekropole im Forum-Tal
Trockenlegung des Forum durch Cloaca Maxima unter den etruskischen Königen vor 510 v. Chr.
Einnahme u. Zerstörung (außer der Burg auf dem Capitolinischen Hügel) um 386 v. Chr.
Bau des Mauerringes (sog. Servianische Mauer) um 350 v. Chr.
zum Pons Milvius
Via Flaminia
Pincius
T. Veneris Erycinae
Via Salaria
Via Nomentana
pta Collina
T. Fortunae
pta Quirinalis
Quirinalis
Viminalis
Esquilinus
pta Viminalis
pta Salutaris
Campus Martius
Tiberis
Die 4 Regionen (Stadtbezirke) des Servius Tullius:
I Suburana
II Esquilina
III Collina
IV Palatina
Porticus Pompei
Theatrum Pompei
pta Sanqualis
pta Esquilina
Circ. Flaminius
Arx
Capitol
Fagutal
T. Telluris
Bauten:
1 Templum Jovis Capitolini
2 Comitium mit Curia Hostilia
3 Basilica Aemilia
4 Tabularium
5 Basilica Julia
6 Forum Julium
Servianische Mauer
Grenzen der 4 Stadtbezirke
Aquaedukte
C.M. Cloaca Maxima
Via Aurelia
Forum Boarium
Palatinus
Via Sacra
Caelius
Circus Maximus
pta Capena
pta Caelimontana
Aqua Appia
pta Querquetulana
T. Honoris
Aventinus
Lucus Stimulae
pta Raudusculana
Piscina publica
Via Campana
Emporium
pta Lavernalis
pta Naevia
Via Appia
Via Latina
Sepulcrum Scipionum
Via Ostiensis
Maßstab 1:50 000
0 500 1000 m
Rom zur Zeit der Republik
V
n. Noviomagus
Maßstab 1:50000
0 500 m
Hafen?
Vorrömisches Dorf durch Brand zerstört 70 und nach 81 n. Chr.
Röm. Gräber
Thermen
Amphitheater
Übergang?
Hafen?
1 Wohnungen der Legaten
2 " " der Tribunen
Römerstraßen
Rhein
Colonia Ulpia Traiana
Veteranenstadt
gegr. zwischen 98 u. 107 n. Chr.
verödet um 450 n. Chr.
Ruine „Troia" des Mittelalter
St. Victor
Märtyrer-K. ab 590
Stiftsdom nach 800
ad Sanctos (Xanten)
Rhein zur Römerzeit?
Röm. Gräber
Bislicher
Übergang?
Insel
Tricesimae?
Lager der Legion XXII 71-92 n. Chr.
Legion VI ab 100 nach Chr.
Legion XXX 119-um 274 n. Chr.
Cugerni
Oppidum Bertunense?
mit Friesensiedlung bis 880
Fürstenbg.
Pta Decumana
n. Coriovallum
Castra Vetera
Legionslager
1. Bau ab 16/3 vor Chr.
Legion V u. XXI ab 16 n. Chr.
Legion V u. XV ab 43 n. Chr.
Zerstörung durch Civilis 70 n. Chr.
Legion VI 100-119 n. Chr.
Praetorium
Späterer Rhein
Xanten (Ndr.-Rhein)
Römerlager und Veteranenstadt
gegenüber der Lippe-Mündung
Mittelalterliches Stift über dem Grab römischer Soldatenmärtyrer (Sancti)
Pta Praetoria
Arena
Canabae
Lagerstadt
Bertunum (Birten)
Vicus Vetera?
n. Colonia Agrippinensium
Hafenstadt Ostia
III
Maßstab 1:12 500
0 50 100 200 m
Forum der Corporationen = Büros der Handelsvertretungen aus den Provinzen (3. Jh. n. Chr.)
Tiber
nach Rom
Porta Romana
Heutiger Tiberlauf
sogenanntes Forum der Corporationen
Feuerwache
Theater
Neptuns-Thermen
Nymphaeum
Sabazios-Heiligtum
sogenannter Kleiner Markt
Diana-Haus
Speicher des Hortensius
Speicher des Epagathus
Altar für Laren
Capitol
Vorratsfässer-Bau
Curia
Basilika
Augusteum
Tempel für Roma u. Augustus
noch nicht ausgegraben
(ca. 80 v. Chr.)
Sarapeum
Markt
Schola des Fabri Navales
Schola Traiana
Mit Bellona-Heiligtum
Sullanische Mauer
Porta Laurentina
Magna Mater-Heiligtum
Attis-Heiligtum
See-Thermen
Heiligtum der Bona Dea
Zisterne
Antike Küste
Römische Kolonie 325 v. Chr.
Entwicklung zur Hafenstadt
Zerstörung durch Marius 87 v. Chr.
Neugründung als römische Kolonie durch Sulla 80 v. Chr.
Wohlhafen der augusteischen Zeit
Verlegung des Hafens nach Portus Romae 54 n. Chr.
Verfall der Stadt seit 400 n. Chr.
I Regionen (Stadtbezirke)
Römische Heiligtümer
Orientalische und Mithras-Heiligtümer
Christliche Kapellen
Öffentliche Gebäude
Speicher (Horrea)
T. Thermen
M. Mühlen
W. Walkereien
Schola-Gildenhaus
VI
Maßstab 1:12 500
0 50 100 150 200 250 m
v. Lambaesis
Kirche
v. Cirta
Thermen
Heidn. Friedhof
Thermen
Nordtor
Äußeres Westtor? (166/69 n. Chr.)
Kirche
Thermen
Kapelle
Christl. Gräber
Bibliothek
Brunnenhaus
Tempel des Genius Coloniae
Kirche
Thermen
Osttor (146 n. Chr.)
n. Mascula
sogen. Trajans-Bogen
Forum
Markt
Sertius-Markt
Thermen
Tempel
Äußeres Osttor? (166/69 n. Chr.)
Thermen
Theater
Kapitol
Wasserleitung
Thermen
Sertius-Villa
Baptisterium
Donatisten-Kathedrale (Synode 397)
Kirche
Handwerker-Viertel
Thermen
Ursprüngl. Lager der III. Legion, darauf Stadtgründung (Colonia Marciana Trajana) unter Traian 100 n. Chr.
Spätere Erweiterung (Ausdehnung unsicher)
Öffentliche Gebäude
Christliche Gebäude des 4./5. Jhr. vor der 1. Zerstörung durch Nomaden um 500
Bauten nach der Vandalenzeit (534-641)
Alter Tempel?
Kastell unter Justinian 539 errichtet
Thamugadi (Timgad / Nordafrika)
(Mitte des 7. Jh. von den Arabern zerstört)
Quell-Heiligtum der Dea Patria
zum christl. Friedhof

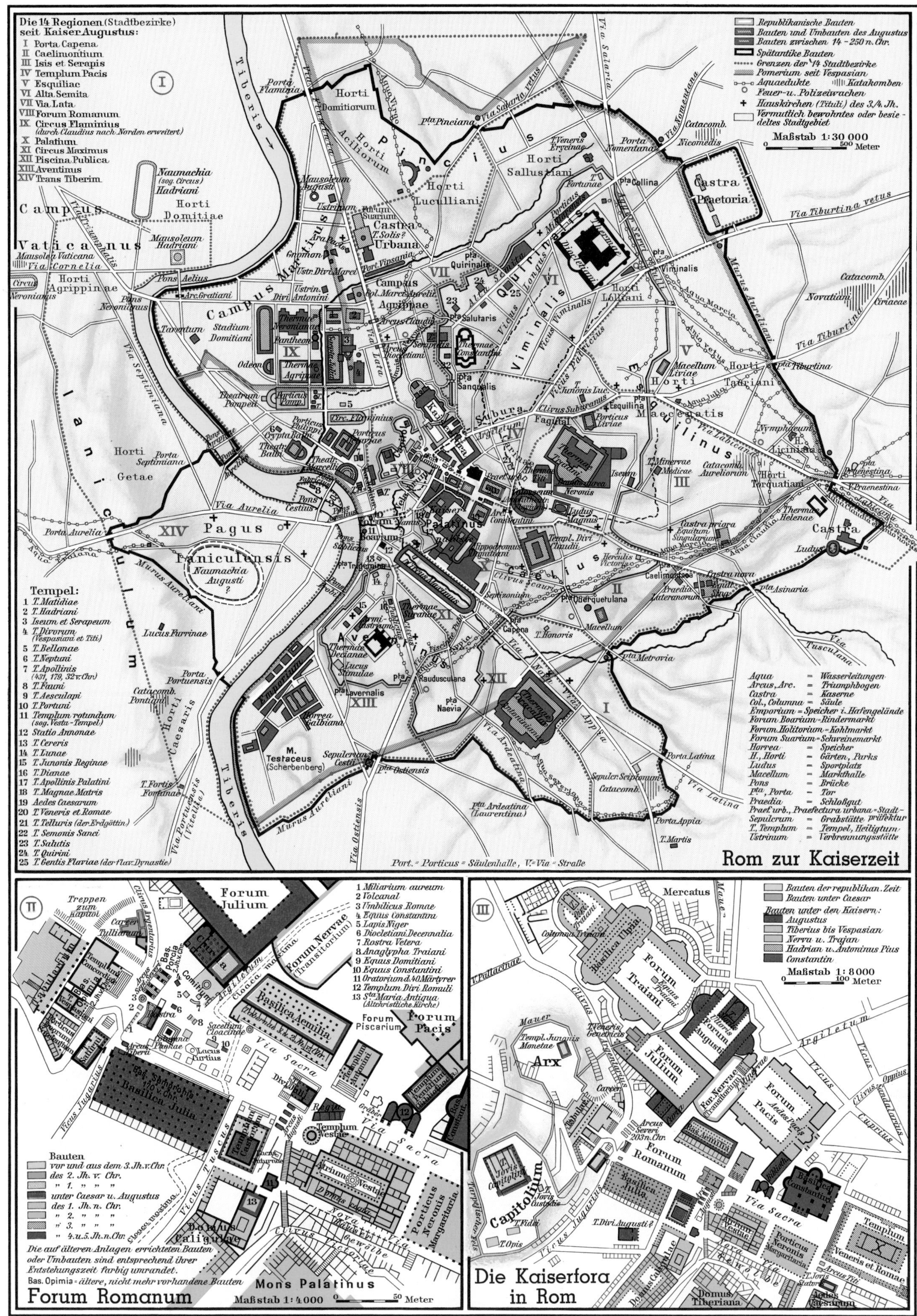
Die 14 Regionen (Stadtbezirke) seit Kaiser Augustus:
I Porta Capena
II Caelimontium
III Isis et Serapis
IV Templum Pacis
V Esquiliae
VI Alta Semita
VII Via Lata
VIII Forum Romanum
IX Circus Flaminius (durch Claudius nach Norden erweitert)
X Palatium
XI Circus Maximus
XII Piscina Publica
XIII Aventinus
XIV Trans Tiberim
Republikanische Bauten
Bauten und Umbauten des Augustus
Bauten zwischen 14 – 250 n. Chr.
Spätantike Bauten
Grenzen der 14 Stadtbezirke
Pomerium seit Vespasian
Aquaedukte
Katakomben
Feuer- u. Polizeiwachen
Hauskirchen (Tituli) des 3./4. Jh.
Vermutlich bewohntes oder besiedeltes Stadtgebiet
Maßstab 1:30 000
0 500 Meter
Tempel:
1 T. Matidiae
2 T. Hadriani
3 Iseum et Serapeum
4 T. Divorum (Vespasiani et Titi)
5 T. Bellonae
6 T. Neptuni
7 T. Apollinis (431, 179, 32 v. Chr.)
8 T. Iani
9 T. Aesculapi
10 T. Portuni
11 Templum rotundum (sog. Vesta-Tempel)
12 Statio Annonae
13 T. Cereris
14 T. Lunae
15 T. Junonis Reginae
16 T. Dianae
17 T. Apollinis Palatini
18 T. Magnae Matris
19 Aedes Caesarum
20 T. Veneris et Romae
21 T. Telluris (der Erdgöttin)
22 T. Semonis Sanci
23 T. Salutis
24 T. Quirini
25 T. Gentis Flaviae (der flav. Dynastie)
Aqua = Wasserleitungen
Arcus, Arc. = Triumphbogen
Castra = Kaserne
Col., Columna = Säule
Emporium = Speicher i. Hafengelände
Forum Boarium = Rindermarkt
Forum Holitorium = Kohlmarkt
Forum Suarium = Schweinemarkt
Horrea = Speicher
H., Horti = Gärten, Parks
Ludus = Sportplatz
Macellum = Markthalle
Pons = Brücke
pta, Porta = Tor
Praedia = Schloßgut
Praef. urb., Praefectura urbana = Stadtpräfektur
Sepulcrum = Grabstätte
T., Templum = Tempel, Heiligtum
Ustrinum = Verbrennungsstätte
Port. = Porticus = Säulenhalle, V. = Via = Straße
Campus Vaticanus
Ianiculum
Pagus Ianiculensis
Naumachia Augusti ?
Campus Martius
Pincius
Quirinalis
Viminalis
Esquilinus
Caelius
Aventinus
Palatinus
Castra Praetoria
Thermae Diocletiani
Thermae Traiani
Thermae Antoninianae
M. Testaceus (Scherbenberg)
Tiberis
Via Flaminia
Via Salaria
Via Nomentana
Via Tiburtina
Via Praenestina
Via Labicana
Via Latina
Via Appia
Via Ardeatina
Via Ostiensis
Via Portuensis
Via Aurelia
Via Cornelia
Murus Aureliani
Rom zur Kaiserzeit
II
1 Miliarium aureum
2 Volcanal
3 Umbilicus Romae
4 Equus Constantini
5 Lapis Niger
6 Diocletiani Decennalia
7 Rostra Vetera
8 Anaglypha Traiani
9 Equus Domitiani
10 Equus Constantini
11 Oratorium d. 40 Märtyrer
12 Templum Divi Romuli
13 Sta Maria Antiqua (Altchristliche Kirche)
Forum Julium
Forum Nervae (Transitorium)
Basilica Aemilia
Forum Piscarium
Forum Pacis
Basilica Julia
Tabularium
Via Sacra
Templum Vestae
Atrium Vestae
Porticus Neronis Margaritaria
Domus Caligulae
Mons Palatinus
Bauten
vor und aus dem 3. Jh. v. Chr.
des 2. Jh. v. Chr.
" 1. " " "
unter Caesar u. Augustus
des 1. Jh. n. Chr.
" 2. " " "
" 3. " " "
" 4. u. 5. Jh. n. Chr.
Die auf älteren Anlagen errichteten Bauten oder Umbauten sind entsprechend ihrer Entstehungszeit farbig umrandet.
Bas. Opimia = ältere, nicht mehr vorhandene Bauten
Forum Romanum
Maßstab 1:4000
0 50 Meter
III
Mercatus
Bauten der republikan. Zeit
Bauten unter Caesar
Bauten unter den Kaisern:
Augustus
Tiberius bis Vespasian
Nerva u. Trajan
Hadrian u. Antoninus Pius
Constantin
Maßstab 1:8000
0 100 Meter
Basilica Ulpia
Forum Traiani
Forum Augusti
Forum Julium
Forum Pacis
Arx
Capitolium
Forum Romanum
Basilica Julia
Basilica Constantini
Templum Veneris et Romae
Domus Tiberiana
Die Kaiserfora in Rom

(I)

(VI)

1 Alexanders Säulen
2 Steinerner Turm
3 Beginn der Seidenstraße

Europa
Afrika
Asien

Tageslängen-Parallelkreise und Meridiane

Das Erdbild der Kaiserzeit

(Konstruktion der Länderumrisse nach den Ortsbestimmungen des Claudius Ptolemaeus, um 150 n. Chr.)

(III)

Römische Provinzen in Nordafrika

Maßstab 1:7500000

0 50 100 150 km

Erläuterungen siehe Seite 36

Imperium Romanum unter Augustus:
(30 v. Chr. – 14 n. Chr.)

Senatorische Provinzen
Kaiserliche Provinzen
Colchis *Vasallenstaaten*

Erwerbungen unter Augustus:
unter senatorischer Verwaltung
unter kaiserlicher Verwaltung

Imperium Romanum von Tiberius (14-37 n. Chr.) **bis Hadrian** (117-138 n. Chr.)

Neugewonnene Gebiete unter kaiserlicher Verwaltung
Assyrien *Von Trajan erworben, von Hadrian aufgegeben*
Autonome griechische Gebiete
Jahreszahlen geben die Eingliedrung in das Imperium an

Militärische Sicherungen
■ *Legionen unter Augustus*
▲ *Hauptflotten*
△ *Provinzialflotten*

Wichtige Koloniegründun
● *Kolonien des Augustus* } *außerhalb*
○ *Municipien des Augustus* } *Italiens*
◇ *Kolonien des Claudius*
○ *Kolonien der Flavier*
(Gründungen Vespasians sind unterst
● *Kolonien des Nerva*
▲ *Kolonien Trajans (98-117 n. Chr.)*
○ *Kolonien Hadrians (117-138 n. Chr.)*
● *Kolonien Marc Aurels (169-180 n.*

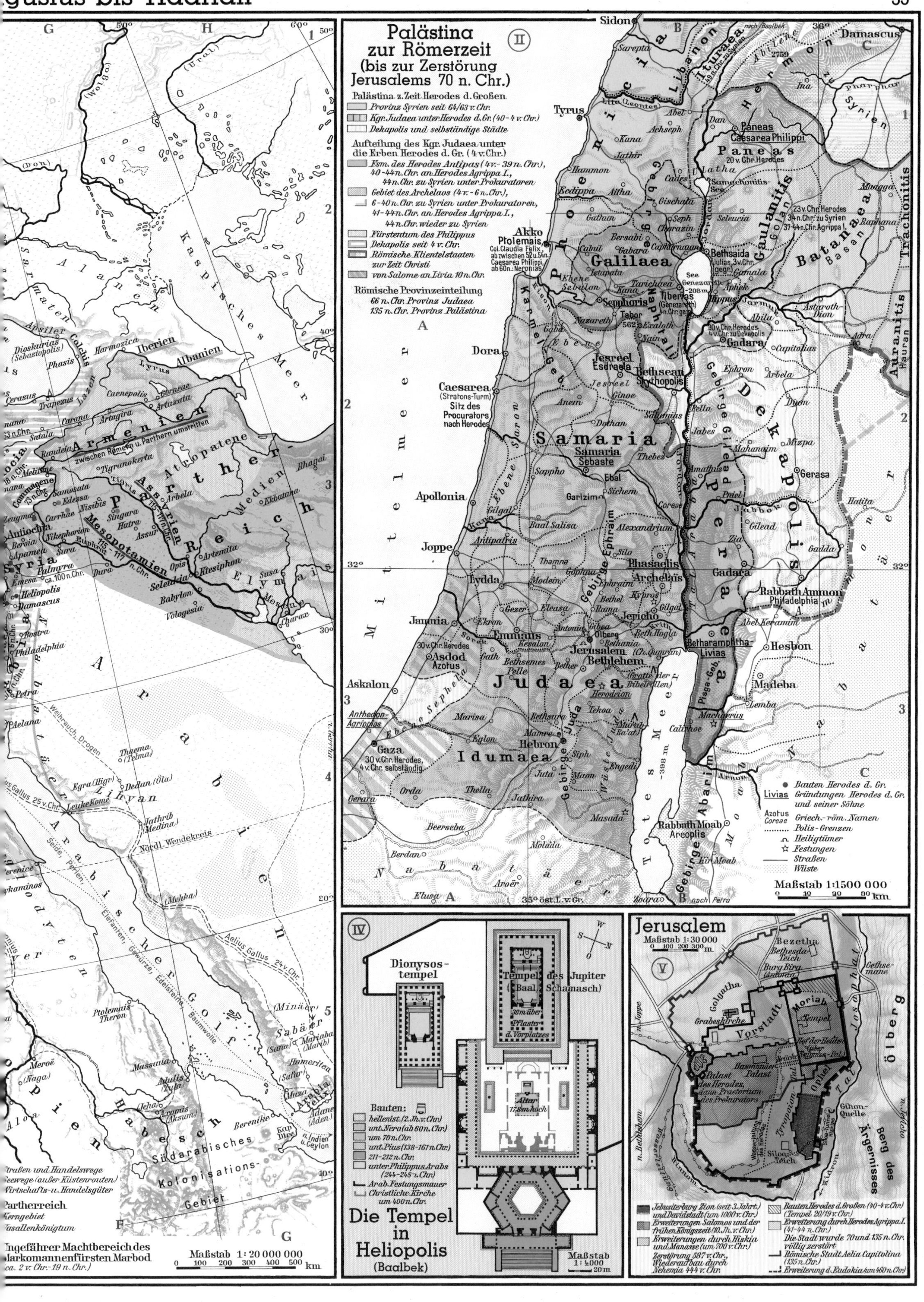

Palästina zur Römerzeit (bis zur Zerstörung Jerusalems 70 n. Chr.)
II
Palästina z. Zeit Herodes d. Großen
Provinz Syrien seit 64/63 v. Chr.
Kgr. Judaea unter Herodes d. Gr. (40 - 4 v. Chr.)
Dekapolis und selbständige Städte
Aufteilung des Kgr. Judaea unter die Erben Herodes d. Gr. (4 v. Chr.)
Fsm. des Herodes Antipas (4 v. - 39 n. Chr.), 40 - 44 n. Chr. an Herodes Agrippa I., 44 n. Chr. zu Syrien unter Prokuratoren
Gebiet des Archelaos (4 v. - 6 n. Chr.), 6 - 40 n. Chr. zu Syrien unter Prokuratoren, 41 - 44 n. Chr. an Herodes Agrippa I., 44 n. Chr. wieder zu Syrien
Fürstentum des Philippus
Dekapolis seit 4 v. Chr.
Römische Klientelstaaten zur Zeit Christi
von Salome an Livia 10 n. Chr.
Römische Provinzeinteilung 66 n. Chr. Provinz Judaea 135 n. Chr. Provinz Palästina
Bauten Herodes d. Gr.
Livias Gründungen Herodes d. Gr. und seiner Söhne
Azotus Coreae Griech.-röm. Namen
Polis-Grenzen
Heiligtümer
Festungen
Straßen
Wüste
Maßstab 1:1500 000
Galilaea
Samaria
Judaea
Idumaea
Peraea
Dekapolis
Mittelmeer
Totes Meer
Jerusalem
IV
Die Tempel in Heliopolis (Baalbek)
Dionysostempel
Tempel des Jupiter (Baal, Schamasch)
Altar 17,8 m hoch
Bauten:
hellenist. (2. Jh. v. Chr.)
unt. Nero (ab 60 n. Chr.)
um 70 n. Chr.
unt. Pius (138-161 n. Chr.)
211-212 n. Chr.
unter Philippus Arabs (244-248 n. Chr.)
Arab. Festungsmauer
Christliche Kirche um 400 n. Chr.
Maßstab 1:4000
Jerusalem
Maßstab 1:30 000
V
Jebusiterburg Zion (seit 3. Jahrt.) und Davidstadt (um 1000 v. Chr.)
Erweiterungen Salomos und der frühen Königszeit (10. Jh. v. Chr.)
Erweiterungen durch Hiskia und Manasse (um 700 v. Chr.)
Zerstörung 587 v. Chr., Wiederaufbau durch Nehemia 444 v. Chr.
Bauten Herodes d. Großen (40-4 v. Chr.) (Tempel 20/19 v. Chr.)
Erweiterung durch Herodes Agrippa I. (41-44 n. Chr.)
Die Stadt wurde 70 und 135 n. Chr. völlig zerstört
Römische Stadt Aelia Capitolina (135 n. Chr.)
Erweiterung d. Eudokia (um 460 n. Chr.)
Straßen und Handelswege
Seewege (außer Küstenrouten)
Wirtschafts- u. Handelsgüter
Partherreich
Kerngebiet
Vasallenkönigtum
Ungefährer Machtbereich des Markomannenfürsten Marbod ca. 2 v. Chr.-19 n. Chr.
Maßstab 1:20 000 000
Kaspisches Meer
Armenien
Partherreich
Mesopotamien
Arabien
Arabischer Golf
Südarabisches Kolonisationsgebiet

Legionslager
Zeitweilig Legionslager
Kastelle
Limes
Hauptstädte
Mittelstädte
Heiligtümer
Vienna Ausiedlungen römischer Veteranen (Coloniae)
(In Italien die seit 45 v. Chr. gegründeten.)
Straßen
Handelswege im 1./2. Jahrh. n. Chr.
Drusus Tiberius Saturninus Agricola Weiteste römische Vorstöße unter Augustus und Domitian
Germanische Fürstengräber
" Fundstellen
Dichter besiedelte Gebiete Germaniens
Blei Tuche Wirtschafts- und Handelsgüter
Höhen: 0-200 200-500 üb. 500 m
Maßstab 1: 7 500 000
Mare Germanicum
Oceanus Britannicus
Mare Cantabricum
Sinus Gallicus
Britannia Inferior
Germania Inferior
Caledonia
Aquitania
Pyrenaei Montes
Alpes
Corsica
Reichsgrenze 145-181 n. Chr.
Reichsgrenze 122-367 n. Chr.

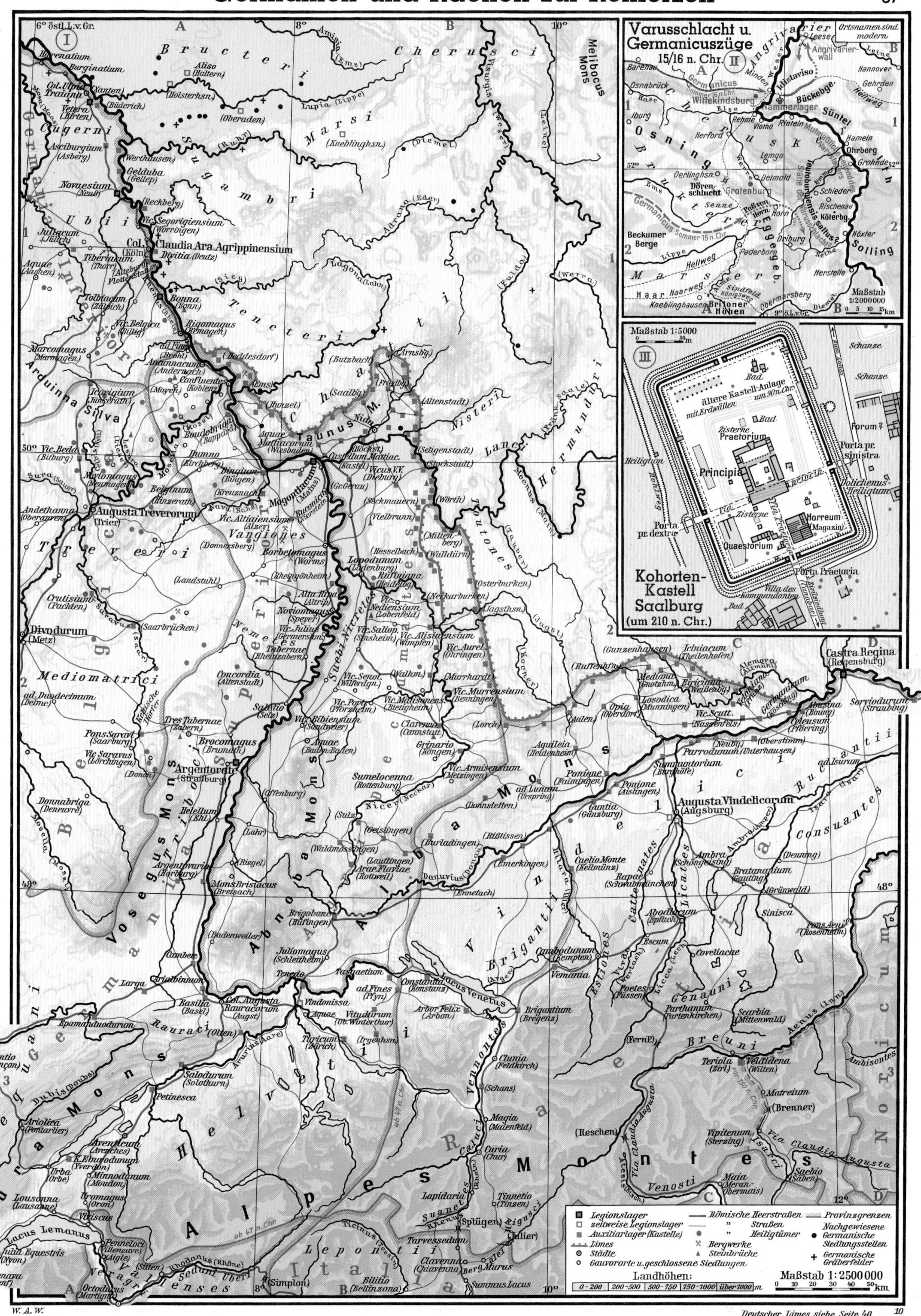

Deutscher Limes siehe Seite 40

Die Iberische Halbinsel zur Röm

Unteritalien und Sizilien siehe S. 25

II

Maßstab 1:7500000

0 50 100 km

Erklärungen siehe Seite 39 unten rechts

Nordafrika siehe Seite 34

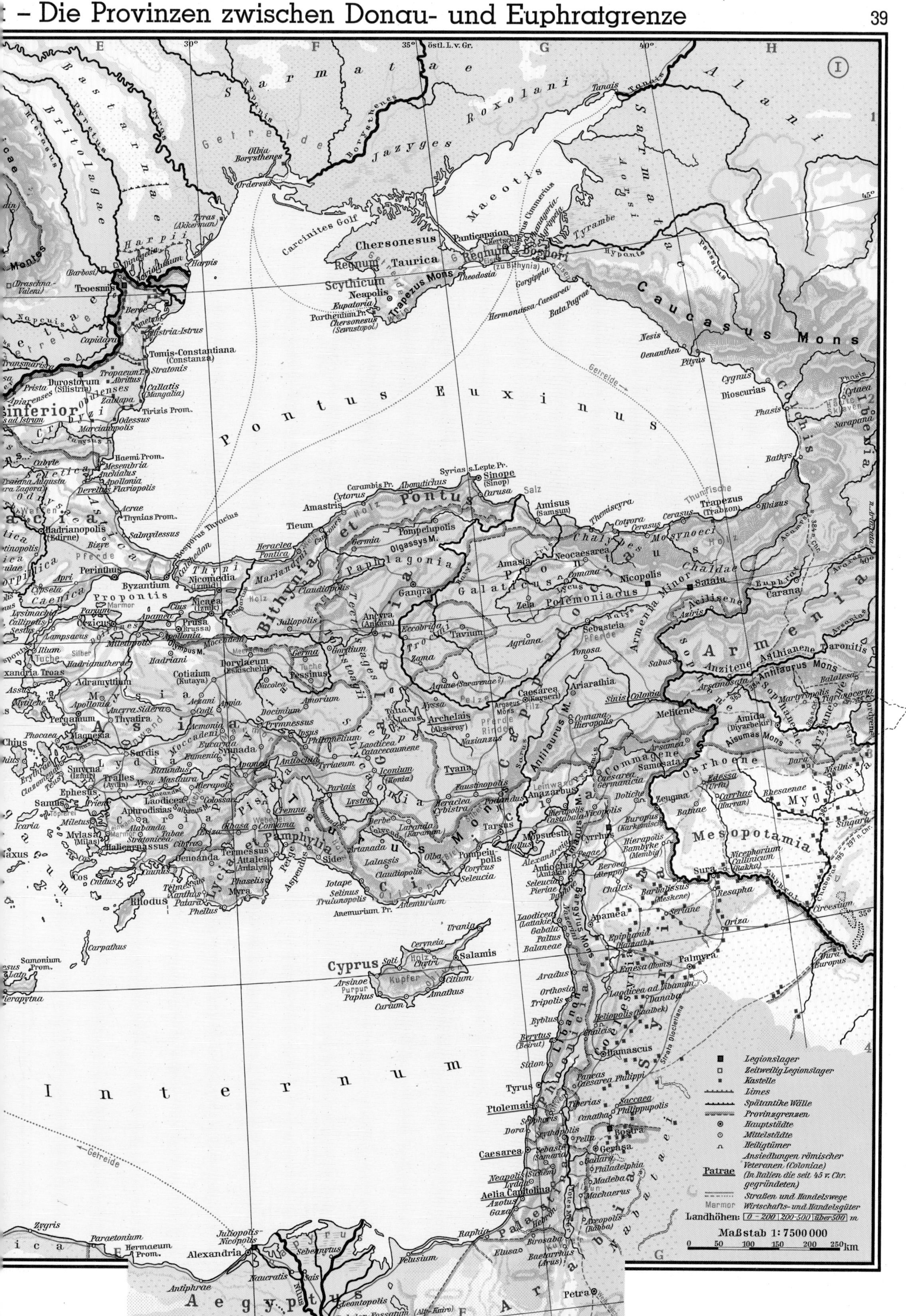
Sarmatae
Alani
Roxolani
Jazyges
Bastarnae
Britolagae
Olbia Borysthenes
Ordessus
Tyras (Akkerman)
Harpii
Tanais
Maeotis
Carcinites Golf
Chersonesus
Regnum Taurica
Scythicum
Neapolis
Eupatoria
Parthenium Pr.
Chersonesus (Sewastopol)
Trapezus Mons
Theodosia
Panticapaeum
Regnum Bosporanum
Gorgippia
Hermonassa-Caesarea
Bata Pagrae
Tyrambe
Hypanis
Caucasus Mons
Nesis
Oenanthea
Pityus
Cygnus
Dioscurias
Phasis
Colchis
Iberia
Sarapana
Bathys
Rhizus
Troesmis
Barbosi
Capidava
Tomis-Constantiana (Constanza)
Histria-Istrus
Callatis (Mangalia)
Stratonis
Tropaeum T.
Abrittus
Durostorum (Silistria)
Transmarisca
Moesia inferior
Tirizis Prom.
Odessus
Marcianopolis
Haemi Prom.
Mesembria
Anchialus
Apollonia
Deultum
Flaviopolis
Hadrianopolis (Edirne)
Acrae
Thynias Prom.
Salmydessus
Bizye
Perinthus
Byzantium
Apri
Propontis
Pontus Euxinus
Getreide
Syrias s. Lepte Pr.
Sinope (Sinop)
Carusa
Salz
Carambis Pr.
Abonutichus
Cytorus
Amastris
Pontus
Amisus (Samsun)
Themiscyra
Cotyora
Cerasus
Trapezus (Trabzon)
Thunfische
Tieum
Heraclea Pontica
Pompeiopolis
Germia
Olgassys M.
Paphlagonia
Mosynoeci
Chalybes
Amasia
Neocaesarea
Comana
Nicopolis
Satala
Chaldae
Armenia Minor
Galaticus
Zela
Polemoniacus
Bithynia et Pontus
Chalcedon
Nicomedia (Izmit)
Nicaea (Iznik)
Claudiopolis
Gangra
Ancyra (Ankara)
Juliopolis
Prusa (Brussa)
Apamea
Cius
Cyzicus
Lampsacus
Ilium
Alexandria Troas
Adramyttium
Mysia
Pergamum
Thyatira
Asia
Magnesia
Chius
Sardis
Lydia
Smyrna (Izmir)
Clazomenae
Erythrae
Ephesus
Tralles (Aydin)
Samus
Priene
Miletus
Aphrodisias
Laodicea
Colossae
Caria
Mylasa (Milas)
Halicarnassus
Cos
Cnidus
Rhodus
Lycia et Pamphylia
Termessus
Attalea (Antalya)
Perge
Side
Aspendus
Phaselis
Myra
Patara
Xanthus
Telmessus
Oenoanda
Cibyra
Dorylaeum (Eskischehir)
Cotiaeum (Kutaya)
Aezani
Synnada
Pisidia
Antiochia
Iconium (Konia)
Lystra
Derbe
Laranda (Karaman)
Isauria
Galatia
Cappadocia
Caesarea (Kayseri)
Archelais (Aksaray)
Nazianzus
Tyana
Faustinopolis
Tavium
Sebasteia
Melitene
Comana Hieropolis
Anazarbus
Tarsus
Mopsuestia
Cilicia
Taurus Mons
Seleucia
Claudiopolis
Anemurium
Anemurium Pr.
Iotape
Selinus
Traianopolis
Corycus
Pompeiopolis
Lalassis
Armenia
Arsamosata
Amida (Diyarbekir)
Antitaurus Mons
Sophene
Commagene
Samosata
Germanicia
Dolichе
Zeugma
Osrhoene
Edessa (Urfa)
Carrhae (Harran)
Batnae
Rhesaenae
Mygdonia
Nisibis
Dara
Singara
Mesopotamia
Callinicum (Rakka)
Nicephorium
Sura
Resapha
Circesium
Dura Europus
Oriza
Palmyra
Syria
Antiochia (Antakie)
Seleucia Pieriae
Beroea (Aleppo)
Chalcis
Barbalissus (Meskene)
Hierapolis Bambyke (Membij)
Cyrrhus
Alexandria
Laodicea (Lattakie)
Gabala
Paltus
Balaneae
Apamea
Epiphania (Hamath)
Emesa (Homs)
Laodicea ad Libanum
Heliopolis (Baalbek)
Damascus
Aradus
Orthosia
Tripolis
Byblus
Berytus (Beirut)
Sidon
Tyrus
Ptolemais
Caesarea
Neapolis
Aelia Capitolina
Azotus
Gaza
Raphia
Pelusium
Petra
Bostra
Gerasa
Philadelphia
Madeba
Machaerus
Areopolis
Hebron
Paneas Caesarea Philippi
Tiberias
Sepphoris
Scythopolis
Pella
Canatha
Philippopolis
Saccaea
Damascus
Nabataei
Arabia
Palaestina
Cyprus
Salamis
Soli
Citium
Amathus
Curium
Paphus
Arsinoe
Urania
Cerynia
Kupfer
Mare Internum
Carpathus
Samonium Prom.
Zygris
Paraetonium
Hermaeum Prom.
Alexandria
Juliopolis Nicopolis
Sebennytus
Naucratis
Sais
Leontopolis
Babylon-Fossatum (Alt-Kairo)
Antiphrae
Aegyptus
n. Aela
Legionslager
Zeitweilig Legionslager
Kastelle
Limes
Spätantike Wälle
Provinzgrenzen
Hauptstädte
Mittelstädte
Heiligtümer
Ansiedlungen römischer Veteranen (Coloniae) (In Italien die seit 45 v. Chr. gegründeten)
Patrae
Straßen und Handelswege
Marmor Wirtschafts- und Handelsgüter
Landhöhen: 0–200 200–500 über 500 m
Maßstab 1: 7500000
0 50 100 150 200 250 km

Römische Grenzsicherung

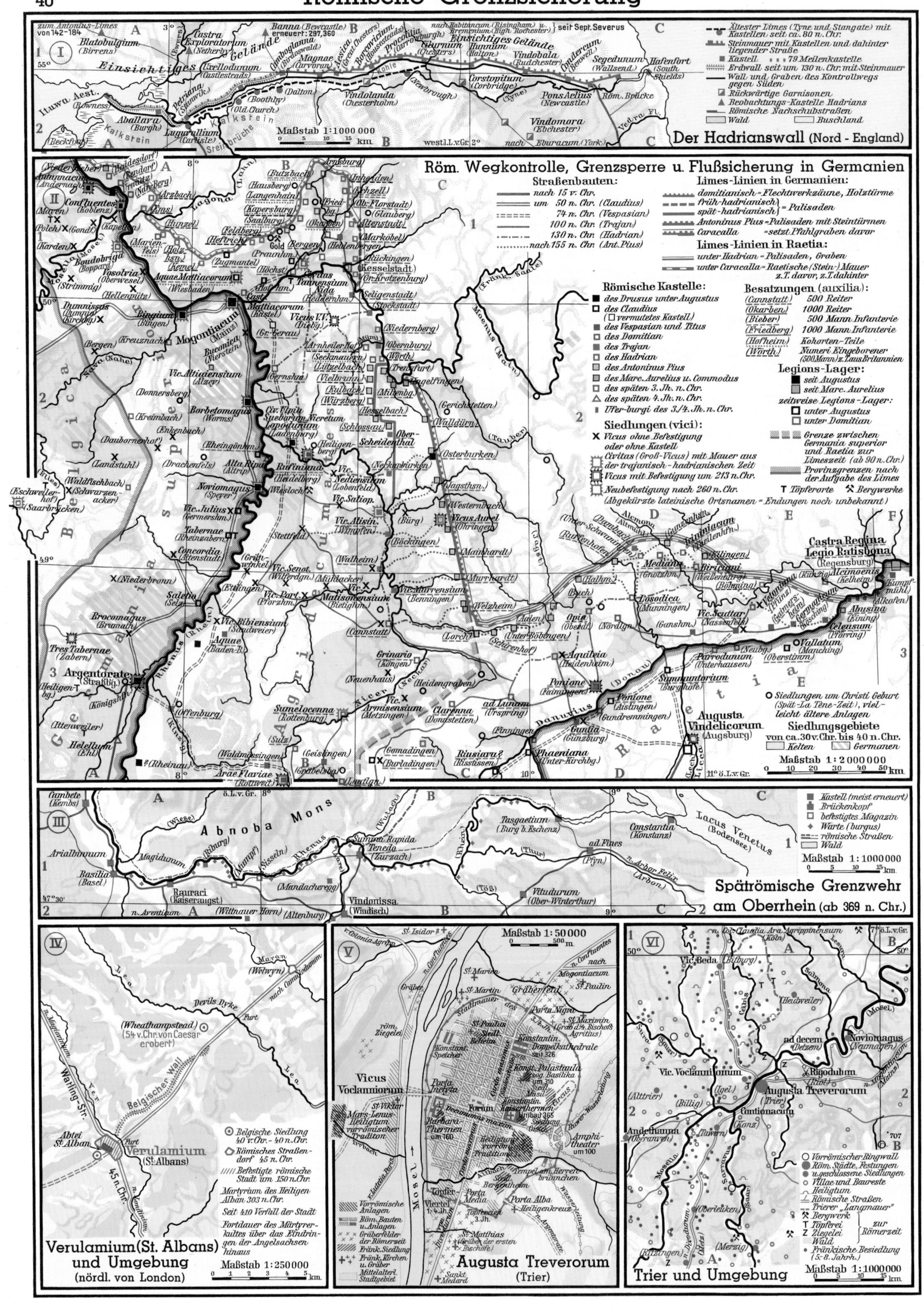

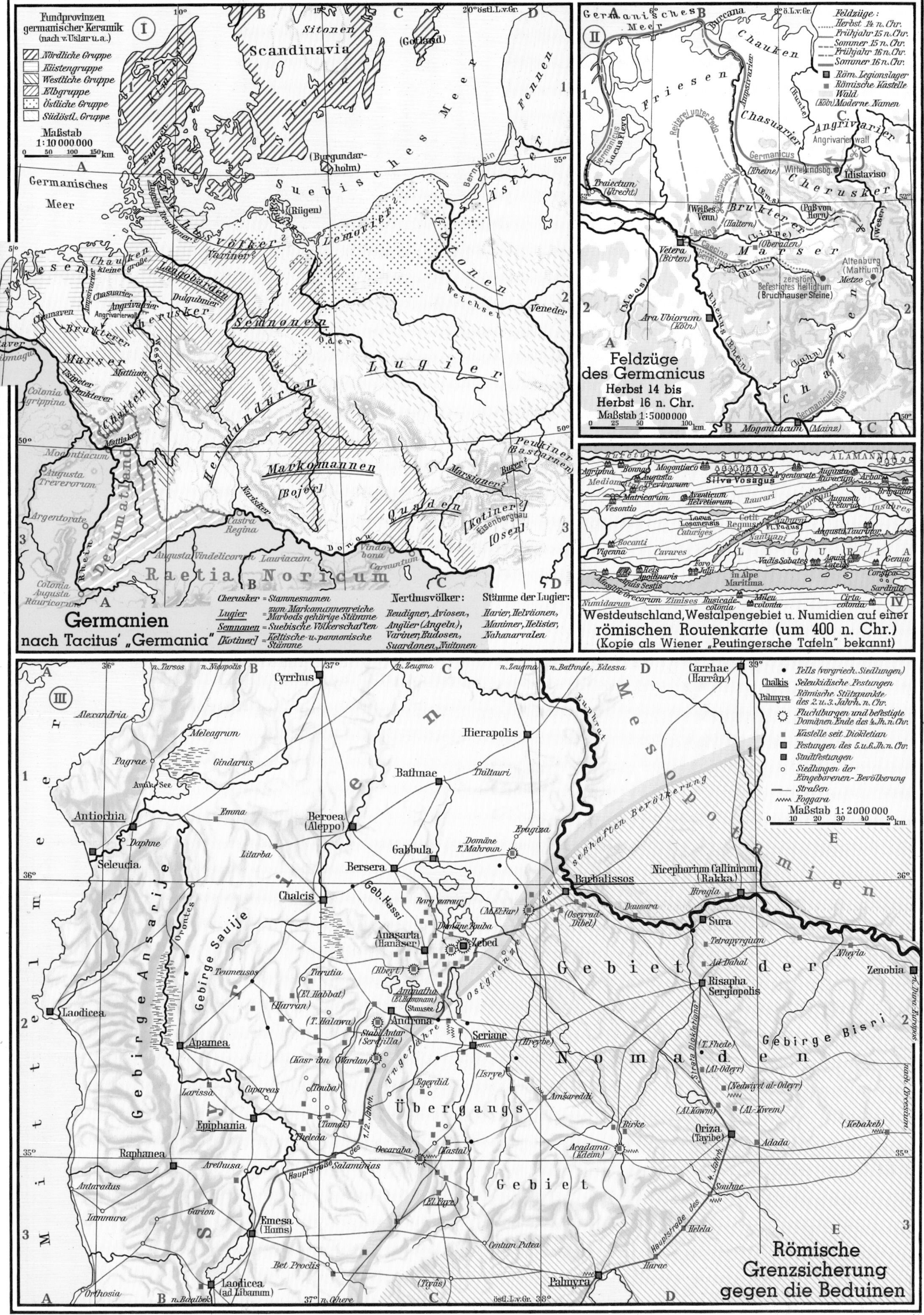
Fundprovinzen germanischer Keramik (nach v. Uslar u. a.)
Nördliche Gruppe
Küstengruppe
Westliche Gruppe
Elbgruppe
Östliche Gruppe
Südöstl. Gruppe
Maßstab 1:10 000 000
Germanien nach Tacitus' „Germania"
Cherusker = Stammesnamen
Lugier = zum Markomannenreiche Marbods gehörige Stämme
Semnonen = Suebische Völkerschaften
[Kotiner] = Keltische u. pannonische Stämme
Nerthusvölker: Reudigner, Aviosen, Angliер (Angeln), Variner, Eudosen, Suardonen, Nuitonen
Stämme der Lugier: Harier, Helväonen, Manimer, Helisier, Nahanarvalen
Feldzüge:
Herbst 14 n. Chr.
Frühjahr 15 n. Chr.
Sommer 15 n. Chr.
Frühjahr 16 n. Chr.
Sommer 16 n. Chr.
Röm. Legionslager
Römische Kastelle
Wald
(Köln) Moderne Namen
Feldzüge des Germanicus Herbst 14 bis Herbst 16 n. Chr.
Maßstab 1:5000000
Westdeutschland, Westalpengebiet u. Numidien auf einer römischen Routenkarte (um 400 n. Chr.)
(Kopie als Wiener „Peutingersche Tafeln" bekannt)
Tells (vorgriech. Siedlungen)
Chalkis Seleukidische Festungen
Palmyra Römische Stützpunkte des 2. u. 3. Jahrh. n. Chr.
Fluchtburgen und befestigte Domänen Ende des 4. Jh. n. Chr.
Kastelle seit Diokletian
Festungen des 5. u. 6. Jh. n. Chr.
Stadtfestungen
Siedlungen der Eingeborenen-Bevölkerung
Straßen
Foggara
Maßstab 1: 2000000
Gebiet der Nomaden
Übergangs-Gebiet
Mesopotamien
Syrien
Mittelmeer
Römische Grenzsicherung gegen die Beduinen

Das Römische Reich
nach der Neuordnung des Diocletian
(284-305 n. Chr.)
Maßstab 1 : 20 000 000
Oceanus Atlanticus
Mare Cantabricum
Mare Germanicum
Britannia
Lugdunensis
Belgica
Aquitania
Novem-populana
Narbonensis I
Gallaecia
Tarraconensis
Lusitania
Carthaginiensis
Baetica
Mauretania Tingitana
Mauretania Caesariensis
Numidia
Africa
Byzacena
Tripolitana
Phazania
Corsica
Sardinia
Sicilia
Lucania
Noricum ripense
Noricum mediterr.
Pannonia
Valeria
Savia
Dalmatia
Moesia I
Dacia
Moesia II
Thracia
Macedonia
Thessalia
Achaia
Creta
Libya Superior
Libya Inferior
Mare Ionium
Mare Tyrrhenum
Mare Adriaticum
Baltische Völker
Slawen
Westgoten
Gepiden
Wandalen
Das Römische Reich
unter den Soldatenkaisern
(3. Jahrhundert n. Chr.)
Maßstab 1:25 000 000
Provinzgrenzen
260-273 selbständige Reichsteile
Verlorene Gebiete
Legionslager mit Legions-Nummer und Name
Kriegshäfen
Abkürzungen:
A.P. = Alpes Poeninae
A.C. = Alpes Cottiae
A.M. = Alpes Maritimae
inf. = inferior
medit. = mediterraneum
rip. = ripense
sup. = superior
Angriffsrichtung der Randvölker
Einfälle des Sapores I. (256-260)
Britannia inferior
Lugdunensis
Belgica
Aquitania
Narbonensis
Hispania nova
Tarraconensis
Lusitania
Baetica
Mauretania Tingitana
Caesariensis
Numidia
Africa proconsularis
Cyrenaica
Aegyptus
Arabia
Syria
Cilicia
Cappadocia
Galatia
Asia
Lycia et Pamphylia
Bithynia et Pontus
Thracia
Macedonia
Moesia inf.
Dacia
Dalmatia
Pannonia sup. inf.
Noricum
Raetia
Italia
Pontus Euxinus
Mare Internum
Goten
Sarmaten
Reich der Sassaniden
Armenia
Creta
Cyprus
Sicilia
Sardinia
Corsica

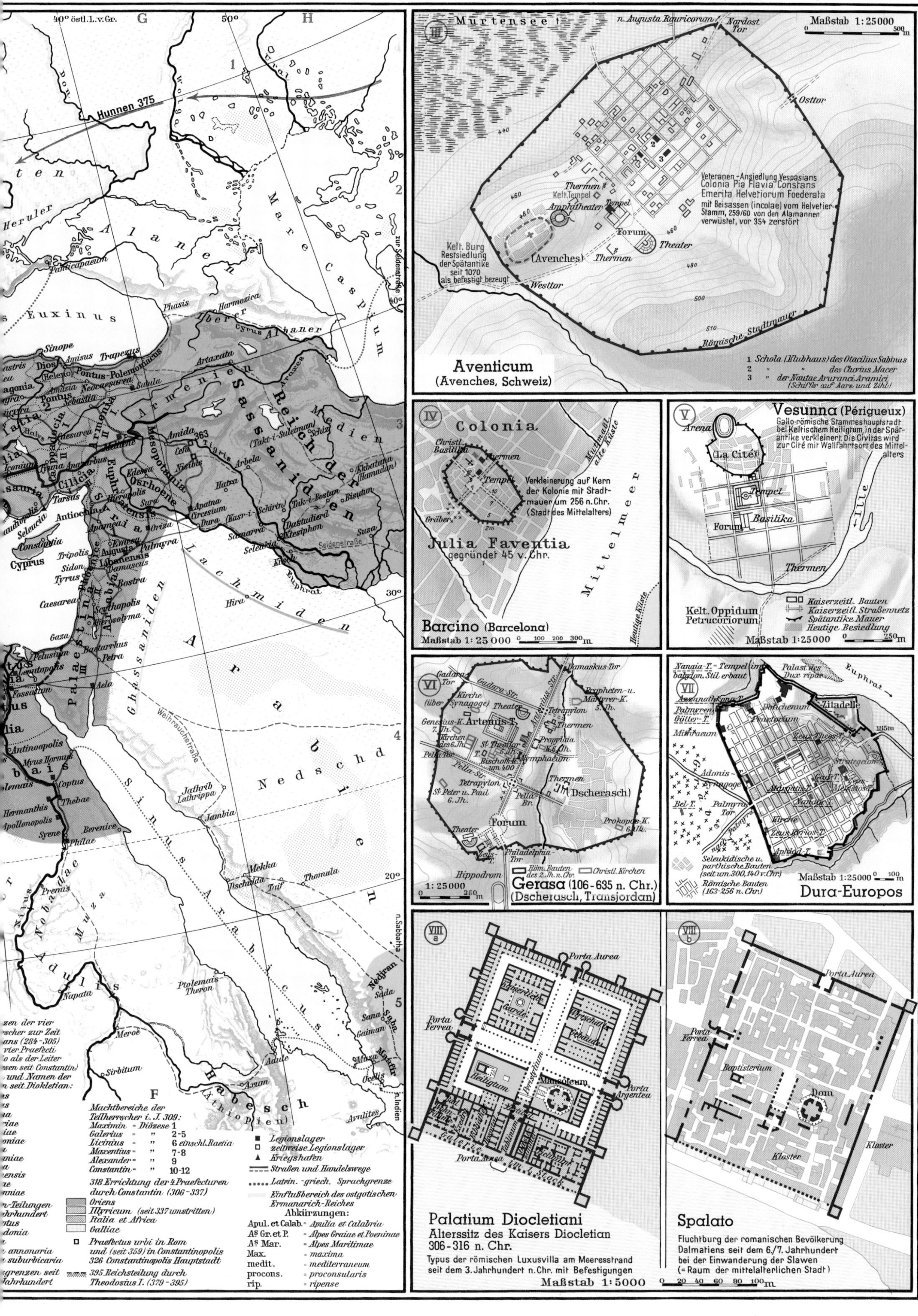

Hunnen 375
Heruler
Alanen
Pontus Euxinus
Mare Caspium
Armenien
Reich der Sassaniden
Medien
Mesopotamia
Osrhoene
Cilicia
Cyprus
Antiochia
Palmyra
Lachmiden
Ghassaniden
Arabien
Nedschd
Sinus Arabicus
Weihrauchstraße
Seidenstraße
zur Seidenstraße
Mekka
Jathrib (Lathrippa)
Habesch (Äthiopien)
Nubien
Meroë
Adulis
Axum
Theben
Syene
Ktesiphon
Tigris
Euphrat
Seleucia
Petra
Gaza
Caesarea
Tyrus
Sidon
Tripolis
Damaskus
Bostra
Aela
Sinope
Trapezus
Amida
Nisibis
Edessa
Dura
Hatra
Arbela
Ekbatana (Hamadan)
Susa
Sabbatha
Saba
Nedjran
Machtbereiche der Teilherrscher i. J. 309:
Maximin – Diözese 1
Galerius – 2-5
Licinius – 6 einschl. Raetia
Maxentius – 7-8
Alexander – 9
Constantin – 10-12
318 Errichtung der 4 Praefecturen durch Constantin (306-337)
Oriens
Illyricum (seit 337 umstritten)
Italia et Africa
Galliae
Praefectus urbi in Rom und (seit 359) in Constantinopolis
326 Constantinopolis Hauptstadt
395 Reichsteilung durch Theodosius I. (379-395)
Legionslager
zeitweise Legionslager
Kriegshafen
Straßen und Handelswege
Latein.-griech. Sprachgrenze
Einflußbereich des ostgotischen Ermanarich-Reiches
Abkürzungen:
Apul. et Calab. = Apulia et Calabria
As Gr. et P. = Alpes Graiae et Poeninae
As Mar. = Alpes Maritimae
Max. = maxima
medit. = mediterraneum
procons. = proconsularis
rip. = ripense
III
Aventicum
(Avenches, Schweiz)
Maßstab 1:25000
Murtensee
n. Augusta Rauricorum
Nordost Tor
Osttor
Westtor
Amphitheater
Tempel
Forum
Theater
Thermen
Kelt. Tempel
Kelt. Burg Restsiedlung der Spätantike seit 1070 als befestigt bezeugt
Veteranen-Ansiedlung Vespasians Colonia Pia Flavia Constans Emerita Helvetiorum Foederata mit Beisassen (incolae) vom Helvetier-Stamm, 259/60 von den Alamannen verwüstet, vor 354 zerstört
Römische Stadtmauer
1 Schola (Klubhaus) des Otacilius Sabinus
2 " " des Clavius Macer
3 " der Nautae Aruranci Aramici (Schiffer auf Aare und Zihl)
IV
Colonia
Julia Faventia
gegründet 45 v. Chr.
Verkleinerung auf Kern der Kolonie mit Stadtmauer um 256 n. Chr. (Stadt des Mittelalters)
Christl. Basilika
Thermen
Tempel
Gräber
Mittelmeer
Barcino (Barcelona)
Maßstab 1:25 000
V
Vesunna (Périgueux)
Gallo-römische Stammeshauptstadt bei Keltischem Heiligtum, in der Spätantike verkleinert. Die Civitas wird zur Cité mit Wallfahrtsort des Mittelalters
Arena
(La Cité)
Tempel
Basilika
Forum
Thermen
Isle
Kelt. Oppidum Petrucoriorum
Kaiserzeitl. Bauten
Kaiserzeitl. Straßennetz
Spätantike Mauer
Heutige Besiedlung
Maßstab 1:25000
VI
Gerasa (106-635 n. Chr.)
(Dscherasch, Transjordan)
Damaskus-Tor
Artemis-T.
Forum
Theater
Hippodrom
Philadelphia-Tor
Gadara-Tor
Röm. Bauten des 2. Jh. n. Chr.
Christl. Kirchen
1:25000
VII
Dura-Europos
Euphrat
Zitadelle
Palmyra-Tor
Seleukidische u. parthische Bauten (seit um 300, 140 v. Chr.)
Römische Bauten (165-256 n. Chr.)
Maßstab 1:25000
VIII a
Porta Aurea
Porta Ferrea
Porta Argentea
Porta Aenea
Mausoleum
Heiligtum
Palatium Diocletiani
Alterssitz des Kaisers Diocletian 306-316 n. Chr.
Typus der römischen Luxusvilla am Meeresstrand seit dem 3. Jahrhundert n. Chr. mit Befestigungen
Maßstab 1:5000
VIII b
Porta Aurea
Porta Ferrea
Baptisterium
Dom
Kloster
Spalato
Fluchtburg der romanischen Bevölkerung Dalmatiens seit dem 6./7. Jahrhundert bei der Einwanderung der Slawen (= Raum der mittelalterlichen Stadt)

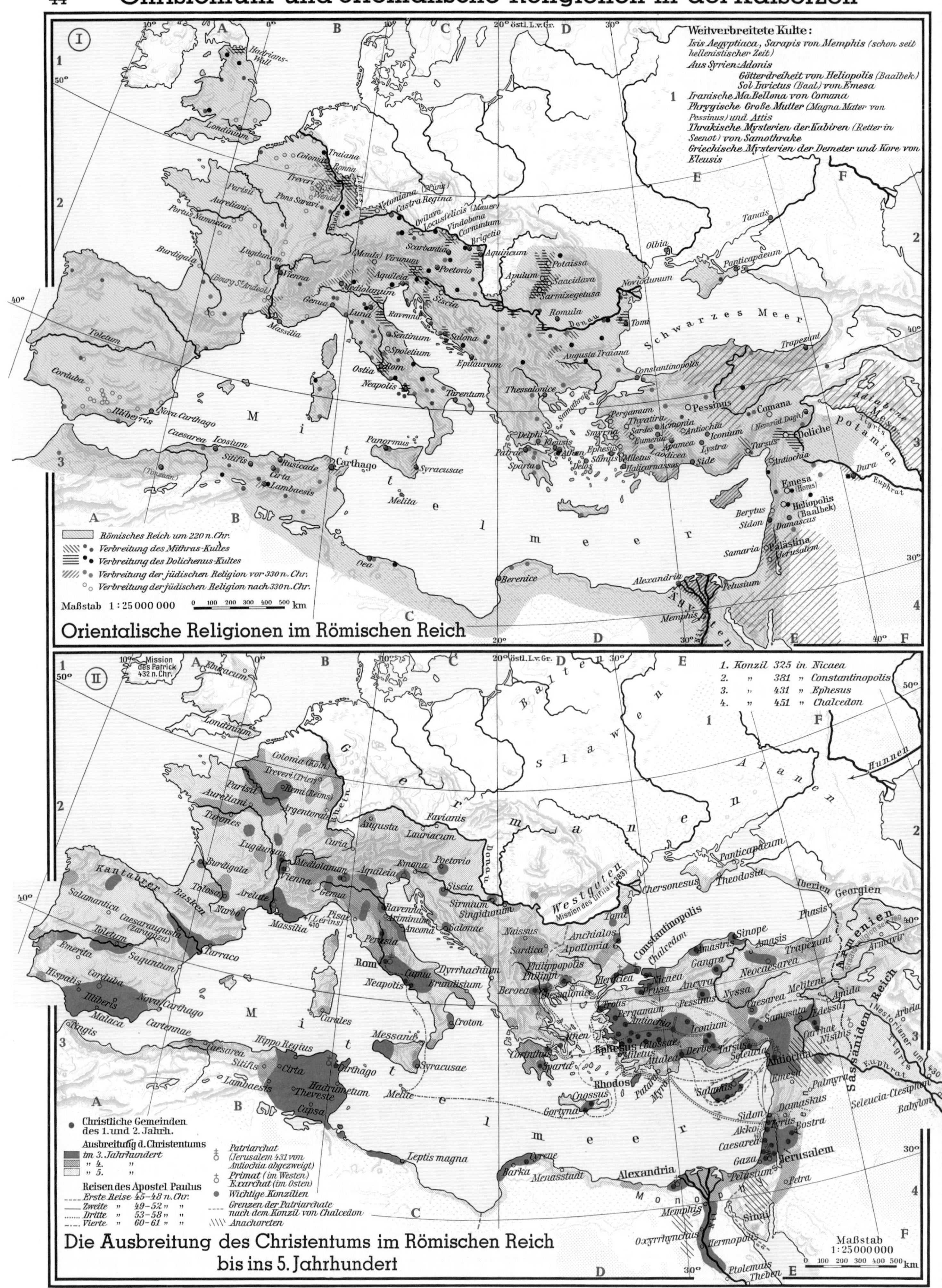

Orientalische Religionen im Römischen Reich
Weitverbreitete Kulte:
Isis Aegyptiaca, Sarapis von Memphis (schon seit hellenistischer Zeit)
Aus Syrien: Adonis
Götterdreiheit von Heliopolis (Baalbek)
Sol Invictus (Baal) von Emesa
Iranische Ma Bellona von Comana
Phrygische Große Mutter (Magna Mater von Pessinus) und Attis
Thrakische Mysterien der Kabiren (Retter in Seenot) von Samothrake
Griechische Mysterien der Demeter und Kore von Eleusis
Römisches Reich um 220 n. Chr.
Verbreitung des Mithras-Kultes
Verbreitung des Dolichenus-Kultes
Verbreitung der jüdischen Religion vor 330 n. Chr.
Verbreitung der jüdischen Religion nach 330 n. Chr.
Maßstab 1 : 25 000 000
Die Ausbreitung des Christentums im Römischen Reich bis ins 5. Jahrhundert
1. Konzil 325 in Nicaea
2. " 381 " Constantinopolis
3. " 431 " Ephesus
4. " 451 " Chalcedon
Christliche Gemeinden des 1. und 2. Jahrh.
Ausbreitung d. Christentums
im 3. Jahrhundert
" 4. "
" 5. "
Reisen des Apostel Paulus
Erste Reise 45–48 n. Chr.
Zweite " 49–52 "
Dritte " 53–58 "
Vierte " 60–61 "
Patriarchat (Jerusalem 431 von Antiochia abgezweigt)
Primat (im Westen)
Exarchat (im Osten)
Wichtige Konzilien
Grenzen der Patriarchate nach dem Konzil von Chalcedon
Anachoreten
Maßstab 1 : 25 000 000

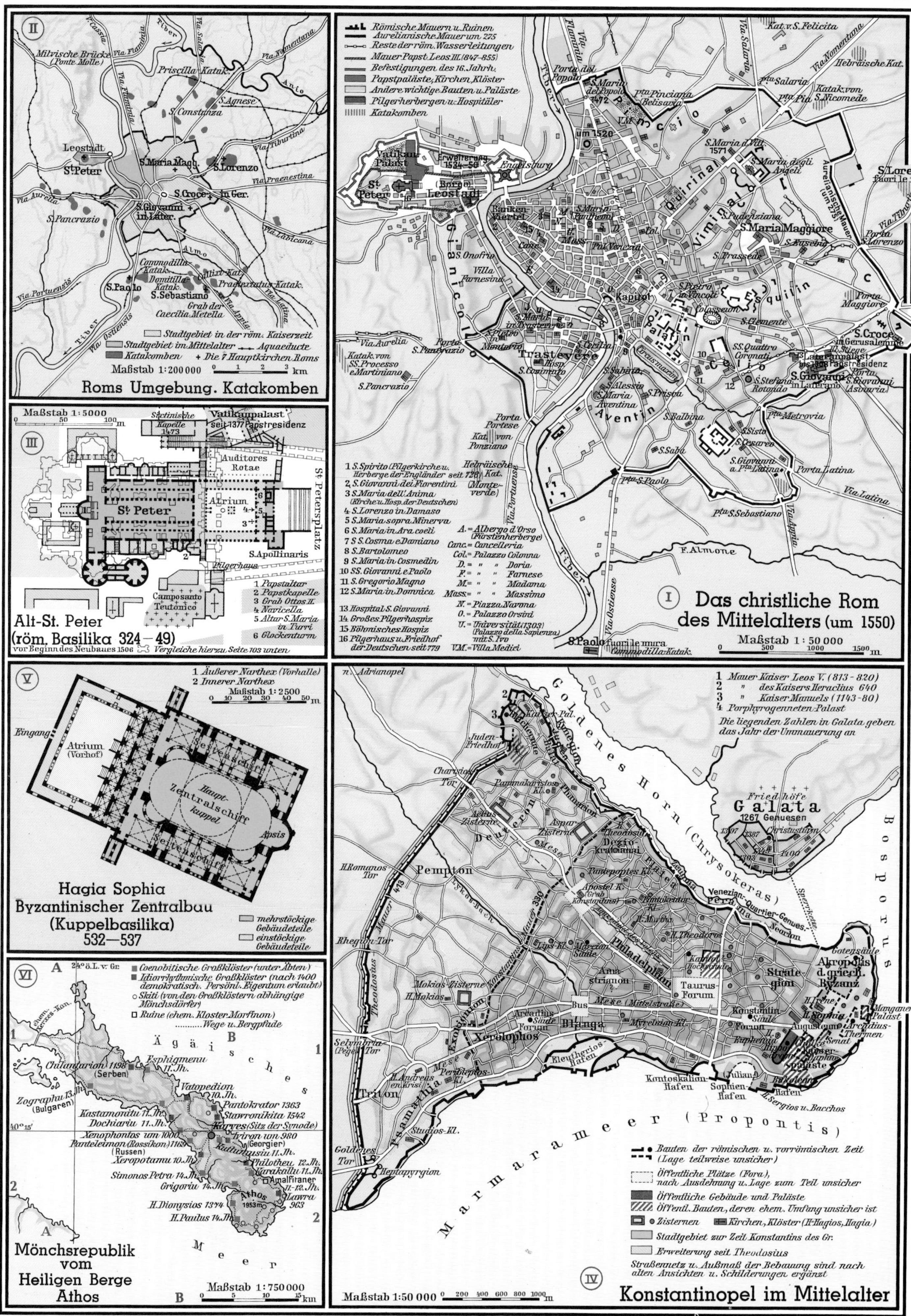
II
Roms Umgebung. Katakomben
Stadtgebiet in der röm. Kaiserzeit
Stadtgebiet im Mittelalter
Aquaeducte
Katakomben
Die 7 Hauptkirchen Roms
Maßstab 1:200 000
Milvische Brücke (Ponte Molle)
Priscilla-Katak.
S.Agnese
S.Constanza
Leostadt
St.Peter
S.Maria Magg.
S.Lorenzo
S.Croce in Ger.
S.Giovanni in Later.
S.Pancrazio
Commodilla-Katak.
Domitilla-Katak.
Callixt-Kat.
Praetextatus-Katak.
S.Paolo
S.Sebastiano
Grab der Caecilia Metella
III
Alt-St. Peter
(röm. Basilika 324—49)
vor Beginn des Neubaues 1506
Vergleiche hierzu Seite 103 unten
Maßstab 1:5000
Sixtinische Kapelle 1473
Vatikanpalast seit 1377 Papstresidenz
Auditores Rotae
St Petersplatz
St Peter
Atrium
S.Apollinaris
Pilgerhaus
Camposanto Teutonico
1 Papstaltar
2 Papstkapelle
3 Grab Ottos II.
4 Navicella
5 Altar S.Maria in Turri
6 Glockenturm
I
Das christliche Rom des Mittelalters (um 1550)
Maßstab 1:50 000
Römische Mauern u. Ruinen
Aurelianische Mauer um 275
Reste der röm. Wasserleitungen
Mauer Papst Leos III. (847-855)
Befestigungen des 16. Jahrh.
Papstpaläste, Kirchen, Klöster
Andere wichtige Bauten u. Paläste
Pilgerherbergen u. Hospitäler
Katakomben
1 S.Spirito (Pilgerkirche u. Herberge der Engländer seit 728)
2 S.Giovanni dei Fiorentini
3 S.Maria dell'Anima (Kirche u. Hosp. der Deutschen)
4 S.Lorenzo in Damaso
5 S.Maria sopra Minerva
6 S.Maria in Ara coeli
7 S S.Cosma e Damiano
8 S.Bartolomeo
9 S.Maria in Cosmedin
10 SS.Giovanni e Paolo
11 S.Gregorio Magno
12 S.Maria in Domnica
13 Hospital S.Giovanni
14 Großes Pilgerhospiz
15 Böhmisches Hospiz
16 Pilgerhaus u. Friedhof der Deutschen seit 779
A. = Albergo d'Orso (Fürstenherberge)
Canc. = Cancelleria
Col. = Palazzo Colonna
D. = " " Doria
F. = " " Farnese
M. = " " Madama
Mass. = " " Massimo
N. = Piazza Navona
O. = Palazzo Orsini
U. = Universität (1303) (Palazzo della Sapienza) mit S.Ivo
V.M. = Villa Medici
Vatikan-Palast
Erweiterung 1534-50
Engelsburg
Leostadt
Trastevere
Kapitol
Palatin
Aventin
Celio
Esquilin
Viminal
Quirinal
S.Maria Maggiore
S.Giovanni in Laterano
S.Lorenzo fuori le mura
S.Croce in Gerusalemme
S.Paolo fuori le mura
Hebräische Kat.
Tiber
IV
Konstantinopel im Mittelalter
Maßstab 1:50 000
1 Mauer Kaiser Leos V. (813-820)
2 " des Kaisers Heraclius 640
3 " Kaiser Manuels (1143-80)
4 Porphyrogenneten-Palast
Die liegenden Zahlen in Galata geben das Jahr der Ummauerung an
Bauten der römischen u. vorrömischen Zeit (Lage teilweise unsicher)
Öffentliche Plätze (Fora), nach Ausdehnung u. Lage zum Teil unsicher
Öffentliche Gebäude und Paläste
Öffentl. Bauten, deren ehem. Umfang unsicher ist
Zisternen
Kirchen, Klöster (H.=Hagios, Hagia)
Stadtgebiet zur Zeit Konstantins des Gr.
Erweiterung seit Theodosius
Straßennetz u. Ausmaß der Bebauung sind nach alten Ansichten u. Schilderungen ergänzt
Goldenes Horn (Chrysokeras)
Bosporus
Marmarameer (Propontis)
Galata
1267 Genuesen
Akropolis d. griech. Byzanz
Taurus Forum
Hippodrom
Augusteum
Kaiser-Palast
Pempton
Deuteron
Xerolophos
Psamathia
Triton
Heptapyrgion
Goldenes Tor
Theodosius Mauer 413
Konstantins-Mauer 330
Mese (Mittelstraße)
V
Hagia Sophia
Byzantinischer Zentralbau
(Kuppelbasilika)
532—537
1 Äußerer Narthex (Vorhalle)
2 Innerer Narthex
Maßstab 1:2 500
Atrium (Vorhof)
Eingang
Haupt-Zentralschiff kuppel
Seitenschiff
Apsis
mehrstöckige Gebäudeteile
einstöckige Gebäudeteile
VI
Mönchsrepublik vom Heiligen Berge Athos
Maßstab 1:750 000
Coenobitische Großklöster (unter Äbten)
Idiorrhythmische Großklöster (nach 1400 demokratisch. Persönl. Eigentum erlaubt)
Skiti (von den Großklöstern abhängige Mönchsdörfer)
Ruine (ehem. Kloster Morfinon)
Wege u. Bergpfade
Ägäisches Meer
Chilandarion 1198 (Serben)
Esphigmenu 11.Jh.
Vatopedion 10.Jh.
Zographu 13.Jh. (Bulgaren)
Pantokrator 1363
Kastamonitu 11.Jh.
Stawronikita 1542
Dochiariu 11.Jh.
Karyes (Sitz der Synode)
Xenophontos um 1000
Iviron um 980 (Georgier)
Panteleimon (Rossikon) 1169 (Russen)
Kutlumusiu 11.Jh.
Xeropotamu 10.Jh.
Philotheu 12.Jh.
Karakallu 11.Jh.
Simonos Petra 14.Jh.
Amalfitaner 11-12.Jh.
Grigoriu 14.Jh.
Lawra 963
H.Dionysios 1374
Athos 1953m
H.Paulus 14.Jh.

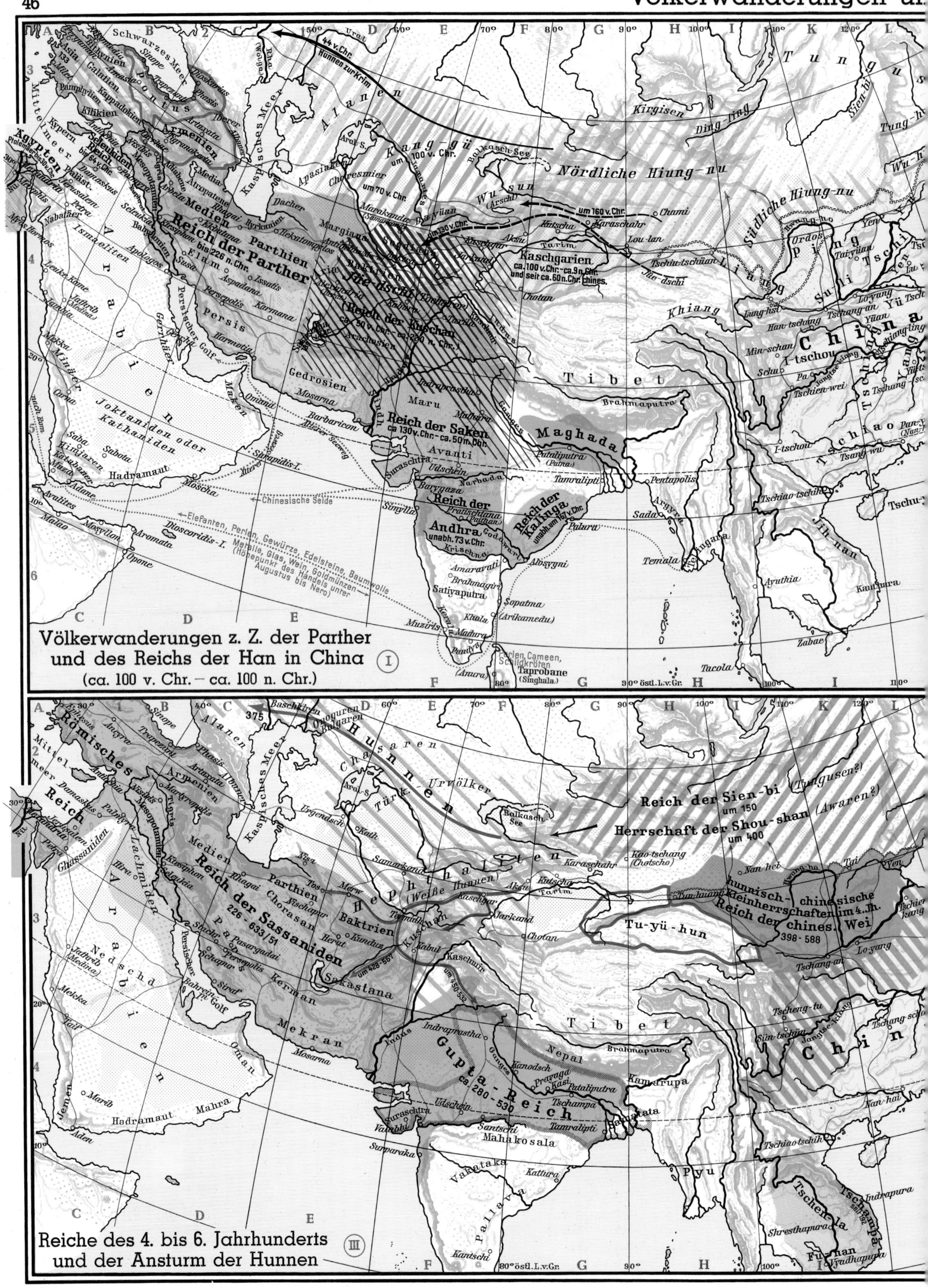

Völkerwanderungen z. Z. der Parther und des Reichs der Han in China (ca. 100 v. Chr. – ca. 100 n. Chr.) (I)

Reiche des 4. bis 6. Jahrhunderts und der Ansturm der Hunnen (III)

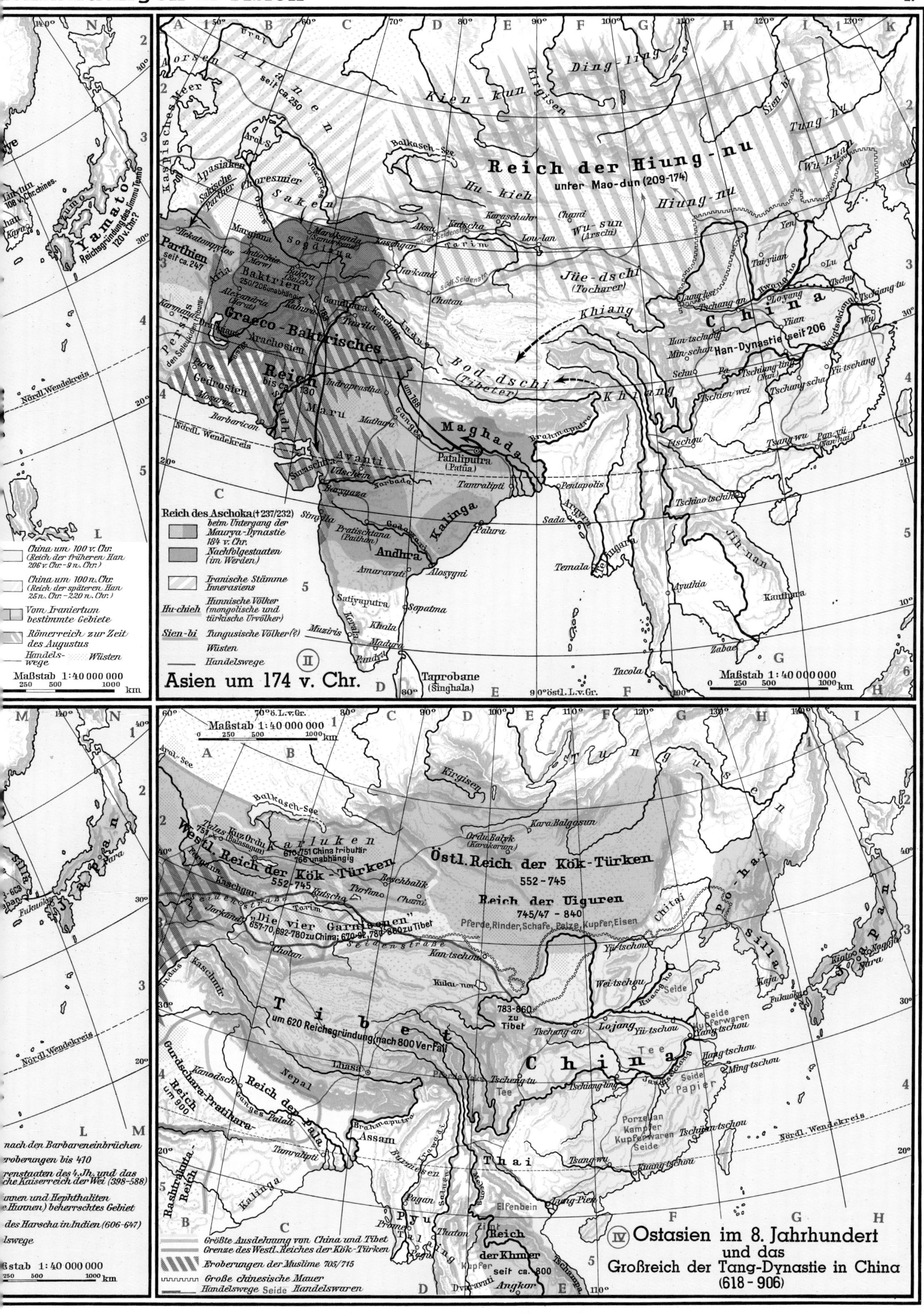

Reich der Hiung-nu
unter Mao-dun (209-174)
Hiung-nu
Ding-ling
Kien-kun
Kirgisen
Sien-bi
Tung-hu
Wu-huan
Aorsen
Alanen
seit ca. 250
Kaspisches Meer
Aral-S.
Balkasch-See
Hu-kieh
Wu-sun (Arsch)
Jüe-dschi (Tocharer)
Khiang
Bod-dschi (Tibeter)
Apasiaken
Sakische Parther
Choresmier
Saken
Parthien seit ca. 247
Sogdiana
Baktrien 250/206 unabhängig
Graeco-Baktrisches Reich bis ca. 130
Arachosien
Gedrosien
Persis
Indus
Maru
Maghada
Pataliputra (Patna)
Avanti
Kalinga
Andhra
Taprobane (Singhala)
Tarim
Jarkand
Chotan
China
Han-Dynastie seit 206
Tschang-an
Lo-yang
Hwang-ho
Jangtsekiang
Jih-nan
Nördl. Wendekreis
Reich des Aschoka (†237/232)
beim Untergang der Maurya-Dynastie 184 v. Chr.
Nachfolgestaaten (im Werden)
Iranische Stämme Innerasiens
Hu-chieh Hunnische Völker (mongolische und türkische Urvölker)
Sien-bi Tungusische Völker (?)
Wüsten
Handelswege
Maßstab 1: 40 000 000
II Asien um 174 v. Chr.
Yamato
Reichsgründung des Jimmu Tenno 120 v. Chr.?
China um 100 v. Chr. (Reich der früheren Han 206 v. Chr. - 9 n. Chr.)
China um 100 n. Chr. (Reich der späteren Han 25 n. Chr. - 220 n. Chr.)
Vom Iraniertum bestimmte Gebiete
Römerreich zur Zeit des Augustus
Handelswege
Wüsten
Maßstab 1: 40 000 000
Kirgisen
Tungusen
Kara Balgasun
Ordu Balyk (Karakorum)
Karluken
610-751 China tributär
766 unabhängig
Westl. Reich der Kök-Türken 552-745
Östl. Reich der Kök-Türken 552-745
Reich der Uiguren 745/47 - 840
Pferde, Rinder, Schafe, Pelze, Kupfer, Eisen
Talas
Kuz Ordu (Balasagun)
Beschbalik
Kaschgar
Turfan
"Die vier Garnisonen"
657-70, 692-780 zu China; 670-92, 780-800 zu Tibet
Seidenstraße
Chotan
Kan-tschou
Kuku-nor
Tibet
um 620 Reichsgründung (nach 800 Verfall)
783-860 zu Tibet
Lhasa
Nepal
Reich der Pala
Gurdschara-Pratihara-Reich um 900
Rashtrakuta-Reich
Kalinga
Assam
Burmesen
Thai
Pyu
Pagan
Reich der Khmer seit ca. 800
Angkor
China
Tschang-an
Lojang
Yü-tschou
Tsching-tu
Hang-tschou
Ming-tschou
Seide
Tee
Papier
Porzellan
Kampfer
Kupferwaren
Elfenbein
Po-hai
Silla
Japan
Nara
Kioto
Nördl. Wendekreis
Maßstab 1: 40 000 000
Größte Ausdehnung von China und Tibet
Grenze des Westl. Reiches der Kök-Türken
Eroberungen der Muslime 705/715
Große chinesische Mauer
Handelswege Seide Handelswaren
IV Ostasien im 8. Jahrhundert und das Großreich der Tang-Dynastie in China (618 - 906)
nach den Barbareneinbrüchen
Eroberungen bis 470
Erenstaaten des 4. Jh. und das che Kaiserreich der Wei (398-588)
Hunnen und Hephthaliten (Hunnen) beherrschtes Gebiet
des Harscha in Indien (606-647)
lswege
Maßstab 1: 40 000 000

Römer und Germanen im 4. bis 6. Jahrh.

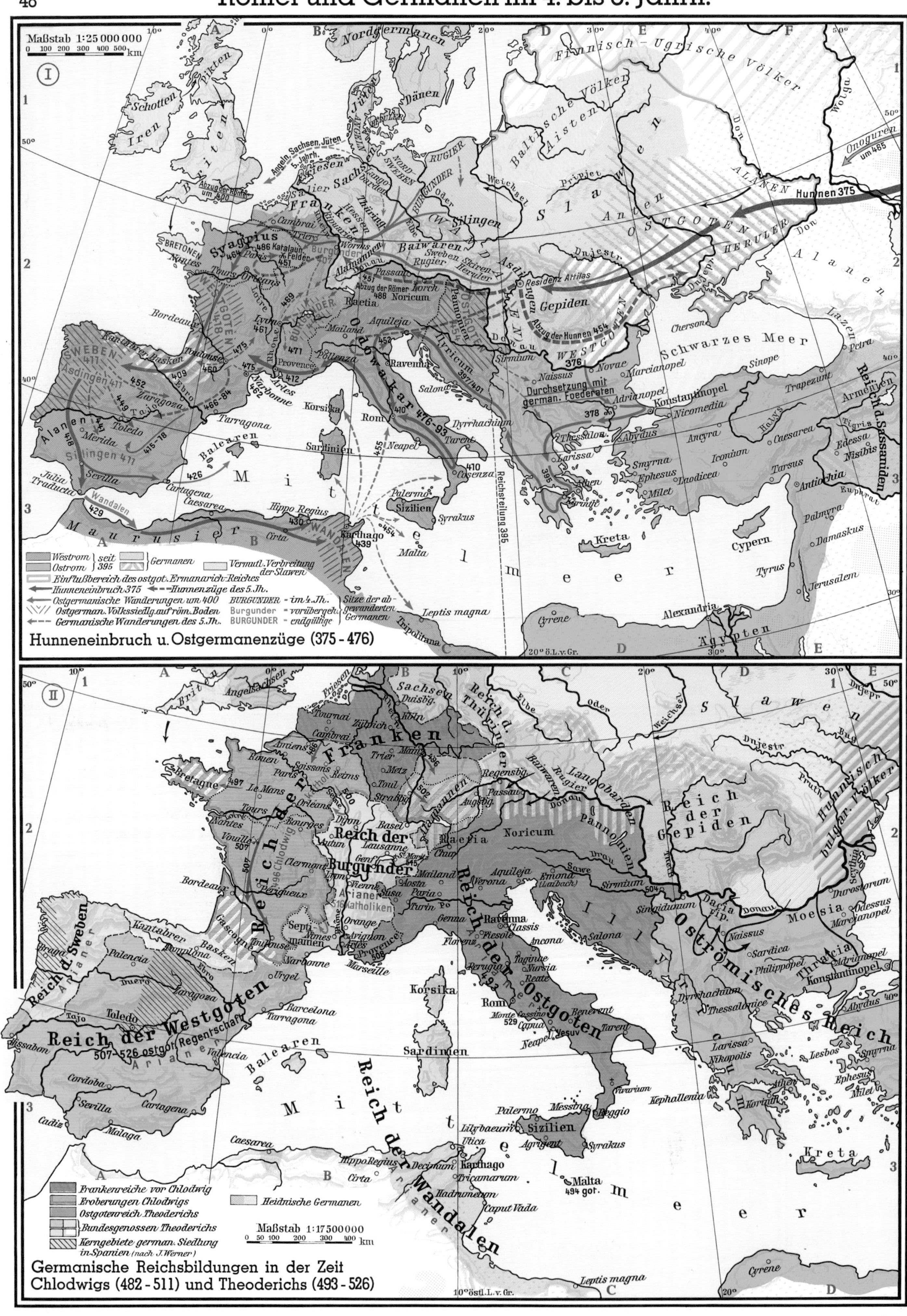

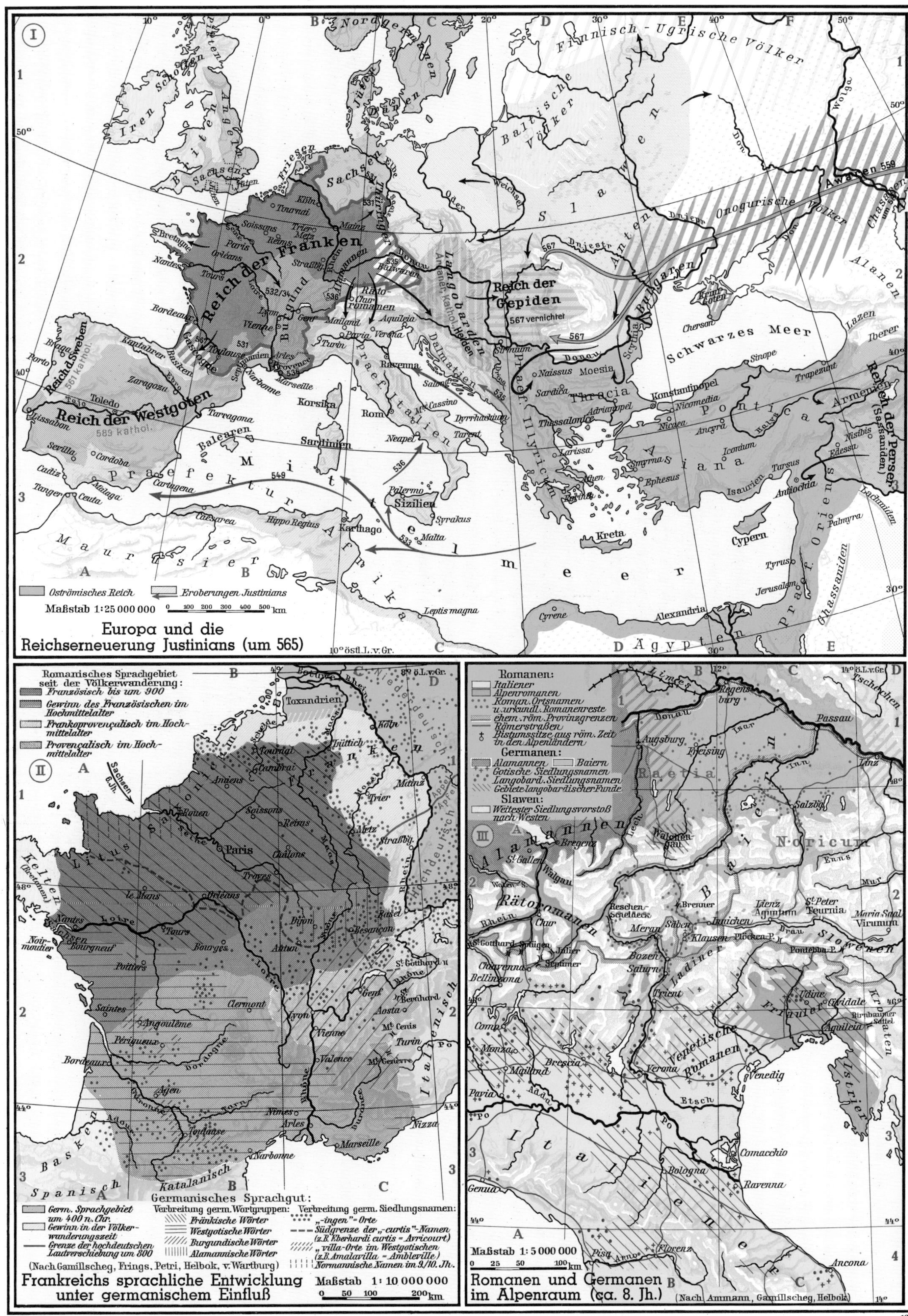
I
Oströmisches Reich
Eroberungen Justinians
Maßstab 1:25 000 000
0 100 200 300 400 500 km
Europa und die
Reichserneuerung Justinians (um 565)
10° östl.L.v.Gr.
II
Romanisches Sprachgebiet
seit der Völkerwanderung:
Französisch bis um 900
Gewinn des Französischen im Hochmittelalter
Frankoprovençalisch im Hochmittelalter
Provençalisch im Hochmittelalter
Germ. Sprachgebiet um 400 n. Chr.
Gewinn in der Völkerwanderungszeit
Grenze der hochdeutschen Lautverschiebung um 800
Germanisches Sprachgut:
Verbreitung germ. Wortgruppen:
Fränkische Wörter
Westgotische Wörter
Burgundische Wörter
Alamannische Wörter
Verbreitung germ. Siedlungsnamen:
„-ingen"-Orte
Südgrenze der „-curtis"-Namen (z.B. Eberhardi curtis = Arricourt)
„villa"-Orte im Westgotischen (z.B. Amalarilla = Ambleville)
Normannische Namen im 9./10. Jh.
(Nach Gamillscheg, Frings, Petri, Helbok, v. Wartburg)
Frankreichs sprachliche Entwicklung
unter germanischem Einfluß
Maßstab 1: 10 000 000
0 50 100 200 km
III
Romanen:
Italiener
Alpenromanen
Roman. Ortsnamen u. urkundl. Romanenreste
ehem. röm. Provinzgrenzen
Römerstraßen
Bistumssitze aus röm. Zeit in den Alpenländern
Germanen:
Alamannen
Baiern
Gotische Siedlungsnamen
Langobard. Siedlungsnamen
Gebiete langobardischer Funde
Slawen:
Weitester Siedlungsvorstoß nach Westen
Maßstab 1: 5 000 000
0 25 50 100 km
Romanen und Germanen
im Alpenraum (ca. 8. Jh.)
(Nach Ammann, Gamillscheg, Helbok)

Atlantischer Ozean
Friesisches Meer
Mittelmeer
Reich der Franken
Neustrien
Austrien
Aquitanien
Burgund
Reich der Westgoten
Reich der Langobarden
Reich der Awaren
Reich des Samo
Maghrib
Afrika
Libyen
Tripolis
Fessan
Kawar
Sizilien
Sardinien
Korsika
Balearen
Iren
Schotten
Pikten
Briten
Sachsen
Friesen
Norweger
Sweonen (Schweden)
Göten
Jüten
Dänen
Ostsee
Esten
Kuren
Pruzzen
Pomoranen
Liutizen
Obodriten
Sorben
Tschechen
Mährer
Slowaken
Karantanen
Kroaten
Serben
Bulgaren
Byzanz
Lappen
Kreta
Barka
Alexandria
Ägypten
A
B
C
D
Byzantinisches Reich:
unter Herakleios (610-641)
um 750
Reste latein. u. griechischer Bevölkerung
Grenzen der Militärbezirke (Themen) seit Herakleios
Patrimonium Petri seit 754/56
Reiche und Stämme der Germanen:
Reich der Franken um 610
Erwerbungen bis 768
Reich der Westgoten um 610
Erwerbungen bis 711
Reich der Langobarden seit 568
Angelsächsische Staaten
Germanische Stämme außerhalb christlicher Reiche
Slawische Stämme
Baltische Stämme
Finnisch-ugrische Stämme
Europäische Fernhandelswege
Perserreich um 610 (Sassanidenreich)
Eroberungen bis 627
Ausbreitung des Kalifenreiches:
Herrschaftsbereich Mohammeds 632
Eroberungen seines Nachfolgers Abu Bekr bis 634
Eroberungen der ersten Kalifen bis 656
Eroberungen unter den Omaijaden 661-750
Provinzgrenzen des Kalifats
Vorstoß asiatischer Turkvölker nach Westen:
Awaren
Bulgaren
Chasaren
Andere nomadisierende Turkvölker
Staaten Innerasiens:
Grenze des kök-türkischen Reiches 552-745
Unter chines. Oberherrschaft zwischen 670 u. 751, seit 766 karlukisches Gebiet
Unter chines. Herrschaft (zeitweilig zu Tibet gehörend)
Tibetisches Gebiet um 700
Sumpf
Steppe
Wüste

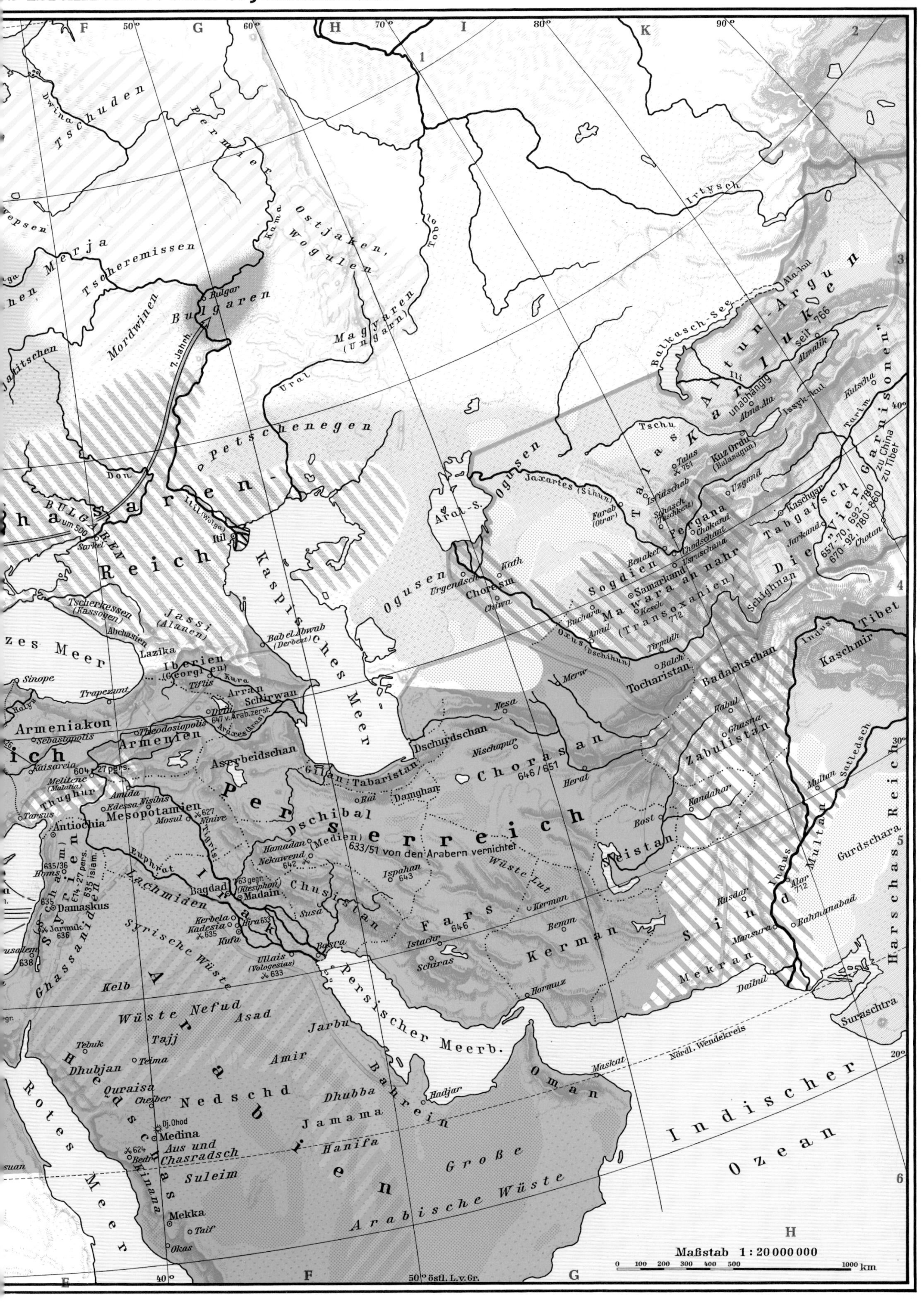
Tschuden
Permier
Ostjaken, Wogulen
Merja
Tscheremissen
Bulgar
Bulgaren
Mordwinen
7. Jahrh.
Magyaren (Ungarn)
Ural
Irtysch
Tobol
Balkasch-See
Ala-kul
Argun
Karluken
seit 766
Almalik
unabhängig
Alma-Ata
Issyk-kul
Kutscha
Tarim
Petschenegen
Tschu
Talas
751
Kuz Ordu (Balasagun)
Uzgand
Oguse n
Jaxartes (Sihun)
Farab (Otrar)
Isfidschab
Schasch (Taschkent)
Fergana
Chokand
Chodschant
Kaschgar
Tabgatsch
Die Vier Garnisonen
zu China
zu Tibet
657-70, 692-780
670-92, 780-860
Jarkand
Chotan
Don
Chasaren-Reich
Bulgaren
um 500
Sarkel
Itil (Wolga)
Itil
Aral-S.
Kaspisches Meer
Oguse n
Urgendsch
Choresm
Kath
Chiwa
Benaket
Usruschana
Sogdien
Samarkand
Mawara an nahr (Transoxanien)
Kesch
712
Buchara
Amul
Schighnan
Oxus (Dschihun)
Tirmidh
Balch
Tocharistan
Badachschan
Indus
Tibet
Kaschmir
Tscherkessen (Kassogen)
Jassi (Alanen)
Abchasien
Lazika
Bab el Abwab (Derbent)
Schwarzes Meer
Iberien (Georgien)
Kura
Tiflis
Arran
Schirwan
Sinope
Trapezunt
Dwin
647 v. Arab. zerst.
Araxes
Armeniakon
Theodosiopolis
Sebasteia
Armenien
Merw
Nesa
Dschurdschan
Nischapur
Chorasan
646/651
Herat
Kabul
Ghasna
Zabulistan
Kandahar
Bost
Seistan
Aserbeidschan
Gilan
Tabaristan
Rai
Damghan
Kaisareia
604
27 pers.
Melitene (Malatia)
Thughur
Amida
Edessa
Nisibis
Mesopotamien
627
Ninive
Mosul
Tarsus
Antiochia
Dschibal
Perserreich
Hamadan
Medien
633/51 von den Arabern vernichtet
Nekawend
642
Wüste Lut
Ispahan
643
Euphrat
Tigris
635/36
Homs
Syrien
614-27 pers.
635 islam.
Lachmiden
Bagdad
763 gegr.
Madain
(Ktesiphon)
Chusistan
Irak
Damaskus
Jarmuk
636
Kerbela
Kadesia
635
Hira
633
Kufa
Susa
Fars
646
Kerman
Bemm
Istachr
Schiras
Kerman
Basra
Ullais (Vologesias)
633
Jerusalem
638
Ghassaniden
Syrische Wüste
Kelb
Arabien
Persischer Meerb.
Hormuz
Mekran
Sind
Kusdar
Mansura
Bahmanabad
Alor
712
Multan
Daibul
Sutledsch
Harschas Reich
Gurdschara
Suraschtra
Wüste Nefud
Asad
Tebuk
Tajj
Teima
Jarbu
Dhubjan
Amir
Hedschas
Quraisa
Cheibar
Nedschd
Dhubba
Bahrein
Hadjar
Oman
Maskat
Nördl. Wendekreis
Jamama
Dj. Ohod
Medina
Aus und Chasradsch
624
Bedr
Kinana
Hanifa
Große Arabische Wüste
Suleim
Mekka
Taif
Okas
Rotes Meer
Indischer Ozean
Maßstab 1 : 20 000 000
0 100 200 300 400 500 1000 km
50° östl. L. v. Gr.
40°
50°
60°
70°
80°
90°
40°
30°
20°
F
G
H
I
K
E
1
2
3
4
5
6

Die christliche Welt im Frühmittelalter

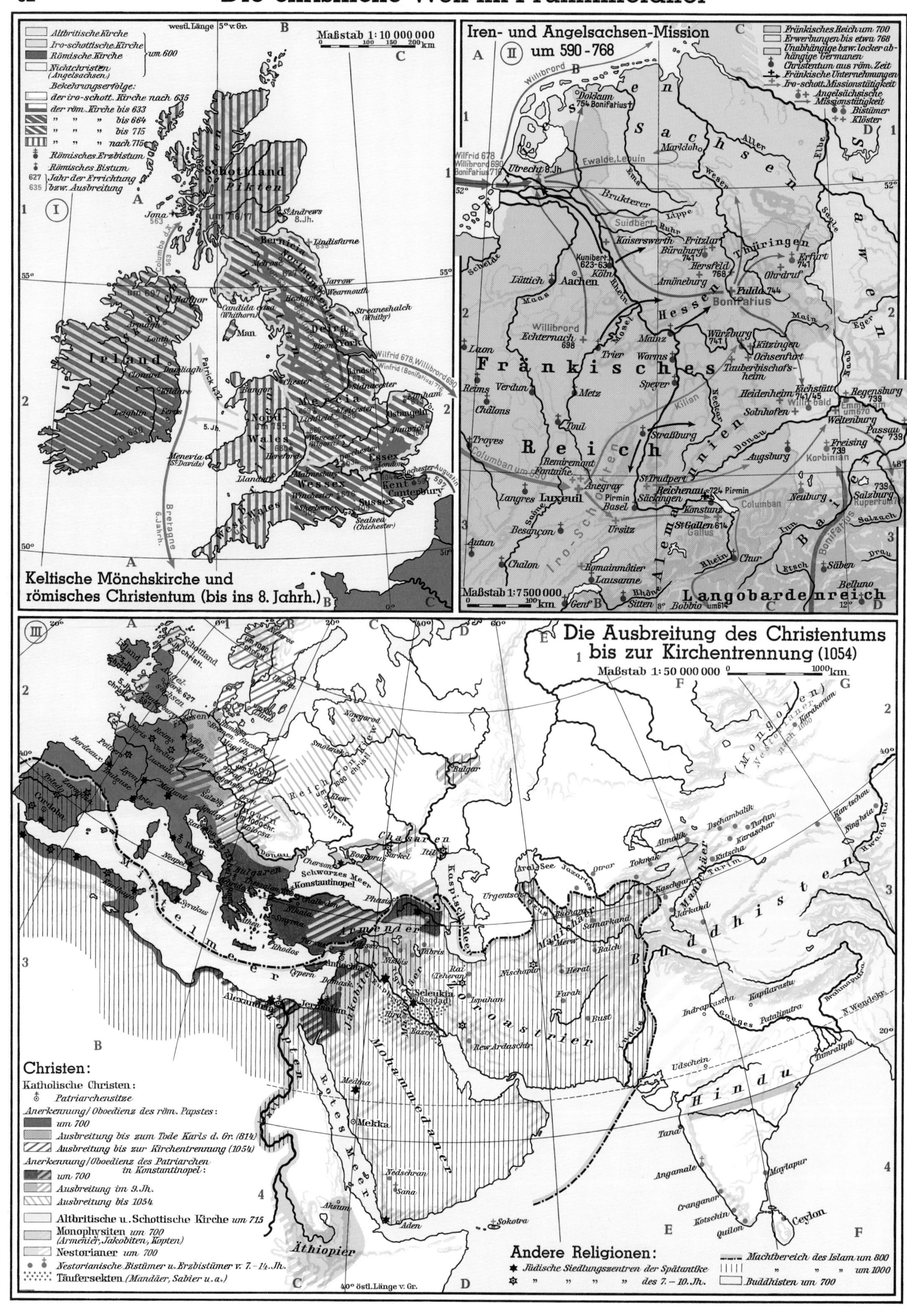

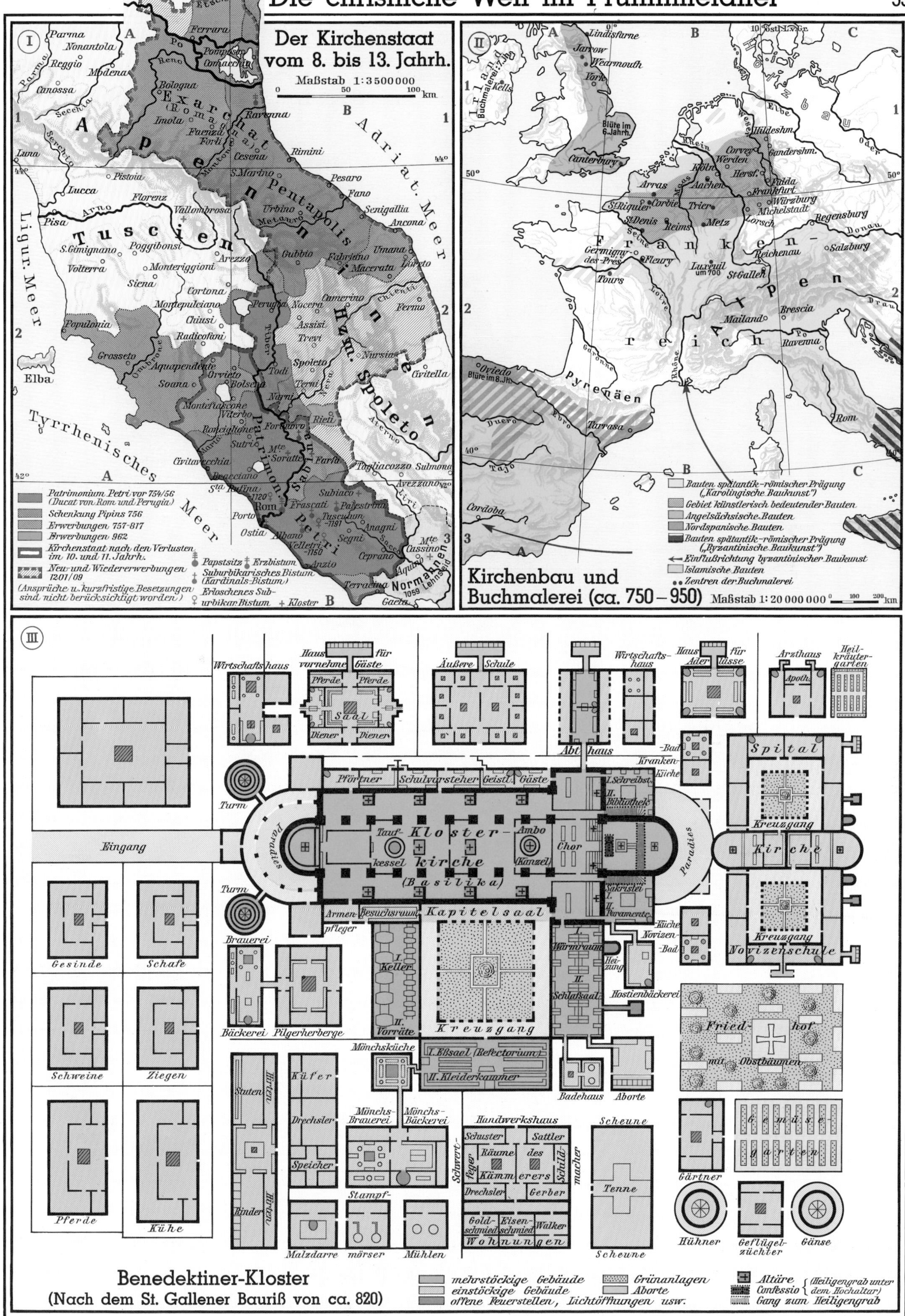
I
Der Kirchenstaat vom 8. bis 13. Jahrh.
Maßstab 1:3500000
Patrimonium Petri vor 754/56 (Ducat von Rom und Perugia)
Schenkung Pipins 756
Erwerbungen 757-817
Erwerbungen 962
Kirchenstaat nach den Verlusten im 10. und 11. Jahrh.
Neu- und Wiedererwerbungen 1201/09
(Ansprüche u. kurzfristige Besetzungen sind nicht berücksichtigt worden)
Papstsitz
Erzbistum
Suburbikarisches Bistum (Kardinals-Bistum)
Erloschenes Suburbikar-Bistum
Kloster
II
Kirchenbau und Buchmalerei (ca. 750 – 950)
Maßstab 1:20000000
Bauten spätantik-römischer Prägung („Karolingische Baukunst")
Gebiet künstlerisch bedeutender Bauten
Angelsächsische Bauten
Nordspanische Bauten
Bauten spätantik-römischer Prägung („Byzantinische Baukunst")
Einflußrichtung byzantinischer Baukunst
Islamische Bauten
Zentren der Buchmalerei
III
Benedektiner-Kloster
(Nach dem St. Gallener Bauriß von ca. 820)
mehrstöckige Gebäude
einstöckige Gebäude
offene Feuerstellen, Lichtöffnungen usw.
Grünanlagen
Aborte
Altäre
Confessio
Gang zum Heiligengrab
(Heiligengrab unter dem Hochaltar)
Klosterkirche (Basilika)
Paradies
Eingang
Kapitelsaal
Kreuzgang
Spital
Friedhof mit Obstbäumen
Gemüsegarten

Pikten
Irland
Northumbria
Mercia
Wales
Wessex
Ost-Anglia
Westwales (Devon)
Sussex
Kent
Göten
Gotland
Jüten
Dänen
Dänenreich des Göttrik bis 810
Schonen
Bornholm
Friesland
Sachsen
Westfalen
Ostfalen
Obodriten
Wilzen (Liutizen)
Pomoranen
Polen
Heveller
Sorben
Thüringen
Hessen
Austrien
Ostfranken
Neustrien
Bretagne
Bretonische Mark
Böhmen (Tschechen)
Mährer
Nordgau
Baiern
Alamannien
Burgund
Aquitanien
Gascogne
Septimanien
Provence
Spanische Mark
seit 812 Frank.
Kgr. Asturien
Omaijadisches Emirat Cordoba seit 756
Balearen
Korsika
Sardinien
Einheim. Machthaber
Langobarden
Kgr. der Langobarden 774
Italien
Kirchen-Staat
Patrimonium Petri
Tuscien
Hzm. Spoleto
Hzm. Benevent
Th. Langobardien
Th. Calabrien
Thema Sizilien
Kärnten
Mark Friaul
Istrien
Ostmark
Pannonische Marken
Slowaken
Kroaten
Th. Dalmatien
Bosnien
Awaren
Abbassiden seit 750, Idrisiden seit 789
Abbassiden seit 750, Aghlabiden seit 800
Omaijaden-Kalifat bis 750
Maßstab 1:10 000 000
0 50 100 150 200 250 km
Aachen
Rom
Paris
Hamburg
Regensburg
Salzburg
Mailand
Pavia
Ravenna
Barcelona
Toledo
Kairuan
Malta
Palermo
Syrakus

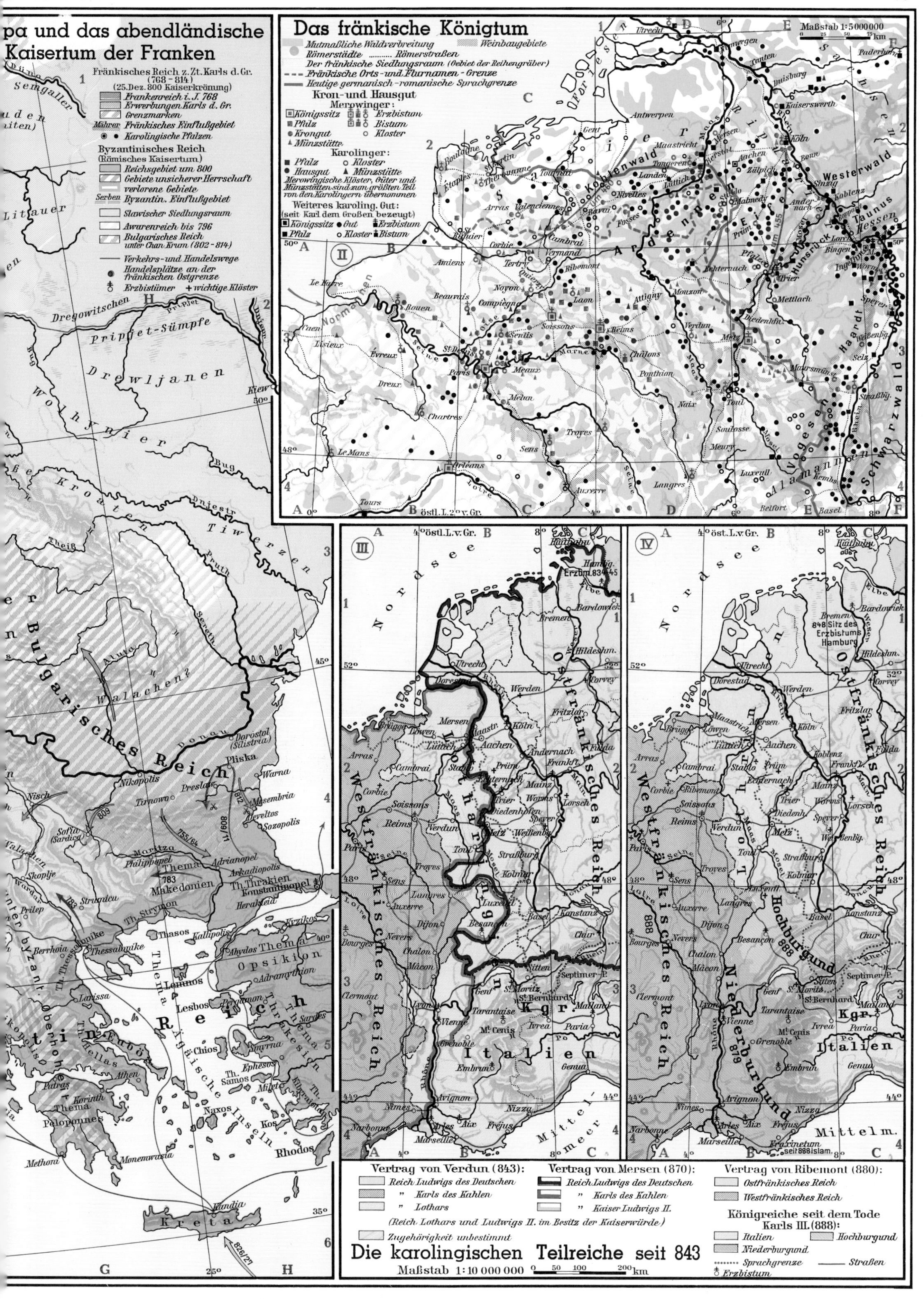
pa und das abendländische
Kaisertum der Franken
Fränkisches Reich z. Zt. Karls d. Gr. (768 - 814)
(25. Dez. 800 Kaiserkrönung)
Frankenreich i. J. 768
Erwerbungen Karls d. Gr.
Grenzmarken
Mähren Fränkisches Einflußgebiet
Karolingische Pfalzen
Byzantinisches Reich (Römisches Kaisertum)
Reichsgebiet um 800
Gebiete unsicherer Herrschaft
verlorene Gebiete
Serben Byzantin. Einflußgebiet
Slawischer Siedlungsraum
Awarenreich bis 796
Bulgarisches Reich unter Chan Krum (802 - 814)
Verkehrs- und Handelswege
Handelsplätze an der fränkischen Ostgrenze
Erzbistümer + wichtige Klöster
Das fränkische Königtum
Maßstab 1:5000000
Mutmaßliche Waldverbreitung
Weinbaugebiete
Römerstädte
Römerstraßen
Der fränkische Siedlungsraum (Gebiet der Reihengräber)
Fränkische Orts- und Flurnamen - Grenze
Heutige germanisch - romanische Sprachgrenze
Kron- und Hausgut
Merowinger:
Königssitz
Erzbistum
Pfalz
Bistum
Krongut
Kloster
Münzstätte
Karolinger:
Pfalz
Kloster
Hausgut
Münzstätte
Merowingische Klöster, Güter und Münzstätten sind zum größten Teil von den Karolingern übernommen
Weiteres karoling. Gut:
(seit Karl dem Großen bezeugt)
Königssitz
Gut
Erzbistum
Pfalz
Kloster
Bistum
Vertrag von Verdun (843):
Reich Ludwigs des Deutschen
" Karls des Kahlen
" Lothars
(Reich Lothars und Ludwigs II. im Besitz der Kaiserwürde)
Zugehörigkeit unbestimmt
Vertrag von Mersen (870):
Reich Ludwigs des Deutschen
" Karls des Kahlen
" Kaiser Ludwigs II.
Vertrag von Ribemont (880):
Ostfränkisches Reich
Westfränkisches Reich
Königreiche seit dem Tode Karls III. (888):
Italien
Hochburgund
Niederburgund
Sprachgrenze
Straßen
Erzbistum
Die karolingischen Teilreiche seit 843
Maßstab 1:10 000 000
0 50 100 200 km

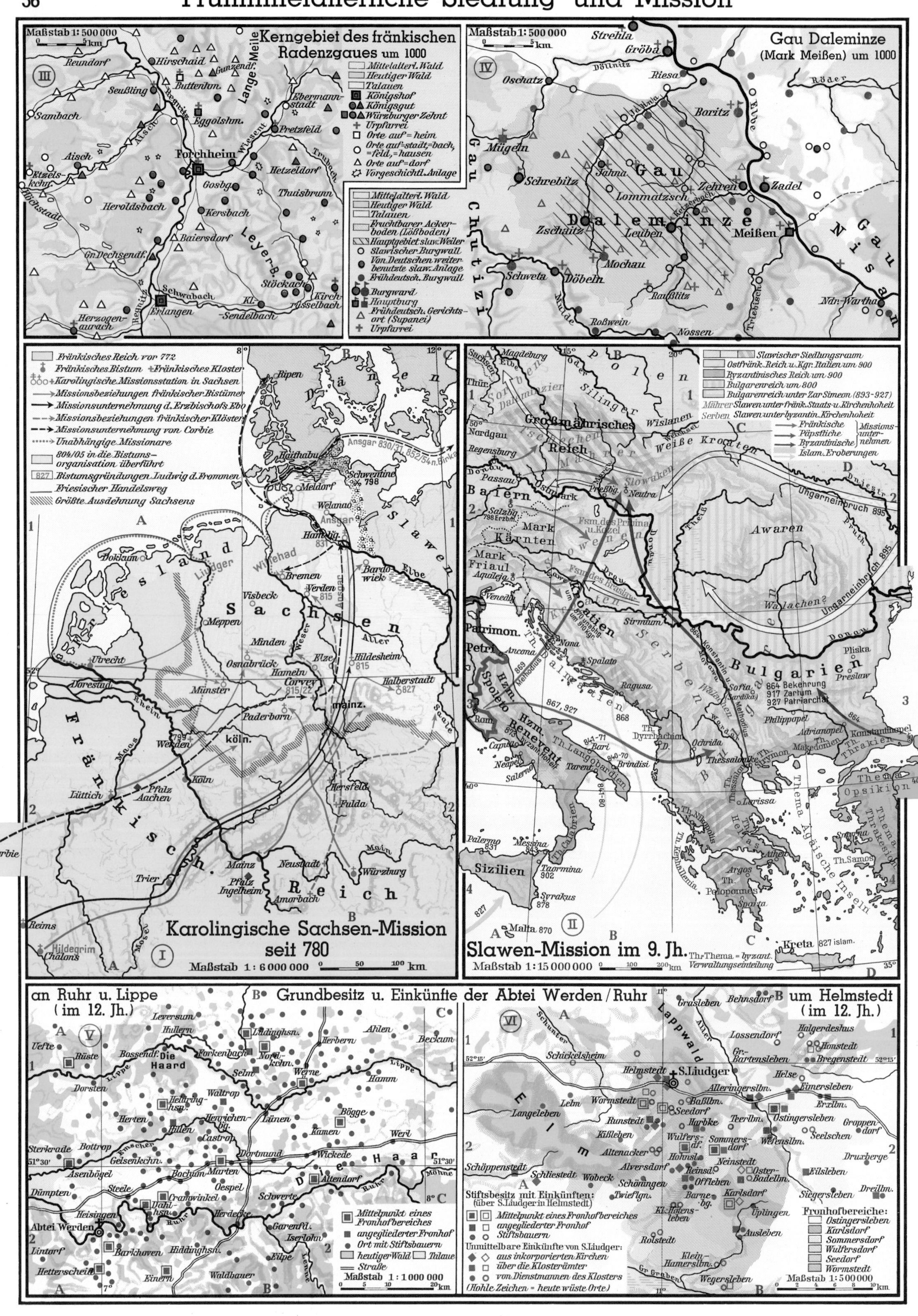
Kerngebiet des fränkischen Radenzgaues um 1000
Maßstab 1: 500 000
III
Mittelalterl. Wald
Heutiger Wald
Talauen
Königshof
Königsgut
Würzburger Zehnt
Urpfarrei
Orte auf = heim
Orte auf = stadt, = bach, = feld, = hausen
Orte auf = dorf
Vorgeschichtl. Anlage
Gau Daleminze (Mark Meißen) um 1000
Maßstab 1: 500 000
IV
Mittelalterl. Wald
Heutiger Wald
Talauen
Fruchtbarer Ackerboden (Lößboden)
Hauptgebiet slaw. Weiler
Slawischer Burgwall
Von Deutschen weiter benutzte slaw. Anlage
Frühdeutsch. Burgwall
Burgward
Hauptburg
Frühdeutsch. Gerichtsort (Supanei)
Urpfarrei
Fränkisches Reich vor 772
Fränkisches Bistum
Fränkisches Kloster
Karolingische Missionsstation in Sachsen
Missionsbeziehungen fränkischer Bistümer
Missionsunternehmung d. Erzbischofs Ebo
Missionsbeziehungen fränkischer Klöster
Missionsunternehmung von Corbie
Unabhängige Missionare
804/05 in die Bistumsorganisation überführt
827 Bistumsgründungen Ludwig d. Frommen
Friesischer Handelsweg
Größte Ausdehnung Sachsens
Karolingische Sachsen-Mission seit 780
I
Maßstab 1 : 6 000 000
Slawischer Siedlungsraum
Ostfränk. Reich u. Kgr. Italien um 900
Byzantinisches Reich um 900
Bulgarenreich um 800
Bulgarenreich unter Zar Simeon (893-927)
Mährer Slawen unter fränk. Staats- u. Kirchenhoheit
Serben Slawen unter byzantin. Kirchenhoheit
Fränkische
Päpstliche
Byzantinische
Missionsunternehmen
Islam. Eroberungen
Slawen-Mission im 9. Jh.
II
Th. = Thema = byzant. Verwaltungseinteilung
Maßstab 1 : 15 000 000
Grundbesitz u. Einkünfte der Abtei Werden / Ruhr
an Ruhr u. Lippe (im 12. Jh.)
V
Mittelpunkt eines Fronhofbereiches
angegliederter Fronhof
Ort mit Stiftsbauern
heutiger Wald
Talaue
Straße
Maßstab 1 : 1 000 000
um Helmstedt (im 12. Jh.)
VI
Stiftsbesitz mit Einkünften: (über S. Liudger in Helmstedt)
Mittelpunkt eines Fronhofbereiches
angegliederter Fronhof
Stiftsbauern
Unmittelbare Einkünfte von S. Liudger:
aus inkorporierten Kirchen
über die Klosterämter
von Dienstmannen des Klosters
(Hohle Zeichen = heute wüste Orte)
Fronhofbereiche:
Ostingersleben
Karlsdorf
Sommersdorf
Wulfersdorf
Seedorf
Wormstedt
Maßstab 1 : 500 000

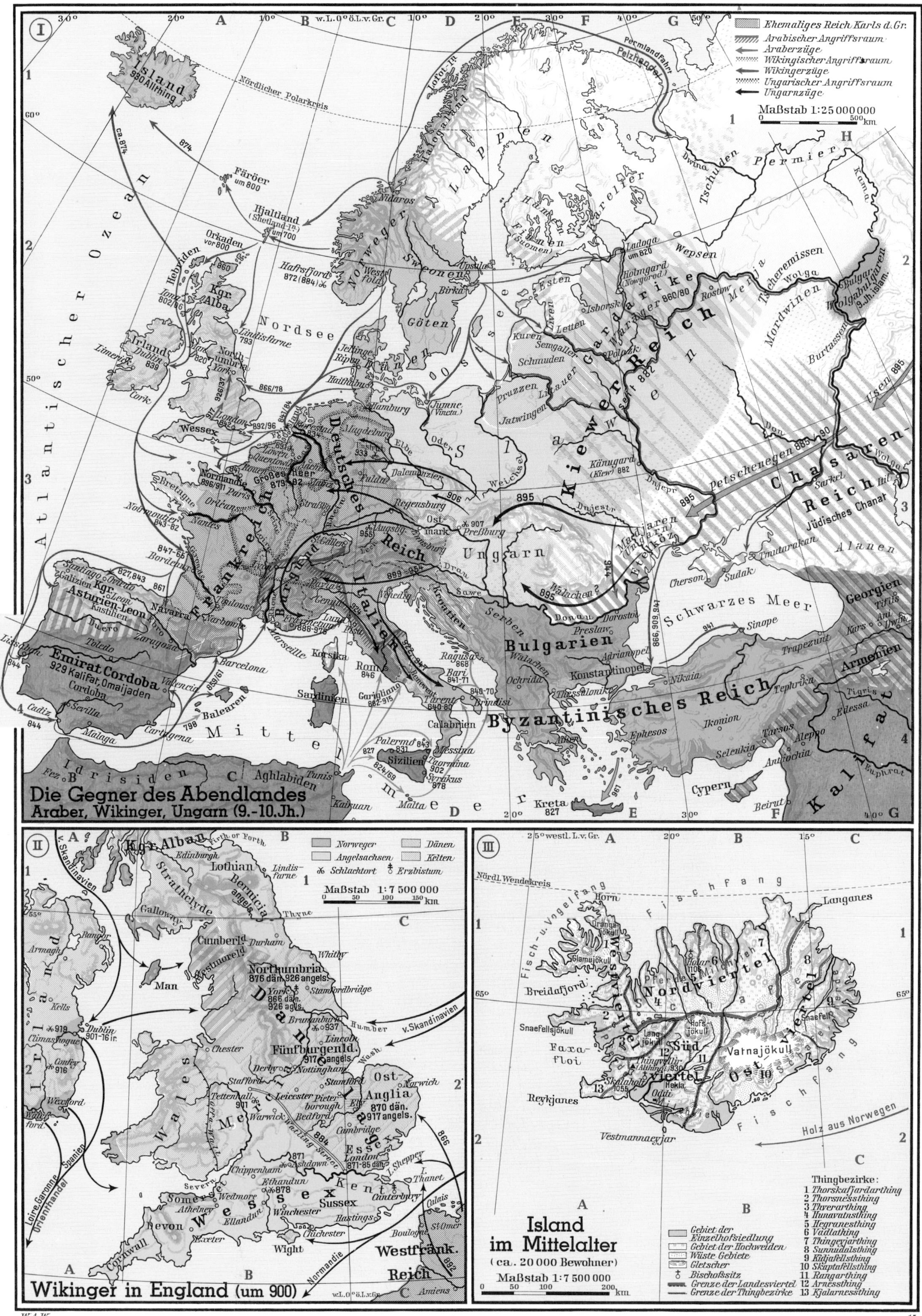
I
Ehemaliges Reich Karls d. Gr.
Arabischer Angriffsraum
Araberzüge
Wikingischer Angriffsraum
Wikingerzüge
Ungarischer Angriffsraum
Ungarnzüge
Maßstab 1:25 000 000
Die Gegner des Abendlandes
Araber, Wikinger, Ungarn (9.-10. Jh.)
Atlantischer Ozean
Island 930 Allthing
Nördlicher Polarkreis
Färöer um 800
Hjaltland (Shetland-In.) um 700
Orkaden vor 800
Hebriden
Kgr. Alba
Irland
Nordsee
Wessex
Normandie 896/911
Deutsches Reich
Frankreich
Burgund
Italien
Emirat Cordoba 929 Kalifat Omaijaden
Kgr. Asturien-Leon
Mittelmeer
Idrisiden
Aghlabiden
Sizilien
Sardinien
Korsika
Ungarn
Bulgarien
Byzantinisches Reich
Schwarzes Meer
Kiewer Reich
Gardarike
Chasaren-Reich Jüdisches Chanat
Petschenegen
Wolgabulgaren
Lappen
Norweger
Sweonen
Göten
Dänen
Slawen
Permier
Kalifat
Armenien
Georgien
Konstantinopel
II
Norweger
Dänen
Angelsachsen
Kelten
Schlachtort
Erzbistum
Maßstab 1:7 500 000
Wikinger in England (um 900)
Kgr. Alban
Northumbria 876 dän. 926 angels.
Danelag
Fünfburgenld. 917 angels.
Ost-Anglia 870 dän. 917 angels.
Mercia
Wales
Wessex
Essex
Kent
Sussex
Westfränk. Reich
III
Island im Mittelalter
(ca. 20 000 Bewohner)
Maßstab 1:7 500 000
Gebiet der Einzelhofsiedlung
Gebiet der Hochweiden
Wüste Gebiete
Gletscher
Bischofssitz
Grenze der Landesviertel
Grenze der Thingbezirke
Thingbezirke:
1 Thorskafjardarthing
2 Thorsnessthing
3 Threrarthing
4 Hunavatnsthing
5 Hegranesthing
6 Vadlathing
7 Thingeyjarthing
8 Sunnudalsthing
9 Kidjafellsthing
10 Skaptafellsthing
11 Rangarthing
12 Arnessthing
13 Kjalarnessthing
Nordviertel
Westviertel
Südviertel
Ostviertel
Vatnajökull
Holz aus Norwegen
Fischfang

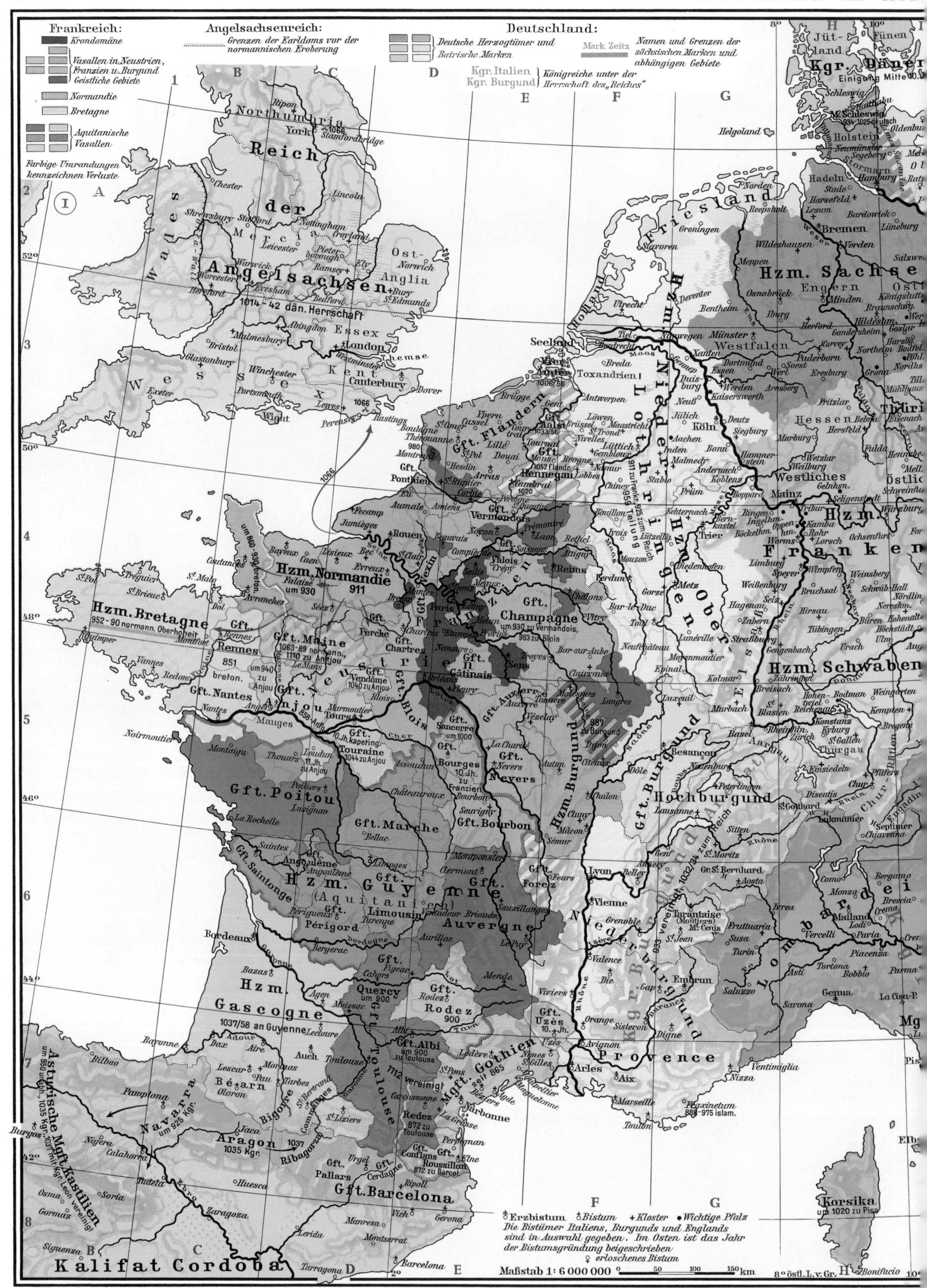
Frankreich:
Krondomäne
Vasallen in Neustrien, Franzien u. Burgund
Geistliche Gebiete
Normandie
Bretagne
Aquitanische Vasallen
Farbige Umrandungen kennzeichnen Verluste
Angelsachsenreich:
Grenzen der Earldoms vor der normannischen Eroberung
Deutschland:
Deutsche Herzogtümer und Bairische Marken
Mark Zeitz
Namen und Grenzen der sächsischen Marken und abhängigen Gebiete
Kgr. Italien
Kgr. Burgund
Königreiche unter der Herrschaft des „Reiches"
Reich der Angelsachsen
1014-42 dän. Herrschaft
Northumbria
Mercia
Wales
Wessex
Essex
Kent
Ost-Anglia
London
Canterbury
Hastings
1066
Hzm. Normandie
911
Hzm. Bretagne
952-90 normann. Oberhoheit
Gft. Flandern
Gft. Champagne
Gft. Maine
Gft. Anjou
Neustrien
Franzien
Paris
Gft. Poitou
Gft. Marche
Hzm. Guyenne (Aquitanien)
Auvergne
Hzm. Gascogne
1037/58 an Guyenne
Gft. Toulouse
Mgft. Gothien
Gft. Barcelona
Navarra
Aragon
1035 Kgr.
Asturische Mgft. Kastilien
Kalifat Cordoba
Hzm. Burgund
Gft. Burgund
Hochburgund
Niederburgund
Provence
Hzm. Niederlothringen
Hzm. Oberlothringen
Friesland
Hzm. Sachsen
Westfalen
Hzm. Franken
Hzm. Schwaben
Lombardei
Korsika
um 1020 zu Pisa
Kgr. Dänemark
Helgoland
Fraxinetum
888-975 islam.
♁Erzbistum ♁Bistum +Kloster •Wichtige Pfalz
Die Bistümer Italiens, Burgunds und Englands sind in Auswahl gegeben. Im Osten ist das Jahr der Bistumsgründung beigeschrieben
♀ erloschenes Bistum
Maßstab 1: 6 000 000
0 50 100 150 km
8° östl. L. v. Gr.

Bornholm
Pommern
Ende 10. Jh. poln.
Polen
Posen
Gnesen 1000
Breslau 1000/1050
Schlesien
Mitte 10. Jh. böhm., 999 poln.
Böhmen
Fsm. der Slawnikinge bis 995
929 wieder deutsche Hoheit 1003-04 polnisch
Mähren
1003-29 poln.
Krakau 1000
Wislanen
Ostmark
Ungarn
1001 Königreich
Steiermark
Kärntner Mark
Mark Kärnten
976 Hzm.
Mark Krain
Friaul
Mark Istrien
Venedig um 1000 unabh.
Kgr. Kroatien
1089/91 ungar.
Byzantin. Herrschaft
Hzm. Spoleto
Patrimonium Petri
Fsm. Capua
Fsm. Benevent
Gft. Apulien
1042 Normannen
Großmährisches Reich
Baiern
Karantanien
Fürstentum des Pribina, 847-62 des Kozel 862-76
Oberpannonien
Unterpannonien
Fürstentum des Liudewit, des Braslaw
Bis 796 Kerngebiet der Awaren (Awarenwüste nach 796)
Pippin 796
Baiern
Die drei Grafschaften
Zollstellen u. Handelsplätze
Karolingische Ostmarken
Karolingische Pfalzen
Karolingisches Königsgut
Slawen
Awaren-Ringe
Straßen
Erzbistum
Bistum
Kloster
Maßstab 1:5000000
Die bairischen Ostmarken bis zum Ende des 9. Jahrh.
Hzm. Kärnten seit 976
Seit 1000 von Kärnten gelöste Marken
Ostmark (Mark Österreich) um 1050
Gewinn der Ostmark bis 1156
Erzbistum
Bistum
Klöster
Burgen
Straßen
Hzm. Baiern
Mark Österreich
1156 Hzm.
Steiermark
1180 Hzm.
Hzm. Kärnten
Mark Friaul
1077 an Aquileja
Maßstab 1:5000000
Die bairischen Ostmarken im 11. und 12. Jahrh.
Heerburg
Vorburg
Pfalz
Graben
Erdwall
Mauer
Bauten z. Zt. Heinrichs I. und seiner Nachfolger
spätere Anbauten
Maßstab 1:10000
Oder-wald
Pfalz Werla
924 Ungarn-Vorstoß
Pfalz Goslar
Harz
offenes Land
Talauen
Wald
Straße
Maßstab 1:750000
Die Pfalz Werla

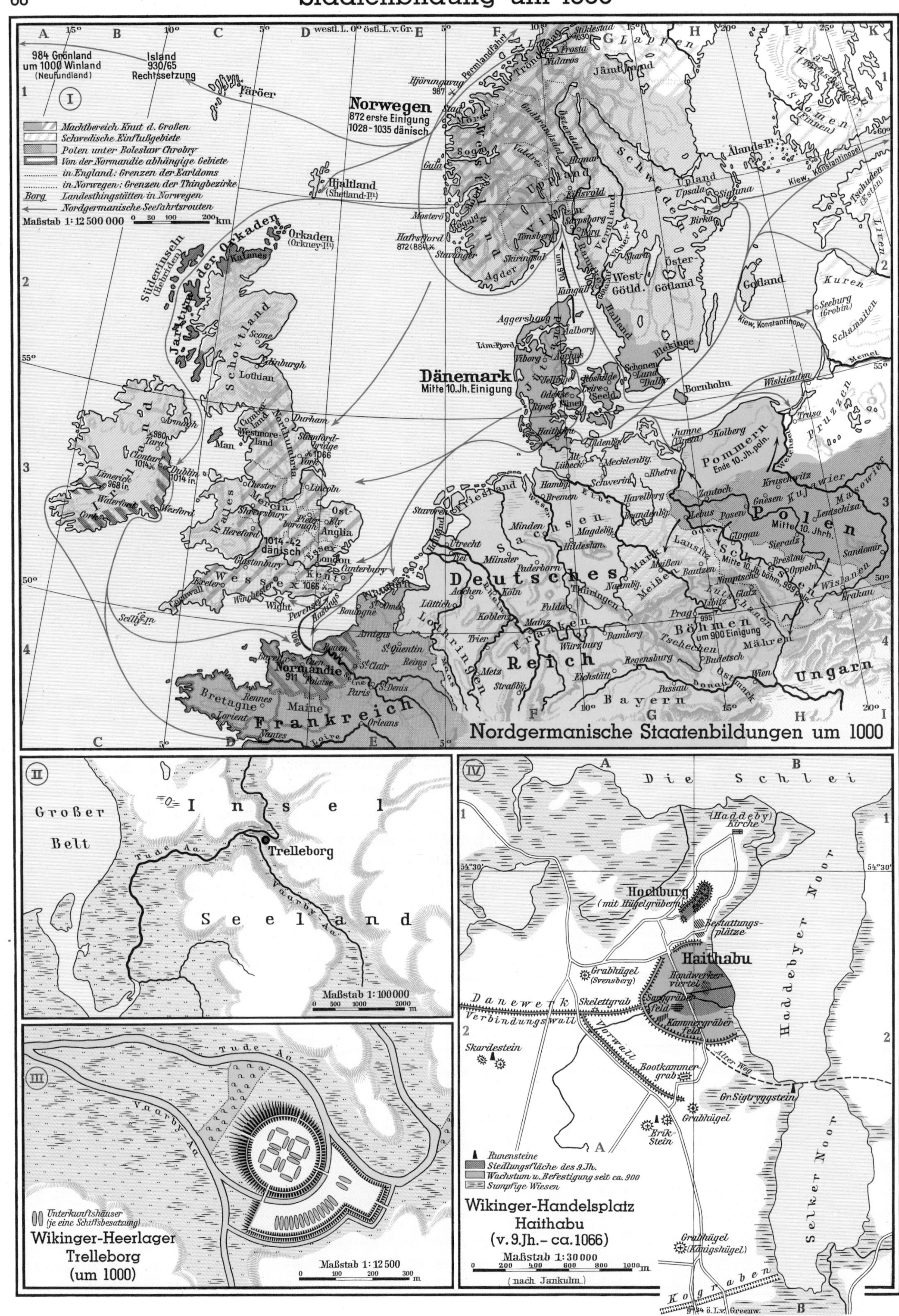

I
Nordgermanische Staatenbildungen um 1000
Machtbereich Knut d. Großen
Schwedische Einflußgebiete
Polen unter Boleslaw Chrobry
Von der Normandie abhängige Gebiete
in England: Grenzen der Earldoms
in Norwegen: Grenzen der Thingbezirke
Borg Landesthingstätten in Norwegen
Nordgermanische Seefahrtsrouten
Maßstab 1: 12 500 000
984 Grönland um 1000 Winland (Neufundland)
Island 930/65 Rechtssetzung
Färöer
Norwegen 872 erste Einigung 1028-1035 dänisch
Hjaltland (Shetland-In)
Orkaden (Orkney-In)
Südereinseln (Hebriden)
Schottland
Irland
Dänemark Mitte 10. Jh. Einigung
Schweden
Gotland
Kuren
Pommern Ende 10. Jh. poln.
Polen Mitte 10. Jhrh.
Deutsches Reich
Böhmen um 900 Einigung
Ungarn
Normandie 911
Frankreich
Bretagne
Wessex
Mercia
Northumbria
Ost-Anglia
1014-42 dänisch
II
Großer Belt
Insel Seeland
Trelleborg
Tude Aa
Vaarby Aa
Maßstab 1: 100 000
III
Tude Aa
Vaarby Aa
Unterkunftshäuser (je eine Schiffsbesatzung)
Wikinger-Heerlager Trelleborg (um 1000)
Maßstab 1: 12 500
IV
Die Schlei
Haddebyer Noor
Selker Noor
(Haddeby) Kirche
Hochburg (mit Hügelgräbern)
Bestattungsplätze
Haithabu
Handwerkerviertel
Südgräberfeld
Kammergräberfeld
Danewerk
Verbindungswall
Vorwall
Skelettgrab
Bootkammergrab
Grabhügel (Svensberg)
Skardestein
Erik-Stein
Gr. Sigtryggstein
Grabhügel (Königshügel)
Alter Weg
Kograben
Runensteine
Siedlungsfläche des 9. Jh.
Wachstum u. Befestigung seit ca. 900
Sumpfige Wiesen
Wikinger-Handelsplatz Haithabu (v. 9. Jh. – ca. 1066)
Maßstab 1: 30 000
(nach Jankuhn)

I
Nordgermanen-Mission im 10. u. 11. Jh.
Maßstab 1:17 500 000
Mission d. Erzbistums Hambg.-Bremen:
Erzbistum Hamburg-Bremen
Erfolge im 10. Jahrhundert
Bistumsgründungen
Wendel Landschaftsbistümer ohne festen Sitz
Missionsunternehmungen
Angelsächsische Mission:
Missionsunternehmungen unabhängiger Priester und Bischöfe
Erfolge unter Leitung nordgermanischer Könige
Deutsche Missionare mit polnischer Unterstützung
Erzbistum Lund (1104 von Hamburg-Bremen gelöst)
Grönland
Island
1000 gesetzl. Annahme des Christentums
Norwegen
Bekehrung durch Könige 995-1030
Färöer
Shetland-In.
Orkaden
Hebriden
Schottland
Irland
Angelsächsisches Reich
nach 1066 Kirchenreform
Deutsches Reich
Frankreich
Normandie
Schweden
Dänemark
Lappen
II
Slawen-Mission im 10. u. 11. Jh. bis zur Kirchentrennung (1054)
Maßstab 1:17 500 000
Polen unter Boleslaw Chrobry
Bulgarische Reichs- u. Erzbistumsgrenzen
Mission der Papstkirche
Mission der Ostkirche
Papst
Erzbistum
Bistum
Patriarch
Erzbistum
Bistum
968 Gründung des Bistums
Erloschenes Bistum
Polen
966 Taufe von Mieszko, um 990 Aufragung an den Hl. Stuhl
1024 Kgr.
Reich von Kiew
989 Taufe von Wladimir
Ungarn
973 Taufe von Geisa u. Stephan, 1000 Stephanskrone vom Papst
Byzantinisches Reich
Bulgarien
Petschenegen
Italien
Kroatien
Serben
Böhmen
Mähren
Sizilien islam.
III
Landenge Eider-Schlei um 1000
Maßstab 1:1200 000
Heutiger Küstenverlauf
Siedlungsoffenes Land (im Marschgebiet Dünen und Wurten)
Marsch, Grasland
Sumpf, Moor
Wald
Heide
Seehandelswege
Schleppstrecke
Verteidigungsanlagen (Danewerk)
Angeln
Jüten
Schwansen
Hollingstedt
Haithabu
Dän. Wohld
Holstein
Sachsen
Dithmarschen
IV
Danewerk und Schleppstrecke Haithabu — Hollingstedt
Maßstab 1: 200 000
Schleswig
Schlei
Haithabu
Hollingstedt
Rheider Au
Krummer Wall
Hauptwall
Kograben
Runenstein
V
Das Kiewer Reich im 10. u. 11. Jh.
Maßstab 1: 20 000 000
Vorstöße der Russen
Befestigungsanlagen Wladimirs
Mari Finno-ugrische Völker unter russischem Einfluß
Handelswege
Reich von Kiew (989 Taufe Wladimirs)
Nowgorod
Kiew
Polen
Ungarn
Petschenegen
Kumanen (Polowzer) Mitte 11. Jh.
Chasaren-Chanat (966 beseitigt)
Schwarzes Meer
Byzantinisches Reich
Konstantinopel (Zarigrad)

Königsgut in Deutschland

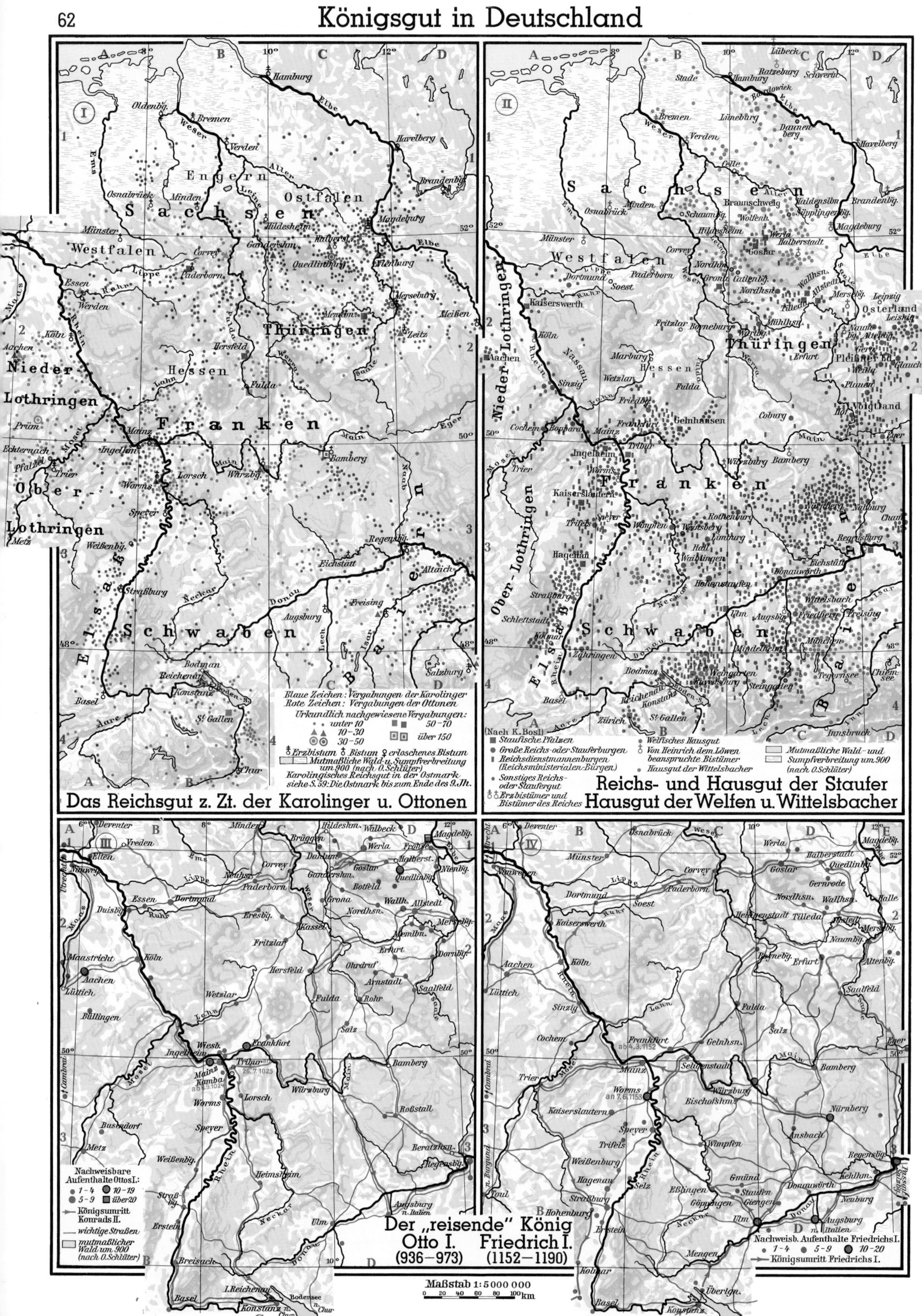

Italien vom 11. bis zur Mitte des 12. Jahrhunderts

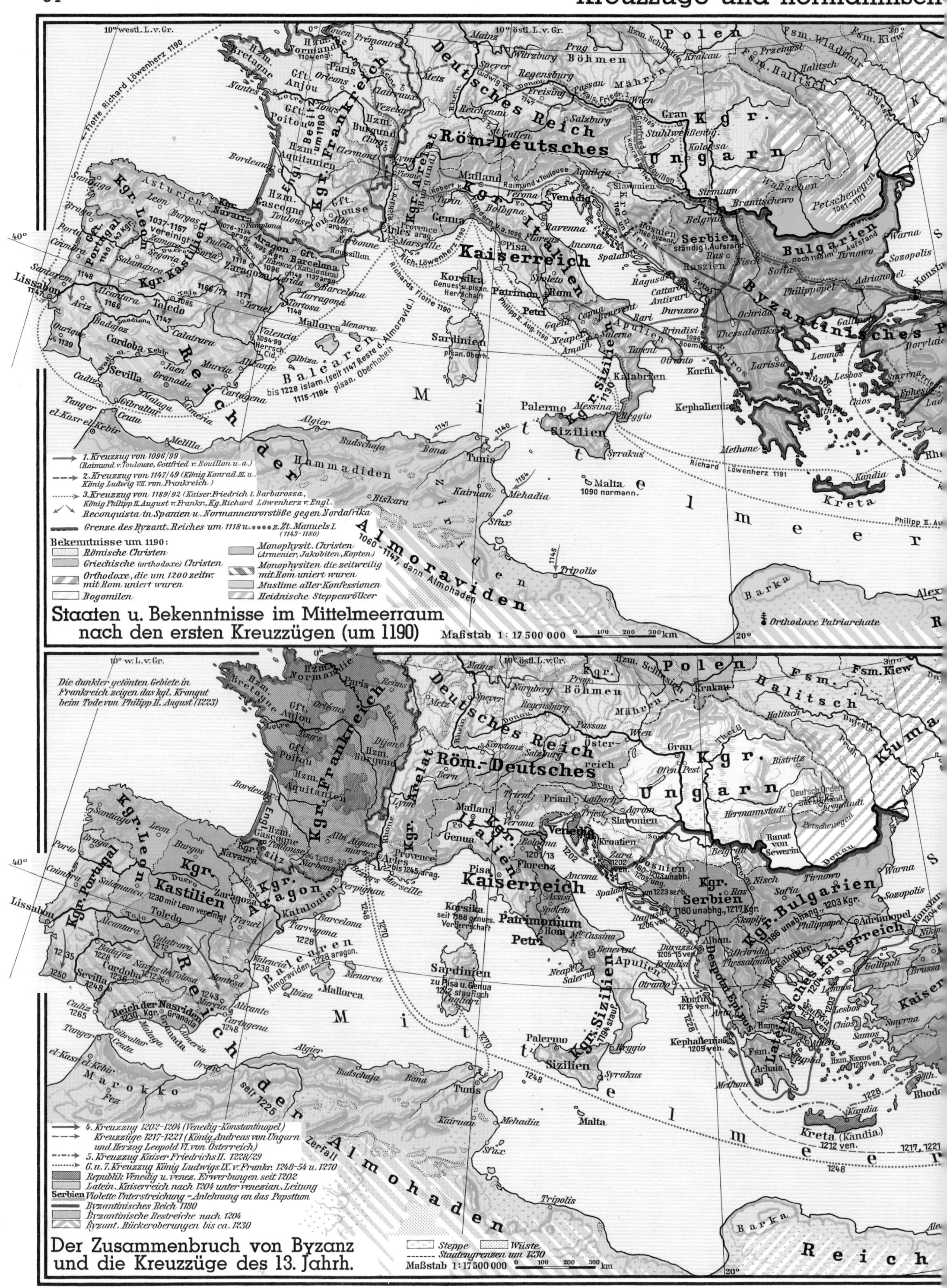

Staaten u. Bekenntnisse im Mittelmeerraum nach den ersten Kreuzzügen (um 1190)

Der Zusammenbruch von Byzanz und die Kreuzzüge des 13. Jahrh.

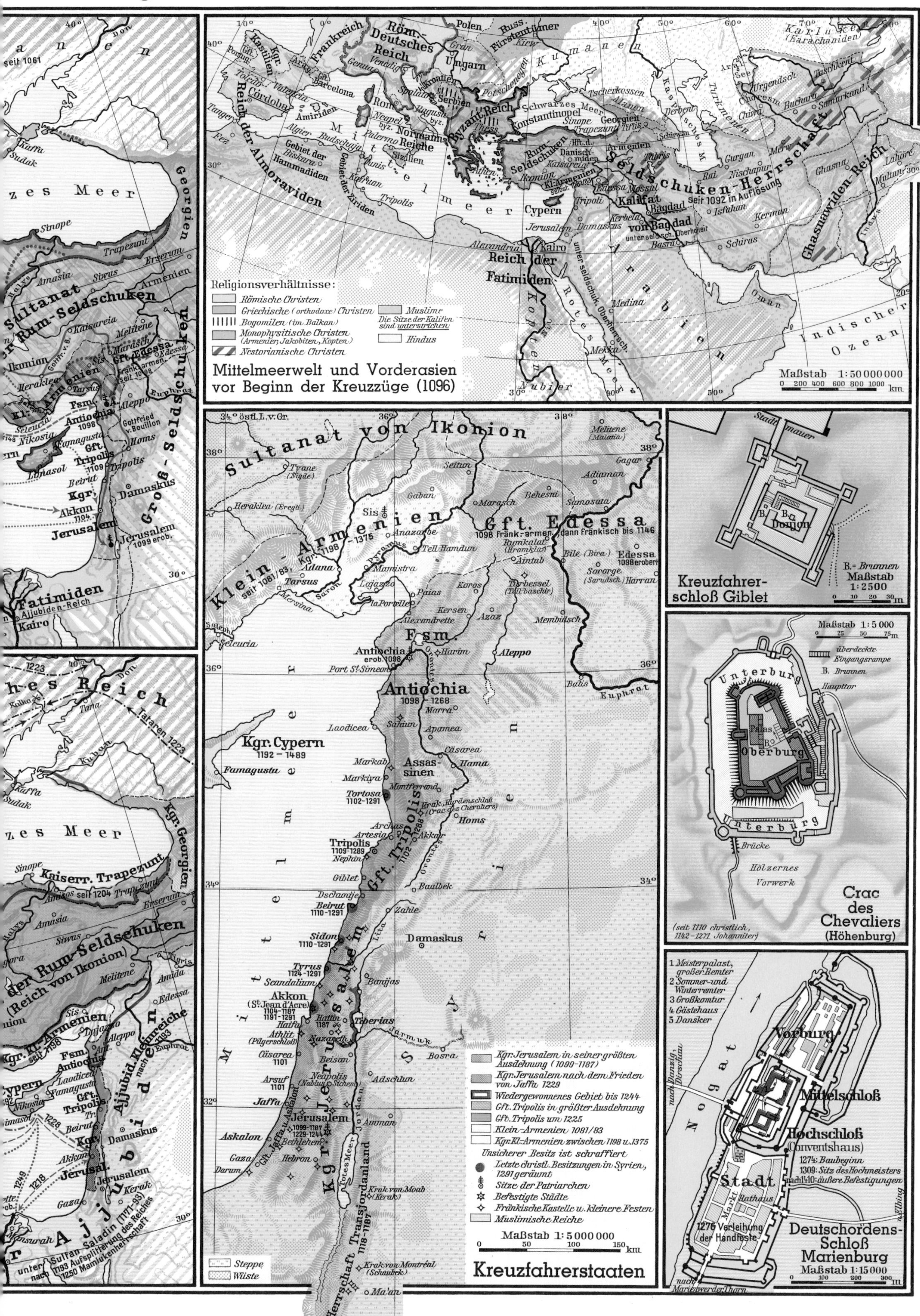
Religionsverhältnisse:
Römische Christen
Griechische (orthodoxe) Christen
Bogomilen (im Balkan)
Monophysitische Christen (Armenier, Jakobiten, Kopten)
Nestorianische Christen
Muslime
Die Sitze der Kalifen sind unterstrichen
Hindus
Mittelmeerwelt und Vorderasien vor Beginn der Kreuzzüge (1096)
Maßstab 1:50000000
0 200 400 600 800 1000 km
Kreuzfahrerschloß Giblet
B. = Brunnen
Maßstab 1:2500
Donjon
Crac des Chevaliers (Höhenburg)
(seit 1110 christlich, 1142–1271 Johanniter)
Maßstab 1:5000
überdeckte Eingangsrampe
B. Brunnen
Haupttor
Unterburg
Oberburg
Palas
Brücke
Hölzernes Vorwerk
1 Meisterpalast, großer Remter
2 Sommer- und Winterremter
3 Großkomtur
4 Gästehaus
5 Dansker
Vorburg
Mittelschloß
Hochschloß (Conventshaus)
1274: Baubeginn
1309: Sitz des Hochmeisters
nach 1410: äußere Befestigungen
Stadt
Markt
Rathaus
1276 Verleihung der Handfeste
Nogat
Deutschordens-Schloß Marienburg
Maßstab 1:15000
Sultanat von Ikonion
Klein-Armenien
Gft. Edessa
Fsm. Antiochia 1098–1268
Kgr. Cypern 1192–1489
Gft. Tripolis
Kgr. Jerusalem
Herrschaft Transjordanland 1118–1187
Kgr. Jerusalem in seiner größten Ausdehnung (1099–1187)
Kgr. Jerusalem nach dem Frieden von Jaffa 1229
Wiedergewonnenes Gebiet bis 1244
Gft. Tripolis in größter Ausdehnung
Gft. Tripolis um 1225
Klein-Armenien 1081/83
Kgr. Kl.-Armenien zwischen 1198 u. 1375
Unsicherer Besitz ist schraffiert
Letzte christl. Besitzungen in Syrien, 1291 geräumt
Sitze der Patriarchen
Befestigte Städte
Fränkische Kastelle u. kleinere Festen
Muslimische Reiche
Steppe
Wüste
Maßstab 1:5000000
0 50 100 150 km
Kreuzfahrerstaaten

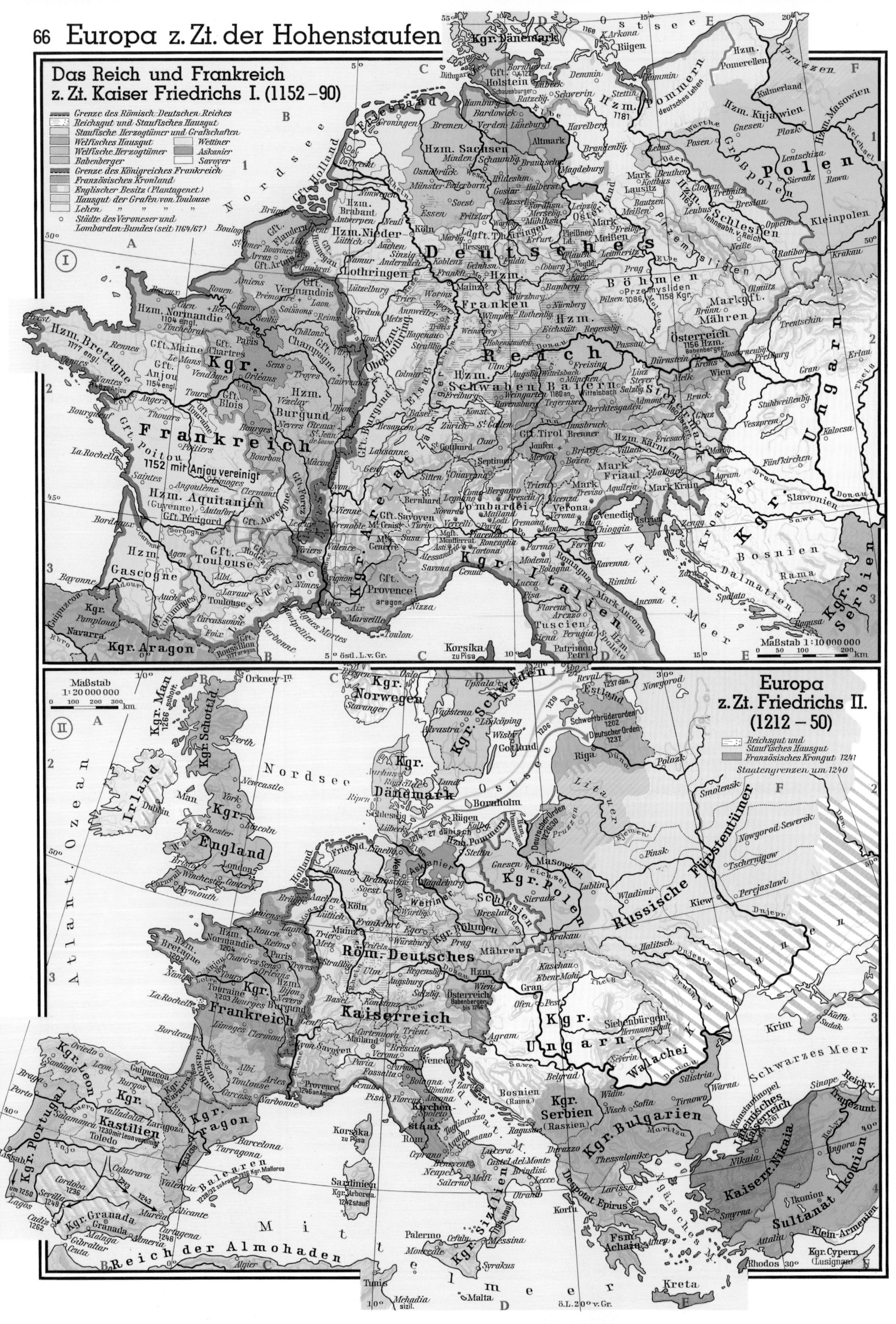

Das Reich und Frankreich
z. Zt. Kaiser Friedrichs I. (1152 – 90)
Grenze des Römisch-Deutschen Reiches
Reichsgut und Staufisches Hausgut
Staufische Herzogtümer und Grafschaften
Welfisches Hausgut
Wettiner
Welfische Herzogtümer
Askanier
Babenberger
Savoyer
Grenze des Königreiches Frankreich
Französisches Kronland
Englischer Besitz (Plantagenet)
Hausgut der Grafen von Toulouse
Lehen " " " "
Städte des Veroneser und Lombarden-Bundes (seit 1164/67)
I
Maßstab 1 : 10 000 000
Deutsches Reich
Frankreich
Kgr. Italien
Böhmen
Polen
Ungarn
Europa
z. Zt. Friedrichs II.
(1212 – 50)
Reichsgut und Staufisches Hausgut
Französisches Krongut 1241
Staatengrenzen um 1240
II
Maßstab 1 : 20 000 000
Röm.-Deutsches Kaiserreich
Kgr. Frankreich
Kgr. England
Russische Fürstentümer
Kgr. Ungarn
Kgr. Bulgarien
Kaiserr. Nikaia
Sultanat Ikonion
Reich der Almohaden
Mittelmeer

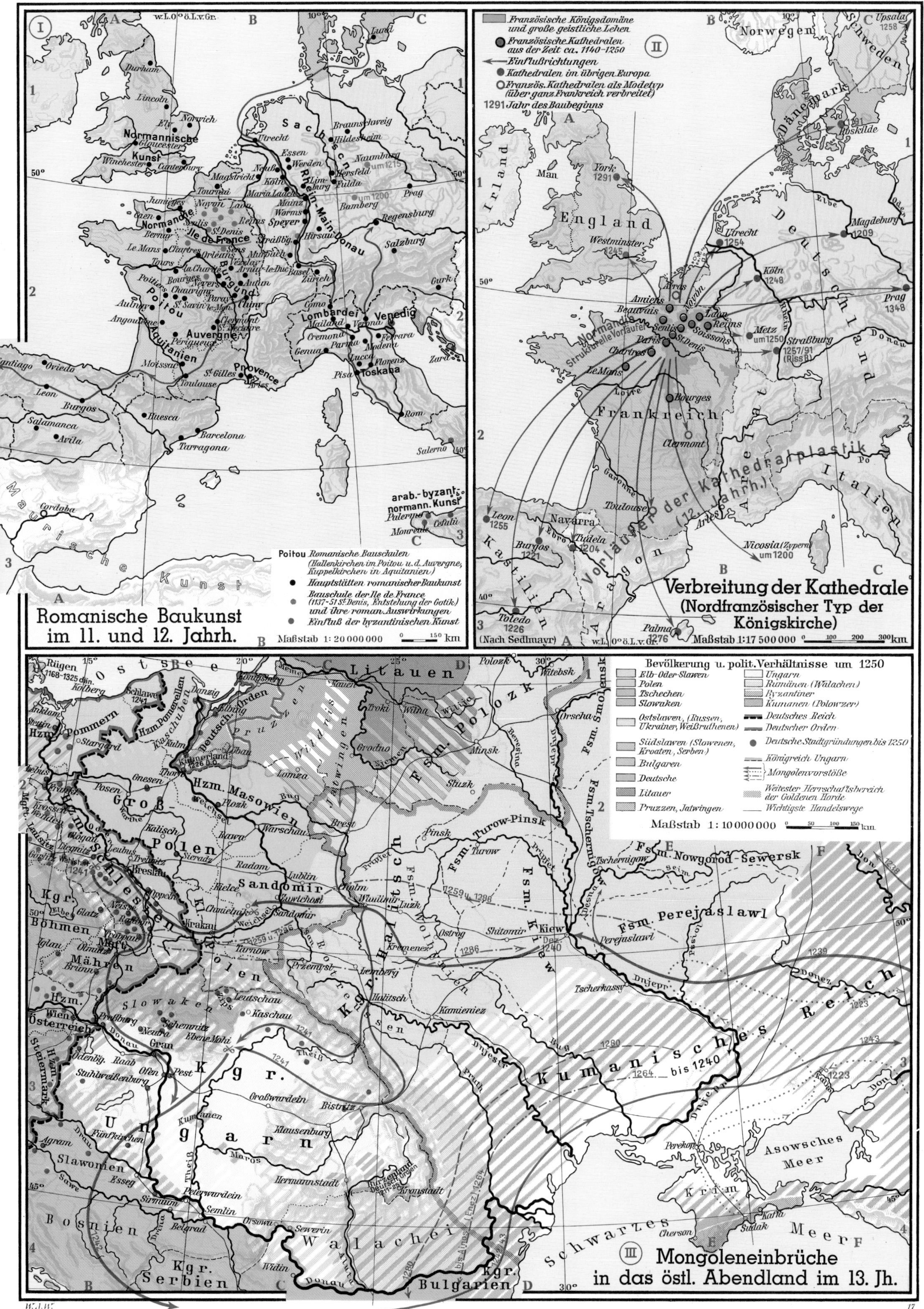
I
Romanische Baukunst
im 11. und 12. Jahrh.
Poitou Romanische Bauschulen
(Hallenkirchen im Poitou u. d. Auvergne, Kuppelkirchen in Aquitanien)
Hauptstätten romanischer Baukunst
Bauschule der Ile de France
(1137-51 St. Denis, Entstehung der Gotik)
und ihre roman. Auswirkungen
Einfluß der byzantinischen Kunst
Maßstab 1: 20 000 000
150 km
Normannische Kunst
Maurische Kunst
arab.-byzant.-normann. Kunst
Sachsen
Rhein-Main-Donau
Normandie
Ile de France
Burgund
Poitou
Auvergne
Aquitanien
Provence
Lombardei
Venedig
Toskana
Durham
Lincoln
Norwich
Ely
Gloucester
Winchester
Canterbury
Utrecht
Braunschweig
Hildesheim
Essen
Werden
Naumburg
Hersfeld
Fulda
Köln
Neuß
Maria Laach
Mainz
Worms
Speyer
Hirsau
Bamberg
Regensburg
Prag
Salzburg
Gurk
Zürich
Basel
Straßburg
Tournai
Noyon
Laon
Jumièges
Caen
Reims
Senlis
St. Denis
Chartres
Orléans
Sens
Le Mans
Tours
Nevers
Bourges
Cluny
Paray
Autun
Poitiers
Chauvigny
Angoulême
Aulnay
Clermont
Périgueux
Moissac
Toulouse
St. Gilles
Arles
Como
Mailand
Verona
Cremona
Parma
Modena
Ferrara
Genua
Lucca
Florenz
Pisa
Rom
Zara
Salerno
Palermo
Monreale
Cefalù
Santiago
Oviedo
Leon
Burgos
Salamanca
Avila
Huesca
Barcelona
Tarragona
Cordoba
Lund
II
Verbreitung der Kathedrale
(Nordfranzösischer Typ der Königskirche)
Französische Königsdomäne und große geistliche Lehen
Französische Kathedralen aus der Zeit ca. 1140-1250
Einflußrichtungen
Kathedralen im übrigen Europa
Französ. Kathedralen als Modetyp (über ganz Frankreich verbreitet)
1291 Jahr des Baubeginns
(Nach Sedlmayr)
Maßstab 1:17 500 000
100 200 300 km
Norwegen
Schweden
Dänemark
Upsala 1258
Roskilde 1191
Irland
England
York 1291
Westminster 1245
Man
Utrecht 1254
Magdeburg 1209
Deutschland
Köln 1248
Prag 1348
Amiens
Beauvais
Arras
Noyon
Laon
Reims
Soissons
Senlis
Paris
St. Denis
Chartres
Le Mans
Bourges
Clermont
Metz um 1250
Straßburg 1257/91 (Riss B)
Normandie
Strukturelle Vorläufer
Frankreich
Arelat
Italien
Vorläufer der Kathedralplastik (12. Jahrh.)
Toulouse
Navarra
Tudela 1204
Burgos 1221
Leon 1255
Kastilien
Aragon
Toledo 1226
Palma 1276
Nicosia (Zypern) um 1200
III
Mongoleneinbrüche
in das östl. Abendland im 13. Jh.
Bevölkerung u. polit. Verhältnisse um 1250
Elb-Oder-Slawen
Polen
Tschechen
Slowaken
Ostslawen (Russen, Ukrainer, Weißruthenen)
Südslawen (Slowenen, Kroaten, Serben)
Bulgaren
Deutsche
Litauer
Pruzzen, Jatwingen
Ungarn
Rumänen (Walachen)
Byzantiner
Kumanen (Polowzer)
Deutsches Reich
Deutscher Orden
Deutsche Stadtgründungen bis 1250
Königreich Ungarn
Mongolenvorstöße
Weitester Herrschaftsbereich der Goldenen Horde
Wichtigste Handelswege
Maßstab 1: 10 000 000
Ostsee
Litauen
Rügen 1168-1325 dän.
Pommern
Hzm. Pommerellen
Kaschuben
Deutsch. Orden
Pruzzen
Wildnis
Jatwingen
Fsm. Polozk
Fsm. Smolensk
Fsm. Tschernigow
Fsm. Turow-Pinsk
Fsm. Nowgorod-Sewersk
Fsm. Perejaslawl
Fsm. Kiew
Fsm. Wolhynien
Fsm. Halitsch
Hzm. Masowien
Groß Polen
Klein Polen
Hzm. Schlesien
Kgr. Böhmen
Mähren
Hzm. Österreich
Hzm. Steiermark
Slowaken
Kgr. Ungarn
Kumanen
Slawonien
Bosnien
Kgr. Serbien
Walachei
Kgr. Bulgarien
Kumanisches Reich
Asowsches Meer
Krim
Schwarzes Meer
Danzig
Kolberg
Stargard
Elbing
Königsberg
Kulmerland 1226 O.
Thorn
Gnesen
Posen
Kalisch
Lomza
Plozk
Warschau
Brest
Pinsk
Turow
Kiew
Minsk
Grodno
Troki
Wilna
Witebsk
Orscha
Polozk
Sluzk
Breslau
Liegnitz 1241
Krakau
Sandomir
Lublin
Cholm
Wladimir
Luzk
Ostrog
Shitomir
Lemberg
Przemysl
Halitsch
Kamienez
Tscherkassy
Perejaslawl
Tschernigow
Troppau
Olmütz
Brünn
Iglau
Glatz
Wien
Preßburg
Gran
Raab
Ofen
Pest
Stuhlweißenburg
Neutra
Schemnitz
Leutschau
Kaschau
Mohi
Großwardein
Klausenburg
Bistritz
Hermannstadt
Kronstadt
Burzenland Deutscher Orden
Agram
Fünfkirchen
Esseg
Peterwardein
Semlin
Belgrad
Orsowa
Severin
Widin
Perekop
Cherson
Sudak
Kaffa
Dnjepr
Dnjestr
Donau
Theiß
Don
Donez
1259 u. 1286
1240
1241
1280
1264
bis 1240
1239
1243
1223

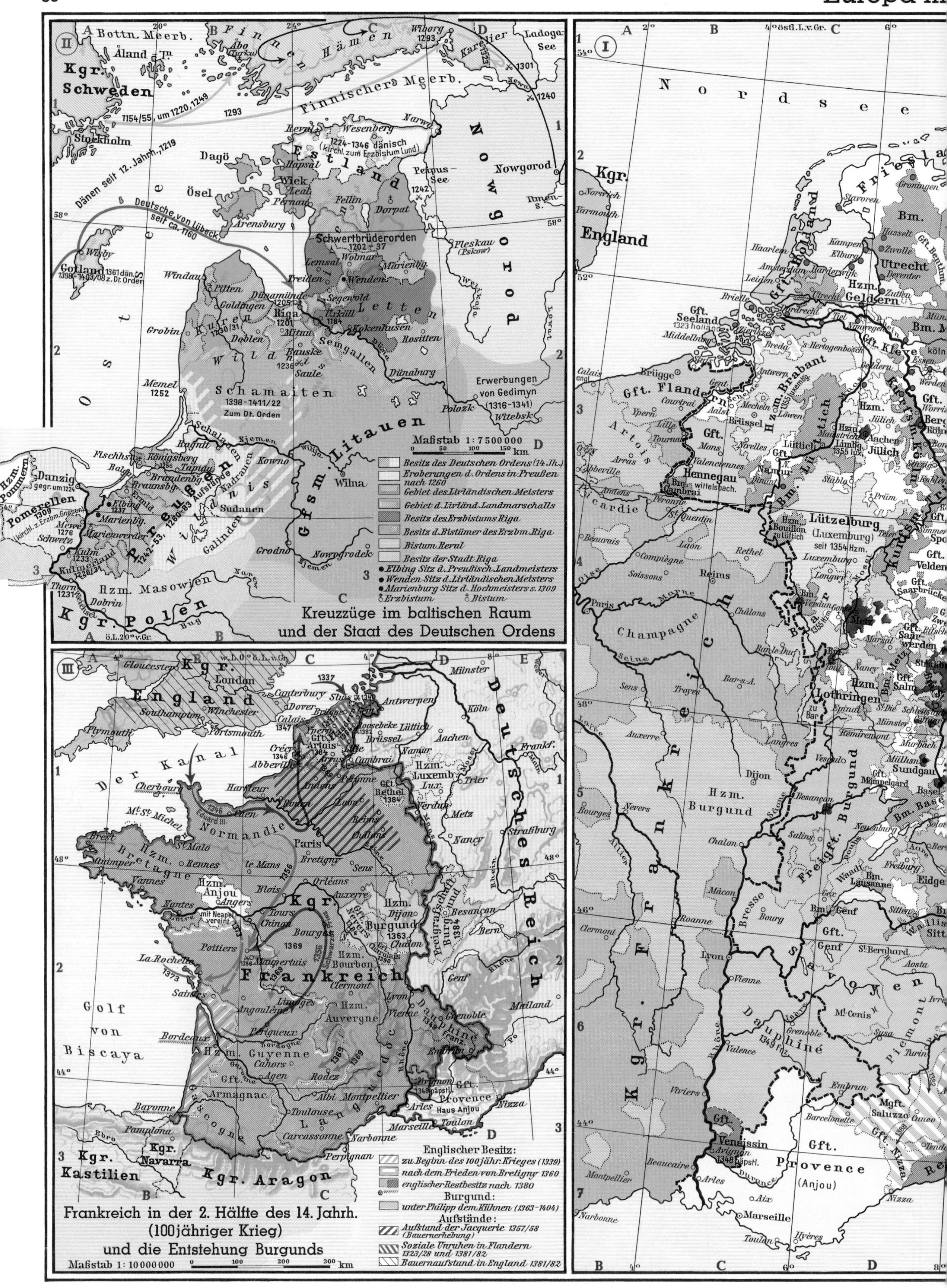
Kreuzzüge im baltischen Raum
und der Staat des Deutschen Ordens
Maßstab 1: 7 500 000
Besitz des Deutschen Ordens (14. Jh.)
Eroberungen d. Ordens in Preußen nach 1260
Gebiet des Livländischen Meisters
Gebiet d. Livländ. Landmarschalls
Besitz des Erzbistums Riga
Besitz d. Bistümer des Erzbm. Riga
Bistum Reval
Besitz der Stadt Riga
Elbing Sitz d. Preußisch. Landmeisters
Wenden Sitz d. Livländischen Meisters
Marienburg Sitz d. Hochmeisters s. 1309
Erzbistum
Bistum
Frankreich in der 2. Hälfte des 14. Jahrh.
(100jähriger Krieg)
und die Entstehung Burgunds
Maßstab 1: 10 000 000
Englischer Besitz:
zu Beginn des 100jähr. Krieges (1339)
nach dem Frieden von Bretigny 1360
englischer Restbesitz nach 1380
Burgund:
unter Philipp dem Kühnen (1363-1404)
Aufstände:
Aufstand der Jacquerie 1357/58 (Bauernerhebung)
Soziale Unruhen in Flandern 1323/28 und 1381/82
Bauernaufstand in England 1381/82

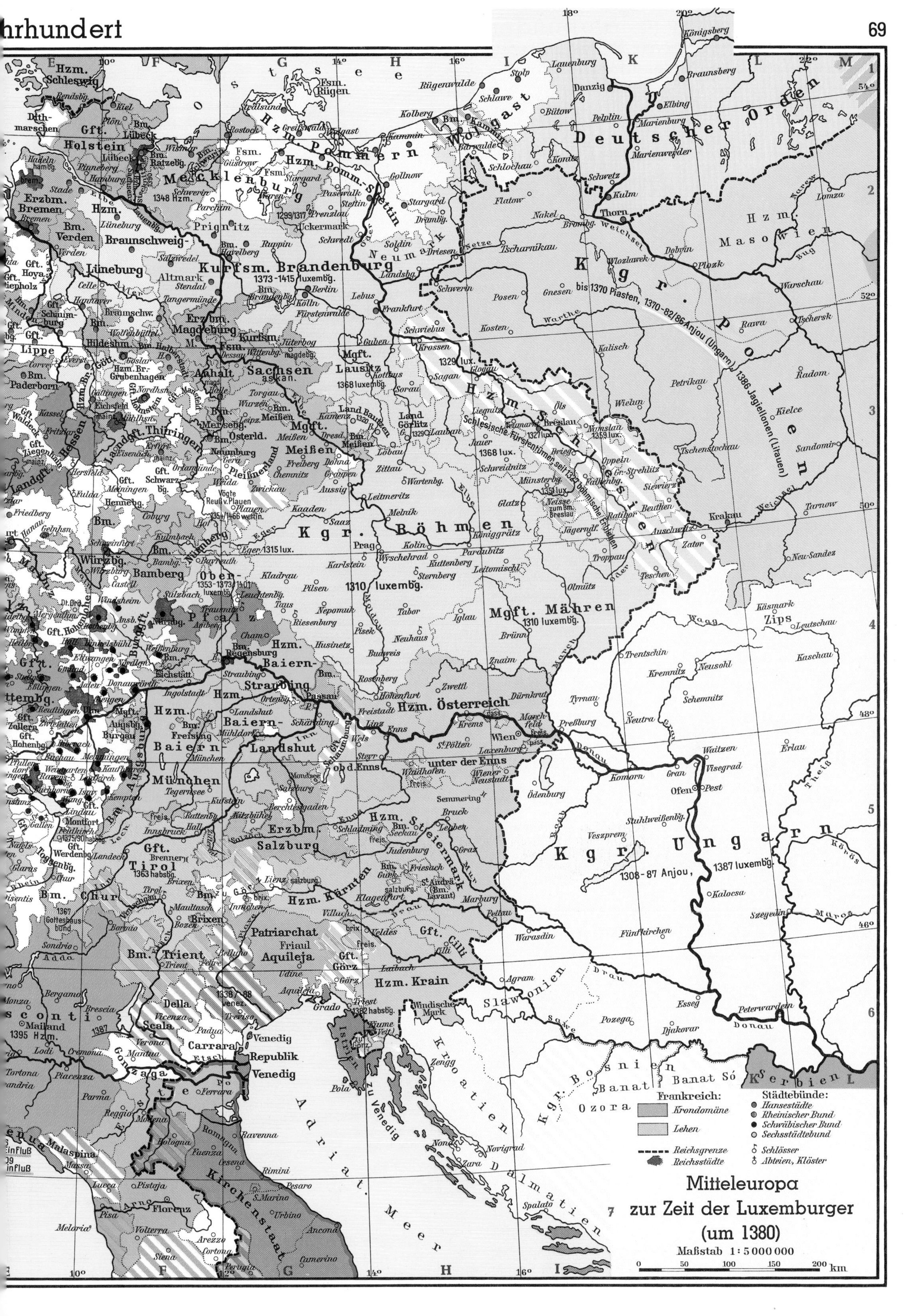
Mitteleuropa
zur Zeit der Luxemburger
(um 1380)
Maßstab 1 : 5 000 000
0 50 100 150 200 km
Frankreich:
Krondomäne
Lehen
Reichsgrenze
Reichsstädte
Städtebünde:
Hansestädte
Rheinischer Bund
Schwäbischer Bund
Sechsstädtebund
Schlösser
Abteien, Klöster
Ostsee
Deutscher Orden
Kgr. Polen
bis 1370 Piasten, 1370-82/86 Anjou (Ungarn), 1386 Jagiellonen (Litauen)
Hzm. Masowien
Hzm. Pommern-Wolgast
Hzm. Pomm.-Stettin
Mecklenburg
Kurfsm. Brandenburg
1373-1415 luxembg.
Neumark
Hzm. Schlesien
Schlesische Fürstentümer seit 1327 böhmische Lehen
Kgr. Böhmen
1310 luxembg.
Mgft. Mähren
1310 luxembg.
Mgft. Lausitz
1368 luxembg.
Mgft. Meißen
Sachsen
Landgft. Thüringen
Landgft. Hessen
Braunschweig-Lüneburg
Erzbm. Magdeburg
Ober-Pfalz
Hzm. Baiern-Straubing
Hzm. Baiern-Landshut
Hzm. Baiern-München
Hzm. Österreich
Erzbm. Salzburg
Hzm. Steiermark
Hzm. Kärnten
Hzm. Krain
Gft. Tirol
1363 habsbg.
Patriarchat Friaul Aquileja
Republik Venedig
Kgr. Ungarn
1308-87 Anjou, 1387 luxembg.
Slawonien
Kroatien
Dalmatien
Kgr. Bosnien
Serbien
Adriat. Meer
Kirchenstaat
Visconti
Gonzaga
Este
Della Scala
Carrara
Zips
Hzm. Holstein
Hzm. Schleswig
Erzbm. Bremen
Prag
Wien
Ofen
Pest
Krakau
Breslau
Danzig
Königsberg
Berlin
Kölln
Nürnberg
Regensburg
Augsburg
Venedig
Florenz
Mailand

Europa im 14. Jahrhundert

Hausmachtpolitik in Mitteleuropa (1273–1347)

I

Deutsches Reich
- Przemysl Ottokar II. (1253–78)
- Habsburger
- Wittelsbacher
- Luxemburger (Kurfsm. Trier 1307–54 unter Balduin v. Luxemburg)
- Grenze der Reiche des Röm.-Deutsch. Kaisers
- An Frankreich verlorene Reichsgebiete

Frankreich
- Krondomäne 1328
- Lehen des Hauses Valois (Philipp VI.)
- Lehen des Hauses Plantagenet (König von England)
- Andere Lehen

Maßstab 1 : 10 000 000 — 0 50 100 150 km

Anfänge des Osmanischen Reiches und Balkanraum um 1355

II

- Venezianischer Besitz
- Genuesischer Besitz
- Sonstige Staatengrenzen
- Grenzen der seldschukischen Einzelstaaten
- Grenze des Byzantinischen Reiches um 1340

Sprachenverhältnisse um 1350:

- Italienisch, französisch u. rätoromanisch
- Rumänisch u. wlachisch
- Albanisch
- Griechisch
- Ungarisch
- Deutsch
- Slawisch
- Kaukasisch
- Armenisch
- Türkisch u. tatarisch
- Kurdisch
- Arabisch u. berberisch

Maßstab 1 : 15 000 000 — 0 100 200 300 km

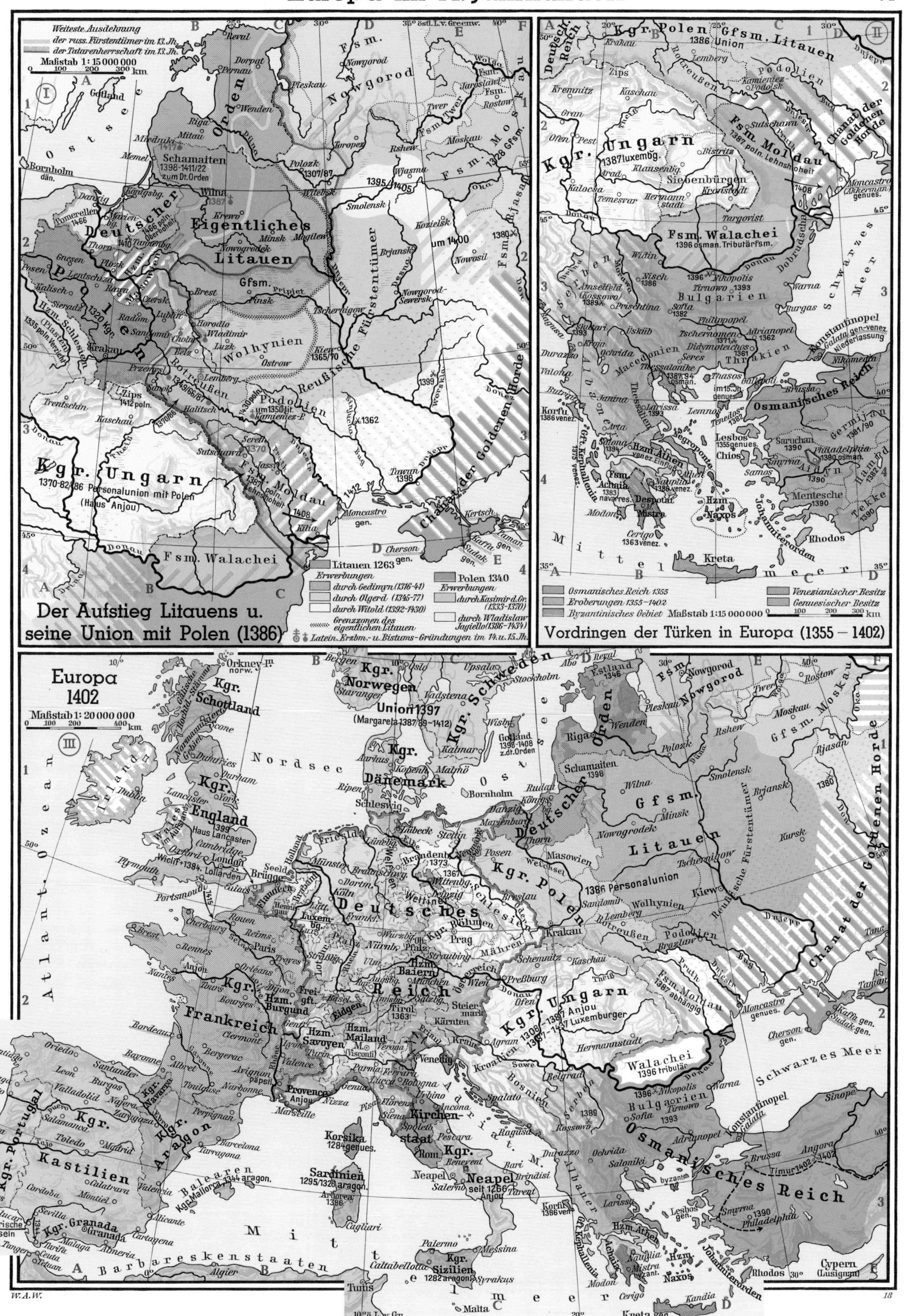
Weiteste Ausdehnung
der russ. Fürstentümer im 13. Jh.
der Tatarenherrschaft im 13. Jh.
Maßstab 1: 15 000 000
I
Litauen 1263
Erwerbungen
durch Gedimyn (1316-41)
durch Olgerd (1345-77)
durch Witold (1392-1430)
Grenzzonen des eigentlichen Litauen
Latein. Erzbm.- u. Bistums-Gründungen im 14. u. 15. Jh.
Polen 1340
Erwerbungen
durch Kasimir d. Gr. (1333-1370)
durch Wladislaw Jagiello (1386-1434)
Der Aufstieg Litauens u. seine Union mit Polen (1386)
II
Osmanisches Reich 1355
Eroberungen 1355-1402
Byzantinisches Gebiet
Maßstab 1:15 000 000
Venezianischer Besitz
Genuesischer Besitz
Vordringen der Türken in Europa (1355 – 1402)
Europa 1402
Maßstab 1: 20 000 000
III

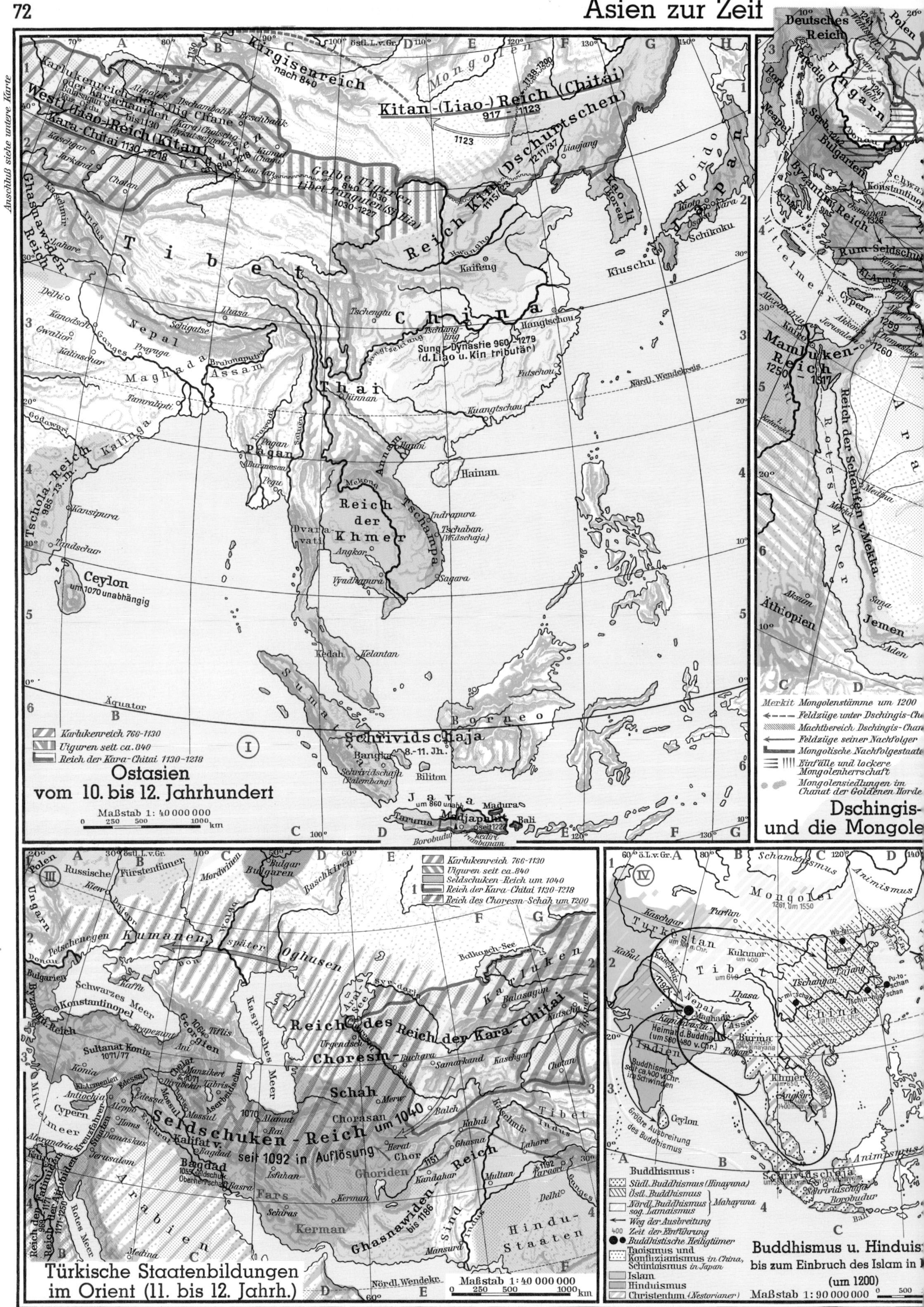
Anschluß siehe untere Karte
Karlukenreich oder Karachaniden
West-(Liao-)Reich (Kitan)
Kara-Chitai 1130–1218
Kirgisenreich nach 840
Kitan-(Liao-)Reich (Chitai) 917–1123
Reich Kin (Dschurtschen)
Gelbe Uiguren 840–1030
Tibet-Tanguten (Si Hia) 1030–1227
Ghasnawiden-Reich
Tibet
China
Sung-Dynastie 960–1279 (d. Liao u. Kin tributär)
Japan
Kao-li (Korea)
Hondo
Kiuschu
Schikoku
Kaifeng
Hangtschou
Tschengtu
Lhasa
Nepal
Maghada
Assam
Delhi
Lahore
Kaschmir
Thai
Pagan
Annam
Hainan
Reich der Khmer
Tschampa
Dvara-vati
Angkor
Tschola-Reich 985–13. Jh.
Kalinga
Ceylon um 1070 unabhängig
Sumatra
Schrividschaja 8.–11. Jh.
Borneo
Java um 860 unabh.
Madjapahit
Bali
Äquator
Nördl. Wendekreis
Karlukenreich 766–1130
Uiguren seit ca. 840
Reich der Kara-Chitai 1130–1218
I
Ostasien vom 10. bis 12. Jahrhundert
Maßstab 1: 40 000 000
0 250 500 1000 km
Deutsches Reich
Polen
Ungarn
Venedig
Rom
Neapel
Bulgarien
Byzantin. Reich
Konstantinopel
Rum-Seldschuken
Kl.-Armenien
Cypern
Mittelmeer
Jerusalem
Kairo
Alexandria
Mamluken-Reich 1250–1517
Reich der Scherifen v. Mekka
Rotes Meer
Medina
Mekka
Äthiopien
Jemen
Aden
Merkit Mongolenstämme um 1200
Feldzüge unter Dschingis-Chan
Machtbereich Dschingis-Chans
Feldzüge seiner Nachfolger
Mongolische Nachfolgestaaten
Einfälle und lockere Mongolenherrschaft
Mongolensiedlungen im Chanat der Goldenen Horde
Dschingis- und die Mongole
III
Russische Fürstentümer
Kumanen
Petschenegen
Oghusen
Bulgaren
Schwarzes Meer
Georgien
Sultanat Konia 1071/77
Byzantin. Reich
Reich des Kara-Chitai
Choresm-Schah
Kaspisches Meer
Aral-See
Balkasch-See
Karluken
Seldschuken-Reich um 1040
seit 1092 in Auflösung
Bagdad
Kalifat v. Bagdad
Kreuzfahrerstaaten
Arabien
Reich der Fatimiden
Reich der Ajjubiden
Ghoriden
Ghasnawiden-Reich bis 1186
Hindu-Staaten
Tibet
Karlukenreich 766–1130
Uiguren seit ca. 840
Seldschuken-Reich um 1040
Reich der Kara-Chitai 1130–1218
Reich des Choresm-Schah um 1200
Türkische Staatenbildungen im Orient (11. bis 12. Jahrh.)
Maßstab 1: 40 000 000
0 250 500 1000 km
IV
Schamanismus
Animismus
Mongolei
Turkestan
Tibet
China
Indien
Nepal
Heimat d. Buddha (um 560–480 v. Chr.)
Buddhismus seit ca. 400 v. Chr. im Schwinden
Größere Ausbreitung des Buddhismus
Ceylon
Burma
Khmer
Schrividschaja
Buddhismus:
Südl. Buddhismus (Hinayana)
Östl. Buddhismus
Nördl. Buddhismus sog. Lamaismus
Mahayana
Weg der Ausbreitung
400 Zeit der Einführung
Buddhistische Heiligtümer
Taoismus und Konfuzianismus in China, Schintoismus in Japan
Islam
Hinduismus
Christentum (Nestorianer)
Buddhismus u. Hinduis
bis zum Einbruch des Islam in
(um 1200)
Maßstab 1: 90 000 000

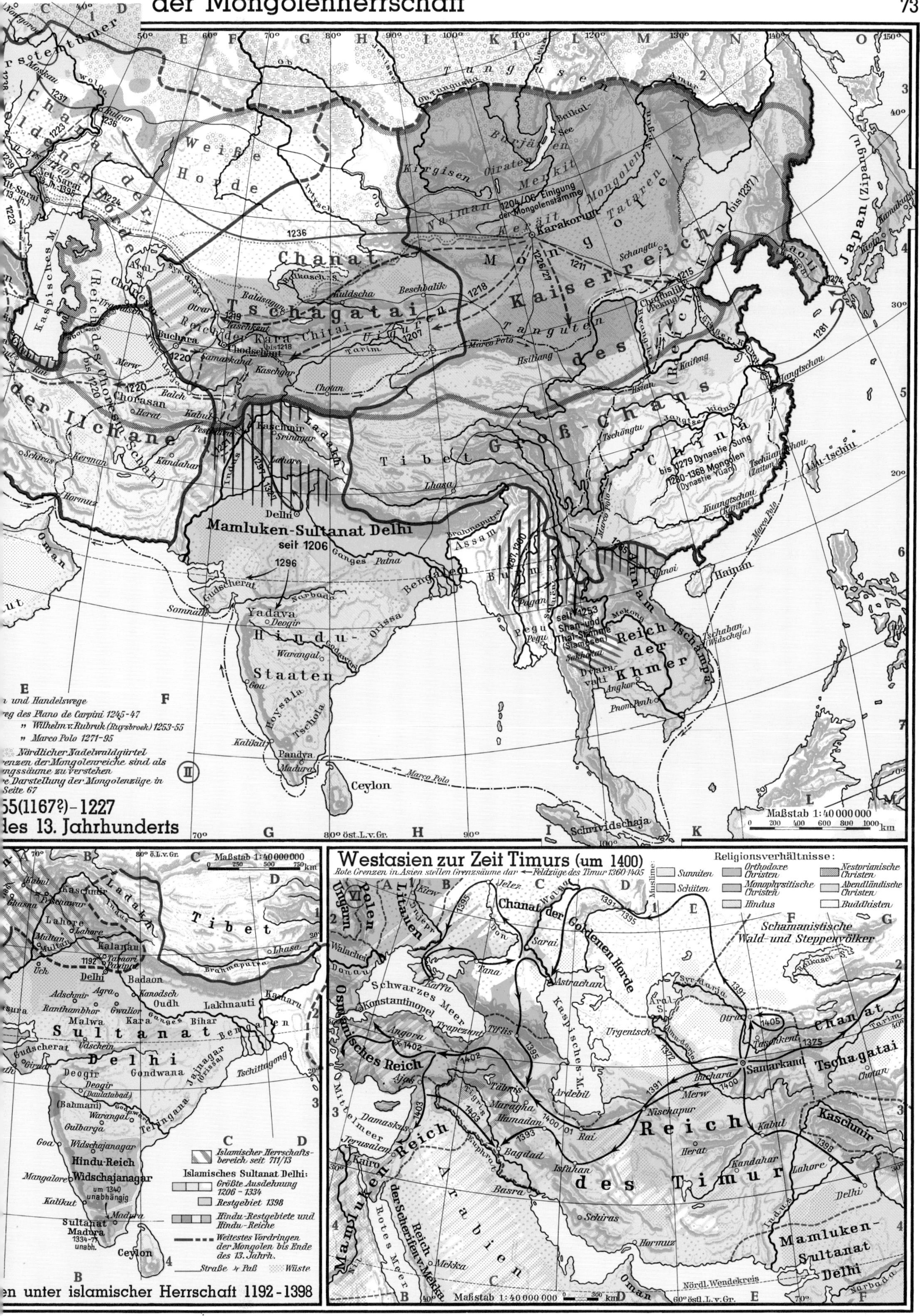
und Handelswege
eg des Plano de Carpini 1245-47
» Wilhelm v. Rubruk (Ruysbroek) 1253-55
» Marco Polo 1271-95
Nördlicher Nadelwaldgürtel
renzen der Mongolenreiche sind als
ngssäume zu verstehen
e Darstellung der Mongolenzüge in
Seite 67
55(1167?)-1227
des 13. Jahrhunderts
Maßstab 1: 40 000 000
Tungusen
Burjäten
Kirgisen
Oiraten
Merkit
Mongolen
Tataren
Naiman
Keräit
1204/06 Einigung der Mongolenstämme
Karakorum
Mongolei
Kaiserreich des Groß-Chans
Chanat Tschagatai
Reich der Kara-Chitai
Uiguren
Tanguten
Weiße Horde
Chanat der Goldenen Horde
Reich des Choresm-Schah
Reich der Ilchane
Tibet
Mamluken-Sultanat Delhi
seit 1206
Hindu-Staaten
Yadava
Hoysala
Tschola
Pandya
China
bis 1279 Dynastie Sung
1280-1368 Mongolen (Dynastie Yüan)
Reich der Khmer
Tschampa
Annam
seit 1253 Shan-und Thai-Stämme (Siamesen)
Japan (Zipangu)
Korea
Ceylon
Schriwidschaja
Marco Polo
Kaspisches M.
Aral-S.
Balkasch-S.
Baikal-See
Samarkand
Buchara
Chodschent
Taschkent
Otrar
Kaschgar
Chotan
Beschbalik
Kuldscha
Chanbalik (Peking)
Schangtu
Hangtschou
Kaifeng
Tschöngtu
Lhasa
Delhi
Lahore
Kaschmir
Srinagar
Ladakh
Kabul
Herat
Balch
Merw
Chorasan
Kandahar
Kerman
Schiras
Hormuz
Oman
Gudscherat
Somnath
Bengalen
Assam
Burma
Pagan
Pegu
Angkor
Pnom Penh
Hainan
Liu-tschiu
Kuangtschou (Kanton)
Tschüantschou (Zaiton)
Jangtsekiang
Moskau
Wolga
Bulgar
Neu-Sarai
Alt-Sarai
Westasien zur Zeit Timurs (um 1400)
Rote Grenzen in Asien stellen Grenzsäume dar ← Feldzüge des Timur 1360-1405
Religionsverhältnisse:
Muslime: Sunniten, Schiiten
Orthodoxe Christen
Monophysitische Christen
Hindus
Nestorianische Christen
Abendländische Christen
Buddhisten
Schamanistische Wald- und Steppenvölker
Chanat der Goldenen Horde
Chanat Tschagatai
Reich des Timur
Osmanisches Reich
Mamluken-Reich
Reich der Scherifen v. Mekka
Arabien
Mamluken-Sultanat Delhi
Polen
Litauen
Ungarn
Walachei
Schwarzes Meer
Konstantinopel
Trapezunt
Angora
Tiflis
Astrachan
Sarai
Täbris
Bagdad
Isfahan
Damaskus
Jerusalem
Kairo
Mekka
Samarkand
Kabul
Delhi
Maßstab 1: 40 000 000
Nördl. Wendekreis
Indien unter islamischer Herrschaft 1192-1398
Maßstab 1: 40 000 000
Tibet
Sultanat Delhi
Hindu-Reich Widschajanagar
um 1340 unabhängig
Sultanat Madura 1334-77 unabh.
Islamischer Herrschaftsbereich seit 711/13
Islamisches Sultanat Delhi:
Größte Ausdehnung 1206-1334
Restgebiet 1398
Hindu-Restgebiete und Hindu-Reiche
Weitestes Vordringen der Mongolen bis Ende des 13. Jahrh.
Straße, Paß, Wüste
Gondwana
Bengalen
Deogir (Daulatabad)
Malwa
Ceylon

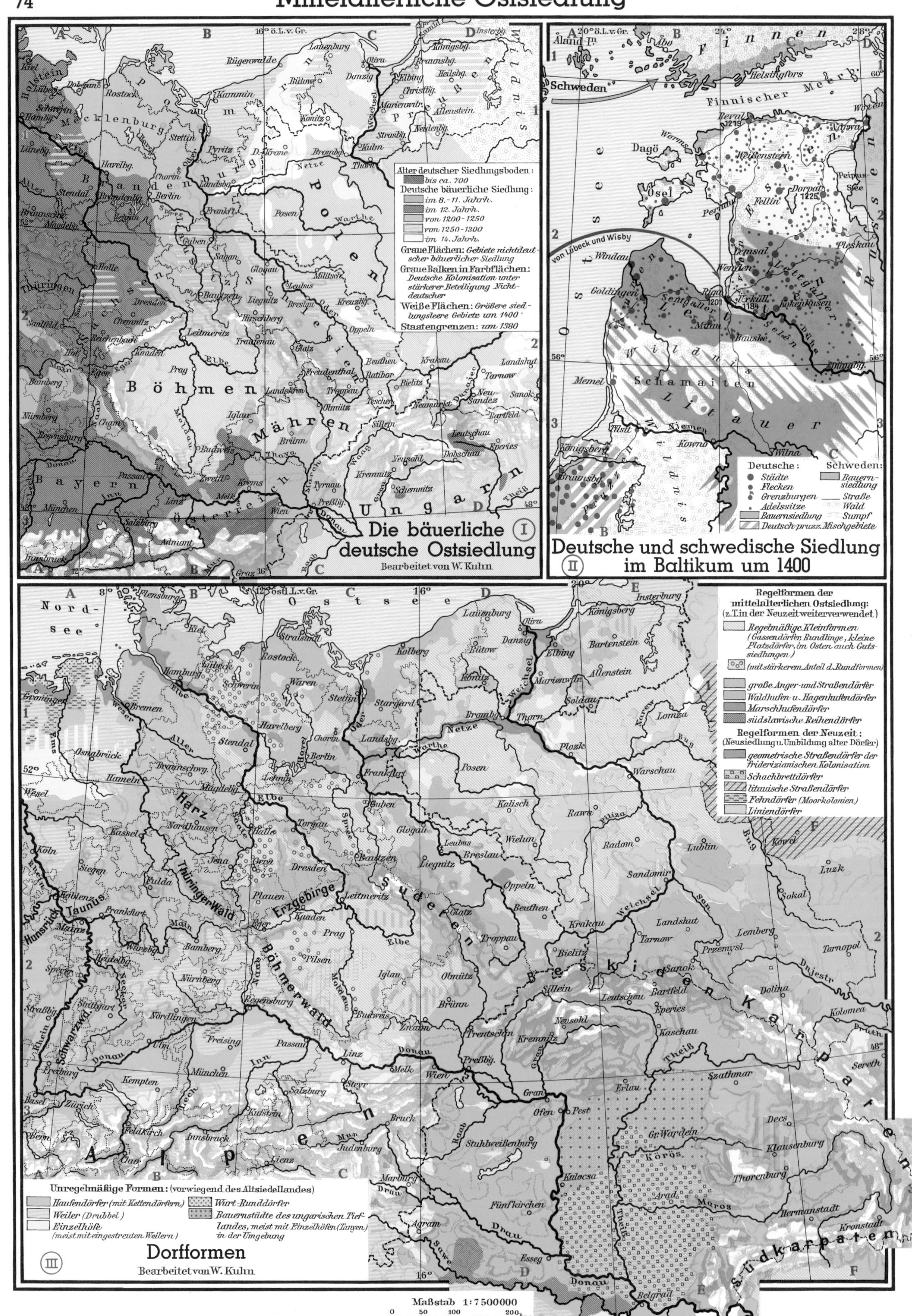
Die bäuerliche deutsche Ostsiedlung (I)
Bearbeitet von W. Kuhn
Alter deutscher Siedlungsboden:
bis ca. 700
Deutsche bäuerliche Siedlung:
im 8.-11. Jahrh.
im 12. Jahrh.
von 1200-1250
von 1250-1300
im 14. Jahrh.
Graue Flächen: Gebiete nichtdeutscher bäuerlicher Siedlung
Graue Balken in Farbflächen: Deutsche Kolonisation unter stärkerer Beteiligung Nichtdeutscher
Weiße Flächen: Größere siedlungsleere Gebiete um 1400
Staatengrenzen: um 1380
Deutsche und schwedische Siedlung im Baltikum um 1400 (II)
Deutsche:
Städte
Flecken
Grenzburgen
Adelssitze
Bauernsiedlung
Deutsch-pruzz. Mischgebiete
Schweden:
Bauernsiedlung
Straße
Wald
Sumpf
Regelformen der mittelalterlichen Ostsiedlung: (z.T. in der Neuzeit weiterverwendet)
Regelmäßige Kleinformen (Gassendörfer, Rundlinge, kleine Platzdörfer, im Osten auch Gutssiedlungen)
(mit stärkerem Anteil d. Rundformen)
große Anger- und Straßendörfer
Waldhufen- u. Hagenhufendörfer
Marschhufendörfer
südslawische Reihendörfer
Regelformen der Neuzeit: (Neusiedlung u. Umbildung alter Dörfer)
geometrische Straßendörfer der friderizianischen Kolonisation
Schachbrettdörfer
litauische Straßendörfer
Fehndörfer (Moorkolonien)
Liniendörfer
Unregelmäßige Formen: (vorwiegend des Altsiedellandes)
Haufendörfer (mit Kettendörfern)
Weiler (Drubbel)
Einzelhöfe (meist mit eingestreuten Weilern)
Wart-Runddörfer
Bauernstädte des ungarischen Tieflandes, meist mit Einzelhöfen (Tanyen) in der Umgebung
Dorfformen (III)
Bearbeitet von W. Kuhn
Maßstab 1:7 500 000
0 50 100 200 km

Deutsche und deutschrechtliche Städte im Osten

Ländliche Siedlungsformen

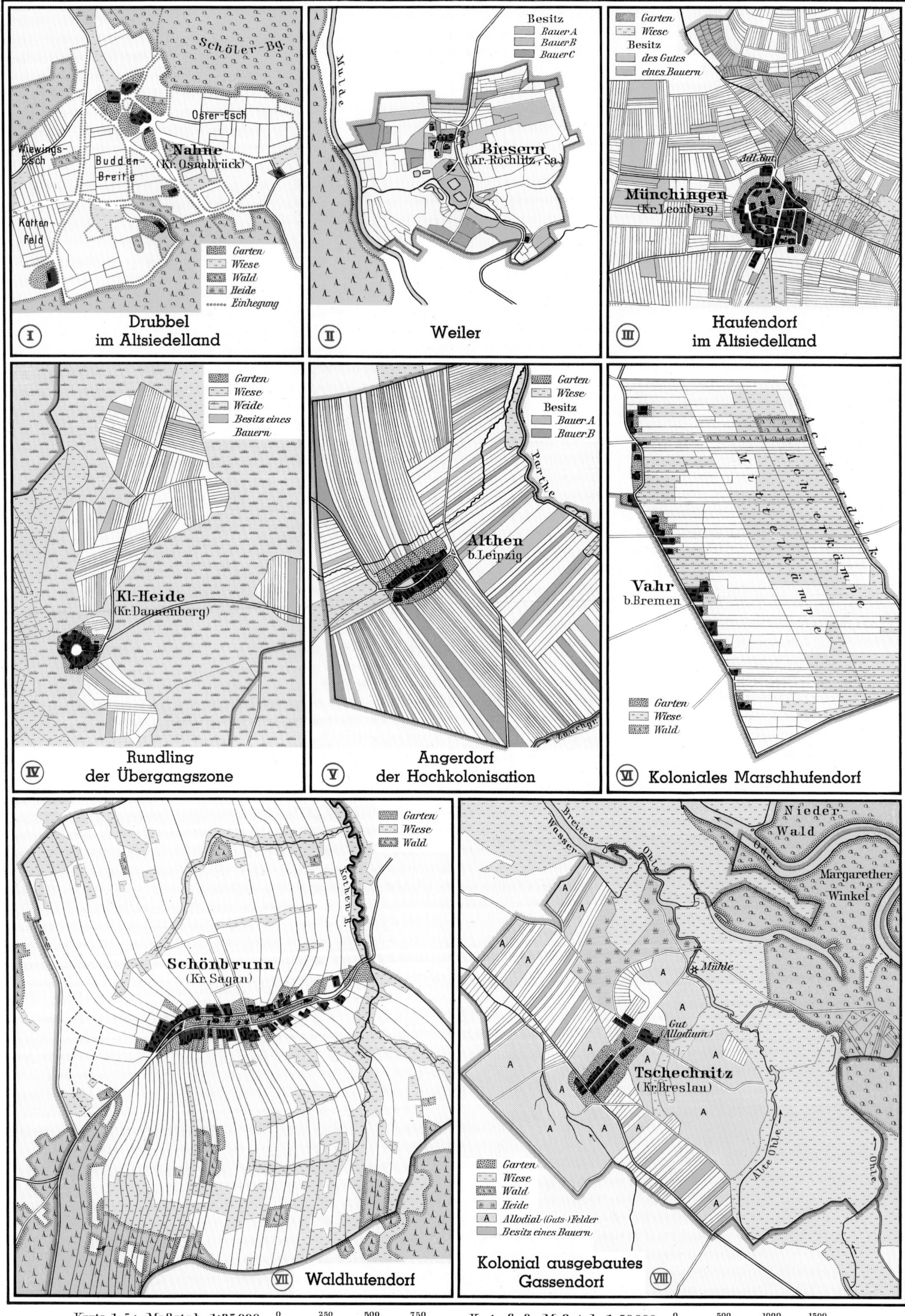

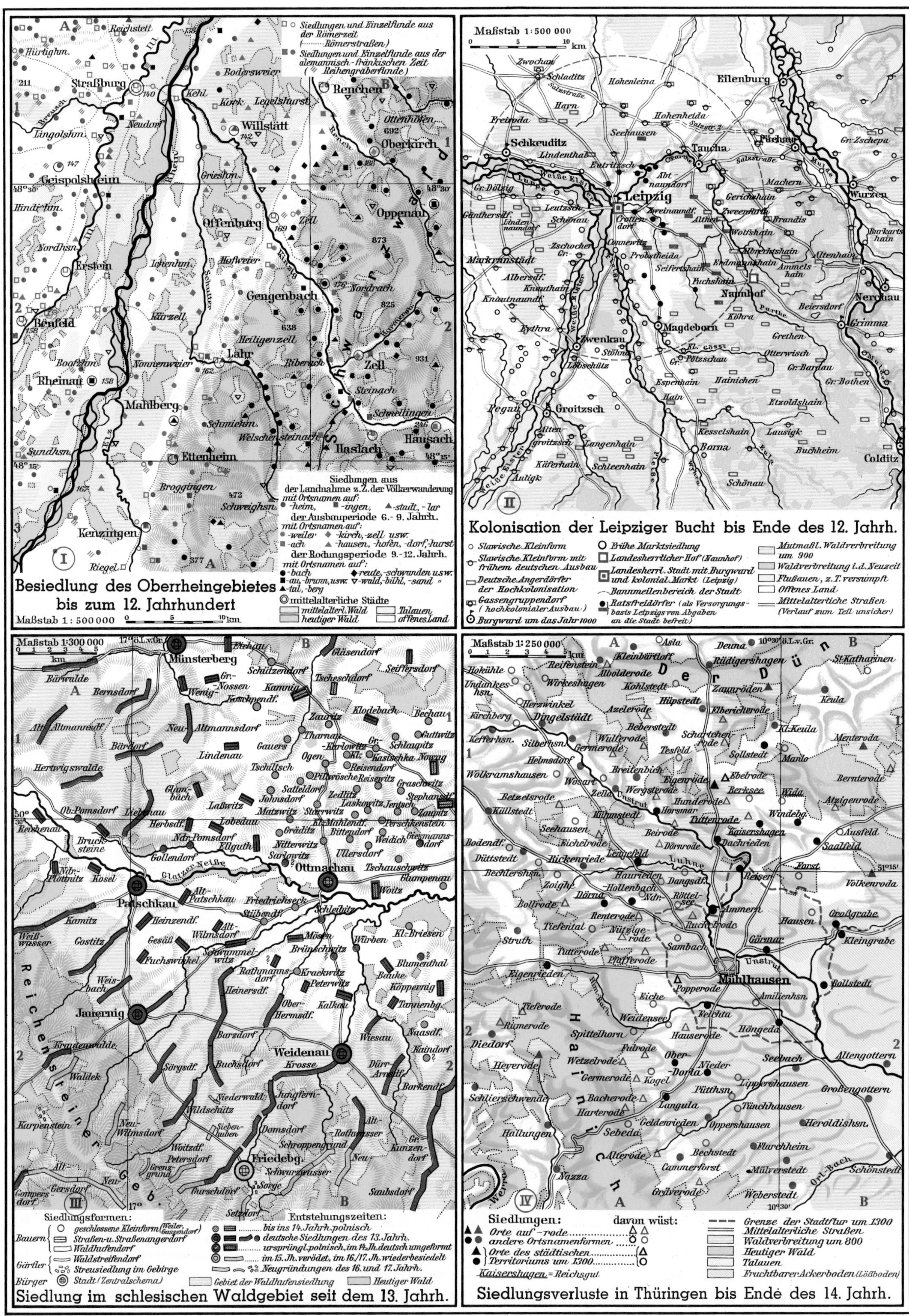
I
Besiedlung des Oberrheingebietes bis zum 12. Jahrhundert
Maßstab 1 : 500 000
Siedlungen und Einzelfunde aus der Römerzeit
(Römerstraßen)
Siedlungen und Einzelfunde aus der alemannisch-fränkischen Zeit
(Reihengräberfunde)
Siedlungen aus der Landnahme z.Z. der Völkerwanderung mit Ortsnamen auf:
-heim, -ingen, -stadt, -lar
der Ausbauperiode 6.-9. Jahrh. mit Ortsnamen auf:
-weiler, -kirch, -zell usw.
-ach, -hausen, -hofen, -dorf, -hurst
der Rodungsperiode 9.-12. Jahrh. mit Ortsnamen auf:
-bach, -reute, -schwanden usw.
-au, -brunn, usw. -wald, -bühl, -sand
-tal, -berg
mittelalterliche Städte
mittelalterl. Wald
heutiger Wald
Talauen
offenes Land
II
Kolonisation der Leipziger Bucht bis Ende des 12. Jahrh.
Maßstab 1 : 500 000
Slawische Kleinform
Slawische Kleinform mit frühem deutschen Ausbau
Deutsche Angerdörfer der Hochkolonisation
Gassengruppendorf (hochkolonialer Ausbau)
Burgward um das Jahr 1000
Frühe Marktsiedlung
Landesherrlicher Hof (Naunhof)
Landesherrl. Stadt mit Burgward und kolonial. Markt (Leipzig)
Bannmeilenbereich der Stadt
Ratsfreidörfer (als Versorgungsbasis Leipzigs von Abgaben an die Stadt befreit)
Mutmaßl. Waldverbreitung um 900
Waldverbreitung i.d. Neuzeit
Flußauen, z.T. versumpft
Offenes Land
Mittelalterliche Straßen (Verlauf zum Teil unsicher)
III
Siedlung im schlesischen Waldgebiet seit dem 13. Jahrh.
Maßstab 1:300 000
Siedlungsformen:
Bauern: geschlossene Kleinform (Weiler, Gassendorf); Straßen- u. Straßenangerdorf; Waldhufendorf
Gärtler: Waldstreifendorf; Streusiedlung im Gebirge
Bürger: Stadt (Zentralschema)
Entstehungszeiten:
bis ins 14. Jahrh. polnisch
deutsche Siedlungen des 13. Jahrh.
ursprüngl. polnisch, im 14. Jh. deutsch umgeformt
im 15. Jh. verödet, im 16./17. Jh. wiederbesiedelt
Neugründungen des 16. und 17. Jahrh.
Gebiet der Waldhufensiedlung
Heutiger Wald
IV
Siedlungsverluste in Thüringen bis Ende des 14. Jahrh.
Maßstab 1: 250 000
Siedlungen: davon wüst:
Orte auf -rode
andere Ortsnamenformen
Orte des städtischen Territoriums um 1300
Kaisershagen = Reichsgut
Grenze der Stadtflur um 1300
Mittelalterliche Straßen
Waldverbreitung um 800
Heutiger Wald
Talauen
Fruchtbarer Ackerboden (Lößboden)

Entwicklung der mittelalterlichen Stadt

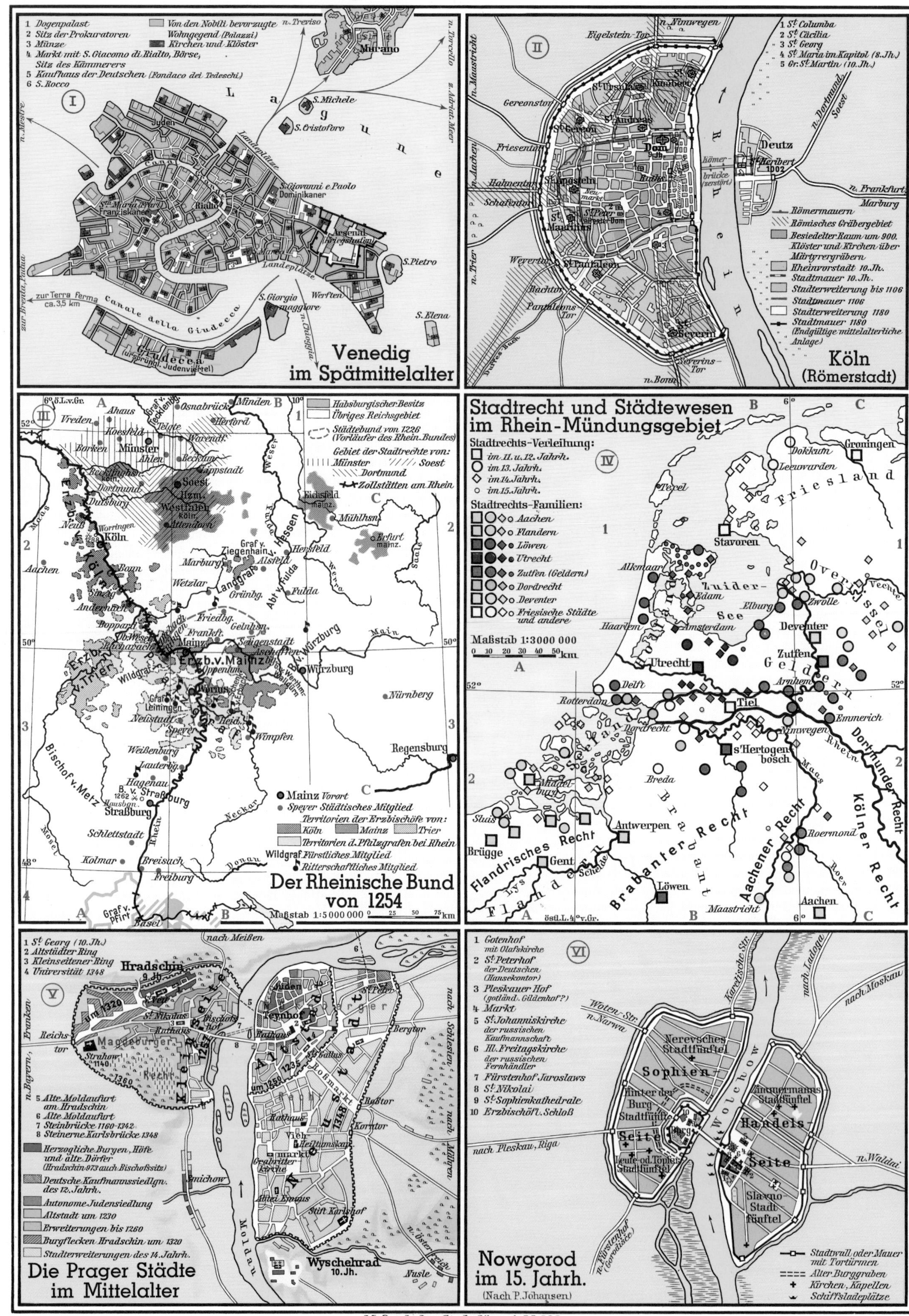

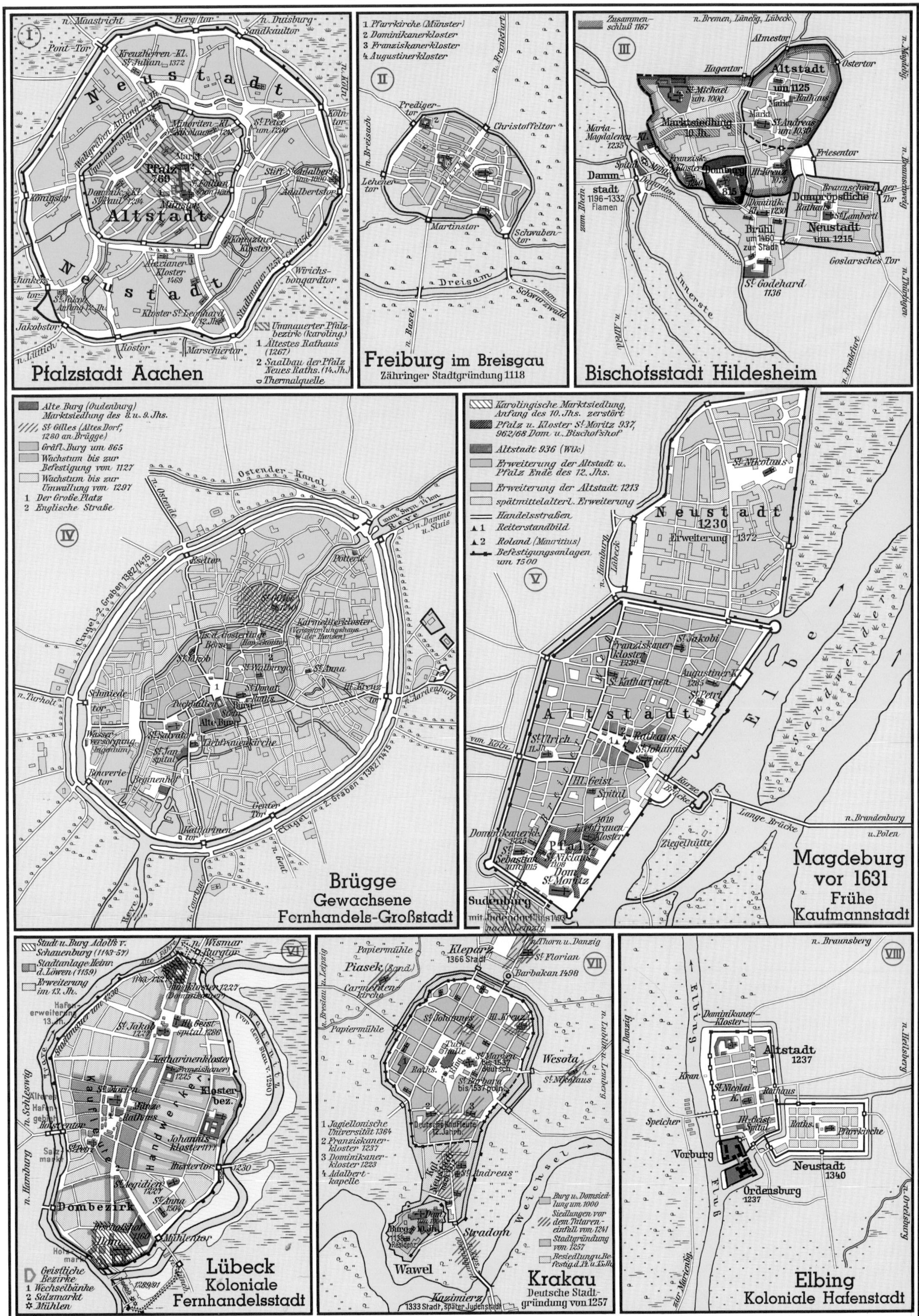
Pfalzstadt Aachen
Freiburg im Breisgau
Zähringer Stadtgründung 1118
Bischofsstadt Hildesheim
Brügge
Gewachsene Fernhandels-Großstadt
Magdeburg vor 1631
Frühe Kaufmannstadt
Lübeck
Koloniale Fernhandelsstadt
Krakau
Deutsche Stadtgründung von 1257
Elbing
Koloniale Hafenstadt
Maßstab 1:25 000
0 100 200 300 400 500 m

Territorien des Spätmittelalters

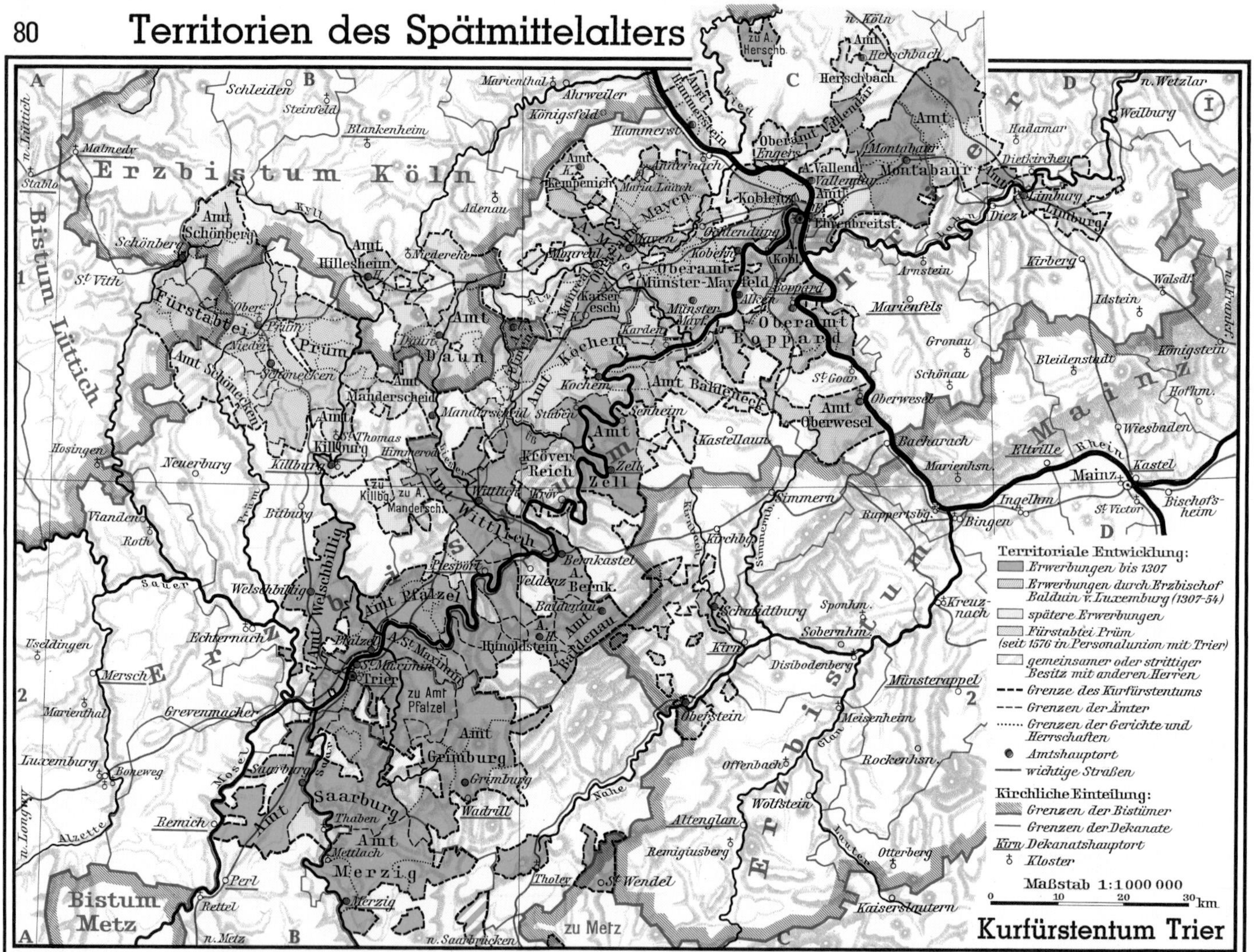

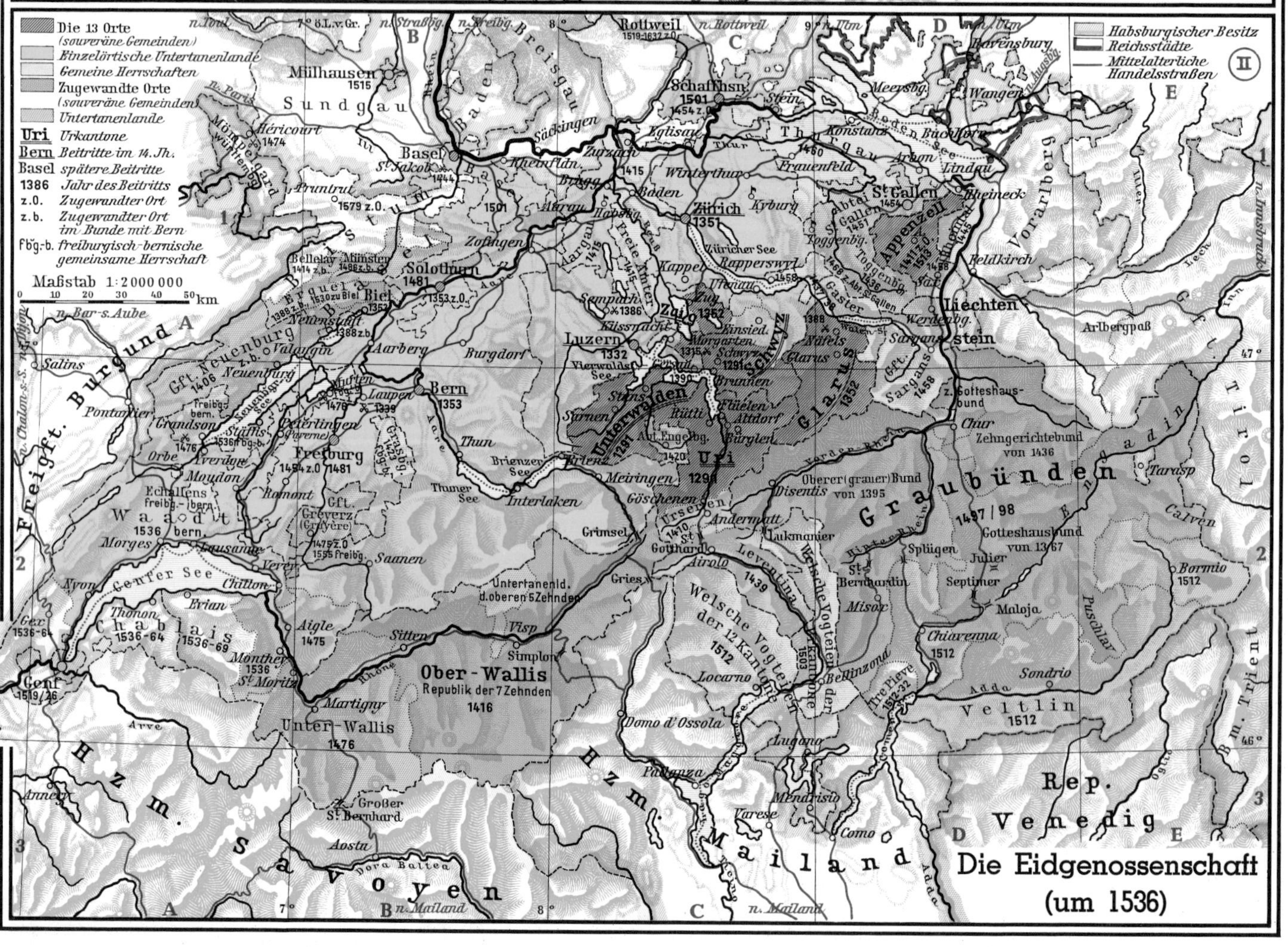

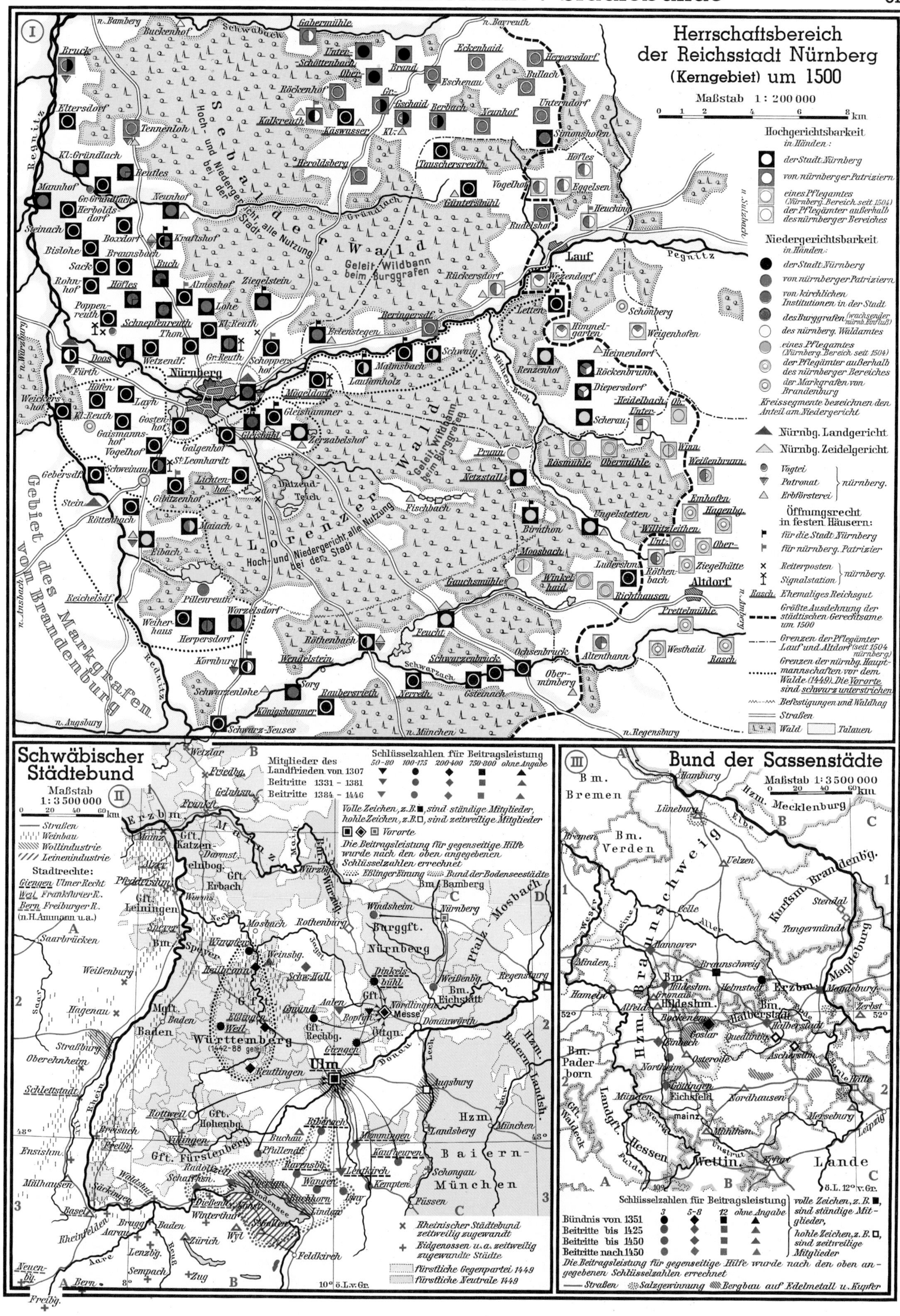
I
Herrschaftsbereich der Reichsstadt Nürnberg (Kerngebiet) um 1500
Maßstab 1 : 200 000
0 1 2 4 6 8 km
Hochgerichtsbarkeit in Händen:
der Stadt Nürnberg
von nürnberger Patriziern
eines Pflegamtes (Nürnberg. Bereich seit 1504)
der Pflegämter außerhalb des nürnberger Bereiches
Niedergerichtsbarkeit in Händen:
der Stadt Nürnberg
von nürnberger Patriziern
von kirchlichen Institutionen in der Stadt
des Burggrafen
des nürnberg. Waldamtes
eines Pflegamtes (Nürnberg. Bereich seit 1504)
der Pflegämter außerhalb des nürnberger Bereiches
der Markgrafen von Brandenburg
Kreissegmente bezeichnen den Anteil am Niedergericht
Nürnbg. Landgericht
Nürnbg. Zeidelgericht
Vogtei
Patronat
Erbförsterei
nürnberg.
Öffnungsrecht in festen Häusern:
für die Stadt Nürnberg
für nürnberg. Patrizier
Reiterposten
Signalstation
nürnberg.
Ehemaliges Reichsgut
Größte Ausdehnung der städtischen Gerechtsame um 1500
Grenzen der Pflegämter Lauf und Altdorf (seit 1504 nürnberg.)
Grenzen der nürnbg. Hauptmannschaften vor dem Walde (1449). Die Vororte sind schwarz unterstrichen
Befestigungen und Waldhag
Straßen
Wald
Talauen
Sebalder Wald
Hoch- und Niedergericht, alle Nutzung bei der Stadt
Geleit, Wildbann beim Burggrafen
Lorenzer Wald
Gebiet des Markgrafen von Brandenburg
Nürnberg
Fürth
Lauf
Altdorf
Pegnitz
Regnitz
Rednitz
Schwabach
n. Bamberg
n. Bayreuth
n. Würzburg
n. Ansbach
n. Augsburg
n. München
n. Regensburg
n. Amberg
II
Schwäbischer Städtebund
Maßstab 1 : 3 500 000
0 20 40 60 km
Straßen
Weinbau
Wollindustrie
Leinenindustrie
Stadtrechte:
Giengen Ulmer Recht
Wetzlar Frankfurter R.
Bern Freiburger R.
(n. H. Ammann u. a.)
Mitglieder des Landfrieden von 1307
Beitritte 1331 - 1381
Beitritte 1384 - 1446
Schlüsselzahlen für Beitragsleistung
50-80 100-175 200-400 750-800 ohne Angabe
Volle Zeichen, z. B. ■, sind ständige Mitglieder, hohle Zeichen, z. B. □, sind zeitweilige Mitglieder
Vororte
Die Beitragsleistung für gegenseitige Hilfe wurde nach den oben angegebenen Schlüsselzahlen errechnet
Eßlinger Einung
Bund der Bodenseestädte
Rheinischer Städtebund zeitweilig zugewandt
Eidgenossen u. a. zeitweilig zugewandte Städte
fürstliche Gegenpartei 1449
fürstliche Neutrale 1449
Ulm
Württemberg (1442-88 geteilt)
Baiern-München
Pfalz Mosbach
Burggft. Nürnberg
Bodensee
Donau
Rhein
III
Bund der Sassenstädte
Maßstab 1 : 3 500 000
0 20 40 60 km
Schlüsselzahlen für Beitragsleistung
3 5-8 12 ohne Angabe
Bündnis von 1351
Beitritte bis 1425
Beitritte bis 1450
Beitritte nach 1450
volle Zeichen, z. B. ■, sind ständige Mitglieder,
hohle Zeichen, z. B. □, sind zeitweilige Mitglieder
Die Beitragsleistung für gegenseitige Hilfe wurde nach den oben angegebenen Schlüsselzahlen errechnet
Straßen
Salzgewinnung
Bergbau auf Edelmetall u. Kupfer
Hzm. Braunschweig
Kurfsm. Brandenbg.
Erzbm. Magdeburg
Hzm. Mecklenburg
Bm. Bremen
Bm. Verden
Bm. Hildeshm.
Bm. Halberstadt
Bm. Paderborn
Landgft. Hessen
Wettin. Lande
Hamburg
Lüneburg
Braunschweig
Magdeburg
Goslar
Göttingen
Hannover

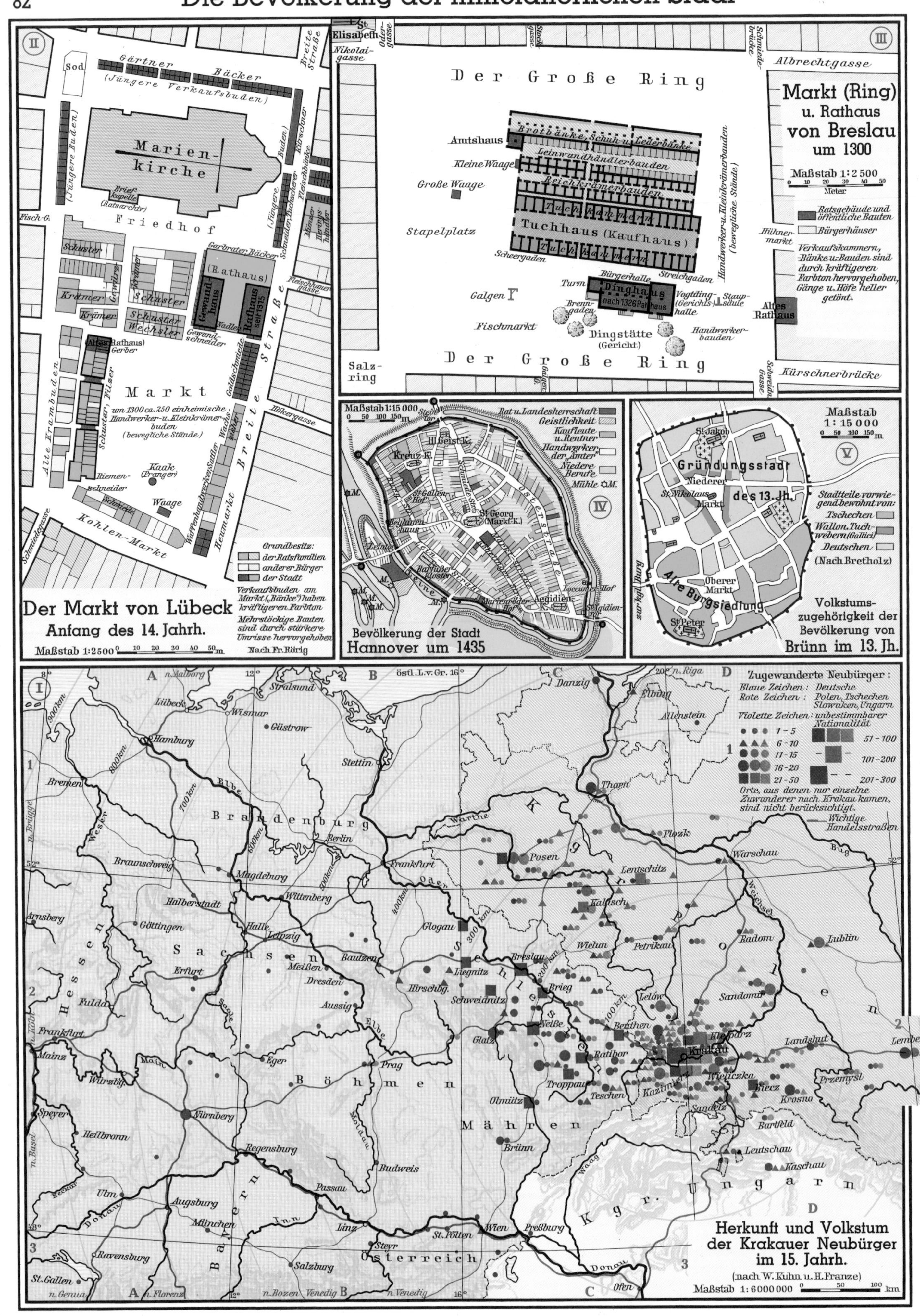

II
Der Markt von Lübeck
Anfang des 14. Jahrh.
Maßstab 1:2500
Grundbesitz:
der Ratsfamilien
anderer Bürger
der Stadt
Verkaufsbuden am Markt („Bänke") haben kräftigeren Farbton
Mehrstöckige Bauten sind durch stärkere Umrisse hervorgehoben
Nach Fr. Rörig
Marienkirche
Friedhof
Markt
um 1300 ca. 250 einheimische Handwerker- u. Kleinkrämerbuden (bewegliche Stände)
Breite Straße
Kohlen-Markt
III
Markt (Ring) u. Rathaus von Breslau um 1300
Maßstab 1:2500
Meter
Ratsgebäude und öffentliche Bauten
Bürgerhäuser
Verkaufskammern, Bänke u. Buden sind durch kräftigeren Farbton hervorgehoben, Gänge u. Höfe heller getönt.
Der Große Ring
Tuchhaus (Kaufhaus)
Dinghaus
Dingstätte (Gericht)
Albrechtgasse
Kürschnerbrücke
IV
Bevölkerung der Stadt Hannover um 1435
Maßstab 1:15 000
Rat u. Landesherrschaft
Geistlichkeit
Kaufleute u. Rentner
Handwerker der Ämter
Niedere Berufe
Mühle
V
Volkstumszugehörigkeit der Bevölkerung von Brünn im 13. Jh.
Maßstab 1:15 000
Stadtteile vorwiegend bewohnt von:
Tschechen
Wallon. Tuchwebern (Gallici)
Deutschen
(Nach Bretholz)
Gründungsstadt des 13. Jh.
Alte Burgsiedlung
I
Herkunft und Volkstum der Krakauer Neubürger im 15. Jahrh.
(nach W. Kuhn u. H. Franze)
Maßstab 1:6000000
Zugewanderte Neubürger:
Blaue Zeichen: Deutsche
Rote Zeichen: Polen, Tschechen, Slowaken, Ungarn
Violette Zeichen: unbestimmbarer Nationalität
1-5
6-10
11-15
16-20
21-50
51-100
101-200
201-300
Orte, aus denen nur einzelne Zuwanderer nach Krakau kamen, sind nicht berücksichtigt.
Wichtige Handelsstraßen
Brandenburg
Sachsen
Böhmen
Mähren
Bayern
Österreich
Schlesien
Kgr. Polen
Kgr. Ungarn

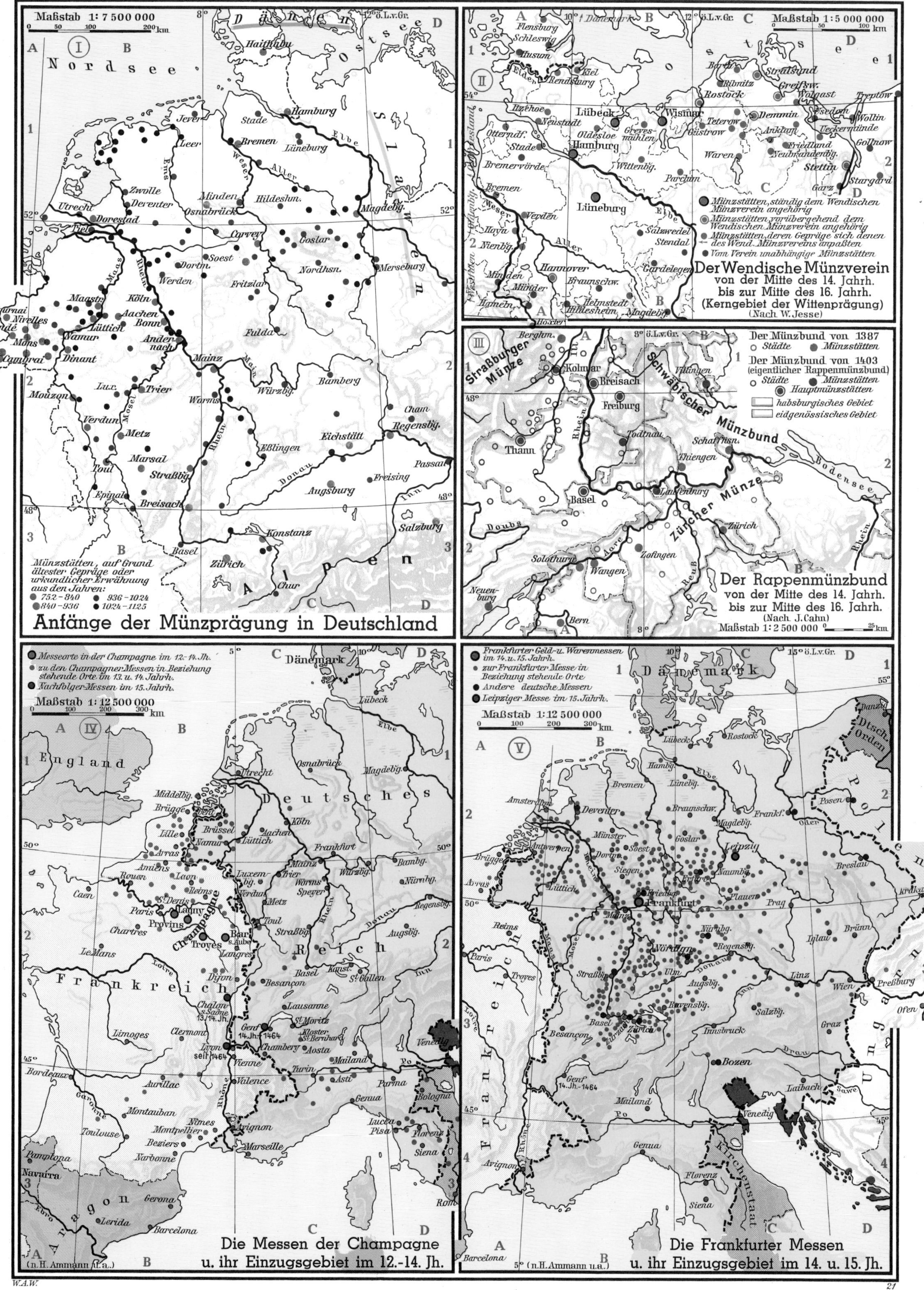
Maßstab 1: 7 500 000
Münzstätten, auf Grund ältester Gepräge oder urkundlicher Erwähnung aus den Jahren:
752–840
936–1024
840–936
1024–1125
Anfänge der Münzprägung in Deutschland
Maßstab 1:5 000 000
Münzstätten, ständig dem Wendischen Münzverein angehörig
Münzstätten vorübergehend dem Wendischen Münzverein angehörig
Münzstätten, deren Gepräge sich denen des Wend. Münzvereins anpaßten
Vom Verein unabhängige Münzstätten
Der Wendische Münzverein
von der Mitte des 14. Jahrh.
bis zur Mitte des 16. Jahrh.
(Kerngebiet der Wittenprägung)
(Nach W. Jesse)
Der Münzbund von 1387
Städte
Münzstätten
Der Münzbund von 1403
(eigentlicher Rappenmünzbund)
Städte
Münzstätten
Hauptmünzstätten
habsburgisches Gebiet
eidgenössisches Gebiet
Straßburger Münze
Schwäbischer Münzbund
Züricher Münze
Der Rappenmünzbund
von der Mitte des 14. Jahrh.
bis zur Mitte des 16. Jahrh.
(Nach J. Cahn)
Maßstab 1:2 500 000
Messeorte in der Champagne im 12.–14. Jh.
zu den Champagner Messen in Beziehung stehende Orte im 13. u. 14. Jahrh.
Nachfolger-Messen im 15. Jahrh.
Maßstab 1:12 500 000
Die Messen der Champagne
u. ihr Einzugsgebiet im 12.–14. Jh.
(n. H. Ammann u. a.)
Frankfurter Geld- u. Warenmessen im 14. u. 15. Jahrh.
zur Frankfurter Messe in Beziehung stehende Orte
Andere deutsche Messen
Leipziger Messe im 15. Jahrh.
Maßstab 1:12 500 000
Die Frankfurter Messen
u. ihr Einzugsgebiet im 14. u. 15. Jh.
(n. H. Ammann u. a.)

Die Hanse und ihr Wirtschaftsraum

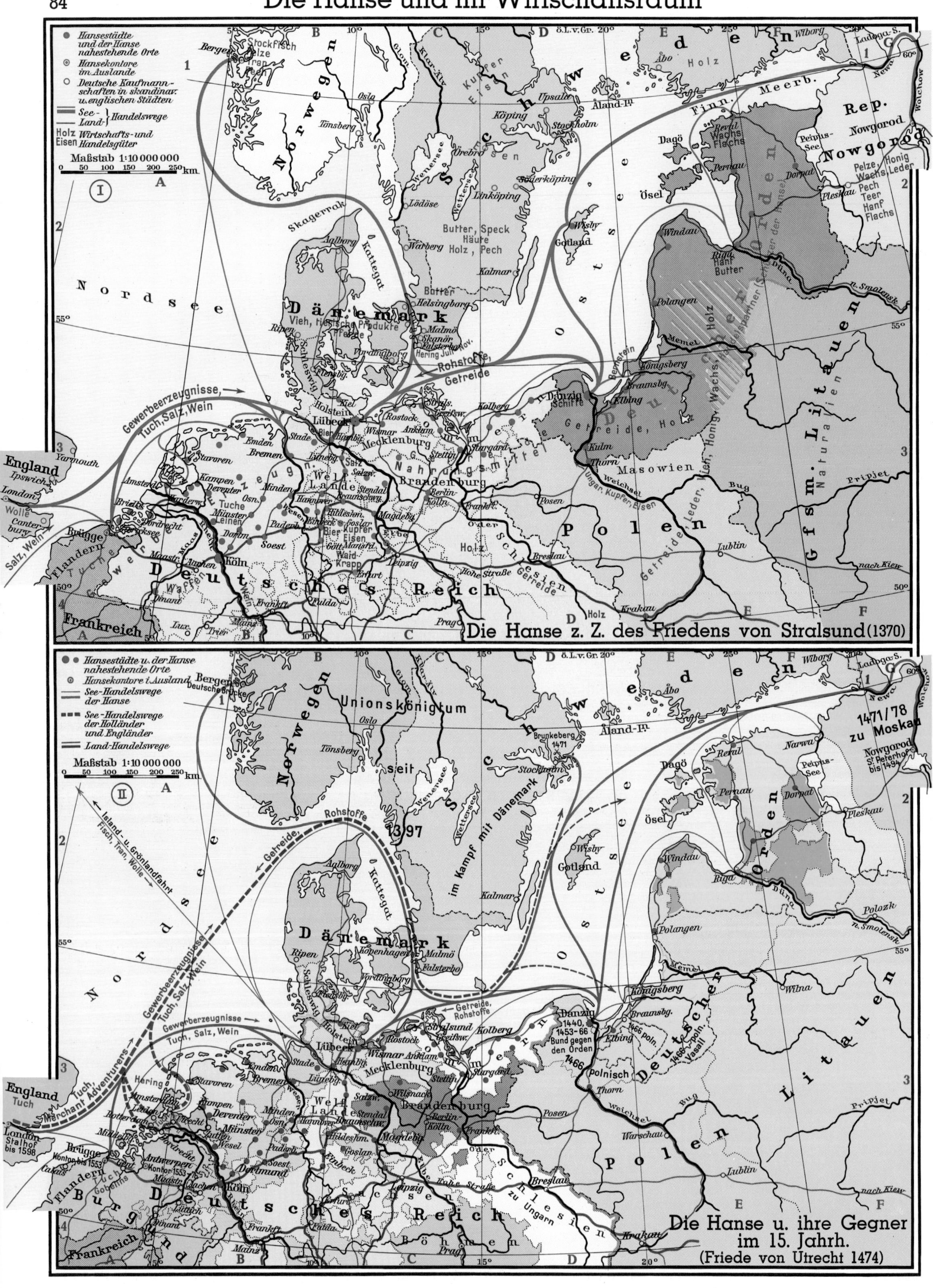

Westeuropas Handel im Spätmittelalter
Schiffahrtslinien des Mittelmeerhandels
" " nordeuropäischen Handels
Wichtige Handelsstraßen
Burgund zur Zeit Karls des Kühnen
Maßstab 1: 17 500 000
Golf von Biscaya
Mittel-meer
seit ca. 1500 portugiesische Gewürze
Venezianische Galeerenfahrt nach Brügge
Das Tuchmachergewerbe Nordwesteuropas
Tuchmacherstädte:
seit dem 12. u. 13. Jahrh.
des 14. u. 15. Jahrh.
des 15. Jahrhunderts
Handelswege:
Straßen
Schiffahrtswege
Maßstab 1: 6 000 000
Nordsee
England
Frankreich
Deutsches Reich
Der Kanal
Der Levantehandel im Spätmittelalter und der Einbruch der Osmanen
wichtige Handelsstraßen
Seehandelswege der Republiken Genua und Venedig
verloren gegangener genues. Besitz
verloren gegangener venezian. Besitz
wichtige Handelsgüter
Bergstädte des 12.-16. Jahrh.
Vordringen der Osmanen:
Besitz um 1355
Eroberungen bis 1402
Eroberungen bis 1526
Maßstab 1: 17 500 000
Orientwaren: Gewürze, Parfüme, Alaun, Medikamente, Farbstoffe, Baumwolle, Seide, Perlen

Bergbau und Kapital

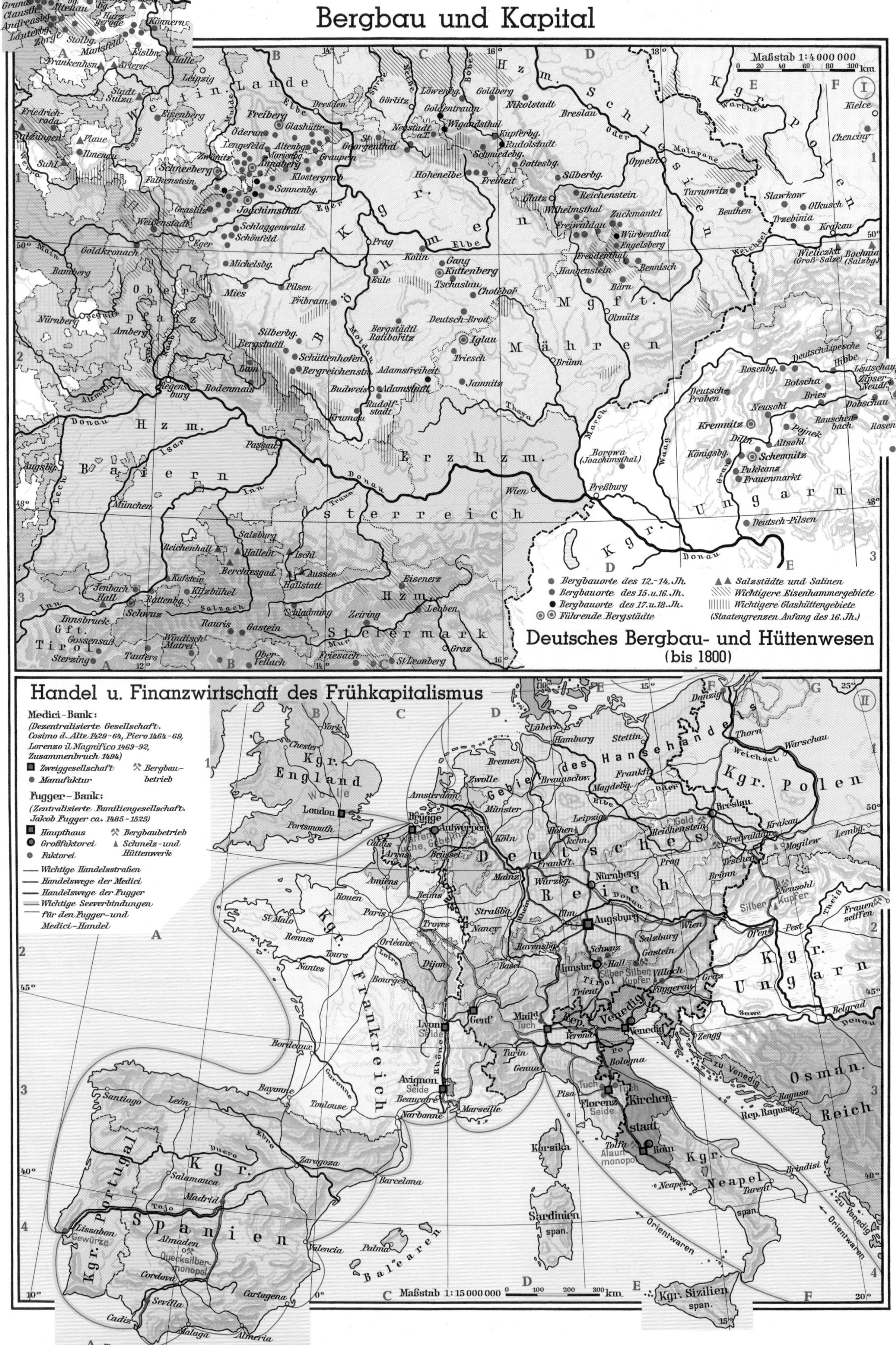

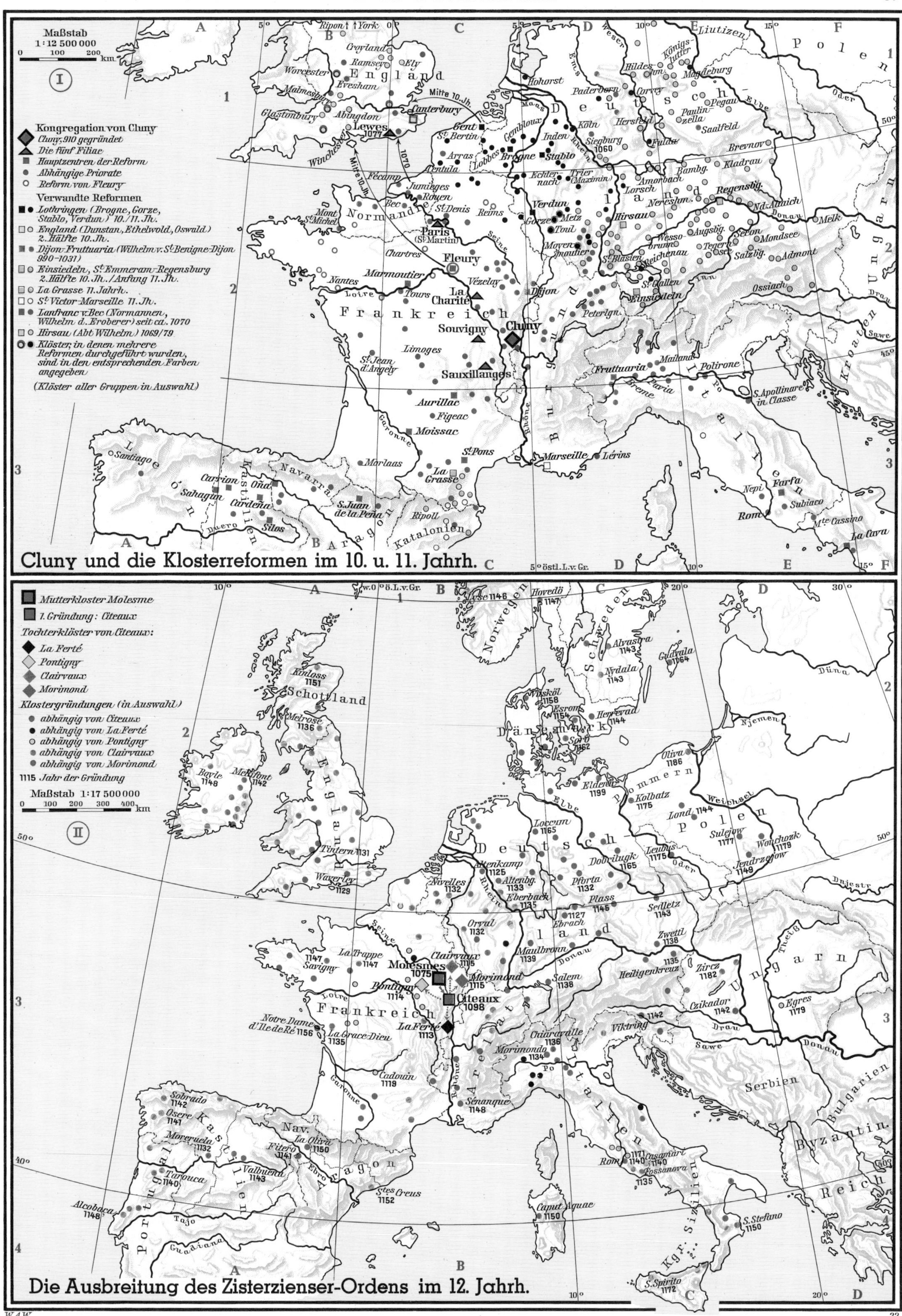

Cluny und die Klosterreformen im 10. u. 11. Jahrh.

Die Ausbreitung des Zisterzienser-Ordens im 12. Jahrh.

Kirchliche Einteilung Europas im 15. Jahrh.

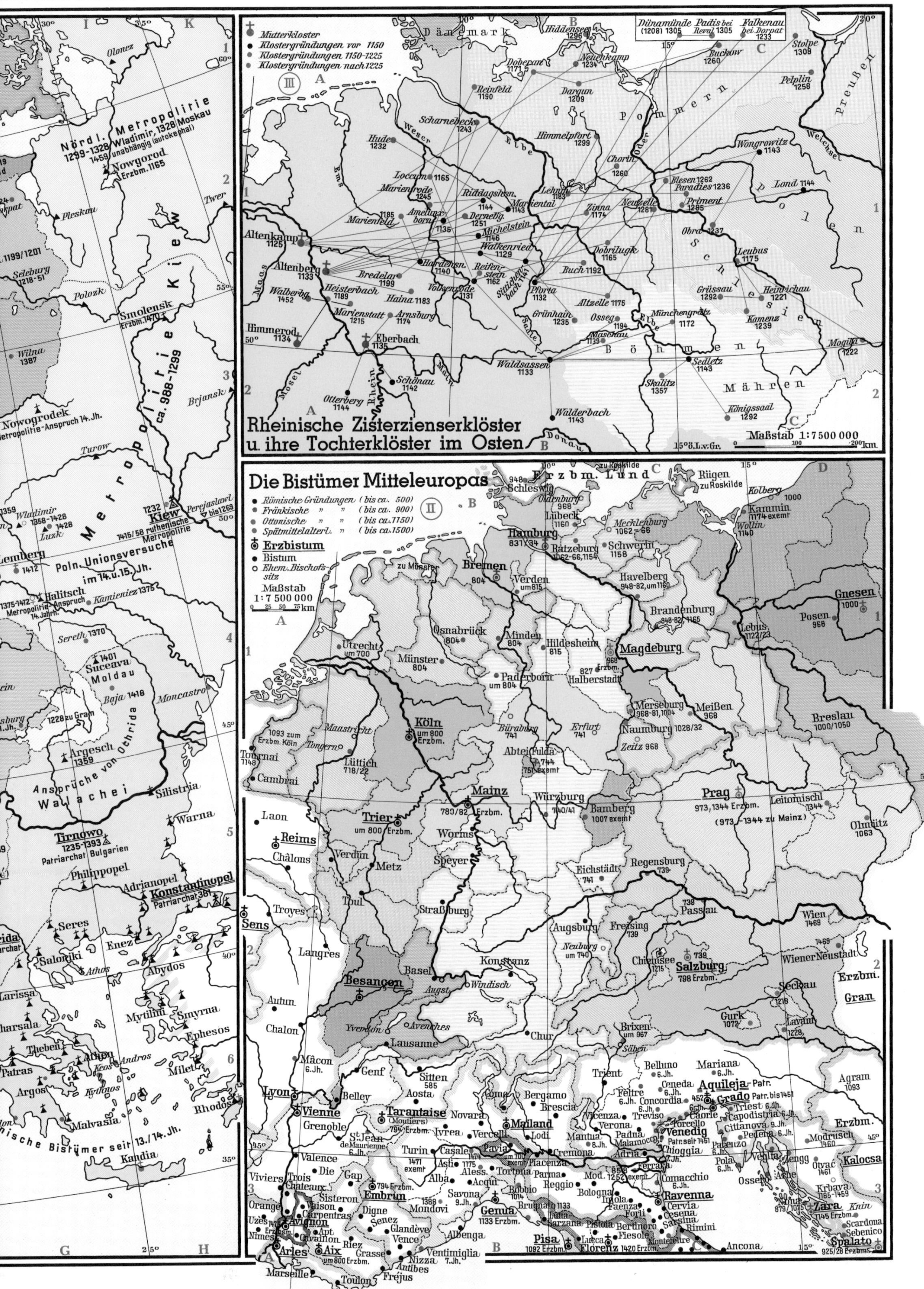
Rheinische Zisterzienserklöster u. ihre Tochterklöster im Osten
III
Mutterkloster
Klostergründungen vor 1150
Klostergründungen 1150–1225
Klostergründungen nach 1225
Dünamünde (1208) 1305
Padis bei Reval 1305
Falkenau bei Dorpat 1233
Maßstab 1:7 500 000
15° ö.L.v.Gr.
Die Bistümer Mitteleuropas
II
Römische Gründungen (bis ca. 500)
Fränkische " " (bis ca. 900)
Ottonische " " (bis ca. 1150)
Spätmittelalterl. " (bis ca. 1500)
Erzbistum
Bistum
Ehem. Bischofssitz
Maßstab 1:7 500 000
km
Erzbm. Lund
Erzbm. Gran
Nördl. Metropolitie 1299–1328 Wladimir, 1328 Moskau 1459 unabhängig (autokephal)
Metropolitie Kiew
Metropolitie ca. 988–1299
Poln. Unionsversuche im 14. u. 15. Jh.
Ansprüche von Ochrida
Walachei
Tirnowo 1235–1393 Patriarchat Bulgarien
Konstantinopel Patriarchat 381
Griechische Bistümer seit 13./14. Jh.

Kunst der Gotik und Renaissance

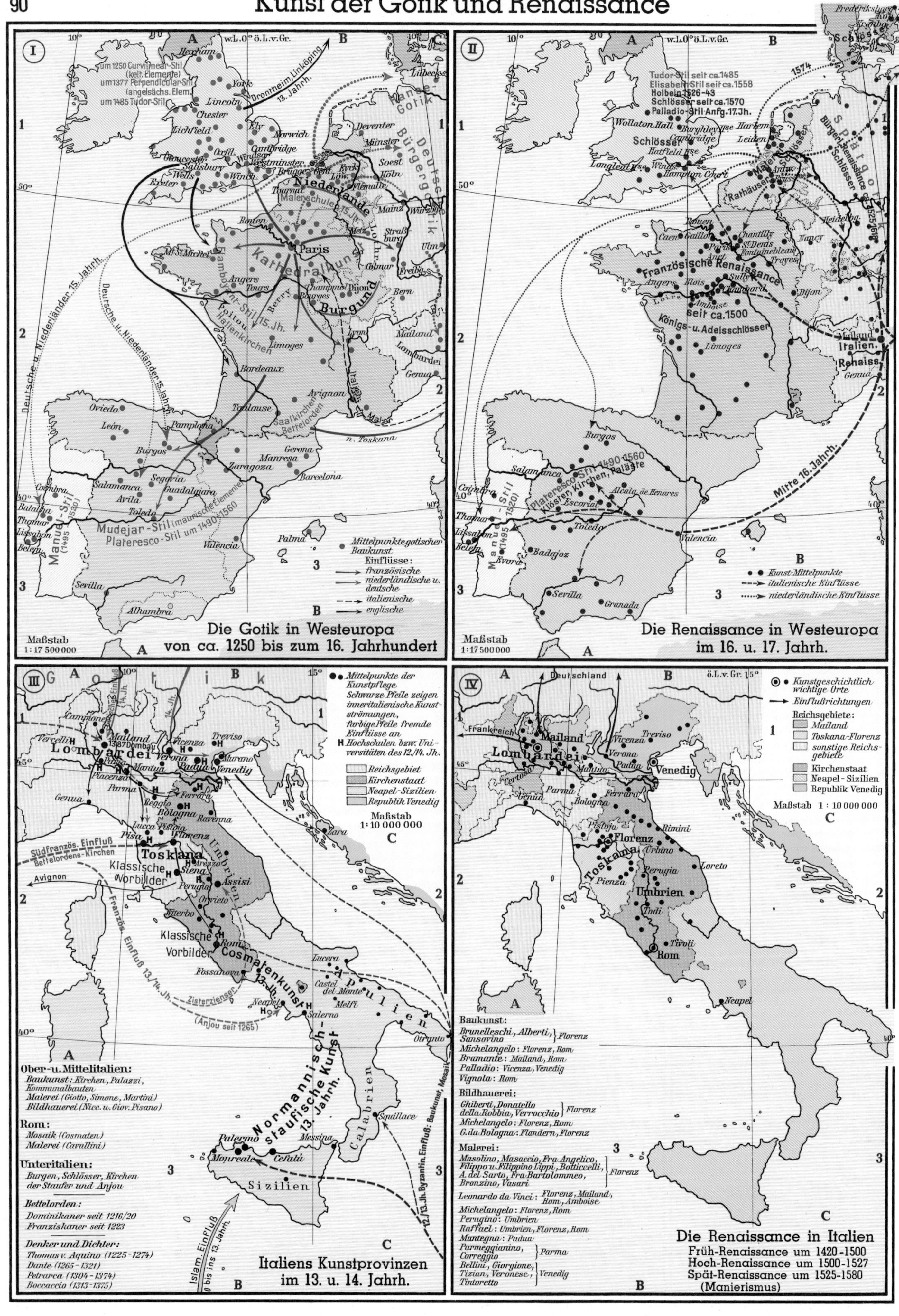

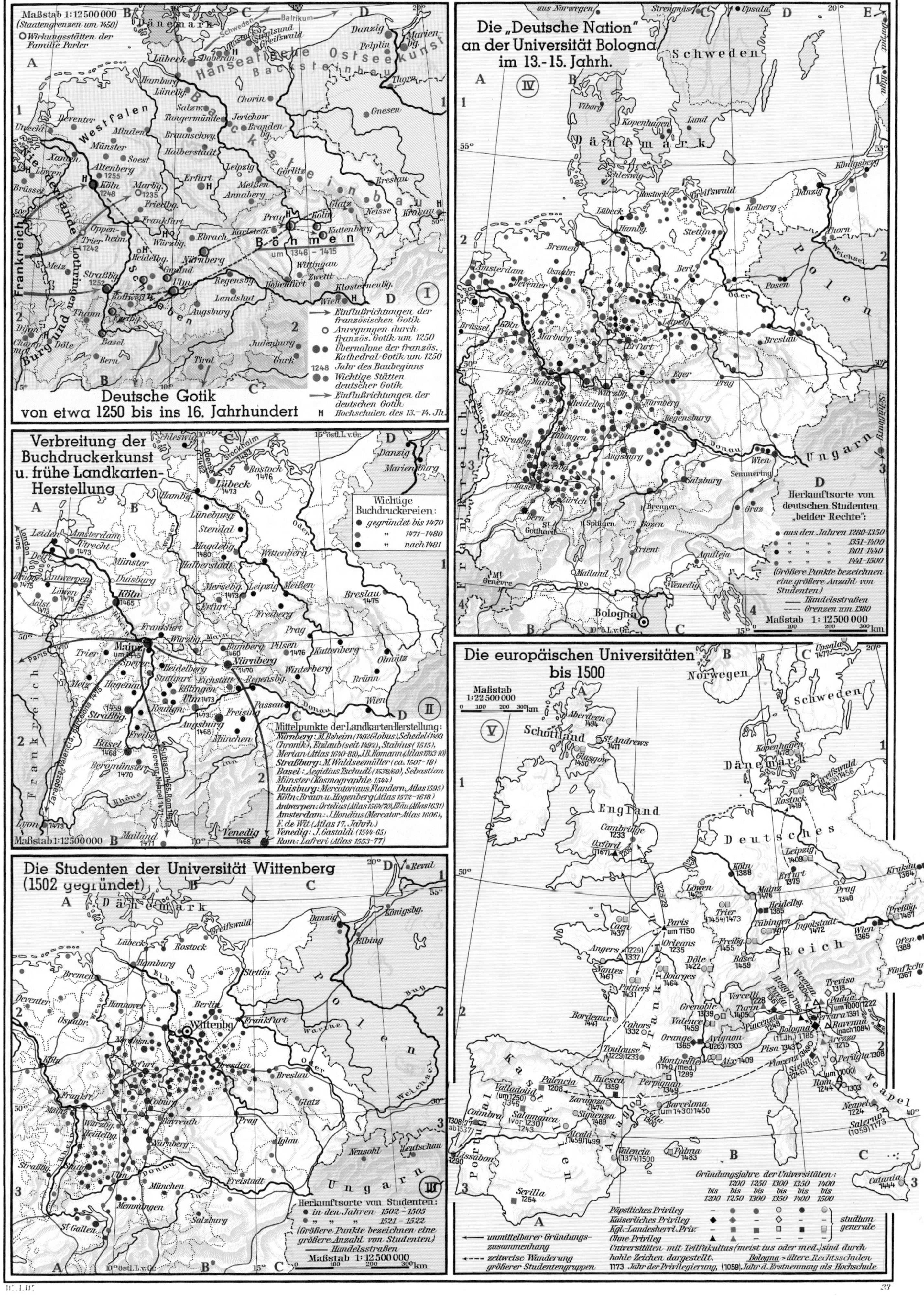
Deutsche Gotik
von etwa 1250 bis ins 16. Jahrhundert
Maßstab 1:12 500 000
(Staatengrenzen um 1450)
○ Wirkungsstätten der Familie Parler
Hanseatische Ostseekunst
Backsteinbau
Einflußrichtungen der französischen Gotik
Anregungen durch französ. Gotik um 1250
Übernahme der französ. Kathedral-Gotik um 1250
1248 Jahr des Baubeginns
Wichtige Stätten deutscher Gotik
Einflußrichtungen der deutschen Gotik
H Hochschulen des 13.–14. Jh.
Verbreitung der Buchdruckerkunst u. frühe Landkarten-Herstellung
Wichtige Buchdruckereien:
gegründet bis 1470
" 1471–1480
" nach 1481
Mittelpunkte der Landkarten-Herstellung:
Nürnberg: M. Beheim (1492 Globus), Schedel (1493 Chronik), Etzlaub (seit 1492), Stabius (1515), Merian (Atlas 1640-88), J.B. Homann (Atlas 1703-10)
Straßburg: M. Waldseemüller (ca. 1507-18)
Basel: Aegidius Tschudi (1538/60), Sebastian Münster (Kosmographie 1544)
Duisburg: Mercator (aus Flandern, Atlas 1595)
Köln: Braun u. Hogenberg (Atlas 1572–1618)
Antwerpen: Ortelius (Atlas 1564/70), Bläu (Atlas 1631)
Amsterdam: J. Hondius (Mercator-Atlas 1606), F. de Wit (Atlas 17. Jahrh.)
Venedig: J. Gastaldi (1544-65)
Rom: Lafreri (Atlas 1553-77)
Maßstab 1:12 500 000
Die Studenten der Universität Wittenberg (1502 gegründet)
Herkunftsorte von Studenten:
in den Jahren 1502–1505
" " " 1521–1522
(Größere Punkte bezeichnen eine größere Anzahl von Studenten)
Handelsstraßen
Maßstab 1:12 500 000
Die „Deutsche Nation" an der Universität Bologna im 13.-15. Jahrh.
Herkunftsorte von deutschen Studenten „beider Rechte":
aus den Jahren 1280-1350
" " " 1351-1400
" " " 1401-1440
" " " 1441-1500
(Größere Punkte bezeichnen eine größere Anzahl von Studenten)
Handelsstraßen
Grenzen um 1380
Maßstab 1:12 500 000
Die europäischen Universitäten bis 1500
Maßstab 1:22 500 000
Gründungsjahre der Universitäten:
bis 1200 | 1200 bis 1250 | 1250 bis 1300 | 1300 bis 1350 | 1350 bis 1400 | 1400 bis 1500
Päpstliches Privileg
Kaiserliches Privileg
Kgl.-Landesherrl. Priv.
Ohne Privileg
studium generale
unmittelbarer Gründungszusammenhang
zeitweise Wanderung größerer Studentengruppen
Universitäten mit Teilfakultas (meist ius oder med.) sind durch hohle Zeichen dargestellt.
Bologna = ältere Rechtsschulen
1173 Jahr der Privilegierung, (1059) Jahr d. Ersternennung als Hochschule

Europa 1476
England:
Partei des Hauses Lancaster
Partei des Hauses York
Frankreich:
Krongut
(1491) Jahr des Anfalls an die Krone
Deutscher Orden:
Ordensgebiet
Stadt Riga
Bistumsgebiet
Osmanisches Reich:
Ausdehnung bis 1453
Eroberungen in der 2. Hälfte des 15. Jahrh.
Reichsstädte
Maßstab 1:12 500 000
0 100 200 300 km
Atlantischer Ozean
Nordsee
Ostsee
Der Kanal
Mittelmeer
Adriat. Meer
Färöer norweg.
Shetland-In. 1468 schott.
Orkney-In. 1468 schott.
Hebriden
Kgr. Schottland
Aberdeen
St. Andrews
Edinburgh
Berwick
Glasgow
Douglas
Man
Newcastle
Carlisle
Kgr. England
Hzm. Lancaster
Richmond
York
1461
1485
Bosworth
1455-85 Rosenkriege
1471 Tewkesbury
Norwich
Cambridge
Oxford
Gloucester
St. Albans
Bristol
London
Canterbury
Southampton
Portsmouth
Plymouth
Milford
Wales
Ulster
Irland
Armagh
Galway
Limerick
Dublin
Munster
Waterford
Cork
Kgr. Norwegen
Unionskönigtum seit 1397
Kgr. Schweden
Drontheim
Bergen
Hamar
Stavanger
Oslo
Falun
Gefle
Björneborg
Åland-In.
Upsala
Vesterås
Arboga
Stockholm
Vadstena
Skara
Linköping
Jönköping
Kalmar
Öland
Gotland dän.
Elfsborg
Aalborg
Viborg
Aarhus
Helsingborg
Lund
Malmö
Kopenhagen
Kgr. Dänemark
Bornholm
Vordingborg
Danzig
1466 zu Polen
Marienburg
Thorn
Konitz
Posen
Kolberg
Stettin
Rostock
Stralsund
Wismar
Hzm. Pommern
Hzm. Mecklenburg
Hamburg
Lüneburg
Emden
Groningen
Bremen
Kurfsm. Brandenburg
Hzm. Braunschweig
Amsterdam
Magdeburg
Berlin
Frankfurt
Wittenberg
Lausitz
Kottbus
Glogau
Münster
Soest
Kassel
Landgft. Hessen
Mühlhsn.
Erfurt
Wettin. Lande
Leipzig
Meißen
Bautzen
Görlitz
Dresden
Hzm. Schlesien
Breslau
Oppeln
Neisse
Glatz
1469 an Corvinus
Köln
Neuß
Aachen
Lüttich
Löwen
Brabant
Brüssel
Gent
Brügge
Flandern
Artois
Arras
Lille
Calais
Boulogne
Hennegau
Cherbourg
Guernsey
Jersey
Le Havre
Rouen
Amiens
Laon
Hzm. Normandie
Paris
Chartres
Reims
Châlons
Mainz
Kurpfalz
Heidelberg
Würzbg.
Nürnbg.
Ob. Pfalz
Bamberg
Kgr. Böhmen
Prag
Eger
Pilsen
1458-71 Georg v. Podiebrad
1471 Wladislaw v. Polen
Tabor
Budweis
Mgft. Mähren
Brünn
1471 an Corvinus
Olmütz
Teschen
Troppau
Ratibor
Regensbg.
Hzm. Baiern
Landshut
Passau
Augsburg
Ulm
Stuttg.
Hzm. Württ.
Straßburg
München
Salzbg.
Linz
Wien
Erzhzm. Österreich
Preßburg
Schemnitz
Gran
Ofen-Pest
Stuhlweißenburg
Hzm. Steiermark
Graz
Hzm. Kärnten
Klagenfurt
Cilli
Laibach
Agram
Krain
Kroatien
Slawonien
Pozega
Drau
Hzm. Bretagne
(1491)
Brest
St. Malo
Rennes
Vannes
Nantes
Angers
Le Mans
Orléans
Tours
Blois
Amboise
Bourges
Kgr. Frankreich
Poitiers
La Rochelle
Niort
Saintes
Angoulême
Limoges
Bordeaux
Hzm. Bourbon
Hzm. Burgund
Dijon
Freigft.
Besançon
Nevers
Mâcon
Lyon
Genf
Grandson
Bern
Luzern
Zürich
Basel
Eidgenossenschaft
Innsbruck
Gft. Tirol
Bozen
Hzm. Savoyen
Wallis
Hzm. Mailand
Bergamo
Rep. Venedig
Verona
Venedig
Mantua
Trient
Triest
Fsm. Piemont
Turin
Mgft. Saluzzo
Mgft. Montferrat
Asti
Rep. Genua
1464-99 zu Mailand
Parma
Modena
Ferrara
Bologna
Ravenna
Lucca
Pisa
Rep. Florenz
Medici
Rep. Siena
Piombino
Elba
Kirchenstaat
Urbino
Spoleto
Pescara
Rom
Tiber
Terracina
Gaeta
Benevent
Neapel
Salerno
Bari
Tarent
Brindisi
Kgr. Neapel
1442/1504 aragon.
Korsika genues.
Ajaccio
Sardinien aragon.
Cagliari
Palermo
Messina
Kgr. Sizilien aragon.
Syrakus
Malta aragon.
Dauphiné
Valence
Avignon
Gft. Provence
1481 franz.
Nizza
Marseille
Toulon
1458, 1499
Gft. Armagnac
Gft. Foix
Toulouse
Narbonne
Bayonne
Béarn
Albret
Cahors
Kgr. Navarra
Pamplona
Huesca
Andorra
Roussillon
Gerona
Lerida
Barcelona
Tarragona
Tortosa
Kgr. Aragon
Zaragoza
Ebro
Teruel
Cuenca
Valencia
Balearen
Menorca
Mallorca
Ibiza
Alicante
Murcia
Cartagena
Almeria
Kgr. Granada
1492 span.
Malaga
Granada
Jaen
Guadalquivir
Sevilla
Cordova
Calatrava
Almaden
Guadiana
Badajoz
Toledo
Madrid
Alcala de Henares
Kgr. Kastilien
Kastilien u. Aragon
1479 vereinigt (= Spanien)
Segovia
Avila
Salamanca
Tordesillas
Valladolid
Burgos
Asturien
Oviedo
Santander
Bilbao
León
Santiago
Braga
Braganza
Porto
Coimbra
Duero
Tajo
Kgr. Portugal
Lissabon
Setubal
Elvas
Evora
Alcaçovas
Lagos
Kap S. Vicente
Palos
Sanlucar
Cadiz
Azoren 1431
Madeira 1418
Tanger
Ceuta 1415 port.
Algarve ultra mar
Melilla
Oran
Algier
Schelif
Bugia
Bona
Tlemsen
Barbareskenstaaten
Rabat
Fez
Bizerta
Tunis
Medscherda
Kairuan
Bosnien
Jaice
1463
Sarajewo
Herzegowina
1483
Spalato
Rep. Ragusa
Antivari
westl. L. 0 östl. L. v. Gr.

Hussitenkriege (1420–36)
Gebiet der Luxemburger
Kerngebiet der Hussiten
seit 1425 von Hussiten heimgesuchte Gebiete
hussit. Stützpunkte in Deutschland
Kgr. Böhmen
Mgft. Mähren
Hzm. Schlesien
Kgr. Polen
Deutscher Orden
Hzm. Pommern
Kfsm. Brandenburg
Kfsm. Sachsen
Hzm. Baiern
Österreich
Kgr. Ungarn
Ostsee
Maßstab 1:6 000 000
Großfsm. Moskau
Nowgorod
Großfsm. Litauen
Union 1386
Podolien
Krim-Chanat
Fsm. Walachei
Moldau
Siebenbürgen
Schwarzes Meer
Osmanisches Reich
Kgr. England
Der Kanal
Golf von Biscaya
Kgr. Frankreich
Hzm. Burgund
Deutsches Reich
Kgr. Aragon
Kgr. Navarra
Kgr. Kastilien
Mittelmeer
Frankreich in der 1. Hälfte des 15. Jahrh. (Die Wende des 100jährigen Krieges)
Engl. Eroberungen bis 1429
Burgund um 1430 (unter Philipp d. Guten)
Feldzug der Jeanne d'Arc (Jungfrau v. Orléans) 1429/30
Maßstab 1:10 000 000

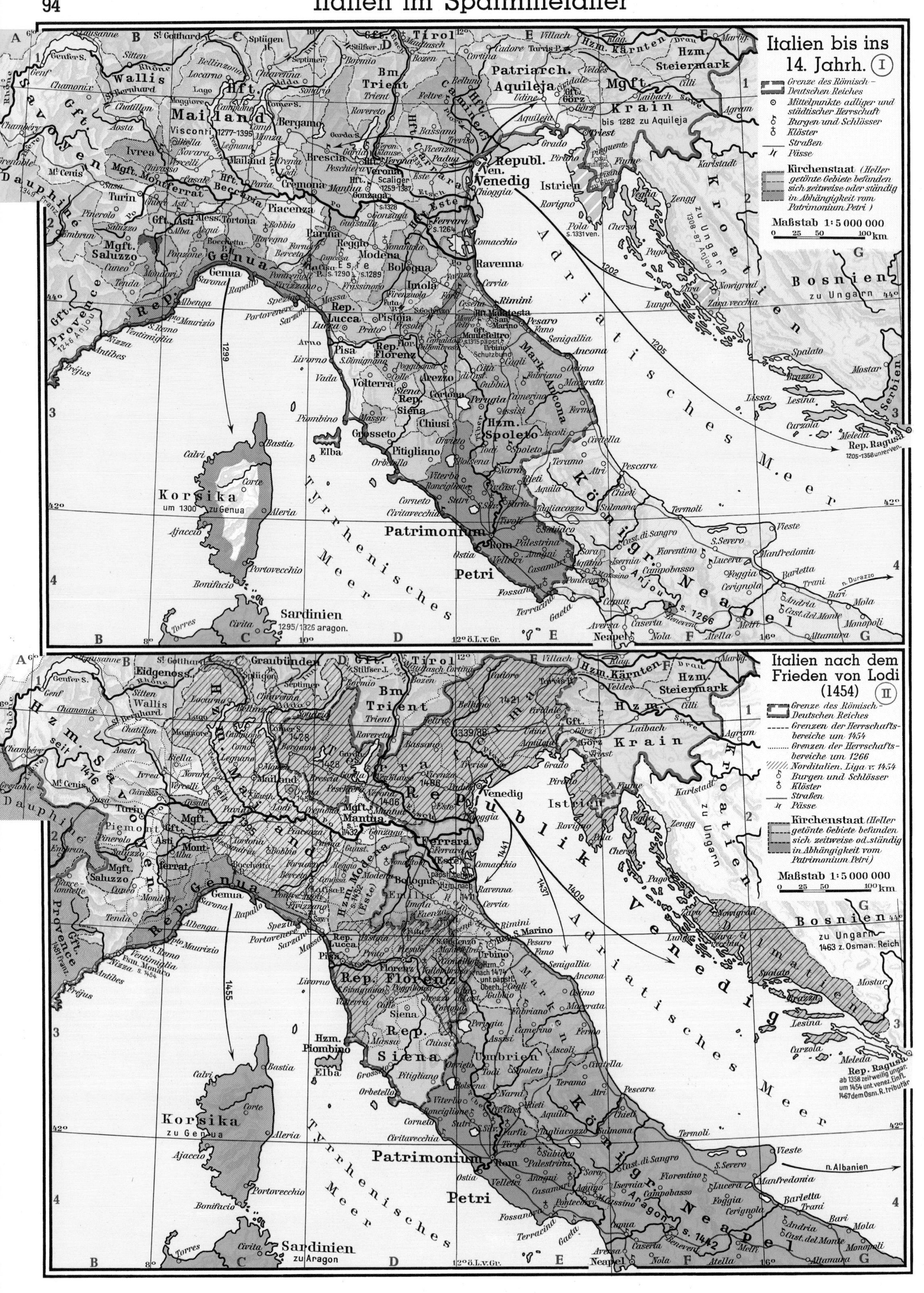
Italien bis ins 14. Jahrh. I
Grenze des Römisch-Deutschen Reiches
Mittelpunkte adliger und städtischer Herrschaft
Burgen und Schlösser
Klöster
Straßen
Pässe
Kirchenstaat (Heller getönte Gebiete befanden sich zeitweise oder ständig in Abhängigkeit vom Patrimonium Petri)
Maßstab 1: 5 000 000
0 25 50 100 km
Tirol
Bm Trient
Patriarch. Aquileja
Mgft. Krain bis 1282 zu Aquileja
Hzm. Kärnten
Hzm. Steiermark
Wallis
Gft. Savoyen
Dauphiné
Hft. Mailand Visconti 1277-1395
Mgft. Montferrat
Hft. Beccaria
Piacenza
Mgft. Saluzzo
Rep. Genua
Gft. Provence 1246 Anjou
Hft. Camminesi
Hft. Carrara
Republ. Ven. Venedig
Verona Scaliger 1259-1387
Hft. Este
Ferrara s. 1264
Parma
Modena
Bologna
Rep. Lucca
Rep. Florenz
Rep. Siena
Hzm. Spoleto
Mark Ancona
Patrimonium Petri
Rom
Königr. Neapel Anjou s. 1266
Kroatien zu Ungarn 1308-87 Anjou
Bosnien zu Ungarn
Rep. Ragusa 1205-1358 unter Ven.
Korsika um 1300 zu Genua
Sardinien 1295/1325 aragon.
Elba
Adriatisches Meer
Tyrrhenisches Meer
Italien nach dem Frieden von Lodi (1454) II
Grenze des Römisch-Deutschen Reiches
Grenzen der Herrschaftsbereiche um 1454
Grenzen der Herrschaftsbereiche um 1266
Norditalien. Liga v. 1454
Burgen und Schlösser
Klöster
Straßen
Pässe
Kirchenstaat (Heller getönte Gebiete befanden sich zeitweise od. ständig in Abhängigkeit vom Patrimonium Petri)
Maßstab 1: 5 000 000
0 25 50 100 km
Graubünden
Eidgenoss.
Hzm. Mailand
Hzm. Savoyen seit 1416
Mgft. Montferrat
Mgft. Saluzzo
Mgft. Mantua s. 1432
Ferrara Este
Hzm. Modena (Este) s. 1452
Rep. Genua
Rep. Venedig
Hzm. Krain
Dalmatien
Bosnien zu Ungarn 1463 z. Osman. Reich
Rep. Ragusa ab 1358 zeitweilig ungar. um 1454 unt. venez. Einfl. 1467 dem Osm. R. tributär
Rep. Lucca
Rep. Florenz
Rep. Siena
Hzm. Piombino
Marken
Umbrien
Patrimonium Petri
Königr. Neapel Aragon s. 1442
Korsika zu Genua
Sardinien zu Aragon
n. Albanien
Adriatisches Meer
Tyrrhenisches Meer

Die burgundische Staatsbildung (1363-1477)

Französisch-deutsche Grenze im Mittelalter

Burgund:

- Erwerbungen durch Philipp den Kühnen (1363-1404)
- Teilung 1404: Nebenlinie Nevers-Rethel
- Erwerbungen durch Philipp den Guten (1419-1467)
- Erwerbungen durch Karl den Kühnen (1467-1477)
- 1363 Jahr der Erwerbung
- (1406) Jahr der Erwerbung durch eine Nebenlinie
- Pfandbesitz bzw. beherrschender Einfluß Burgunds (Bistümer)
- ehemaliger Besitz der Wittelsbacher
- ehemaliger Besitz der Luxemburger

Frankreich:

- königliche Domäne
- Lehen von Angehörigen des Königshauses
- andere große Lehen

Straßen

Seeverbindung nach England

Maßstab 1:3 000 000

0 10 20 30 40 50 km

Deutschland zur Zeit Karls V. (1547)
Reichsgrenze
Reichsstädte
Kurfürstentum Sachsen (Ernestin. Wettiner) vor 1547
" " " seit 1547 (Albertin. Wettiner)
Rückerwerbungen Frankreichs aus der burgundischen Erbschaft 1477/93
Bauernkrieg:
Aufstandsherde 1524
Ausbreitung bis 15.3.1525
Gesamtausbreitung
Unruhige Gebiete
Eidgenossenschaft:
Gebiet der 13 eidgenössischen Orte
Gebiet der zugewandten Orte
Maßstab 1:5 000 000
0 50 100 150 km
Kgr. Dänemark
seit 1448 Haus Oldenburg
Kgr. England
Kgr. Frankreich
Kgr. Böhmen
Republik Venedig
Eidgenossenschaft
Nordsee
Ostsee
Kurfsm. Brandenburg
Hzm. Mecklenburg
Kursachsen
Landgft. Hessen
Hzm. Württemberg
Hzm. Baiern
Hzm. Lothringen
Hzm. Luxemburg
Freigft. Burgund
Hzm. Savoyen
Hzm. Mailand
Gft. Tirol
Hzm. Pommern-Wolgast
Hzm. Holstein
Hzm. Schleswig
Kurpfalz
Oberpfalz
Bm. Münster
Bm. Bremen
Hzm. Braunschweig
Lüneburg
Hzm. Geldern
Hzm. Kleve
Hzm. Jülich
Hzm. Berg
Westfalen
Flandern
Brabant
Hennegau
Artois
Champagne
Burgund (Bourgogne)
Dauphiné
Piemont
Wallis
Graubünden
Erzbm. Salzburg
Hzm. Kärnten

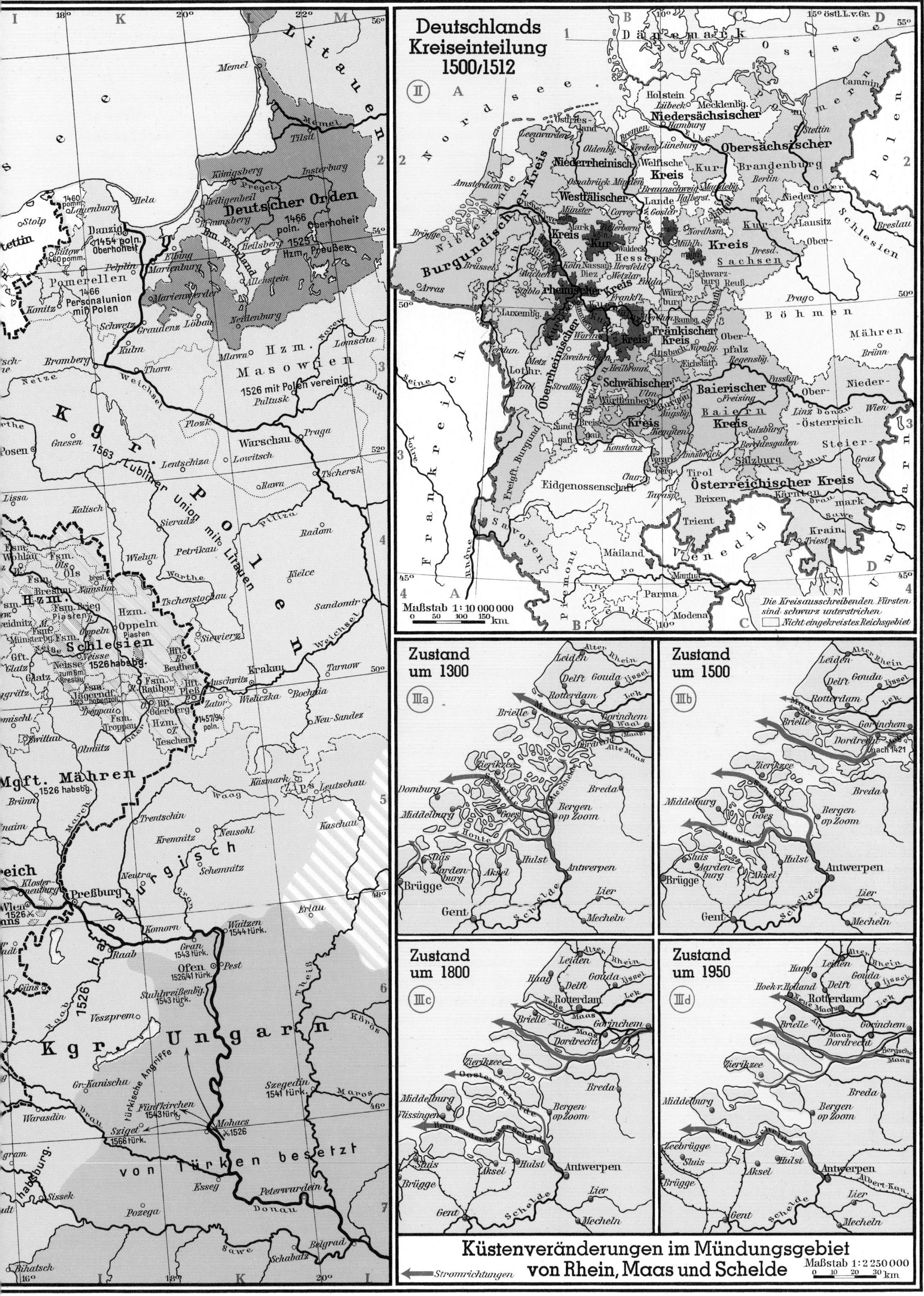
Deutschlands
Kreiseinteilung
1500/1512
Maßstab 1: 10 000 000
Die Kreisausschreibenden Fürsten sind schwarz unterstrichen
Nicht eingekreistes Reichsgebiet
Zustand um 1300
Zustand um 1500
Zustand um 1800
Zustand um 1950
Küstenveränderungen im Mündungsgebiet von Rhein, Maas und Schelde
Maßstab 1: 2 250 000
Stromrichtungen
Deutscher Orden
Kgr. Polen
Kgr. Ungarn
von Türken besetzt
Masowien
1526 mit Polen vereinigt
Lubliner Union mit Litauen
Schlesien
Mgft. Mähren
1526 habsbg.
Burgundischer Kreis
Niederrheinisch-Westfälischer Kreis
Niedersächsischer Kreis
Obersächsischer Kreis
Kurrheinischer Kreis
Oberrheinischer Kreis
Fränkischer Kreis
Schwäbischer Kreis
Baierischer Kreis
Österreichischer Kreis
Eidgenossenschaft
Frankreich
Böhmen
Polen
Ungarn
Venedig

Peking

Maßstab 1:125 000 0 — 1 km

II

Chanbalik

Tempel der Erde (1530)

Mauer 1437 erbaut

Tempel des Konfuzius

Glockenturm

Trommelturm

Innere Stadt

Kaiser-Stadt

Kaiser-Palast

Tempel des Mondes (1530)

Tempel der Sonne (1530)

Sternwarte

Äußere Stadt

Südstadt

Tempel des Himmels (1420)

Tempel des Ackerbaues (1422)

Mauer 1544 erbaut

Stadt der Han-Dynastie bis 986

Stadt der Liao-Dynastie (Kitan) seit 1012

Stadt Chanbalik und Palast der Yüan-Dynastie (Mongolen) nach 1264

Stadt u. Palast der Ming-Dynastie seit 1409

Tempel — Mauern u. Tore

Kairo

Maßstab 1:125 000

0 — 1 km

III

nach Mekka

Alter Kanal

seit 1180 besiedelt

Bulak

Nillauf z. Z. Saladins

Kalifengräber

Zitadelle

Ibn Tulun

Nil

Roda

Gizeh

Pyramidenstraße

Alt-Kairo (Fustat) 640 gegründet

Mamelukengräber

Kopt. Kirchen

n. Memphis

Kairo, 969 Gründung, 1087 Erweiterung

Erweiterung und Befestigung durch Saladin um 1180

Stadtgebiet vom Mittelalter bis etwa 1800

Kulturland

Wüste

Gräber

Moschee

1 Westschloß (um 985)

2 Mamelukenschloß (seit 993)

3 Universität und Moschee Al Azhar (971)

Der Islam in Afrika bis 1500 und die portugies. Entdeckungen

IV

Azoren 1427/32

Portugal

Spanien

Sagres

Córdoba

Ceuta 1415

Tunis

Zucker

Madeira 1419

Maghrib

Algier

Kanar. I. 1479 span.

K. Bojador 1436

Tripolis

Bagdad

Kairo

Arabien

Fessan

Senussi

Audaghost 9. Jh.

Ghana 11. Jh.

I. Arguin 1443

Kapverd. I. 1456/58

K. Verde 1444

Tekrur 11. Jh.

Timbuktu

Air 11. Jh.

Aidhab

Mekka

Nubien 14.–15. Jh.

Mali

Mandingo 11. Jh.

Songhai 11. Jh.

Kanem um 1100

Wadai

Darfur 16.–17. Jh.

Chartum

Sierra Leone 1461

Pfeffer

Elfenbein

Gold

Sklaven

Haussa

Benin 1471

Bornu 12. Jh.

Äthiopien (Abessinien) christl.

Fernando Póo 1472

S. Thomé

Golf von Guinea

Mogadischu Anf. 10. Jh. arab.

Barawa

Lamu 689 arab.

Malindi

Mombasa

Sansibar

Kongo

Loango

Angola

1484/86

Kilwa 739 arab.

Sklaven

Gold

Vasco da Gama 1497–98

Moçambique

Sambesi

Quelimane

Sofala

Simbabwe

Madagaskar Araber 8.–10. Jh.

Malaien 2.–4. u. 10. Jh.

1486–88 Bartolomeu Diaz

Delagoa-B.

Algoa-Bay

Diogo Diaz 1500

Stürmisches K. (Kap der Guten Hoffnung)

K. Agulhas

Ausbreitung d. Islam bis zum 16. Jahrh.

Air — afrikanische Stämme unter islam. Einfluß

arab. Handelsplätze

Portug. Entdeckungsfahrten:

Von 1415 bis zum Tode Heinr. d. Seefahrers (1460)

Bartholomeu Diaz 1486/88

Fahrten nach Indien

Karawanenwege

Wüste

Urwald

Maßstab 1:100 000 000

0 500 1000 2000 km

Asien 14…

Frankr.

Dänem.

Schweden

Ostsee

Deutsches Reich

Lübeck

Köln

Frankfurt

Wien

Kirchenstaat

Riga

Nowgorod

Polen-Litauen

Krakau

Archangelsk

Samojeden

Obdorsk 1595

Berjesow 1594

Ostjaken

Rußland

Moskau

Pelim 1592

Chanat Sibir

Tobolsk

Tjumen 1585

-1584

Tschussowaja

Kasan

Chanat Kasan -1552

Ufa

Ungarn

Belgrad

Kiew

Podolien

Woronesch

Donkosaken

Sibirische

Osmanisches Reich

Philippopel

Chanat der Krim

Chanat Astrachan 1556

Astrachan

Wolga

Ural

Orienthandel

Kasachen

Konstantinopel

Schwarzes Meer

Sinope

Athen

Anatolien

Teppiche

Karaman

Suchum

Georgien

Derbent

Kaspisches Meer

Baku

Aral-S.

Syr-darja

Kreta

Mittelmeer

Cypern

Aleppo

Rakka

Mossul

Täbris

Aserbeidschan

Chiwa

Özbegen (Usbeken)

Taschkent

Pferde

Chokand

Alexandria

Kairo

Damaskus Waffen

Jerusalem

Bagdad

Hamadan

Teheran

Luristan

Teppiche

Isfahan

Buchara

Samarkand Teppiche

Wollweberei

Amu-darja

Balch

Leinen

Kaschgar

Mamluken-Reich -1517

Getreide

Nil

Rotes Meer

Arabien

Basra

Persien seit 1603

Kirman

Schiras Seide

Herat

Kabul

Peschawar

Kaschmir

Srinagar

Gold

Indigo

Lahore

Kandahar

Hilmend

Panipat

Delhi

Teppiche

Hormus 1507/15–1622 port.

Medina

Mekka

Dschidda

Nördl. Wendekreis

Zwischenhandel

Oman

Maskat 1508 port.

Radschputana

Sindh

Indus

Mogul

Tschitor

Ahmadabad

Arabisches Meer

Gudscherat

Baroda

Surat

Diu 1536 port.

Daman 1559 port.

Bassein 1533 port.

Bombay 1530 port.

Tschoul 1522 port.

Ahmadnagar

Dekkan

Jemen

Sana

Gewürz-Zwischenhandel

Würz- und Duftstoffe

Hadramaut

Hodeida

Aden

Meer

Äthiopien (Abessinien)

Sokotra

Goa 1510 port.

Mangalore 1565 port.

Kannanore 1502 port.

Kalikut

Kotschin 1502 port.

Mogadischu

Malindi

Lamu

Mombasa

Pemba-I.

Sansibar

Äquator

Hauptandelsweg der Portugiesen

Kilwa 1502 port.

Indischer Ozean

Mozambique 1502 port.

Madagaskar

Sofala 1502 port.

Mauritius 1598 ndld.

Südlicher Wendekreis

A B C D E F G H

30° 40° 50° 60° 70°

1 2 3 4 5 6 7 8 9 10

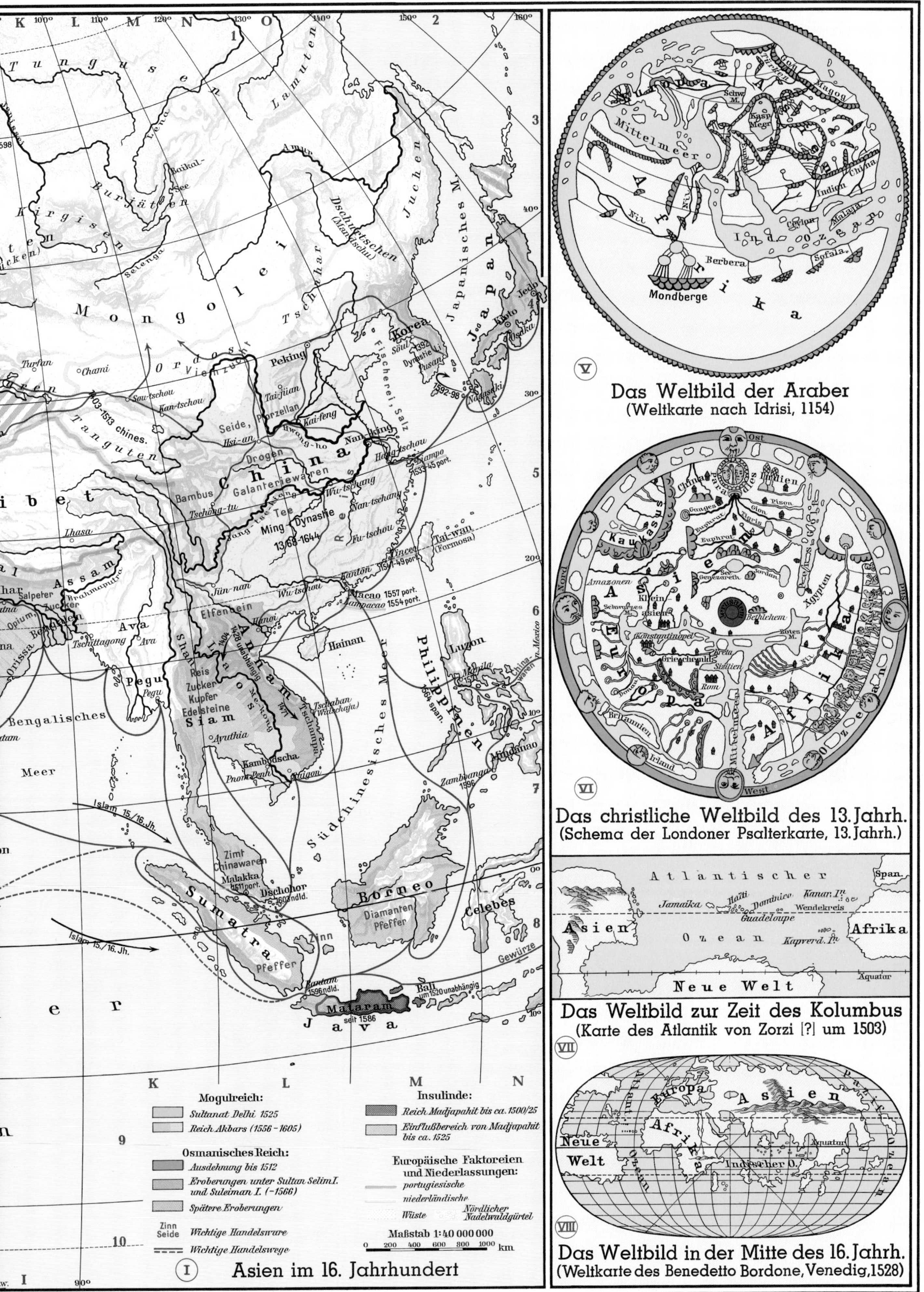

I Asien im 16. Jahrhundert

V Das Weltbild der Araber
(Weltkarte nach Idrisi, 1154)

VI Das christliche Weltbild des 13. Jahrh.
(Schema der Londoner Psalterkarte, 13. Jahrh.)

Das Weltbild zur Zeit des Kolumbus
(Karte des Atlantik von Zorzi [?] um 1503)

VII

VIII

Das Weltbild in der Mitte des 16. Jahrh.
(Weltkarte des Benedetto Bordone, Venedig, 1528)

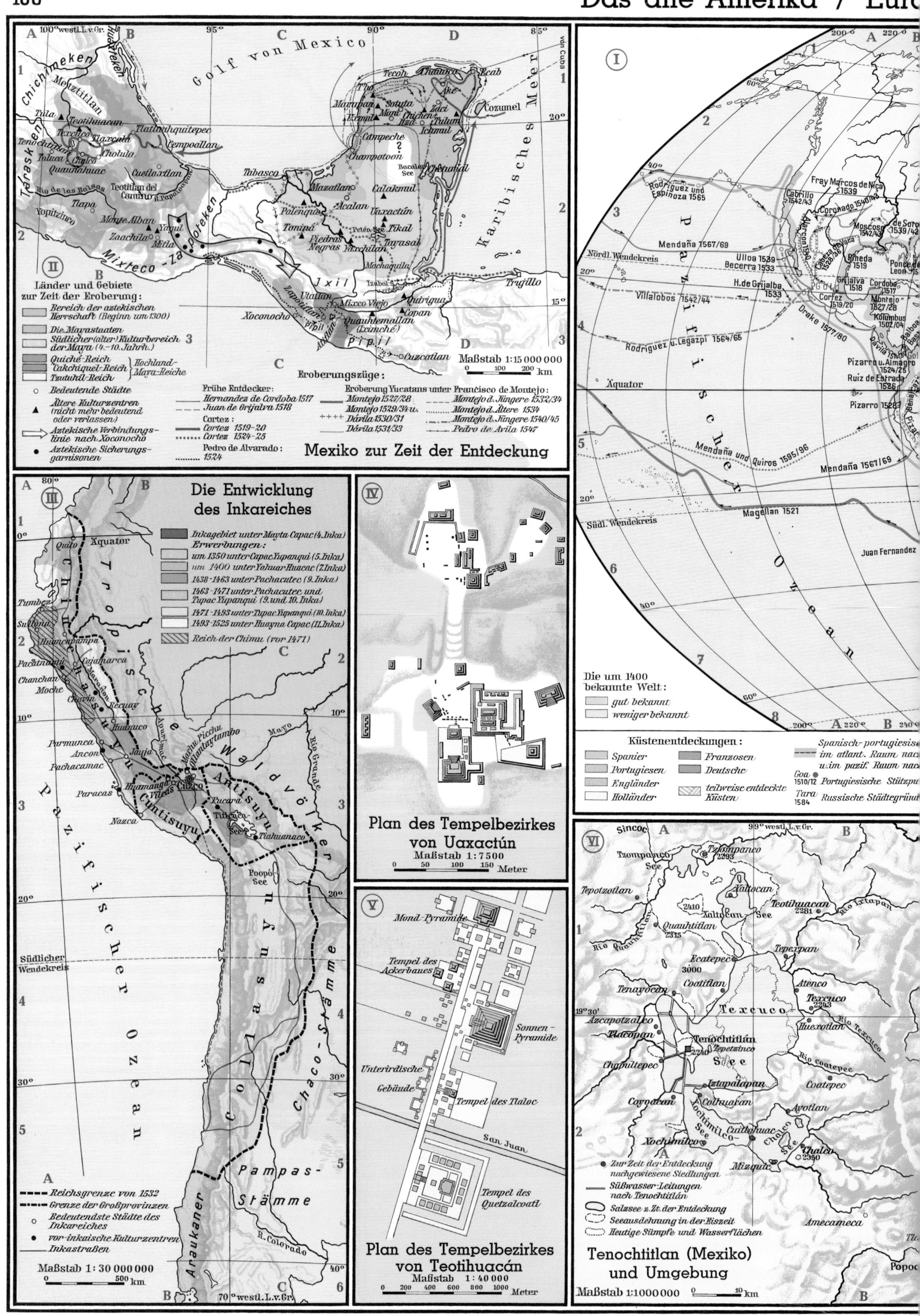
Mexiko zur Zeit der Entdeckung
Länder und Gebiete zur Zeit der Eroberung:
Bereich der aztekischen Herrschaft (Beginn um 1300)
Die Mayastaaten
Südlicher (alter) Kulturbereich der Maya (4.-10. Jahrh.)
Quiché-Reich
Cakchiquel-Reich
Tzutuhil-Reich
Hochland-Maya-Reiche
Bedeutende Städte
Ältere Kulturzentren (nicht mehr bedeutend oder verlassen)
Aztekische Verbindungslinie nach Xoconocho
Aztekische Sicherungsgarnisonen
Eroberungszüge:
Frühe Entdecker:
Hernandez de Cordoba 1517
Juan de Grijalva 1518
Cortez:
Cortez 1519-20
Cortez 1524-25
Pedro de Alvarado:
1524
Eroberung Yucatans unter Francisco de Montejo:
Montejo 1527/28
Montejo 1529/34 u.
Dávila 1530/31
Dávila 1531/33
Montejo d. Jüngere 1532/34
Montejo d. Ältere 1534
Montejo d. Jüngere 1540/45
Pedro de Avila 1547
Maßstab 1:15 000 000
Golf von Mexico
Karibisches Meer
Die Entwicklung des Inkareiches
Inkagebiet unter Mayta Capac (4. Inka)
Erwerbungen:
um 1350 unter Capac Yupanqui (5. Inka)
um 1400 unter Yahuar Huacac (7. Inka)
1438-1463 unter Pachacutec (9. Inka)
1463-1471 unter Pachacutec und Tupac Yupanqui (9. und 10. Inka)
1471-1493 unter Tupac Yupanqui (10. Inka)
1493-1525 unter Huayna Capac (11. Inka)
Reich der Chimu (vor 1471)
Reichsgrenze von 1532
Grenze der Großprovinzen
Bedeutendste Städte des Inkareiches
vor-inkaische Kulturzentren
Inkastraßen
Maßstab 1:30 000 000
Pazifischer Ozean
Tropische Waldvölker
Chaco-Stämme
Pampas-Stämme
Araukaner
Plan des Tempelbezirkes von Uaxactún
Maßstab 1:7500
Meter
Plan des Tempelbezirkes von Teotihuacán
Maßstab 1:40 000
Mond-Pyramide
Tempel des Ackerbaues
Sonnen-Pyramide
Unterirdische Gebäude
Tempel des Tlaloc
San Juan
Tempel des Quetzalcoatl
Meter
Pazifischer Ozean
Die um 1400 bekannte Welt:
gut bekannt
weniger bekannt
Küstenentdeckungen:
Spanier
Portugiesen
Engländer
Holländer
Franzosen
Deutsche
teilweise entdeckte Küsten
Spanisch-portugiesis
im atlant. Raum nac
u. im pazif. Raum nac
Goa 1510/12 Portugiesische Stützpu
Tara 1584 Russische Städtegrün
Magellan 1521
Mendaña und Quiros 1595/96
Mendaña 1567/69
Drake 1577/80
Rodriguez u. Legazpi 1564/65
Villalobos 1542/44
Tenochtitlan (Mexiko) und Umgebung
Zur Zeit der Entdeckung nachgewiesene Siedlungen
Süßwasser-Leitungen nach Tenochtitlán
Salzsee z. Zt. der Entdeckung
Seeausdehnung in der Eiszeit
Heutige Sümpfe und Wasserflächen
Maßstab 1:1000 000
Texcuco
Tenochtitlán
Xochimilco
Chalco

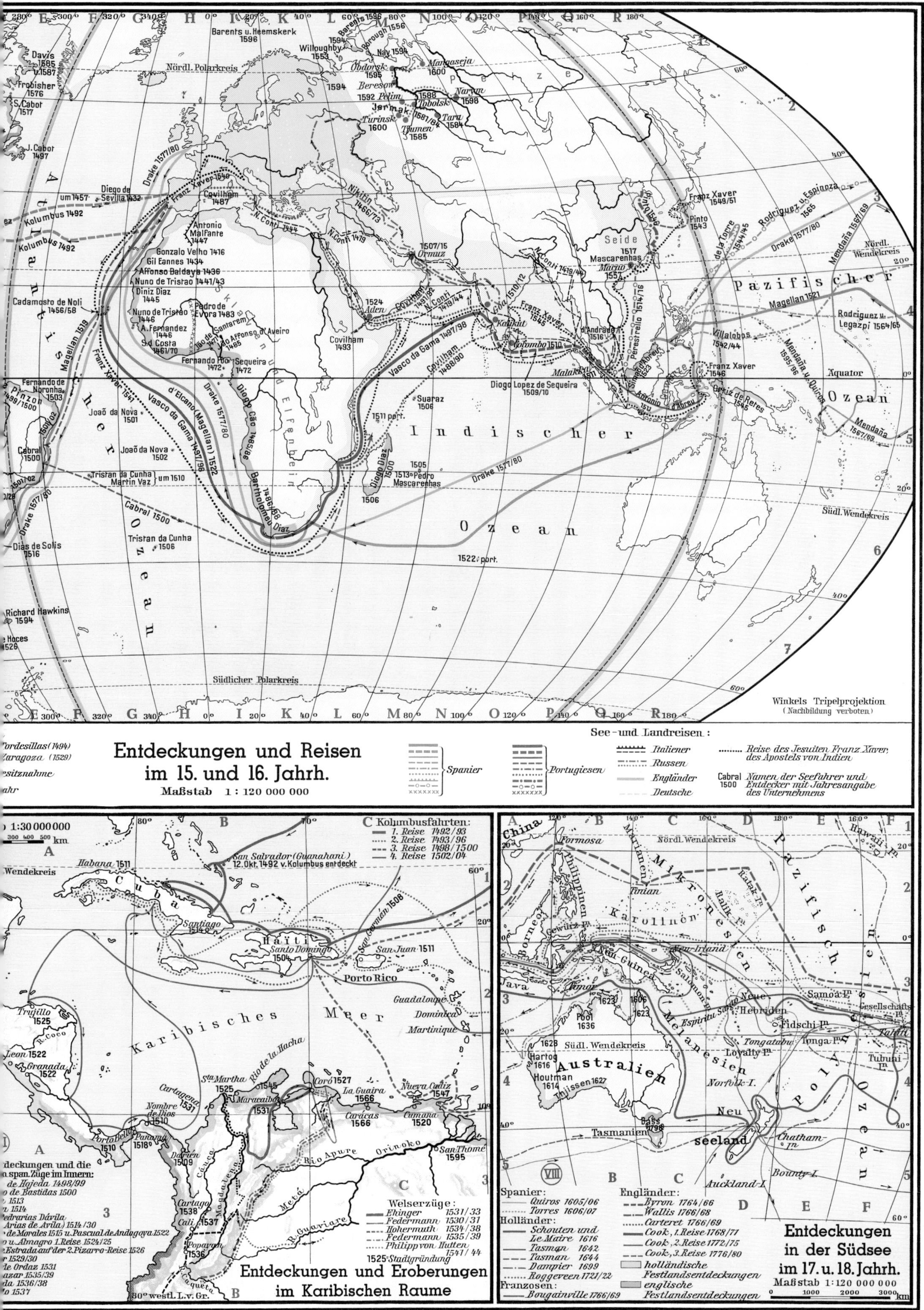
Entdeckungen und Reisen
im 15. und 16. Jahrh.
Maßstab 1 : 120 000 000
See- und Landreisen:
Spanier
Portugiesen
Italiener
Russen
Engländer
Deutsche
Reise des Jesuiten Franz Xaver, des Apostels von Indien
Cabral 1500 Namen der Seefahrer und Entdecker mit Jahresangabe des Unternehmens
Winkels Tripelprojektion
(Nachbildung verboten)
Nördl. Polarkreis
Nördl. Wendekreis
Äquator
Südl. Wendekreis
Südlicher Polarkreis
Atlantischer Ozean
Indischer Ozean
Pazifischer Ozean
Seide
Pelze
Sklaven und Elfenbein
Barents u. Heemskerk 1596
Willoughby 1553
Nördl. Polarkreis
Davis 1585 u. 1587
Frobisher 1576
S. Cabot 1517
J. Cabot 1497
Diego de Sevilla 1432
um 1457
Kolumbus 1492
Covilham 1487
Antonio Malfante 1447
N. Conti 1444
N. Conti 1419
Nikitin 1466/73
Gonzalo Velho 1416
Gil Eannes 1434
Affonso Baldaya 1436
Nuno de Tristão 1441/43
Diniz Diaz 1445
Cadamosto de Noli 1456/58
Nuno de Tristão 1446
Pedro de Evora 1483
A. Fernandez 1446
S. d. Costa 1461/70
Fernando Póo 1472
Sequeira 1472
Magellan 1519
Fernando de Noronha 1503
Pinzon 1499/1500
João da Nova 1501
João da Nova 1502
Cabral 1500
Tristan da Cunha Martin Vaz um 1510
Tristan da Cunha 1506
Dias de Solis 1516
Richard Hawkins 1594
Franz Xaver 1541
Vasco da Gama 1497/98
d'Elcano (Magellan) 1522
Drake 1577/80
Diogo Cão 1485/86
Bartholomeu Diaz 1486/88
Covilham 1493
Covilham 1488/90
Aden 1524
Ormuz 1507/15
Goa 1510/12
Kalikut
Colombo 1510
Malakka 1511
Diogo Lopez de Sequeira 1509/10
Suaraz 1506
1511 port.
1522 port.
Diogo Diaz 1500
1513 Pedro Mascarenhas
1505
1506
Mascarenhas 1517
Macao 1557
Franz Xaver 1549/51
Pinto 1543
Rodriguez u. Espinoza 1565
de la Torre 1544/45
Magellan 1521
Rodriguez u. Legazpi 1564/65
Villalobos 1542/44
Mendaña 1567/69
Mendaña u. Quiros 1595/96
Ortiz de Retes 1545
Franz Xaver 1546
Antonio d'Abreu 1511
Obdorsk 1595
Beresow 1594
Pelim 1592
Jermak 1581/84
Tobolsk 1588
Turinsk 1600
Tjumen 1585
Tara 1584
Narym 1598
Mangaseja 1600
Nay 1594

Entdeckungen und Eroberungen
im Karibischen Raume
1:30 000 000
Kolumbusfahrten:
1. Reise 1492/93
2. Reise 1493/96
3. Reise 1498/1500
4. Reise 1502/04
San Salvador (Guanahani) 12. Okt. 1492 v. Kolumbus entdeckt
Habana 1511
Cuba
Santiago 1514
Haiti
Santo Domingo 1504
San Juan 1511
Porto Rico
Guadaloupe
Dominica
Martinique
Karibisches Meer
Trujillo 1525
Leon 1522
Granada 1522
Sta Martha 1525
Rio de la Hacha
Cartagena 1531
Maracaibo 1531
Coro 1527
La Guaira 1566
Nueva Cadiz 1547
Caracas 1566
Cumana 1520
Nombre de Dios 1510
Porto Bello 1510
Panamá 1518
Darién 1509
Rio Apure
Orinoko
San Thomé 1595
Cartago 1538
Cali 1537
Popayán 1536
Meta
Rio Guaviare
Caquetá
Welserzüge:
Ehinger 1531/33
Federmann 1530/31
Hohermuth 1534/38
Federmann 1535/39
Philipp von Hutten 1541/44
1525 Stadtgründung
80° westl. L. v. Gr.

Entdeckungen
in der Südsee
im 17. u. 18. Jahrh.
Maßstab 1:120 000 000
China
Formosa
Philippinen
Marianen
Tinian
Mikronesien
Karolinen
Ralik I.
Ratak I.
Borneo
Gewürz I.
Neu-Guinea
Neu-Irland
Salomon I.
Java
Timor
Pool 1636
Hartog 1616
Houtman 1614
Thijssen 1627
Australien
Melanesien
Espiritu Santo
Neue Hebriden
Fidschi I.
Samoa I.
Gesellschafts I.
Tahiti
Tonga I.
Tongatabu
Loyalty I.
Tubuai I.
Norfolk I.
Polynesien
Pazifischer Ozean
Hawaii I.
Tasmanien
Bass 1798
Neuseeland
Chatham I.
Bounty I.
Auckland I.
Spanier:
Quiros 1605/06
Torres 1606/07
Holländer:
Schouten und Le Maire 1616
Tasman 1642
Tasman 1644
Dampier 1699
Roggeveen 1721/22
Franzosen:
Bougainville 1766/69
Engländer:
Byron 1764/66
Wallis 1766/68
Carteret 1766/69
Cook, 1. Reise 1768/71
Cook, 2. Reise 1772/75
Cook, 3. Reise 1776/80
holländische Festlandsentdeckungen
englische Festlandsentdeckungen
0 1000 2000 3000 km

Grenze des Deutschen Reiches („Heiliges Römisches Reich deutscher Nation")
Staatengrenzen
Grenzen von Erwerbungen
Reichsstädte
Besitz der Bourbonen (Die Stammlande Heinrichs v. Navarra sind dunkler getönt)
Osmanisches Reich bis 1500
Erwerbungen seit 1500
Unter türkischer Oberhoheit
Flächenfärbung: Großmächte
Maßstab 1:12 500 000
0 100 200 300 km
I
Atlantischer Ozean
Nordsee
Der Kanal
Färöer norweg.
Shetland-I.
Orkney-I.
Hebriden
Kgr. Schottland
Edinburgh
Aberdeen
Inverness
Perth
St. Andrews
Dunbar
Kgr. England
London
York
Man
Ulster
Connaught
Leinster
Munster
Dublin
Belfast
Armagh
Waterford
Cork
Kinsale
Wales
Somerset
Cornwall
Southampton
Sussex
Essex
Suffolk
Norfolk
Plymouth
Wight
Themse
Fahrt der Großen Armada 1588
65 Schiffe, 10000 Mann
130 Schiffe, 30000 Mann
Kgr. Norwegen
Drontheim
Bergen
Oslo
Stavanger
Hamar
Kgr. Schweden
Stockholm
Upsala
Gefle
Falun
Dannemora
Vesterås
Strengnäs
Vadstena
Linköping
Jönköping
Skara
Kalmar
Wisby
Gotland
Öland
Åland
Halland
Kgr. Dänemark
Jütland
Aalborg
Viborg
Aarhus
Kopenhagen
Helsingborg
Schonen
Lund
Malmö
Blekinge
Bornholm
Schleswig
Hzm. Holst.
Lübeck
Wismar
Hzm. Mecklenbg.
Pommern
Stettin
Danzig
Cammin
Kur-Brandenbg.
Berlin
Gnesen
Posen
Breslau
Glogau
Hzm. Schlesien
Kgr. Böhmen 1526
Prag
Mgft. Mähren 1526
Olmütz
Brünn
Sachsen
Dresden
Leipzig
Erfurt
Deutsches Reich
Bremen
Hamburg
Lüneburg
Amsterdam
Utrecht
Haag
Leiden
Münster
Kleve
Köln
Trier
Luxemburg
Mainz
Frankfurt
Nürnberg
Ob.-Pfalz
Würzburg
Hzm. Württ.
Straßburg
Augsburg
Ulm
Hzm. Bayern
München
Erzhzm. Österreich
Wien 1529
Linz
Preßburg
Raab
Hzm. Steiermark
Graz
Kärnten
Laibach
Krain
Gft. Tirol
Innsbruck
Salzburg
Eidgenossenschaft
Basel
Bern
Luzern
Zürich
Genf
Graubünden
Wallis
Rep. Venedig
Venedig
Hzm. Savoyen
Turin
Mailand
Genua
Rep. Genua
Rep. Lucca
Hzm. Parma
Hzm. Modena
Ferrara
Bologna
Ravenna
S. Marino
Ghzm. Florenz
Toskana
Pisa
Siena
Kirchenstaat
Rom
Ancona
Urbino
Perugia
Spoleto
Kgr. Neapel
Neapel
1504 span.
Korsika genues.
Sardinien
Sassari
Cagliari
Kgr. Sizilien
1479 span.
Palermo
Messina
Catania
Syrakus
Malta
1530 Johanniter
Adriatisches Meer
Rep. Ragusa 1526 türk.
Flandern
Artois
Brüssel
Gent
Calais
Boulogne
Amiens
Rouen
St. Quentin
Normandie
Bretagne
Rennes
Nantes
Maine
Anjou
Poitou
La Rochelle
Paris
Champagne
Reims
Orléans
Blois
Tours
Berry
Kgr. Frankreich
Bourgogne
Dijon
Lyon
Bourbon
Auvergne
Guyenne
Bordeaux
Gascogne
Languedoc
Toulouse
Montpellier
Narbonne
Nîmes
Dauphiné
Valence
Avignon päpstl.
Provence
Marseille
Toulon
Nizza
Kgr. Navarra
Pamplona
Kgr. Portugal
Lissabon
Oporto
Braga
Coimbra
Santarem
Algarve
Faro
1580–1640 zu Spanien
Kgr. Spanien
Madrid
Toledo
Valladolid
Burgos
Salamanca
Segovia
Kgr. Leon
Oviedo
Santiago
La Coruña
Bilbao
Santander
Kgr. Aragon
Zaragoza
Barcelona
Tarragona
Valencia
Murcia
Alicante
Cartagena
Sevilla
Córdoba
Granada
Kgr. Granada 1492 span.
Cadiz
Malaga
Almeria
Gibraltar
Balearen
Mallorca
Menorca
Ibiza
Mittelmeer
Algier 1510–19 span.
Oran 1509 span.
Melilla 1496 span.
Bugia 1510–55 span.
Bona 1535 span.
Tunis 1535–74 span.
Bizerta 1535–74 span.
Tlemsen
Algerien
1520/58 türk. Vasall
Tunis 1574 türk. Vasall
Fez u. Marokko
Fez
Rabat
Marrakesch
Ceuta
Tanger
Algarve ultramar
Barbareskenstaaten

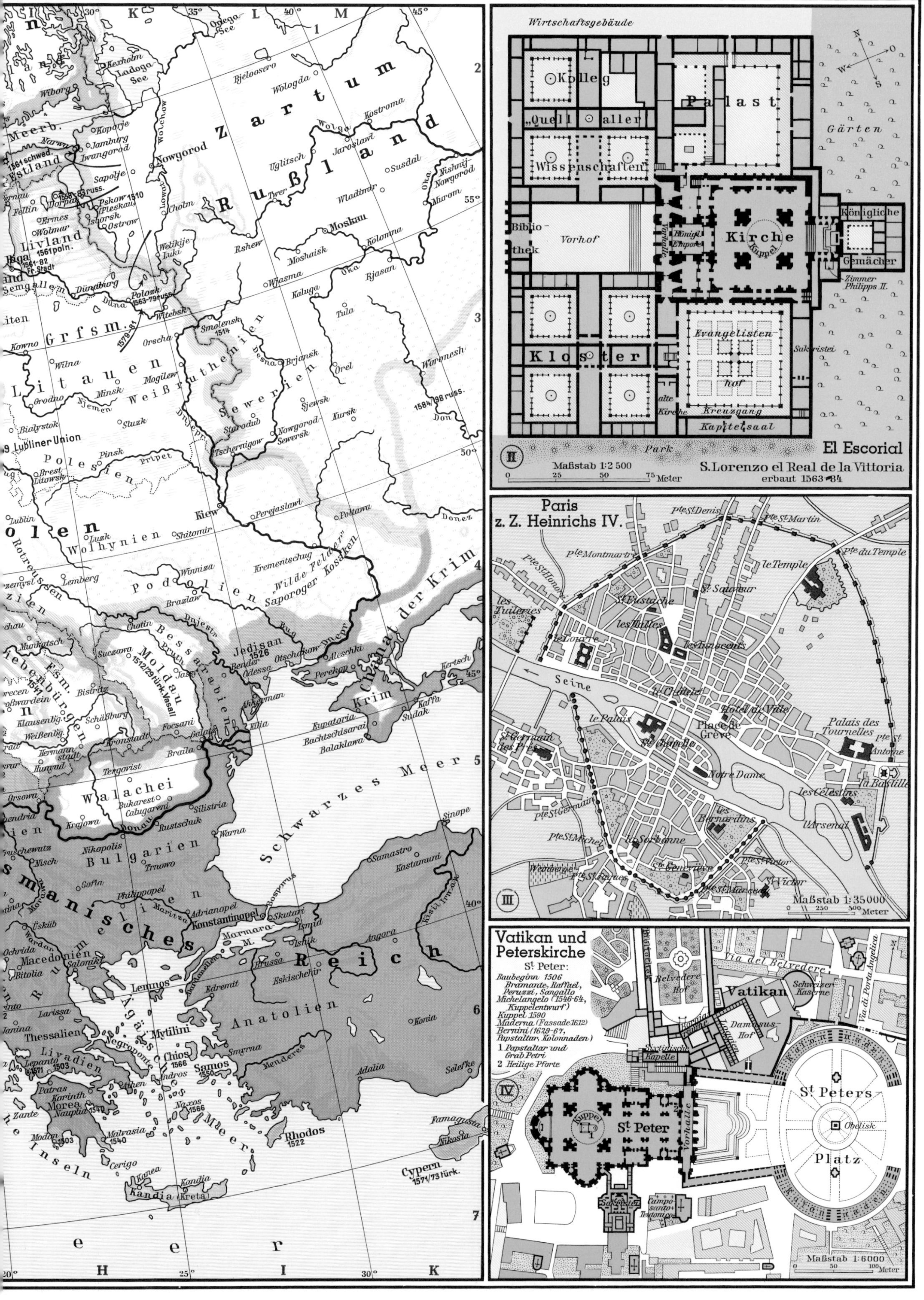
Zartum Rußland
Moskau
Nowgorod
Smolensk
Kiew
Litauen
Grfsm.
Livland
Estland
Polen
Wolhynien
Podolien
Moldau
Walachei
Siebenbürgen
Bulgarien
Osmanisches Reich
Anatolien
Schwarzes Meer
Ägäisches Meer
Konstantinopel
Krim
Chanat der Krim
„Wilde Felder"
Saporoger Kosaken
Lubliner Union
Cypern 1571/73 türk.
Rhodos 1522
Kandia (Kreta)
Wirtschaftsgebäude
Kolleg
„Quell aller Wissenschaften"
Palast
Gärten
Bibliothek
Vorhof
Kirche
Kuppel
Königl. Empore
Königliche Gemächer
Zimmer Philipps II.
Kloster
Evangelistenhof
Sakristei
alte Kirche
Kreuzgang
Kapitelsaal
Park
II
El Escorial
S. Lorenzo el Real de la Vittoria
erbaut 1563–84
Maßstab 1:2 500
0 25 50 75 Meter
Paris z. Z. Heinrichs IV.
Seine
le Louvre
les Tuileries
les Halles
St Eustache
les Innocents
le Temple
le Palais
Notre Dame
Place de Grève
Hotel de Ville
Palais des Tournelles
la Bastille
les Célestins
l'Arsenal
les Bernardins
la Sorbonne
Ste Geneviève
St Victor
III
Maßstab 1:35000
0 250 500 Meter
Vatikan und Peterskirche
St. Peter:
Baubeginn 1506
Bramante, Raffael, Peruzzi, Sangallo
Michelangelo (1546-64, Kuppelentwurf)
Kuppel 1590
Maderna (Fassade 1612)
Bernini (1629-67, Papstaltar, Kolonnaden)
1 Papstaltar und Grab Petri
2 Heilige Pforte
IV
Vatikan
Belvedere-Hof
Via del Belvedere
Schweizer-Kaserne
Damasus-Hof
Sixtinische Kapelle
Vorhalle
Kuppel
St. Peter
St. Peters Platz
Obelisk
Kolonnaden
Sakristei
Camposanto Teutonico
Via di Porta Angelica
Maßstab 1:6000
0 50 100 Meter

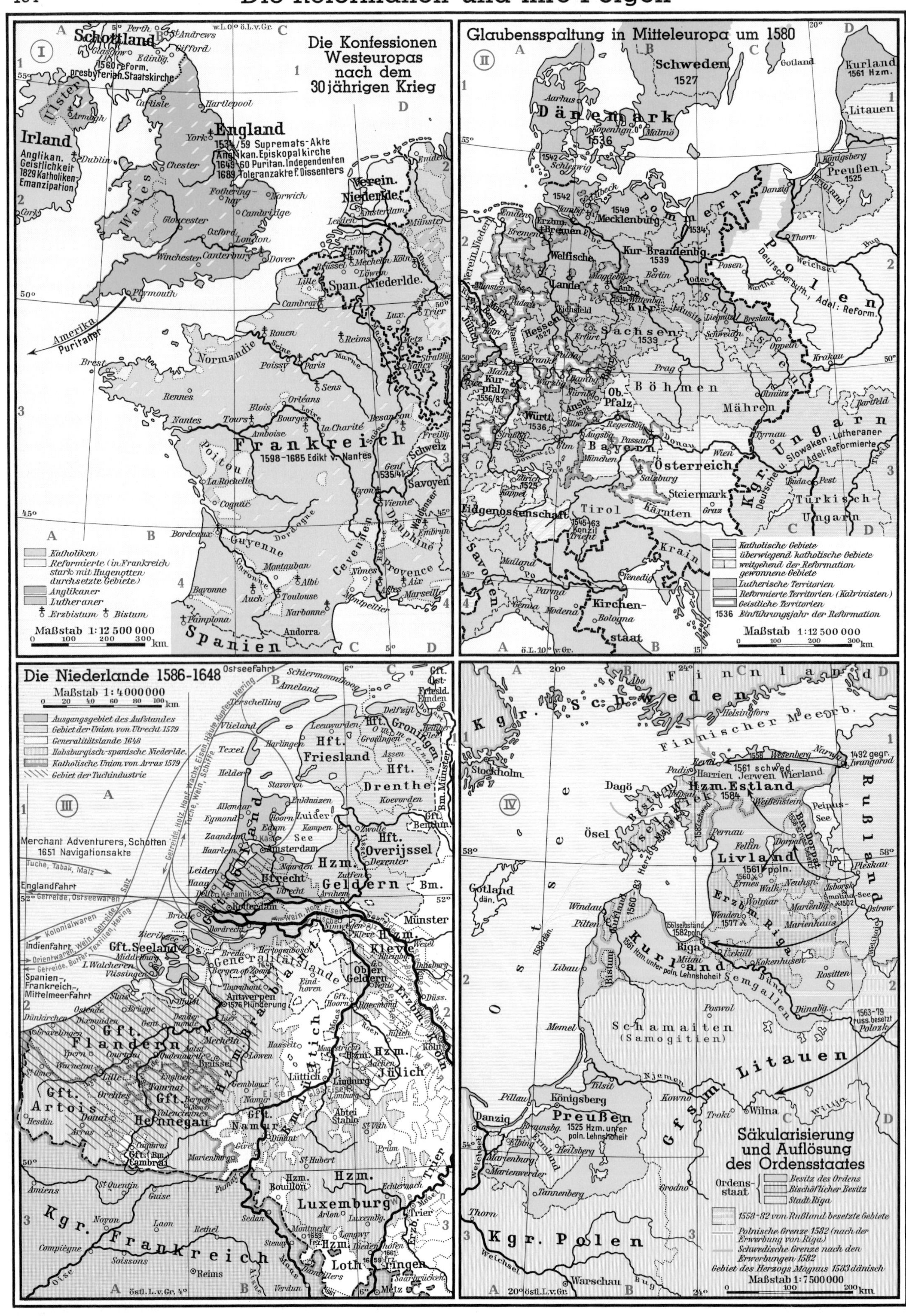
I
Die Konfessionen Westeuropas nach dem 30jährigen Krieg
Schottland
1560 reform. presbyterian. Staatskirche
Irland
Anglikan. Geistlichkeit
1829 Katholiken-Emanzipation
Ulster
England
1534/59 Suprematsakte
Anglikan. Episkopalkirche
1649–60 Puritan. Independenten
1689 Toleranzakte f. Dissenters
Wales
Verein. Niederlde.
Span. Niederlde.
Amerika
Puritaner
Normandie
Frankreich
1598–1685 Edikt v. Nantes
Poitou
Guyenne
Cevennen
Dauphiné
Provence
Savoyen
Schweiz
Genf 1535/41
Spanien
Katholiken
Reformierte (in Frankreich stark mit Hugenotten durchsetzte Gebiete)
Anglikaner
Lutheraner
Erzbistum
Bistum
Maßstab 1:12 500 000
0 100 200 300 km
II
Glaubensspaltung in Mitteleuropa um 1580
Schweden 1527
Dänemark 1536
Kurland 1561 Hzm.
Litauen
Preußen 1525
Pommern
Mecklenburg 1549
Kur-Brandenbg. 1539
Polen
Deutsche luth. Adel: Reform.
Schlesien
Hessen 1527
Sachsen 1539
Kurpfalz 1556/83
Württ. 1536
Ob. Pfalz
Böhmen
Mähren
Bayern
Österreich
Steiermark
Kärnten
Tirol
Eidgenossenschaft
Ungarn
Slowaken: Lutheraner
Adel: Reformierte
Türkisch-Ungarn
Kirchenstaat
Krain
Savoyen
Katholische Gebiete
überwiegend katholische Gebiete
weitgehend der Reformation gewonnene Gebiete
Lutherische Territorien
Reformierte Territorien (Kalvinisten)
Geistliche Territorien
1536 Einführungsjahr der Reformation
Maßstab 1:12 500 000
0 100 200 300 km
III
Die Niederlande 1586-1648
Maßstab 1:4 000 000
0 20 40 60 80 100 km
Ausgangsgebiet des Aufstandes
Gebiet der Union von Utrecht 1579
Generalitätslande 1648
Habsburgisch-spanische Niederlde.
Katholische Union von Arras 1579
Gebiet der Tuchindustrie
Merchant Adventurers, Schotten
1651 Navigationsakte
Englandfahrt
Indienfahrt
Spanien-, Frankreich-, Mittelmeerfahrt
Ostseefahrt
Hft. Friesland
Hft. Groningen
Hft. Drenthe
Hft. Overijssel
Hzm. Geldern
Holland
Utrecht
Gft. Seeland
Generalitätslande
Brabant
Gft. Flandern
Gft. Artois
Gft. Hennegau
Gft. Namur
Bm. Lüttich
Hzm. Jülich
Hzm. Kleve
Hzm. Luxemburg
Kgr. Frankreich
Antwerpen 1576 Plünderung
IV
Säkularisierung und Auflösung des Ordensstaates
Kgr. Schweden
Finnland
Finnischer Meerb.
Rußland
Hzm. Estland 1584
1561 schwed.
1492 gegr. Iwangorod
Ösel
Livland 1561 poln.
Erzb. Riga
Kurland
1561 Hzm. unter poln. Lehnshoheit
Semgallen
Schamaiten (Samogitien)
Litauen
Gfsm.
Preußen
1525 Hzm. unter poln. Lehnshoheit
Ostsee
Kgr. Polen
Ordensstaat
Besitz des Ordens
Bischöflicher Besitz
Stadt Riga
1558–82 von Rußland besetzte Gebiete
Polnische Grenze 1582 (nach der Erwerbung von Riga)
Schwedische Grenze nach den Erwerbungen 1582
Gebiet des Herzogs Magnus 1583 dänisch
Maßstab 1:7 500 000
0 100 200 km

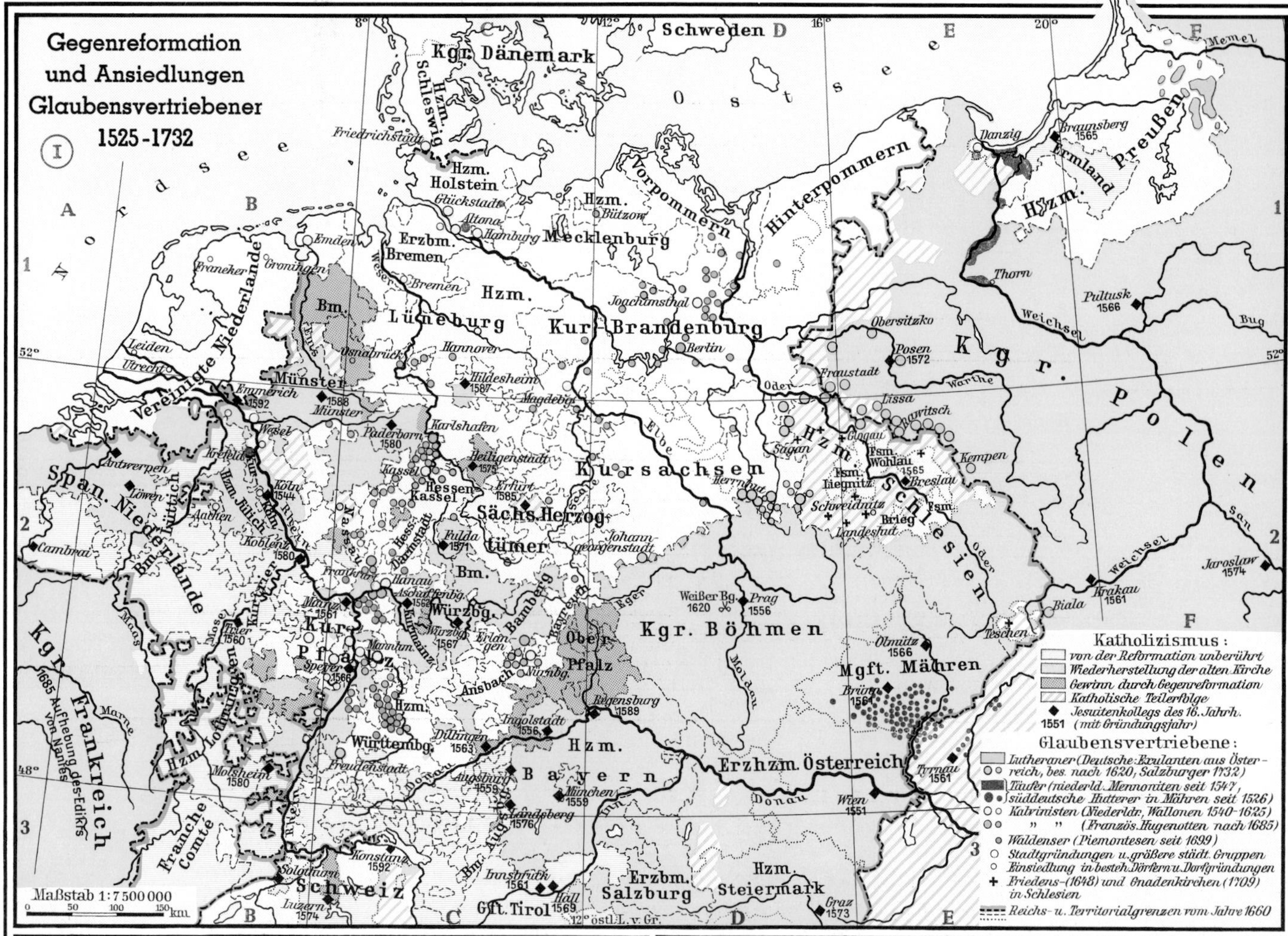

Gegenreformation und Ansiedlungen Glaubensvertriebener 1525-1732
I
Katholizismus:
von der Reformation unberührt
Wiederherstellung der alten Kirche
Gewinn durch Gegenreformation
Katholische Teilerfolge
Jesuitenkollegs des 16. Jahrh.
1551 (mit Gründungsjahr)
Glaubensvertriebene:
Lutheraner (Deutsche-Exulanten aus Österreich, bes. nach 1620, Salzburger 1732)
Täufer (niederld. Mennoniten seit 1547, süddeutsche Hutterer in Mähren seit 1526)
Kalvinisten (Niederldr., Wallonen 1540-1625)
" " (Französ. Hugenotten nach 1685)
Waldenser (Piemontesen seit 1699)
Stadtgründungen u. größere städt. Gruppen
Einsiedlung in besteh. Dörfern u. Dorfgründungen
Friedens-(1648) und Gnadenkirchen (1709) in Schlesien
Reichs- u. Territorialgrenzen vom Jahre 1660
Maßstab 1:7500000
Nordsee
Ostsee
Schweden
Kgr. Dänemark
Hzm. Schleswig
Hzm. Holstein
Hzm. Mecklenburg
Vorpommern
Hinterpommern
Preußen
Ermland
Erzbm. Bremen
Hzm. Lüneburg
Kur-Brandenburg
Vereinigte Niederlande
Bm. Münster
Span. Niederlande
Kursachsen
Sächs. Herzogtümer
Kgr. Böhmen
Mgft. Mähren
Hzm. Schlesien
Kgr. Polen
Kur-Pfalz
Ober-Pfalz
Hzm. Württembg.
Hzm. Bayern
Erzhzm. Österreich
Erzbm. Salzburg
Hzm. Steiermark
Gft. Tirol
Schweiz
Franche Comté
Kgr. Frankreich
1685 Aufhebung des Edikts von Nantes

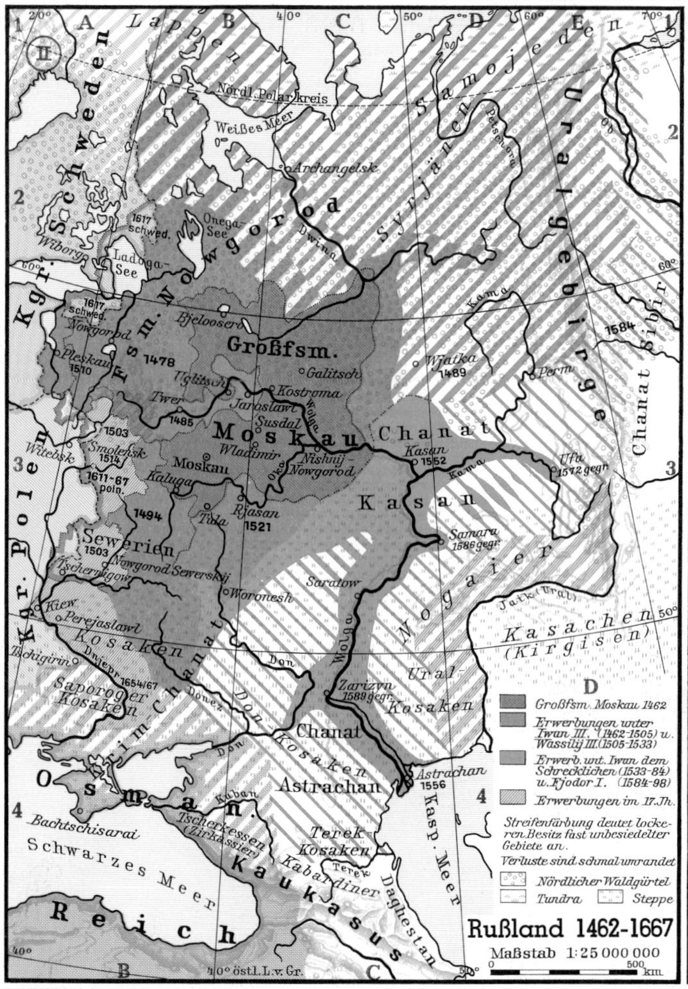

II
Rußland 1462-1667
Großfsm. Moskau 1462
Erwerbungen unter Iwan III. (1462-1505) u. Wassilij III. (1505-1533)
Erwerb. unt. Iwan dem Schrecklichen (1533-84) u. Fjodor I. (1584-98)
Erwerbungen im 17. Jh.
Streifenfärbung deutet lockeren Besitz fast unbesiedelter Gebiete an.
Verluste sind schmal umrandet
Nördlicher Waldgürtel
Tundra
Steppe
Maßstab 1:25000000
Großfsm. Moskau
Fsm. Nowgorod
Chanat Kasan
Chanat Astrachan
Krim Chanat
Kgr. Schweden
Kgr. Polen
Osman. Reich
Schwarzes Meer
Kasp. Meer
Kaukasus
Uralgebirge
Samojeden
Kasachen (Kirgisen)
Nogaier
Kosaken

III
Das russ. Vordringen in Asien im 17. Jh.
Gründung befestigter Siedlungen (Ostrogs):
1587-1600
1601-1630
1631-1640
1641-1660
späteres 17. Jahrhundert, Ausbau
Rußland
Sibirien
Nordpolarmeer
China
Maßstab 1:75000000

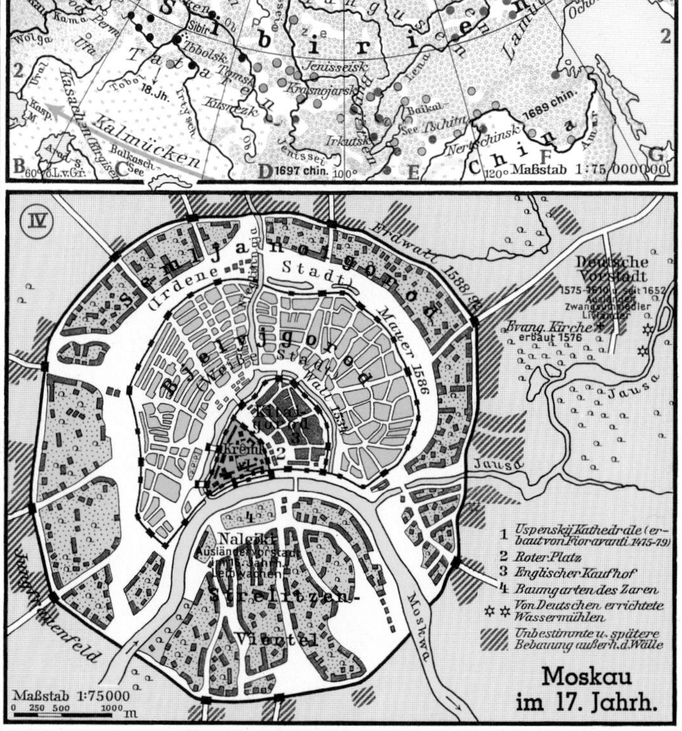

IV
Moskau im 17. Jahrh.
1 Uspenskij Kathedrale (erbaut von Fioravanti 1475-79)
2 Roter Platz
3 Englischer Kaufhof
4 Baumgarten des Zaren
Von Deutschen errichtete Wassermühlen
Unbestimmte u. spätere Bebauung außerh. d. Wälle
Deutsche Vorstadt
Maßstab 1:75000
Semljanoi gorod
Belyi gorod
Kreml
Strelitzen-Viertel
Moskwa

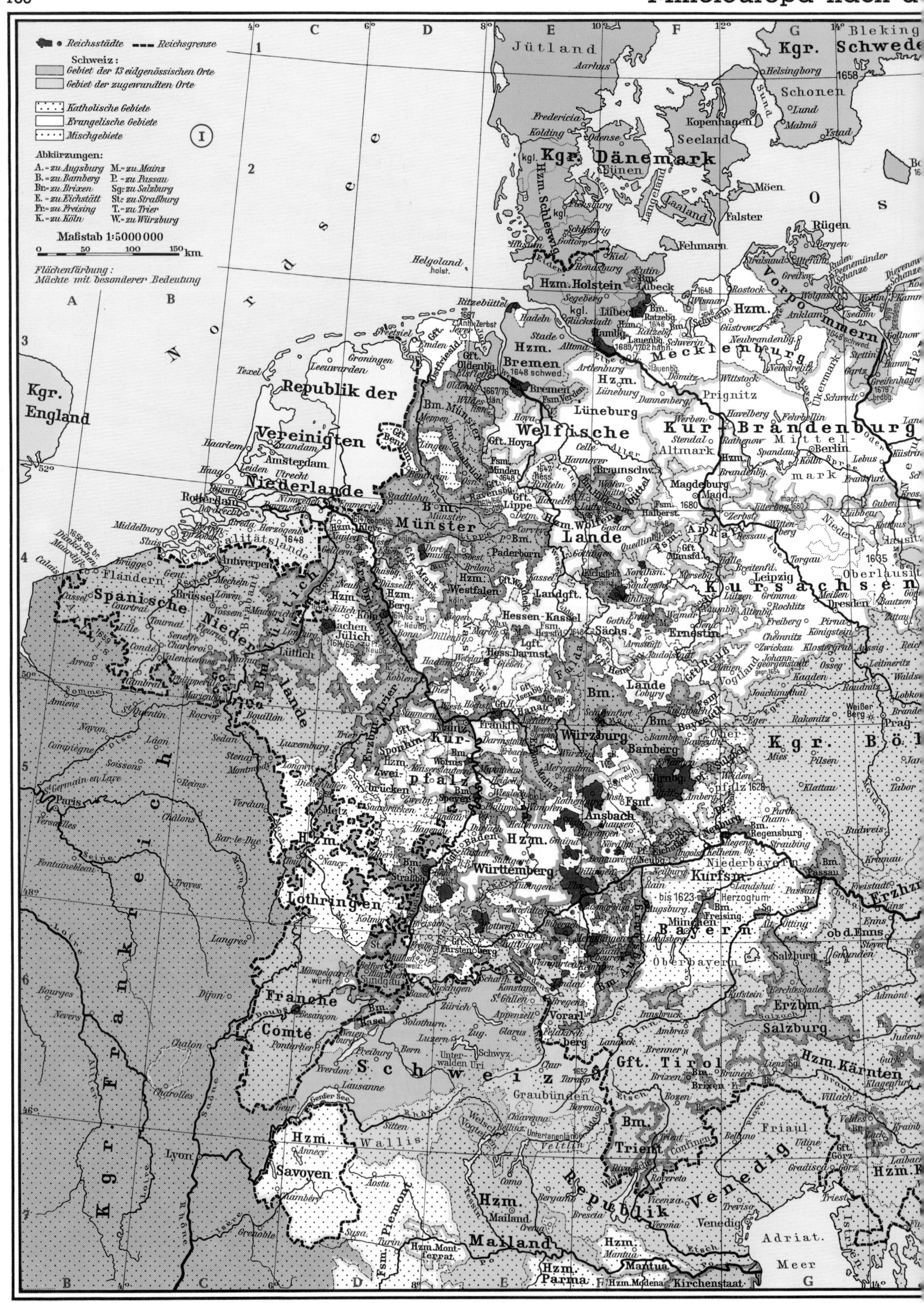
Reichsstädte
Reichsgrenze
Schweiz:
Gebiet der 13 eidgenössischen Orte
Gebiet der zugewandten Orte
Katholische Gebiete
Evangelische Gebiete
Mischgebiete
I
Abkürzungen:
A. = zu Augsburg
B. = zu Bamberg
Br = zu Brixen
E. = zu Eichstätt
Fr = zu Freising
K. = zu Köln
M. = zu Mainz
P. = zu Passau
Sg = zu Salzburg
St = zu Straßburg
T. = zu Trier
W. = zu Würzburg
Maßstab 1:5000000
0 50 100 150 km
Flächenfärbung:
Mächte mit besonderer Bedeutung
Nordsee
Ostsee
Jütland
Kgr. Schweden
Schonen
Kgr. Dänemark
Seeland
Fünen
Kgr. England
Republik der Vereinigten Niederlande
Spanische Niederlande
Kgr. Frankreich
Lothringen
Franche Comté
Schweiz
Hzm. Savoyen
Wallis
Graubünden
Hzm. Mailand
Republik Venedig
Gft. Tirol
Hzm. Holstein
Hzm. Bremen
Hzm. Mecklenburg
Vorpommern
Kur-Brandenburg
Welfische Lande
Bm. Münster
Hzm. Westfalen
Landgft. Hessen-Kassel
Sächs.-Ernestin. Lande
Kursachsen
Kgr. Böhmen
Kur-pfalz
Hzm. Württemberg
Kurfsm. Bayern
Erzbm. Salzburg
Hzm. Kärnten
Friaul
Adriat. Meer
Paris
Amsterdam
Berlin
Leipzig
Dresden
Prag
München
Wien
Lyon
Genfer See
Hzm. Parma
Hzm. Modena
Kirchenstaat
Mantua

Hzm. Kurland
Hzm. Preußen
1618 brandenbg.
1656/57/60 unabhängig
Königreich Polen
Kujawien
Masowien
Klein Polen
Schlesien
Mähren
Ungarn
kontrolliertes Gebiet
1645 siebenbürg.
von den Türken
Türkisch-Ungarn
östl. L. v. Gr.
Maßstab 1 : 10 000 000
II
Kgr. Dänemark
Ostsee
Nordsee
Mecklenburg
Pommern
Kurmark
Kgr. Polen
Niederlande
Hessen
Sachsen
Schlesien
Böhmen
Pfalz
Württembg.
Bayern
Habsburgische Erblande
Schweiz
Kgr. Ungarn
Bevölkerungsverluste durch Krieg und Seuchen im Reich 1618-1648
(nach Arbeiten von G. Franz und E. Keyser)
Bevölkerungsabnahme:
0 bis 15 %
15 bis 33 %
33 bis 66 %
über 66 %
Wichtige Durchgangsstraßen
Maßstab 1 : 7 500 000
III
16° östl. L. v. Gr.
Ostsee
Kaschuben
Masuren
Polen
Tschechen
Slowaken
Ukrainer
Deutsche
Westslawen
Ostslawen
Kroaten
Kuren
Litauer
Magyaren
Deutsche Bergstadt-Gründungen
Sonst. deutsche Stadtgründgn. 1400-1700
Entdeutschte Städte
Sonst. ältere Städte
Helle Farbflächen = alter Siedlungsboden
Dunkle Farbflächen = 1400-1700 gewonnener Siedlungsboden einschließlich wiederbesiedelter Wüstungen
Umrandete Flächen = 1400-1700 verlorener Volksboden
Weiße Flächen = größere, erst nach 1700 besiedelte Gebiete
Nach 1700 von Deutschen besiedelte größere Gebiete
Nach 1700 sprachlich oder gesinnungsmäßig deutsch gewordene Gebiete
Volkstumsverschiebungen u. Neusiedlung im 15.-17. Jh.

Baukunst der Barock-Zeit

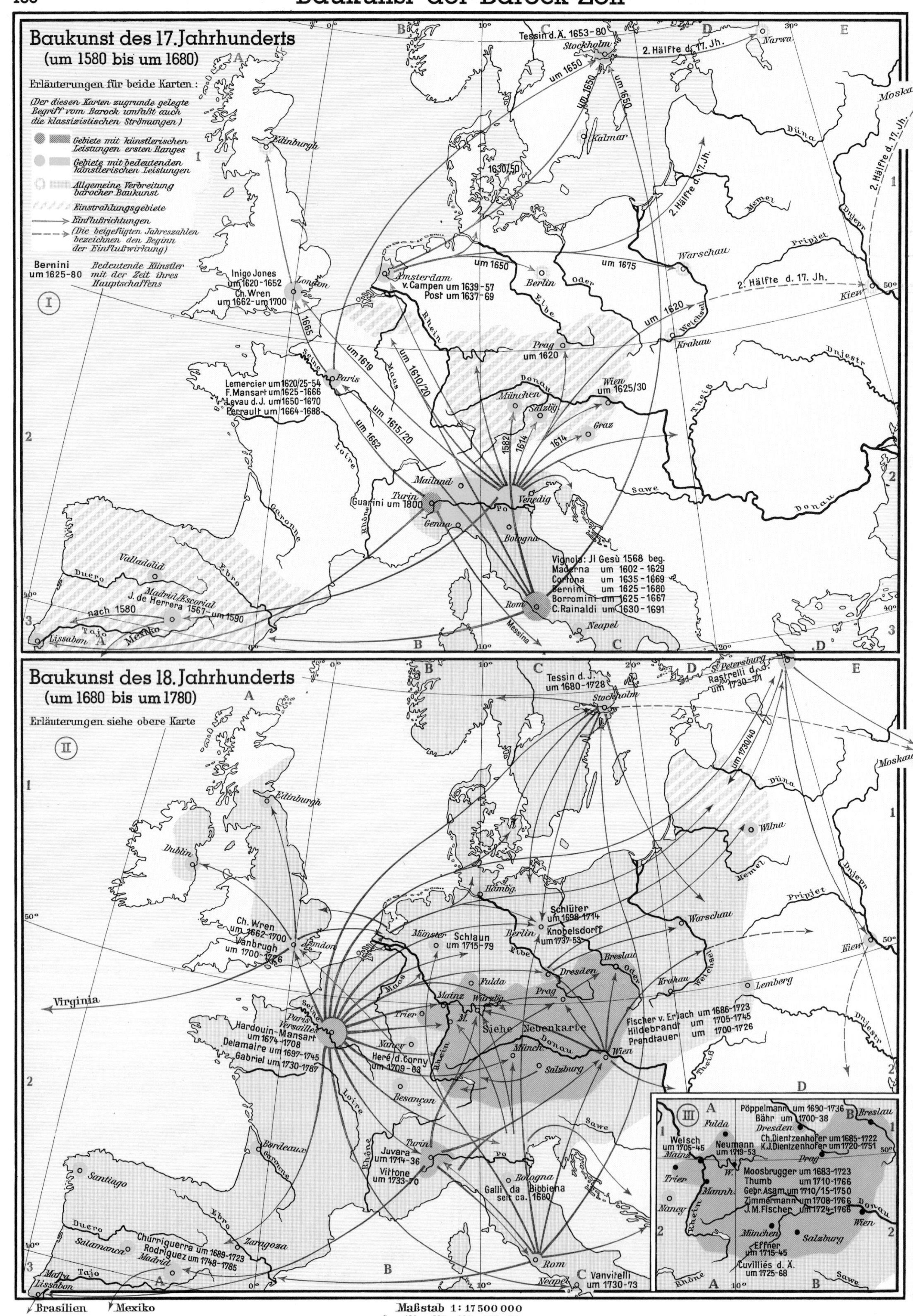

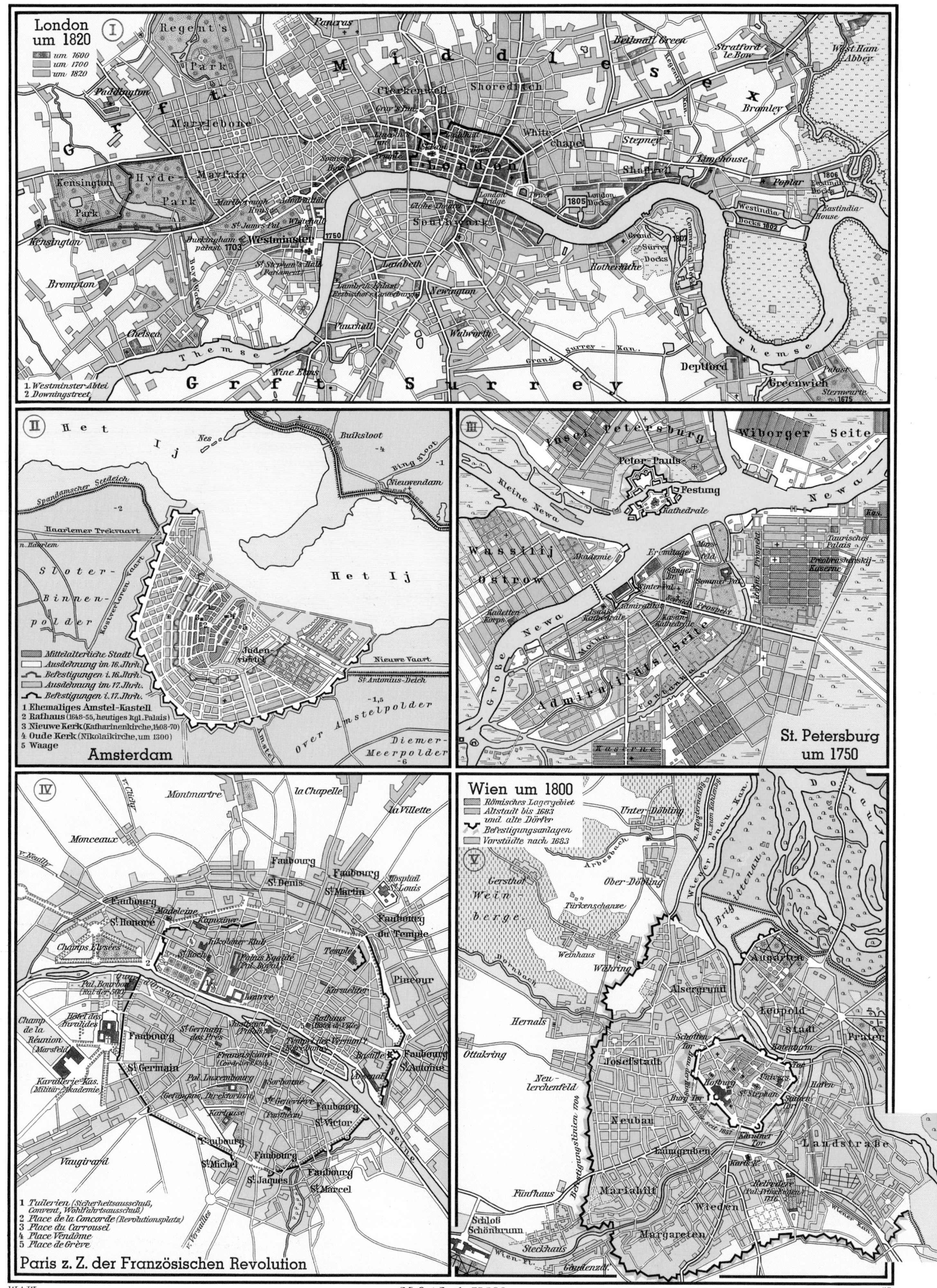
I
London um 1820
um 1600
um 1700
um 1820
1. Westminster Abtei
2 Downingstreet
II
Amsterdam
Mittelalterliche Stadt
Ausdehnung im 16. Jhrh.
Befestigungen i. 16. Jhrh.
Ausdehnung im 17. Jhrh.
Befestigungen i. 17. Jhrh.
1 Ehemaliges Amstel-Kastell
2 Rathaus (1648-55, heutiges kgl. Palais)
3 Nieuwe Kerk (Katharinenkirche, 1408-70)
4 Oude Kerk (Nikolaikirche, um 1300)
5 Waage
III
St. Petersburg um 1750
IV
Paris z. Z. der Französischen Revolution
1 Tuilerien (Sicherheitsausschuß, Convent, Wohlfahrtsausschuß)
2 Place de la Concorde (Revolutionsplatz)
3 Place du Carrousel
4 Place Vendôme
5 Place de Grève
V
Wien um 1800
Römisches Lagergebiet
Altstadt bis 1683 und alte Dörfer
Befestigungsanlagen
Vorstädte nach 1683
Maßstab 1 : 75 000
0 500 1000 2000 m

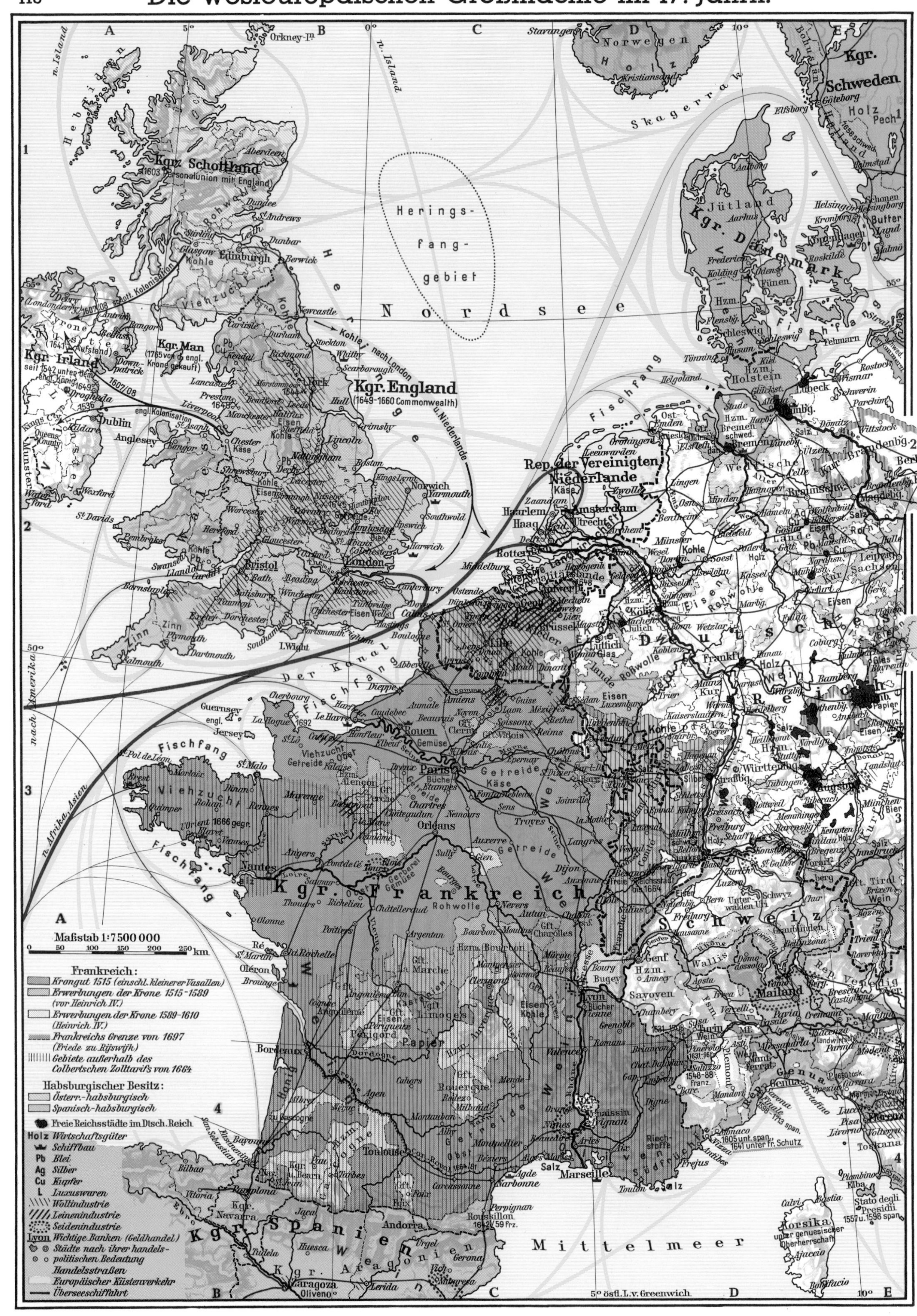
Kgr. Schottland
Kgr. England
(1649-1660 Commonwealth)
Kgr. Irland
Kgr. Man
Heringsfanggebiet
Nordsee
Kgr. Dänemark
Kgr. Schweden
Rep. der Vereinigten Niederlande
Deutsches Reich
Kgr. Frankreich
Schweiz
Kgr. Spanien
Mittelmeer
Maßstab 1:7500000
Frankreich:
Krongut 1515 (einschl. kleinerer Vasallen)
Erwerbungen der Krone 1515-1589 (vor Heinrich IV.)
Erwerbungen der Krone 1589-1610 (Heinrich IV.)
Frankreichs Grenze von 1697 (Friede zu Rijswijk)
Gebiete außerhalb des Colbertschen Zolltarifs von 1664
Habsburgischer Besitz:
Österr.-habsburgisch
Spanisch-habsburgisch
Freie Reichsstädte im Dtsch. Reich
Holz Wirtschaftsgüter
Schiffbau
Pb Blei
Ag Silber
Cu Kupfer
L Luxuswaren
Wollindustrie
Leinenindustrie
Seidenindustrie
Lyon Wichtige Banken (Geldhandel)
Städte nach ihrer handelspolitischen Bedeutung
Handelsstraßen
Europäischer Küstenverkehr
Überseeschiffahrt

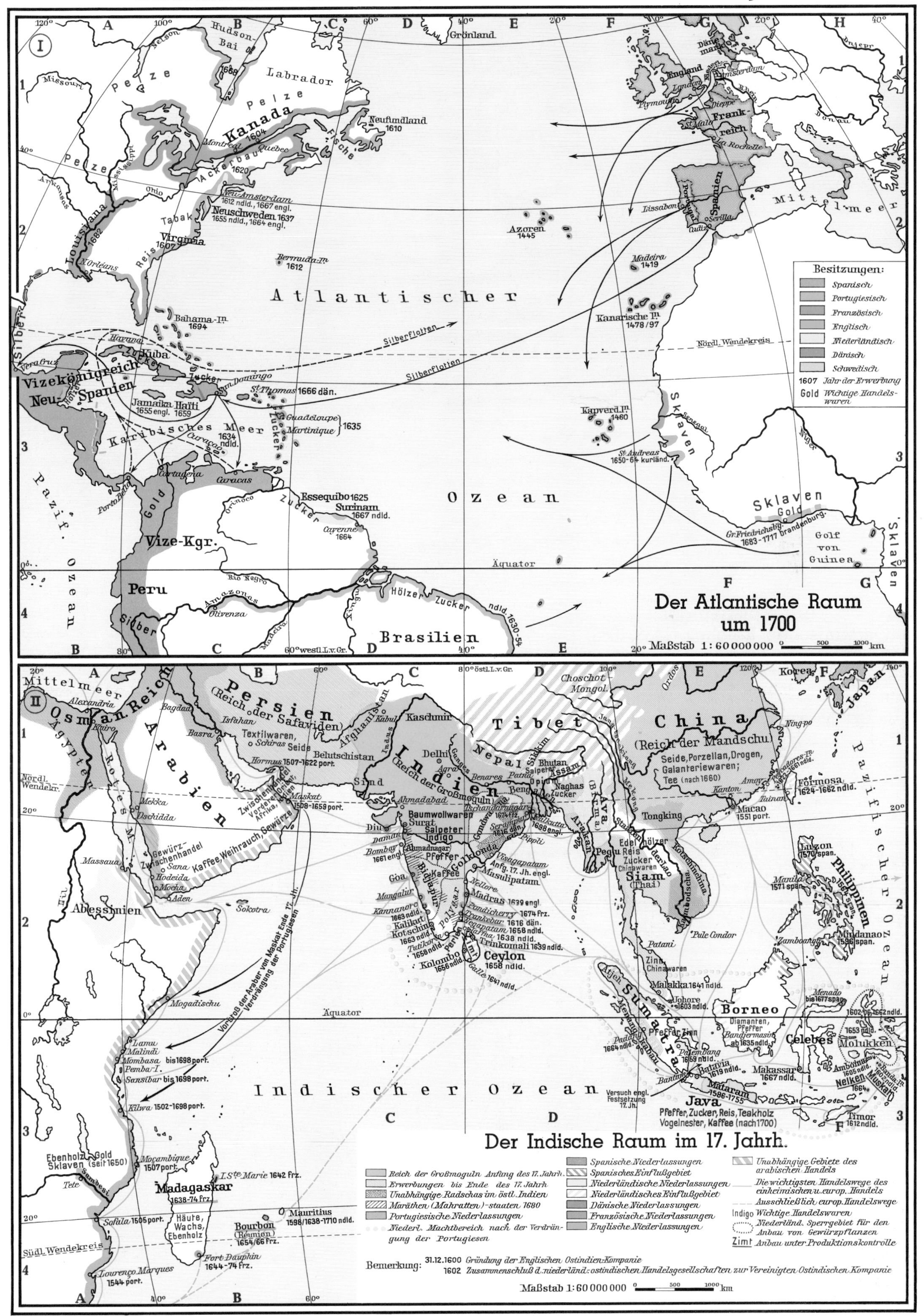
I
Der Atlantische Raum um 1700
Maßstab 1: 60 000 000
Besitzungen:
Spanisch
Portugiesisch
Französisch
Englisch
Niederländisch
Dänisch
Schwedisch
1607 Jahr der Erwerbung
Gold Wichtige Handelswaren
Atlantischer Ozean
Pazif. Ozean
Hudson-Bai
Labrador
Kanada
Neufundland 1610
Neu-Amsterdam 1612 ndld., 1667 engl.
Neuschweden 1637 1655 ndld., 1664 engl.
Virginia 1607
Bermuda-In. 1612
Bahama-In. 1694
Louisiana 1682
Vizekönigreich Neu-Spanien
Kuba
Jamaika 1655 engl.
Haiti 1659
Karibisches Meer
St. Thomas 1666 dän.
Guadeloupe
Martinique 1635
Curaçao 1634 ndld.
Vize-Kgr. Peru
Essequibo 1625
Surinam 1667 ndld.
Cayenne 1664
Brasilien
Azoren 1445
Madeira 1419
Kanarische In. 1478/97
Kapverd. In. 1460
St. Andreas 1650-64 kurländ.
Gr. Friedrichsbg. 1683-1717 brandenburg.
Golf von Guinea
Silberflotten
Nördl. Wendekreis
Äquator
Sklaven
Spanien
Portugal
Frank-reich
England
Mittelmeer
Grönland
II
Der Indische Raum im 17. Jahrh.
Reich der Großmoguln Anfang des 17. Jahrh.
Erwerbungen bis Ende des 17. Jahrh.
Unabhängige Radschas im östl. Indien
Marâthen (Mahratten)-staaten 1680
Portugiesische Niederlassungen
Niederl. Machtbereich nach der Verdrängung der Portugiesen
Spanische Niederlassungen
Spanisches Einflußgebiet
Niederländische Niederlassungen
Niederländisches Einflußgebiet
Dänische Niederlassungen
Französische Niederlassungen
Englische Niederlassungen
Unabhängige Gebiete des arabischen Handels
Die wichtigsten Handelswege des einheimischen u. europ. Handels
Ausschließlich europ. Handelswege
Indigo Wichtige Handelswaren
Niederländ. Sperrgebiet für den Anbau von Gewürzpflanzen
Zimt Anbau unter Produktionskontrolle
Bemerkung: 31.12.1600 Gründung der Englischen Ostindien-Kompanie
1602 Zusammenschluß d. niederländ. ostindischen Handelsgesellschaften zur Vereinigten Ostindischen Kompanie
Maßstab 1: 60 000 000
Persien (Reich der Safaviden)
Osman. Reich
Arabien
Ägypten
Abessinien
Hormus 1507-1622 port.
Maskat 1508-1658 port.
Indien (Reich der Großmogulн)
Tibet
Nepal
China (Reich der Mandschu)
Seide, Porzellan, Drogen, Galanteriewaren; Tee (nach 1660)
Macao 1551 port.
Formosa 1624-1662 ndld.
Japan
Siam (Thai)
Ceylon 1658 ndld.
Sumatra
Borneo
Java
Celebes
Molukken
Philippinen
Luzon 1570 span.
Mindanao 1596 span.
Malakka 1641 ndld.
Makassar 1667 ndld.
Timor 1612 ndld.
Indischer Ozean
Pazifischer Ozean
Madagaskar 1638-74 frz.
Bourbon (Réunion) 1654/66 frz.
Mauritius 1598/1638-1710 ndld.
Mogadischu
Sansibar bis 1698 port.
Kilwa 1502-1698 port.
Moçambique 1507 port.
Fort Dauphin 1644-74 frz.
Lourenço Marques 1544 port.
Südl. Wendekreis
Äquator

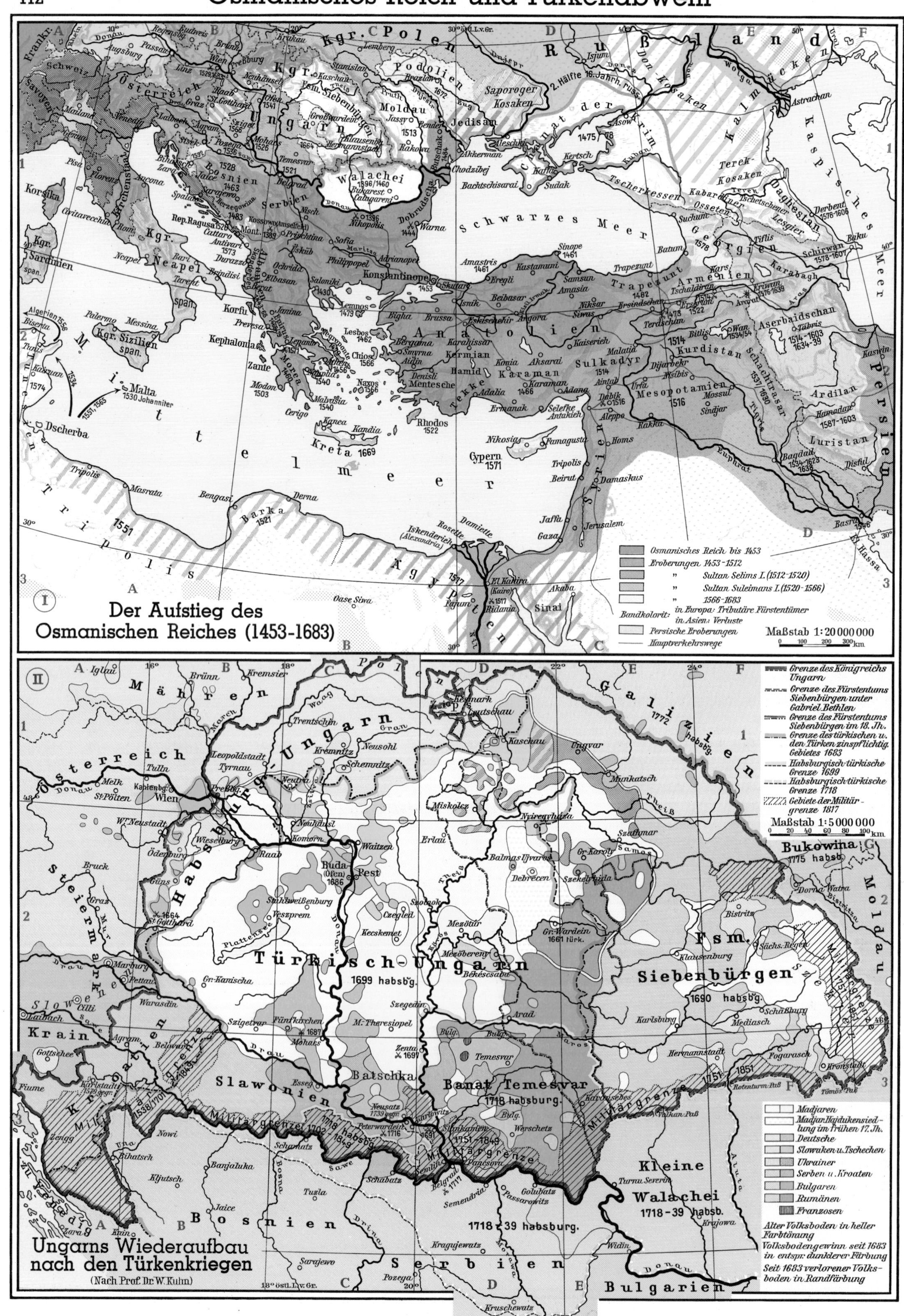
I
Der Aufstieg des
Osmanischen Reiches (1453-1683)
Osmanisches Reich bis 1453
Eroberungen 1453-1512
„ Sultan Selims I. (1512-1520)
„ Sultan Suleimans I. (1520-1566)
„ 1566-1683
Bandkolorit: in Europa: Tributäre Fürstentümer
in Asien: Verluste
Persische Eroberungen
Hauptverkehrswege
Maßstab 1: 20 000 000
Kgr. Polen
Rußland
Ungarn
Walachei
Moldau
Schwarzes Meer
Anatolien
Mittelmeer
Tripolis
Ägypten
Persien
Mesopotamien
Kurdistan
Konstantinopel
II
Ungarns Wiederaufbau
nach den Türkenkriegen
(Nach Prof. Dr. W. Kuhn)
Grenze des Königreichs Ungarn
Grenze des Fürstentums Siebenbürgen unter Gabriel Bethlen
Grenze des Fürstentums Siebenbürgen im 18. Jh.
Grenze des türkischen u. den Türken zinspflichtig. Gebietes 1683
Habsburgisch-türkische Grenze 1699
Habsburgisch-türkische Grenze 1718
Gebiete der Militärgrenze 1817
Maßstab 1: 5 000 000
Madjaren
Madjar. Hajdukensiedlung im frühen 17. Jh.
Deutsche
Slowaken u. Tschechen
Ukrainer
Serben u. Kroaten
Bulgaren
Rumänen
Franzosen
Alter Volksboden in heller Farbtönung
Volksbodengewinn seit 1683 in entspr. dunklerer Färbung
Seit 1683 verlorener Volksboden in Randfärbung
Türkisch-Ungarn
1699 habsbg.
Fsm. Siebenbürgen
1690 habsbg.
Banat Temesvar
1718 habsburg.
Kleine Walachei
1718-39 habsb.
Bukowina
1775 habsb.
Galizien
1772 habsbg.
Österreich
Steiermark
Krain
Kroatien
Slawonien
Bosnien
Serbien
Bulgarien
Militärgrenze
Wien
Buda (Ofen) 1686
Pest

Maßstab 1:10 000 000
0 50 100 150 200 250 km

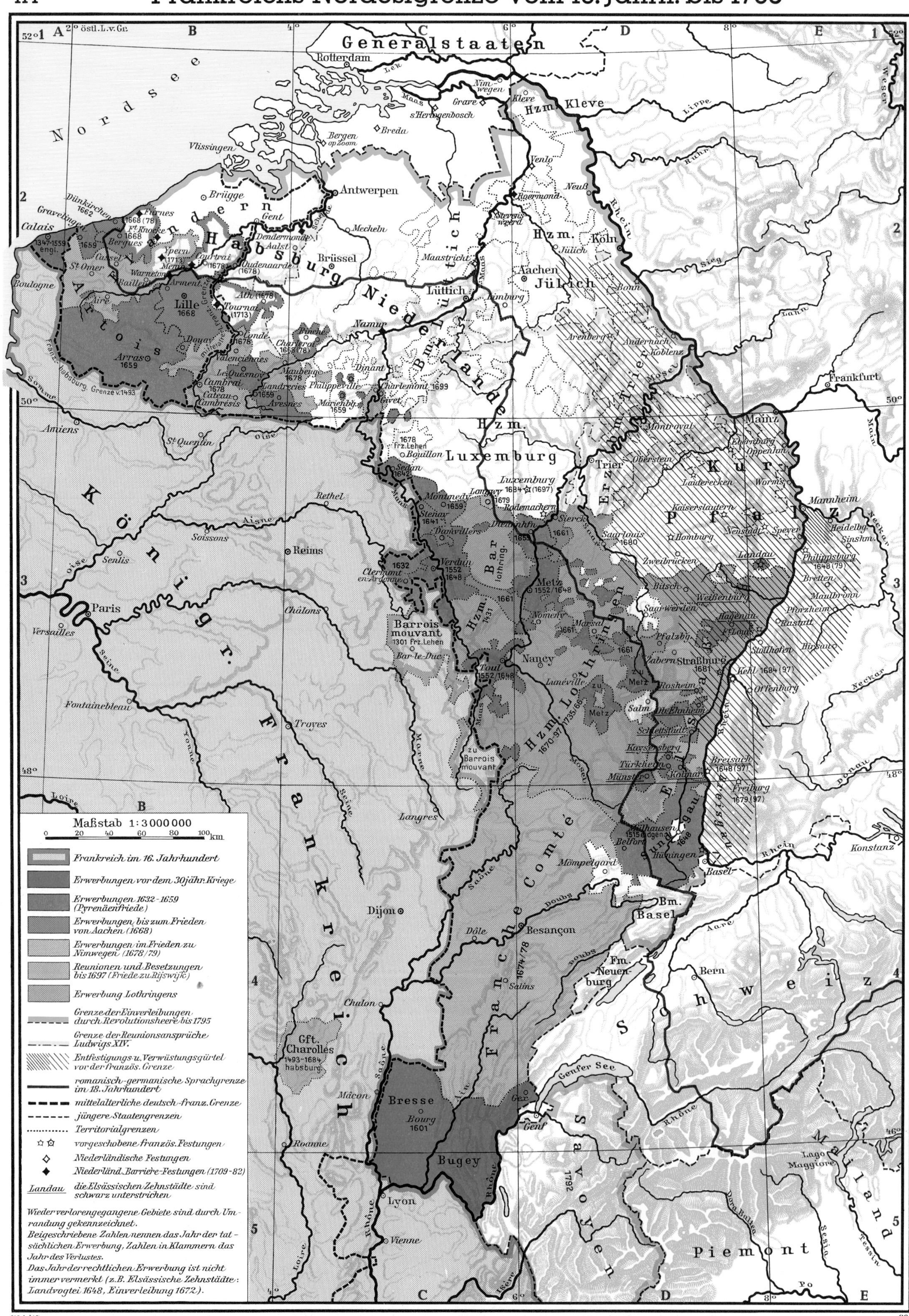
Generalstaaten
Nordsee
Habsburg. Niederlande
Flandern
Artois
Hzm. Kleve
Hzm. Jülich
Lüttich
Hzm. Luxemburg
Kurpfalz
Königr. Frankreich
Hzm. Bar
Hzm. Lothringen
Barrois mouvant
Elsass
Sundgau
Franche Comté
Schweiz
Savoyen
Piemont
Mailand
Bresse
Bugey
Gft. Charollés 1493-1684 habsburg.
Rotterdam
Antwerpen
Brüssel
Gent
Brügge
Vlissingen
Calais
Boulogne
Lille 1668
Arras 1659
Amiens
Paris
Versailles
Reims
Châlons
Troyes
Dijon
Besançon
Lyon
Mâcon
Genf
Bern
Basel
Straßburg 1681
Metz 1552/1648
Toul 1552/1648
Verdun 1552 1648
Nancy
Trier
Mainz
Köln
Aachen
Frankfurt
Mannheim
Landau
Sedan 1642
Maßstab 1: 3000000
0 20 40 60 80 100 km
Frankreich im 16. Jahrhundert
Erwerbungen vor dem 30jähr. Kriege
Erwerbungen 1632-1659 (Pyrenäenfriede)
Erwerbungen bis zum Frieden von Aachen (1668)
Erwerbungen im Frieden zu Nimwegen (1678/79)
Reunionen und Besetzungen bis 1697 (Friede zu Rijswijk)
Erwerbung Lothringens
Grenze der Einverleibungen durch Revolutionsheere bis 1795
Grenze der Reunionsansprüche Ludwigs XIV.
Entfestigungs- u. Verwüstungsgürtel vor der französ. Grenze
romanisch-germanische Sprachgrenze im 18. Jahrhundert
mittelalterliche deutsch-franz. Grenze
jüngere Staatengrenzen
Territorialgrenzen
vorgeschobene französ. Festungen
Niederländische Festungen
Niederländ. Barrière-Festungen (1709-82)
Landau die Elsässischen Zehnstädte sind schwarz unterstrichen
Wieder verlorengegangene Gebiete sind durch Umrandung gekennzeichnet.
Beigeschriebene Zahlen nennen das Jahr der tatsächlichen Erwerbung, Zahlen in Klammern das Jahr des Verlustes.
Das Jahr der rechtlichen Erwerbung ist nicht immer vermerkt (z.B. Elsässische Zehnstädte: Landvogtei 1648, Einverleibung 1672).

I
Österreich und Preußen
1525 – 1795
Maßstab 1:9 000 000
0 50 100 150 200 250 km
Nordsee
Ostsee
Dänemark
Schweden
Rußland
Hzm. Preußen
Westpreußen 1772
Neu Ostpreußen 1795
Südpreußen 1793
Netzedistrikt 1772
Hinterpommern
Vorpommern
Neumark
Kurmark
Berlin
Altmark
Prignitz
Uckermark
Hannover
Sachsen
Lausitz
Schlesien
Neu-Schlesien 1795
West-Galizien 1795
Kgr. Galizien u. Lodomerien 1772
Kgr. Böhmen 1526
Mgft. Mähren 1526
Bayern
Württembg.
Vorderösterreich
Erzhm. Österreich
Gft. Tirol
Hzm. Kärnten
Steiermark
Hzm. Krain
Kroatien
Slawonien
Kgr. Ungarn 1699
Fsm. Siebenbürgen 1699
Banat 1718
Hzm. Bukowina 1775
Militär Grenze
Walachei
Serbien
Osmanisches Reich
Schweiz
Hzm. Savoyen
Hzm. Mailand 1535, 1714
Hzm. Mantua 1708
Hzm. Parma 1735-48
Ghzm. Toskana 1737
Kgr. Neapel 1714-35
Sardinien 1714-20
Sizilien 1720-35
Venedig
Adriat. Meer
Ligurisches Meer
Frankreich
Niederlande
Luxembg. 1714
Reichsgrenze im 16. Jh.
Österreich. Stammlande 1525
Burgundisches Erbe 1477, 1555 an Spanien
Erwerbungen 1526
Verluste 1606-1683
Erwerbungen 1699-1737
Erwerbungen 1772-1795
Verluste in Randfärbung
Brandenburg 1525
Erwerbungen bis 1618
Erwerbungen 1640-88 (Gr. Kurfürst)
Erwerbungen 1689-1740
Erwerbungen 1740-86 (Friedr. d. Gr.)
Erwerbungen 1791-1795
Reichsgrenze im 18. Jh.
II
Grönland dän.
Island (dän.)
Hudson-bai
Hudson Bay Comp.
Kanada 1763
Louisiana
Neu-England
Florida 1763
Neu-Spanien
Haiti
Guadeloupe
Martinique frz.
Ndl.-Guayana
Cayenne frz.
Neu-Granada
Peru
Brasilien
Atlantischer Ozean
Pazif. Ozean
Schweden
Dänemark
Groß Britannien
Frankreich
Portugal
Spanien (Bourbonen)
Preußen
Reich
Habsburg
Rußland
Osman. Reich
Barbaresken
Senegambien
Gorée
Äthiopien
Persien
Usbeken
Afghanistan
China
Indien
1765 br. Bengalen
Bombay
Goa
Madras
Ceylon ndld.
Indischer Ozean
Indonesien ndld.
Philippinen
Nördl. Polarkr.
Nördl. Wendekr.
Äquator
Kapstadt ndld.
Maßstab 1:120 000 000
Die Welt zur Zeit des Pariser Friedens (1763)
Englands u. Preußens Sieg – Ende der französ. Kolonialmacht

Grenze des Deutschen Reiches
Staatengrenzen
Grenzen von Erwerbungen (in Spanien: Provinzgrenzen der bourbonischen Zeit in Rußland: Gouvernementseinteilung durch Katharina II.)
Militärgrenzbezirk
Westeuropa ist bis 1789, Osteuropa bis 1795 behandelt
Großmächte sind in Flächenfärbung angegeben
Maßstab 1: 12 500 000
Atlantischer Ozean
Nordsee
Königreich Großbritannien
Kgr. Irland
Kgr. Norwegen
Kgr. Schweden
Kgr. Dänemark
Königreich Frankreich
Deutsches Reich
Preußen
Schweiz
Kgr. Spanien
Kgr. Portugal
Kgr. Sardinien
Königreich beider Sizilien
Kirchenstaat
Korsika genues. 1768 Franz.
Algerien 1710 unabhängig
Fez u. Marokko
Barbaresken staaten
Mittel
Adriat. Meer
Gibraltar 1704 brit.
Ceuta 1668 span.
Oran span. bis 1706 u. 1732-91
Malta Johanniter
1700/13 bourbon.
Menorca 1703/08-83 brit.
Mallorca
Balearen

Kaiserreich Rußland
Livland 1721
Ingermanland 1721
Pleskau
Nowgorod
Smolensk
Moskau
Kostroma
Jaroslawl
Nishnij Nowgorod
Tula
Rjasan
Kaluga
Brjansk
Orel
Jelez
Woronesh
Kursk
Bjelgorod
Charkow
Poltawa
Tschernigow
Kiew
Wolhynien
Podolien
Saporoger Kosaken
Jedisan 1792
Cherson 1778 gegründet
Odessa 1794 gegr.
Krim
Sewastopol 1784 gegründet
Eupatoria
Schwarzes Meer
Moldau
Bessarabien
Walachei
Bukarest
Siebenbürgen
Bulgarien
Rumelien
Konstantinopel
Osmanisches Reich
Anatolien
Karaman
Livadien
Morea 1699-1718 venez.
Kandia (Kreta) 1669 türk.
Rhodos
Cypern
Ägäisches Meer
Mittelländisches Meer
II
Französ. Besitz
Französ. Siedlung
Britischer Besitz und Siedlung
Brit. Grenze 1763
Spanischer Besitz
Span. Grenze 1763
Hudson-Bai
Rupertsland 1668 brit.
Kanada
Quebec 1608
Montreal 1642
Neufundland
Neu-Schottland 1713
Neu-England
New York
Philadelphia
Pennsylv.
Virginia
Carolina
Georgia 1732
Louisiana
Neu-Orleans 1718
Florida 1763-83 brit.
Vize-Kgr. Neu-Spanien
Mexiko
Kuba
Habana
Haiti
Jamaika 1655 br.
Maßstab 1:50 000 000
Ende des französ. Kolonialreichs in Amerika 1763
III
Maßstab 1:15 000 000
Kgr. Dänemark
Kgr. Schweden
Nordsee
Ostsee
Hannover
Sachsen
Kgr. Polen (Personalunion mit Sachsen)
Österreich
Kgr. Ungarn
Kgr. Frankreich
Bayern
Württ.
Prag
Kolin 1757
Berlin
Breslau
Warschau
Der Siebenjährige Krieg
Preußen u. seine Verbündeten
Die gegnerische Koalition
Stoßrichtungen: Preußen, Österreich, Rußland, Frankreich, Schweden
für Preußen günstige Gefechte u. Schlachten
für die Gegner günstige Gefechte u. Schlachten
Festungen
Magazine
IV
Unter Muslim-Fürsten um 1780
Unter Hindu-Fürsten " "
Grenzen der einzelnen indischen Staaten
Grenze von Maisur vor seiner Aufteilung 1799 (Seit etwa 1761 vom Gebiet des Nisams gelöst)
Britischer Besitz um 1780
Französischer Besitz
Im 2. Maisur-Krieg 1778/84 von Frankreich gegen England unterstützte Herrscher
Portugiesischer Besitz
Niederländ. Bes.
Dänischer Bes.
Afghanen-Herrschaft
Sikhs
Delhi Mogulreich
Awadh (Oudh)
Marathen-Verband
Gebiet des Nisam
Maisur
Bengalisches Meer
Arabisches Meer
Ceylon
Zerfall des Großmogulreiches (2. Hälfte des 18. Jhs.)
Maßstab 1:40 000 000

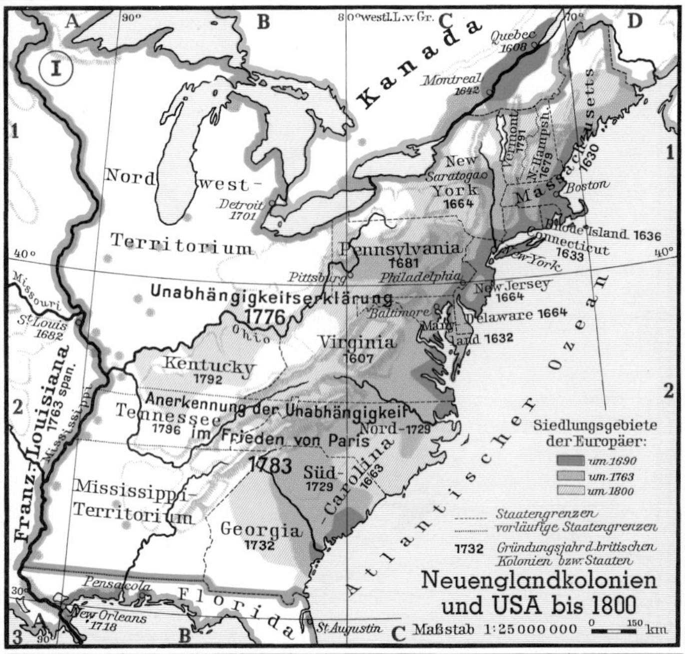

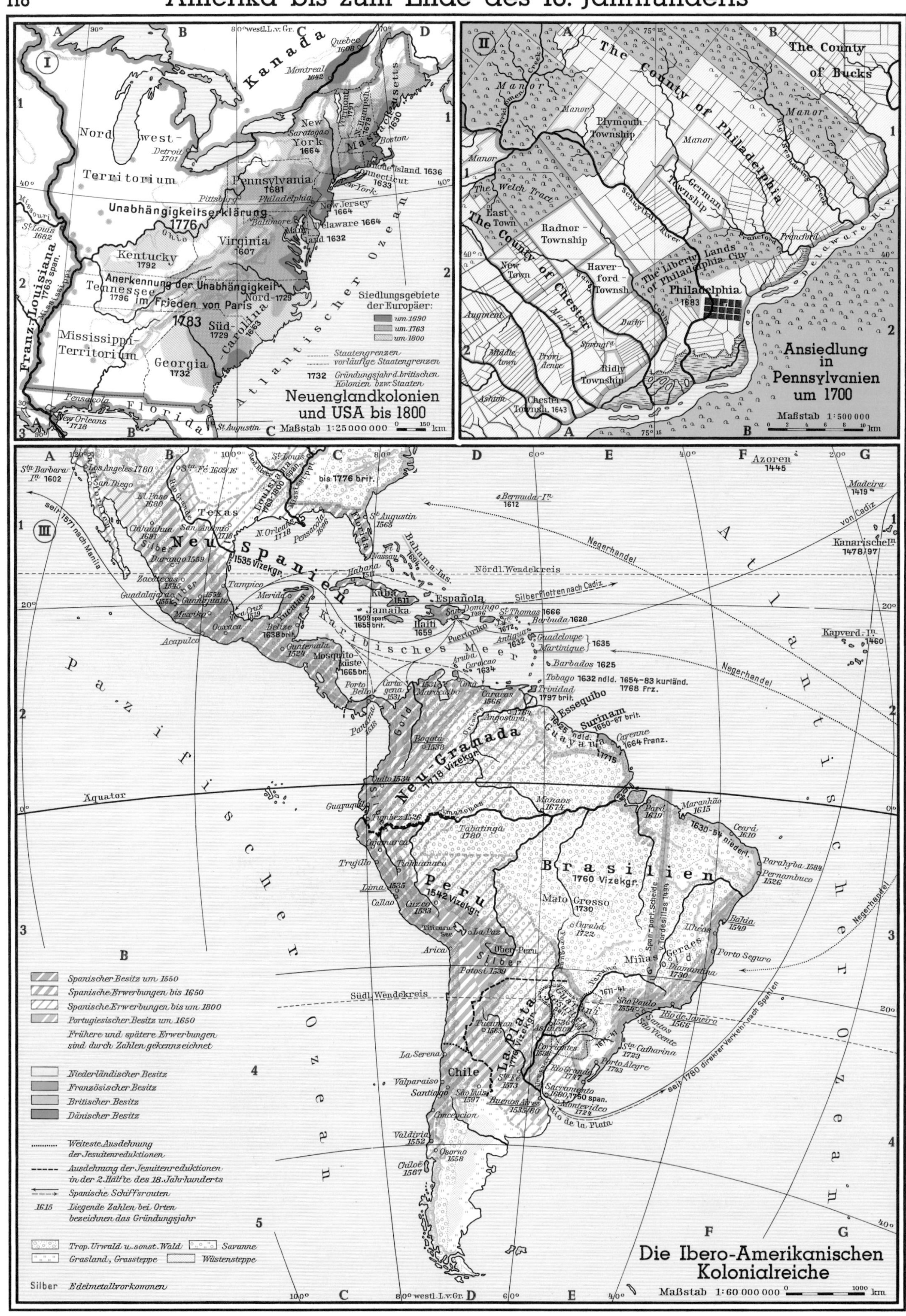

I
Kanada
Quebec 1608
Montreal 1642
Nordwest-Territorium
Detroit 1701
New York 1664
Saratoga
Vermont 1791
N.Hampsh. 1679
Massachusetts 1630
Boston
Rhode Island 1636
Connecticut 1633
New York
Pennsylvania 1681
Philadelphia
Pittsburg
New Jersey 1664
Delaware 1664
Baltimore
Maryland 1632
Unabhängigkeitserklärung 1776
Virginia 1607
Kentucky 1792
Tennessee 1796
Anerkennung der Unabhängigkeit im Frieden von Paris 1783
Nord-Carolina 1729
Süd-Carolina 1729
Georgia 1732
Mississippi-Territorium
Franz. Louisiana 1763 span.
St. Louis 1682
Missouri
Ohio
Florida
Pensacola
New Orleans 1718
St. Augustin
Atlantischer Ozean
Siedlungsgebiete der Europäer:
um 1690
um 1763
um 1800
Staatengrenzen
vorläufige Staatengrenzen
1732 Gründungsjahr d. britischen Kolonien bzw. Staaten
Neuenglandkolonien und USA bis 1800
Maßstab 1:25 000 000

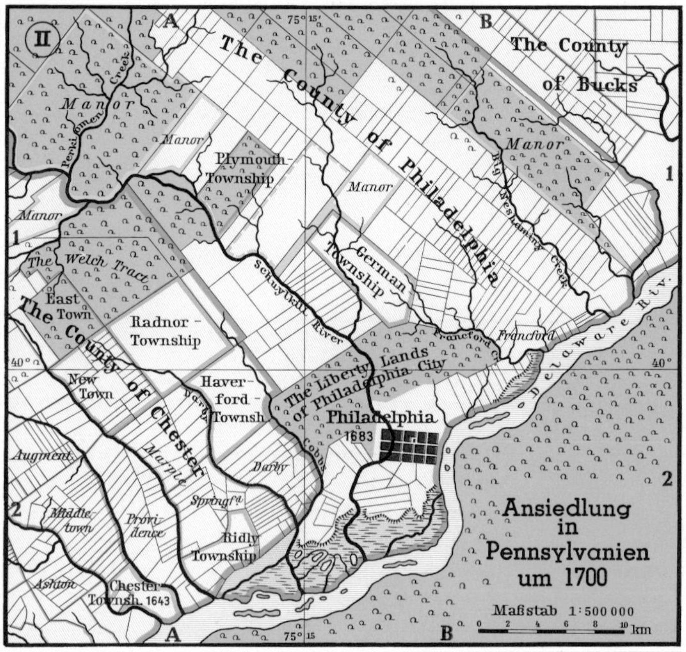

II
The County of Philadelphia
The County of Bucks
Manor
Plymouth-Township
German Township
The Welch Tract
East Town
Radnor-Township
Haverford Township
The Liberty Lands of Philadelphia City
Philadelphia 1683
The County of Chester
New Town
Darby
Springfd.
Ridly Township
Chester Townsh. 1643
Middletown
Providence
Augment
Ashton
Francford
Delaware Riv.
Schuylkill River
Ansiedlung in Pennsylvanien um 1700
Maßstab 1:500 000

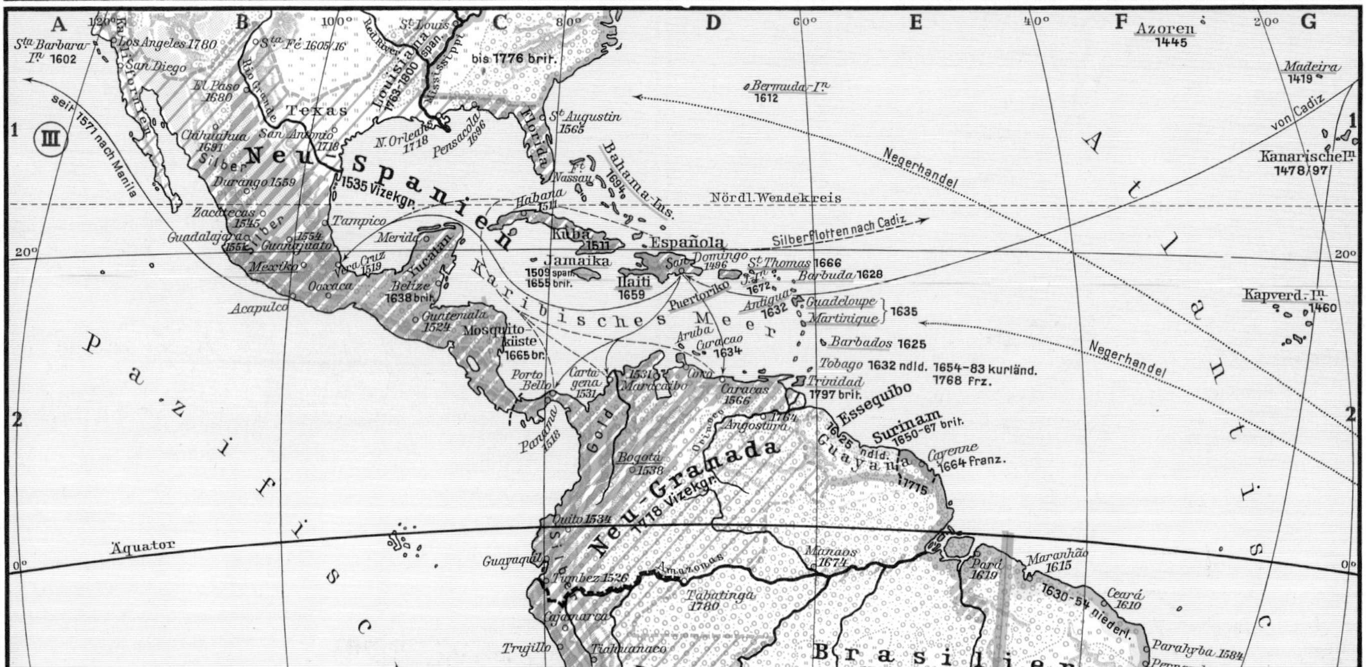

III
Sta. Barbara In. 1602
Los Angeles 1780
Sta. Fé 1605/16
San Diego
El Paso 1680
Texas
San Antonio 1718
Louisiana 1763-1800 span.
St. Louis
bis 1776 brit.
St. Augustin 1565
Pensacola 1696
N. Orleans 1718
Florida
seit 1571 nach Manila
Chihuahua 1691
Silber
Neu-Spanien
1535 Vizekgr.
Durango 1559
Zacatecas 1546
Guadalajara 1551
Guanajuato 1554
Tampico
Mexiko
Vera Cruz 1519
Oaxaca
Acapulco
Merida
Yucatan
Belize 1638 brit.
Guatemala 1524
Mosquitoküste 1665 br.
Porto Bello
Panama 1518
Cartagena 1531
Maracaibo
Caracas 1566
Bermuda-In. 1612
Bahama-Ins.
Habana 1511
Kuba 1511
Jamaika 1509 span. 1655 brit.
Española
San Domingo 1496
Haiti 1659
Puertoriko
St. Thomas 1666
Barbuda 1628
Antigua 1632
Guadeloupe
Martinique 1635
Barbados 1625
Tobago 1632 ndl. 1654-83 kurländ. 1768 Frz.
Trinidad 1797 brit.
Curacao 1634
Aruba
Karibisches Meer
Nördl. Wendekreis
Negerhandel
Silberflotten nach Cadiz
Azoren 1445
Madeira 1419
von Cadiz
Kanarische In. 1478/97
Kapverd.-In. 1460
Essequibo
Surinam 1650-67 brit.
Cayenne 1664 Franz.
Guayana
Neu-Granada 1718 Vizekgr.
Bogotá 1538
Quito 1534
Guayaquil
Tumbez 1526
Äquator
Manaos 1674
Amazonas
Tabatinga 1780
Pará 1616
Maranhão 1615
1630-54 niederl.
Ceará 1610
Parahyba 1584
Pernambuco 1526
Cajamarca
Trujillo
Tiahuanaco
Lima 1535
Callao
Peru 1542 Vizekgr.
Cuzco 1533
Titicaca-See
La Paz
Ober-Peru
Silber
Arica
Potosí 1539
Brasilien 1760 Vizekgr.
Mato Grosso 1730
Cuyabá 1722
Minas Geraes
Diamantina 1730
Ilhéos
Bahia 1549
Porto Seguro
Span.-port. Scheide v. Tordesillas 1494
Südl. Wendekreis
São Paulo 1554
Rio de Janeiro 1566
Santos
São Vicente
Sta. Catharina 1723
Porto Alegre 1743
Rio Grande 1737
Tucuman 1565
La Plata 1776 Vizekgr.
Asunción 1536
Corrientes 1588
La Serena
Chile
Valparaiso
Santiago
San Luis 1597
Buenos Aires 1535/80
Sacramento 1680/1750 span.
Montevideo 1724
Rio de la Plata
Concepcion
Valdivia 1552
Osorno 1558
Chiloë 1567
seit 1780 direkter Verkehr nach Spanien
Pazifischer Ozean
Atlantischer Ozean
Spanischer Besitz um 1550
Spanische Erwerbungen bis 1650
Spanische Erwerbungen bis um 1800
Portugiesischer Besitz um 1650
Frühere und spätere Erwerbungen sind durch Zahlen gekennzeichnet
Niederländischer Besitz
Französischer Besitz
Britischer Besitz
Dänischer Besitz
Weiteste Ausdehnung der Jesuitenreduktionen
Ausdehnung der Jesuitenreduktionen in der 2. Hälfte des 18. Jahrhunderts
Spanische Schiffsrouten
1615 Liegende Zahlen bei Orten bezeichnen das Gründungsjahr
Trop. Urwald u. sonst. Wald
Savanne
Grasland, Grassteppe
Wüstensteppe
Silber Edelmetallvorkommen
Die Ibero-Amerikanischen Kolonialreiche
Maßstab 1:60 000 000

Rußland von 1689 bis 1812

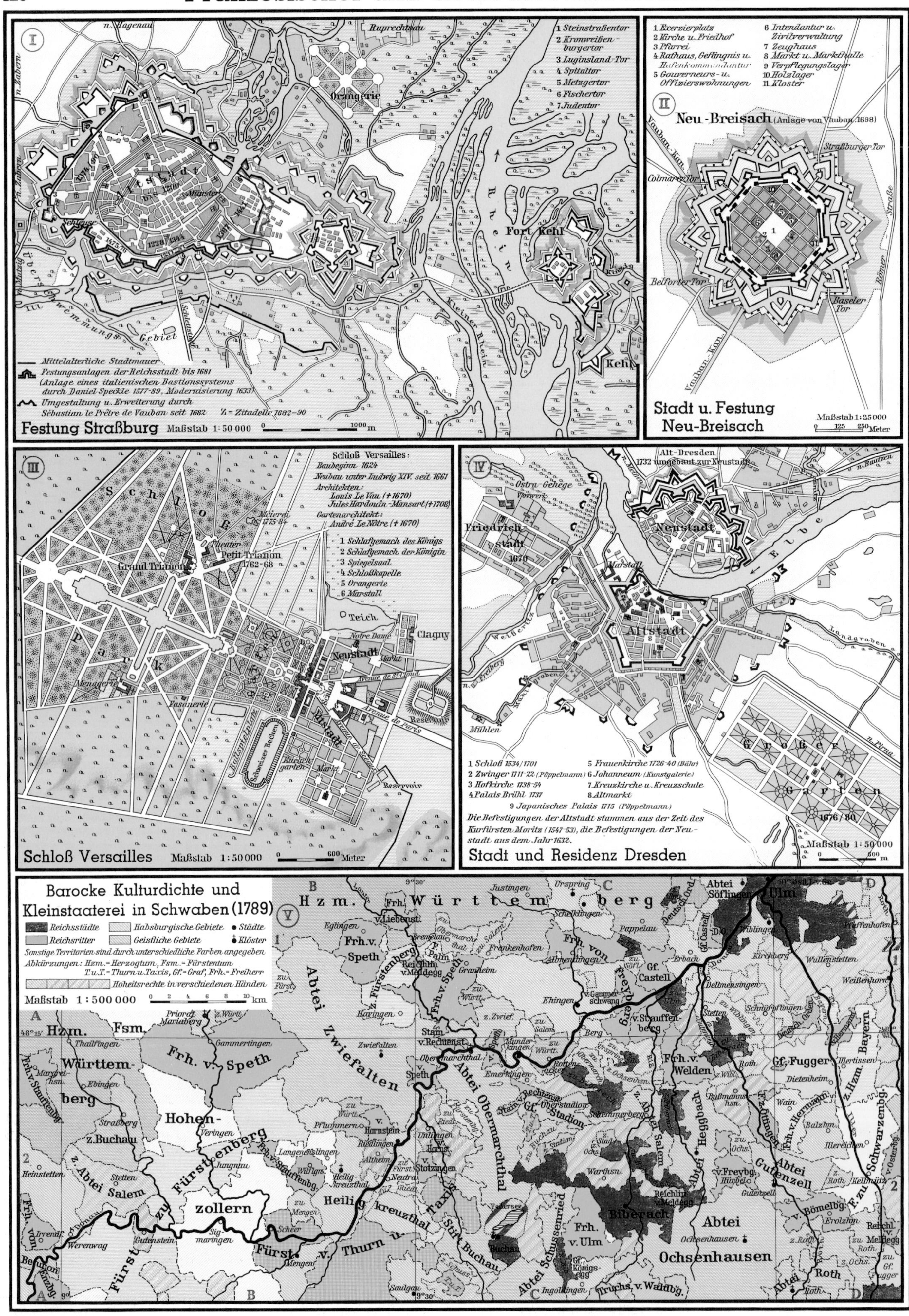
I
1 Steinstraßentor
2 Kronweißenburgertor
3 Luginsland-Tor
4 Spitaltor
5 Metzgertor
6 Fischertor
7 Judentor
Orangerie
Ruprechtsau
Altstadt
Münster
Rhein
Fort Kehl
Kehl
Kleiner Rhein
Überschwemmungs Gebiet
Ill
Mittelalterliche Stadtmauer
Festungsanlagen der Reichsstadt bis 1681 (Anlage eines italienischen Bastionssystems durch Daniel Speckle 1577-89, Modernisierung 1633)
Umgestaltung u. Erweiterung durch Sébastian le Prêtre de Vauban seit 1682
Z = Zitadelle 1682-90
Festung Straßburg Maßstab 1:50 000
II
1 Exerzierplatz
2 Kirche u. Friedhof
3 Pfarrei
4 Rathaus, Gefängnis u. Hafenkommandantur
5 Gouverneurs- u. Offizierswohnungen
6 Intendantur u. Zivilverwaltung
7 Zeughaus
8 Markt u. Markthalle
9 Verpflegungslager
10 Holzlager
11 Kloster
Neu-Breisach (Anlage von Vauban 1698)
Straßburger Tor
Colmarer Tor
Belforter Tor
Baseler Tor
Vauban-Kan.
Römer-Straße
Stadt u. Festung Neu-Breisach
Maßstab 1:25 000
III
Schloß Versailles:
Baubeginn 1624
Neubau unter Ludwig XIV. seit 1661
Architekten:
Louis Le Vau (+1670)
Jules Hardouin-Mansart (+1708)
Gartenarchitekt:
André Le Nôtre (+1670)
1 Schlafgemach des Königs
2 Schlafgemach der Königin
3 Spiegelsaal
4 Schloßkapelle
5 Orangerie
6 Marstall
Schloß Park
Grand Trianon
Petit Trianon 1762-68
Theater
Teich
Clagny
Neustadt
Altstadt
Menagerie
Fasanerie
Schweizer Becken
Reservoir
Schloß Versailles Maßstab 1:50 000
IV
Alt-Dresden 1732 umgebaut zur Neustadt
Ostra-Gehege
Friedrichstadt 1670
Neustadt
Elbe
Marstall
Altstadt
Weißeritz
Landgraben
n. Bautzen
n. Pirna
Großer Garten 1676/80
1 Schloß 1534/1701
2 Zwinger 1711-22 (Pöppelmann)
3 Hofkirche 1738-54
4 Palais Brühl 1737
5 Frauenkirche 1726-40 (Bähr)
6 Johanneum (Kunstgalerie)
7 Kreuzkirche u. Kreuzschule
8 Altmarkt
9 Japanisches Palais 1715 (Pöppelmann)
Die Befestigungen der Altstadt stammen aus der Zeit des Kurfürsten Moritz (1547-53), die Befestigungen der Neustadt aus dem Jahr 1632.
Stadt und Residenz Dresden
Maßstab 1:50 000
Barocke Kulturdichte und Kleinstaaterei in Schwaben (1789)
V
Reichsstädte
Habsburgische Gebiete
Städte
Reichsritter
Geistliche Gebiete
Klöster
Sonstige Territorien sind durch unterschiedliche Farben angegeben
Abkürzungen: Hzm. = Herzogtum, Fsm. = Fürstentum
T.u.T. = Thurn u. Taxis, Gf. = Graf, Frh. = Freiherr
Hoheitsrechte in verschiedenen Händen
Maßstab 1:500 000
Hzm. Württemberg
Hzm. Fsm. Württemberg
Ulm
Abtei Söflingen
Frh. v. Speth
Abtei Zwiefalten
Hohenzollern
Fürstenberg
Abtei Obermarchthal
Heiligkreuzthal
Fürst v. Thurn u. Taxis
Stift Buchau
Frh. von Freyberg
Gf. Castell
Gf. Fugger
Frh. v. Welden
Abtei Salem
Abtei Heggbach
Gf. Stadion
Biberach
Frh. v. Ulm
Abtei Ochsenhausen
Abtei Schussenried
Abtei Gutenzell
Abtei Roth
Sigmaringen
Riedlingen
Ehingen
Munderkingen
Buchau
Mengen
Saulgau
Truchs. v. Waldbg.
z. Hzm. Bayern
F. zu Schwarzenbg.
Deutsch Ord.

Besitz und deutsche Siedlung im Osten (18./19. Jh.)

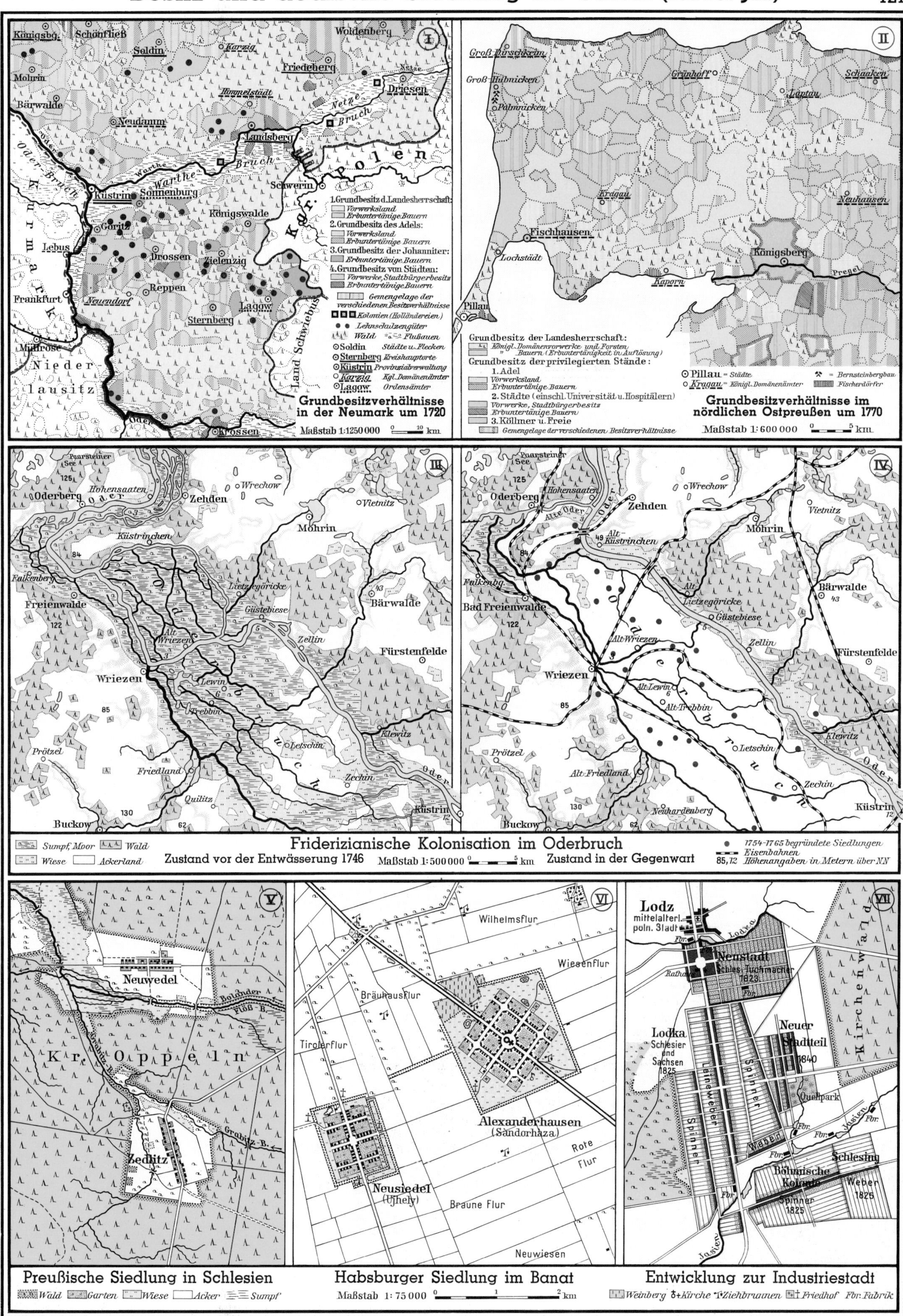

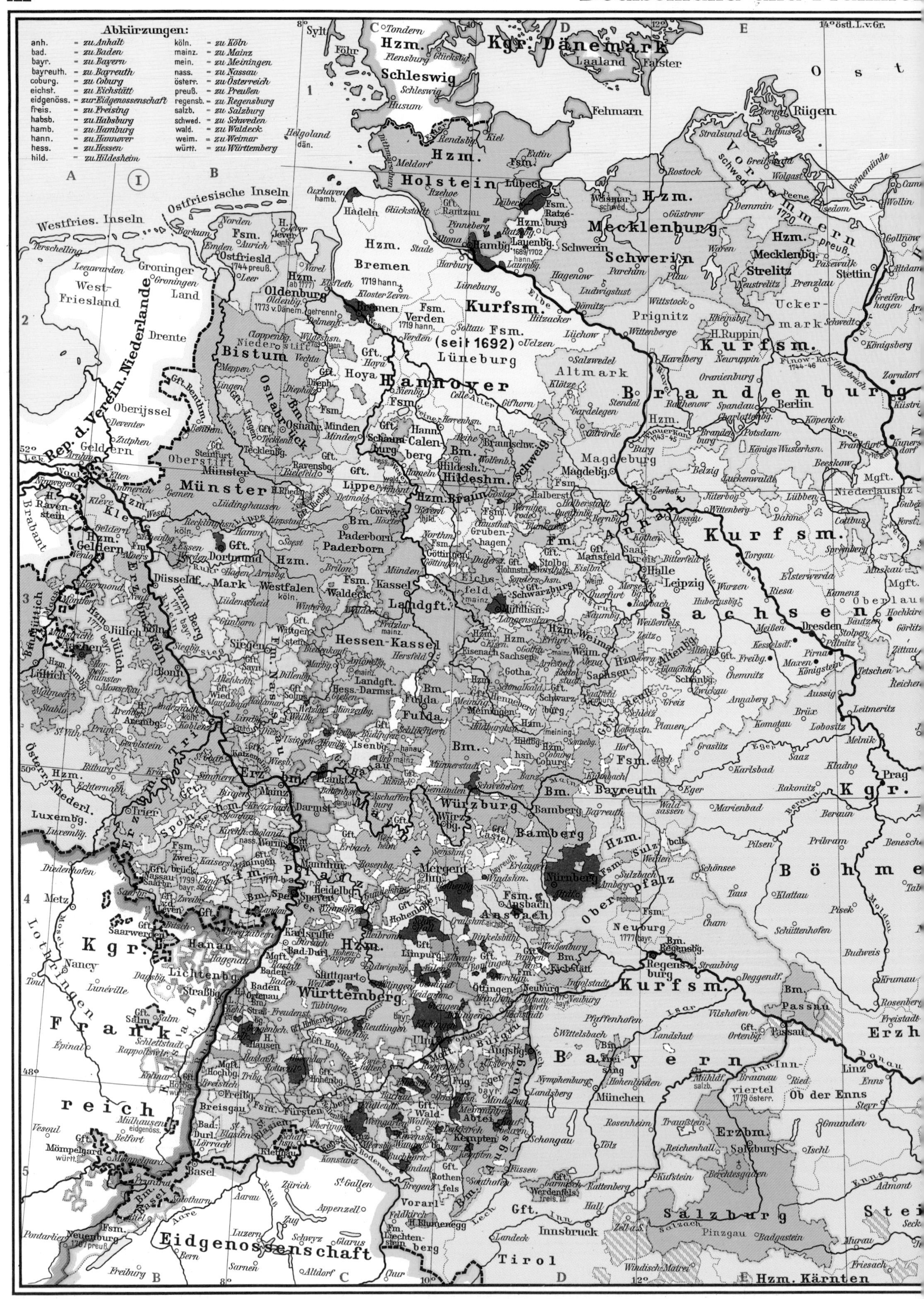
Abkürzungen:
anh. = zu Anhalt
bad. = zu Baden
bayr. = zu Bayern
bayreuth. = zu Bayreuth
coburg. = zu Coburg
eichst. = zu Eichstätt
eidgenöss. = zur Eidgenossenschaft
freis. = zu Freising
habsb. = zu Habsburg
hamb. = zu Hamburg
hann. = zu Hannover
hess. = zu Hessen
hild. = zu Hildesheim
köln. = zu Köln
mainz. = zu Mainz
mein. = zu Meiningen
nass. = zu Nassau
österr. = zu Österreich
preuß. = zu Preußen
regensb. = zu Regensburg
salzb. = zu Salzburg
schwed. = zu Schweden
wald. = zu Waldeck
weim. = zu Weimar
württ. = zu Württemberg
Kgr. Dänemark
Hzm. Schleswig
Hzm. Holstein
Hzm. Mecklenburg Schwerin
Hzm. Mecklenbg. Strelitz
Vorpommern schwed.
Ostfriesische Inseln
Westfries. Inseln
Rep. d. Verein. Niederlande
Ostfriesld. 1744 preuß.
Hzm. Oldenburg 1773 v. Dänem.
Hzm. Bremen 1719 hann.
Fsm. Verden 1719 hann.
Kurfsm. Hannover
Fsm. Lüneburg (seit 1692)
Bistum Osnabrück
Münster
Kurfsm. Brandenburg
Altmark
Prignitz
Uckermark
Magdeburg
Anhalt
Kurfsm. Sachsen
Paderborn
Hzm. Westfalen
Landgft. Hessen-Kassel
Hess.-Darmst.
Fulda
Würzburg
Bamberg
Bayreuth
Ansbach
Oberpfalz
Kurfsm. Bayern
Württemberg
Baden
Kgr. Frankreich
Kgr. Lothringen
Eidgenossenschaft
Erzbm. Salzburg
Tirol
Hzm. Kärnten
Kgr. Böhmen
Innviertel 1779 österr.
Ob der Enns
Berlin
Dresden
Leipzig
Hamburg
Bremen
Lübeck
München
Nürnberg
Frankfurt
Mainz
Köln
Prag
Basel
Zürich
Ostsee

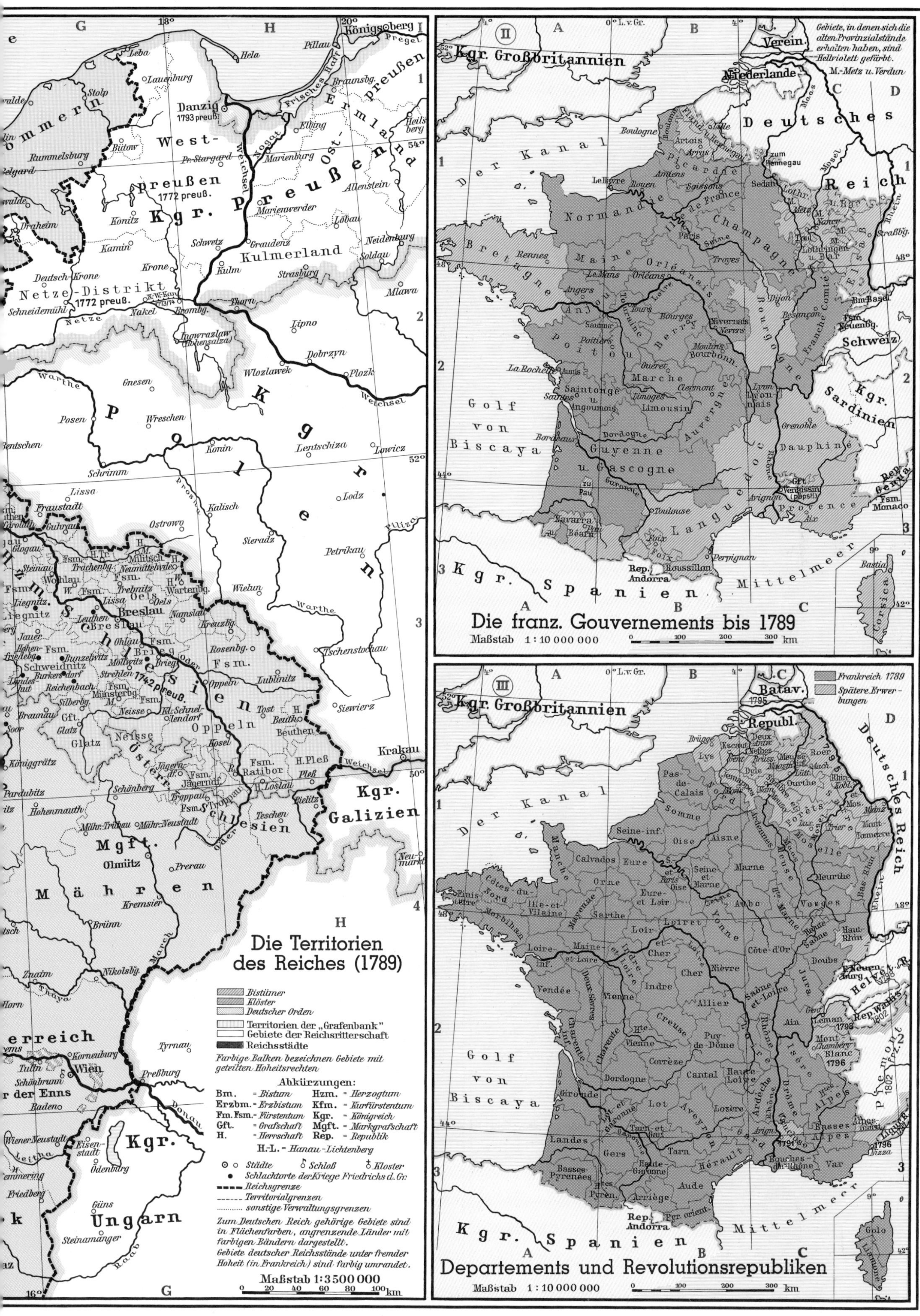
Die Territorien des Reiches (1789)
Bistümer
Klöster
Deutscher Orden
Territorien der „Grafenbank"
Gebiete der Reichsritterschaft
Reichsstädte
Farbige Balken bezeichnen Gebiete mit geteilten Hoheitsrechten
Abkürzungen:
Bm. = Bistum
Erzbm. = Erzbistum
Fm. Fsm. = Fürstentum
Gft. = Grafschaft
H. = Herrschaft
Hzm. = Herzogtum
Kfm. = Kurfürstentum
Kgr. = Königreich
Mgft. = Markgrafschaft
Rep. = Republik
H.-L. = Hanau-Lichtenberg
Städte
Schloß
Kloster
Schlachtorte der Kriege Friedrichs d. Gr.
Reichsgrenze
Territorialgrenzen
sonstige Verwaltungsgrenzen
Zum Deutschen Reich gehörige Gebiete sind in Flächenfarben, angrenzende Länder mit farbigen Bändern dargestellt.
Gebiete deutscher Reichsstände unter fremder Hoheit (in Frankreich) sind farbig umrandet.
Maßstab 1:3 500 000
0 20 40 60 80 100 km
Kgr. Preußen
Kgr. Polen
West-preußen 1772 preuß.
Ost-preußen
Ermland
Kulmerland
Netze-Distrikt 1772 preuß.
Danzig 1793 preuß.
Schlesien 1742 preuß.
Österr. Schlesien
Mgft. Mähren
Kgr. Galizien
Kgr. Ungarn
Österreich
Breslau
Wien
Krakau
Königsberg
II
Die franz. Gouvernements bis 1789
Maßstab 1 : 10 000 000
0 100 200 300 km
Gebiete, in denen sich die alten Provinzialstände erhalten haben, sind Hellviolett gefärbt.
M.-Metz u. Verdun
Kgr. Großbritannien
Verein. Niederlande
Deutsches Reich
Schweiz
Kgr. Sardinien
Kgr. Spanien
Rep. Andorra
Der Kanal
Golf von Biscaya
Mittelmeer
Corsica
III
Departements und Revolutionsrepubliken
Maßstab 1 : 10 000 000
0 100 200 300 km
Frankreich 1789
Spätere Erwerbungen
Kgr. Großbritannien
Batav. Republ. 1795
Deutsches Reich
Helvet. Rep.
Rep. Wallis 1802
Piemont 1802
Kgr. Spanien
Rep. Andorra
Der Kanal
Golf von Biscaya
Mittelmeer

I
Die französische Neuordnung Mitteleuropas bis zum Frieden v. Tilsit 1807
Kaiserreich Frankreich 1807 (Erwerbungen seit 1789 sind durch schwarze Punktgrenzen abgetrennt)
Napoleonische Vasallenstaaten Frankreichs
Von Frankreich verwaltete Gebiete
Grenze des Rheinbundes
Abkürzungen: F.-Pr. = Fürstprimas, L.-D. = Fsm. Lippe-Detmold, I. = Fsm. Isenburg, K. = Gft. Katzenelnbogen, M.-Str. = Hzm. Mecklenburg-Strelitz, R. = Fsm. Reuß, S.-L. = Gft. Schaumbg.-Lippe, Sch. = Fsm. Schwarzburg, Asch. = Aschaffenburg, Had. = Hadamar
Maßstab 1 : 7 500 000
0 50 100 200 km
Nordsee
Ostsee
Kaiserreich Frankreich
Kgr. Holland 1806–10
Kgr. Westfalen 1807
Kgr. Sachsen
Kgr. Bayern
Kgr. Württembg.
Kgr. Italien
Kgr. Preußen
Ghzm. Warschau 1807
Kaiserreich Österreich
Schweiz
Rußland
Osmanisches Reich
II
Italiens Neuordnung durch die Französische Republik
Maßstab 1 : 10 000 000
0 50 100 150 km
Helvetische Republ. 1798/1803
Cisalpinische Rep.
Ligurische Rep. 1797–1805
Rep. Lucca 1799–1805
Kgr. Etrurien 1801
Kirchenstaat
Kgr. Neapel
III
Zivilrechts-Kodifikationen im 19. Jahrhundert
Geltungsbereich des Code civil (Code Napoleon) nach 1815
Nationale Bearbeitungen des Code civil
Französische Rechtseinflüsse
Französische Rechtseinflüsse auf überseeische Staaten
Preuß. Allgem. Landrecht
Österreich. Bürg. Gesetzb. (ABGB)
Nation. Bearbeitungen des ABGB
Österreichische Rechtseinwirkung
Russisches Recht
Sächsisches BGB
Frankreich
Code civil 1804
Code de procédure civile 1807
Code de commerce 1807
Code d'instruction criminelle 1808
Code pénal 1810
Großbritannien
Common Law
Deutsches Reich 1900
Bürgerl. Gesetzbuch
Gemeines Recht
Schwed. Recht
Spanien 1888/89
Maßstab 1 : 36 000 000

Europa unter französischer Vorherrschaft (1812)

Weltpolitische Folgen des französischen Zusammenbruchs

Grenze des Deutschen Bundes
Staatengrenzen
Militärgrenzbezirk
Flächenfärbung: Großmächte
Maßstab 1:12 500 000
0 100 200 300 km
Atlantischer Ozean
Nordsee
Ostsee
Der Kanal
Mittelmeer
Adriat. Meer
Balearen
Kgr. Großbritannien u. Irland
Schottland
England
Wales
Irland
Kgr. Norwegen
Kgr. Schweden
Union 1814/15
Kgr. Dänemark
Kgr. der vereinigt. Niederlande
Königreich Frankreich
Kgr. Preußen
Kgr. Hannover
Kgr. Sachsen
Kgr. Bayern
Kgr. Württemb.
Kgr. Böhmen
Kaiserreich Österreich
Schweiz
Kgr. Sardinien
Kgr. Spanien
Kgr. Portugal
Kirchenstaat
Königr. beider Sizilien
Ghzm. Toskana
Algerien
Fez u. Marokko
Tunesien türk. Vasall
Helgoland 1808 br.
Gibraltar brit.
Malta 1800 br.
Olivenza 1801 span.
Shetland-I.
Orkney-I.
Färöer
London
Paris
Berlin
Wien
Madrid
Lissabon
Rom
Neapel

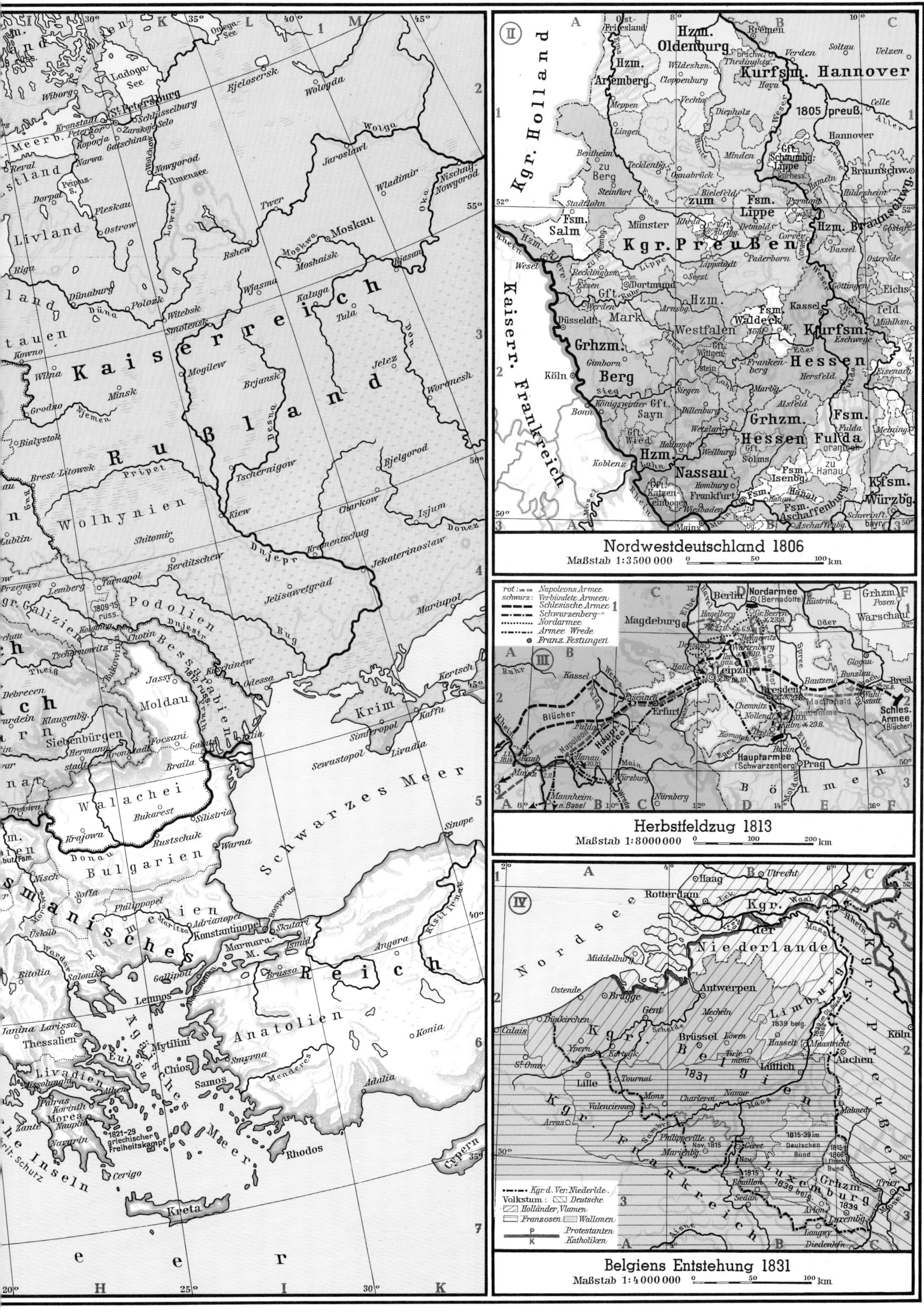

Nordwestdeutschland 1806
Maßstab 1:3500000 0 50 100 km

Herbstfeldzug 1813
Maßstab 1:8000000 0 100 200 km

Belgiens Entstehung 1831
Maßstab 1:4000000 0 50 100 km

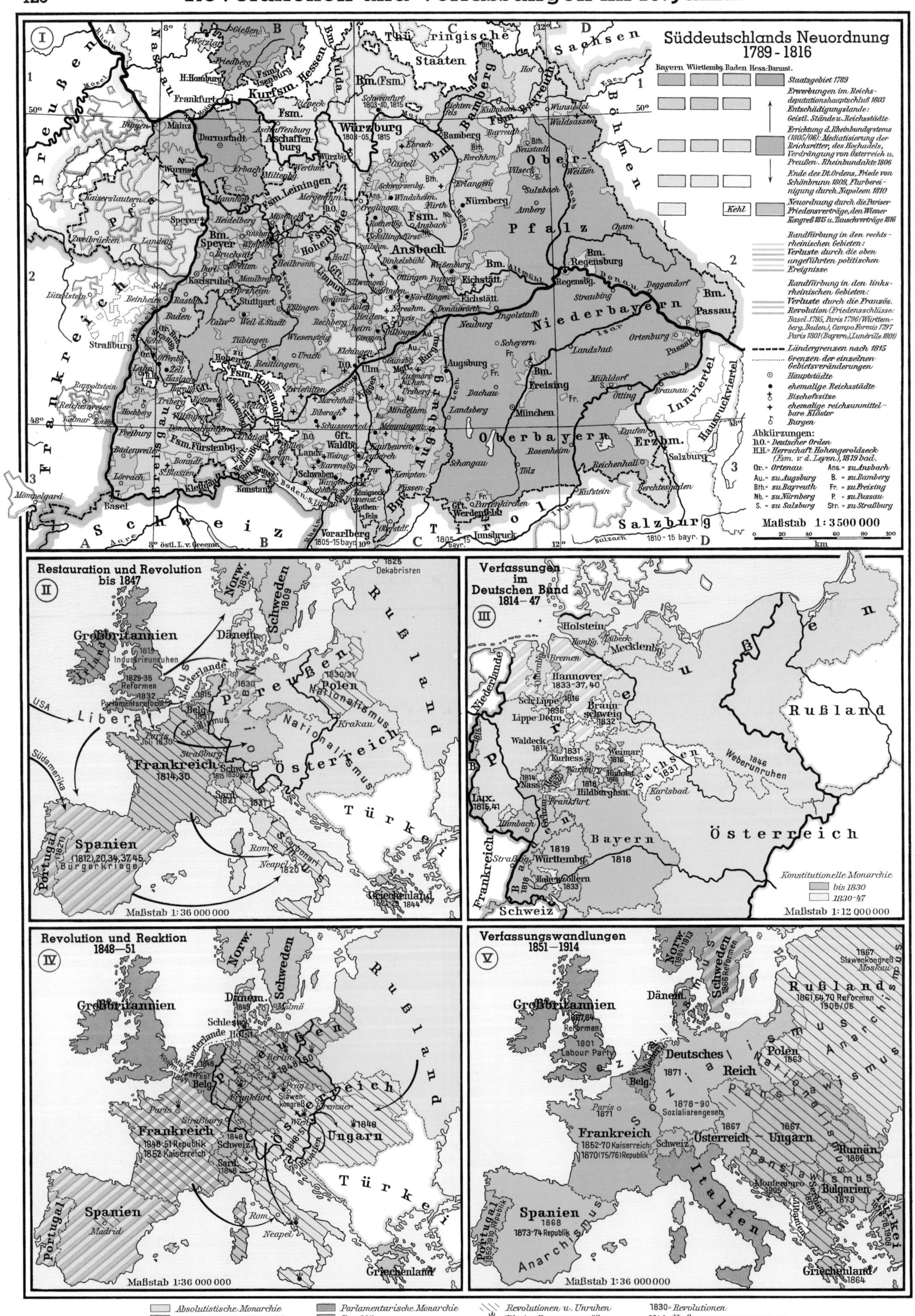

Absolutistische Monarchie
Konstitutionelle Monarchie
Parlamentarische Monarchie
Republik
Revolutionen u. Unruhen
Blutige Zusammenstöße
1830 = Revolutionen
1848 = Verfassungserneuerungen

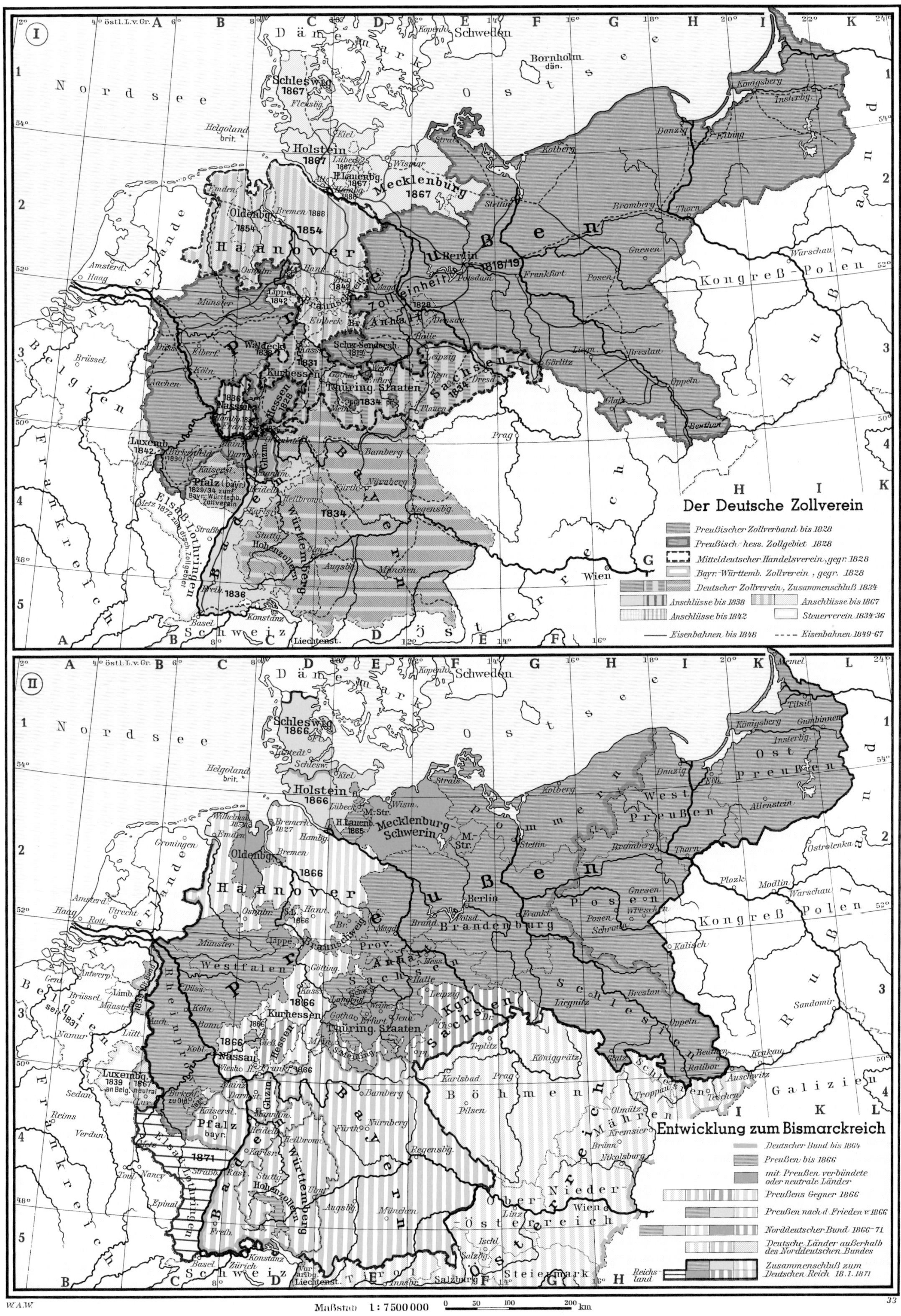
I
Der Deutsche Zollverein
Preußischer Zollverband bis 1828
Preußisch-hess. Zollgebiet 1828
Mitteldeutscher Handelsverein, gegr. 1828
Bayr.-Württemb. Zollverein, gegr. 1828
Deutscher Zollverein, Zusammenschluß 1834
Anschlüsse bis 1838
Anschlüsse bis 1867
Anschlüsse bis 1842
Steuerverein 1834-36
Eisenbahnen bis 1848
Eisenbahnen 1849-67
II
Entwicklung zum Bismarckreich
Deutscher Bund bis 1864
Preußen bis 1866
mit Preußen verbündete oder neutrale Länder
Preußens Gegner 1866
Preußen nach d. Frieden v. 1866
Norddeutscher Bund 1866-71
Deutsche Länder außerhalb des Norddeutschen Bundes
Reichsland
Zusammenschluß zum Deutschen Reich 18.1.1871
Maßstab 1:7500000
0 50 100 200 km

Die Schweiz
II vor 1848
Frankreich
Baden
Württembg.
Bayern
Österreich
Liechtenstein
Neuenburg bis 1848(57) preuß.
Basel-Stadt
Basel-Ld.
Aargau
Zürich
Thurgau
St. Gallen
Appenzell
Solothurn
Bern
Luzern
Schwyz
Glarus
Uri
Graubünden
Freiburg
Waadt
Wallis
Tessin
Genfer See
Lombardei
Sardinien
Piemont
1815 neutralisiertes Gebiet
Liberal-zentralistische Kantone
Konservativ-kath. Sonderbund
Neutrale Kantone
Katholische Gebiete
Evangelische Gebiete
Kath.-evang. gemischte Gebiete
Sprachgrenze
A.R. = Außer-Rhoden N.d.W. = Nid dem Wald
I.R. = Inner-Rhoden O.d.W. = Ob dem Wald
Maßstab 1:3 000 000
Kgr. Belgien
Deutsches Reich 1871
Ghzm. Luxembg.
Elsaß-Lothringen 1871
Frankreich
Schweiz
Österreich
Tirol
Lombardei 1859 an Italien
Venetien 1866 an Italien
Kgr. Sardinien-Piemont
Fsm. Monaco
Kgr. Italien 1861 geeint
Kirchenstaat 1870
Korsika
Kgr. Sardinien
Kgr. Portugal
Kgr. Spanien
Rep. Andorra
Altkastilien
Neukastilien
Aragonien
Katalonien
Valencia
Murcia
Estremadura
Sevilla
Cordoba
Jaen
Granada
Balearen
Mallorca
Menorca
Ibiza
Gibraltar brit.
Mittelmeer
Sultanat Marokko
Algerien (franz. Kolonie)
Abd el Kader 1832–47
Tunesien
türk. Vasall, 1883 franz. Protektorat
Tripolis
Oberitaliens Einigung 1859/66
I
III
Schweiz
Österreich
Tirol
Friaul
Lombardei 1859 an Italien
Venetien 1866 an Italien
Piemont
Hzm. Parma 1860
Hzm. Modena 1860
Romagna 1860
Adriat. Meer
Istrien
Maßstab 1:5 000 000
Gebiet der Militärgrenze
Grenzen selbständiger Staaten
Grenzen innerstaatlicher Verwaltungsgebiete
Wüste
Steppe
Maßstab 1:10 000 000

Rußland
Osmanisches Reich
Österreich-Ungarn
Rumänien
1859/61 tribut. Fsm. 1878 unabhängig, 1881 Kgr.
Serbien
1817 tribut. Fsm.
1878 unabhängig
Bosnien-Herzegowina
1878 von Österreich okkupiert
Bulgarien
1878 tribut. Fsm.
Ostrumelien
1878 autonom
Montenegro
1852 Fsm.
Griechenland
1821 Aufstand 1830 unabhängig 1832 Kgr.
Ionische Inseln
1815 Republik unter britischem Schutz, 1863 griechisch
Kreta
1822–40 ägypt.
Cypern
1878 brit. Verwaltung
Samos
1832 tribut. Fsm.
Schwarzes Meer
1856–71 neutralisiert
Bessarabien
1812 russ.
Donaudelta
1829 russ.
1856 türk.
1878 rumän.
Tscherkessen
bis 1829 türk., ab 1864 russ.
Siebenbürgen
1867 Union mit Ungarn
Banat
1849–60 Kronland
Bukowina
1849 Kronland
Ägypten
1805(11) – 1849 Mehmed Ali
1833 erblicher Besitz
1866 Ismail Khedive
Kanalaktien des Khediven 1875 brit.
Syrien
1831–40 ägypt.
Arabien
1813–40 ägypt.
Anatolien
Mittelmeer
Ägäisches Meer
Asowsches Meer
Rotes Meer
Krim
Barka
brit. Franz. 1854/55
1822
1831
1882
1825–28
Konstantinopel
Bukarest
Belgrad
Sofia
Athen
Kairo
Alexandrien
Odessa
Sewastopol
Smyrna
Sarajewo
Budapest

Afrika von der Mitte bis zum Ende des 19. Jahrhunderts

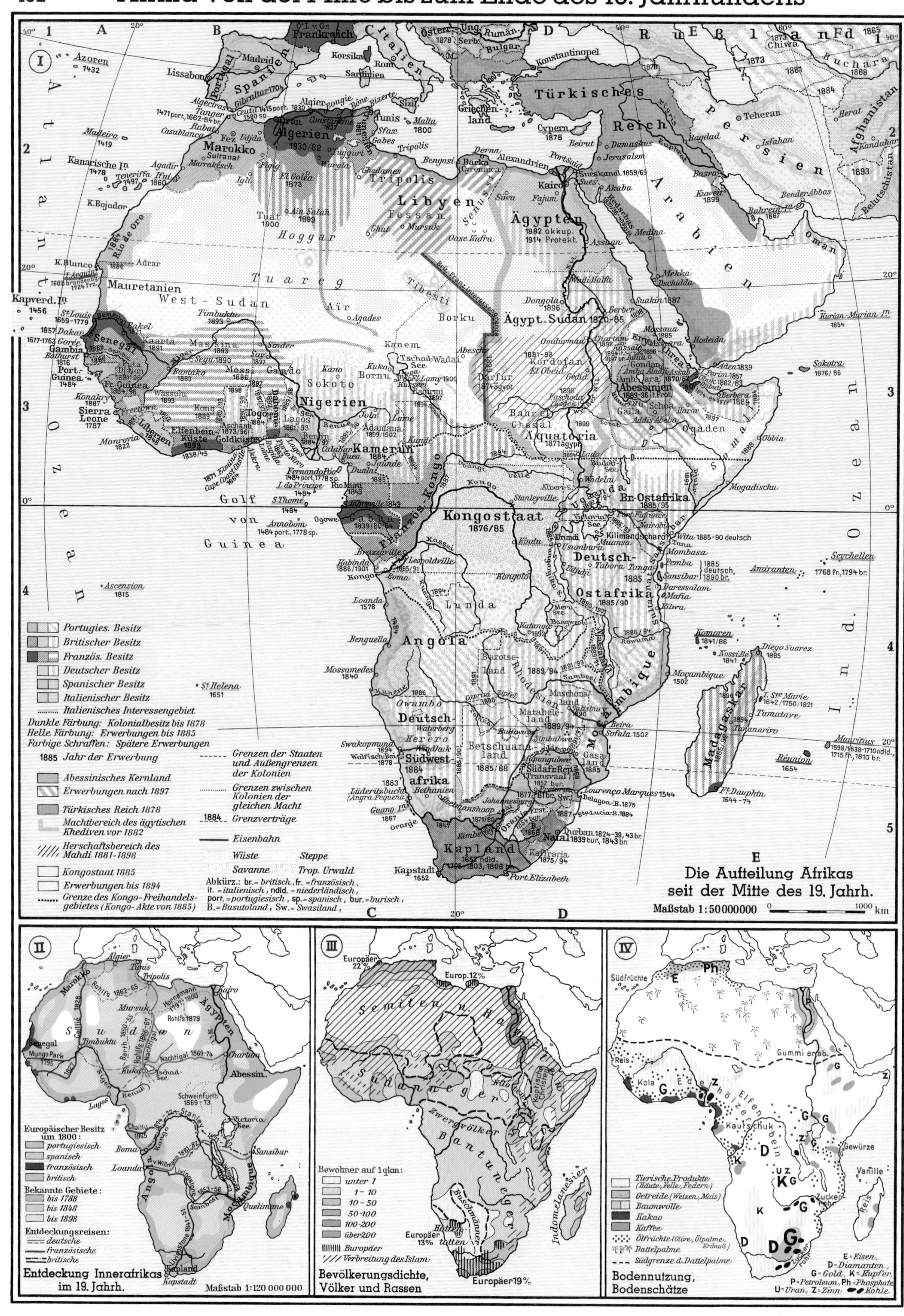

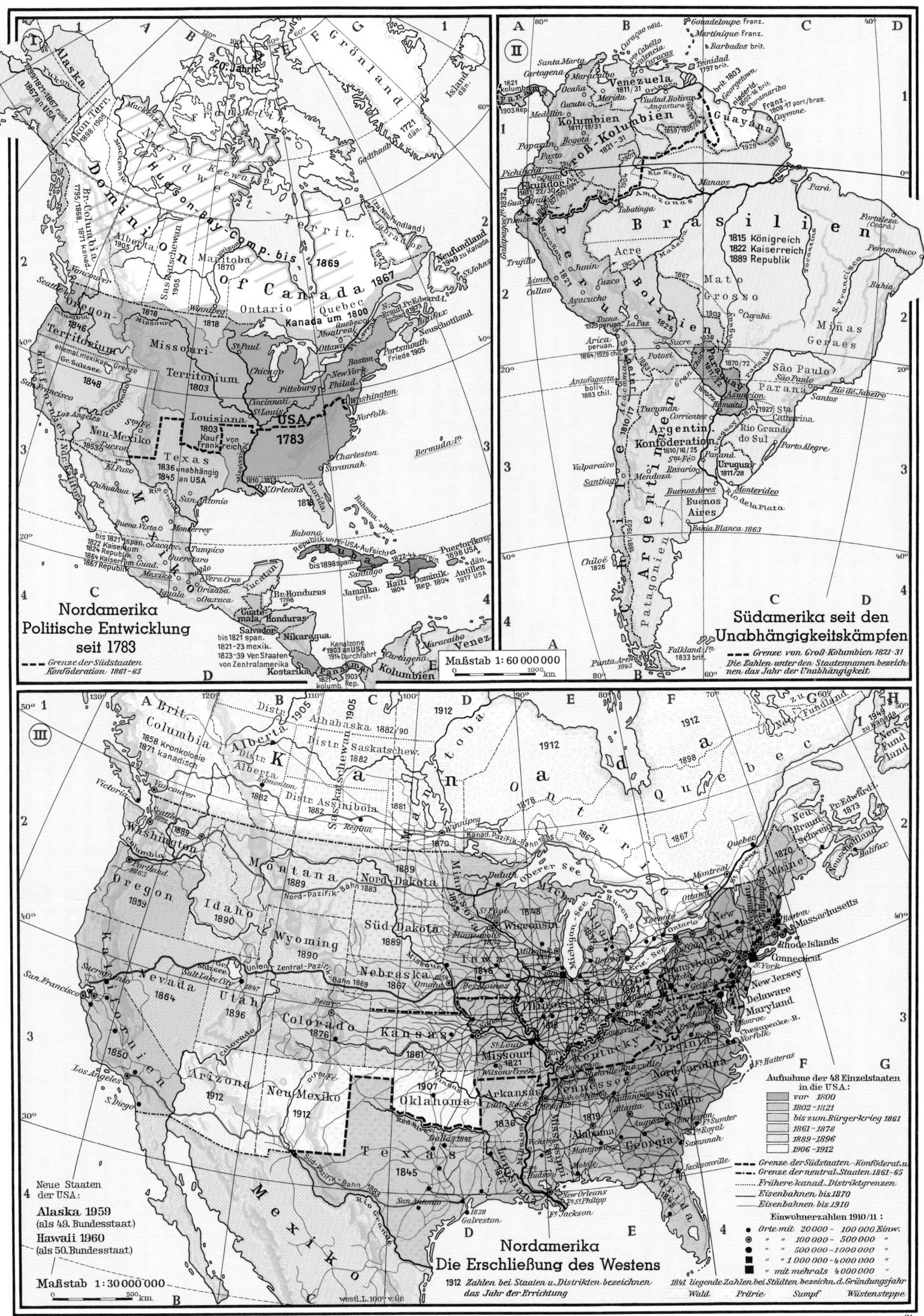
I
Nordamerika
Politische Entwicklung
seit 1783
Grenze der Südstaaten Konföderation 1861-65
Alaska
1867 an USA
Grönland
Dominion of Canada 1867
Hudson-Bay-Comp. bis 1869
Kanada um 1800
Oregon-Territorium 1846
Missouri Territorium
Louisiana 1803 Kauf von Frankreich
USA 1783
Texas 1836 unabhängig 1845 an USA
Neu-Mexiko 1853
Kalifornien
Mexiko
bis 1821 span.
1822 Kaiserreich
1824 Republik
1864 Kaiserreich
1867 Republik
Kuba
Republik unter USA-Aufsicht
bis 1898 span.
Haiti 1804
Dominik. Rep. 1804
Puertoriko 1898 USA
Br.-Honduras 1786
Guatemala
Honduras
Salvador
Nikaragua
Kostarika
bis 1821 span.
1821-23 mexik.
1823-39 Ver. Staaten von Zentralamerika
Kanalzone 1903 an USA 1914 Durchfahrt
Panama 1903 Rep.
Maßstab 1: 60 000 000
II
Südamerika seit den
Unabhängigkeitskämpfen
Grenze von Groß-Kolumbien 1821-31
Die Zahlen unter den Staatennamen bezeichnen das Jahr der Unabhängigkeit
Groß-Kolumbien 1821-31
Venezuela 1811/31
Kolumbien 1811/19/31
Ekuador 1811/22/30
Guayana
Brasilien
1815 Königreich
1822 Kaiserreich
1889 Republik
Peru 1821
Bolivien 1825
Chile 1810/17
Paraguay 1811/13
Argentin. Konföderation 1810/16/25
Uruguay 1811/28
Argentinien
Patagonien
Falkland I. 1833 brit.
III
Nordamerika
Die Erschließung des Westens
Aufnahme der 48 Einzelstaaten in die USA:
vor 1800
1802-1821
bis zum Bürgerkrieg 1861
1861-1878
1889-1896
1906-1912
Grenze der Südstaaten-Konföderat. u.
Grenze der neutral. Staaten 1861-65
Frühere kanad. Distriktgrenzen
Eisenbahnen bis 1870
Eisenbahnen bis 1910
Einwohnerzahlen 1910/11:
Orte mit 20 000 - 100 000 Einw.
" " 100 000 - 500 000 "
" " 500 000 - 1 000 000 "
" " 1 000 000 - 4 000 000 "
" mit mehr als 4 000 000 "
1912 Zahlen bei Staaten u. Distrikten bezeichnen das Jahr der Errichtung
1841 liegende Zahlen bei Städten bezeichn. d. Gründungsjahr
Wald
Prärie
Sumpf
Wüstensteppe
Neue Staaten der USA:
Alaska 1959 (als 49. Bundesstaat)
Hawaii 1960 (als 50. Bundesstaat)
Maßstab 1: 30 000 000
westl. L. 100° v. Gr.
Kanada
Mexiko

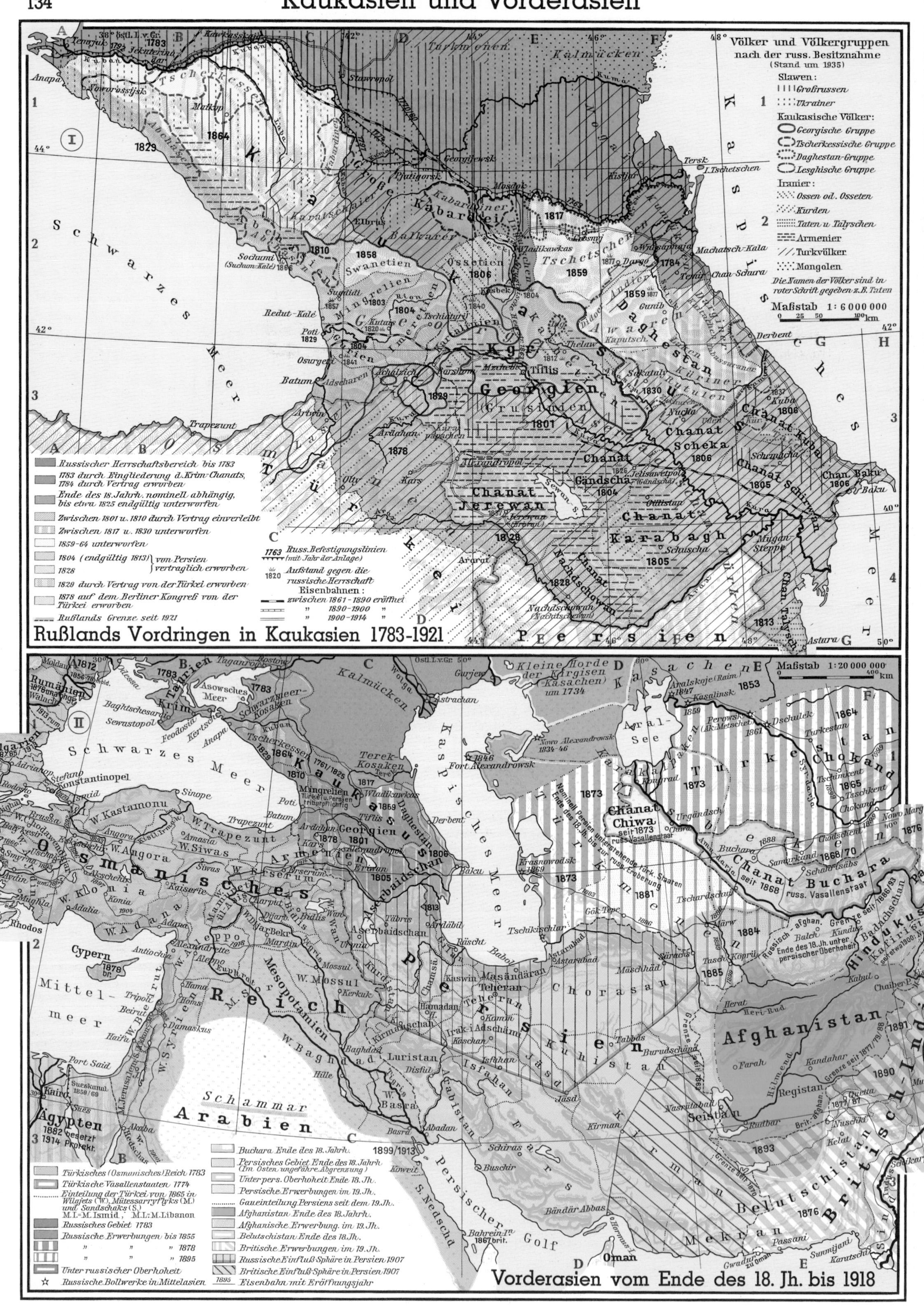
Rußlands Vordringen in Kaukasien 1783-1921
Russischer Herrschaftsbereich bis 1783
1783 durch Eingliederung d. Krim-Chanats, 1784 durch Vertrag erworben
Ende des 18. Jahrh. nominell abhängig, bis etwa 1825 endgültig unterworfen
Zwischen 1801 u. 1810 durch Vertrag einverleibt
Zwischen 1817 u. 1830 unterworfen
1859-64 unterworfen
1804 (endgültig 1813) von Persien vertraglich erworben
1828
1829 durch Vertrag von der Türkei erworben
1878 auf dem Berliner Kongreß von der Türkei erworben
Rußlands Grenze seit 1921
1763 Russ. Befestigungslinien (mit Jahr der Anlage)
1820 Aufstand gegen die russische Herrschaft
Eisenbahnen:
zwischen 1861-1890 eröffnet
" 1890-1900 "
" 1900-1914 "
Völker und Völkergruppen nach der russ. Besitznahme
(Stand um 1935)
Slawen:
Großrussen
Ukrainer
Kaukasische Völker:
Georgische Gruppe
Tscherkessische Gruppe
Daghestan-Gruppe
Lesghische Gruppe
Iranier:
Ossen od. Osseten
Kurden
Taten u. Talyschen
Armenier
Turkvölker
Mongolen
Die Namen der Völker sind in roter Schrift gegeben, z.B. Taten
Maßstab 1 : 6 000 000
Schwarzes Meer
Kaspisches Meer
Georgien (Grusinien)
Daghestan
Tschetschenien
Chanat Jerewan
Chanat Karabagh
Chanat Nachdschowan
Chanat Scheka
Chanat Kuba
Chanat Schirwan
Chanat Gändscha
Persien
Türkei
Kaukasus
Vorderasien vom Ende des 18. Jh. bis 1918
Maßstab 1 : 20 000 000
Türkisches (Osmanisches) Reich 1783
Türkische Vasallenstaaten 1774
Einteilung der Türkei von 1865 in Wilajets (W.), Mutessarrifyks (M.) und Sandschaks (S.)
M.I.=M. Ismid, M.L.: M. Libanon
Russisches Gebiet 1783
Russische Erwerbungen bis 1855
" " " 1878
" " " 1895
Unter russischer Oberhoheit
Russische Bollwerke in Mittelasien
Buchara Ende des 18. Jahrh.
Persisches Gebiet Ende des 18. Jahrh. (Im Osten ungefähre Abgrenzung)
Unter pers. Oberhoheit Ende des 18. Jh.
Persische Erwerbungen im 19. Jh.
Gaueinteilung Persiens seit dem 19. Jh.
Afghanistan Ende des 18. Jahrh.
Afghanische Erwerbung im 19. Jh.
Belutschistan Ende des 18. Jh.
Britische Erwerbungen im 19. Jh.
Russische Einfluß-Sphäre in Persien 1907
Britische Einfluß-Sphäre in Persien 1907
1895 Eisenbahn mit Eröffnungsjahr
Osmanisches Reich
Persien
Afghanistan
Arabien
Mesopotamien
Turkestan
Chanat Chiwa seit 1873 russ. Vasallenstaat
Chanat Buchara seit 1868 russ. Vasallenstaat
Belutschistan
Britisch-Indien
Schwarzes Meer
Kaspisches Meer
Mittelmeer
Persischer Golf
Aral-See
Ägypten 1882 besetzt 1914 Protekt.
Cypern 1878 br.

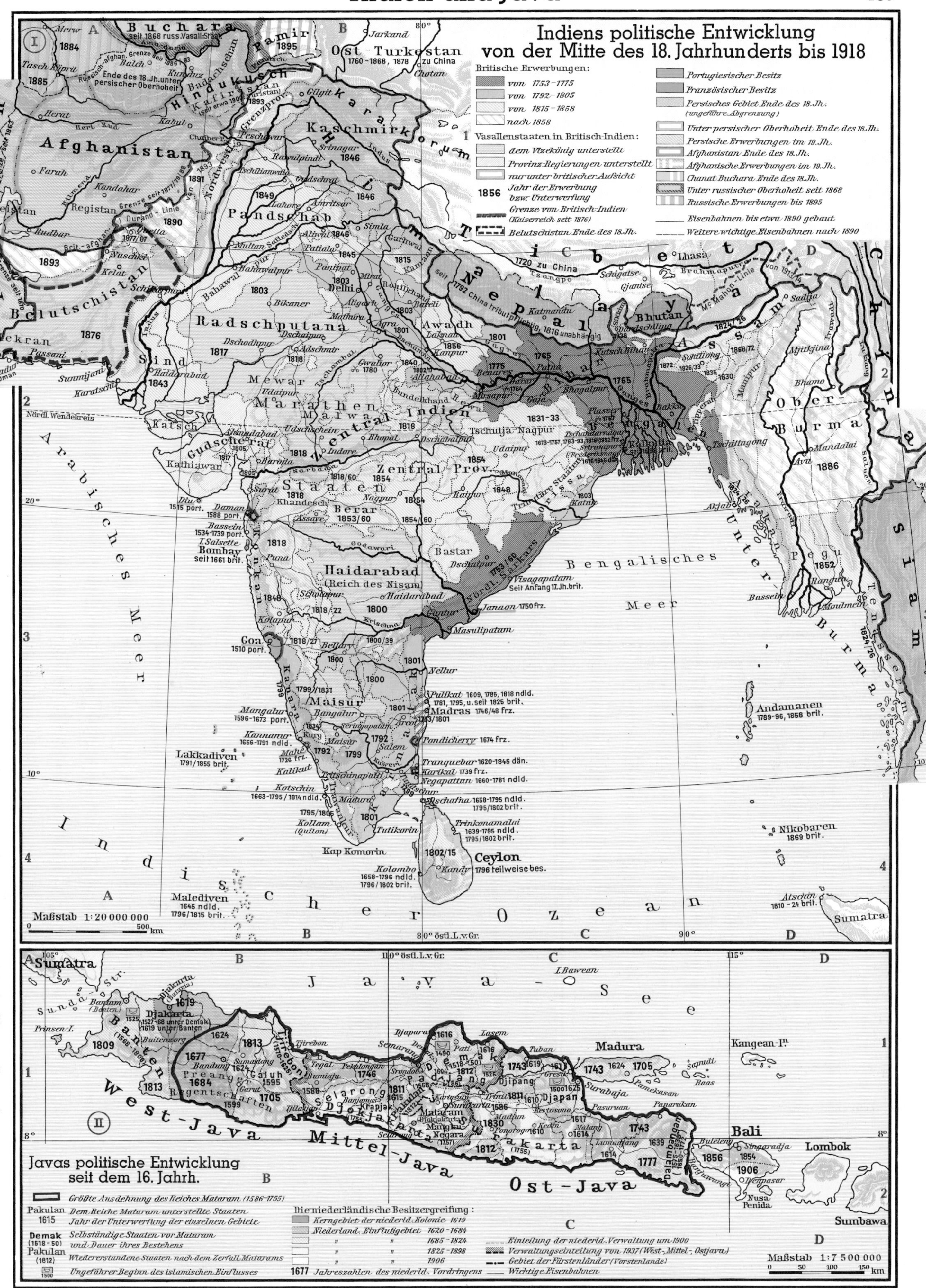
Indiens politische Entwicklung von der Mitte des 18. Jahrhunderts bis 1918
Britische Erwerbungen:
von 1753–1775
von 1792–1805
von 1815–1858
nach 1858
Vasallenstaaten in Britisch-Indien:
dem Vizekönig unterstellt
Provinz-Regierungen unterstellt
nur unter britischer Aufsicht
1856 Jahr der Erwerbung bzw. Unterwerfung
Grenze von Britisch-Indien (Kaiserreich seit 1876)
Belutschistan Ende des 18. Jh.
Portugiesischer Besitz
Französischer Besitz
Persisches Gebiet Ende des 18. Jh. (ungefähre Abgrenzung)
Unter persischer Oberhoheit Ende des 18. Jh.
Persische Erwerbungen im 19. Jh.
Afghanistan Ende des 18. Jh.
Afghanische Erwerbungen im 19. Jh.
Chanat Buchara Ende des 18. Jh.
Unter russischer Oberhoheit seit 1868
Russische Erwerbungen bis 1895
Eisenbahnen bis etwa 1890 gebaut
Weitere wichtige Eisenbahnen nach 1890
Maßstab 1:20 000 000
Javas politische Entwicklung seit dem 16. Jahrh.
Größte Ausdehnung des Reiches Mataram (1586–1755)
Pakulan 1615 Dem Reiche Mataram unterstellte Staaten Jahr der Unterwerfung der einzelnen Gebiete
Demak (1518–50) Selbständige Staaten vor Mataram und Dauer ihres Bestehens
Pakulan (1812) Wiedererstandene Staaten nach dem Zerfall Matarams
1500 Ungefährer Beginn des islamischen Einflusses
Die niederländische Besitzergreifung:
Kerngebiet der niederld. Kolonie 1619
Niederland. Einflußgebiet 1620–1684
" " 1685–1824
" " 1825–1898
" " 1906
1677 Jahreszahlen des niederld. Vordringens
Einteilung der niederld. Verwaltung um 1900
Verwaltungseinteilung von 1937 (West-, Mittel-, Ostjava)
Gebiet der Fürstenländer (Vorstenlande)
Wichtige Eisenbahnen
Maßstab 1:7 500 000

Ostasien vom 19. Jahrhundert bis 1930

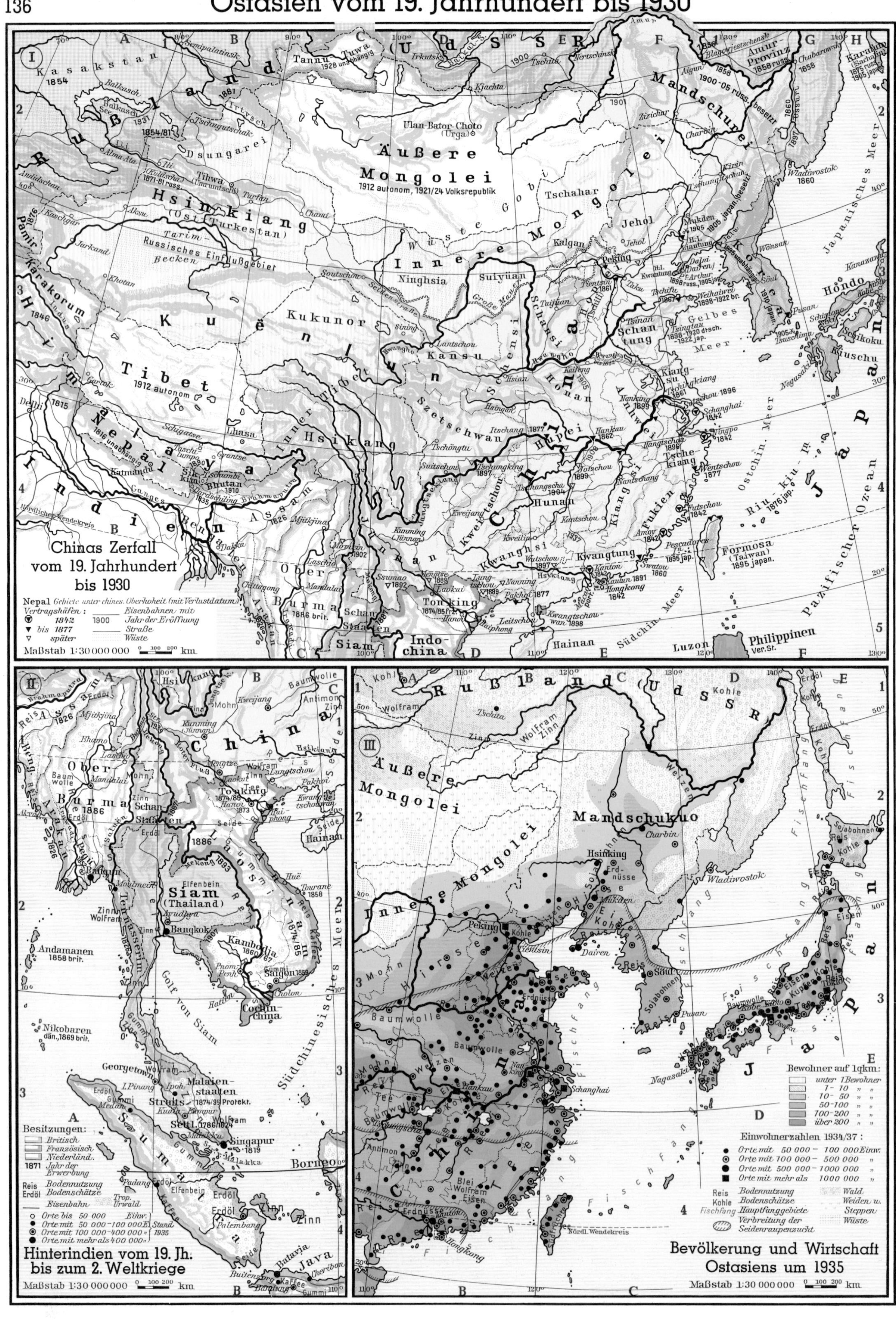

Interessensphären und politische Spannungen der Großmächte im Pazifik vom 19. Jahrh. bis 1930
Transkontinent-Eisenbahnen
Rußland (UdSSR)
China
Japan
Pazifischer Ozean
Indischer Ozean
Südsee
Dominion Australien
Neuseeland
1907 Dominion
Niederländ.-Indien
Vereinigte Staaten
Kanada
Alaska russ. 1867 V.St.
Bering-Meer
Ochotsk. Meer
Aléuten 1867
Midway-I. 1867 V.St.
Hawaii-In. 1893/97/1900 V.St.
Philippinen span. 1898 V.St.
Karolinen span. 1899 deutsch
1920 japanisches Mandat
Marshall-In. 1885 deutsch
Samoa-In. 1899 deutsch 1920 neuseeld. Mandat
Fidschi-In. 1874 br.
Neu-Kaledonien 1853/64 frz.
Siam
Indochina 1884 frz.
Formosa 1895
Mongolei 1912
Tibet 1912
Nördl. Wendekreis
Südl. Wendekreis
Äquator
Datumsgrenze
Bevölkerung und Wirtschaft
Bewohner auf 1qkm:
unter 1
1 - 10
10 - 50
50 - 100
100 - 200
über 200
B Blei
E Eisen
G Gold
K Kohle
P Erdöl
Z Zinn
Zk Zink
G Gummi
M Molkereierzeugnisse
W Wolle
Z Zucker
Ackerland
Weideland
Wald
Orte mit 50000-100000 Einw.
„ „ 100000-1000000 „
„ „ mehr als 1000000 „
Religionen in Süd- und Ostasien
Südl. Buddhismus (hinayanistisch)
Nördl. Buddhismus (mahayanistisch)
in Tibet u. der Mongolei = Lamaismus
Konfuzianismus in China, Schintoismus in Japan
Islam (Schiiten, Sunniten)
Hinduismus
Christentum
Reste primitiver Religionen

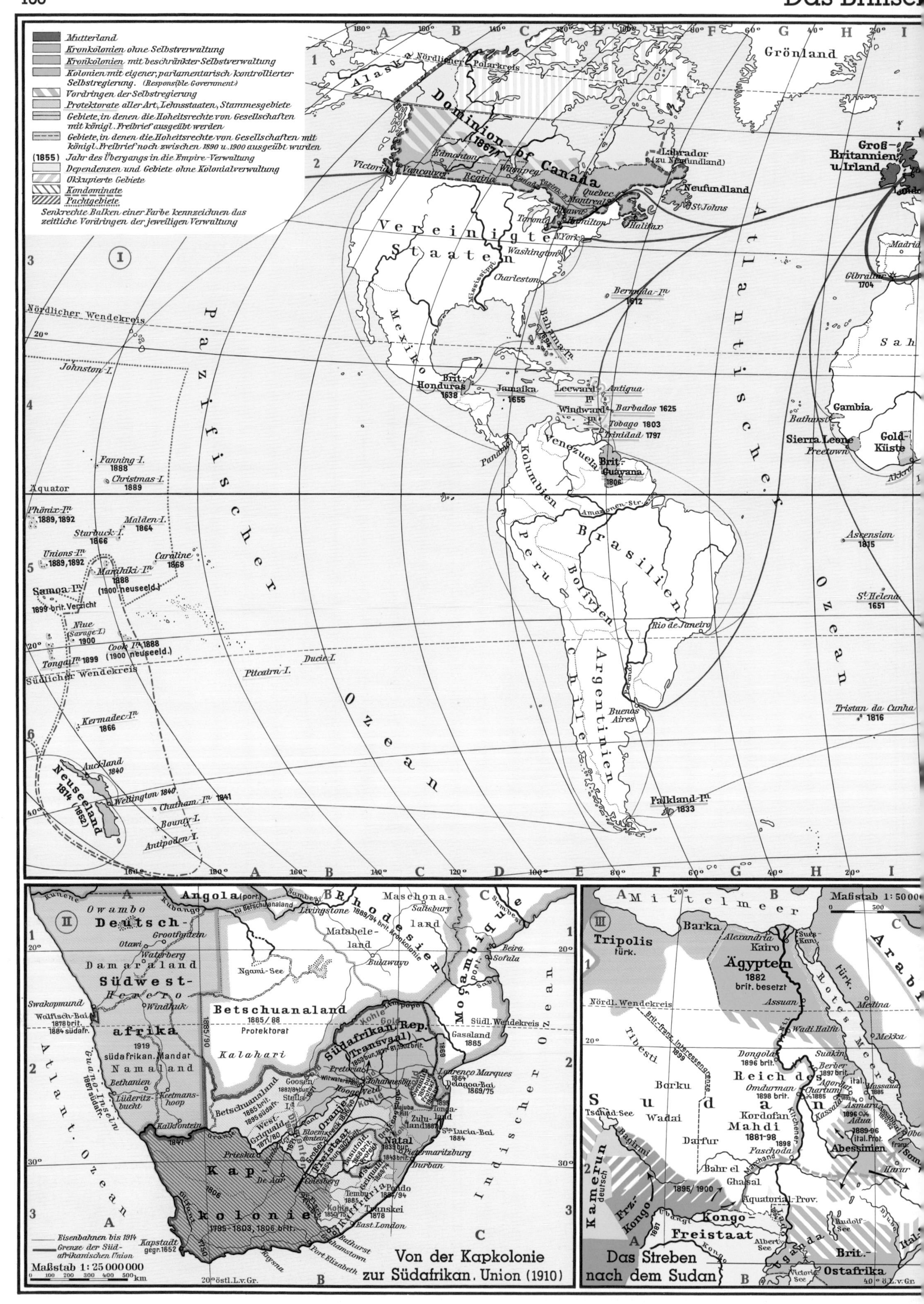
Mutterland
Kronkolonien ohne Selbstverwaltung
Kronkolonien mit beschränkter Selbstverwaltung
Kolonien mit eigener, parlamentarisch kontrollierter Selbstregierung. (Responsible Government)
Vordringen der Selbstregierung
Protektorate aller Art, Lehnsstaaten, Stammesgebiete
Gebiete, in denen die Hoheitsrechte von Gesellschaften mit königl. Freibrief ausgeübt werden
Gebiete, in denen die Hoheitsrechte von Gesellschaften mit königl. Freibrief noch zwischen 1890 u. 1900 ausgeübt wurden
(1855) Jahr des Übergangs in die Empire-Verwaltung
Dependenzen und Gebiete ohne Kolonialverwaltung
Okkupierte Gebiete
Kondominate
Pachtgebiete
Senkrechte Balken einer Farbe kennzeichnen das zeitliche Vordringen der jeweiligen Verwaltung
I
Grönland
Alaska
Nördlicher Polarkreis
Dominion of Canada (1867)
Labrador (zu Neufundland)
Neufundland
St. Johns
Groß-Britannien u. Irland
Vereinigte Staaten
Mexiko
Bahama-In. 1684
Bermuda-In. 1612
Brit. Honduras 1638
Jamaika 1655
Leeward-In.
Antigua
Windward-In.
Barbados 1625
Tobago 1803
Trinidad 1797
Brit. Guayana 1806
Venezuela
Kolumbien
Brasilien
Peru
Bolivien
Chile
Argentinien
Falkland-In. 1833
Gibraltar 1704
Gambia
Sierra Leone
Freetown
Goldküste
Askension 1815
St. Helena 1651
Tristan da Cunha 1816
Atlantischer Ozean
Pazifischer Ozean
Nördlicher Wendekreis
Südlicher Wendekreis
Äquator
Johnston-I.
Fanning-I. 1888
Christmas-I. 1889
Phönix-In. 1889, 1892
Malden-I. 1864
Starbuck-I. 1866
Unions-In. 1889, 1892
Caroline 1868
Manihiki-In. 1888 (1900 neuseeld.)
Samoa-In. 1899 brit. Verzicht
Niue (Savage-I.) 1900
Cook In. 1888 (1900 neuseeld.)
Tonga-In. 1899
Pitcairn-I.
Ducie-I.
Kermadec-In. 1866
Neuseeland 1814 (1852)
Auckland 1840
Wellington 1840
Chatham-In. 1841
Bounty-I.
Antipoden-I.
II
Angola (port.)
Rhodesien
Deutsch-Südwest-afrika
1919 südafrikan. Mandat
Betschuanaland 1885/88 Protektorat
Südafrikan. Rep. (Transvaal)
Oranje-Freistaat
Natal
Kapkolonie 1795-1803, 1806 brit.
Kapstadt gegr. 1652
Moçambique
Atlant. Ozean
Indischer Ozean
Eisenbahnen bis 1914
Grenze der Südafrikanischen Union
Maßstab 1: 25 000 000
Von der Kapkolonie zur Südafrikan. Union (1910)
III
Mittelmeer
Tripolis türk.
Ägypten 1882 brit. besetzt
Reich des Mahdi 1881-98
Sudan
Kamerun deutsch
Kongo-Freistaat
Brit.-Ostafrika
Abessinien
Maßstab 1: 5000
Das Streben nach dem Sudan

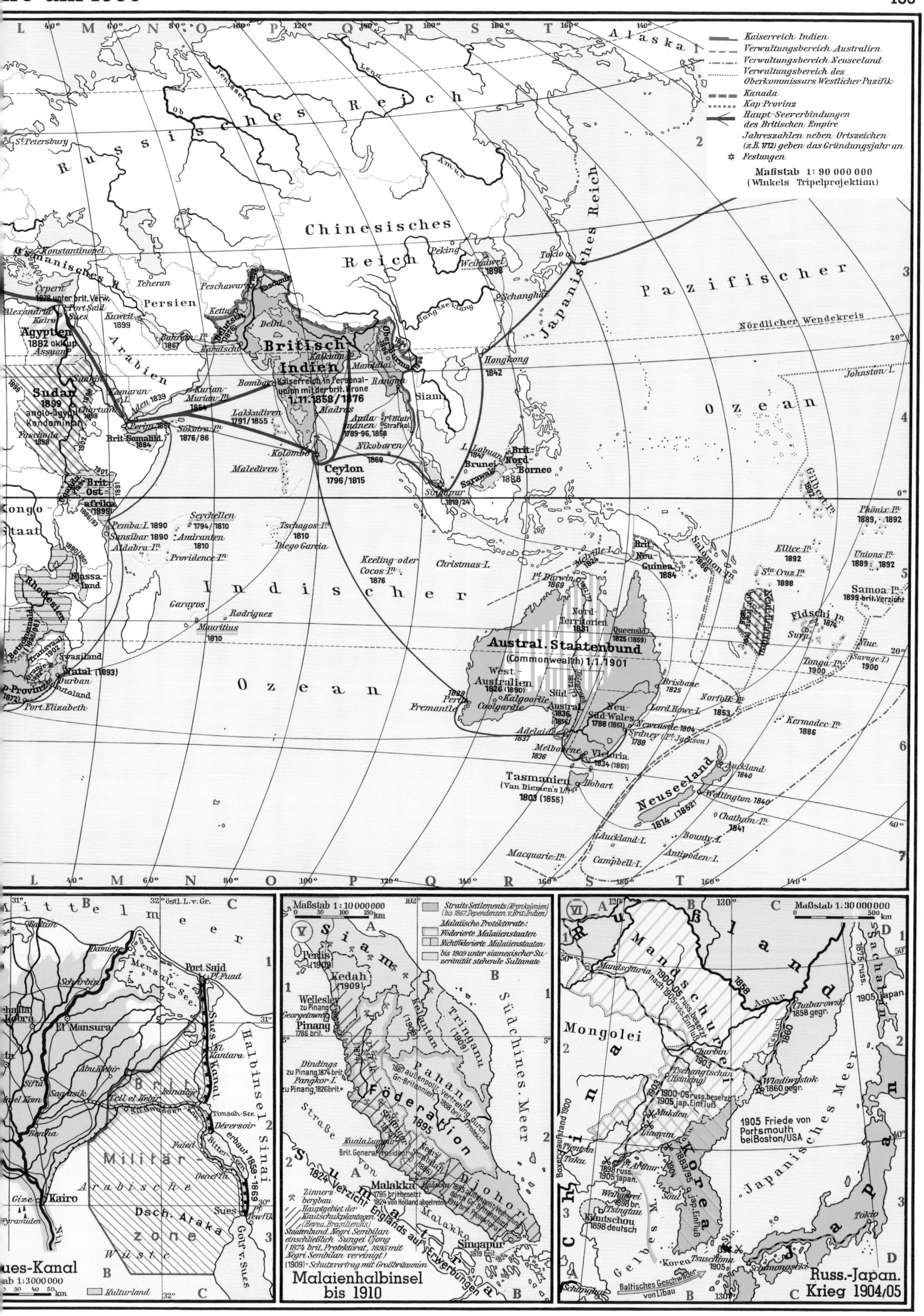
Kaiserreich Indien
Verwaltungsbereich Australien
Verwaltungsbereich Neuseeland
Verwaltungsbereich des Oberkommissars Westlicher Pazifik
Kanada
Kap-Provinz
Haupt-Seeverbindungen des Britischen Empire
Jahreszahlen neben Ortszeichen (z.B. 1712) geben das Gründungsjahr an
Festungen
Maßstab 1: 90 000 000
(Winkels Tripelprojektion)
Russisches Reich
Chinesisches Reich
Japanisches Reich
Pazifischer Ozean
Indischer Ozean
Nördlicher Wendekreis
Britisch Indien
Kaiserreich in Personalunion mit der brit. Krone 1.11.1858/1876
Ceylon 1796/1815
Austral. Staatenbund (Commonwealth) 1.1.1901
Neuseeland 1814 (1852)
Tasmanien (Van Diemen's L.) 1803 (1855)
Ägypten 1882 okkup.
Sudan 1899 anglo-ägypt. Kondominium
Brit. Ostafrika (1895)
Rhodesien
Natal (1893)
Persien
Arabien
Hongkong 1842
Singapur 1819/24
Samoa-In. 1899 brit. Verzicht
Fidschi In. 1874
Suez-Kanal
Maßstab 1:3 000 000
Kulturland
Brit. Militär-Zone
Arabische Wüste
Halbinsel Sinai
Port Said
Kairo
Sues
erbaut 1859-1869
Malaienhalbinsel bis 1910
Maßstab 1:10 000 000
Straits Settlements (Kronkolonien) (bis 1867 Dependenzen v. Brit. Indien)
Malaiische Protektorate:
Föderierte Malaiienstaaten
Nichtföderierte Malaiienstaaten
bis 1909 unter siamesischer Suzeränität stehende Sultanate
Siam
Föderation 1895
Südchines. Meer
Straße von Malakka
Sumatra
1824 Verzicht Englands auf Erwerbungen
Singapur 1819 brit.
Malakka
Pinang 1786 brit.
Russ.-Japan. Krieg 1904/05
Maßstab 1:30 000 000
Russland
Mandschurei
Mongolei
China
Korea
Japan
Japanisches Meer
Gelbes Meer
1905 Friede von Portsmouth bei Boston/USA
Port Arthur
Mukden
Wladiwostok 1860 gegr.
Chabarowsk 1858 gegr.
Kiautschou 1898 deutsch
Tsuschima 1905
Baltisches Geschwader von Libau
Boxeraufstand 1900

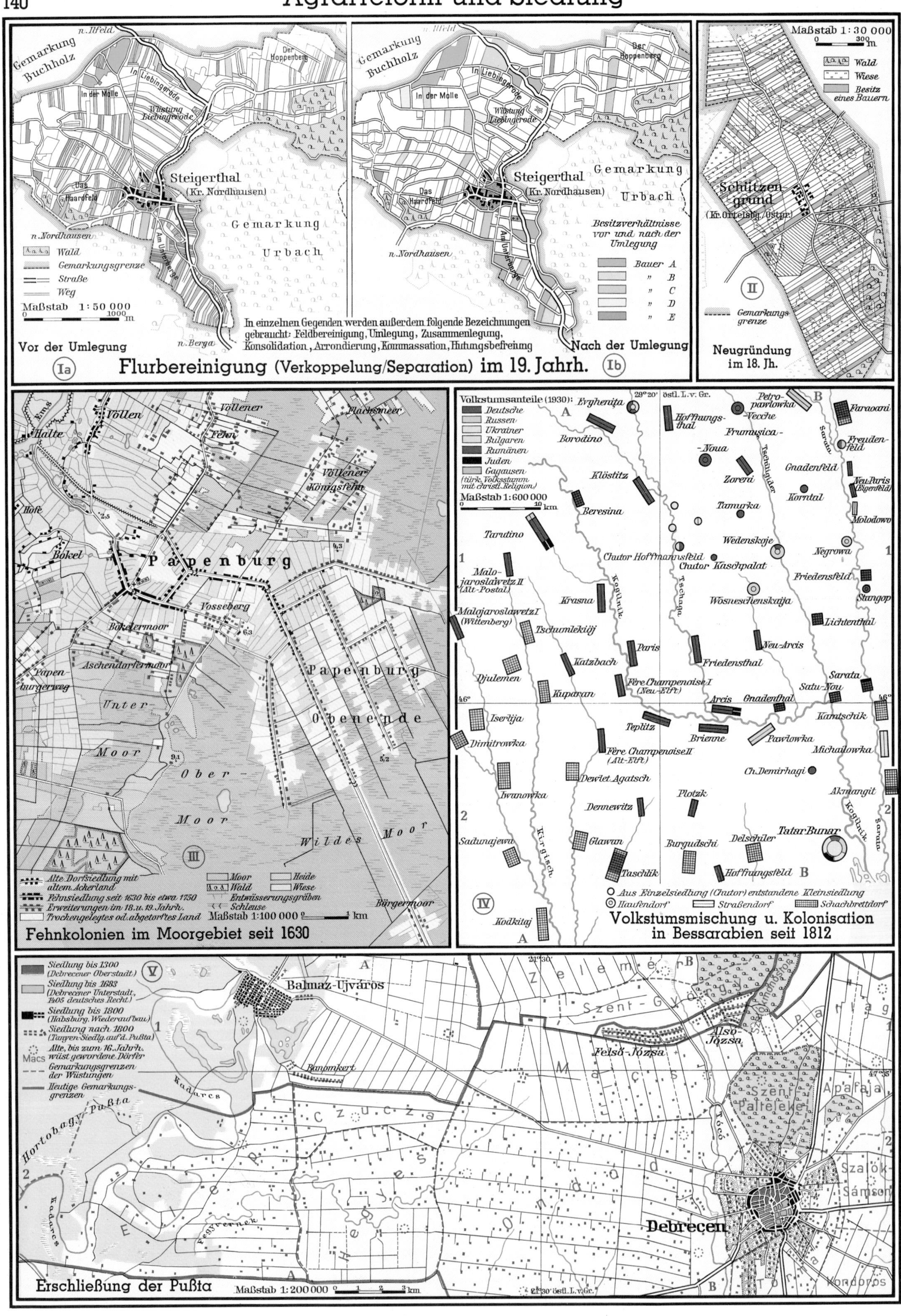
Vor der Umlegung
Nach der Umlegung
Flurbereinigung (Verkoppelung/Separation) im 19. Jahrh.
In einzelnen Gegenden werden außerdem folgende Bezeichnungen gebraucht: Feldbereinigung, Umlegung, Zusammenlegung, Konsolidation, Arrondierung, Kommassation, Hutungsbefreiung
Steigerthal (Kr. Nordhausen)
Gemarkung Urbach
Gemarkung Buchholz
Wald
Gemarkungsgrenze
Straße
Weg
Maßstab 1:50 000
Besitzverhältnisse vor und nach der Umlegung
Bauer A
Neugründung im 18. Jh.
Schützengrund (Kr. Ortelsbg./Ostpr.)
Maßstab 1:30 000
Wald
Wiese
Besitz eines Bauern
Gemarkungsgrenze
Fehnkolonien im Moorgebiet seit 1630
Papenburg
Alte Dorfsiedlung mit altem Ackerland
Fehnsiedlung seit 1630 bis etwa 1750
Erweiterungen im 18. u. 19. Jahrh.
Trockengelegtes od. abgetorftes Land
Moor
Heide
Wald
Wiese
Entwässerungsgräben
Schleuse
Maßstab 1:100 000
Volkstumsmischung u. Kolonisation in Bessarabien seit 1812
Volkstumsanteile (1930):
Deutsche
Russen
Ukrainer
Bulgaren
Rumänen
Juden
Gagausen (türk. Volksstamm mit christl. Religion)
Maßstab 1:600 000
Aus Einzelsiedlung (Chutor) entstandene Kleinsiedlung
Haufendorf
Straßendorf
Schachbrettdorf
Erschließung der Pußta
Siedlung bis 1300 (Debrecener Oberstadt)
Siedlung bis 1683 (Debrecener Unterstadt, 1405 deutsches Recht)
Siedlung bis 1800 (Habsburg. Wiederaufbau)
Siedlung nach 1800 (Tanyen-Siedlg. auf d. Pußta)
Alte, bis zum 16. Jahrh. wüst gewordene Dörfer
Gemarkungsgrenzen der Wüstungen
Heutige Gemarkungsgrenzen
Balmaz-Ujváros
Debrecen
Maßstab 1:200 000

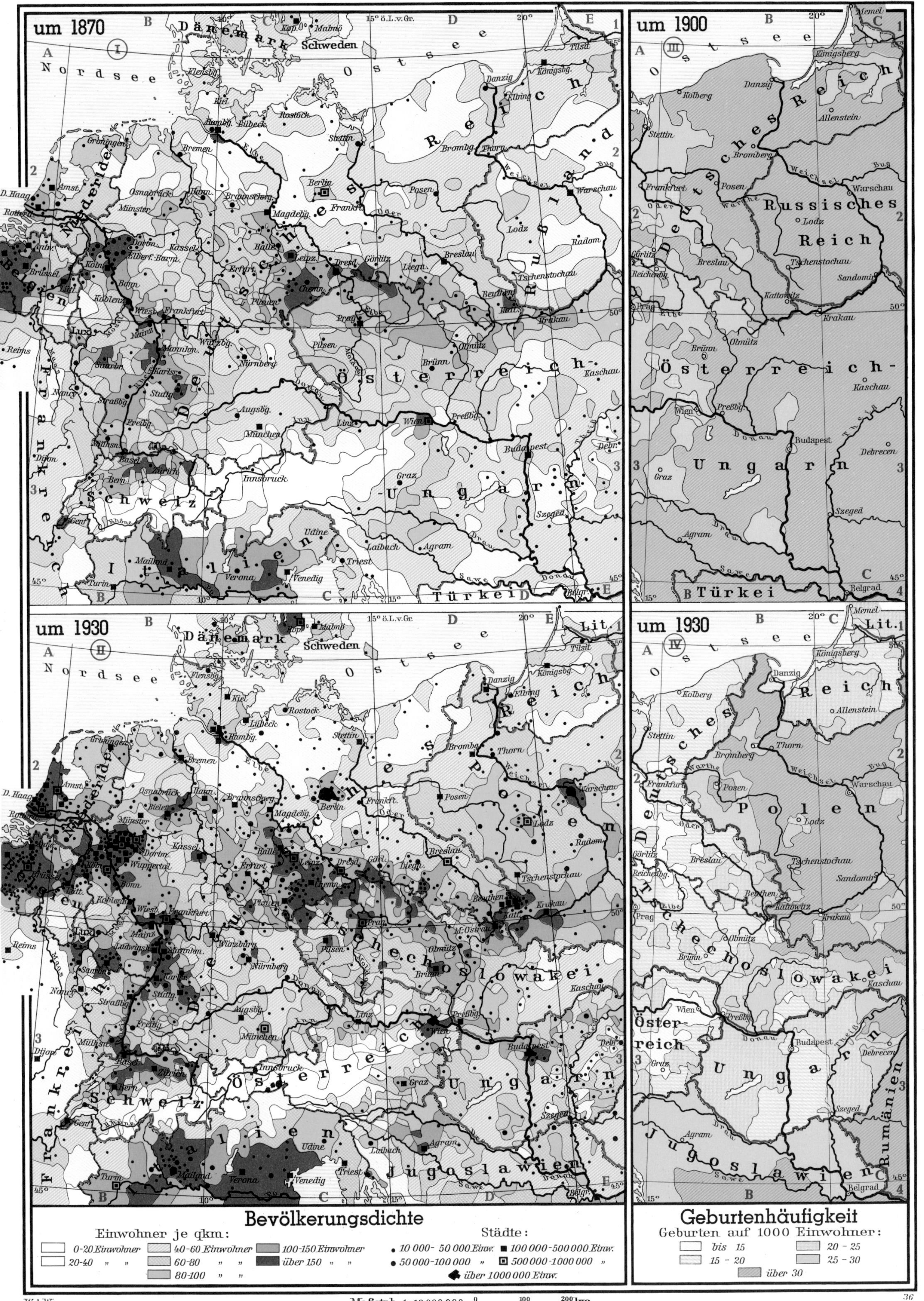
um 1870
um 1900
um 1930
um 1930
Bevölkerungsdichte
Einwohner je qkm:
0-20 Einwohner
20-40 " "
40-60 Einwohner
60-80 " "
80-100 " "
100-150 Einwohner
über 150 " "
Städte:
10 000- 50 000 Einw.
50 000-100 000 "
100 000-500 000 Einw.
500 000-1000 000 "
über 1000 000 Einw.
Geburtenhäufigkeit
Geburten auf 1000 Einwohner:
bis 15
15 - 20
20 - 25
25 - 30
über 30

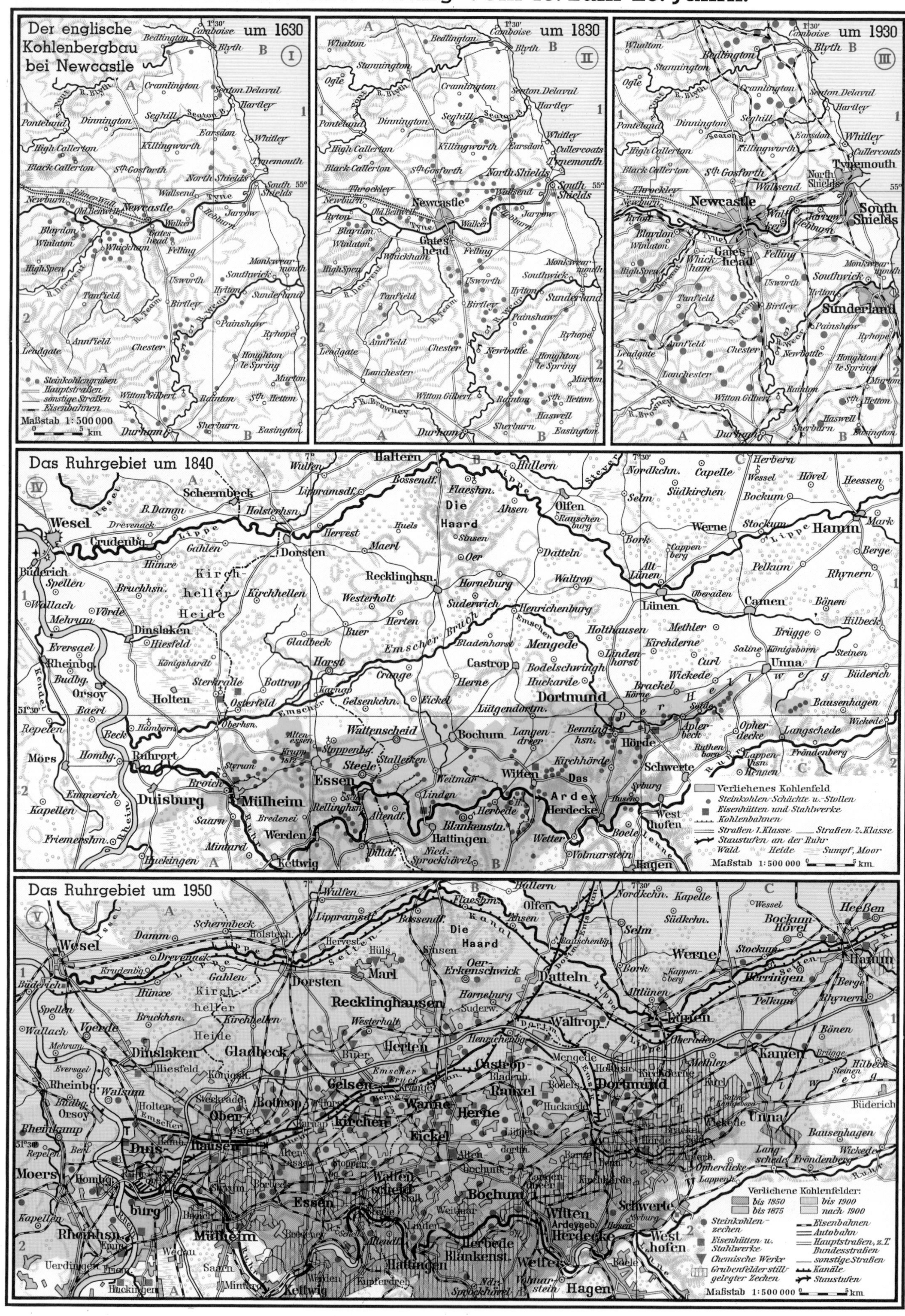
Der englische Kohlenbergbau bei Newcastle um 1630
I
um 1830
II
um 1930
III
Steinkohlengruben
Hauptstraßen
sonstige Straßen
Eisenbahnen
Maßstab 1: 500 000
Newcastle
Gateshead
Sunderland
South Shields
Tynemouth
North Shields
Durham
Das Ruhrgebiet um 1840
IV
Verliehenes Kohlenfeld
Steinkohlen-Schächte u. -Stollen
Eisenhütten und Stahlwerke
Kohlenbahnen
Straßen 1. Klasse
Straßen 2. Klasse
Staustufen an der Ruhr
Wald
Heide
Sumpf, Moor
Maßstab 1: 500 000
Wesel
Dorsten
Recklinghsn.
Dortmund
Bochum
Essen
Duisburg
Mülheim
Hamm
Unna
Das Ruhrgebiet um 1950
V
Verliehene Kohlenfelder:
bis 1850
bis 1875
bis 1900
nach 1900
Steinkohlenzechen
Eisenhütten u. Stahlwerke
Chemische Werke
Grubenfelder stillgelegter Zechen
Eisenbahnen
Autobahn
Hauptstraßen, z.T. Bundesstraßen
sonstige Straßen
Kanäle
Staustufen
Maßstab 1: 500 000
Recklinghausen
Gelsenkirchen
Oberhausen
Duisburg
Mülheim
Essen
Bochum
Dortmund
Herne
Wanne-Eickel
Castrop-Rauxel
Hagen
Hamm
Unna

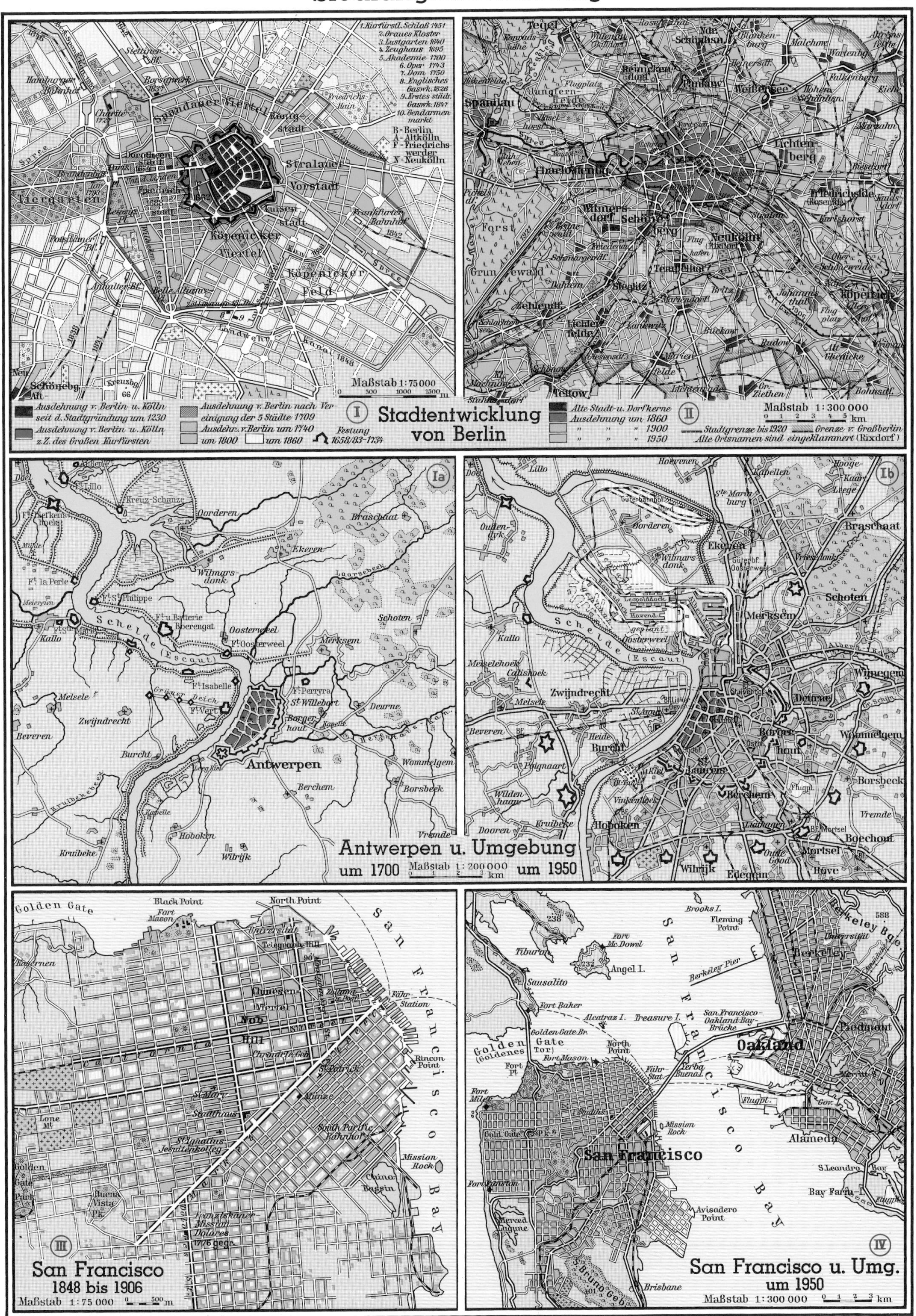
I
Stadtentwicklung von Berlin
Ausdehnung v. Berlin u. Kölln seit d. Stadtgründung um 1230
Ausdehnung v. Berlin u. Kölln z.Z. des Großen Kurfürsten
Ausdehnung v. Berlin nach Vereinigung der 5 Städte 1709
Ausdehn. v. Berlin um 1740
um 1800
um 1860
Festung 1658/83-1734
Maßstab 1:75 000
1. Kurfürstl. Schloß 1451
2. Graues Kloster
3. Lustgarten 1640
4. Zeughaus 1695
5. Akademie 1700
6. Oper 1743
7. Dom 1750
8. Englisches Gaswk. 1826
9. Erstes städt. Gaswk. 1847
10. Gendarmenmarkt
B = Berlin
A = Altkölln
F = Friedrichswerder
N = Neukölln
II
Alte Stadt- u. Dorfkerne
Ausdehnung um 1860
" " " 1900
" " " 1950
Stadtgrenze bis 1920
Grenze v. Großberlin
Alte Ortsnamen sind eingeklammert (Rixdorf)
Maßstab 1:300 000
Ia
Ib
Antwerpen u. Umgebung
um 1700
um 1950
Maßstab 1:200 000
III
San Francisco
1848 bis 1906
Maßstab 1:75 000
IV
San Francisco u. Umg.
um 1950
Maßstab 1:300 000

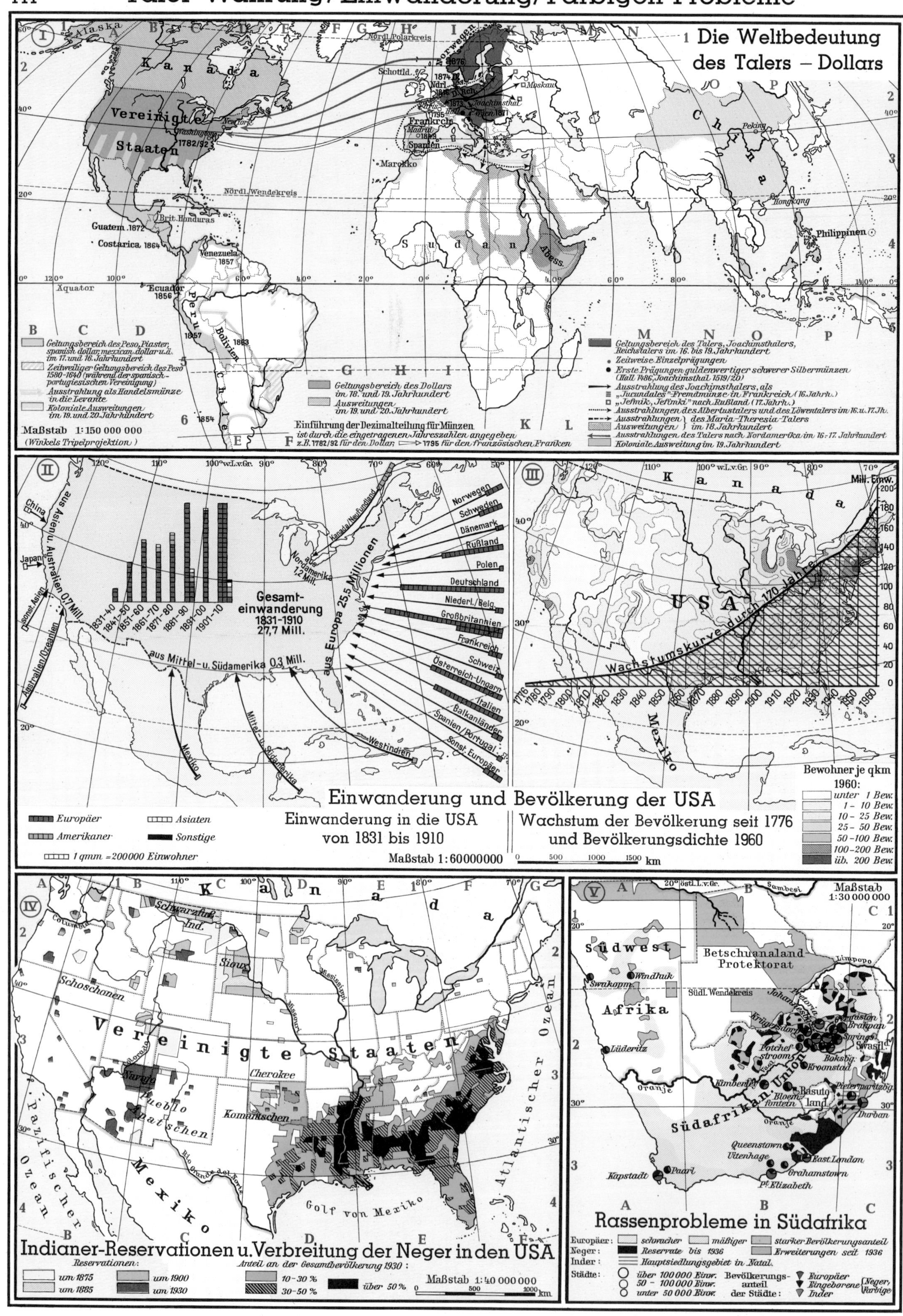

1 Die Weltbedeutung des Talers – Dollars
Kanada
Vereinigte Staaten
1782/92
Washington
New York
Schottld.
Norwegen
1876
1874
Ndrl.
1816
D. Rch.
1873
Joachimsthal
Moskau
Wien 1871
1795
Frankrch.
Madrid
1803
Spanien
Marokko
Nördl. Polarkreis
Nördl. Wendekreis
Äquator
China
Peking
Hongkong
Philippinen
Sudan
Abess.
Guatem. 1872
Brit. Honduras
Costarica 1864
Venezuela 1857
Ecuador 1856
Peru 1857
Bolivien 1863
Chile 1854
Geltungsbereich des Peso, Piaster, spanish dollar, mexican dollar u.ä. im 17. und 18. Jahrhundert
Zeitweiliger Geltungsbereich des Peso 1580–1640 (während der spanisch-portugiesischen Vereinigung)
Ausstrahlung als Handelsmünze in die Levante
Koloniale Ausweitungen im 19. und 20. Jahrhundert
Geltungsbereich des Dollars im 18. und 19. Jahrhundert
Ausweitungen im 19. und 20. Jahrhundert
Einführung der Dezimalteilung für Münzen ist durch die eingetragenen Jahreszahlen angegeben z.B. 1782/92 für den Dollar; 1795 für den französischen Franken
Geltungsbereich des Talers, Joachimsthalers, Reichstalers im 16. bis 19. Jahrhundert
Zeitweise Einzelprägungen
Erste Prägungen guldenwertiger schwerer Silbermünzen (Hall 1486, Joachimsthal 1519/20)
Ausstrahlung des Joachimsthalers, als „Jucundales" Fremdmünze in Frankreich (16. Jahrh.)
„Jefimki, Jefimki" nach Rußland (17. Jahrh.)
Ausstrahlungen des Albertustalers und des Löwentalers im 16. u. 17. Jh.
Ausstrahlungen des Maria-Theresia-Talers
Ausweitungen im 18. Jahrhundert
Ausstrahlungen des Talers nach Nordamerika im 16.–17. Jahrhundert
Koloniale Ausweitung im 19. Jahrhundert
Maßstab 1:150 000 000
(Winkels Tripelprojektion)
Einwanderung und Bevölkerung der USA
aus Asien u. Australien 0,7 Mill.
China
Japan
sonst. Asien
Australien/Ozeanien
aus Nordamerika 1,2 Mill.
Kanada/Neufundland
aus Mittel- u. Südamerika 0,3 Mill.
Mexiko
Mittel- u. Südamerika
Westindien
aus Europa 25,5 Millionen
Norwegen
Schweden
Dänemark
Rußland
Polen
Deutschland
Niederl./Belg.
Großbritannien
Frankreich
Schweiz
Österreich-Ungarn
Italien
Balkanländer
Spanien/Portugal
Sonst. Europäer
Gesamt-einwanderung 1831–1910 27,7 Mill.
1831–40
1841–50
1851–60
1861–70
1871–80
1881–90
1891–00
1901–10
Europäer
Amerikaner
Asiaten
Sonstige
1 qmm = 200000 Einwohner
Einwanderung in die USA von 1831 bis 1910
Kanada
USA
Mexiko
Mill. Einw.
Wachstumskurve durch 170 Jahre
Wachstum der Bevölkerung seit 1776 und Bevölkerungsdichte 1960
Bewohner je qkm 1960:
unter 1 Bew.
1 – 10 Bew.
10 – 25 Bew.
25 – 50 Bew.
50 – 100 Bew.
100 – 200 Bew.
üb. 200 Bew.
Maßstab 1:60000000
km
Kanada
Schwarzfuß Ind.
Sioux
Schoschonen
Vereinigte Staaten
Cherokee
Navajo
Pueblo
Apatschen
Komantschen
Mexiko
Pazifischer Ozean
Atlantischer Ozean
Golf von Mexiko
Indianer-Reservationen u. Verbreitung der Neger in den USA
Reservationen:
um 1875
um 1885
um 1900
um 1930
Anteil an der Gesamtbevölkerung 1930:
10 – 30 %
30 – 50 %
über 50 %
Maßstab 1:40 000 000
km
Maßstab 1:30 000 000
Sambesi
Südwest-Afrika
Betschuanaland Protektorat
Limpopo
Windhuk
Swakopm.
Südl. Wendekreis
Lüderitz
Pretoria
Johannesburg
Krügersdorp
Germiston
Brakpan
Springs
Swasild.
Potchefstroom
Boksbg.
Kroonstad
Kimberley
Basutoland
Bloemfontein
Pietermaritzbg.
Durban
Oranje
Südafrikan. Union
Queenstown
Uitenhage
East London
Grahamstown
Kapstadt
Paarl
Pt. Elizabeth
Rassenprobleme in Südafrika
Europäer: schwacher, mäßiger, starker Bevölkerungsanteil
Neger: Reservate bis 1936, Erweiterungen seit 1936
Inder: Hauptsiedlungsgebiet in Natal
Städte: über 100000 Einw., 50 – 100000 Einw., unter 50000 Einw.
Bevölkerungsanteil der Städte: Europäer, Eingeborene, Inder, Neger, Farbige

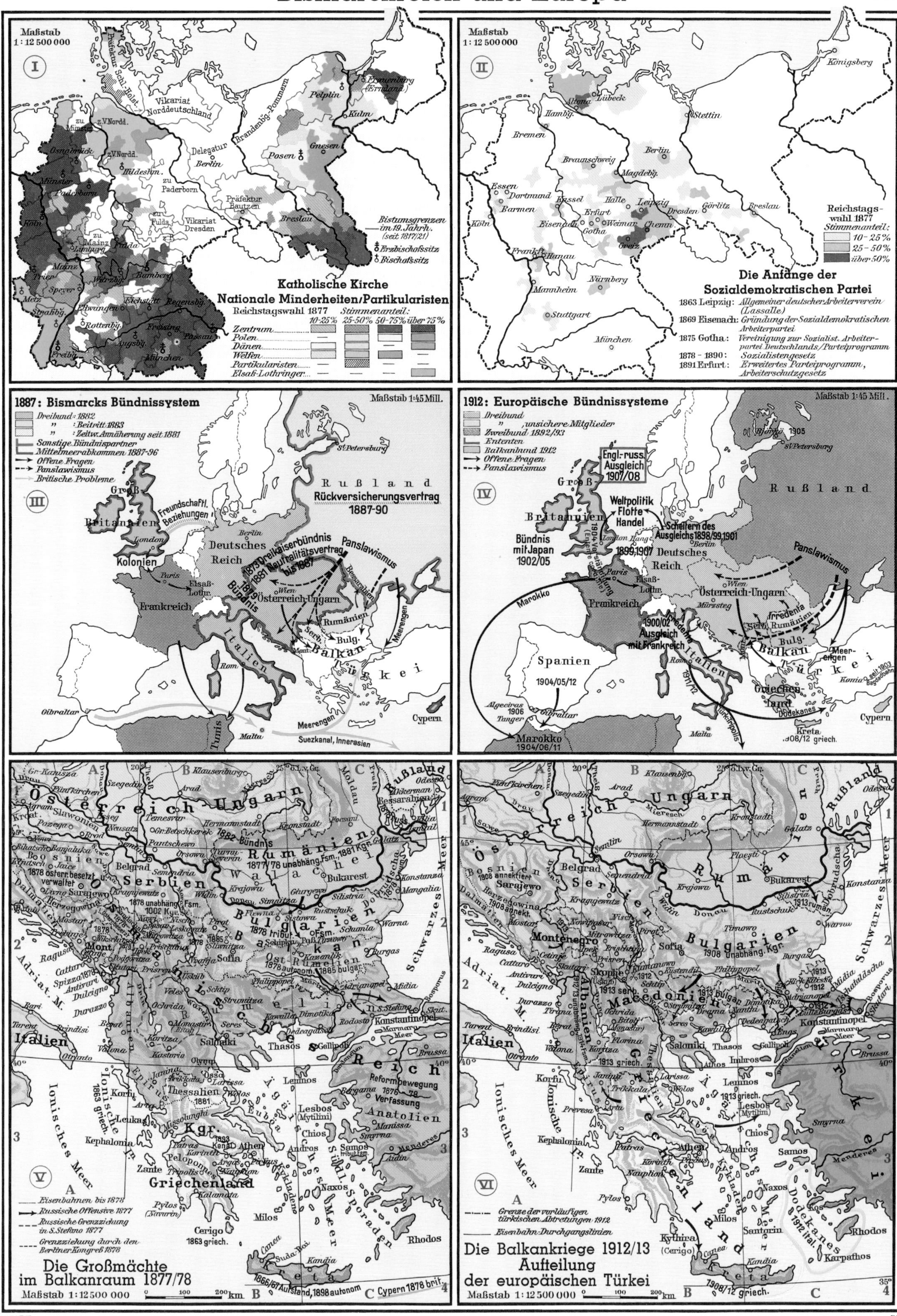
Maßstab 1:12 500 000
I
Katholische Kirche
Nationale Minderheiten/Partikularisten
Reichstagswahl 1877 Stimmenanteil: 10-25% 25-50% 50-75% über 75%
Zentrum
Polen
Dänen
Welfen
Partikularisten
Elsaß-Lothringer
Bistumsgrenzen im 19. Jahrh. (seit 1817/21)
Erzbischofssitz
Bischofssitz
Vikariat Norddeutschland
Delegatur Berlin
Präfektur Bautzen
Vikariat Dresden
Maßstab 1:12 500 000
II
Reichstags-wahl 1877
Stimmenanteil: 10-25% 25-50% über 50%
Die Anfänge der Sozialdemokratischen Partei
1863 Leipzig: Allgemeiner deutscher Arbeiterverein (Lassalle)
1869 Eisenach: Gründung der Sozialdemokratischen Arbeiterpartei
1875 Gotha: Vereinigung zur Sozialist. Arbeiterpartei Deutschlands/Parteiprogramm
1878-1890: Sozialistengesetz
1891 Erfurt: Erweitertes Parteiprogramm, Arbeiterschutzgesetz
1887: Bismarcks Bündnissystem
Maßstab 1:45 Mill.
III
Dreibund: 1882
" : Beitritt 1883
" : Zeitw. Annäherung seit 1881
Sonstige Bündnispartner
Mittelmeerabkommen 1887-96
Offene Fragen
Panslawismus
Britische Probleme
Rußland
Rückversicherungsvertrag 1887-90
Dreikaiserbündnis 1873 1881
Neutralitätsvertrag bis 1887
Panslawismus
Deutsches Reich
Österreich-Ungarn
Frankreich
Italien
Balkan
Türkei
Freundschaftl. Beziehungen
Kolonien
Suezkanal, Innerasien
1912: Europäische Bündnissysteme
Maßstab 1:45 Mill.
IV
Dreibund
" , unsichere Mitglieder
Zweibund 1892/93
Ententen
Balkanbund 1912
Offene Fragen
Panslawismus
Engl.-russ. Ausgleich 1907/08
Weltpolitik Flotte Handel
Scheitern des Ausgleichs 1898/99,1901
Bündnis mit Japan 1902/05
Rußland
Panslawismus
Marokko
Spanien
1900/02 Ausgleich mit Frankreich
Algeciras 1906
Marokko 1904/06/11
V
Die Großmächte im Balkanraum 1877/78
Eisenbahnen bis 1878
Russische Offensive 1877
Russische Grenzziehung in S. Stefano 1877
Grenzziehung durch den Berliner Kongreß 1878
Österreich-Ungarn
Rumänien
Serbien
Bulgarien
Osmanisches Reich
Griechenland Kgr.
Cypern 1878 brit.
1866/67 Aufstand, 1898 autonom
Maßstab 1:12 500 000
VI
Die Balkankriege 1912/13
Aufteilung der europäischen Türkei
Grenze der vorläufigen türkischen Abtretungen 1912
Eisenbahn-Durchgangslinien
Österreich-Ungarn
Rumänien
Serbien
Bulgarien
Montenegro
Albanien
Macedonien
Griechenland
Türkei
Dodekanes 1912 ital.
Maßstab 1:12 500 000

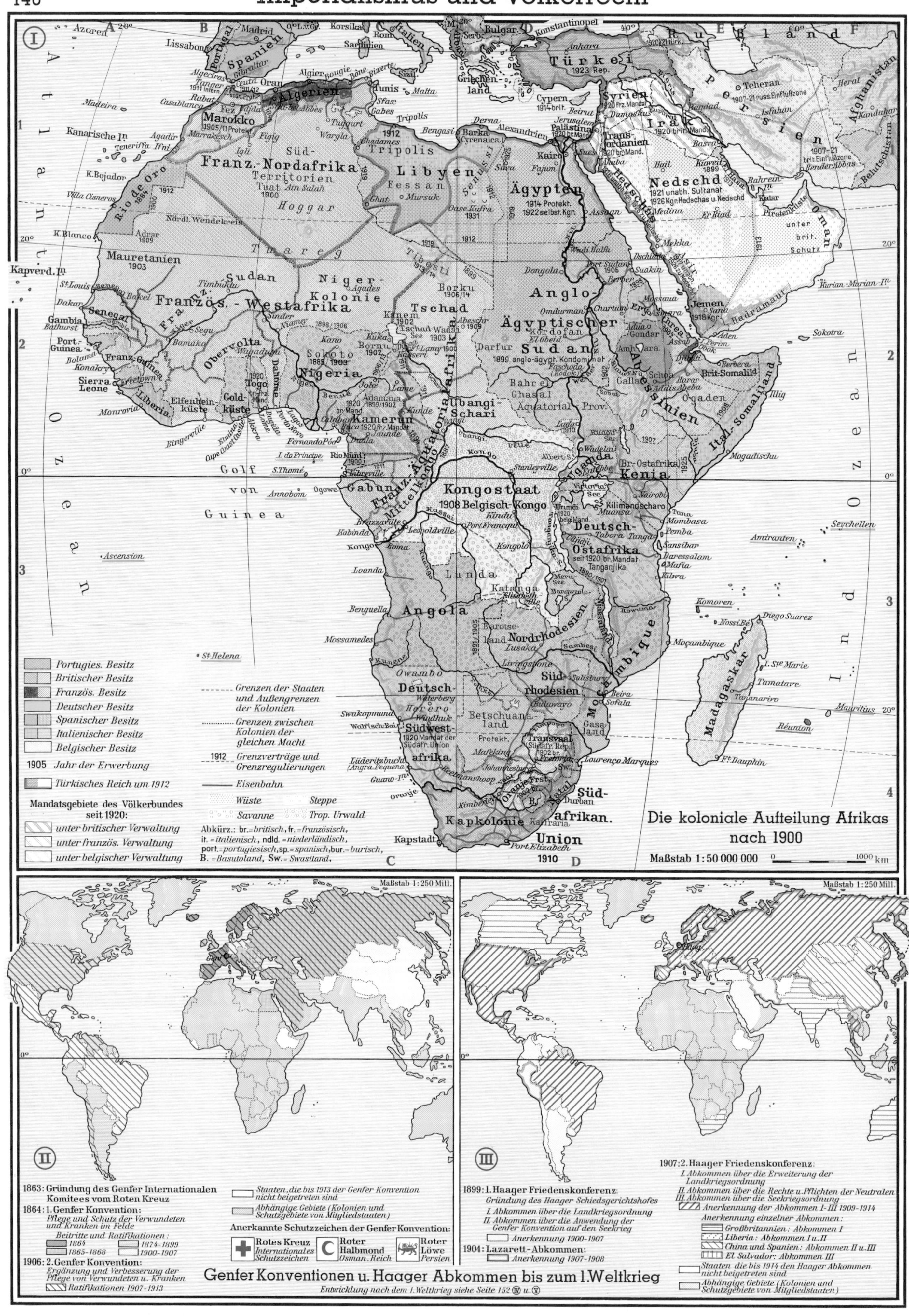
I
Die koloniale Aufteilung Afrikas nach 1900
Maßstab 1 : 50 000 000
Portugies. Besitz
Britischer Besitz
Französ. Besitz
Deutscher Besitz
Spanischer Besitz
Italienischer Besitz
Belgischer Besitz
1905 Jahr der Erwerbung
Türkisches Reich um 1912
Mandatsgebiete des Völkerbundes seit 1920:
unter britischer Verwaltung
unter französ. Verwaltung
unter belgischer Verwaltung
Grenzen der Staaten und Außengrenzen der Kolonien
Grenzen zwischen Kolonien der gleichen Macht
1912 Grenzverträge und Grenzregulierungen
Eisenbahn
Wüste
Steppe
Savanne
Trop. Urwald
Abkürz.: br. = britisch, fr. = französisch, it. = italienisch, ndld. = niederländisch, port. = portugiesisch, sp. = spanisch, bur. = burisch, B. = Basutoland, Sw. = Swasiland,
Atlantischer Ozean
Indischer Ozean
Golf von Guinea
Franz.-Nordafrika
Französ.-Westafrika
Libyen
Ägypten
Anglo-Ägyptischer Sudan
Abessinien
Kenia
Kongostaat
1908 Belgisch-Kongo
Deutsch-Ostafrika
Angola
Nordrhodesien
Südrhodesien
Mocambique
Deutsch-Südwest-afrika
Süd-afrikan. Union
Madagaskar
Kamerun
Nigeria
Türkei
Persien
Arabien
Rußland
II
1863: Gründung des Genfer Internationalen Komitees vom Roten Kreuz
1864: 1. Genfer Konvention: Pflege und Schutz der Verwundeten und Kranken im Felde
Beitritte und Ratifikationen:
1864
1865-1868
1874-1899
1900-1907
1906: 2. Genfer Konvention: Ergänzung und Verbesserung der Pflege von Verwundeten u. Kranken
Ratifikationen 1907-1913
Staaten, die bis 1913 der Genfer Konvention nicht beigetreten sind
Abhängige Gebiete (Kolonien und Schutzgebiete von Mitgliedstaaten)
Anerkannte Schutzzeichen der Genfer Konvention:
Rotes Kreuz Internationales Schutzzeichen
Roter Halbmond Osman. Reich
Roter Löwe Persien
Maßstab 1 : 250 Mill.
III
1899: 1. Haager Friedenskonferenz: Gründung des Haager Schiedsgerichtshofes
I. Abkommen über die Landkriegsordnung
II. Abkommen über die Anwendung der Genfer Konvention auf den Seekrieg
Anerkennung 1900-1907
1904: Lazarett-Abkommen:
Anerkennung 1907-1908
1907: 2. Haager Friedenskonferenz:
I. Abkommen über die Erweiterung der Landkriegsordnung
II. Abkommen über die Rechte u. Pflichten der Neutralen
III. Abkommen über die Seekriegsordnung
Anerkennung der Abkommen I-III 1909-1914
Anerkennung einzelner Abkommen:
Großbritannien: Abkommen I
Liberia: Abkommen I u. II
China und Spanien: Abkommen II u. III
El Salvador: Abkommen III
Staaten die bis 1914 den Haager Abkommen nicht beigetreten sind
Abhängige Gebiete (Kolonien und Schutzgebiete von Mitgliedstaaten)
Maßstab 1 : 250 Mill.
Genfer Konventionen u. Haager Abkommen bis zum 1. Weltkrieg
Entwicklung nach dem 1. Weltkrieg siehe Seite 152 Ⓦ u. Ⓨ

Nordpolarmeer
Atlantischer Ozean
Island
1874 zu Dänemark, erneuert 1903, 1913 eigene Verfass. sepaт. Ministerium für Island
Nördl. Polarkreis
Färöer dän.
Shetland-I.
Orkney-I.
Großbritannien und Irland
Schottland
Irland
England
Wales
Nordsee
Norwegen
Schweden
Personalunion 1814–1905
Dänemark
Bornholm dän.
Helgoland 1890 deutsch
Finnland
Russisches Reich
Weißes Meer
Bottnischer Meerbusen
Estland
Livland
Kurland
Polen
Deutsches Reich
Niederlande
Belgien
Luxemb.
Frankreich
Schweiz
Österreich-Ungarn
Böhmen
Mähren
Galizien
Siebenbürgen
Tirol
Italien
Korsika
Sardinien
Sizilien
Malta brit.
Spanien
Portugal seit 1910 Republik
Balearen
Andorra
Rumänien
Bulgarien 1908 Kgr.
Serbien
Montenegro
Albanien 1912/13 selbständig
Griechenland
Kreta 1908/12 griech.
Türkei
Konstantinopel
Dodekanes seit 1912 ital. besetzt
Bosnien 1878/1908 österr.
Schwarzes Meer
Mittelmeer
Marokko 1905/11 franz. Protekt.
Er-Rif 1909/12 span. Protekt.
Tanger 1911 internat.
Gibraltar br.
Ceuta span.
Melilla sp.
Casablanca 1907 frz. bes.
Fez 1911 frz. bes.
Udschda 1907 frz. bes.
Algerien
seit 1830 franz. Kolonie, seit 1901 auton. Finanzverwalt.
Dept. Oran seit 1848
Dept. Algier seit 1848
Dept. Constantine seit 1848
Territoires du Sud
Militärverwaltung seit 1902 eingerichtet
Tunesien seit 1881 franz. Protekt.
Tripolitanien seit 1911 ital. besetzt
Cyrenaika seit 1911 ital. bes.
Ägypt.
Moskau
St. Petersburg
Berlin
Wien
Paris
London
Rom
Madrid
Budapest
Warschau
Konstantinopel
Wichtige Eisenbahnen
Wichtige Fährverbindungen
Orte über 500000 Einwohner
Orte über 100000 Einwohner
Hauptstädte sind unterstrichen
Maßstab 1 : 17 500 000
Grenze der europ. Türkei vor 1908/12

Der 1. Weltkrieg 1914-1918

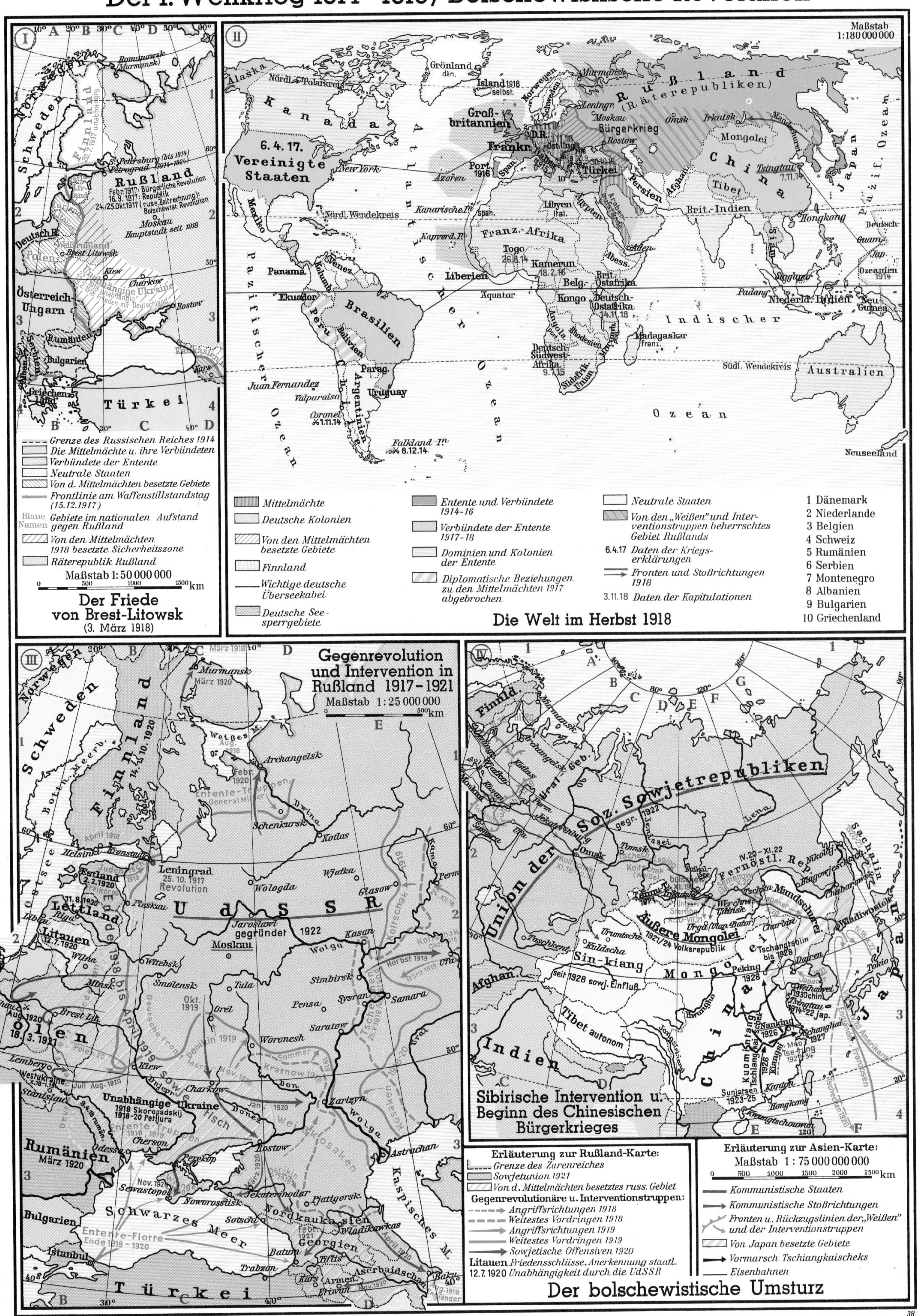
I
Der Friede von Brest-Litowsk (3. März 1918)
Grenze des Russischen Reiches 1914
Die Mittelmächte u. ihre Verbündeten
Verbündete der Entente
Neutrale Staaten
Von d. Mittelmächten besetzte Gebiete
Frontlinie am Waffenstillstandstag (15.12.1917)
Blaue Namen Gebiete im nationalen Aufstand gegen Rußland
Von den Mittelmächten 1918 besetzte Sicherheitszone
Räterepublik Rußland
Maßstab 1: 50 000 000
0 500 1000 1500 km
Rußland
Febr. 1917: Bürgerliche Revolution
16.9.1917: Republik
24./25.Okt.1917 (russ. Zeitrechnung): Bolschewist. Revolution
Moskau Hauptstadt seit 1918
St. Petersburg (bis 1914)
Petrograd (1914–1924)
Finnland
Schweden
Norwegen
Deutsches R.
Polen
Weißrußland
Brest-Litowsk
Kiew
Charkow
Unabhängige Ukraine
Rostow
Österreich-Ungarn
Rumänien
Bulgarien
Türkei
Griechenland
Kars
II
Die Welt im Herbst 1918
Maßstab 1:180 000 000
Mittelmächte
Deutsche Kolonien
Von den Mittelmächten besetzte Gebiete
Finnland
Wichtige deutsche Überseekabel
Deutsche Seesperrgebiete
Entente und Verbündete 1914-16
Verbündete der Entente 1917-18
Dominien und Kolonien der Entente
Diplomatische Beziehungen zu den Mittelmächten 1917 abgebrochen
Neutrale Staaten
Von den „Weißen" und Interventionstruppen beherrschtes Gebiet Rußlands
6.4.17 Daten der Kriegserklärungen
Fronten und Stoßrichtungen 1918
3.11.18 Daten der Kapitulationen
1 Dänemark
2 Niederlande
3 Belgien
4 Schweiz
5 Rumänien
6 Serbien
7 Montenegro
8 Albanien
9 Bulgarien
10 Griechenland
Rußland (Räterepubliken)
Bürgerkrieg
Kanada
6.4.17. Vereinigte Staaten
Atlantischer Ozean
Pazifischer Ozean
Indischer Ozean
Pazif. Ozean
Groß-britannien
Frankr.
Türkei
Persien
China
Japan
Mongolei
Tibet
Brit.-Indien
Franz.-Afrika
Brasilien
Argentinien
Australien
Neuseeland
Nördl. Wendekreis
Südl. Wendekreis
Äquator
Nördl. Polarkreis
III
Gegenrevolution und Intervention in Rußland 1917-1921
Maßstab 1 : 25 000 000
0 500 km
Finnland 14. 10. 1920
Schweden
Leningrad 25. 10. 1917 Revolution
Estland 2.2.1920
Lettland 11.8.1920
Litauen 12.7.1920
Polen 18.3.1921
UdSSR
Jaroslawl gegründet 1922
Moskau
Unabhängige Ukraine 1918 Skoropadskij 1918-20 Petljura
Rumänien März 1920
Schwarzes Meer
Entente-Flotte Ende 1918 - 1920
Türkei
Georgien
Kaspisches M.
Archangelsk
Murmansk
Kasan
Samara
Zarizyn
Astrachan
Rostow
Odessa
Sewastopol
Baku
IV
Sibirische Intervention u. Beginn des Chinesischen Bürgerkrieges
Union der Soz. Sowjetrepubliken
gegr. 1922
Fernöstl. Rep. IV.20 - XI.22
Äußere Mongolei 1921/24 Volksrepublik
Sin-kiang
seit 1928 sowj. Einfluß
Tibet autonom
Mongolei
China
Japan
Indien
Afghan.
Mandschurei
Peking 1928
Nanking 1926
Schanghai 1927
Kanton
Hongkong
Omsk
Wladiwostok
Erläuterung zur Rußland-Karte:
Grenze des Zarenreiches
Sowjetunion 1921
Von d. Mittelmächten besetztes russ. Gebiet
Gegenrevolutionäre u. Interventionstruppen:
Angriffsrichtungen 1918
Weitestes Vordringen 1918
Angriffsrichtungen 1919
Weitestes Vordringen 1919
Sowjetische Offensiven 1920
Litauen 12.7.1920 Friedensschlüsse, Anerkennung staatl. Unabhängigkeit durch die UdSSR
Erläuterung zur Asien-Karte:
Maßstab 1 : 75 000 000 000
0 500 1000 1500 2000 2500 km
Kommunistische Staaten
Kommunistische Stoßrichtungen
Fronten u. Rückzugslinien der „Weißen" und der Interventionstruppen
Von Japan besetzte Gebiete
Vormarsch Tschiangkaischeks
Eisenbahnen
Der bolschewistische Umsturz
W.A.W.
38

Europa nach der

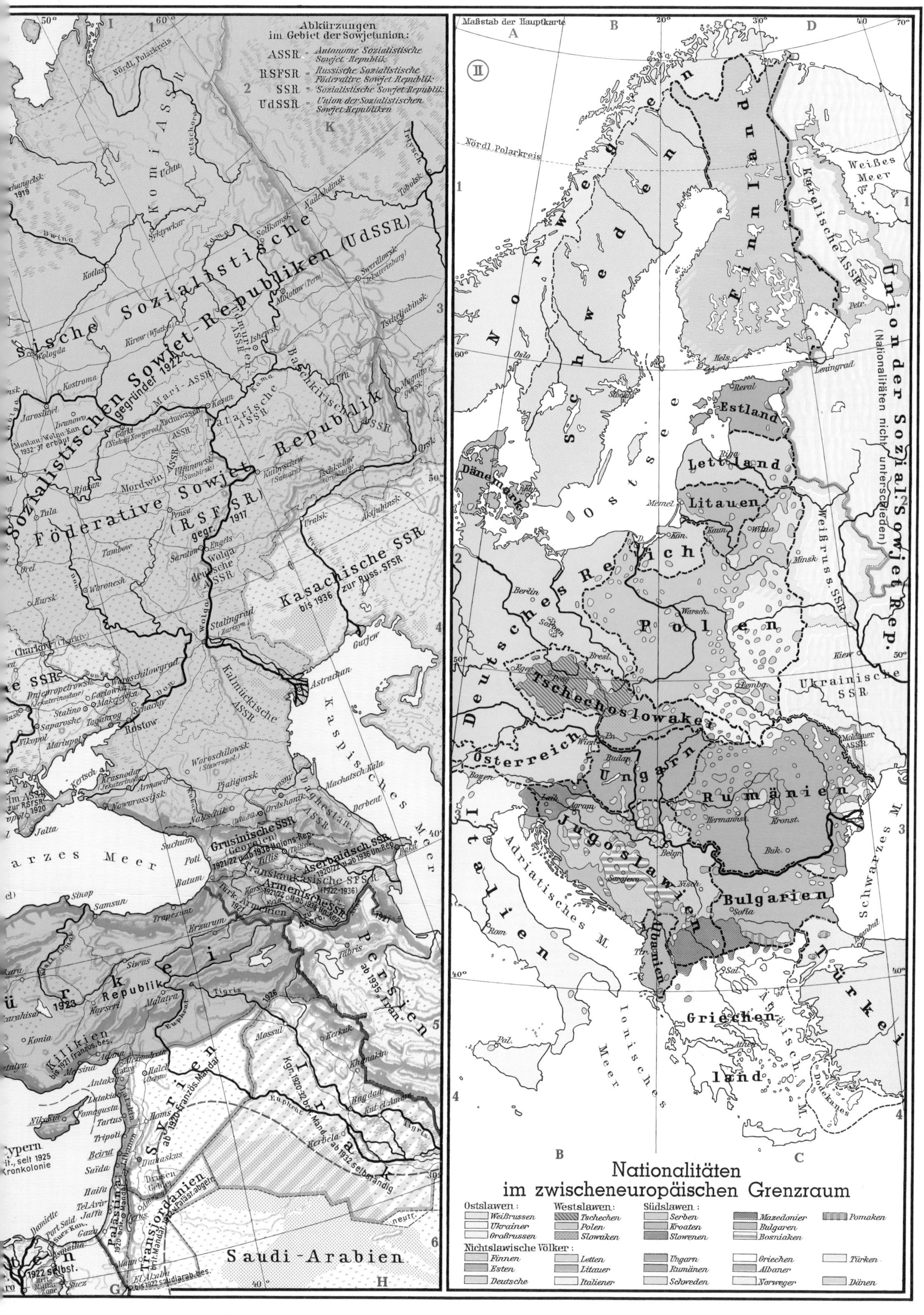
Abkürzungen im Gebiet der Sowjetunion:
ASSR = Autonome Sozialistische Sowjet-Republik
RSFSR = Russische Sozialistische Föderative Sowjet-Republik
SSR = Sozialistische Sowjet-Republik
UdSSR = Union der Sozialistischen Sowjet-Republiken
Union der Sozialistischen Sowjet-Republiken (UdSSR)
Russische Sozialistische Föderative Sowjet-Republik (RSFSR) gegr. 1917
Sozialistischen Sowjet-Republiken gegründet 1922
Komi ASSR
Mari-ASSR
Tatarische ASSR
Baschkirische ASSR
Mordwin ASSR
Wolgadeutsche SSR
Kasachische SSR bis 1936 zur Russ. SFSR
Kalmückische ASSR
Daghestan ASSR
Grusinische SSR (Georgien) 1921/22 u. ab 1936 Unions-Rep.
Aserbaidsch. SSR 1920/22 u. ab 1936 Un. Rep.
Transkaukasische SFSR (1922-1936)
Armenische SSR 1921/22 u. ab 1936 Un. Rep.
Schwarzes Meer
Kaspisches Meer
Türkei Republik 1923
Kilikien bis 1921 französ. bes.
Persien ab 1935 Iran
Irak Kgr. 1920-32 brit. Mand., ab 1932 selbständig
Syrien ab 1920 französ. Mandat
Zypern brit., seit 1925 Kronkolonie
Palästina 1920 brit. Mandat
Transjordanien brit. Mandat
Saudi-Arabien
Moskau
Stalingrad (Zaryzyn)
Swerdlowsk (Jekaterinburg)
Gorki (Nishnij Nowgorod)
Kuibyschew (Samara)
Rostow
Astrachan
Tiflis
Baku
Erzurum
Mossul
Bagdad
Damaskus
Beirut
Maßstab der Hauptkarte
II
Nördl. Polarkreis
Norwegen
Schweden
Finnland
Dänemark
Ostsee
Estland
Lettland
Litauen
Deutsches Reich
Polen
Tschechoslowakei
Österreich
Ungarn
Rumänien
Jugoslawien
Bulgarien
Albanien
Griechenland
Italien
Türkei
Weißes Meer
Karelische ASSR
Union der Sozial. Sowjet-Rep. (Nationalitäten nicht unterschieden)
Weißruss. SSR
Ukrainische SSR
Moldauer ASSR
Schwarzes M.
Adriatisches M.
Ionisches Meer
Ägäisches M.
Nationalitäten im zwischeneuropäischen Grenzraum
Ostslawen: Weißrussen, Ukrainer, Großrussen
Westslawen: Tschechen, Polen, Slowaken
Südslawen: Serben, Kroaten, Slowenen, Mazedonier, Bulgaren, Bosniaken, Pomaken
Nichtslawische Völker: Finnen, Esten, Deutsche, Letten, Litauer, Italiener, Ungarn, Rumänen, Schweden, Griechen, Albaner, Norweger, Türken, Dänen

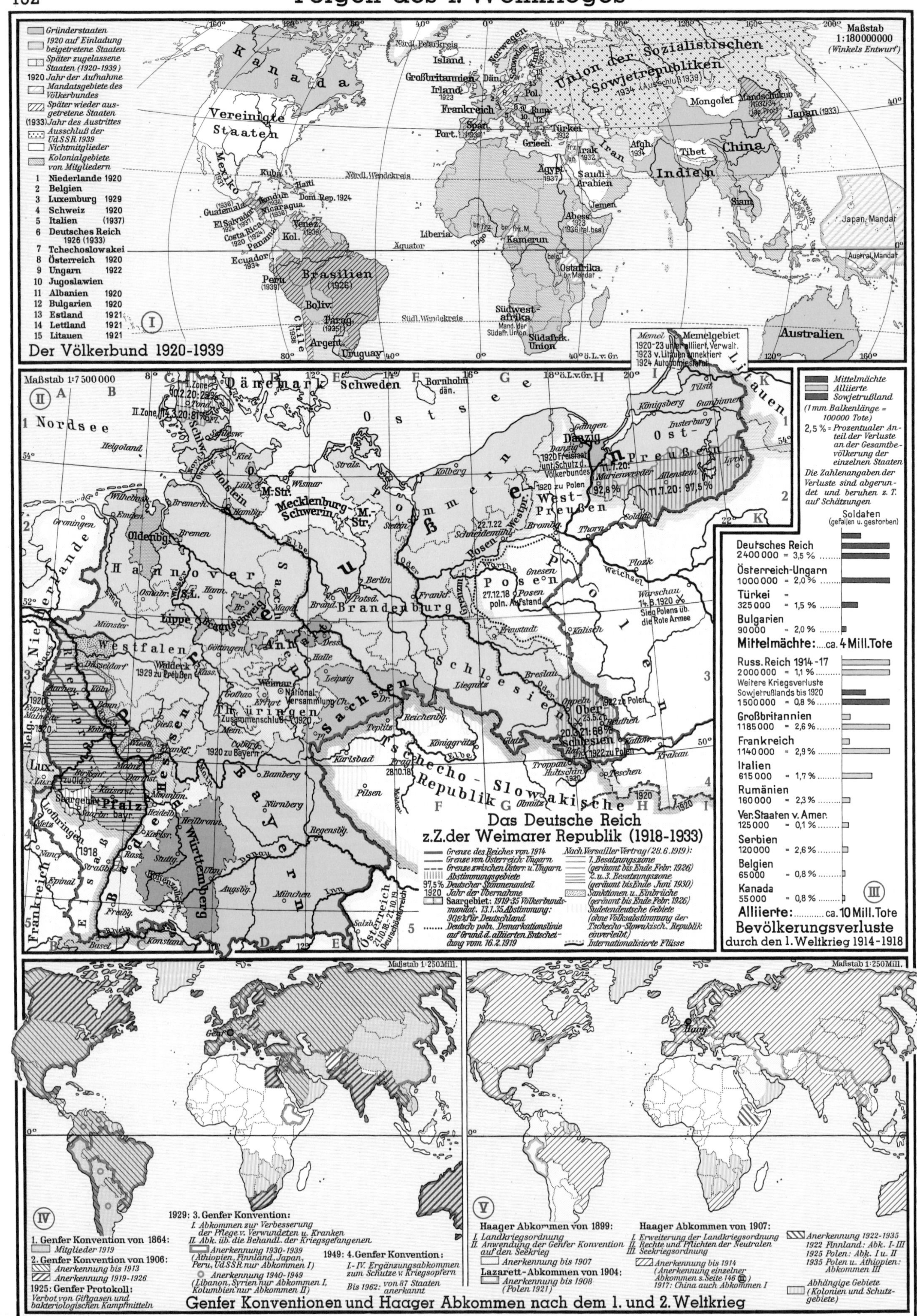

Entwicklung vor dem 1. Weltkrieg siehe Seite 146 III

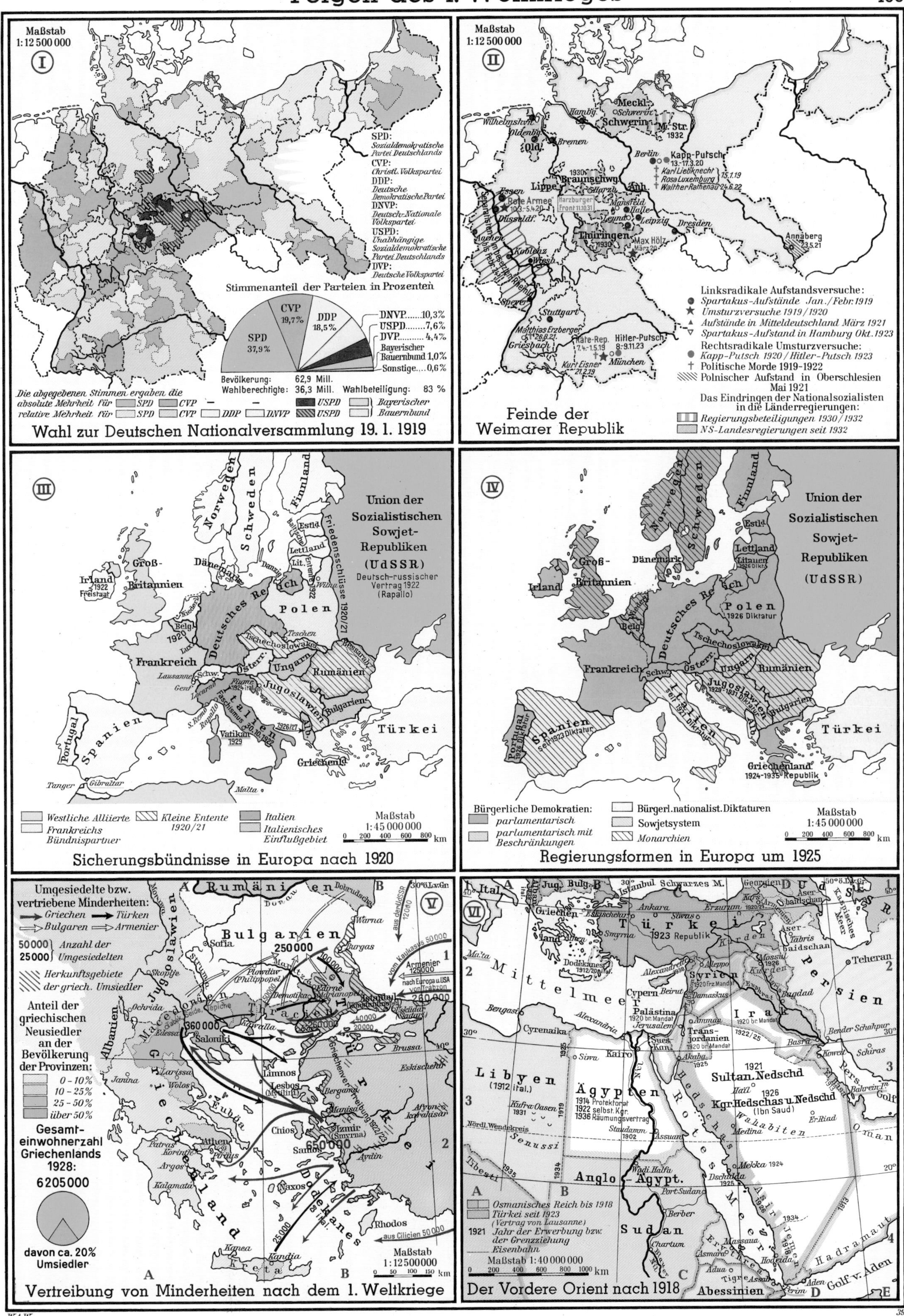
Maßstab 1:12 500 000
I
SPD: Sozialdemokratische Partei Deutschlands
CVP: Christl. Volkspartei
DDP: Deutsche Demokratische Partei
DNVP: Deutsch-Nationale Volkspartei
USPD: Unabhängige Sozialdemokratische Partei Deutschlands
DVP: Deutsche Volkspartei
Stimmenanteil der Parteien in Prozenten
SPD 37,9%
CVP 19,7%
DDP 18,5%
DNVP.......10,3%
USPD.......7,6%
DVP.........4,4%
Bayerischer Bauernbund 1,0%
Sonstige....0,6%
Bevölkerung: 62,9 Mill.
Wahlberechtigte: 36,3 Mill.
Wahlbeteiligung: 83 %
Die abgegebenen Stimmen ergaben die absolute Mehrheit für SPD CVP USPD Bayerischer Bauernbund
relative Mehrheit für SPD CVP DDP DNVP USPD
Wahl zur Deutschen Nationalversammlung 19. 1. 1919
Maßstab 1:12 500 000
II
Linksradikale Aufstandsversuche:
Spartakus-Aufstände Jan./Febr. 1919
Umsturzversuche 1919/1920
Aufstände in Mitteldeutschland März 1921
Spartakus-Aufstand in Hamburg Okt. 1923
Rechtsradikale Umsturzversuche:
Kapp-Putsch 1920 / Hitler-Putsch 1923
Politische Morde 1919-1922
Polnischer Aufstand in Oberschlesien Mai 1921
Das Eindringen der Nationalsozialisten in die Länderregierungen:
Regierungsbeteiligungen 1930/1932
NS-Landesregierungen seit 1932
Kapp-Putsch 13.-17.3.20
Karl Liebknecht, Rosa Luxemburg 15.1.19
Walther Rathenau 24.6.22
Harzburger Front 11.10.31
Rote Armee 10.3.-5.4.20
Max Hölz März 20
Matthias Erzberger 26.8.21
Räte-Rep. 7.4.-1.5.19
Hitler-Putsch 8.-9.11.23
Kurt Eisner 21.2.19
Annaberg 23.5.21
Feinde der Weimarer Republik
III
Union der Sozialistischen Sowjet-Republiken (UdSSR)
Deutsch-russischer Vertrag 1922 (Rapallo)
Friedensschlüsse 1920/21
Westliche Alliierte
Frankreichs Bündnispartner
Kleine Entente 1920/21
Italien
Italienisches Einflußgebiet
Maßstab 1:45 000 000
Sicherungsbündnisse in Europa nach 1920
IV
Union der Sozialistischen Sowjet-Republiken (UdSSR)
Bürgerliche Demokratien: parlamentarisch
parlamentarisch mit Beschränkungen
Bürgerl.nationalist. Diktaturen
Sowjetsystem
Monarchien
Maßstab 1:45 000 000
Regierungsformen in Europa um 1925
V
Umgesiedelte bzw. vertriebene Minderheiten:
Griechen, Türken, Bulgaren, Armenier
50000 / 25000 Anzahl der Umgesiedelten
Herkunftsgebiete der griech. Umsiedler
Anteil der griechischen Neusiedler an der Bevölkerung der Provinzen:
0-10%
10-25%
25-50%
über 50%
Gesamteinwohnerzahl Griechenlands 1928: 6205000
davon ca. 20% Umsiedler
Maßstab 1:12500000
Vertreibung von Minderheiten nach dem 1. Weltkriege
VI
Türkei 1923 Republik
Osmanisches Reich bis 1918
Türkei seit 1923 (Vertrag von Lausanne)
1921 Jahr der Erwerbung bzw. der Grenzziehung
Eisenbahn
Maßstab 1:40 000 000
Der Vordere Orient nach 1918

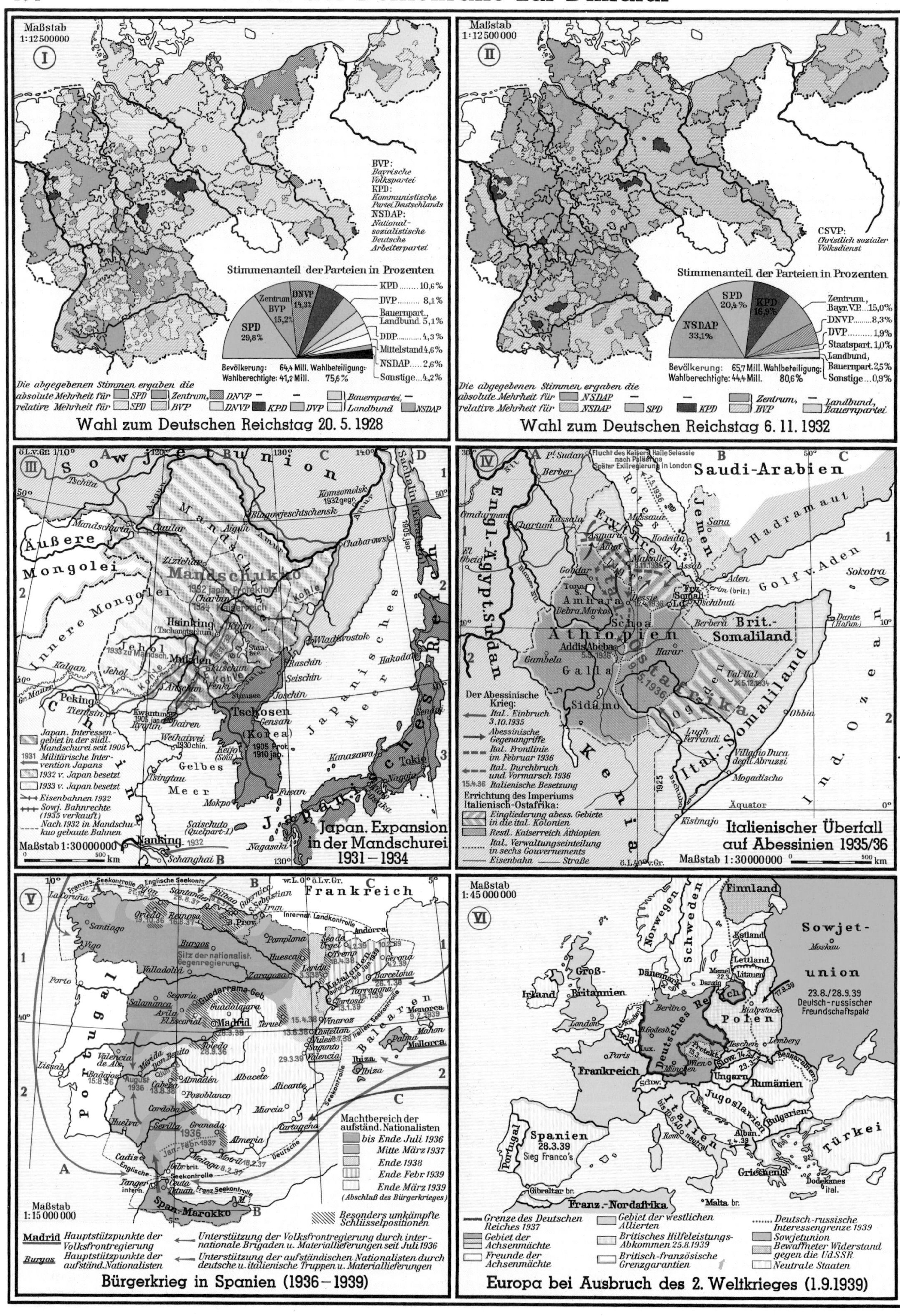
Maßstab 1:12 500 000
I
BVP: Bayrische Volkspartei
KPD: Kommunistische Partei Deutschlands
NSDAP: Nationalsozialistische Deutsche Arbeiterpartei
Stimmenanteil der Parteien in Prozenten
SPD 29,8%
Zentrum BVP 15,2%
DNVP 14,3%
KPD 10,6%
DVP 8,1%
Bauernpart., Landbund 5,1%
DDP 4,3%
Mittelstand 4,6%
NSDAP 2,6%
Sonstige 4,2%
Bevölkerung: 64,4 Mill. Wahlbeteiligung: 75,6%
Wahlberechtigte: 41,2 Mill.
Die abgegebenen Stimmen ergaben die absolute Mehrheit für SPD, Zentrum, DNVP, Bauernpartei,
relative Mehrheit für SPD, BVP, DNVP, KPD, DVP, Landbund, NSDAP
Wahl zum Deutschen Reichstag 20. 5. 1928
Maßstab 1:12 500 000
II
CSVP: Christlich sozialer Volksdienst
Stimmenanteil der Parteien in Prozenten
NSDAP 33,1%
SPD 20,4%
KPD 16,9%
Zentrum, Bayr. V.P. 15,0%
DNVP 8,3%
DVP 1,9%
Staatspart. 1,0%
Landbund, Bauernpart. 2,5%
Sonstige 0,9%
Bevölkerung: 65,7 Mill. Wahlbeteiligung: 80,6%
Wahlberechtigte: 44,4 Mill.
Die abgegebenen Stimmen ergaben die absolute Mehrheit für NSDAP, Zentrum, Landbund,
relative Mehrheit für NSDAP, SPD, KPD, BVP, Bauernpartei
Wahl zum Deutschen Reichstag 6. 11. 1932
III
Sowjetunion
Äußere Mongolei
Innere Mongolei
Mandschukuo
1932 japan. Protektorat
1934 Kaiserreich
Hsinking (Tschangtschun)
Jehol
1933 zu Mandsch.
Mukden
Peking
Tientsin
Tschosen (Korea)
1905 Prot. 1910 jap.
Japanisches Meer
Gelbes Meer
Japanisches Reich
Sachalin (Karafuto)
1905 jap.
Komsomolsk 1932 gegr.
Blagowjeschtschensk
Chabarowsk
Wladiwostok
Dairen
Port Arthur
Kwantung 1905 jap.
Weihaiwei 1930 chin.
Tsingtau
Keijo (Söul)
Fusan
Mokpo
Tokio
Nagasaki
Nanking
Schanghai
Saischuto (Quelpart-I.)
Japan. Interessengebiet in der südl. Mandschurei seit 1905
1931 Militärische Intervention Japans
1932 v. Japan besetzt
1933 v. Japan besetzt
Eisenbahnen 1932
Sowj. Bahnrechte (1935 verkauft)
Nach 1932 in Mandschukuo gebaute Bahnen
Maßstab 1:30 000 000
Japan. Expansion in der Mandschurei 1931–1934
IV
Saudi-Arabien
Flucht des Kaisers Haile Selassie nach Palästina später Exilregierung in London
Engl.-Ägypt. Sudan
Rotes Meer
Erythräa
Jemen
Hadramaut
Golf v. Aden
Sokotra
Aden
Fr. Somali-Ld.
Dschibuti
Brit.-Somaliland
Äthiopien
Amhara
Schoa
Galla
Sidamo
Addis Abeba 5.5.1936
Harar
Italienisch-Ostafrika
Ital.-Somaliland
Kenia
Indischer Ozean
Mogadischo
Kisimajo
Ual-Ual 5.12.1934
Der Abessinische Krieg:
Ital. Einbruch 3.10.1935
Abessinische Gegenangriffe
Ital. Frontlinie im Februar 1936
Ital. Durchbruch und Vormarsch 1936
15.4.36 Italienische Besetzung
Errichtung des Imperiums Italienisch-Ostafrika:
Eingliederung abess. Gebiete in die ital. Kolonien
Restl. Kaiserreich Äthiopien
Ital. Verwaltungseinteilung in sechs Gouvernements
Eisenbahn
Straße
Maßstab 1:30 000 000
Italienischer Überfall auf Abessinien 1935/36
V
Frankreich
Französ. Seekontrolle
Englische Seekontrolle
Internat. Landkontrolle
Andorra
Portugal
Balearen
Burgos Sitz der nationalist. Gegenregierung
Madrid 28.3.39
Barcelona 26.1.39
Valencia 29.3.39
Mallorca
Menorca 9.2.1939
Ibiza
Guadarrama-Geb.
Lissabon
Sevilla
Granada
Malaga 8.2.37
Gibraltar
Tanger intern.
Span. Marokko
Machtbereich der aufständ. Nationalisten
bis Ende Juli 1936
Mitte März 1937
Ende 1938
Ende Febr. 1939
Ende März 1939 (Abschluß des Bürgerkrieges)
Besonders umkämpfte Schlüsselpositionen
Madrid Hauptstützpunkte der Volksfrontregierung
Burgos Hauptstützpunkte der aufständ. Nationalisten
Unterstützung der Volksfrontregierung durch internationale Brigaden u. Materiallieferungen seit Juli 1936
Unterstützung der aufständischen Nationalisten durch deutsche u. italienische Truppen u. Materiallieferungen
Maßstab 1:15 000 000
Bürgerkrieg in Spanien (1936–1939)
Maßstab 1:45 000 000
VI
Finnland
Norwegen
Schweden
Sowjetunion
Moskau
Estland
Lettland
Litauen
Memel 22.3.39
Danzig
Groß-Britannien
Irland
Dänemark
Deutsches Reich
Polen
23.8./28.9.39 Deutsch-russischer Freundschaftspakt
Frankreich
Schw.
Protektorat 15.3.39
Slow. 14.3.39
Ungarn
Rumänien
Jugoslawien
Bulgarien
Italien
Alban. 7.4.39
Griechenland
Türkei
Spanien 28.3.39 Sieg Franco's
Portugal
Franz.-Nordafrika
Gibraltar br.
Malta br.
Grenze des Deutschen Reiches 1937
Gebiet der Achsenmächte
Freunde der Achsenmächte
Gebiet der westlichen Allierten
Britisches Hilfeleistungs-Abkommen 25.8.1939
Britisch-französische Grenzgarantien
Deutsch-russische Interessengrenze 1939
Sowjetunion
Bewaffneter Widerstand gegen die UdSSR
Neutrale Staaten
Europa bei Ausbruch des 2. Weltkrieges (1.9.1939)

I
Das „Großdeutsche Reich" und die Organisation der NSDAP 1933 – 1944
Grenze des Deutschen Reiches 1933
Rückkehr des Saargebietes ...... 17.1.1935 (Volksabstimmung am 13.1.1935)
Grenze der angegliederten Gebiete 1938
" " " " 1939
" " " " 1940
" " " " 1941
Grenze des „Großdeutschen Reiches" 1942
Grenze der Reichskommissariate im Osten
Maßstab 1: 8 000 000
0 50 100 150 200 250 km
Farbige Flächen = Gaueinteilung der NSDAP
Farbige Balken = Angrenzenden Gauen eingegliederte Gebiete vom Protektorat, von Elsaß-Lothringen und Luxemburg, Krain und Steiermark
Sitz der Reichsleitung der NSDAP
Sitze der Gauleitungen der NSDAP
Ehemalige Sitze der Gauleitungen
Ordensburgen der NSDAP
Der „Westwall"
Autobahnen (Stand 1939)
im Betrieb — im Bau od. geplant
Konzentrationslager
Dachau (Haupt- und Vernichtungslager)
Dänemark
Niederlande
Belg.
Lux.
Frankreich
Schweiz
Italien
Kroat.
Ungarn
Slowakei
Rum.
Reichskommissariat Ostland
Reichskommissariat Ukraine
UdSSR
Generalgouvernement
Arbeitsbereich Generalgouverneur
Ostpreußen
Danzig-Westpreußen
Wartheland
Pommern
Mecklenburg
Schleswig-Holstein
Ost-hannover
Weser-Ems
Süd-hannover
Westfalen-Nord
Westfalen-Süd
Magdebg.-Anhalt
Mark Brandenburg
(Kurmark)
Halle-Mersebg.
Niederschlesien
Oberschlesien
Sachsen
Thüringen
Kurhessen
Hessen-Nassau
Mainfranken
Moselland
Westmark
Baden
Elsaß
Württembg.-Hohenzollern
Franken
Bayreuth
Schwaben
München-Oberbayern
Oberdonau
Niederdonau
Wien
Tirol-Vorarlberg
Salzburg
Steiermark
Kärnten
Süd-steiermark
Oberkrain
Sudetenland
Protektorat Böhmen u. Mähren
Königsberg
Stutthof
Danzig
Bialystok (zu Ostpreußen)
Treblinka
Warschau
Sobibor
Majdanek
Belzec
Lemberg
Distrikt Lemberg
Krakau
Auschwitz
Chelmno
Litzmannstadt
Posen
Bromberg
Falkenburg a. Crössinsee
Stettin
Schwerin
Ravensbrück
Sachsenhausen
Reichshauptstadt Berlin
Frankfurt
Breslau
Groß-Rosen
Kattowitz
Beuthen
Annaberg
Reichenberg
Theresienstadt
Lidice
Prag
Reichsprotektor
Flossenbürg
Nürnberg Stadt der Reichsparteitage
München Hauptstadt der Bewegung
Dachau
Augsburg
Stuttgart Stadt der Auslandsdeutschen
Karlsruhe
Natzweiler
Saarbr.
Neustadt
Koblenz
Frankfurt Stadt des deutschen Handwerks
Weimar
Buchenwald
Kassel
Dessau
Halle
Leipzig Reichsmessestadt
Dresden
Hannover
Goslar Reichsbauernstadt
Braunschw.
Celle
Bückeberg
Bergen-Belsen
Lüneburg
Neuengamme
Hamburg
Kiel
Oldenbg.
Münster
Bochum
Essen
Düsseldorf
Köln
Aachen
Vogelsang
Sonthofen
Innsbruck
Salzburg
Linz
Mauthsn.
Krems
Wien
Preßbg.
Graz Stadt der Volkserhebung
Klagenfurt

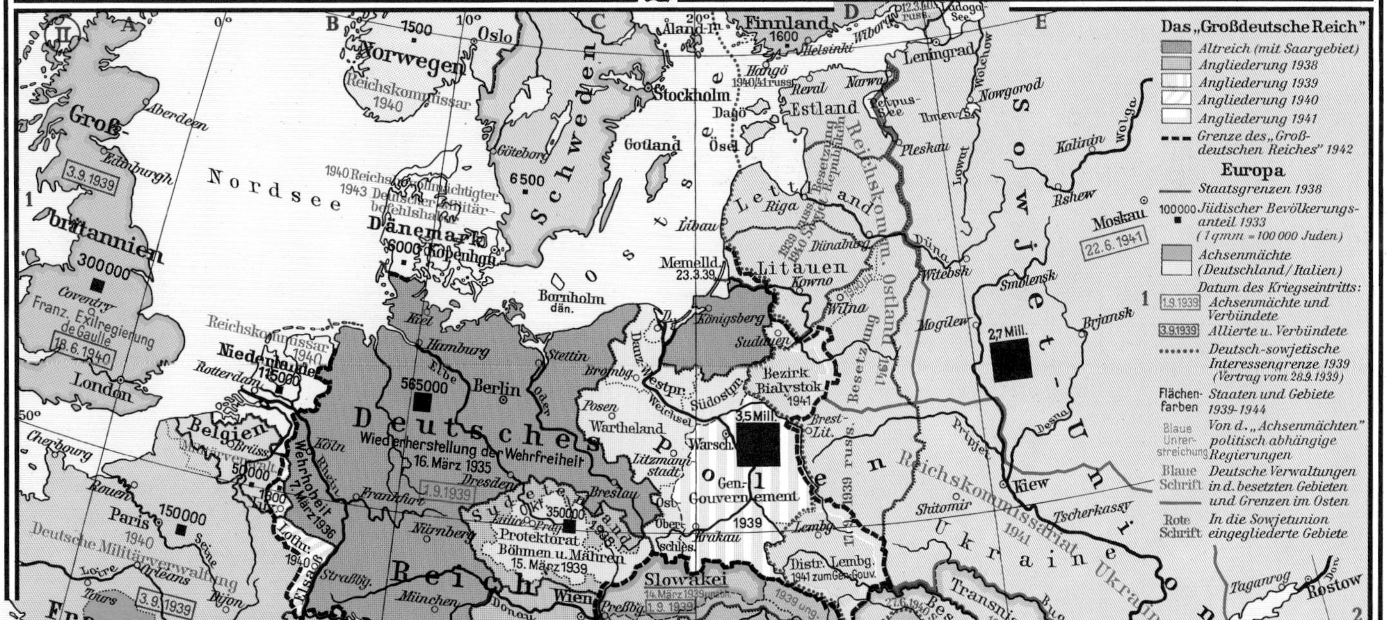
II
Das „Großdeutsche Reich" und Europa 1938 – 1944
Maßstab 1: 17 500 000
0 100 200 300 400 500 km
Das „Großdeutsche Reich"
Altreich (mit Saargebiet)
Angliederung 1938
Angliederung 1939
Angliederung 1940
Angliederung 1941
Grenze des „Großdeutschen Reiches" 1942
Europa
Staatsgrenzen 1938
100000 Jüdischer Bevölkerungsanteil 1933 (1 qmm = 100 000 Juden)
Achsenmächte (Deutschland / Italien)
Datum des Kriegseintritts:
1.9.1939 Achsenmächte und Verbündete
3.9.1939 Allierte u. Verbündete
Deutsch-sowjetische Interessengrenze 1939 (Vertrag vom 28.9.1939)
Flächenfarben Staaten und Gebiete 1939-1944
Blaue Unterstreichung Von d. „Achsenmächten" politisch abhängige Regierungen
Blaue Schrift Deutsche Verwaltungen in d. besetzten Gebieten und Grenzen im Osten
Rote Schrift In die Sowjetunion eingegliederte Gebiete
Großbritannien
3.9.1939
300000
Coventry
Franz. Exilregierung de Gaulle 18.6.1940
London
Nordsee
Norwegen
Reichskommissar 1940
Oslo
Schweden
Stockholm
Finnland
Helsinki
Dänemark
Kopenhagen
1940 Reichsbevollmächtigter
1943 Deutscher Militärbefehlshaber
Niederlande
Reichskommissar 1940
Belgien
Brüssel
Frankreich
Paris
150000
Deutsche Militärverwaltung 1940
3.9.1939
Vichy-Frankreich 1940-1944
11. 11. 1942 von deutschen Truppen besetzt
Demarkationslinie 1940/42
Spanien
Mittelmeer
Korsika
Sardinien
Balearen
Italien
11.6.1940
Rom
Regierung Badoglio 13.10.1944
Deutsches Reich
Wiederherstellung der Wehrfreiheit 16. März 1935
565000
1.9.1939
Sudetenland
Protektorat Böhmen u. Mähren 15. März 1939
350000
Ostmark 13. März 1938
300000
Schweiz
21000
Ungarn
500000
10.4.1941
Budapest
Slowakei 14. März 1939
Rumänien
834000
Bukarest
22.6.1941
23.8.1944
Jugoslawien
Kroatien 1941-1944
64000
Serbien
Deutsche Militärverw.
Bulgarien
46000
Sofia
19.4.1941
8.9.1944
Griechenl.
110000
Türkei
85000
Istanbul
Schwarzes Meer
Polen
3,5 Mill.
Generalgouvernement 1939
Bezirk Bialystok 1941
Estland
Lettland
Litauen
Reichskommissariat Ostland 1941
Reichskommissariat Ukraine 1941
Sowjet-Union
2,7 Mill.
Moskau
22.6.1941
Leningrad
Kiew
Transnistrien
Bessarabien
Memelld. 23.3.39
Adriatisches Meer

Kriegshandlungen von 1939 bis Frühjahr 1944
Achsenmächte im Umfang von 1939
Verbündete 1939
Verbündete 1941
1939 besetzte Gebiete
1940 " "
1941 " "
1942 " "
Vorstöße u. Angriffe
Fronten u. Stellungen
Rückzug, Räumung
Grenze des „Groß-deutschen Reiches" 1942
Gebiet der westlichen Alliierten nach 1940
Von den Alliierten besetzte Gebiete
Vorstöße u. Angriffe
Fronten u. Stellungen
Rückzüge
Aktionsradien der alliierten Luftflotten
Neutrale Staaten
Staatsgrenzen nach 1940
Binnengrenzen u. Erwerbungen
Blaue u. rote Zahlen geben Kriegsereignisse, schwarze Zahlen politische Veränderungen an
Nordpolarmeer
Barents See
Weißes Meer
Atlantischer Ozean
Erweitertes deutsches Operationsgebiet ab 18.3.41
Deutsches Seeoperationsgebiet ab 17.8.40
Island
Färöer dän. 11.4.1940 brit.
Shetland I.
Großbritannien u. Nordirland
Irland
Nordsee
Norwegen
Schweden
Finnland
Ostsee
Dänemark
Niederlande
Belgien
Deutsches Reich
Protektorat
Ostmark
Frankreich
Schweiz
Slowakei
Ungarn
Rumänien
Generalgouvernement
Litauen
Lettland
Estland
Ukraine
Bessarabien
Kroatien
Serbien
Bulgarien
Albanien
Griechenland
Italien
Adriatisches M.
Spanien
Portugal
Andorra
Balearen
Korsika
Sardinien
Sizilien
Malta brit.
Mittelmeer
Tunesien
Tripolitanien
Libyen
Cyrenaika
Kreta 20.5.-2.6.1941
10.Mai-26.Juni 1940
11.-27.Nov.1942
Eisenhower 8.11.42
Gibraltar brit.

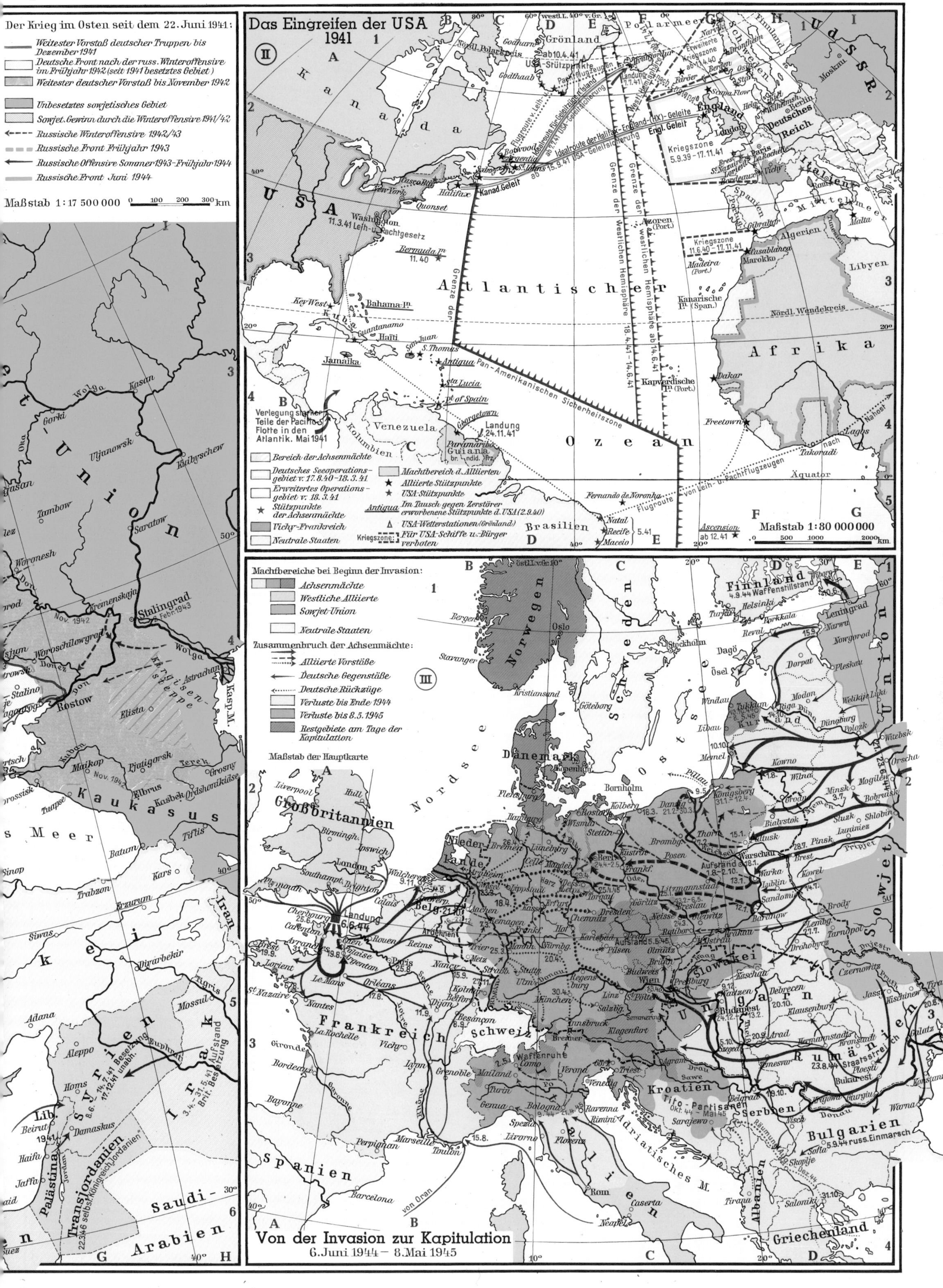
Der Krieg im Osten seit dem 22. Juni 1941:
Weitester Vorstoß deutscher Truppen bis Dezember 1941
Deutsche Front nach der russ. Winteroffensive im Frühjahr 1942 (seit 1941 besetztes Gebiet)
Weitester deutscher Vorstoß bis November 1942
Unbesetztes sowjetisches Gebiet
Sowjet. Gewinn durch die Winteroffensive 1941/42
Russische Winteroffensive 1942/43
Russische Front Frühjahr 1943
Russische Offensive Sommer 1943–Frühjahr 1944
Russische Front Juni 1944
Maßstab 1 : 17 500 000
Das Eingreifen der USA 1941
II
Bereich der Achsenmächte
Deutsches Seeoperationsgebiet v. 17.8.40–18.3.41
Erweitertes Operationsgebiet v. 18.3.41
Stützpunkte der Achsenmächte
Vichy-Frankreich
Neutrale Staaten
Machtbereich d. Alliierten
Alliierte Stützpunkte
USA-Stützpunkte
Im Tausch gegen Zerstörer erworbene Stützpunkte d. USA (2.9.40)
USA-Wetterstationen (Grönland)
Kriegszone: Für USA-Schiffe u. -Bürger verboten
Maßstab 1 : 80 000 000
Atlantischer Ozean
Grenze der westlichen Hemisphäre 18.4.41–14.6.41
Grenze der westlichen Hemisphäre ab 14.6.41
Pan-Amerikanischen Sicherheitszone
Verlegung starker Teile der Pacific-Flotte in den Atlantik. Mai 1941
Washington 11.3.41 Leih-u. Pachtgesetz
Kriegszone 5.9.39–17.11.41
Kriegszone 11.6.40–17.11.41
Machtbereiche bei Beginn der Invasion:
Achsenmächte
Westliche Alliierte
Sowjet-Union
Neutrale Staaten
Zusammenbruch der Achsenmächte:
Alliierte Vorstöße
Deutsche Gegenstöße
Deutsche Rückzüge
Verluste bis Ende 1944
Verluste bis 8.5.1945
Restgebiete am Tage der Kapitulation
III
Maßstab der Hauptkarte
Von der Invasion zur Kapitulation
6. Juni 1944 – 8. Mai 1945

Der 2. Weltkrieg im Pazifik (1941-1945)

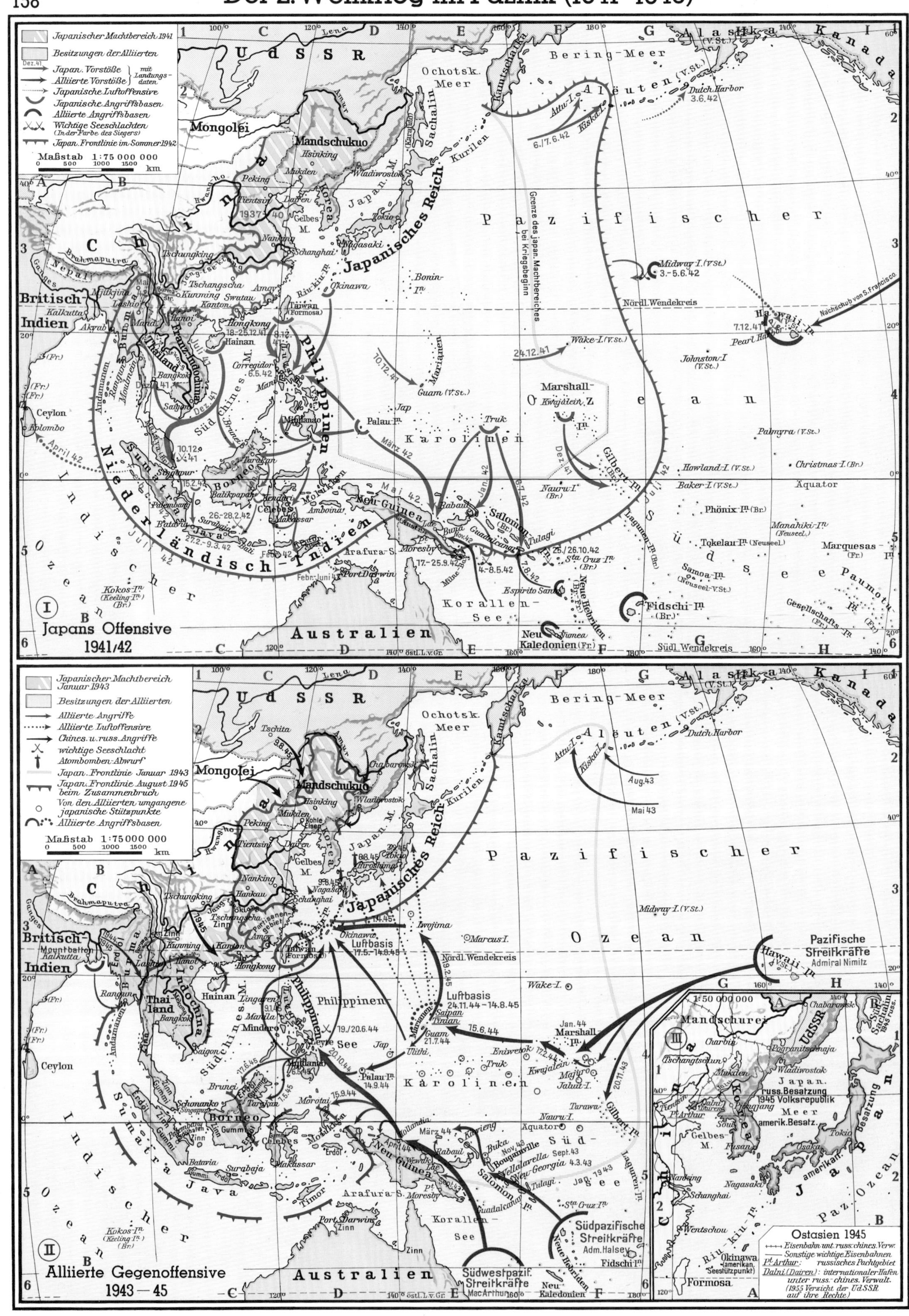

Rußlands Aufstieg zur kommunistischen Weltmacht

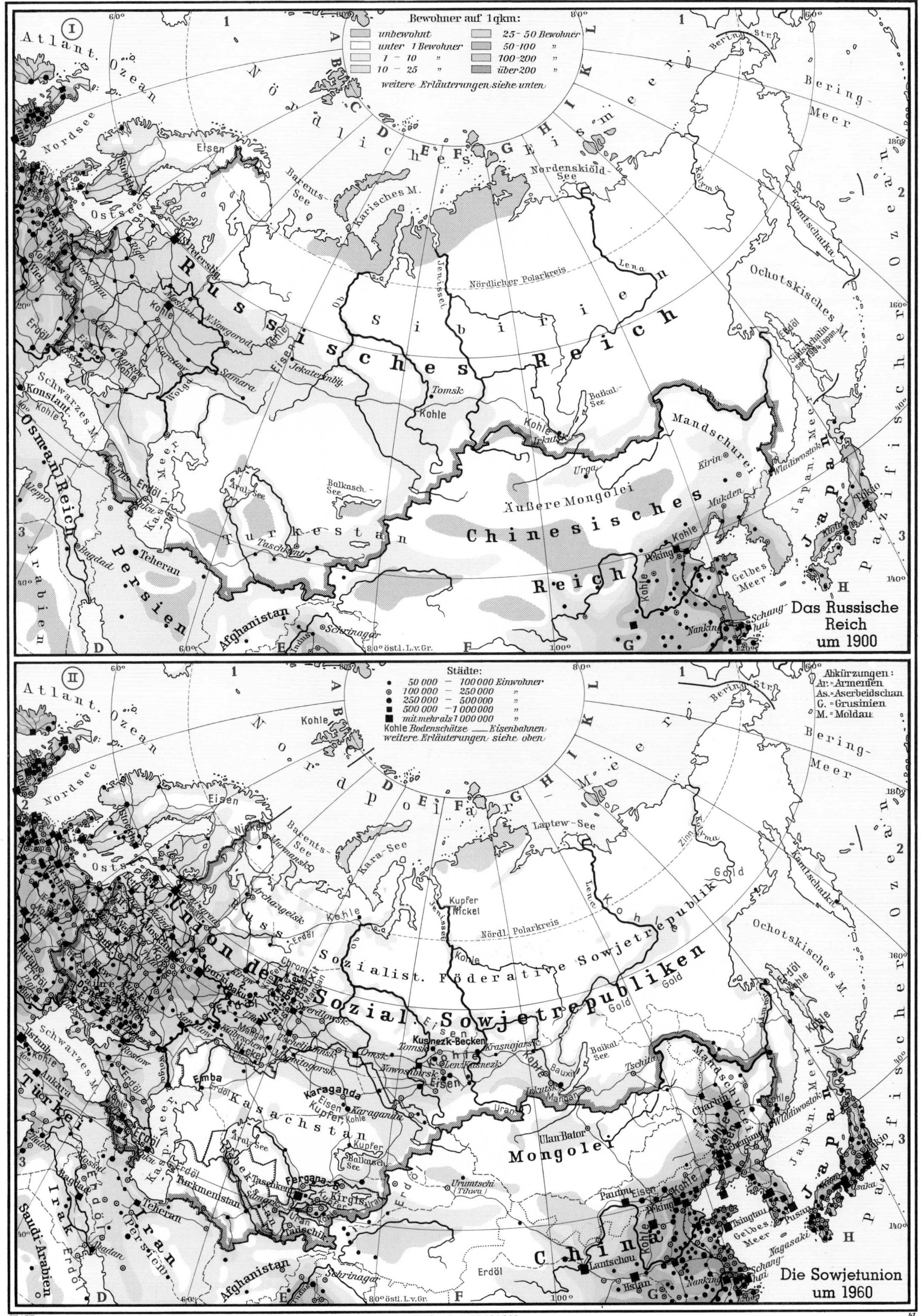

W.A.W.

Maßstab 1 : 50 000 000

0 500 1000 1500 km

47

Folgen des 2. Weltkrieges

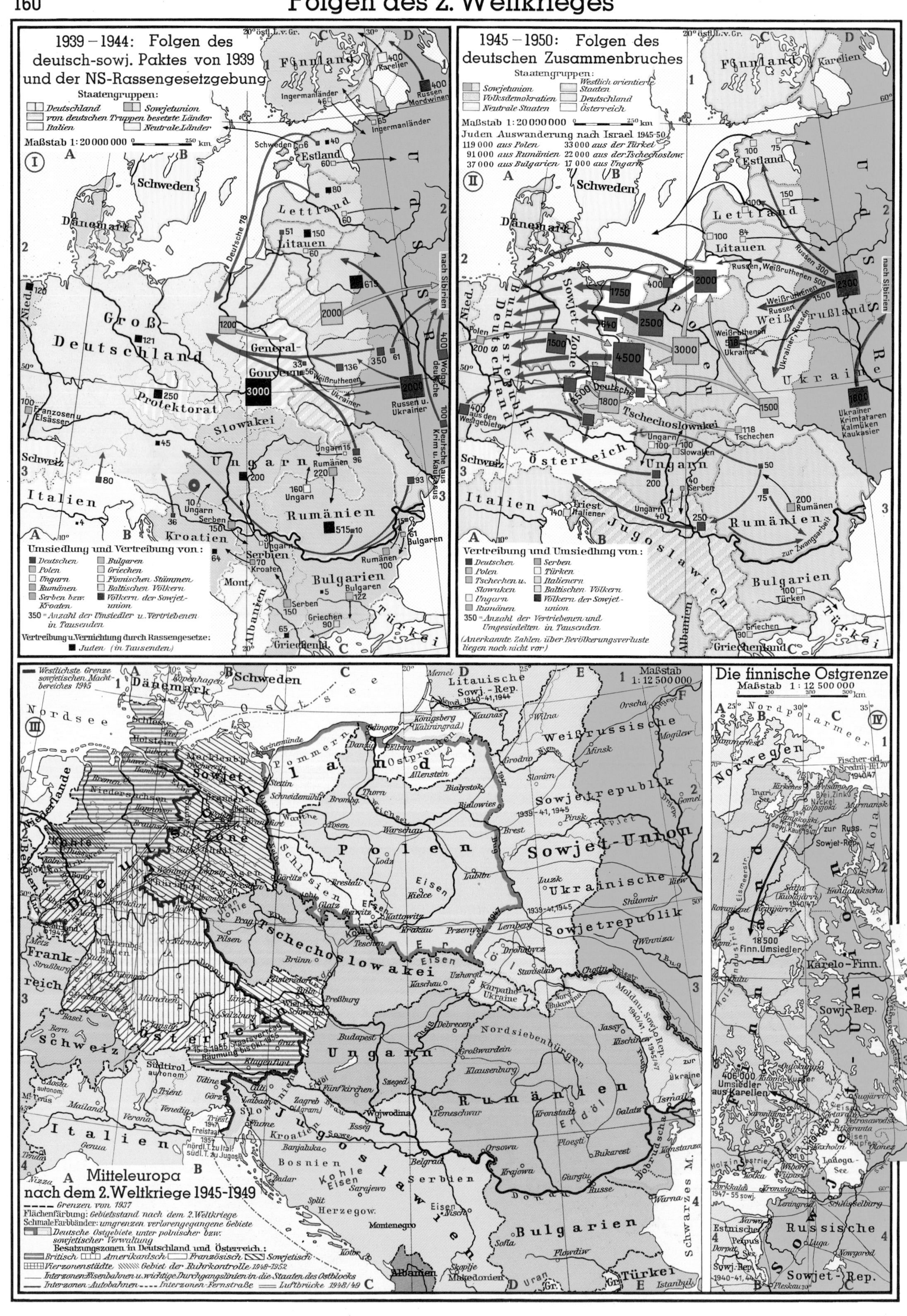

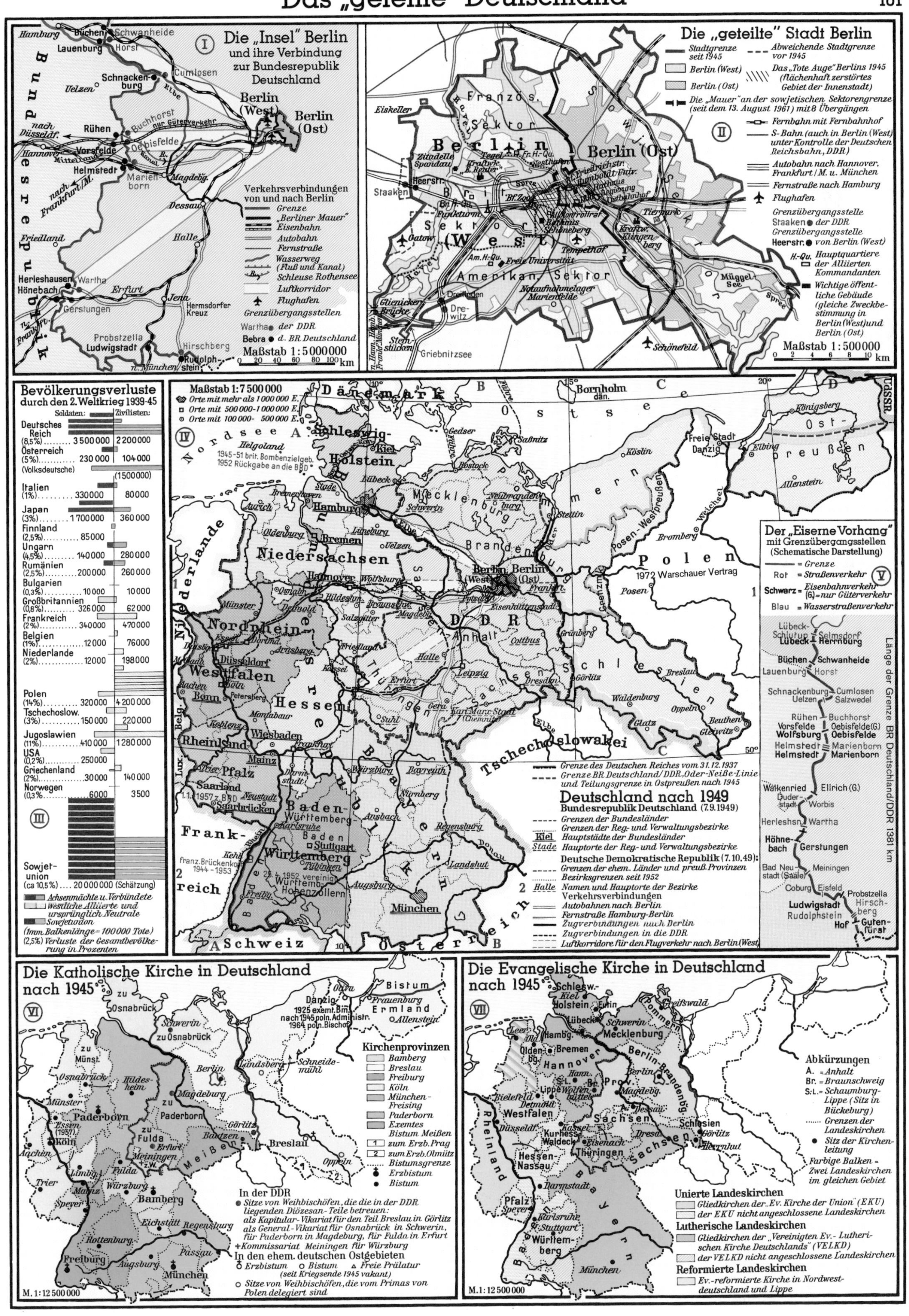

Die „Insel" Berlin und ihre Verbindung zur Bundesrepublik Deutschland
I
Bundesrepublik
Hamburg
Büchen
Schwanheide
Lauenburg
Horst
Cumlosen
Schnackenburg
Uelzen
Elbe
Berlin (West)
Berlin (Ost)
nach Düsseldf.
Rühen
Buchhorst
nur Güterverkehr
Hannover
Vorsfelde
Oebisfelde
Mittellandkanal
Helmstedt
Marienborn
Magdebg.
nach Frankfurt/M.
Dessau
Friedland
Halle
Herleshausen
Hönebach
Wartha
Erfurt
Jena
Gerstungen
Hermsdorfer Kreuz
n. Frankft.
Probstzella
Ludwigstadt
Hirschberg
Rudolphstein
n. München
Verkehrsverbindungen von und nach Berlin
Grenze
„Berliner Mauer"
Eisenbahn
Autobahn
Fernstraße
Wasserweg (Fluß und Kanal)
Schleuse Rothensee
Luftkorridor
Flughafen
Grenzübergangsstellen
Wartha der DDR
Bebra d. BR Deutschland
Maßstab 1:5 000 000
0 20 40 60 80 100 km
Die „geteilte" Stadt Berlin
II
Stadtgrenze seit 1945
Abweichende Stadtgrenze vor 1945
Berlin (West)
Berlin (Ost)
Das „Tote Auge" Berlins 1945 (flächenhaft zerstörtes Gebiet der Innenstadt)
Die „Mauer" an der sowjetischen Sektorengrenze (seit dem 13. August 1961) mit 8 Übergängen
Fernbahn mit Fernbahnhof
S-Bahn (auch in Berlin (West) unter Kontrolle der Deutschen Reichsbahn, DDR)
Autobahn nach Hannover, Frankfurt/M. u. München
Fernstraße nach Hamburg
Flughafen
Grenzübergangsstelle Staaken der DDR
Grenzübergangsstelle Heerstr. von Berlin (West)
H.-Qu. Hauptquartiere der Alliierten Kommandanten
Wichtige öffentliche Gebäude (gleiche Zweckbestimmung in Berlin (West) und Berlin (Ost))
Maßstab 1:500 000
0 2 4 6 8 10 km
Französ. Sektor
Sowjetischer Sektor
Britischer Sektor
Amerikan. Sektor
Berlin (West)
Berlin (Ost)
Eiskeller
Zitadelle Spandau
Tegel
Staaken
Heerstr.
Gatow
Bf. Zoo
Schöneberg
Tempelhof
Freie Universität
Notaufnahmelager Marienfelde
Dreilinden
Drewitz
Glienicker Brücke
Steinstücken
Griebnitzsee
Friedrichstr.
Humboldt-Univ.
Ostbahnhof
Tierpark
Müggelsee
Spree
Schönefeld
Bevölkerungsverluste durch den 2. Weltkrieg 1939-45
Soldaten: Zivilisten:
Deutsches Reich (8,5%) 3 500 000 2 200 000
Österreich (5%) 230 000 104 000
(Volksdeutsche) (1 500 000)
Italien (1%) 330 000 80 000
Japan (3%) 1 700 000 360 000
Finnland (2,5%) 85 000
Ungarn (4,5%) 140 000 280 000
Rumänien (2,5%) 200 000 260 000
Bulgarien (0,3%) 10 000 10 000
Großbritannien (0,8%) 326 000 62 000
Frankreich (2%) 340 000 470 000
Belgien (1%) 12 000 76 000
Niederlande (2%) 12 000 198 000
Polen (14%) 320 000 4 200 000
Tschechoslow. (3%) 150 000 220 000
Jugoslawien (11%) 410 000 1 280 000
USA (0,2%) 250 000
Griechenland (2%) 30 000 140 000
Norwegen (0,3%) 6 000 3 500
III
Sowjetunion (ca 10,5%) 20 000 000 (Schätzung)
Achsenmächte u. Verbündete
Westliche Alliierte und ursprünglich Neutrale
Sowjetunion
(1mm Balkenlänge = 100 000 Tote)
(2,5%) Verluste der Gesamtbevölkerung in Prozenten
Maßstab 1:7 500 000
Orte mit mehr als 1 000 000 E.
Orte mit 500 000-1 000 000 E.
Orte mit 100 000- 500 000 E.
IV
Dänemark
Bornholm dän.
Ostsee
Nordsee
Helgoland
1945-51 brit. Bombenzielgeb. 1952 Rückgabe an die BRD
Schleswig-Holstein
Kiel
Lübeck
Hamburg
Bremen
Niedersachsen
Hannover
Mecklenburg
Schwerin
Rostock
Stettin
Pommern
Brandenburg
Berlin (West)
Berlin (Ost)
Potsdam
Frankfurt
DDR
Magdeburg
Sachsen-Anhalt
Halle
Thüringen
Erfurt
Sachsen
Leipzig
Dresden
Karl-Marx-Stadt (Chemnitz)
Cottbus
Gera
Suhl
Nordrhein-Westfalen
Düsseldorf
Köln
Bonn
Hessen
Wiesbaden
Rheinland-Pfalz
Mainz
Saarland
Saarbrücken
1.1.1957 z. BRD
Baden-Württemberg
Stuttgart
Bayern
München
Schweiz
Österreich
Frankreich
franz. Brückenkopf 1944-1953
25.4.1952 vereinigt
Tschechoslowakei
Polen
1972 Warschauer Vertrag
Freie Stadt Danzig
Königsberg
Ostpreußen
UdSSR
Niederlande
Grenze des Deutschen Reiches vom 31.12.1937
Grenze BR Deutschland/DDR, Oder-Neiße-Linie und Teilungsgrenze in Ostpreußen nach 1945
Deutschland nach 1949
Bundesrepublik Deutschland (7.9.1949)
Grenzen der Bundesländer
Grenzen der Reg.- und Verwaltungsbezirke
Kiel Hauptstädte der Bundesländer
Stade Hauptorte der Reg.- und Verwaltungsbezirke
Deutsche Demokratische Republik (7.10.49):
Grenzen der ehem. Länder und preuß. Provinzen
Bezirksgrenzen seit 1952
Halle Namen und Hauptorte der Bezirke
Verkehrsverbindungen
Autobahnen nach Berlin
Fernstraße Hamburg-Berlin
Zugverbindungen nach Berlin
Zugverbindungen in die DDR
Luftkorridore für den Flugverkehr nach Berlin (West)
Der „Eiserne Vorhang" mit Grenzübergangsstellen (Schematische Darstellung)
V
= Grenze
Rot = Straßenverkehr
Schwarz = Eisenbahnverkehr (G.) = nur Güterverkehr
Blau = Wasserstraßenverkehr
Lübeck-Schlutup Selmsdorf
Lübeck Herrnburg
Büchen Schwanheide
Lauenburg Horst
Schnackenburg Cumlosen
Uelzen Salzwedel
Rühen Buchhorst
Vorsfelde Oebisfelde
Wolfsburg Oebisfelde
Helmstedt Marienborn
Helmstedt Marienborn
Walkenried Ellrich (G.)
Duderstadt Worbis
Herleshsn. Wartha
Höhnebach Gerstungen
Bad Neustadt (Saale) Meiningen
Coburg Eisfeld
Probstzella
Ludwigstadt Hirschberg
Rudolphstein
Hof Gutenfürst
Länge der Grenze BR Deutschland/DDR 1381 km
Die Katholische Kirche in Deutschland nach 1945
VI
Bistum Ermland
Danzig 1925 exemt. Bm. nach 1945 poln. Administr. 1964 poln. Bischof
Frauenburg
Allenstein
zu Osnabrück
Schwerin zu Osnabrück
Kirchenprovinzen
Bamberg
Breslau
Freiburg
Köln
München-Freising
Paderborn
Exemtes Bistum Meißen
1 zum Erzb. Prag
2 zum Erzb. Olmütz
Bistumsgrenze
Erzbistum
Bistum
Münster
Osnabrück
Hildesheim
Paderborn
Essen (1957)
Köln
Aachen
Limburg
Fulda
Trier
Mainz
Würzburg
Speyer
Bamberg
Eichstätt
Regensburg
Rottenburg
Freiburg
Augsburg
Passau
München
Magdeburg
zu Paderborn
zu Fulda
Erfurt
Meiningen z. W.
Meißen
Bautzen
Görlitz
Berlin
Landsberg
Schneidemühl
Breslau
Oppeln
In der DDR
Sitze von Weihbischöfen, die die in der DDR liegenden Diözesan-Teile betreuen: als Kapitular-Vikariat für den Teil Breslau in Görlitz als General-Vikariat für Osnabrück in Schwerin, für Paderborn in Magdeburg, für Fulda in Erfurt
Kommissariat Meiningen für Würzburg
In den ehem. deutschen Ostgebieten
Erzbistum Bistum Freie Prälatur (seit Kriegsende 1945 vakant)
Sitze von Weihbischöfen, die vom Primas von Polen delegiert sind
M. 1:12 500 000
Die Evangelische Kirche in Deutschland nach 1945
VII
Schleswig-Holstein
Kiel
Eutin
Lübeck
Greifswald
Pommern
Schwerin
Mecklenburg
Hamb.
Bremen
Oldenbg.
Hannover
Berlin-Brandenbg.
Berlin
Br.
Prov.
Magdebg.
Sachsen
Lippe
Bielefeld
Westfalen
Dessau
Rheinland
Düsseldorf
Kurhess.-Waldeck
Kassel
Eisenach
Thüringen
Dresden
Schlesien
Görlitz
Herrnhut
Hessen-Nassau
Darmstadt
Bayern
Pfalz
Speyer
Baden
Karlsruhe
Stuttgart
Württemberg
München
Abkürzungen
A. = Anhalt
Br. = Braunschweig
S.-L. = Schaumburg-Lippe (Sitz in Bückeburg)
Grenzen der Landeskirchen
Sitz der Kirchenleitung
Farbige Balken = Zwei Landeskirchen im gleichen Gebiet
Unierte Landeskirchen
Gliedkirchen der „Ev. Kirche der Union" (EKU)
der EKU nicht angeschlossene Landeskirchen
Lutherische Landeskirchen
Gliedkirchen der „Vereinigten Ev.-Lutherischen Kirche Deutschlands" (VELKD)
der VELKD nicht angeschlossene Landeskirchen
Reformierte Landeskirchen
Ev.-reformierte Kirche in Nordwestdeutschland und Lippe
M. 1:12 500 000

I
Der Kommunismus in China 1934-1950
Maßstab 1: 60 000 000
Kommunistische Aufstandsgebiete vor 1934
Der „Lange Marsch" (Rückzüge vom 16.10.1934 bis 20.11.1935)
Kommunistisches Sammelgebiet
Jenan Sitz der kommunistischen Führung 1936-1949
Kommunistischer Machtbereich nach 1945
bis April 1947
bis Dez. 1949
bis Juli 1948
1950 u. später
Peking Hauptstadt der Volksrepublik China seit 1949
Gegenangriffe der Kuomintang-Truppen
Sitze der Kuomintang-Regierung:
Nanking 1927-1937
Hankau, Tschungking, Tschöngtu während des Krieges 1937-1949
1945/46 von Kuomintang-Truppen besetzt
National-China seit 1949
Grenze des äußerst. Vordring. japan. Truppen bis 1944
Sowjetischer Einmarsch in Mandschukuo Aug. 1945
Ausbruch des Koreakrieges 26.6.1950
II
Neue Staaten in Asien nach 1945
Maßstab 1: 60 000 000
Demarkationslinie in Kaschmir vom 31.12.48
Zahl der Auslands-Chinesen (in Millionen)
Hauptstädte sind unterstrichen
Wichtige Eisenbahnen
Vorderasien siehe unten Karte III Afrika
Sowjetunion
Mongolische Volksrep.
1945 Unabhängigkeit v. China anerkannt
Volksrepublik China seit 1949
Indien
1947: Indische Union
1950: Republ. Indien
Pakistan
Afghanistan
Sri Lanka (Ceylon) 1948 Dominion 1972 Republik
Birma 1948 Rep.
Malaysia 1963
Indonesien
III
Afrikas Weg in die Unabhängigkeit
Maßstab 1: 60 000 000
Unabhängige Staaten:
vor 1914 selbständig
selbständig geworden:
zwischen 1918 und 1948
zwischen 1949 und 1959
1960
1961
seit 1962
Gebiete mit strittigem politischen Status
ehemalige Treuhandgebiete der UNO (nach 1945)
Überstaatliche Organisationen:
selbständige Mitglieder des Commonwealth of Nations
Mitglieder der Französischen Gemeinschaft (1978/79 aufgelöst)
Mitglieder der Liga der Arabischen Staaten
Monarchien
Abkürzungen:
R. = Ruanda, 1962 Bur. = Burundi 1962
Jem. = Jemen 1918 unabh., 1962 Republik
IV
Israel
Staatsgründung 14.5.1948
von Israel besetzte Gebiete (seit 1967)
1975: 2 890 000 Juden, 500 000 Moslems u. Christen
1919-47: 402 000 Juden
1948-68: 1 300 000 Juden
Jüdische Siedlungsgebiete
Kulturlandgebiete
Vorwiegend Steppe (z. T. Weide, Buschwerk)
Vorwiegend Wüste
Jüdische Einwanderung
Araber-Vertreibung
Wasserleitung
Erdölleitung
Eisenbahnen
Wichtige Straßen
Wichtige Bodenschätze und Erzeugnisse
Maßstab 1: 3 500 000

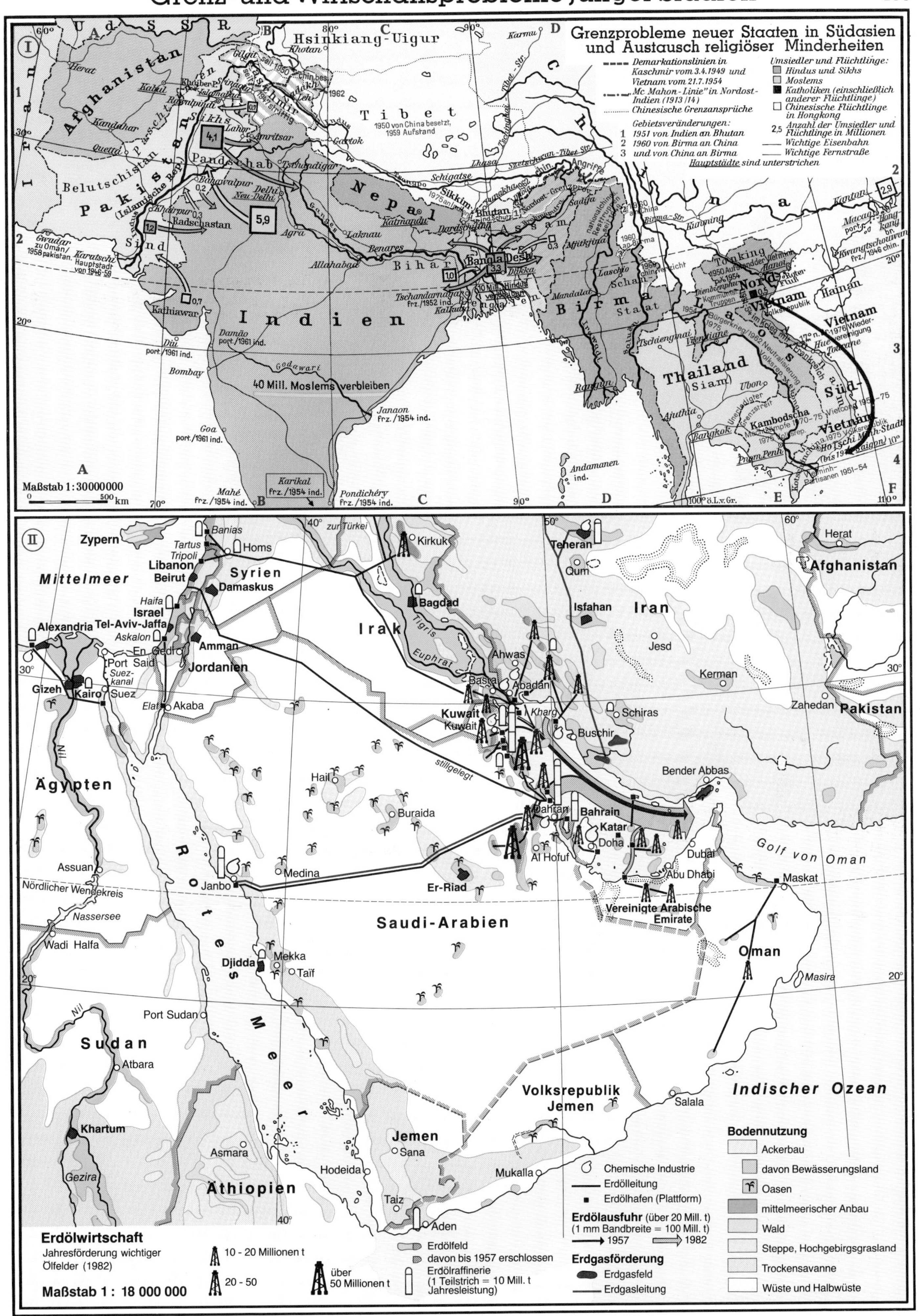

I
Grenzprobleme neuer Staaten in Südasien und Austausch religiöser Minderheiten
Demarkationslinien in Kaschmir vom 3.4.1949 und Vietnam vom 21.7.1954
„Mc Mahon-Linie" in Nordost-Indien (1913/14)
Chinesische Grenzansprüche
Gebietsveränderungen:
1 1951 von Indien an Bhutan
2 1960 von Birma an China
3 und von China an Birma
Umsiedler und Flüchtlinge:
Hindus und Sikhs
Moslems
Katholiken (einschließlich anderer Flüchtlinge)
Chinesische Flüchtlinge in Hongkong
2,5 Anzahl der Umsiedler und Flüchtlinge in Millionen
Wichtige Eisenbahn
Wichtige Fernstraße
Hauptstädte sind unterstrichen
Maßstab 1 : 30000000
0 500 km
U d S S R
Afghanistan
Pakistan (Islamische Rep.)
Hsinkiang-Uigur
Tibet
1950 von China besetzt, 1959 Aufstand
China
Nepal
Indien
Bangla Desh
Birma
Thailand (Siam)
Laos
Kambodscha
Nord-Vietnam
Süd-Vietnam
40 Mill. Moslems verbleiben
Karikal frz./1954 ind.
Pondichéry frz./1954 ind.
Mahé frz./1954 ind.
Goa port./1961 ind.
Diu port./1961 ind.
Damão port./1961 ind.
Janaon frz./1954 ind.
Andamanen ind.
II
Zypern
Mittelmeer
Libanon
Syrien
Israel
Jordanien
Irak
Iran
Afghanistan
Pakistan
Ägypten
Saudi-Arabien
Kuwait
Bahrain
Katar
Vereinigte Arabische Emirate
Oman
Sudan
Äthiopien
Jemen
Volksrepublik Jemen
Rotes Meer
Golf von Oman
Indischer Ozean
Nördlicher Wendekreis
Nassersee
stillgelegt
Bodennutzung
Ackerbau
davon Bewässerungsland
Oasen
mittelmeerischer Anbau
Wald
Steppe, Hochgebirgsgrasland
Trockensavanne
Wüste und Halbwüste
Chemische Industrie
Erdölleitung
Erdölhafen (Plattform)
Erdölausfuhr (über 20 Mill. t)
(1 mm Bandbreite = 100 Mill. t)
1957
1982
Erdgasförderung
Erdgasfeld
Erdgasleitung
Erdölwirtschaft
Jahresförderung wichtiger Ölfelder (1982)
10 - 20 Millionen t
20 - 50
über 50 Millionen t
Erdölfeld
davon bis 1957 erschlossen
Erdölraffinerie
(1 Teilstrich = 10 Mill. t Jahresleistung)
Maßstab 1 : 18 000 000

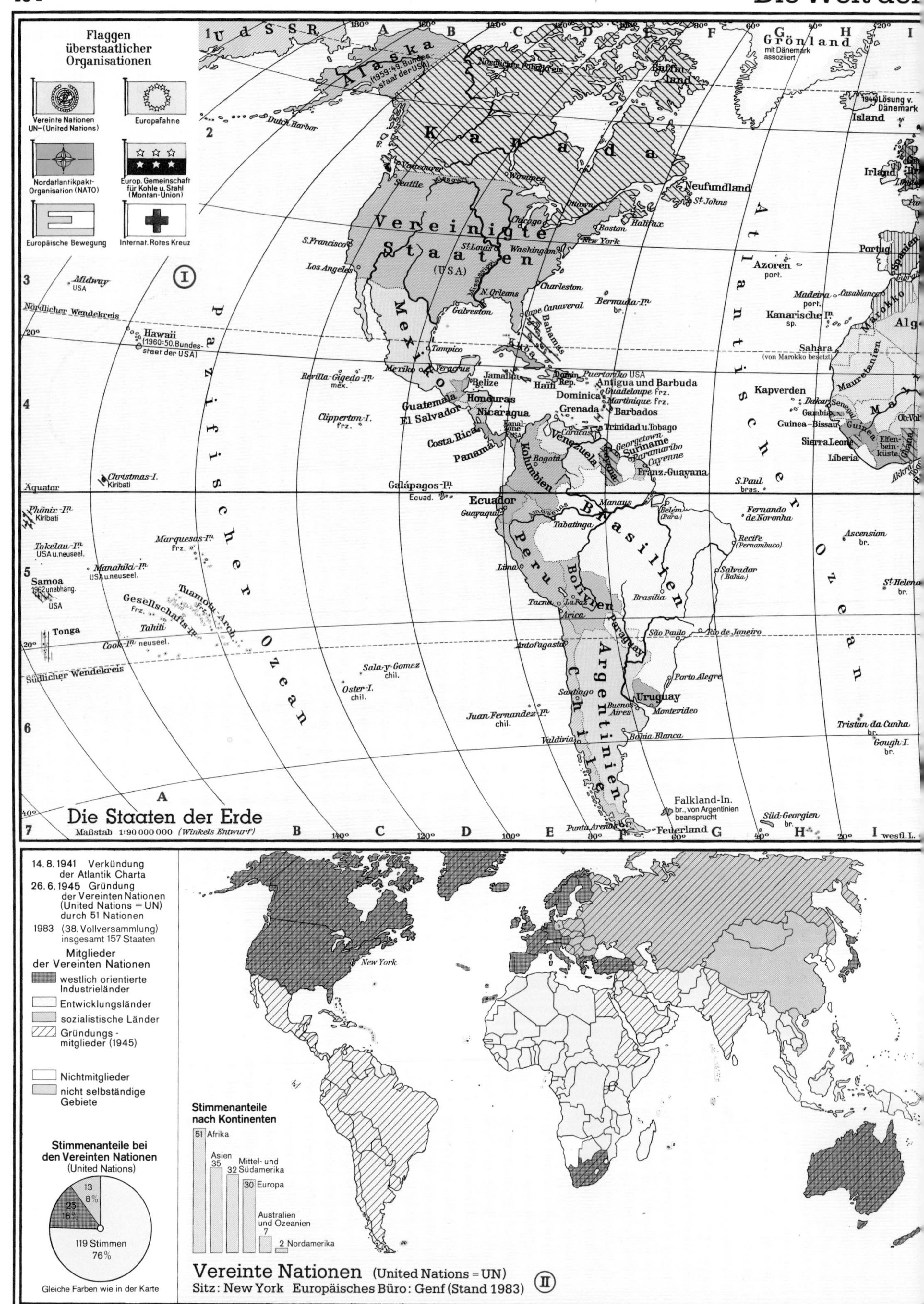
Flaggen überstaatlicher Organisationen
Vereinte Nationen UN-(United Nations)
Europafahne
Nordatlantikpakt-Organisation (NATO)
Europ. Gemeinschaft für Kohle u. Stahl (Montan-Union)
Europäische Bewegung
Internat. Rotes Kreuz
Die Staaten der Erde
Maßstab 1:90 000 000 (Winkels Entwurf)
I
Alaska (1959: 49. Bundesstaat der USA)
Kanada
Vereinigte Staaten (USA)
Grönland mit Dänemark assoziiert
1944 Lösung v. Dänemark
Island
Irland
Portug.
Spanien
Marokko
Alg
Mexiko
Kuba
Bahamas
Jamaika
Haiti
Dom. Rep.
Puertoriko USA
Antigua und Barbuda
Guadeloupe frz.
Dominica
Martinique frz.
Barbados
Grenada
Trinidad u. Tobago
Belize
Honduras
Guatemala
El Salvador
Nicaragua
Costa Rica
Panamá
Kanal-Zone USA
Venezuela
Guyana
Suriname
Franz.-Guayana
Kolumbien
Ecuador
Peru
Bolivien
Brasilien
Paraguay
Chile
Argentinien
Uruguay
Falkland-In. br., von Argentinien beansprucht
Süd-Georgien br.
Feuerland
Pazifischer Ozean
Atlantischer Ozean
Nördlicher Wendekreis
Äquator
Südlicher Wendekreis
Midway USA
Hawaii (1960: 50. Bundesstaat der USA)
Christmas-I. Kiribati
Phönix-In. Kiribati
Tokelau-In. USA u. neuseel.
Manahiki-In. USA u. neuseel.
Samoa 1962 unabhäng. USA
Tonga
Cook-In. neuseel.
Marquesas-In. frz.
Gesellschafts-In. frz.
Tahiti
Tuamotu-Arch. frz.
Revilla-Gigedo-In. mex.
Clipperton-I. frz.
Galápagos-In. Ecuad.
Sala-y-Gomez chil.
Oster-I. chil.
Juan Fernandez-In. chil.
Bermuda-In. br.
Azoren port.
Madeira port.
Kanarische In. sp.
Sahara (von Marokko besetzt)
Mauretanien
Kapverden
Senegal
Gambia
Guinea-Bissau
Guinea
Sierra Leone
Liberia
Elfenbeinküste
S. Paul bras.
Fernando de Noronha
Ascension br.
St. Helena br.
Tristan da Cunha br.
Gough-I. br.
Dutch Harbor
Vancouver
Seattle
Winnipeg
Ottawa
Neufundland
St. Johns
Halifax
Boston
New York
Chicago
St. Louis
Washington
S. Francisco
Los Angeles
Charleston
N. Orleans
Galveston
Cape Canaveral
Tampico
Mexiko
Veracruz
Caracas
Bogotá
Georgetown
Paramaribo
Cayenne
Guayaquil
Manaus
Belém (Pará)
Tabatinga
Recife (Pernambuco)
Salvador (Bahia)
Lima
Brasilia
Tacna
La Paz
Arica
São Paulo
Rio de Janeiro
Antofagasta
Porto Alegre
Santiago
Buenos Aires
Montevideo
Valdivia
Bahia Blanca
Punta Arenas
Casablanca
Dakar
Accra
Vereinte Nationen (United Nations = UN)
Sitz: New York Europäisches Büro: Genf (Stand 1983)
II
14.8.1941 Verkündung der Atlantik Charta
26.6.1945 Gründung der Vereinten Nationen (United Nations = UN) durch 51 Nationen
1983 (38. Vollversammlung) insgesamt 157 Staaten
Mitglieder der Vereinten Nationen
westlich orientierte Industrieländer
Entwicklungsländer
sozialistische Länder
Gründungs-mitglieder (1945)
Nichtmitglieder
nicht selbständige Gebiete
Stimmenanteile bei den Vereinten Nationen (United Nations)
13 8%
25 16%
119 Stimmen 76%
Gleiche Farben wie in der Karte
Stimmenanteile nach Kontinenten
51 Afrika
Asien 35
32 Mittel- und Südamerika
30 Europa
Australien und Ozeanien 7
2 Nordamerika
New York
Maßstab 1:180 000 000

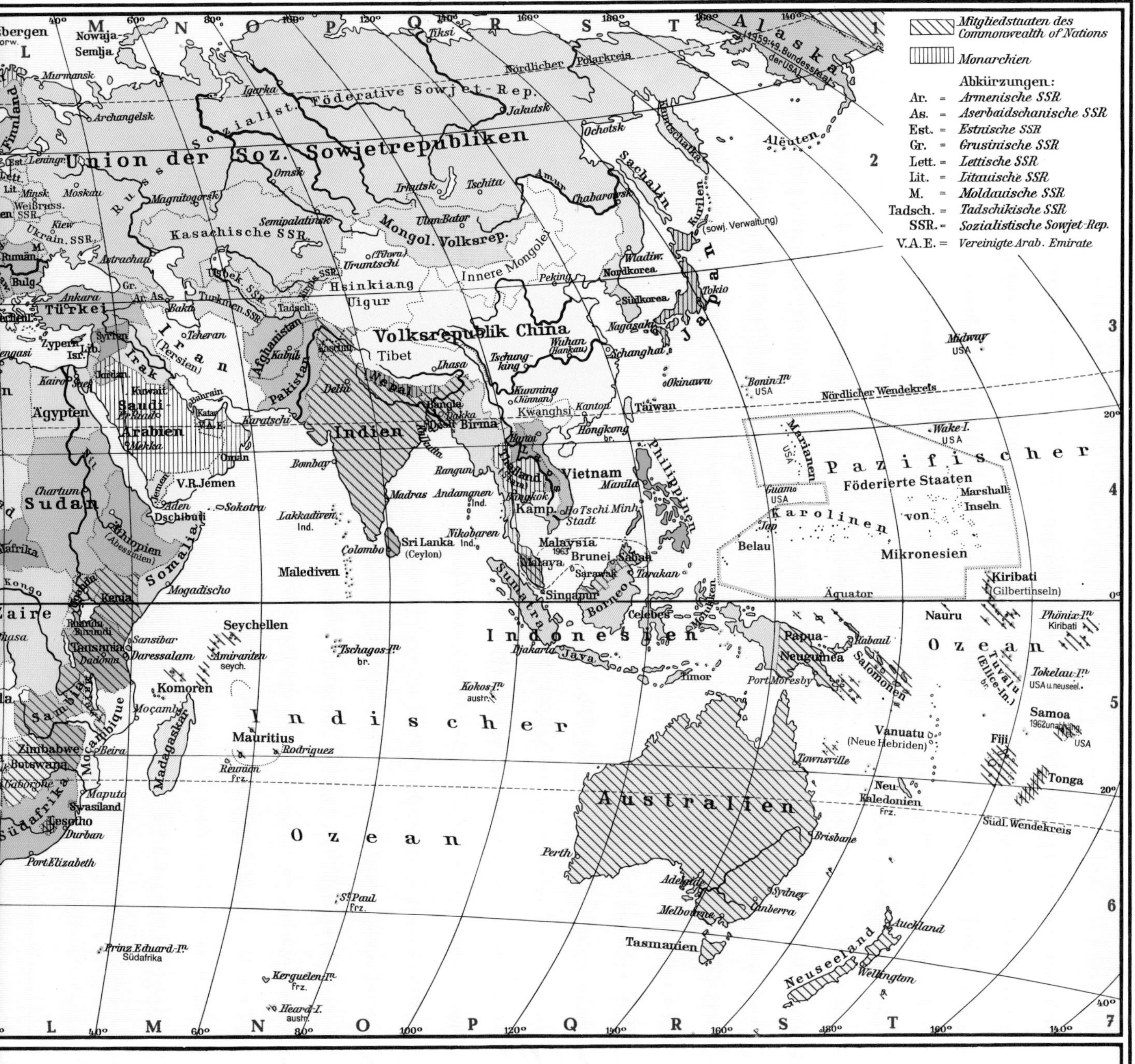

Vereinte Nationen (United Nations = UN)

Gründerstaaten 1945:

Ägypten, Argentinien, Äthiopien, Australien, Belgien, Bolivien, Brasilien, Chile

**China (National-) 1971 ausgeschlossen, Costa Rica, Dänemark, Dominikanische Republik, Ecuador, El Salvador, Frankreich*

Griechenland, Großbritannien, Guatemala, Haïti, Honduras, Indien, Irak, Iran

Jugoslawien, Kanada, Kolumbien, Kuba, Libanon, Liberia, Luxemburg, Mexiko

Neuseeland, Nicaragua, Niederlande, Norwegen, Panamá, Paraguay, Peru, Philippinen

Polen, Saudi-Arabien, UdSSR=Union der Sozialistischen Sowjet-Republiken, USA=Vereinigte Staaten von Amerika

Südafrika, Syrien, Tschechoslowakei, Türkei, Ukraine, Uruguay, Venezuela, Weiß-Rußland

Aufgenommene Staaten:

1946: *Afghanistan, Island, Schweden, Thailand*

1947: *Jemen, Pakistan*

1948: *Birma*

1949: *Israel*

1950: *Indonesien*

1955: *Albanien, Bulgarien, Finnland, Irland, Italien, Jordanien, Kambodscha, Laos, Libyen, Nepal, Österreich, Portugal, Rumänien, Spanien, Sri Lanka (Ceylon), Ungarn*

1956: *Japan, Marokko, Sudan, Tunesien*

1957: *Ghana, Malaysia*

1958: *Guinea*

1960: *Benin (Dahomey), Elfenbeinküste, Gabun, Kamerun, Kongo (Volksrepublik), Madagaskar, Mali, Niger, Nigeria, Obervolta, Senegal, Somalia, Togo, Tschad, Zaire (Kongo, Dem. Rep.), Zentralafrika, Zypern*

1961: *Mauretanien, Mongolische Volksrep., Sierra Leone, Tansania*

1962: *Algerien, Burundi, Jamaika, Ruanda, Trinidad u. Tobago, Uganda*

1963: *Kenia, Kuwait*

1964: *Malawi, Malta, Sambia*

1965: *Gambia, Malediven, Singapur*

1966: *Barbados, Botswana, Guyana, Lesotho*

1967: *V.R. Jemen*

1968: *Äquatorial-Guinea, Mauritius, Swasiland*

1970: *Fiji*

1971: *Bahrain, Bhutan, Katar, Verein. Arabische Emirate, Volksrep. China*

1973: *Bahamas, Bundesrepublik Deutschland, DDR*

1974: *Bangla Desh, Guinea-Bissau, Grenada*

1975: *Kapverden, Komoren, Moçambique, Papua-Neuguinea, São Tomé und Principe, Suriname*

1976: *Angola, Samoa, Seychellen*

1977: *Dschibuti, Vietnam*

1978: *Dominica, Salomonen*

1979: *Saint Lucia*

1980: *Saint Vincent, Zimbabwe*

1981: *Vanuatu, Antigu u. Barbuda, Belize*

Die Welt der Gegenwart (1985)

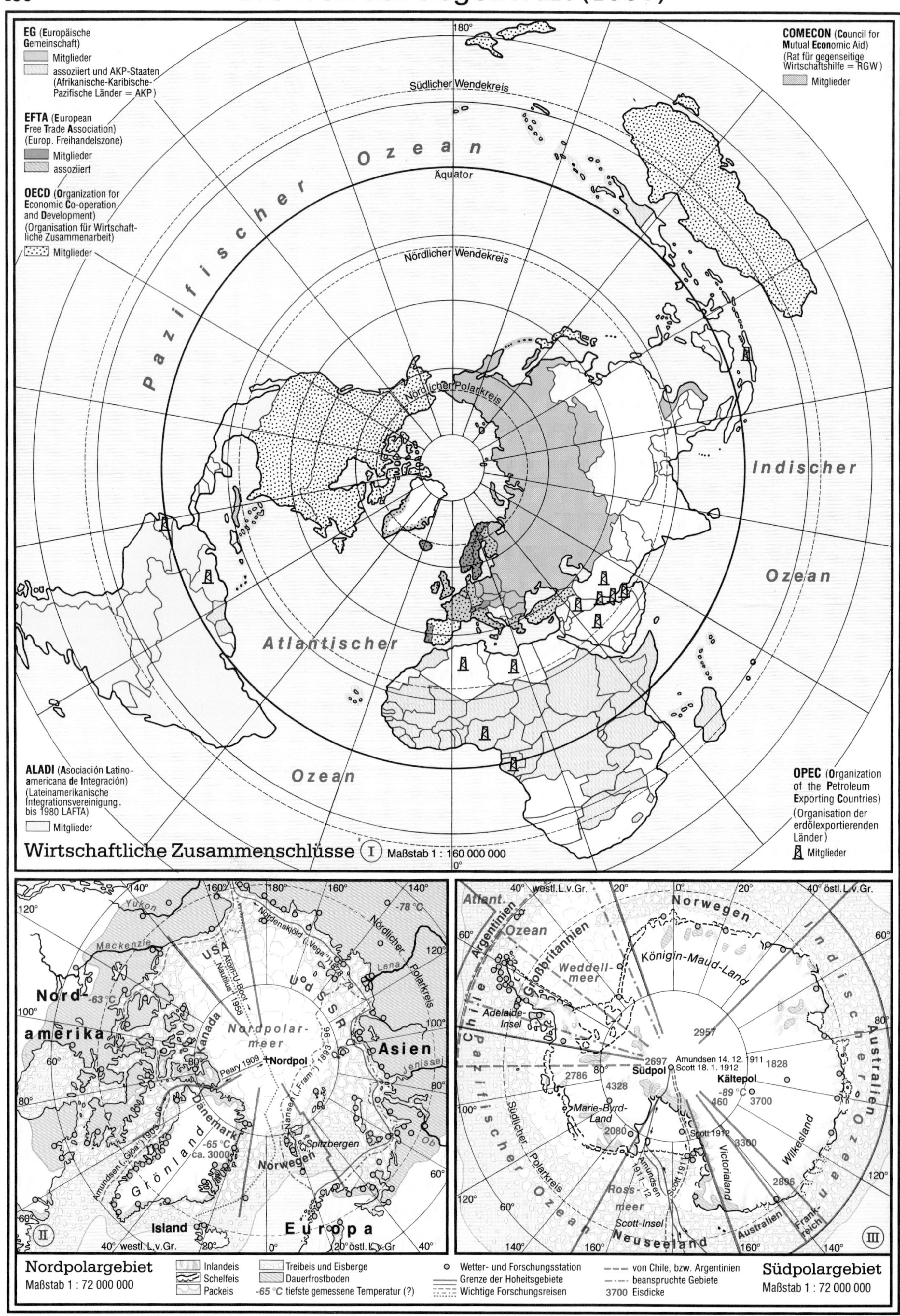

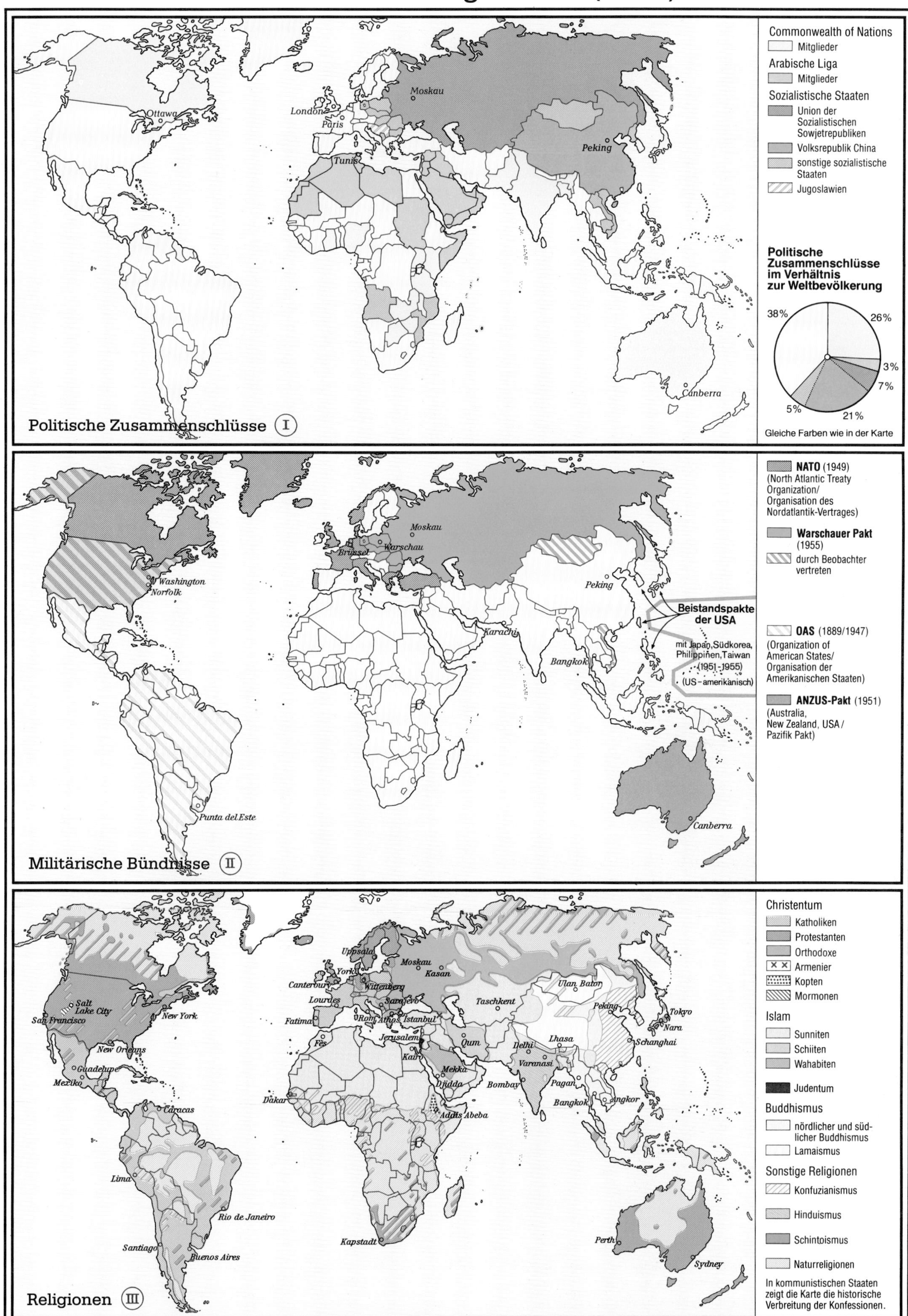
Commonwealth of Nations
Mitglieder
Arabische Liga
Mitglieder
Sozialistische Staaten
Union der Sozialistischen Sowjetrepubliken
Volksrepublik China
sonstige sozialistische Staaten
Jugoslawien
Politische Zusammenschlüsse im Verhältnis zur Weltbevölkerung
38%
26%
3%
7%
21%
5%
Gleiche Farben wie in der Karte
Moskau
Ottawa
London
Paris
Tunis
Peking
Canberra
Politische Zusammenschlüsse (I)
NATO (1949)
(North Atlantic Treaty Organization/ Organisation des Nordatlantik-Vertrages)
Warschauer Pakt (1955)
durch Beobachter vertreten
OAS (1889/1947)
(Organization of American States/ Organisation der Amerikanischen Staaten)
ANZUS-Pakt (1951)
(Australia, New Zealand, USA / Pazifik Pakt)
Beistandspakte der USA
mit Japan, Südkorea, Philippinen, Taiwan (1951-1955) (US-amerikanisch)
Moskau
Warschau
Brüssel
Washington
Norfolk
Peking
Karachi
Bangkok
Punta del Este
Canberra
Militärische Bündnisse (II)
Christentum
Katholiken
Protestanten
Orthodoxe
Armenier
Kopten
Mormonen
Islam
Sunniten
Schiiten
Wahabiten
Judentum
Buddhismus
nördlicher und südlicher Buddhismus
Lamaismus
Sonstige Religionen
Konfuzianismus
Hinduismus
Schintoismus
Naturreligionen
In kommunistischen Staaten zeigt die Karte die historische Verbreitung der Konfessionen.
Uppsala
Moskau
Kasan
York
Canterbury
Wittenberg
Lourdes
Sarajevo
Rom
Athos
Istanbul
Fatima
Salt Lake City
San Francisco
New York
New Orleans
Guadelupe
Mexiko
Caracas
Lima
Rio de Janeiro
Santiago
Buenos Aires
Fès
Jerusalem
Kairo
Mekka
Djidda
Dakar
Addis Abeba
Kapstadt
Qum
Taschkent
Ulan Bator
Peking
Tokyo
Nara
Schanghai
Lhasa
Delhi
Varanasi
Bombay
Pagan
Bangkok
Angkor
Perth
Sydney
Religionen (III)
Maßstab der Karten I-III
1:180 000 000

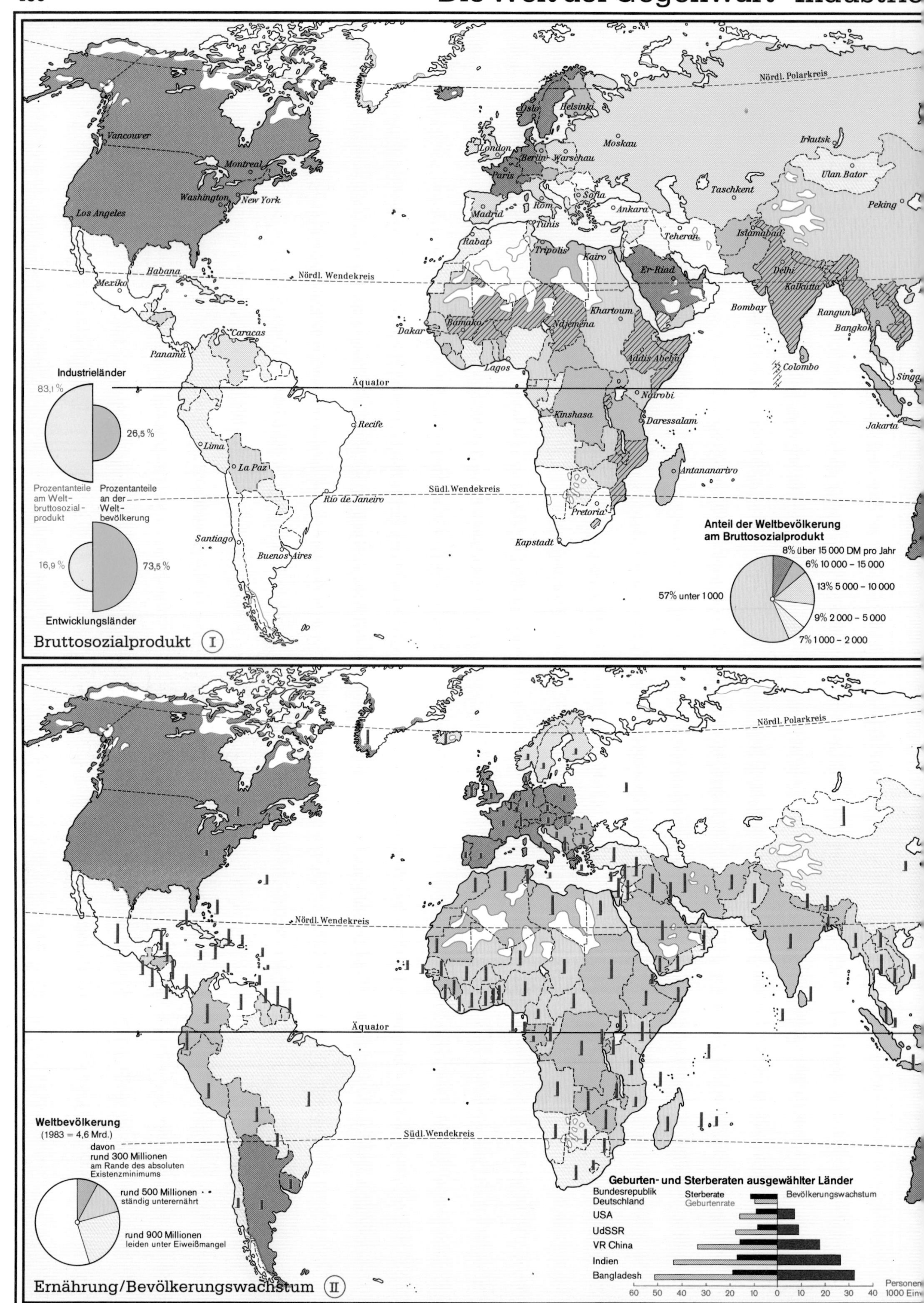
Nördl. Polarkreis
Vancouver
Montreal
Washington
New York
Los Angeles
Habana
Mexiko
Nördl. Wendekreis
Caracas
Panama
Äquator
Recife
Lima
La Paz
Rio de Janeiro
Südl. Wendekreis
Santiago
Buenos Aires
Oslo
Helsinki
London
Berlin
Warschau
Paris
Moskau
Irkutsk
Ulan Bator
Peking
Taschkent
Madrid
Rom
Sofia
Ankara
Tunis
Teheran
Islamabad
Rabat
Tripolis
Kairo
Er-Riad
Delhi
Kalkutta
Bombay
Khartoum
Rangun
Bangkok
Dakar
Bamako
Ndjamena
Addis Abeba
Colombo
Lagos
Nairobi
Kinshasa
Daressalam
Jakarta
Antananarivo
Pretoria
Kapstadt
Industrieländer
83,1 %
26,5 %
Prozentanteile am Welt-bruttosozial-produkt
Prozentanteile an der Welt-bevölkerung
16,9 %
73,5 %
Entwicklungsländer
Bruttosozialprodukt (I)
Anteil der Weltbevölkerung am Bruttosozialprodukt
8% über 15 000 DM pro Jahr
6% 10 000 - 15 000
13% 5 000 - 10 000
57% unter 1 000
9% 2 000 - 5 000
7% 1 000 - 2 000
Weltbevölkerung
(1983 = 4,6 Mrd.)
davon
rund 300 Millionen
am Rande des absoluten Existenzminimums
rund 500 Millionen
ständig unterernährt
rund 900 Millionen
leiden unter Eiweißmangel
Ernährung/Bevölkerungswachstum (II)
Geburten- und Sterberaten ausgewählter Länder
Sterberate
Geburtenrate
Bevölkerungswachstum
Bundesrepublik Deutschland
USA
UdSSR
VR China
Indien
Bangladesh
60 50 40 30 20 10 0 10 20 30 40
Personen 1000 Einw
Maßstab der Karten I und II
1:120 000 000
Jährliches Bevölkerungswachstum
(im Durchschnitt der Jahre 1970-1977)
3-4
2-3
1-2
0-1%

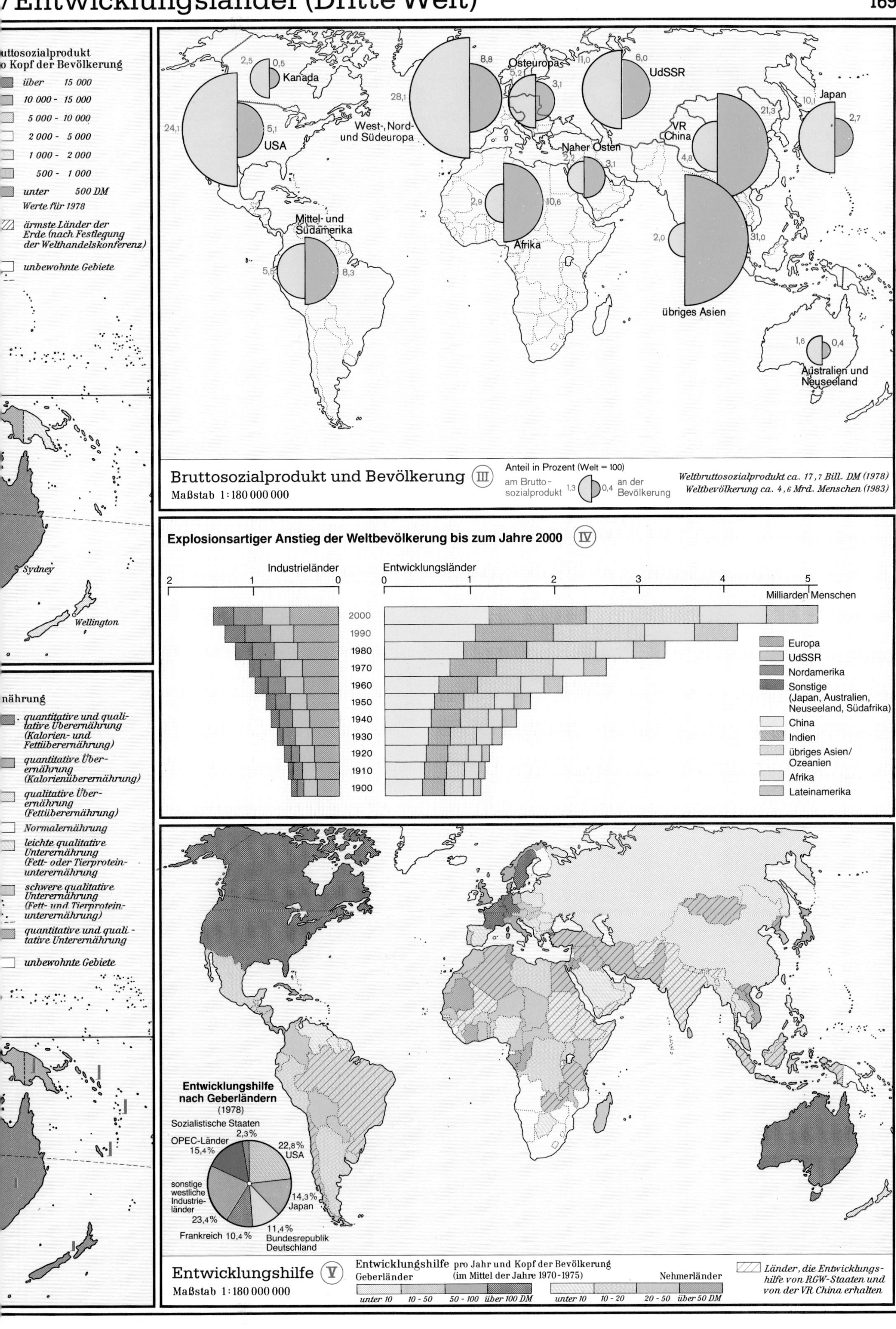

uttosozialprodukt
o Kopf der Bevölkerung
über 15 000
10 000 - 15 000
5 000 - 10 000
2 000 - 5 000
1 000 - 2 000
500 - 1 000
unter 500 DM
Werte für 1978
ärmste Länder der Erde (nach Festlegung der Welthandelskonferenz)
unbewohnte Gebiete
Sydney
Wellington
Kanada
USA
West-, Nord- und Südeuropa
Osteuropa
UdSSR
Japan
VR China
Naher Osten
Afrika
Mittel- und Südamerika
übriges Asien
Australien und Neuseeland
Bruttosozialprodukt und Bevölkerung (III)
Maßstab 1:180 000 000
Anteil in Prozent (Welt = 100)
am Brutto-sozialprodukt 1,3
0,4 an der Bevölkerung
Weltbruttosozialprodukt ca. 17,7 Bill. DM (1978)
Weltbevölkerung ca. 4,6 Mrd. Menschen (1983)
Explosionsartiger Anstieg der Weltbevölkerung bis zum Jahre 2000 (IV)
Industrieländer
Entwicklungsländer
Milliarden Menschen
2000
1990
1980
1970
1960
1950
1940
1930
1920
1910
1900
Europa
UdSSR
Nordamerika
Sonstige (Japan, Australien, Neuseeland, Südafrika)
China
Indien
übriges Asien/ Ozeanien
Afrika
Lateinamerika
nährung
quantitative und qualitative Überernährung (Kalorien- und Fettüberernährung)
quantitative Überernährung (Kalorienüberernährung)
qualitative Überernährung (Fettüberernährung)
Normalernährung
leichte qualitative Unterernährung (Fett- oder Tierprotein-unterernährung
schwere qualitative Unterernährung (Fett- und Tierprotein-unterernährung)
quantitative und qualitative Unterernährung
unbewohnte Gebiete
Entwicklungshilfe nach Geberländern (1978)
Sozialistische Staaten 2,3%
OPEC-Länder 15,4%
22,8% USA
14,3% Japan
11,4% Bundesrepublik Deutschland
Frankreich 10,4%
sonstige westliche Industrie-länder 23,4%
Entwicklungshilfe (V)
Maßstab 1:180 000 000
Entwicklungshilfe pro Jahr und Kopf der Bevölkerung (im Mittel der Jahre 1970-1975)
Geberländer
unter 10
10 - 50
50 - 100
über 100 DM
Nehmerländer
unter 10
10 - 20
20 - 50
über 50 DM
Länder, die Entwicklungshilfe von RGW-Staaten und von der VR China erhalten

Die Welt der Gegenwart (1985)

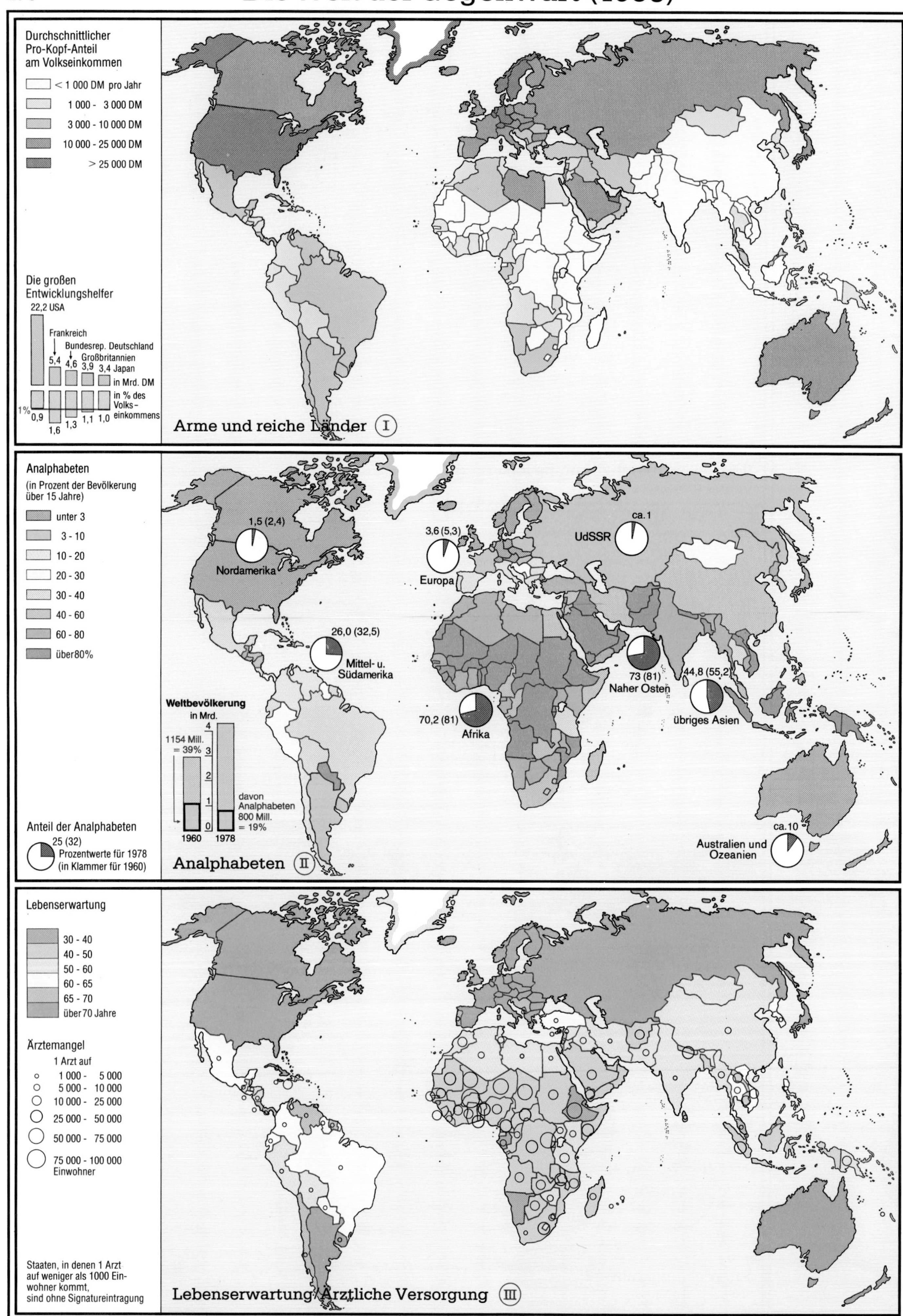

Maßstab der Karten I-III
1:180 000 000

Westermann
Großer Atlas zur Weltgeschichte

REGISTER

Seiten

Abkürzungen in den Atlaskarten . . . . 2 – 4

Sachregister . . . . 5 – 10

Kartenübersichten für die nationale Geschichte
aller Länder und Gebiete . . . . 11 – 19

Namenverzeichnis . . . . 21 – 78

Bearbeitet von Prof. Dr. Werner Trillmich

ABKÜRZUNGEN

Das nachstehende Register enthält die Erklärung aller Abkürzungen von Worten und Begriffen, die in Atlaskarten oder in Karten-erläuterungen vorkommen, in aphabetischer Folge.
Die in Karten zum Teil verschieden abgekürzten Namen von Orten, Staaten, Territorien usw., die hier nur in einigen Ausnahme-fällen aufgenommen sind, erklären sich im allgemeinen aus der vollständig ausgeschriebenen Namensform im „Namenverzeichnis“.

A

a. .... am
A. .... Amt
A. .... Anhalt
abh. .... abhängig
Abess. .... Abessinien
Abessin. ..... Abessinisch
Abt. .... Abtei
achä. .... achäisch
Adl. .... Adlig
Adm. .... Admiral
Administr. .. Administratur
Adriat. ...... Adriatisches
Afghan. ..... Afghanistan
Afghanist. .. Afghanistan
Afrikan. ... Afrikanisch
Afrikan. ... Afrikanische
Ägat. .... Ägatische
Ägypt. ...... Ägypten
ägypt. ...... ägyptisch
Alb., Alban. . Albanien
Albert. ...... Albertiner
Albertin. ... Albertiner
All. .... Alliierte
Allgem. ..... Allgemeines
alphabet. ... alphabetisch
amerikan. .. amerikanisch
Anfg. .... Anfang
angels. ...... angelsächsisch
angelsächs. .. angelsächsisch
Anh. .... Anhalt
Anh. .... anhaltinisch
Anschl. ..... Anschluß
Apoth. ...... Apotheke
Äquator. .... Äquatorial
Ar. .... Armenische
Arab. .... Araber, Arabische
arab. .... arabisch
arag., aragon. aragonisch
Arch. .... Archipel
Argentin. ... Argentinien
armen. ...... armenisch
As. .... Alpes
As. .... Aserbeidschanische
askan. .... askanisch
assyr. .... assyrisch
Äthiop. ..... Äthiopien
äthiop. ...... äthiopisch
Atlant. ...... Atlantischer
ätol. .... ätolisch
Att. .... Attische
Aufst. .... Aufstand
Aug. .... August
Aug. .... Augusta
Ausdehn. ... Ausdehnung
außerh. ...... außerhalb
Austr. .... Australisch
Austral. ..... Australisch
Austral. ..... Australien

B

. . . b. .... bach
B. .... Bach
B. .... Bad
B. .... Basutoland
B. .... Bay
b. .... bei
B. .... Berg
B. .... Bischof
B. .... Bistum
. . . b. .... bogen
B. .... Bucht
. . . b. .... burg
. . . b. .... büttel
babylon. .... babylonisch
bad. .... badisch
bair. .... bairisch
Bas. .... Basilica
Bask. Prov. . Baskische Provinzen
Bauernpart. . Bauernpartei
bayreuth. ... bayreuthisch
Bayr. .... Bayrisch
bayr. .... bayrisch
Belg. .... Belgien
belg. .... belgisch
Belutsch. .... Belutschistan
Berl. .... Berliner
bern. .... bernisch
Besatz. ...... Besatzung
bes. .... besetzt
Bes. .... Besitz
Bessarab. ... Bessarabien
Bew. .... Bewohner
Bez. .... Bezirk
Bf. .... Bahnhof
. . . bg. ...... berg
Bg., Bge. .... Berg, Berge
. . . bge. ..... berge
. . . bğ. ...... burg
bischöfl. ..... bischöflich
Bm. .... Bistum
. . . bog. ..... bogen
böhm. .... böhmisch
Böhm. .... Böhmisch
boiot. .... boiotisch
Boliv. .... Bolivien
Bosporan. ... Bosporanisch
Bottn. .... Bottnisch
bourbon. .... bourbonisch
Br. .... Braunschweig
br. .... britisch
Br. .... Brücke
brand. .... brandenburgisch
brandenb. .. brandenburgisch
brandenbğ. . brandenburgisch
bras. .... brasilianisch
Bras. .... Brasilianisch
Braunschw. . Braunschweig
Brazz. .... Brazzaville
brdbğ. .... brandenburgisch
brschw. ...... braunschweigisch
breton. ...... bretonisch
Breton. ..... Bretonisch
Brix. .... Brixen
Bulgar. ...... Bulgarien
bulg., bulgar. bulgarisch
bur. .... burisch
Bur. .... Burundi
bürg. .... bürgerlich
bürgerl. ..... bürgerlich
Burggft. .... Burggrafschaft
byz., byzant byzantinisch
bzw. .... beziehungsweise

C

ca. .... circa
Canterb. .... Canterbury
Cast. .... Castel
chil. .... chilenisch
chin., chines. chinesisch
christl. .... christlich
Christl. ...... Christliche
Circ. .... Circus
cisalp. .... cisalpina
coburg. ...... coburgisch
Col. .... Colonia
Comp. ...... Company
C^{ty} .... County

D

d. .... der, die, das
d. Ä. .... der Ältere
D., Dt. ...... Deutsch
D., Dt. ...... Deutscher
D., Dt. ...... Deutsches
Dän., Dänem. Dänemark
dän., Dän. .. dänisch, Dänisch
Demokrat. .. Demokratie
Dept. .... Departement
Detachm. ... Detachment
Deutsch. .... Deutscher
Deutsch. .... Deutsches
Dez. .... Dezember
. . . df. .... dorf
d. Gr. .... der Große
Distr. .... Distrikt
Dj. .... Djebel
d. J. .... der Jüngere
Dom. .... Dominikanische
Dominik. .... Dominikaner
Dominik. .... Dominikanische
Dominikan . Dominikaner
D. R. .... Deutsches Reich
Dsch. .... Dschebel
Dt. .... Deutsch
dtsch. .... deutsch
Dtsch. .... Deutscher
Dtsch. .... Deutsches

E

E. .... Estische
Ecuad. ...... Ecuadorianisch
ehem. .... ehemalig
eichst. .... eichstättisch
eidgen. ...... eidgenössisch
Eidgen. ...... Eidgenossen
Eidgenoss. ... Eidgenossenschaft
einheim. ... einheimisch
einschl. ...... einschließlich
Einw. .... Einwohner
Elfenbeink. . Elfenbeinküste
endgült. ..... endgültig
Engl. .... England
engl., Engl .. englisch, Englisch
Ernestin. ... Ernestiner
erob. .... erobert
Erzb., Erzbm. Erzbistum
Estld. .... Estland
etrusk. ...... etruskisch
europ. .... europäisch
Europ. ...... Europäisch
Ev., Evang. .. Evangelisch

F

F. .... Freistaat
f. .... für
Fakt. .... Faktorei
Fbr. .... Fabrik
. . . fde. ...... felde
. . . fdn. ...... felden
Febr. .... Februar
. . . fgn. ..... fingen
Finn. .... Finnisch
Finn. .... Finnischer
Finnl. .... Finnland
Fl. .... Fluß
flandr. .... flandrisch
. . . fldn. ..... felden
Fm., Fsm .. Fürstentum
fr. .... französisch
Fr. .... Frei, Freie
Fr. .... Freising
fränk. .... fränkisch
Frankr. ..... Frankreich
franz.,französ. französisch
Franz. ...... Französisch
Franzisk. .... Franziskaner
Franziskan. . Franziskaner
freibğ. .... freiburgisch
Freigft. ..... Freigrafschaft
freis. .... freisingisch
Friedr. ...... Friedrich
fries. .... friesisch
Fr.-Pr. .. ... Fürst-Primas
Frst. .... Freistaat
Frühj. .... Frühjahr
Fr.-W. .... Friedrich-Wilhelm
frz. .... französisch
Fsm. .... Fürstentum
F^{t} .... Fort
. . . ft. .... furt

G

G. .... Gebirge
G. .... Golf
G. .... Graf
. . . geb. ..... gebiet
Geb. .... Gebirge
gegr. .... gegründet
Geistl. .... Geistlich
Gen. .... General
gen., genues. genuesisch
Gen. Gouv. . . General-Gouvernement
germ. .... germanisch
german. .... germanisch
gesetzl. ...... gesetzlich
Gfsm. .... Großfürstentum
Gft. .... Grafschaft
Ghzm. .... Großherzogtum
got. .... gotisch
gotländ. ..... gotländisch
Gouv. .... Gouvernement
Gr. .... Griechenland
Gr. .... Groß, Große, Großer
Gr. .... Grusinische
gräfl. .... gräflich
Grenzm. .... Grenzmark
Grfsm. ...... Großfürstentum
griech. ...... griechisch
Griech. ...... Griechisch
Griech. ...... Griechenland
Griechenl. .. Griechenland
Guin. .... Guinea

H

H. .... Hagios
habsbg. ..... habsburgisch
habsburg. ... habsburgisch
. . . hfn. ...... hafen
hamb. .... hamburgisch
hambg. ..... hamburgisch
Hann. .... Hannover
hann. .... hannoverisch
heidn. .... heidnisch
hellenist. .... hellenistisch
H., Hft. ..... Herrschaft
Herrsch. .... Herrschaft
Herz., Hzm. . Herzogtum
Hess. .... Hessen
hess. .... hessisch
hethit. ...... hethitisch
Hfn. .... Hafen
. . . hgn. ..... hagen
Hgr. .... Hügelgräber
H.-I. .... Halbinsel
hild. .... hildesheimer
Hl. .... Heilig
Hlgt. .... Heiligtum
. . . hm. ...... heim
Hohenz. ..... Hohenzollern
hohenzoll. .. hohenzollerisch
Holst. .... .Holstein
holst. .... holsteinisch
Hond. .... Honduras
Hosp. .... Hospital
H.-Qu. ...... Hauptquartier
. . . hs. .... haus
. . . hsn. ..... hausen
hussit. ...... hussitisch

I

i. .... im
I. .... Insel
I. .... Isola
I^{ae} .... Insulae
I^{n} .... Inseln
Ind. .... Indianer
ind. .... indisch
Indones. ..... Indonesien
intern. ...... international
internat. .... international
Internat. .... International
Internat. .... Internationales
ir. .... irisch
islam. .... islamisch
Isr. .... Israel
Ital. .... Italien
it., ital. ...... italienisch
italien. ...... italienisch

J

jähr. .... jährig
Jahrh. ...... Jahrhundert
Jan. .... Januar
jap. .... japanisch
Japan. .... Japanisch
Jem. .... Jemen
Jh. .... Jahrhundert
jon. .... jonisch
Jordan. ...... Jordanien
Jugosl. ...... Jugoslawien

K

K. .... Kanal
K. .... Kap
K. .... Kirche
. . . k. .... kirchen
K. .... Kultur
K. .... Küste
Kais. .... Kaiser
Kaiserr. ..... Kaiserreich
Kamb. ...... Kambodscha
Kan. .... Kanal
kanad. ...... kanadisch
Kanar. ...... Kanarische
Kap. .... Kapelle
. . . kap. ..... kapelle
kapeting. ... kapetingisch
Kapverd. .... Kapverdische
kärntn. ...... kärntnerisch
karoling. .... karolingisch
Kas. .... Kaserne
Kaschm. .... Kaschmir
Kasp. .... Kaspisch
Kasp. M. .... Kaspisches Meer
Kat., Katak. . Katakomben
Katalaun. ... Katalaunische
kath., kathol. katholisch
kelt. .... keltisch
Kfm. .... Kurfürstentum
Kg. .... König
kgl. .... königlich
Kgl. .... Königlich
Kgr. .... Königreich
Kilik. .... Kilikisch
kirchl. .... kirchlich
Kirgis. ...... Kirgisische
Kl. .... Klein, Kleine, Kleiner
Kl. .... Kloster
Kol. .... Kolumbien
köln. .... kölnisch
Kolumb. .... Kolumbien
kolumb .... kolumbianisch
Komm. ...... Kommunistisch
Königl. ...... Königlich
korinth. ..... korinthisch
kopt. .... koptisch
Kr. .... Kreis
Kraftw. ..... Kraftwerk
kret. .... kretisch
Kroat. ...... Kroatien
kroat. ...... kroatisch
Kurf. .... Kurfürstentum
Kurfsm. ..... Kurfürstentum
kurfürstl. ... kurfürstlich
Kurhess. .... Kurhessen
kur. .... kurländisch
Kurländ. .... Kurländisch

L

. . . l. .... leben
L. .... Lacus
Lakedämon. . Lakedämonien
Lakin. ...... Lakinisches
landesherrl. . landesherrlich
ländl. .... ländlich
langob. ...... langobardisch
langobard. .. langobardisch
Latein. ...... Lateinisch
latin. .... latinisch
lauenbg. .... lauenburgisch
. . . lbn. ...... leben
Ld. .... Land
. . . ld. .... land
L.-D. .... Lippe-Detmold
Ldgft. .... Landgrafschaft
Leop. .... Leopoldville
Lett. .... Lettische
Lettld. ...... Lettland
. . . lgn. ...... lingen
Lib. .... Libanon
Liechtenst. .. Liechtenstein
Ligur. .... Ligurisches
Limb. .... Limburg
limpg. .... limpurgisch
Lit. .... Litauen
lit. .... litauisch
Lit. .... Litauisch
Litzm. .... Litzmannstadt
Livländ. .... Livländisch
Lothr. .... Lothringen
lothring. .... lothringisch
lt. .... laut
Luth. .... Lutheraner
Lux. .... Luxemburg
lux., luxemb., luxemburgisch
Luxemb. .... Luxemburg
luxembg. ... luxemburgisch
Luxembg. ... Luxemburgisch

M

M. .... Mark
M. .... Mecklenburg
M. .... Meer
M. .... Mons
M. .... Monte
M. .... Montenegro
Mdg. .... Mündung
magd. .... magdeburgisch
magdebg. ... magdeburgisch
Mähr. .... Mährisch
mainz. .... mainzisch
maked. ...... makedonisch
Makedon. ... Makedonien
makedon. ... makedonisch
Mand. .... Mandat
mar. .... marokkanisch
Mauret. ..... Mauretanien
Mausol. ...... Mausoleum
Mittelalt. .... Mittelalterlich
Mittelm. .... Mittelmeer
Meckl. .... Mecklenburg
Meerb. ...... Meerbusen
mein. .... meiningisch
Meining. .... Meiningen
Merid. ...... Meridian
Metallw. .... Metallwaren
mex., mexik., mexikanisch
mexikan. .... mexikanisch
Mgft. .... Markgrafschaft
mittelalt. .... mittelalterlich
Moçamb. .... Moçambik
mold. .... moldauisch
Mongol. ..... Mongolische
Mont. .... Montenegro
M.-Str. ...... Mecklenburg-Strelitz
M^{t} .... Mont
M^{te} .... Monte
Münst. ...... Münster
mutmaßl. ... mutmaßlich
Myk. .... Mykenisch
myken. ...... mykenisch

N

n. .... nach
N. .... New
N. .... Nord
Nass. .... Nassau
nass. .... nassauisch
Nation. ...... Nationales
nationalist. . nationalistisch
Nav. .... Navarra
navarres. ... navarresisch
Nd., Ndr. ... Nieder
Ndl. .... Niederländisch
ndld. .... niederländisch
neuseel. ..... neuseeländisch
neutr. .... neutral
Nicar. .... Nicaragua
Nied. .... Nieder
Nied. .... Niederlande
Nied. .... Niederländisch
Niederl. ..... Niederlande
niederl. ...... niederländisch
Niederlass. .. Niederlassung
niederld. .... niederländisch
niederländ. . niederländisch
Niederldr. .. Niederländer
nördl. .... nördlich
Nordrh. ..... Nordrhein
Nordwestl. .. Nordwestlich
norm. .... normannisch
normann. ... normannisch
Norw. .... Norwegen
norw. .... norwegisch
Nov. .... November
nürnberg. ... nürnberger, nürnbergisch

O

O. .... Ozean
Ob. .... Ober, Obere
Oberh. ...... Oberhoheit
Oberv. ...... Obervolta
Ochotsk. .... Ochotskisches . . .
od. .... oder
okkup. ...... okkupiert
Okt., Oktob. Oktober
Old. .... Oldenburg
oldenbg. .... oldenburgisch
Opp. .... Oppidum
oran. .... oranisch
osman. ...... osmanisch
Osman. ...... Osmanisch
Osman. ...... Osmanisches
Osm. R. ..... Osmanisches Reich
österr. .... österreichisch
ostgot. .... ostgotisch
östl. .... östlich
Ostpr. .... Ostpreußen
Öst.-Ung. ... Österreich-Ungarn

P

P. .... Pakistan
P. .... Paß
Pak., Pakist. Pakistan
pakist. ...... pakistanisch
Pal. .... Palais
Pal. .... Palast
pamphyl. ... pamphylisch
päpstl. .... päpstlich
Parag. .... Paraguay
pass. .... passauisch
Patr. .... Patriarchat
Patriarch. ... Patriarchat
Patrim. ...... Patrimonium
Patrimon. ... Patrimonium
Paz., Pazif. . Pazifischer . .
Peloponnes. . Peloponnesisch
pers. .... persisch
Pers. .... Persisch
Pers. .... Persischer
peruan. ...... peruanisch
Pf. .... Pfalz
phönik. ...... phönikisch
piemont. .... piemontesisch
pis. .... pisanisch
Pk. .... Park
Pl. .... Platz
polit. .... politische
poln. .... polnisch
poln. .... polnischer
pomm. ...... pommerisch
Pont. .... Pontika
Port., Portug. Portugal
port. .... portugiesisch,
Port. .... Portugiesisch
pr. .... preußisch
Pr. .... Preußisch
pr. .... principalis
Pr., Prom. .. Promunturium
Pr. .... Provinz
Praef. .... Präfektur
preuß. .... preußisch
Priv. .... Privileg
Prot. .... Protektorat
Protekt. ..... Protektorat
Prov. .... Provinz
pruzz. .... pruzzisch
P^{t} .... Port
P^{ta} .... Porta
Pun. .... Punisch
Puritan. ..... Puritanisch

R

R. .... Recht
R. .... Reich
R. .... Reuß
R. .... Ruanda
Rath. .... Rathaus
R. d. .... Reich der
Reform. ..... Reformierte
Reg. .... Regierungsbezirk
regensb. .... regensburgisch
Reichskomm. Reichskommissariat
Rep. .... Republik
Republ. ..... Republik
republikan. . republikanisch
Rhein. .... Rheinisch
Rheinl. ...... Rheinland
rip. .... ripense
Riv. .... River
röm. .... römisch
Röm. .... Römisch
roman. .... romanisch
rum. .... rumänisch
Rumän. ...... Rumänien
Russ. .... Russisch
russ. .... russisch

S

S. .... Sachsen
S. .... San
S. .... São
S. .... See
s. .... seit
S. .... Süd
Sa. .... Sachsen
Sachs. .... Sachsen
sächs. .... sächsisch
salzb. .... salzburgisch
Schl. .... Schleswig
Schles. .... Schlesien
schles. .... schlesisch
Schlesw. .... Schleswig
Schl.-Holst. . Schleswig-Holstein
schott. .... schottisch
Schw. .... Schwäbisch
Schw. .... Schwarzburg
schw. .... schwedisch
Schw. .... Schweizer
Schwed. ..... Schweden
schwed. ..... schwedisch
schweiz. ..... schweizerisch
selbst. .... selbständig
selbständ. ... selbständig
selbstdg. .... selbständig
seldsch. ...... seldschukisch
Seneg. .... Senegal
separ. .... separat, separates
Sept. .... September
Serb. .... Serbien
serb. .... serbisch
siebenbürg. . siebenbürgisch
Siedl., Siedlg. Siedlung
Siedlgn. ..... Siedlungen
sizil. .... sizilianisch
skandinav. .. skandinavisch
S.-L. .... Schaumburg-Lippe
slaw. .... slawisch
Slow. .... Slowakei
sog., sogen. .. sogenannt
Sondersh. ... Sondershausen
sonst. .... sonstige
Sorb. .... Sorbisch
sowj. .... sowjetisch
sowjetzon. .. sowjetzonale
Sozialist. .... Sozialistische
sp., span. .... spanisch
Span. .... Spanien
Spand. ...... Spandauer
. . . st. .... stadt
S^{t}. .... Saint
S^{t}. .... Sankt
. . . st. .... stein
Sta .... Santa
Staatspart. .. Staatspartei
städt. .... städtisch
Stat. .... Station
stauf. .... staufisch
Steierm. .... Steiermark
S^{tes} .... Saintes
S^{th} .... South

Str., ... str. . Straße, ... straße
Str. .... Strelitz
südafr. ...... südafrikanisch
südafrikan. . südafrikanisch
Südchines. .. Südchinesisch
südl. .... südlich
Südw. .... Südwest
Sultan. ...... Sultanat
Sw., Swasild. Swasiland
Syr. .... Syrien

T

T. .... Tempel
T. .... Tor
Tadsch. ...... Tadschistan
Tang. .... Tanganjika
Templ. ...... Templum
Terr., Territ. Territorium
... tgn. ...... tingen
Th. .... Thema
Thaild. ...... Thailand
Thessal. ..... Thessalien
Thür. .... Thüringen
Thüring. .... Thüringische
Tiber. .... Tiberias
tibet. .... tibetisch
Töpf. .... Töpfer
tosk. .... toskanisch
tribut. .... tributär
Trop. .... Tropisch
Tsch. ....Tschechoslowakei
Tschech. .... Tschechen
Tschech. .... Tschechisch
Tschechoslow. Tschechoslowakei
türk. .... türkisch
Turkmen. ... Turkmenische
Turkmen. ... Turkmenistan
tyrrhen. .... tyrrhenisch

U

u. .... und
U. .... Union
u. a. .... und andere
übr. .... übrigen
Ukrain. ..... Ukrainische
unabh. ...... unabhängig
unabhg. ..... unabhängig
unabhäng. .. unabhängig
ung., ungar. . ungarisch
Ung. .... Ungarn
Univ. .... Universität
Univers. .... Universität
unmittelb. .. unmittelbar
unt. .... unter
urkundl. .... urkundlich
ursprüngl. ... ursprünglich
Usbek. ...... Usbekische
usw. .... und so weiter

V

v. .... von
V. .... Via
V. .... Vikariat
VAR .... Vereinigte Arabische Republik
v. Chr. ...... vor Christi
v. d. .... von dem
ven. .... venezianisch
Vened. ...... Venedig
venez. .... venezianisch
Venez. ...... Venezuela
venezian. ... venezianisch
verein. ...... vereinigt
Verein ..... Vereinigte
Verfass. .... Verfassung
vermutl. .... vermutlich
Ver. .... Vereinigte
Ver. St. ..... Vereinigte Staaten
Verw. .... Verwaltung
Verwalt. .... Verwaltung
Vgb. .... Vorgebirge
Vic. .... Vicus
Völkerb. .... Völkerbund
Vorgeb. ..... Vorgebirge
V. St. .... Vereinigte Staaten

W

W. .... Wilajet
wald. .... waldeckisch
Wallon. ..... Wallonische
weim. .... weimarisch
welf. .... welfisch
Wend. .... Wendisch
Westf. .... Westfalen
westgot. ..... westgotisch
westl. .... westlich
Westpr. ..... Westpreußen
wett., wettin. wettinisch
wittelsb. .... wittelsbachisch
... wlr. ..... weiler
Württ. .... Württemberg
württ. .... württembergisch
Württemb. .. württembergisch

Z

z. .... zu, zum, zur
zeitl. .... zeitlich
zeitw. .... zeitweilig
zeitw. .... zeitweise
zerst. .... zerstört
Zielgeb. ..... Zielgebiet
z. T. .... zum Teil
z. W. .... zu Würzburg
zw. .... zwischen
z. Z. .... zur Zeit

SACHREGISTER

Das nachstehende Register enthält Namen, Tatsachen, Begriffe und Stichworte, die in der Literatur über Geschichte, Volkstum, Kunstgeschichte, Religionsgeschichte, Wirtschaftskunde usw.vorkommen und auf Karten dieses Atlaswerkes vermerkt sind.

Die Verweise beziehen sich auf Seitenzahlen und die rot eingedruckten Nummern der Einzelkarten, sofern mehrere Karten auf einer Seite stehen. Demnach bedeutet Adalbert von Bremen 61 I: Die Missionsunternehmungen Adalbert von Bremens sind auf Seite 61, Karte I zu finden.

A

Aachener Friede (1668) 114
Abo-Friede (1743) 119
Abstimmungsgebiete, deutsche (1918—20) 152 II
Abu Bekr 50/51
Achäischer Bund 26/27 II—III
Achse Berlin-Rom, Achsenmächte 154 VI, 155 II, 156/157 I—III, 161 III
Adalbert, Eb. v. Bremen (1043—72) 61 I
Adalbert, B. v. Prag († 997) 61 II
Adels-Kolonisation im Baltikum 74 II
Ätolischer Bund 26/27 III
Afrikanisch-Madagassische Union 169 III
Agrargeschichte 8 III, 13 II—III, 17 I, 25 III, 30/31 II—III, 40 VI, 54/55 II, 56 III—VI, 57 III, 68/69 III, 74 I—III, 76 I—VIII, 77 I—IV, 81 II, 110, 112 II, 113, 118 II, 121 I—VI, 132 IV, 136 I—III, 137 II, 140 I—V, 162 IV, 163 III—IV, s. auch Coloniae
Agora s. Markt
Agricola, röm. Feldherr 36
Akbar, Sultan v. Delhi 98/99 I
Akropolis s. Stadtburg
Alarich 48 I
Alberti 90 IV
Albigenserkriege 64/65 II
Alexander d. Gr. 20 II, 22/23 I, IV, 26/27 V
Alliierte, 1. Weltkrieg 148 I—III, 149 I, II, 152 III
— 2. Weltkrieg 154 VI, 155 II, 156/157 I—III, 158 I—II, 161 III
Alpenpässe 37 I, 54/55 I, 58/59 I, 63, 80 II, 94 I—II, 156/157 III
Alphabetschrift 9 II
Alvarado, Entdecker 100/101 I
Amphiktionien 11 I, 13 III, 17 III—IV
Amphitheater 21 II, IV, 32 I, 33 I, 40 V, 42/43 III
Amundsen, Entdecker 164/165 II, IV
Anachoreten 44 II
Anabasis 22/23 III
Andrea del Sarto 90 IV
Andreas II., König v. Ungarn, Kreuzzug 64/65 II
Angiovinisches Reich, Haus Anjou-Plantagenet 64/65 I—II, 66 I—II, 68/69 III, 70 I, 71 III
Anjou, franz. Geschlecht, s. auch Angiovin. Reich 58/59 I, 64/65 II, 66 I—II, 68/69 I—III, 70 I—II, 71 I, III
Anglikaner 104 I
Ansgar 56 I
Antoninus Pius 21 II, 33 III, 40 II
Anzus-Pakt 166/167 II
Apamea-Friede (188 v. Chr.) 26/27 IV
Apartheid 144 V
Aquaedukte 21 II, 30/31 II, 32 VI, 33 I, 34/35 V, 40 V, 45 II
Araberliga 162 III, 166 I
Araberhandel s. Handel, arab.
Architekten 90 IV, 91 I, 102/103 IV, 105 IV, 108 I—III, 120 I—IV
Arianer 48 I, 49 I
Armada 102/103 I
Armenier s. Monophysiten
Arminius 37 II, 41 II
Artaxerxes II. u. III., pers. Großkönige 14/15 II
Asam, Gebr. 108 III
Askanier 66 I—II, 68/69 I
Atlantic Charta 164/165 III
Azteken 100/101 VI
Atombomben-Abwurf 158 II
Attila 48 I
Attischer Seebund 16 I, 17 IV
Aufteilung Afrikas 130/131 I, 132 I, 146 I
August II., der Starke, König v. Sachsen u. Polen 113, 116/117 III
Augustus (Octavianus) 21 II, 28 II, 33 I—III, 34/35 I, 36, 37 II, 40 II, 41 II, 46/47 I
Aureliansmauer, Rom 33 I
Auslandschinesen 143 III, 144 II, 162 II
Auslandsdeutsche/Volksdeutsche 144 II, 150/151 II, 161 III, s. auch Kolonisation u. Vertreibungen
Autobahnen (Stand 1939), s. auch Interzonenverkehr 155 I

B

Babenberger 66 I—II
Bagdadbahn, s. Eisenbahn, orientalisch
Bähr, Künstler 108 III, 120 IV
Balboa, Entdecker 100/101 I, VII
Balduin v. Luxemburg 70 I, 80 I
Balkanbund (1912) 145 IV, VI
Balkankriege (1912/13) 145 VI
Baltische Entente 153 III
Bandung-Konferenz 169 I
Bannmeile, städtische 77 II
Barbarossa, Friedrich I. 62 II, IV, 64/65 I, 66 I
Barkiden-Reich, karthagisch 26/27 II
Barock 108 I—III, 109 I—V, 120 I—V
Barrière-Festungen 114
Barth, Entdecker 132 II
Basel-Friede (1795) 114
Battony, Entdecker 164/165 IV
Bauernaufstände, russische 119
—, französische 68/69 III
—, englische 68/69 III
Bauernkrieg 96/97 I
Bauernkulturen, vorgeschichtliche 2 I, 3 II
Bauernpartei 154 I—II
Bauernsiedlung, magyar., s. auch Kolonisation 74 I, III, 106/107 III, 112 II, 140 V
—, schwed. 74 II
—, slawische 74 I, III, 105 III, 106/107 III, 112 II
—, litauische 74 I—III 106/107 III
—, französische 112 II
—, ostdeutsche 74 I—III, 76 I—VIII, 77 I—IV, 106/107 III, 112 II, 140 II, IV
—, bessarab. 140 IV
Baumeister, s. Architekten
Bauschulen, roman. 67 I
Baustile, s. Kirchenbau, Stadtpläne, Residenzen, Romanik, Gotik, Renaissance, Barock, Rokoko, Klassizismus, Mudejar-, Plateresco-, Flamboyant-, Curvilinear-, Perpendikular-, Tudor-, Elisabeth-, Manuel-Stil
Bayrische Volkspartei 154 I—II
Befestigungen 4 II, IV, 10 III, 14/15 II, 18/19 I, IV, 37 II, 40 I—IV, 41 II—III, 45 I, 60 III—IV, 61 III—V, 64/65 IV, 81 I, s. auch Festung, Grenzsicherung
Befreiungskrieg 125 I, 126/127 III
Beheim, Martin 91 II
Bekenntnisse, christl., s. auch Kirche
Arianer 48 I, 49 I
Anglikaner 104 I
Bogomilen 64/65 I, III
Griech.-Orthodoxe 64/65 I, III, 72/73 VI
Hugenotten 104 I, 105 I
Lutheraner 104 I—II, 105 I, 106/107 I
Mennoniten 105 I
Monophysiten 52 III, 64/65 I, III, 72/73 VI
Nestorianer 52 III, 64/65 I, III, 72/73 IV, VI
Reformierte (Kalvinisten) 104 I—II, 105 I, 126/127 IV, 130/131 II
Röm. Katholiken 44 II, 64/65 I, III, 71 I, 104 I—II, 105 I, 106/107 I, 113, 126/127 II, 130/131 II
Täufer 105 I
Waldenser 64/65 II, 104 I, 105 I
Belgrad-Konferenz blockfreier Staaten 169 II
Bellini 90 IV
Bellinghausen, Entdecker 164/165 IV
Benediktiner 48 II, 53 III, 87 I—II, 102/103 II
Bergbau, Bergstädte, s. auch Bodenschätze 6 I, 13 I, 37 I, 40 VI, 41 I, 75, 81 III, 86 I—II, 106/107 III, 121 II, 136/137 V, 142 I—V, 163 IV
Berliner Kongreß 130/131 I, 134 I—II, 145 V
Bernadotte, Kg. v. Schweden 126/127 III
Bernhard v. Clairvaux 87 II
Bernini 102/103 IV, 108 I
Besatzungszonen Deutschlans, 1. Weltkrieg 152 II
—, 2. Weltkrieg 16 III, 161 I—II, IV—VII
Besiedlung, s. Siedlung
Bethlen, Gabriel, Fürst v. Siebenbürgen 112 II
Bettelorden, s. Dominikaner, Franziskaner
Bevölkerungsdichte, Bevölkerungswachstum
—, Südafrika 144 V
—, Afrika 132 III
—, Asien 136 III, 137 II, 159 I—II
—, Australien 137 II
—, Europa 141 I—IV, 159 I—II
—, Ostasien 136 III
—, USA 133 III, 144 II—IV
Bevölkerungsverluste im Dreißigjährigen Kriege 106/107 II
—, 1. Weltkrieg 152 III
—, 2. Welkrieg 161 III
—, in Sowjetrußland (1917 bis 1920) 152 III
Bildhauer 90 III—IV, 91 I, 108 I—III
Bismarckreich 129 II, 145 I—IV
Bistümer 44 II, 52 I—III, 53 I, 54/55 I—II, 56 I—II, 57 III, 58/59 I—III, 61 I—II, 62 I—II, 63 II, 71 I, 88/89 I—II, 104 I, 113, 145 I, 161 VI
Bläu, Buchdruck 91 II
Blockfreie Staaten 168, 169 II
Blücher 126/127 III
Bocaccio 90 III
Bodenschätze, s. auch Bergbau 3 II, 4 V, 6 1, 13 I, 24 I, 29 II, 36, 38/39 I—II, 81 III, 84 I—II, 85 I, III, 110, 111 I—II, 113, 118 II, 119, 132 IV, 133 II, 136 II—III, 137 II, 138/139 II, V, 142 I—V, 154 III, 158 II, 159 I—II, 160 III—IV, 162 IV, 163 I—IV, 164 II
Bodenseestädte-Bund 81 II
Bogomilen-Sekte 64/65 I, III
Boleslaw Chrobry 58/59 I, 60 I, 61 II, V
Bologna da, Giovanni, Künstler 90 IV
Bolschewismus, s. Kommunismus
Bonifatius (Winfrid) 52 I—II
Borromini, Künstler 108 I
Bougainville, Entdecker 100/101 VIII
Botticelli, Künstler 90 IV
Bourbonen, französ. 102/103 I
—, span. 116/117 I
Bramante 90 IV, 102/103 IV
Braun-Hogenberg, Buchdruck 91 II
Brest-Litowsk-Frieden 149 I
Brunelleschi, Künstler 90 IV
Bruno v. Querfurt, Missionar 61 II
Brussilow, russ. General 148 I
Bronzino, Künstler 90 IV
Buchdruck 91 II, 110
Buchmalerei 53 II
Buddhismus 52 III, 72/73 IV, VI, 137 III
Bünnissystem Bismarcks 145 III
Bundesrepublik Deutschland 161 IV
Burentreck, Burenkrieg 138/139 II
Burgen, s. auch Festungswesen, Pfalzen 43 III, 56 II, IV, 58/59 III—V, 60 IV, 61 IV, 62 I—IV, 63 I—II, 64/65 IV—VII, 66 I—II, 68/69 I, 74 II, 78 V—VI, 79 I, III—VIII, 80 II, 94 I—II, 128 I
Burgward 56 II, 77 II
Bürgerkrieg, russ. 149 I—IV
—, spanisch. 128 II, 150/151 I, 154 V
Bürgertum, s. Stadt
Byrd, Entdecker 164/165 II, IV

C

vergleiche K
Cabral, Entdecker 100/101 I
CAC 166/167 III
Caesar 21 II, 28 II, 29 I, V, 30/31 I, 33 I—III
Caillie, Entdecker 132 II
v. Campen, Architekt 108 I
Campo Formio-Friede (1797) 128 I
Carbonari, ital. Geheimbund 128 I
Casablanca-Staaten 169 III
Cavallini, Künstler 90 III
CENTO-Pakt 166/167 II
Chaillu, Entdecker 132 II
Chlodwig 48 II
Christentum, s. Bekenntnisse, christl.; Kirche
— in Asien 137 III
Christliche Volkspartei 153 I
Christlich Sozialer Volksdienst 154 II
Christus 34/35 II, V, 44 II
Churriguerra, Künstler 108 II
Claudius, röm. Kaiser 30/31 II, 34/35 I, 40 II
Cluniazensische Klosterreform 87 I
Code civil 124 III
Colbert, frz. Minister 110
Coloniae, röm. u. latinische 21 II, V, 25 I—III, 28 II, 29 I, 30/31 I, 32 V—VI, 34/35 I, III, 36, 38/39 I—II, 42/43 III—IV
Columbanus, Missionar 52 II
Commonwealth of Nations 162 III, 164/165 I, 166/167 I
Communen, ital. 66 I, 94 I—II
Convent, frz. Revolution 109 IV
Cook, Entdecker 100/101 VIII
Cordoba, Entdecker 100/101 I—II
Corny, Heré de, Architekt 108 II
Corregio, Künstler 90 IV
Cortez, 100/101 I—II
Cortona, Künstler 108 I
Cosmaten, Künstler 90 III
Crassus, röm. Feldherr 28 II
Curvilinear Stil 90 I
Curzon-Linie 150/151 I
Cuvilliés, Architekt 108 III

D

Danewerk 60 IV, 61 III—IV
Dante 90 III
Dareios, pers. Großkönig 14/15 II, V
Datis, pers. Feldherr 14/15 V
David 8 IV, 34/35 V
Dávila, Entecker 100/101 I—II, VII
de Gaulle 155 II, 166 I
Dekabristen 128 I
Delamaire, Architekt 108 II
Deutscher Orden, s. Ordensstaat
Demarkationslinie, span.-portugies. 100/101 I
Demetrius, falscher 113
Demokratie, deutsche 135 I, 154 I—II
Denikin, russ. General 149 III
Départements 122/123 III, 147
Deutsche Demokratische Partei 153 I, 154 I
Deutscher Bund 126/127 I, IV, 128 III, 129 II
Deutsches Stadtrecht, s. Stadtrecht
Deutsche Volkspartei 153 I, 154 I—II
Deutschland, s. auch Deutscher Bund, Weimarer Republik, Bundesrepublik, 1. Reich 58/59 I, 60 I, 66 I—II, 68/69 I, 70 I, 71 III, 86 II, 92/93 I, 96/97 I—II, 102/103 I 106/107 I, 116/117 I, 122/123 I
—, 2. Reich 129 II, 147, 148 I
—, Das Deutsche Reich z. Zt der Weimarer Republik 150/151 I, 152 II
—, 3. Reich 155 I—II, 156/157 I, III, 160 I
—, s. auch Bundesrepublik
—, Sowjetzone 160 III, 161 IV, 164/165 I
Deutsch-Nationale Volkspartei 153 I, 154 II
Deutschritterorden, s. auch Ordensstaat und Ordensritterburgen 64/65 II, 67 III, 122/123 I, 128 I
Dialekte, griech. 10 II
Diaz, Bartolomeo, Entdecker 98/99 IV, 100/101 I
Dientzenhofer, Künstler 108 III
Diktaturen (20. Jh.) 153 IV, 155 I—II
Diocletian, röm. Kaiser 33 I, 42/43 I, VIIIa u. b
Diözesen, röm. 42/43 I
Distrikte, kanad. 133 III
Dollar-Zone 144 I, 170 II
Domänen 121 I—II
Dominien 138/139 I, 149 II
Dominikaner 90 III, s. auch Stadtpläne
Donatello, Künstler 90 IV
Dorfanlagen, vorgeschichtliche 4 II—IV
Dorfformen, deutsche 74 III, 76 I—VIII, 77 I—IV, 121 V—VI, 140 Ia—V
—, slawische 74 III, 77 II—III
Drake 100/101 I
Dreibund 145 III—IV
Dreißigjähriger Krieg 106/107 I—II, 113
Drusus 36, 40 II
Drygalski, v., Entdecker 164/165 IV
Dschingis Chan 72/73 II
Dualismus, deutscher 115 I, 116/117 I—II, 122/123 I, 126/127 I, 129 I—II
Duschan, Stephan, serb. Zar 70 II
Dynastien, ägyptische 7 I, IV—V
Dynastien, chinesische
Hia-Dynastie 3 III
Schang-Dynastie 3 III
Han-Dynastie 3 V, 46/47 I, 98/99 II
Ts'in-Dynastie 3 V
Wei-Dynastie 46/47 III
Sung-Dynastie (960—1279) 72/73 I
Yüan-Dynastie (Mongolen) 1280—1368 72/73 II, 98/99 II
Liao-Dynastie (Kitan) 98/99 II
Ming-Dynastie (1368—1644) 98/99 I
Mandschu-Dynastie 136 I

E

Edikt v. Nantes 104 I, 105 I
Eduard III., König v. England 68/69 III
Earldoms 58/59 I, 60 I

Ebo, Eb. v. Reims 56 I
Effner, Architekt 108 III
EFTA 166/167 III
Eidgenossenschaft 80 II
Einigung Deutschlands
126/127 I, 129 I—II
— Italiens 130/131 I, III
Einsiedlung/Ansiedlung/
Zusiedlung, s. auch Umsiedlung, Vertreibung in
Afrika 133 III, 144 V
in Amerika 118 I—III,
144 II, IV
bessarab. 140 IV, V
fränk. 40 VI
griech. 22/23 II
Glaubensvertriebene 105 I
jüd., s. Judentum, Vertreibung
Mongolen 72/73 II
in Moskau 105 IV
ostmitteleurop. 67 III,
74 I—III, 75, 78 V—VI,
82 V, 106/107 III, 112 II,
121 VII, 150/151 II
röm., s. Coloniae
Eisenbahnen
afrikan. 132 I, 146 I, 147,
150/151 I, 154 IV,
163 III—IV
asiat. 135 II, 136 I—II,
137 I, 154 III, 162 II
balkan. 145 V—VI
deutsche 129 I, 142 V,
143 Ib, II, IV, 160 III,
161 I—II, IV
englische 142 III
europ. 145 V, 147, 150/151 I,
160 IV
hinterindische 136 II, 163 I
indische 135 I, 163 I
israel. 162 IV
mandschur. 136 I, 137 I,
138/139 VI, 154 III, 158 III
oriental. 134 II, 145 IV,
146 I, 150/151 I, 153 VI
oriental.-russ. 136 I, 137 I,
163 II
kaukasische, russische
134 I
südafrik. 138/139 II, 146 I
US-amerik. 133 III
s. auch transsibirische
Eisenb., transkontinentale Eisenb.
Eisen- u. Waffenindustrie, s.
Metallgewerbe u. -industrie
Eiserner Vorhang 160 III,
161 I—II, IV—VII
Eisner, Kurt 153 II
Eiszeit 1 I, III
Elisabeth-Stil 90 II
Elisabeth I. v. England
100/101 I, 102/103 I, 104 III
Ellsworth, Entdecker
164/165 II
Emmeram, Missionar 52 II
Entdeckungsreisen 6 I, 11 II,
24 I, 60 I, 72/73 II, 98/99 IV,
100/101 I—II, VII—VIII,
132 II
Entente cordinale 145 IV,
148 I, 149 II
Entkolonialisierung 153 VI,
162 I—III, 163 I,
164/165 I, III, 166/167 I, III,
169 I—IV, 170 I—II
Entmilitarisierung Deutschlands 148 II
Entwicklungshilfe
163 III—IV
Epaminondas 20 II
Erdkarten 14/15 VI, 22/23 VI,
34/35 VI, 98/99 V—VIII,
100/101 I
Ermanarich-Reich 42/43 I,
48 I
Erzberger, Matthias 153 II
Erzbistümer 52 I, III, 53 I,
54/55 I—IV, 57 II,
58/59 I—III, 61 I—II,
62 I—II, 71 I, 88/89 I—II,
104 I—II, 113, 145 I, 161 VI
Escudo-Zone 170 II
Eugen, Prinz v. Savoyen
109 V, 112 II, 115 I, 116/117 I
Evangelische Christen, s.
Bekenntnisse, christl.
Hugenotten,
Kalvinisten,
Kirche,
Lutheraner,
Reformierte
Ewalde, Missionare 52 II
EWG 166/167 III
Etzlaub, Buchdruck 91 II
Exarchate 44 II, 50/51, 53 I
exemte Bistümer 88/89 I—II
Exulanten 105 I

F

Faktoreien 8 I, 11 II, 26/27 II,
45 IV, 70 II, 71 I—III, 78 I,
85 III, 86 II, 98/99 I, IV,
100/101 I, 105 III, 111 I—II,
116/117 IV, 118 III, 125 II,
132 I—II, 135 I, s. auch
Vertragshäfen
Faschismus 153 III—IV,
154 IV, 155 II
Faschodakrise (1898) 132 I
Fehnsiedlung 140 III
Ferdinand v. Aragon
92/93 I, 100/101 I, VII
Fernhandel, s. Handel
Festungen 6 I, 13 I, 14/15 IV,
17 II, 18/19 I, IV, 41 II—III,
45 I, IV, 109 II, III, V, 114,
116/117 III, 120 I—II, IV,
124 I, 130/131 III, 134 II,
138/139 I, 143 I—Ia, 148 I—II,
s. auch Befesigungen
Festungs-Barrière, niederld.
114
Festungslinien, s. Grenzsicherung
Filippo u. Filippino Lippi,
Künstler 90 IV
Fischer, Architekt 108 III
Fischer v. Erlach, Architekt
108 II
Fjodor I., Zar 105 II
Flaggen überstaatlicher
Organisationen 164/165 I
Flamboyant-Stil, s. Gotik
90 I
Flavische Kaiser 33 I—III,
34/35 I, 36, 37 I, 40 II
Flottenpolitik, deutsche
145 VI
Fluchtburgen 12 III, 13 III,
17 II, 29 V, 37 II, 41 II—III,
42/43 VIIIb, 58/59 IV
Flurbereinigung (Umlegung)
140 Ia—b
Flurkarten, Städt. 77 IV,
118 II
—, Ländl. 76 I—VIII,
140 Ia—II
Forum, s. Markt
Fra Angelico, Künstler
90 IV
Fra Bartolomeo, Künstler
90 IV
Franco, span. Staatschef
150/151 I, 154 V—VI
Franc-Zone 170 II
Fränkische Siedlungen b.
Trier 40 VI
Franziskaner 90 III, 143 III,
s. auch Stadtpläne
Französ.-afrikan. Gemeinschaft 162 III, 166 I
Franz Xaver, Missionar
100/101 I
Frederikshamn, Frieden 119
Freihandelsgebiet am Kongo
(Kongoakte 1885) 132 I
Friedenskirchen i. Schlesien
105 I
Friedrich I. Barbarossa,
Kaiser 62 II, IV, 64/65 I,
66 I
Friedrich II. v. Hohenstaufen, Kaiser 64/65 II, IV,
66 II
Friedrich II. d. Gr. v. Preußen 115 I—II, 116/117 I, III,
121 III—IV, 122/123 I, 143 I
Friesen-Handel 50/51,
54/55 I, 56 I
Fronhöfe 56 V—VI
Frühkapitalismus 86 II
Fuchs, Entdecker 164/165 IV
Fugger-Bank 86 II

G

Gabriel, Künstler 108 II
Galli da Bibbiena, Künstler
108 II
Gallischer Krieg 29 I, V
Gallus, Missionar 52 II
Gastaldi, J., Buchdruck
91 II
Gaue, ägypt. 6 I
— der NSDAP 155 I
—, pers. (15. Jh.) 134 II
—, mittelalterl. 56 III—IV
Geburtenhäufigkeit, Osteuropa 141 III, IV
Gedimyn v. Litauen 71 I
Gegenreformation
102/103 I—II, IV, 104 III—IV,
105 I
Gegenrevolution in Rußland
149 I—IV
Geiserich 48 I—II
Generalgouvernement
155 I—II, 156/157 I
Genfer Konventionen 146 II,
152 IV
Georgione, Künstler 90 IV
Georg v. Podiebrad, König
v. Böhmen 92/93 I
Germanicus 37 I, 41 II
Gesellschaftsordnung, städt.
78 I, VI, 79 VI, 82 II, IV—V
Geteilte Staaten 126/127 IV,
150/151 I, 160 II—III,
161 I—II, IV—VII,
162 II, IV, 163 I, 164/165 I,
166/167 I—III, 168, 170 I—II,
s. auch polnische Teilungen
Gewürzhandel 34/35 I,
46/47 I, 83 III, 86 II, 98/99 I,
111 II, 132 IV
Ghiberti 90 IV
Giotto 90 III
Glaubensvertriebene 104 I,
105 I, 153 V, 162 IV, 163 I
Gnadenkirchen i. Schlesien
105 I
Gotik 67 I—II, 90 I, III, 91 I
Gouvernements 119,
122/123 II, 154 IV, s. auch
Generalgouvernement
Gottfried v. Bouillon 64/65 I
Grabanlagen, ägyptische
7 II, IV
Grafenbank 122/123 I
Grenze, deutsch-französ.
54/55 III—IV, 58/59 I,
64/65 I—II, 66 I—II,
68/69 I, III, 70 I, 71 III,
92/93 III, 95, 96/97 I—II,
102/103 I, 105 I, 106/107 I,
114, 122/123 I—III, 125 I,
126/127 I—II, 129 I—II,
130/131 I, 147, 150/151 I,
152 II, 155 I—II, 160 III,
161 IV
Grenzsicherung, Landwehr,
s. auch Marken, Festungslinien, Eiserner Vorhang
Röm. Limes 34/35 I, III, 36,
37 I, III, 38/39 I—II,
40 I—III, 41 I, III,
42/43 I—II
Danewerk 61 III—IV
Limes Saxoniae 58/59 I
Chines. Mauer 3 V,
46/47 I—II, IV
Rußland 61 V, 119, 134 I
Litauen 71 I
Österreich. Militärgrenze
112 II, 115 I, 116/17 I,
124 I—III, 125 I, 130/131 I
Westwall 155 I, 156/157 I
Maginot-Linie 156/157 I
Sicherheitszone, amerik.
156/157 II
Griech. Freiheitskampf, s.
Unabhängigkeitskrieg,
griech.
Griech.-kathol. Bistümer 113
Griechisch-orthodoxe Bistümer 88/89 I
Griechisch-orthodoxe Christen, s. Bekenntnisse,
christl. u. Kirche
Grijalva, Juan de, Entdecker
100/101 I—II
Großer Kurfürst, Friedrich
Wilhelm v. Brandenburg
106/107 I—III, 108 I, 111 I,
113, 115 I, 143 I
„Großdeutsches Reich“,
Groß-Deutschland
155 I—II, 156/157 I—III,
160 I
Großstädte
der Antike:
Babylon 7 III
Rom zur Kaiserzeit
33 I—III
Alexandria 26/27 V
Karthago 21 II
Milet 21 VI
Konstantinopel 45 IV
des Mittelalters:
Venedig 78 I
Köln 78 II
Brügge 79 IV
Lübeck 79 VI
Paris 102/103 III
der Neuzeit:
Paris 102/103 III, 109 IV
London 109 I
Amsterdam 109 II
Wien 109 V
des 20. Jh.:
Ruhrgebiet 142 V
Antwerpen 143 Ib
Berlin 143 II, 161 II
San Francisco 143 III—IV
Guarini 108 I
Gustav Adolf 106/107 I, 113

H

Haager Abkommen 146 III,
152 V
Habsburger 68/69 I, 70 I,
71 III, 80 II, 92/93 I, 95,
96/97 I, 102/103 I, 104 III,
106/107 I, 110, 112 I, 114,
115 I, 116/117 I, 122/123 I,
124 I, 125 I, s. auch Hausmacht, Österreich-Ungarn
Hadrian, röm. Kaiser 33 III,
34/35 I, 36, 40 I—II
Hafen- u. Handelsstädte
7 I, III, VII, 11 IV, 12 V,
14/15 IV, 17 II, IV,
21 II, IV—VI, 26/27 V,
28 IV, 30/31 II—III,
32 II—III, V, 33 I,
42/43 IV, VII, VIIIb, 45 IV,
60 IV, 78 I—II, V—VI,
79 III—VIII, 109 I—II,
143 Ia—IV
Hagia Sophia 45 IV—V
Haile Selassie 154 IV
Hammurabi 6 IV, 8 II
Handel, Handelsware; s.
auch Bergbau, Bodenschätze, Textilgewerbe
afrikan. 98/99 I, IV, 111 I
ägypt. 6 I, 9 III, 29 II
amerikan. 111 I, 118 III
arab. 50/51, 98/99 I, IV,
111 II
asiat. 98/99 I, 111 II, 118 III
deutsch. 81 II—III,
83 IV—V, 84 I—II, 110, s.
auch Hanse
fränk. u. fries. 50/51,
54/55 I, 56 I
griech. 9 II, 10 II, 11 I—II,
14/15 I, 20 II
hellenist. 26/27 I
israel. 8 III, 162 IV
italien. 50/51, 54/55 I,
64/65 I—II, 70 II, 71 I—III,
82 II, 86 II
niederländ. 83 IV—V,
84 I—II, 85 II, 86 II,
104 III, 110
nordeurop. 84 I—II, 113,
160 IV
osteurop. 84 I—II, 85 III,
86 II, 113
oriental. 85 III, 50/51
phönik. 3 I, 8 IV, 9 II, 11 II
portugies. 98/99 IV
röm. 34/35 I, III, 36,
38/39 I—II
vorgeschichtl. 2 I—II, 3 II,
4, 5, 9 I
westeurop. 84 I—II,
85 I—II, 86 II, 98/99 IV,
104 III, 110
wiking.-waräg. 57 I—II,
61 V
Handel d. Frühkapitalismus
86 II
Handelsfaktoreien, s. Faktoreien
Handelskolonien 98/99 I, IV,
111 II, 116/117 IV, 118 III,
132 I, II, 134 II, 135 I—II,
136 I—II, 137 I—II, 138/139 I,
146 I
Handelsstädte, ital. 66 I,
70 I—II, 71 I—III, 83 IV—V,
85 III, 86 II, 92/93 I,
94/95 I—II
Handelsstützpunkte, s. Faktoreien
Handelsverein, mitteldt.
129 I
Handelsverträge 14/15 I,
166/167 III
Handelswege, s. auch Seehandelswege, Eisenbahnen
asiat. 46/47 I—IV,
72/73 II, V, 98/99 I
deutsche 54/55 I, III—IV,
80 I—II, 81 II—III, 82 I,
84 I—II, 85 I, III, 86 II,
95, 106/107 II, 110, 113
etruskische 24 II
griech. 24 II
italien. 54/55 I, 63 I—II,
80 II
oriental. 6 I, 8 III—IV,
9 I, III, 29 II, 34/35 I—II,
42/43 I, 72/73 II, 85 III,
112 I, 162 IV
osteurop. 54/55 I, 61 V,
67 III, 82 I, 85 III, 86 II,
112 I, 113, 119
Römerstraßen 30/31 I—III,
34/35 I—III, 36, 37 I,
38/39 I—II, 40 II—III, VI,
41 III, 42/43 I
vorgeschichtl. 4 V
westeurop. 50/51,
54/55 I, III—IV, 85 I—II,
86 II, 95, 110
Handelsvertrag, röm.-karthag. 25 I
Hannibal 25 I, III, 26/27 II,
28 III
Hanse 68/69 I, 79 VI, VIII,
84 I—II
Hansekontore 78 VI, 79 IV,
84 I—II, 86 II, 95
Hardouin-Mansart, Künstler
120 III, 108 II
Harzburger Front 153 II
Hasdrubal 28 III, 26/27 II
Hauptkirchen Roms 45 II
Hausgut, s. auch Königsgut,
Krongut, Krondomäne
Staufer 62 II, 66 I—II
Welfen 62 II, 66 I
Wittelsbacher 62 II
Mathildisches 63 II
Hausmacht
Askanier 66 I—II, 68/69 I
Babenberger 66 I—II
Habsburger 68/69 I, 70 I,
71 III
Luxemburger 68/69 I, III,
70 I, 71 I—III, 80 I, 95
Przemysliden 66 I, 70 I
Welfen 66 I—II, 70 I, 71 III
Wettiner 66 I—II, 70 I,
71 III, 92/93 I, 96/97 I
Wittelsbacher 62 II, 66 I,
68/69 I, 70 I, 71 III, 95
vgl. die einzelnen Territorien im alphabetischen
Verzeichnis
Hausmachtpolitik 62 II,
63 II, 66 I—II, 68/69 I, 70 I,
71 III
Heiligtümer
ägypt. 7 II, IV—V, 29 II
arab. 98/99 III
assyr. 7 VII
babylon. 7 I, III
buddhist. 21 III, 72/73 IV
griech. u. myken. 10 II—III
11 I, V, 12 I—VII, 13 I, III
14/15 III—IV, 17 I—IV,
18/19 I, IV—V, 20 IV,
21 I, IV, VI
german. 41 II, 60 IV
hellenist. 22/23 V, 26/27 V,
34/35 IV
hethitisch 7 VIII
illyrische u. ligurische
24 II
indian. 100/101 IV—V
jüdisch. 8 III—IV, 34/35 V
karthag. 17 I, 21 II
kelt. 32 IV, 40 V, 42/43 III
minoisch. 10 I, 11 III—IV
römisch. 22/23V, 30/31 I—II,
32 I—IV, VI, 33 I—III,
34/35 II, IV, 37 III, 38/39 I,
40 V—VI, 42/43 III—VIIIa
44 I, 45 IV
sumerisch 7 I—II
chines. 98/99 II
Heinrich I., dt. Kg. 57 I,
58/59 I, IV—V
Heinrich IV., Kaiser 58/59 I,
63 I—II
Heinrich d. Löwe 62 II, 66 I,
79 VI
Heinrich d. Seefahrer
98/99 IV
Heinrich v. Navarra (IV., v.
Frankreich) 102/103 I, III,
104 I, 110
Hellenistische Reiche
22/23 I—II, V, 26/27 I—V,
28 I—II, 29 II—IV, 34/35 IV,
46/47 I—II
Herakleios, byzantin. Kaiser
45 IV, 50/51
Herrera, J. de 102/103 II,
108 I
Herodes 34/35 II, V
Herodot 14/15 VI
Herzogtümer 50/51,
58/59 I—III, 68/69 I, 70 I,
94 I—II, 104 IV, 106/107 I
Hieron v. Syrakus 17 II, 25 I
Hildebrandt 108 II
Hildegrim 56 I
Hillary, Entdecker 164/165 IV
Hinduismus 64/65 III,
72/73 IV—VI, 116/117 IV,
137 III, 163 I
Hippodamischer Stadtplan,
s. Schachbrettanlage 21 VI
Hitler 152 I, 153 II,
154 I—II, VI, 155 I—II,
156/157 I—III, 160 I, 161 III
Hochkulturen, oriental. 3 II,
6 III—IV
Hochmeisterschloß Marienburg 64/65 VII
Hochschulen, s. Universitäten
Hohenstaufen, Staufer
62 II, IV, 64/65 I—II,
66 I—II, 90 III
Höhlenmalerei, steinzeitl.
1 IV
Höhlensiedlung 4 I
Hölz, Max 153 II
Holbein 90 II
Homann, I. B., Buchdruck
91 II
Homerische Welt 9 II—III,
11 I
Hondius, J. Buchdruck 91 II
Hornemann, Entdecker
132 II
Hugenotten 104 I, 105 I
Hundertjähriger Krieg
68/69 II, 92/93 III, 95
Hunnen 46/47 I, II, 48 I—II
Hussitenkriege 92/93 I
Hutterer, christl. Sekte 105 I

I

mperialismus 125 II, 130/131 I, 132 I—IV, 134 I—II, 135 I—II, 136 I—III, 137 I—II, 138/139 I—VI, 145 IV, 146 I, 147, 148 III, 149 II, 150/151 I, 152 I, 153 VI, 154 III—IV, 155 I—II, 158 I
ndianer-Reservationen in den USA 144 IV
Industrie- u. Handelsstädte in Südafrika 144 V
ndustriegebiete, mitteleurop. 110, 142 I—V, 160 III—IV
nkastraßen 100/101 III
„Inselhüpfen“ 158 II
nteressengrenze, dt.-russ. 154 VI, 155 II
—, brit.-französ. (Sudan) 138/139 III
—, brit.-russ. (Persien) 134 II
Internationale Rechtsabkommen 146 II—III, 152 IV—V
Internationale Zusammenschlüsse 152 I, 164/165 I, III, 166/167 I—III, 168,, 169 I—IV, 170 I—II
Intervention in Rußland 149 II—IV
Interzonen-Verkehrswege 160 III, 161 I—II, IV—V
Invasion (1944) 156/157 III
Iroschotten-Mönche 52 II
Isabella v. Kastilien 92/93 I, 100/101 I, VII
Islam, Ausbreitung, Verbreitung, Einflußgebiete 50/51, 52 III, 54/55 I, 57 I, 64/65 I—III, 72/73 II—VI, 98/99 I, IV, 116/117 IV, 132 III, 135 II, s. auch Sunniten und Schiiten
Italiker 25 I
Iwan III. u. IV., der Schreckliche, Zaren 105 II

J

Jahrmärkte, russ. 119
Jakobiner-Klub 109 IV
Jakobiten, s. Monophysiten
Jesuiten in Asien 100/101 I
Jesuitenkollegs, deutsche 105 I
—, in San Francisco 143 III
Jesuiten-Reduktionen in Paraguay 118 III
Johanna v. Orléans 92/93 III
Johanniterorden 64/65 VI, 92/93 I, 102/103 I, 112 I, 116/117 I, 121 I
Jones, Inigo 108 I
Jonischer Aufstand 14/15 I, V
Juden-Auswanderung nach Israel 160 II, 162 IV
Judentum 9 II
—, Verbreitung 8 III—IV, 9 I, 44 I, 45 I, IV, 52 III, 78 I, V, 79 V, 109 II, 140 IV, 155 II
Judenvernichtung 160 I
Judenitsch 149 III
Jungfrau v. Orleans, s. Johanna v. Orleans
Justinian 21 VI, 32 VI, 49 I
Juvara 108 II

K

Kaisertum, chines., s. Dynastien, chines.
—, mexikan. 133 I
—, altrömisches 34/35 I
—, römisches 42/43 I
Karolinger 54 I, III—IV
Ottonen u. Salier 58/59 I
Staufer 64/65 I—III, 66 I—II
Luxemburger 68/69 I, 71 III
Habsburger 70 I, 71 III, 92/93 I, 96/97 I, 102/103 I, 106/107 I, 116/117 I, 122/123 I
Kalifat 50/51, 54/55 I, 58/59 I, 64/65 I—III, 72/73 II—III
Kalmarer Union 71 III
Kalvin 104 I
Kalvinisten 104 I—II, 105 I
Kanäle 3 V, 7 VII, 26/27 V, 29 II, 45 VI, 68/69 I, 72/73 II, 78 I, 79 IV, 96/97 IIIc—d, 98/99 III, 109 I—II, V, 120 II, 122/123 I, 130/131 I, 132 I, 133 I, 134 II, 136 I, 138/139 III—IV, 142 V, 143 Ia—II, 145 V, 148/149 II, 150/151 I, 152 II, 161 I, IV
Kantone 130/131 II, s. auch Urkantone
Kapitol, s. Stadtburg
Kapp-Putsch (1920) 153 II
Kardinals-Kollegium 53 I
Karl d. Gr. 53 I, 54/55 I, 57 I
— d. Kahle 54/55 III
— d. Kühne v. Burgund 92/93 I, 95
— Martell 50/51
— III., Kaiser 54/55 IV
— IV., Kaiser 68/69 I, 70 I, 78 V
— V., Kaiser 45 I, 96/97 I, 100/101 I—II, 102/103 I, 104 II
— XII., Kg. v. Schweden 113, 119
Karolinger 30/31 I—V, 53 I, 54 I—IV, 56 I—II, 57 I, 58/59 II, 62 I
Kaschmir-Frage 162 II, 163 I
Kasimir d. Gr. v. Polen 68/69 I, 71 I
Katakomben, röm. 33 I, 45 I—II
Katalaunische Felder 48 I
Katharina II. 116/117 I, 119
Kathedralbaukunst 67 I—II, 90 I, 91 I, 105 IV
Katholiken, römische 44 II, 52 III, 64/65 I, III, 71 I, 104 I—II, 105 I, 106/107 I, 163 I
Katholikenemanzipation, Schottl. (1829) 104 I
Kautschukplantagen 138/139 V
Khedive v. Ägypten 132 I
Kilian 52 II
Kimon 12 I, 16 I
Kirchen, evangelische in Deutschland nach 1945 (unierte, lutherische, reformierte) 161 VII, s. auch Bekenntnisse
—, kathol. 44 II, 48 II, 52 I—III, 53 I, 56 I—II, 61 I—II, 64/65 I, III, IV, 71 I, 87 I—II, 88/89 I—III, 104 I—II, 105 I, 106/107 I, 113, in Deutschland nach 1945 161 VI
—, orthodoxe 61 II, 64/65 I, III, 88/89 I, 113
Kirchenbau 53 II—III
Backsteinbauten 91 I
Bettelordenskirchen 90 I, III
Hallenkirchen 67 I
Kuppelkirchen 67 I
Saalkirchen 90 I
—, frühkristl. 45 II, V
s. auch Kathedralenbaukunst, Stadtpläne
Kirchenprovinzen, mittelalterliche, s. Bistümer, mittelalterliche
—, deutsche (19./20. Jh.) 161 VI
Kirchenstaat, s. Patrimonium Petri, Papsttum, Kirche
Kirchentrennung (1054) 52 III, 61 II, 64/65 I, III, 88/89 I
Kitchener 138/139 III
Klassizismus 108 II
Klein-Deutschland, Bismarckreich 129 I—II, 145 III—IV, 147
Kleine Entente 153 III
Kleisthenes 13 I
Klientelstaaten, röm. 29 III—IV, s. auch Vasallenstaaten, Satellitenstaaten
Klosterwesen 45 VI, 52 I—II, 53 I, III, 54/55 I—II, 56 I, V—VI, 58/59 I—II, 63 II, 78 I—II, V, 79 I—VIII, 82 IV—V, 87 I—II, 88/89 I—III, 102/103 II, 120 V, 128 I
Knobelsdorff 108 II
Knut d. Gr. 58/59 I, 60 I, 61 I
Königsfrieden 20 I
Königsgut, Krongut 54/55 I—II, 56 III, 58/59 II, s. auch Reichsgut, Krondomäne
Königsstraße, pers. 14/15 I
Königsumritt, Konrads II 62 III
—, Friedrichs I. 62 IV
Kolonialreiche, Kolonialbesitz
belg. 138/139 III, 146 I
brandenburg. 111 I, 132 I
brit. 100/101 I, 111 I—II, 115 II, 116/117 I—II, IV, 118 I—III, 125 I—II, 126/127 I, 130/131 I, 132 I—II, 133 I—II, 134 II, 135 I, 136 I—II, 137 I, 138/139 I—IV, 144 V, 146 I, 147, 148 III, 150/151 I, 153 VI, 154 IV, 162 III, 163 I, 164/165 I
dänisch. 111 I—II, 116/117 IV, 118 III, 133 I, 135 I
deutsch. 118 III, 132 I, 136 I, 137 I, 138/139 II—III, VI, 144 V, 146 I, 149 II
französ. 100/101 I, 111 I—II, 115 II, 116/117 II, 118 I, III, 125 I—II, 130/131 I, 132 I—II, 133 II, 135 I, 136 I—II, 137 I, 138/139 III, 146 I, 147, 150/151 I, 153 VI, 154 IV, 162 I, III, 163 I, III, 164/165 I
japan. 136 I, 137 I, 138/139 VI, 154 III, 162 I
italien. 132 I, 138/139 III, 146 I, 147, 150/151 I, 153 V—VI, 154 IV
kurländ. 111 I, 118 III
niederländ. 98/99 I, 111 I—II, 115 II, 116/117 II, IV, 118 III, 125 II, 132 I, 133 II, 135 I—II, 136 II, 137 I, 164/165 I
portug. 98/99 I, IV, 100/101 I, 111 I—II, 115 II, 116/117 IV, 118 III, 125 II, 132 I—II, 135 I, 136 I, 137 I, 138/139 II, 146 I, 162 II—III, 163 I, 164/165 I
russ. 100/101 I, 115 II, 125 I—II, 133 I, 134 II, 136 I, 137 I, 138/139 VI, 162 I—II
schwed. 111 I
span. 100/101 I—II, VII, 111 I—II, 115 II, 116/117 I—II, 118 I, III, 125 II, 126/127 I, 130/131 I, 132 I—II, 133 I, 137 I, 146 I, 147, 150/151 I, 154 V, 162 III, 164/165 I
USA 133 I, 137 I, 162 I
Koltschak, russ. Admiral 149 III—IV
Kolonisation, s. auch Bauernsiedlung 74 I—III, 76 II, IV—VIII, 77 II—III, 105 III, 106/107 III, 112 II, 116/117 II, 118 I—III, 121 III—VII, 132 III, 133 III, 138/139 II, 140 III—V
—, friderizianische 121 III—V
—, habsburg. 112 II, 140 V
—, griechische 11 II, 17 I, 24 II
—, russ. 98/99 I, 105 III, 140 IV
—, röm., s. Coloniae
—, ostdeutsche 58/59 II, 66 I—II, 67 III, 68/69 II, 70 I, 74 I—III, 75, 76 II, IV, V, VII—VIII, 77 II—III, 78 V, 79 VI—VIII, 82 I, V, 84 I—II, 86 I, 87 I—II, 88 I—II, 106/107 III, 112 II, 121 V—VI, 140 IV—V
—, phönikische 11 II
—, städtische 17 II, 22/23 II, 24 II, 25 I—II, 28 II, 30/31, 32 VI, 34/35 I, 36, 38/39 I—II s. auch Städtegründungen
Kolumbus 100/101 I, VII
Kommunismus in China 162 I—II, 163 I, 164/165 I, III, 166/167 I—III, 168, 169 I
— in Deutschland 153 I—II, 154 I—II, 100 III, 161 I—II, IV—V, 164/165 I, 166/167 I—III, 168
— in Rußland 148 I, III, 149 I—IV, 150/151 I, 152 I, 153 VI, 154 I—II, VI, 155 II, 158 III, 160 I—IV, 162 I—II, 163 II, 164/165 I—III, 166/167 I—III, 168, 170 I—II
Kommunistischer Block 160 III, 164/165 I, III, 166/167 I—III, 168
Kommunistisches Manifest 1948 128 IV
Kommunistische Partei Deutschlands 154 I—II
Konfessionen, s. Bekenntnisse, christl.
Konfuzius 3 IV
Konfuzianismus 72/73 IV, 98/99 II, 137 III
Kongo-Akte (1885) 132 I
Konrad II., König 58/59 I, 62 III
Konrad III., König 64/65 I
Konstantin d. Gr. 33 I—III, 40 V, 42/43 I, 45 IV
Konzentrationslager 155 I
Konzilien, christl. 44 II, 104 II
Kopten, s. Monophysiten
Korbinian 52 II
Koreakrieg 162 I—II
Kosakenaufstände 119, 149 III
Krasnow, russ. General 149 III
Krateros, makedon. Feldherr 22/23 I
Kreuzfahrerstaaten 64/65 I—II, IV, 72/73 III
Kreuzzüge 64/65 I—VII, 66 I—II, 68/69 II, 70 II, 71 II—III, 72/73 II—III
Krieg, gallischer 29 I, V
Kriegsverluste 17. Jh. 106/107 II
— 1. Weltkrieg 152 III
— 2. Weltkrieg 161 III
Kriegszone, amerik. 156/157 II
Krimkrieg 130/131 I
Krondomäne, s. auch Königsgut, frz. 58/59 I, 64/65 II, 66 I—II, 67 II, 68/69 I, 70 I, 92/93 I, 95, 110
Krum, Bulgarenchan 54/55 I
Kunibert 52 II
Kunstgeschichte, s. Baustile, Schreibschulen, Bauschulen, Buchmalerei, Buchdruck
—, oriental. u. antike, s. Heiligtümer, Grabstätten, Stadtpläne
Kuomintang 162 I, s. auch Tschiankeischek und Sunjatsen
Kurfürstenkolleg 68/69 I, 70 I, 92/93 II, 106/107 I
Küstenveränderungen 6 I, 9 I, III, 13 III, 18/19 I, V, 21 II, IV, 30/31 II, 41 II, 50/51, 96/97 IIIa—d
Kyros, Bruder Artaxerxes II 22/23 III

L

Lafreri, Buchdruck 91 II
LAFTA 166/167 III
Lamaismus 137 III
Lancaster, Haus, engl. 71 III, 92/93 I
Landeskirchen, ev., Deutschlands 161 VII
Landfriedensbünde 81 II—III
Landvermessung, römische 21 II, 28 IV
Landwehr, s. Grenzsicherung
Langer Marsch Mao Tse Tungs 162 I
Lao-tse 3 IV
Larson, Entdecker 164/165 IV
Lasalle 145 II
Latifundien 25 III
Lausanne, Frieden 153 VI
Lawrence 148 III
Lebuin 52 II
Lechfeldschlacht 57 I, 58/59 I
Lehnswesen 3 IV, 29 IV, 56 VI, 58/59 I—III, 62 I—IV, 63 I—II, 66 I—II, 68/69 I, 70 I, 83 I, 95
Leih- u. Pacht-Vertrag 156/157 II
Leinengewerbe u. -industrie, s. auch Textilgewerbe 34/35 I, 81 II, 84 I, 85 I, III, 98/99 I, 104 III, 110, 119, 121 VII
Lemercier 108 I
Le Nôtre 120 III
Leonardo da Vinci 90 IV
Leonidas 18/19 III
Leopold VI, Herzog v, Österreich, Kreuzzug 64/65 II
Leopold (von Sachsen-Coburg) I., belg. König 126/127 IV
Le Vau 108 I, 120 III
Liberalismus 128 II
Liebknecht, Karl 153 II
Liga der arabischen Staaten 162 III, 166 I
Limes, s. Grenzsicherung, röm.
Liudger 56 I
Livingstone, Entdecker 132 II
Lombardenbund 66 I
Lothar I. u. II. 54/55 III
Lubliner Union (1569) 96/97 I, 102/103 I, 113
Ludwig d. Deutsche 54/55 III, 57 I
— d. Fromme 54/55 I, 56 I
— VII. v. Frankreich, Kreuzzug 64/65 I, III
— IX. v. Frankreich, Kreuzzug 64/65 II
— XIV. v. Frankreich 108 II, 110, 114, 116/117 I, 120 III
Luftbrücke 160 III, 161 I—II, IV
Luftkrieg 156/157 I—II, 158 I—II
Lunéville-Friede 128 I
Luther 91 III, 96/97 I, 104 I—II
Lutheraner 104 I—II, 105 I, 106/107 I
Luxemburg, Rosa 153 II
Luxemburger 68/69 I, III, 70 I, 71 I—III, 80 I, 95, s. auch Hausmacht

M

Macdonald, napoleon. General 126/127 III
„Mac Mahon Linie“ (Nordostindien 1913/14) 163 I
Maderna 102/103 IV, 108 I
Mafra 108 II
Magellan 100/101 I
Maginot-Linie 156/157 I
Magnus, dän. Hzg. 104 IV
—, Heiliger 32 IV
Mahdi-Aufstand 138/139 I, III
Makedonisch-röm. Kriege 26/27 II—III
Maler 90 III—IV, 108 III
Mandatsgebiete d. Völkerbunds 137 I, 146 I, 150/151 I, 152 I—II, 153 VI
Manierismus 90 IV
Mansart, F. 108 I
Mantegna 90 IV
Manuel-Stil (in Portugal) 90 I
Manuel I., Kaiser von Byzanz 45 IV, 64/65 I
Mao Tse Tung 149 IV, 162 I—II, 163 I
Marbod 34/35 I
Marchand, franz. Hauptmann 138/139 III
Marcus Aurelius 34/35 I, 40 II
Mardonios, pers. Feldherr 14/15 V
Maria Theresia 108 II, 109 V, 112 II, 115 I—II, 116/117 I, III
Marius 24 I, 32 III
Marken, karoling. 54/55 I, 56 II, 58/59 II
—, otton. 57 I, 58/59 I, III, 63
Markt, städtischer, Agora, Forum 12 IV, VI—VII, 14/15 III, 17 II, IV, 21 V—VI, 22/23 V, 26/27 V, 32 I—III, V—VI, 33 I—III, 40 V, 42/43 III—VI, 45 IV, 60 IV, 64/65 VII, 78 I—II, V—VI, 79 I—VIII, 82 II—V, 120 IV
Marktorte 30/31 I, 77 II
Marneschlacht 148 II
Marokkofrage 145 IV
Martini 90 III
Marx, Karl 128 IV
Mathildische Güter 63 II
Matthias I., Corvinus, König v. Ungarn 92/93 I
Mauer, Berliner 161 II
Mawson, Entdecker 164/165 IV
Mediatisierung 128 I
Medici 92/93 I
—, Bank 86 II
Meerengenfrage 130/131 I, 145 III—IV, VI
Mennoniten 105 I
Menschenrassen 1 I—II, 3 I, III
Merchant adventurers 84 II, 104 III
Merian 91 II
Mersen, Reichsteilung 54/55 III
Messeplätze 17 IV, 45 IV, 54/55 I, 60 IV, 83 IV—V
Metallgewerbe und -industrie 34/35 I, 36, 84 I—II, 85 I, III, 86 I—II, 98/99 I, 104 III, 110, 119, 142 IV—V
Methodius 56 II
Metropolitien, russische 88/89 I, 113
Michelangelo 90 IV, 102/103 IV
Miezko v. Polen 58/59 I, 61 II
Militärbündnisse (20. Jh.) 166/167 II
Militärlager, röm. 29 VI, 32 V, 37 III
—, wiking. 60 II—III
Militär-Organisation, röm. 29 VI, 32 V—VI, 34/35 I, III, 36, 37 I—III, 38/39 I—II, 40 I—III, 41 II—III, 42/43 I—II
—, wiking. 60 III
—, neuzeitl. 120 II
Militärgrenzbezirk, österreich. 112 II, 115 I, 116/117 I, 124 I—II, 125 I, 126/127 I, 130/131 I
Miller, General 149 III
Minderheiten, s. Nationale Minderheiten

Minderheiten-Vertreibung 153 V, 160 I—II, IV, 162 IV, 163 I
Ministerialen, s. Reichsdienstmannen
Minoische Kultur 2 I—II, 3 II, 4 VII, 9 I, 10 I—III, 11 III—IV
Mission, christl.
angelsächs. 52 I—II, 61 I
byzantin. 56 II, 61 II
franziskan. 143 III
fränk. 52 II, 56 I—II, 58/59 II
Jesuiten 100/101 I, 118 III
irisch.-schott. 52 I—II
nordgerm. 61 I
otton. 58/59 I, 61 I—II
päpstlich. 56 II, 61 II, 71 I
Patrick 44 II, 52 I
russ. 61 II, V
Ulfila 44 II
Mithradates 29 III
Mittelmächte 148 I—III, 149 I—III, 152 II
Mittelmeerabkommen 145 III
Mittelmeerklima 11 II, 22/23 II
Mittelstand 154 I
Mönchtum 44 II, 45 VI, 52 I—II, 53 III, 87 I—II
Mogulreich, indisches 98/99 I, 111 II, 116/117 IV, 135 I
Mohammed 50/51
Mohammedaner 64/65 I, III, IV, 72/73 II—VI, 98/99 I, IV, 132 III, 137 III, 163 I, vgl. Islam. Ausbreitung, Sunniten, Schiiten
Monophysiten (Armenier, Jakobiten, Kopten) 52 III, 64/65 I, III, 72/73 VI, 132 III
Monrovia-Gruppe 169 III
Montejo, Eroberer 100/101 I—II
Moosbrugger 108 III
Morell, Entdecker 164/165 IV
Moritz v. Sachsen, Kurfürst 96/97 I, 102/103 I, 120 IV
Mudejar-Stil (maurische Elemente) 90 I
Mungo Park, Entdecker 132 II
Münster, Sebastian 91 II
Münzbund, Münzverein 83 II—III
Münzstätten 54/55 II, 83 I—III, 144 I
Mütessarryflyks, türk. Verwaltungsbezirke 134 II
Mussolini 150/151 I, 153 III, 154 IV
Mykenische Kultur 5 I, 9 I, 10 II—III, 11 V, 12 II—III

N

Nachtigal, Forscher 132 II
Napoleon I. 119, 124 I—III, 125 I—II, 126/127 III
Nationale Frage in Deutschland 129 I—II
Nationale Minderheiten, s. auch Minderheitenvertreibung 144 II, 145 I, 150/151 II
Nationalismus 92/93 II, 125 I, 128 II, V, 130/131 I, III, 145 IV—VI, 149 I, III, 150/151 I, 152 II, 153 VI, 154 IV—V, 160 I—II, IV
— im Orient 148 III, 153 V—VI
Nationalregierung, chinesische 162 I
Nationalsozialismus 153 II, 154 I—II, 155 I—II, 156/157 I—III, 160 I
Nationalversammlung, deutsche 153 I
NATO 166/167 II
Navigationsakte 104 III
Nearchos 22/23 I
Negerproblem in den USA 144 IV
— in Südafrika 144 V
Nero 14/15 III, 34/35 I, IV
Nerva 33 II—III, 34/35 I
Nestorianer 52 III, 64/65 I, III, 72/73 IV, VI
Neuilly-Friede 150/151 I
Neumann, Balthasar 108 III
Ney, napoleon. Marschall 126/127 III
Nimwegen-Friede (1678/79) 114
Nobile, Forscher 164/165 II
Norddeutscher Bund 129 II
Nordischer Krieg 113, 119
Norditalien. Liga (1454) 94 II
Normannenreich Sizilien 58/59 I, 63, 64/65 I—III
Nystadt-Frieden (1721) 113, 119

O

OAS (Organisation der amerikan. Staaten) 166/167 II—III
Octavianus, s. Augustus
Oder-Neiße-Linie 160 III, 161 IV
Odowakar 48 I
OECD 166/167 III
Oktoberrevolution, russ. 149 I, III
Ölbaum-Anbau 11 II
Olga v. Kiew 61 II
Olgerd v. Litauen 71 I
Omajaden 50/51, 54/55 I, 57 I
Orden, s.
Dominikaner
Franziskaner
Johanniterorden
Zisterzienser
Benediktiner
Jesuiten
Deutschritterorden
Ordensburgen der NSDAP 155 I
Ordensritterburgen 65 VI, VII
Ordensstaat 64/65 VII, 66 II, 67 III, 68/69 I—II, 70 I, 71 I, III, 74 I—III, 75, 79 VIII, 83 V, 84 I—II, 88/89 I, 92/93 I—II, 96/97 I, 104 IV
Orienthandel, italien., s. Handel, italien.
Ortelius, Buchdruck 91 II
Orthodoxe Christen 64/65 I, III, 72/73 VI
— Kirche, Organisation 64/65 I, 88/89 I, 113
Ostblock 168
Ostgebiete, deutsche (nach 1918) 141 II, IV, 150/151 I—II, 152 II, 153 I, 154 I—II, VI, 155 I—II, 156/157 I—III, 160 I—III, 161 IV, VI—VII
Ostindien-Kompanie, engl. u. niederld. 111 II
Ostkolonisation 66 I—II, 67 III, 68/69 II, 70 I—II, 74 I—III, 75, 76 II, IV—VIII, 77 II—IV, 79 VI—VIII, 82 I—III, V, 84 I—II, 86 I, 87 I—II, 88/89 I—III
Ostrogs 105 III
Otto d. Gr. 53 I, 58/59 I, 62 I, III
Ottonen 58/59 I, 61 II, 62 I
Ottokar II. v. Böhmen 70 I
Oudinot, napoleon. General 126/127 III

P

Pässe 112 II, 130/131 I, s. auch Alpenpässe
Palast, Pfalz, Schloß, s. auch Stadtpalast, Palaststadt, Burg
Dresden 120 IV
Escorial 102/103 II
Kaiserpaläste
Rom 33 I
Trier 40 V
Konstantinopel 45 IV
Kaiserpfalz 79 I, V
Lateran 45 I
Papstpaläste, s. Lateran u. Vatikan
Persepolis 14/15 II
Schönbrunn 109 V
Spalato 42/43 VIIIa
Vatikan 45 I, III, 102/103 IV
Versailles 120 III
Werla 58/59 IV
Palaststädte, minoische 10 I, 11 III—IV
Palladio 90 II, IV
Panslawismus 128 IV—V, 145 III—VI
Papsttum 44 II, 45 I—III, 50/51, 52 III, 53 I, 54/55 I, 56 II, 58/59 I, 61 II, 63 I—II, 64/65 I—II, 66 II, 68/69 I, 70 I, 71 III, 88/89 I, 94 I—II, 102/103 I, 124 II, 125 I, 126/127 I, 130/131 I, III, 150/151 I
Pariser Frieden (1763) 115 II
— (1796 u. 1801) 128 I
Pariser Vorortverträge (1919/20) 150/151 I, 152 II, vgl. Trianon-, Neuilly-, Sèvres-, St. Germain-, Versailler Friede
Park 109 I, V, 120 I, III—IV, 143 I, III—IV
Parler, Künstlerfamilie (14. Jh.) 91 I
Parmeggiano 90 IV
Parteien, deutsche 128 V, 145 I—II, 153 I—II, 154 I—II, 155 I
Patriarchate, röm.-kath. 44 II, 52 III, 61 II, 64/65 IV, 88/89 I—II
Patriarchate, orthodoxe 61 II, 64/65 I, 88/89 I, 113
Patrick 44 II, 52 I
Patrimonium Petri 50/51, 53 I, 94 I—II
Paulus 44 II
Peary, Entdecker 164/165 II
Peisistratos 12 II, VI, 20 IV
Peloponnesischer Bund 16 I—II, 20 I
— Krieg 16 II, 17 II
Perikles 12 I, 16 I, 20 IV
Perpendicular-Stil (angelsächs. Elemente) 90 I
Perrault 108 I
Perserkriege 14/15 I, IV—V, 18/19 III, 20 IV, 22/23 III
Perugino 90 IV
Peruzzi 102/103 IV
Peso-Geltungsbereich (17.—19. Jh.) 144 I
Pétain, franz. General 148 II, 155 II
Peter d. Gr. 113, 116/117 I, 119
Peterskirche, Rom 45 II—III, 102/103 IV
Petrarca 90 III
Petrusgrab 102/103 IV
Pfalzen, s. auch Burgen 54/55 I—II, 58/59 I—II, IV—V, 62 I—IV, 63 II, 64/65 IV, 79 I, V, 83 I
Pfalzzerstörung (1688) 114
Pharaonen, ägyptische 6 I, 7 II, IV—V, 8 II, 9 I, III
Philipp d. Gute, Herzog v. Burgund 92/93 III, 95
— d. Kühne, Herzog v. Burgund 68/69 II, 95
— II. August v. Frankreich 64/65 I—II
— II. v. Makedonien 20 II, 22/23 IV
— V. v. Makedonien 17 IV, 26/27 II—III
— II. v. Spanien 100/101 VII, 102/103 I—II, 104 III
Phylen, attische 12 V, 13 I
Piaster, Geltungsbereich (17.—19. Jh.) 144 I
Pipin 50/51, 53 I
Pirmin 52 II
Pisano, Nicc. u. Giov. 9 III
Pizarro 100/101 I, VII
Plano de Carpini 72/73 II
Plantagen- u. Sklavenwirtschaft i. Nordamerika 111 I, 118 III, 144 IV
Plantagenet, s. Angiovinisches Reich
Plateresco-Stil 90 I—II
Polis, griech. 10 III, 12 VII, 13 I—III, 18/19 I, IV—V
Polnischer Korridor 150/151 I, 152 II
Polnische Teilungen 115 I, 116/117 I, 119, 122/123 I
Polo, Marco 72/73 II
Pompeius 28 II, 29 IV
Pöppelmann 108 III, 120 IV
Portsmouth-Friede (1905) 133 I
Post 108 I
Praefecturen, röm. 42/43 I
Prandtauer 108 II
Primat, päpstlicher 44 II, 45 I, 50/51, 52 III, 53 I, 88/89 I
Primatansprüche der Patriarchate 88/89 I
Protestanten, vgl. Bekenntnisse, christl., Lutheraner, Reformationszeit
Provinzen, röm. 28 I—II, 29 I, III—IV, 34/35 I—III, 36, 37 I, 38/39 I—II, 41 I, 42 I—II
Przmysliden 66 I, s. auch Ottokar II.
Pugatschow 119
Punische Kriege 25 I, 26/27 II—III, 28 I, III
Puritaner 104 I
Pyrenäenfriede 114
Pytheas v. Massilia 24 I

R

Raffael 90 IV, 102/103 IV
Raimund v. Toulouse 64/65 I
Rainaldi, C. 108 I
Rapallo-Vertrag 153 III
Rassenpolitik der NSDAP 160 I
Rassenprobleme in Südafrika 144 V
— in den USA 144 IV
Rassenverteilung in Afrika 132 III
Rastrelli 108 II
Räterepublik Rußland 148 I, III, 149 I—II, 150/151 I
Rathenau, Walther 153 II
Raubkriege, franz. 114
Rechtsgeschichte 56 V—VI, 81 I, 121 I—II, 114, 124 III, 91 IV, s. auch Verfassung, Colonia, Gau, Rechtsverbreitung, Internat. Rechtsabkommen, Staatsrecht, Supanei, Thingbezirke
Reconquista 54/55 I, 57 I, 64/65 I—II, 66 II, 71 III, 92/93 I
Rechtsschulen, s. Universitäten
Rechtsverbreitung 124 III, s. auch Stadtrechte
Reformierte Christen, s. Kalvinisten, Kirche
Reformationszeit 96/97 I, 102/103 I, 104 I—IV, 105 I, 106/107 I
Regierungsformen (19. u. 20. Jh.) 164/165 I, 153 IV, 128 II—V
Reichsdeputationshauptschluß 124 I, 128 I
Reichsdienstmannen 62 II
Reichsgut, s. auch Königsgut, Reichskirchengut, Krondomäne 62 I—IV, 63 II, 66 I—II, 77 IV, 80 I, 83 I
Reichskirchengut 54/55 I—II, 56 I—II, 62 I—IV
Reichskommissariate Hitlers 155 I—II
Reichskreise 96/97 II
Reichsritterschaft 120 V, 122/123 I
Reichsstädte 68/69 I, 78 II, 79 I, VI, 80 II, 81 I, 92/93 I—II, 96/97 I, 102/103 I, 106/107 I, 120 I, V, 122/123 I, 128 I
Reichstag, Bismarckreich 145 I—II
—, Weimarer Rep. 154 I—II
Reichsteilung karoling. 55/56 III—IV
röm. 42 I—II, 48 I
Reisanbaugrenze, chines. 3, IV
Religionen, s. Buddhismus, Hinduismus, Schintoismus, Konfuzianismus, Islam, Bekenntnisse, christl.
Renaissance 45 I—III, 90 II, IV, 102/103 II, IV
Republik, Weimarer, s. Weimarer Republik
Reservationen, Indianer in den USA 144 IV
—, Neger in Südafrika 114 V
Residenzen, s. auch Pfalz, Schloß, Stadtpalast, -burg
assyr. 7 VII
babyl. 7 I, III
chines. 98/99 I
hellenist. 22/23 V, 26/27 V
hethitisch 7 VIII
hunnisch 48 I
minoisch. 11 III—IV
mittelalterl. 54/55 I—II, 58/59 I, 62 I—IV, 64/65 VII, 78 V, 79 I, V, VII
mohammedan. 98/99 III
mongolisch 72/73 II, VI
myken. 10 II, 11 V, 12 II—III
neuzeitl. 45 I, III, 102/103 II—IV, 105 IV, 108 I—II, 109 I, III—V, 120 III—IV, 143 I
persisch. 14/15 II
röm. 33 I—III, 40 V, 42/43 VIIIa, 45 IV
sumer. 7 I
Réunions-Ansprüche Ludwigs XIV. 114
Revolution, deutsche (1848/50) 128 III—IV, (1918) 148 I, 153 II
—, französ. (1789) 109 IV, 116/117 I, 118 I, 122/123 II—III, (1830) 128 II, (1848) 128 IV, (1871) 128 V
—, russ. (1917) 148 I, III, 149 I—IV
—, span. (1868) 128 V
Revolutionskriege, franz. 114, 122/123 III, 128 I
Rheinbund 124 I, 125 I, 128 I
Ribemont, Reichsteilung 54/55 IV
Richard Löwenherz 64/65 I
Rijswijk-Friede 110, 114
Ritterorden, s. Deutschritterorden, Johanniterorden, Schwertbrüderorden
della Robbia, florentin. Künstlerfamilie 90 IV
Rodriguez 108 II
Rodungssiedlungen 77 I, III—IV, 121 V
Römerstraßen 25 II, 28 IV, 29 III, 30/31 I—III, 32 II, V, 33 I, 34/35 I—III, 36, 37 I, 38/39 I—II, 40 I—III, V—VI, 41 III, 42/43 I, 45 I—II, 49 III, 54/55 II, 77 I
Römische Kaiserzeit 12 I—V 14/15 III, 21 II, IV, VI, 22/23 V, 28 II, 29 I, V, 30/31 I—II, 32 I, III—VI, 33 I—III, 34/35 I—V, 36, 37 I—III, 38/39 I—II, 40 I—VI, 41 I—III, 42/43 I—VIIIa, 44 I—II, 45 IV, 48 I
Römische Republik 14/15 I, 16 II, 20 I, 21 II, V, 22/23 I, 25 I—II, 26/27 I—II, 28 I—III, 29 I, III—VI, 30/31 I—III, 32 II
Römisch-katholische Christen, s. Bekenntnisse, christl., Röm. Katholiken
Rohlfs, Entdecker 132 II
Rokoko 108 II—III
Romanik 67 I
Rosenkriege 92/93 I
Roter Halbmond 146 II
Roter Löwe 146 II
Rotes Kreuz 146 II
Rubruck, Wilhelm v. 72/73 II
Rückversicherungsvertrag 145 III
Riiser, Entdecker 164/165 IV
Ruhrbesetzung 152 II
Rupert, Missionar 52 II
Russisch-japan. Krieg 138/139 VI
Rußlandfeldzüge
Hitlers 156/157 I, III
Karls XII. 119
Napoleons I. 119, 125 I

S

Saladin 64/65 II, 98/99 III
Salomon 8 III—IV, 34/35 V
Salpeterkrieg 133 II
Salzburger Lutheraner 105 I
Samo 50/51
Sandschaks, türk. Verwaltungsbezirke 134 II
Sangallo 102/103 IV
St. Germain, Friede 150/151 I
St. Peter, Rom, s. Peterskirche
Sanktionen nach dem 1. Weltkrieg 152 II
Sansovino 90 IV
San Stefano-Friede 145 V
Satelliten-Staaten, kommunist. 160 III
—, nationalsoz. 155 II s. auch Vasallenstaaten
Satrapien, pers. 8 IV, 14/15 I, 16 II, 22/23 I, 26/27 I
Saturninus, röm. Feldherr 36
Schachbrettanlage, Gründungsstadt, s. auch Stadtplanung 21 II, IV—VI, 26/27 V, 32 I, V—VI, 40 V, 42/43 III, V, VII, 65 VII, 74 III, 79 III, VI—VIII, 109 II—III, V, 118 II, 120 IV, 121 VI, 140 IV—V, 143 I, III, IV
Schedel, Buchdruck 91 II
Schiiten 72/73 VI, 137 III
Schintoismus 72/73 IV, 137 III
Schlachtpläne
Alesia 29 V
Cannae 28 III
Chaironeia 22/23 IV
Salamis 14/15 IV
Schlaun 108 II
Schlesische Kriege 115 I—II, 116/117 I, III, 122/123 I
Schloß, s. auch Palast, Pfalz 64/65 V, VII, 68/69 I, 90 II—III, 94 I—II, 109 V, 120 III—IV, 122/123 I, 143 II
Schlüter 108 II
Schönbrunn-Friede (1809) 128 I
Schrift 3 III, 8 I, 9 II, 10 I, 24 II
Schweinfurth, Entdecker 132 II
Schwertbrüderorden, s. Ordensstaat
Schwarzenberg, österr. Fürst 126/127 III
Schwarzer Prinz 68/69 III
Scipio 26/27 II, 29 VI
Scott, Entdecker 164/165 IV
SEATO 166/167 II
Seebund, attischer 16 I, 17 IV
See-Expedition Alexanders d. Gr. 22/23 I

Seehandelswege
brit. 110, 111 I—II, 138/139 I
westeurop. 84 II, 85 I—III, 86 II, 98/99 I, IV, 104 III, 110, 111 I—II, 118 III
arab. 50/51, 98/99 I
asiat. 46/47 I, 98/99 I, 111 II
afrikan. 111 I, 118 III
amerikan. 111 I, 118 III
vorgeschichtl. 2 I, 3 II, 4 V
phönik. 3 I, 5 II, 9 II, 11 II
ägypt. 6 I, 9 III, 29 II
griech. 9 I—II, 11 II, 20 II, 24 I
röm. 34/35 I, 36, 38/39 I, 42 I, 44 II
italien. 50/51, 54/55 I, 63 I, 64/65 I, 85 III, 86 II
fränk. 50/51, 54/55 I
fries. 50/51, 54/55 I, 61 III
wiking. 57 I—III, 60 I, 61 III, V
hanseat. 84 I—II, 86 II
Seekolonisation
„Seevölker" 3 I—II, 5 I, 9 I
Phöniker 3 I, 5 II, 11 II
Griechen 5 II, 10 II, 11 I—II, 13 III, 17 I, 18/19 I, 21 I—IV, 24 II, 30/31 I, III
Angelsachsen 42 I—II, 48 I
Araber 50/51, 54/55 I, 56 II, 57 I
Wikinger 50/51, 54/55 I, 57 I—II
Baltikum 57 I, 66 II, 68/69 I—II, 74 II, 75
europ. Kolonisation (16. bis 18. Jh.) 98/99 I, IV, 100/101 I—II, VII—VIII, 102/103 I, 110, 111 I—II, 115 II, 116/117 II, IV, 118 I—III
Seekriege
Wandalen 48 I
Byzantiner 49 I
Araber 50/51, 54/55 I, 57 I
Wikinger 57 I—II
Waräger 60 I, 61 V
span. Armada 102/103 I
Napoleon. Zeit 125 I—II
Russ.-japan. Krieg 138/139 VI
Erster Weltkrieg 148 I—III, 149 II
Zweiter Weltkrieg 156/157 I—III, 158 I—II
Seemächte
Araber 50/51, 54/55 I, 56 II, 57 I, 112 I
Aragon 64/65 II, 66 II, 70 II, 71 III, 92/93 I, 94 I—II
Engländer 100/101 I, VIII, 110, 111 I—II, 115 II, 118 III, 125 II, 130/131 I, 137 I, 138/139 I, 145 III—IV
Etrusker 14/15 I, 25 II
Franzosen 111 I—II, 115 II
Genuesen 45 IV, 63 I, 64/65 I—II, 70 I—II, 71 I—III, 85 III, 92/93 I, 94 I—II
Griechen 11 II, 14/15 I, IV—V, 16 I—II, 20 I, 24 II
Hanse 79 VI, 84 I—II
Japaner 138/139 VI, 158 I—II, 162 I
Karthager 14/15 I, 16 II, 20 I, 22/23 I, 25 I, 26/27 I—II
Kreta 3 II, 9 I, 10 II
Niederländer 98/99 I, 100/101 VIII, 104 III, 110, 111 I—II, 115 II, 118 III
Normannenreich Sizilien 61 II, 63 I, 64/65 I, III
Phöniker 3 I—II, 5 I—II, 8 II, IV, 9 I—III, 11 II
Portugiesen 98/99 I, IV, 100/101 I, 111 I—II, 115 II
Römer 26/27 II, 28 II, 29 III—IV, 30/31 III, 34/35 I, 36, 42/43 I, 49 I
Spanier 100/101 I—II, VII—VIII, 102/103 I, 111 I—II, 115 II, 118 III
US-Amerikaner 157 II, 158 I—II, 166/167 II
Venedig 45 IV, 58/59 I, 63 I, 64/65 I—II, 66 II, 70 II, 71 II—III, 78 I, 85 III, 92/93 I, 94 I—II
Wandalen 48 I—II
Wikinger 57 I—II, 60 I
Seeschlachten, s. auch Seekriege
Nilmündung 9 I
Alalia 11 II
Abukir 125 I, II
im Perserkrieg 14/15 I, IV, V, 16 I
im Peloponnes. Krieg 16 II
im Pun. Krieg 26/27 II
Tsuschima 138/139 VI
Skagerrak 148 I
Salamis 14/15 IV
Seeweg nach Indien 98/99 I, VII, 100/101 I
Shackleton, Entdecker 164/165 IV
Seidenstraßen 26/27 I, 46/47 I—IV, 98/99 I
Seidenindustrie in Frankreich 110
Seidenraupenzucht, Ostasien 136 III
Selim I., Sultan 98/99 I, 112 I
Semenow, russ. General 149 IV
Separatisten 153 II
Sèvres-Friede 150/151 I
Sicherheitsauschuß, franz. Revolut. 109 IV
Sicherheitszone, pan-amerikanische 156/157 II
Siebenjähr. Krieg 115 I—II, 116/117 II, VI, 122/123 I
Siedlung, s. Bevölkerungsdichte/Bevölkerungswachstum, Kolonisation, Umsiedlung, Vertreibung, Völkerwanderung, Einsiedlung/Ansiedlung/Zusiedlung, Stadtgründungen, -pläne, Dorfformen, Volkstumsverbreitung
Siedlungsdichte im Perserreich 14/15 I
— in Germanien 36
s. auch Bevölkerungsdichte
Siedlungsformen, ost-deutsche 77 II—III, s. auch Dorfformen, Schachbrettanlage, Stadt-Land-Siedlg.
Signalsystem, karthag. 26 II
Silberflotten, span. 111 I
Simeon, Bugarenzar 56 II
Simone 90 III
Sizilische Expedition (413) 16 II, 17 II
Skagerrak-Schlacht 148 I
Sklavenhandel 50/51, 111 I, 118 III
Slawenkongreß, Prag 128 IV
—, Moskau 128 VI
Slawnikinge 58/59 I
Soldatenkaiser, röm. 42/43 II
Sowjetrepublik, s. Räterepublik
Sowjetunion, s. ASSR, RSFSR, SSR, UdSSR im alphabetischen Verzeichnis
Sozialdemokratie, deutsche 128 V, 145 II, 153 I, 154 I—II
Sozialismus 128 II, V
Sozialistengesetz 128 V
Spanischer Erbfolgekrieg 116/117 I
Spartakus-Aufstände 153 II
Speckle, Daniel, Festungsbaumeister 120 I
Sport 12 IV, VI—VII, 14/15 III, 21 IV, VI, 33 I, 120 III
Sprache, griech. 10 II
Sprachgrenze
germ.-roman. 54/55 II—IV, 114, 126/127 IV, 130/131 II
griech.-latein. 42/43 I
mitteldeutsch-niederdeutsch 75
oberdeutsch-mitteldeutsch 75
Grenze d. hochdt. Lautverschiebung um 800 49 II
Sprachenverhältnisse 49 II—III, 70 II
Sprachstämme 3 I
Staatsformen, s. Regierungsformen
Staatspartei 154 II
Stabius, Buchdruck 91 II
Stämme, deutsche 58/59 I—II, 62 I—II
—, german. 34/35 I, 36, 37 I—II, 41 I—II, 42/43 I—II, 48 I—II, 49 I, 50/51, 52 II, 53 I, 54/55 I, 56 I, 57 I
—, griech. 11 I
—, israelit. 8 IV
—, italische 17 I, 25 I—II, 30/31 I—II, 38/39 I—II
—, slawische 50/51, 54/55 I, 56 II, 57 I, 58/59 I
—, keltische 24 I—II, 26/27 II, 28 I, 29 I, 36, 37 I, 38/39 I—II
Stadtbefestigungen
vorgeschichtl. 7 VI
antik 7 I, III, VII—VIII, 11 V, 12 VI—VII, 17 II, 21 I, III—VI, 32 I—VI, 33 I, 35 V, 40 V, 42/43 III—VII, 45 I, IV
mittelalterl. 43 VIIIb, 45 I, IV, 60 IV, 64/65 VII, 78 I—II, V—VI, 79 I—VIII, 82 IV—V, 98/99 II, IV
16.—18. Jh. 45 I, 102/103 III, 105 IV, 109 II—V, 120 I—II, IV, 143 I, Ia—b
Stadtburg, Akropolis, Kapitol, s. auch Stadtpalast, Pfalz
vorgeschichtl. 7 VI
babylon. 7 I, III
griech. 12 I—II, VI, 21 VI, 45 IV
hellenist. 22/23 V
hethit. 7 VIII
jüdisch. 34/35 V
karthag. 21 II
mittelalterl. 45 I, 60 IV, 64/65 VII, 78 V—VI, 79 I, III—VIII, 82 V
myken. 11 V, 12 II—III
römische 21 V, 32 II, 33 I, III, 45 I
russische 78 VI
sumerische 7 I
Städtebünde, deutsche
Eidgenossenschaft 80 II
Hanse 68/69 I, 84 I—II, 86 II
Rheinischer 68/69 I, 78 III, 81 II
Schwäbischer 68/69 I, 81 II
Sassenstädte 81 III
Sechsstädtebund 68/69 I
Städtegründungen, s. auch Bergbau; Kolonisation, städtische; Ostkolonisation, Schachbrettanlage; Stadtplanung
—, arab. 98/99 III
—, deutschrechtliche 64/65 VII, 67 III, 68/69 I—II, 72/73 II, 74 II, 75, 77 II—III, 78 V—VI, 79 I—III, V—VIII, 82 V, 86 I, 105 I, 106/107 III, 140 V, 143 I
—, griech. 11 II, 20 III, 21 I, III—IV, VI
—, hellenist. 18/19 I, 22/23 I—II, 26/27 I, V, 29 II
—, phönik. 11 II, 21 II
—, röm. 21 II, 29 IV, 30/31 I, 32 I—VI, 40 V, 45 IV, 78 II
—, russische 98/99 I, 100/101 I, 105 III
— in Amerika 100/101 VII, 118 II
—, französ. 120 II
Stadt-Land-Siedlung 77 II—III
Stadtpalast, Stadtschloß, s. auch Stadtburg
assyr. 7 VII
arab. 98/99 III
babylon. 7 I, III
Barock 102/103 III—IV, 109 I, III—V, 120 IV
chines. 98/99 II
hellenist. 21 III, 22/23 V, 26/27 V
jüdisch. 34/35 V
minoisch. 11 III
renaiss. 45 I
röm. 33 I—III, 40 V, 45 IV
russ. 105 IV
Stadtpläne
vorgeschichtl. 7 VI
assyr. 7 VII
babylon. 7 I, III
griech. 12 VI, 17 II, 21 I, VI
hellenist. 21 III, VI, 26/27 V
hethitisch 7 VIII
jüdisch 34/35 V
karthag. 21 II
minoisch. 11 III—IV
mittelalterl. 42/43 VIIIb, 60 IV, 64/65 VII, 78 I—II, V—VI, 79 I—VIII, 82 IV—V, 143 I
myken. 11 V
neuzeitl. 45 I, 102/103 III—IV, 105 IV, 109 I—V, 118 II, 120 I—II, IV, 121 VII, 140 V, 143 I—IV, 161 II
röm. 12 VI, 32 I—VI, 33 I—III, 34/35 V, 40 V—VI, 42/43 III—VII, 45 IV, 78 II
Stadtpläne
Aachen 79 I
Akragas 21 I
Alexandria 26/27 V
Amsterdam 109 II
Antwerpen 143 Ia—b
Assur 7 VII
Athen 12 VI
Aventicum 42/43 I
Babylon 7 II
Barcino 42/43 IV
Berlin 143 I—II, 161 II
Brünn 82 V
Brügge 79 IV
Cambodunum 32 IV
Cosa 21 V
Debrecen 140 V
Dresden 120 IV
Dura-Europos 42/43 VII
Dscherasch, s. Gerasa
Elbing 79 VIII
Emporion (Indica) 21 IV
Freiburg 79 II
Gerasa 42/43 V
Haithabu 60 IV
Hannover 82 IV
Hattusa 7 VIII
Hildesheim 79 III
Jerusalem 34/35 V
Kairo 98/99 III
Karthago 21 II
Knossos 11 III—IV
Köln 78 II
Konstantinopel 45 IV
Krakau 79 VII
London 109 I
Lodz 121 VII
Lübeck 79 VI
Marienburg 64/65 VII
Magdeburg 79 V
Milet 21 VI
Mohenjo-Daro 7 VI
Mykene 11 V
Moskau 105 IV
Neu Breisach 120 II
Nowgorod 78 VI
Ostia 32 III
Papenburg 140 III
Paris 102/103 III, 109 IV
Peking 98/99 II
Perigueux, s. Vesunna
Prag 78 V
Pompeji 32 I
Rom 32 II, 33 I, 45 I, 102/103 IV
St. Petersburg 109 III
San Francisco 143 III—IV
Spalato 43 VIIIb
Straßburg 120 I
Syrakus 17 II
Taxila 21 III
Thamugadi 32 VI
Trier 40 V
Ur 7 I
Venedig 78 I
Vesunna 42/43 V
Versailles 120 III
Wien 109 V
Xanten 32 V
Stadtplanung, s. auch Schachbrettanlage
7 III, VI, 21 II—III, IV—VI, 26/27 V, 32 I, III—VI, 33 I—III, 40 V, 42/43 III—VII, 45 I, IV, 64/65 VII, 78 I—II, V—VI, 79 I—VIII, 82 IV—V, 98/99 III—III, 102/103 III, 105 IV, 109 I—V, 120 I—IV, 121 VII, 140 III, V, 143 I—IV
Stadtrechtsfamilien 75, 78 III—IV, 81 II
Stadtrechtsverleihung 30/31 I, 75, 78 IV
Stadtterritorien, s. auch Reichsstädte, Polis 68/69 I, II, 77 IV, 80 II, 81 I, 122/123 I
Stanley, Entdecker 132 II
Staufer, Hohenstaufen 62 II, IV, 64/65 I—II, 66 I—II, 90 III
Stecknitz-Kanal 68/69 I
Stephan, der Heilige, König v. Ungarn 58/59 I, 61 II
Sterling-Zone 170 II
Stralsunder Frieden (1370) 84 I
Straßen, s. Handelswege, Römerstraßen
Studenten 91 III—V
Stützpunkte, amerik. 156/157 II, 158 III, 162 II, 164/165 II
—, athenische 20 II
—, hussitische, in Deutschland 92/93 II
—, japan. 158 II
—, karth. 25 I
—, maked. 26/27 III
—, pers. 22/23 I
—, Seeräuber, Antike 29 III
— der Volksfrontregierung in Spanien 154 III
suburbikar. Bistümer 53 I
sudetendeutsche Frage 152 II, 155 I—II, 160 II
Suidbert 52 II
Suleiman I., Sultan 98/99 I, 112 I
Sulla 25 II, 28 II, 32 III
Sunjatsen 149 IV
Sunniten 72/73 VI, 137 III
Supanei 56 IV
Suprematsakte 104 I
Syagrius 48 I

T

Tacitus 41 I
Taler, Geltungsbereich (15.—19. Jh.) 144 I
Tamerlan, s. Timur
Tasman, Entdecker 100/101 VIII
Tatareneinfall 67 III, 79 VII
Täufersekten, christliche 52 III, 105 I
Tempel, s. Heiligtümer
Territorien, deutsche, s. auch Hausmacht, Reichsgut 66 II, 70 I, 80 I—II, 81 I
— (18. Jh.) 120 V, 122/123 I
— (19. Jh.) 126/127 II, 128 I
Tessin d. Ä. 108 I
— d. J. 108 II
Teutoburger Wald, Schlacht 37 II
Textilgewerbe und -industrie 34/35 I, 36, 38/39 I, 81 II, 84 I—II, 85 I—III, 86 II, 98/99 I, 104 III, 110, 111 II, 119, 121 VII, 162 IV
Theater, griech. 12 I, IV, VII, 17 III, 22/23 V, 26/27 V
—, röm. 12 VI, 17 II, 21 II, IV, 32 I—III, V—VI, 33 I, 40 V, 42/43 III, V—VI
—, barock 120 III
s. auch Amphitheater
Themenverfassung, byzantin. 50/51, 54/55 I, 56 II
Theoderich 48 II
Theodosius 42/43 I, 45 IV
Thingbezirke 57 III, 60 I
Thomas v. Aquin 90 III
Thumb 108 III
Thutmosis III. 7 IV, 9 I
Tiberius 29 I, 33 II—III, 34/35 I, 36, 37 II, 41 II
Tigranes 29 III
Tilsiter Friede 124 I
Timur (Lenk) 72/73 VI
Tintoretto 90 IV
Tito 156/157 III, 169 II
Tizian 90 IV
Tordesillas, Schiedsspruch 100/101 I
Traian 30/31 II, 32 VI, 33 I, III, 34/35 I, 40 II
Transkontinentale Eisenbahnen in den USA 133 III, 138/139 I
— in Europa 147, 150/151 I
— in Australien 137 I
Transsibirische Eisenbahn 149 IV, 159 I—II
Treuhandgebiete der UNO
—, ehemalige 162 III
— der USA 164/165 III
— Australiens 164/165 III
Trianon-Friede 150/151 I
Trittyen 12 V, 13 I
Triumvirat 28 II
Tschiangkeaischek 149 IV, 154 III, 158 I—III, 162 I—II
Tschudi, Aegidius, Buchdruck 91 II
Tudor-Stil 90 I—II
Tuchmacherei, s. Textilgewerbe
Türkenkriege 112 II, 115 I, 116/117 I, 119

U

Überseekabel, deutsche 149 II
Überstaatliche Organisationen 152 I—II, 162 III, 164/165 I, III, 166/167 I—III, 168, 169 III—IV, 170 I—II
U-Boot-Basen 148 II
U-Boot-Krieg 149 II
Ulfila 44 II
Umsiedlungen 153 V, 160 I—II, IV, 162 IV, 163 I
Unabhängigkeitskriege, amerik. 118 I, 133 I—II
—, griech. 130/131 I
Unabhängige Sozialdemokratische Partei 153 I
Ungern Sternberg 149 IV
Uniertes Bistum, s. griech.-kath. Bistum 113
Union v. Arras 104 III
— v. Utrecht 104 III
Union Litauen-Polen (1386) 71 I, III, 92/93 I
Union v. Lublin (1563), vgl. Lubliner Union
Universalismus, s. Kirche, kathol.; Weltreiche
Universitäten, s. auch Studenten
amerik. 143 III
arab. 98/99 III
europäische bis 1500 78 V, 79 VII, 90 III, 91 I, III—V, 102/103 II, 121 II
röm. 45 I

russische 119
span. 102/103 I
UNO (Vereinte Nationen) 164/165 III, 168
Urgeschichte, s. Vorgeschichte
Urkantone 80 II
Utrechter Frieden (1474) 84 II
Utrechter Union (1579) 102/103 I, 104 III

V

Vanbrugh 108 II
Vandamme, napol. General 126/127 III
Vanvitelli 108 II
Varusschlacht 37 II
Vasco da Gama 98//99 IV, 100/101 I
Vasallenstaaten, brit. in Indien 135 I
—, napoleon. 124 I
—, russ. 134 II, 135 I
—, türk. 134 II
s. auch Satellitenstaaten, Klientelstaaten
Vasari 90 IV
Vauban 120 I—II
Vercingetorix 29 I, V
Verdun, Reichsteilung 54/55 III
—, Schlacht 148 II
Vereinte Nationen (UN) s. UNO
Verfassungen, neuzeitl. 128 II—V, 153 I, IV, 154 I—II
—, antike, s. Polis
—, mittelalterliche, s. Lehnswesen, Stadtrech
Verkehr, s. Eisenbahnen, Handelswege, Römerstraßen, Seehandeswege, Autobahnen
Veronese 90 IV
Veroneser Bund 66 I
Verrochio 90 IV
Versailler Diktat 150/151 I, 152 II
Vertragshäfen, chin. 136 I, s. auch Faktoreien
Vertreibunngen, s. Minderheiten-Vertreibung
Verwaltungsgliederung
Ägypten, s. Gaue
Äthiopien: Gouvernements unter ital. Herrschaft 154 IV
Angelsachsenreich, s. Earldoms
Aztekenreich 100/101 II
Burgund 95
Byzant. Reich, s. Themen
Brit. Empire (Kronkolonien, Protektorate, Kolonien mit Responsible Government, Dependenzen, Kondominate, Pachtgebiete, Dominions) 138/139 I
Brit.-Indien 135 I
Deutschland, s. Gaue, Territorien, Marken, Herzogtum, Hausmacht, Reichsgut, Reichskreise (1871—1918): 129 II
—, Weimarer Republik 152 II
—, Drittes Reich 155 I
— nach 1945 161 IV
Frankenreich 54/55 I, III—IV
Frankreich im Mittelalter, s. Krondomäne
—, Neuzeit, s. Gouvernements, Départements
Griech., s. Polis, Phylen, Prittyen, böotische Kreise 18/19 IV, attischer Seebund (Steuerbezirke) 16 I
Ibero-Amerikan. Kolonialreiche, Vizekönigreiche 118 III
Inkareich (Großprovinzen) 100/101 III
Kirche, kath., s. Bistum, Erzbistum, Kirchenprovinzen, Bistum: Dekanate 80 I, Erzstift: Ämter 80 I
—, evang., s. Landeskirchen
Kanada: Distrikte 133 III
Java 135 II
Niederlande 104 III
Persien, s. Satrapien, (19. Jh.) s. Gaue
Preußen (Domänenämter, Provinzialverwaltung, Kreishauptorte in der Neumark) 121 I—II, Provinzen 115 I, 129 II
Röm. Reich: Republik: 25 I, Provinzen 28 I—II, 29 III—IV, Kaiserreich: Regiones in Italien unter Augustus 30/31 I, Tribus 30/31 II, Provinzen 28 II, 34/35 I—III, 36, 37 I, 38/39 I—II, 40 II, 41 I, 42/43 I—II, 48 I
Praefecturen 49 I
Rußland: Gouvernements 116/117 I, 119, Sowjetrep. 150/151 I
Schweiz, s. Kantone, Eidgenossenschaft
Spanien, Provinzen 116/117 I, 130/131 I
türk., s. Mytessaryflyks, Sandschaks, Wilajets
USA, 133 I, III
Großserb. Reich: Banate 70 II
etrusk. Capita-Gebiete 25 II
Vespasian 33 I, III, 34/35 I—II, V
Vesuvausbruch 30/31 III
Veteranensiedlung, s. Coloniae
Vignola 90 IV, 108 I
Villae, röm. 30/31 II—III, 40 VI
Vittone 108 II
Völkerbund 152 I
Völkerbundsmandate 137 I, 146 I, 152 I—II
Völkerwanderungen vorgeschichtl. 2 I—II, 3 I, 5 I—II, 9 I
israel. 8 IV, 162 IV
griech. 5 I—II, 10 II, 11 I—II
phönikische 11 II
keltische 24 I
skythische 24 I
german. 24 I, 34/35 I, 42/43 I—II, 48 I—II, 49 I, 50/51
hunn. 42/43 I, 46/47 I, III, 48 I
arab. 50/51, 57 I
slaw. 50/51, 54/55 I, 56 II
türk. 50/51, 54/55 I, 61 V, 64/65 I, III, 71 II, 72/73 I—III
ungar. 56 II, 57 I, 61 V
wiking. 57 I—II, 58/59 I
mongol. 67 III, 72/73 II
Ostkolonisation 68/69 II, 74 I—II, 75, 82 I, 106/107 III, 112 II
s. auch Minderheitenvertreibungen
Volksdeutsche, s. Auslandsdeutsche
Volksfrontregierung, span. 154 V
Volkstumsverbreitung, s. auch Bevölkerungsdichte, -wachstum, Kolonisation, Umsiedlung, Vertreibung, Völkerwanderung, Einsiedlung 3 I, 4 VI—VII, 6 II—IV, 8 I, III—IV, 10 I—III, 11 I, 13 I—II, 14/15 I, 17 I, 18/19 I—II, IV—V, 22/23 II, 24 I—II, 25 I—II, 29 I, 30/31 I, 36, 37, 38/39 I—II, 40 II, VI, 41 I, III, 49 II—III, 54/55 I, 56 III, 57 II, 67 III, 70 II, 77 I—IV, 105 II—III, 116/117 II, 150/151 II, 162 II, IV
Vorgeschichte 1 I—V, 2 I—II, 3 I—III, 4 I—VII, 5 I—II, 6 II, 8 I, III, 10 I, 14/15 I, 18/19 II, 24 I, 26/27 II, 100/101 II—VI
—, german. 3 I, 14/15 I, 24 I, 34/35 I, 36, 37 I, 41 I, 42/43 I—II
Vorwerk, s. Agrargeschichte

W

Währungsfond, internat. 170 I
Währungszonen der Welt 144 I, 170 II
Wahlen zur Deutschen Nationalversammlung 153 I
— Wahlen zum Deutschen Reichstag 145 I—II, 154 I—II
Waldenser 64/65 II, 105 I
Waldseemüller, M. Buchdruck 91 II
Warschauer Pakt 166/167 II
Wasa-Könige 113
Wasserleitung, aztek. 100/101 VI
—, griech. 17 II
—, röm., s. Aquädukt
Wasserstraßen, internationalisierte, Deutschlands 152 II
Wassilij III. Zar 105 II
Weberunruhen, schles. 128 III
Weddell, Entdecker 164/165 IV
Weihrauchstraße 29 II, 34/35 I
Weimarer Republik 150/151 I—II, 152 II, 153 I—IV, 154 I—II, VI
Weinbau 54/55 II, 81 II
Weiße Gegenrevolutionäre 149 II—IV
Welfen 62 II, 66 I—II, 71 III
Welsch 108 III
Welser in Amerika 100/101 VII
Weltbild, s. Erdkarten
Weltkrieg, erster 148 I—III, 149 I—IV, 152 III,
—, zweiter 156/157 I—III, 158 I—III, 160 I—IV, 161 III
Weltreiche, universale
Akkad 3 II
Ägypten 6 I, 8 II, 9 I, III
Assyrien 9 III
Babylonien 8 II, 9 III
Perserreich 14/15 I
Alexanderreich 22/23 I
Röm. Reich 34/35 I, 42/43 I—II, 48 I
Byzanz 48 II, 49 I, 50/51, 54/55 I, 57 I, 64/65 I, III
Heiliges Römisches Reich Deutscher Nation 58/59 I, 64/65 I—II, 102/103 I, 116/117 I, 122/123 I
Kalifat 50/51, 57 I
Brit. Empire 138/139 I
Welt-Wirtschaft 166/167 III
Werften, russische 119
Westfälischer Frieden 106/107 I
Westfront (1914—18) 148 II
Westmächte 168
Westwall 155 I
Wettiner 66 I—II, 70 I, 71 III, 92/93 I, 96/97 I
Wiener Kongreß 126/127 I, 128 I
Wilajets, türk. Verwaltungsbezirke 134 II
Wilfrid 52 I—II
Wilkins, Entdecker 164/165 I
Willehad 56 I
Willibald 52 II
Willibrord 52 I—II
Wirtschaft, s. Bodenschätze, Handel, Verkehr, Agrargeschichte, Markt
Wirtschafts-Zusammenschlüsse 166/167 III, 169 IV
Wit, F. de, Buchdruck 91 II
v. Wißmann, Entdecker 132 II
Witold, Großfürst v. Litauer 71 I—III
Wittelsbacher 62 II, 66 I, 68/69 I, 70 I, 71 III, 95
Wladislaw I., König v. Ungarn (III. v. Polen) 92/93 I
Wladislaw Jagiello 68/69 I, 71 I, III
Wladimir I., d. Hl., Großfürst v. Kiew 61 II, V
Wohfahrtsausschuß, französ Revolution 109 IV
Wollgewerbe, s. Textilgewerbe
Wrangel, russ. General 149 III
Wüstungen 77 III—IV, 140 V
Wren, Ch. 108 I—II

X

Xenophon 22/23 III
Xerxes, pers. Großkönig 14/15 II, IV—V, 45 VI

Y

York, engl. Geschlecht 92/93 I

Z

Zentrum, deutsche Partei 145 I, 153 I, 154 I—II
Zimmermann 108 III
Zisterzienser 87 II, 88/89 III, 90 III
Zollstätten 54/55 I, 58/59 I, 78 III
Zolltarif Colberts 110
Zollverein, deutscher 129 I
Zusammenbruch NS-Deutschlands 156/157 III
Zwangsumsiedlung 105 IV, s. auch Vertreibung
Zweibund 145 IV
Zwischeneuropa 150/151 I—II, 154 VI

KARTENÜBERSICHTEN
für die nationale Geschichte aller Länder und Gebiete

EUROPA

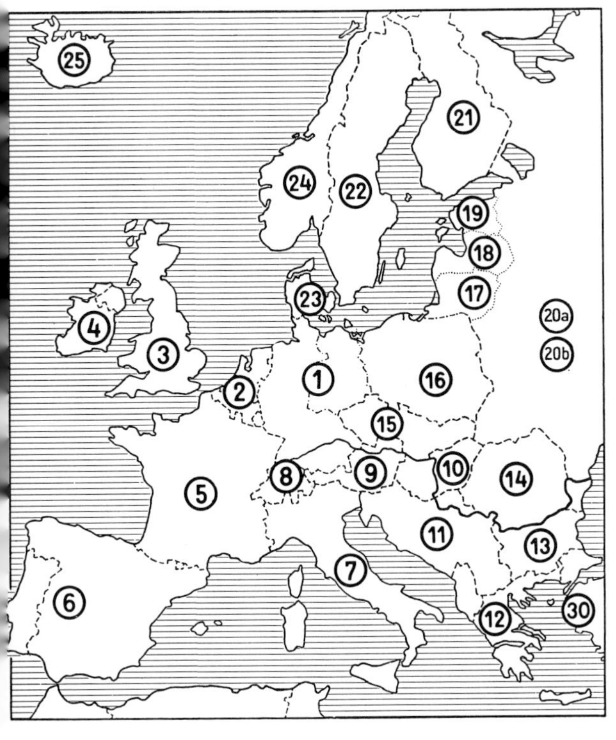

1. Deutschland

Vorgeschichte
1 I, III—V, 2 I—II, 3 I—II, 4 I—II, V, 5 I—II, 14/15 I, 24 I, 28 II, 29 I

Die Römer in Deutschland 1. Jh. v. Chr. bis 5. Jh. n. Chr.
32 IV—V, 34/35 I, 36, 37 I—III, 40 II—VI, 41 I—II, 42/43 I—II, 44 I—II, 48 I, 88/89 I—II

Völkerwanderungszeit und Frankreich 5. bis 9. Jh.
32 IV—V, 42/43 I—II, 48 I—II, 49 I—III, 50/51, 52 II—III, 53 II, 54/55 I—IV, 56 I—IV, 57 I, 58/59 II, 60 IV, 62 I, 74 I, 79 I, 83 I, 88/89 I—II

Kaiserzeit 10. bis 13. Jh.
56 V—VI, 58/59 I, III—V, 60 I, 61 I—II, 62 I—IV, 64/65 I—III, VII, 66 I—II, 67 I—III, 68/69 II, 74 I, 75, 77 I—II, 78 II, III, 79 I—III, V, VI, VIII, 83 I, IV, 85 II, 86 I, 87 I—II, 88/89 I—III, 90 I, 91 I

Spätmittelalter 14. bis 15. Jh.
64/65 VII, 68/69 I, III, 70 I—II, 71 I—III, 74 I—III, 75, 76 I—VIII, 77 III—IV, 78 II, IV, 79 I—III, V, VI, VIII, 80 I—II, 81 I—III, 82 I—IV, 83 I—V, 84 I—II, 85 I—III, 86 I—II, 88/89 I, II, 90 I, 91 I—II, IV—V, 92/93 I—III, 94 I—II, 95, 120 I

Reformationszeit
91 III, 90 II, 96/97 I—II, 102/103 I, 104 I—IV, 105 I, 106/107 I, III

Vom Dreißigjährigen Krieg bis 1795
105 I, 106/107 I—III, 108 I—II, 110, 113, 114, 115 I—II, 116/117 I, III, 119, 120 IV—V, 121 I—V, 122/123 I, III, 143 I

Napoleonische Kriege, Deutscher Bund und Bismarckreich 1795 bis 1914
124 I, III, 125 I—II, 126/127 I—IV, 128 I—V, 129 I—II, 140 I—III, 141 I, III, 142 IV, 143 I, 144 I, 145 I—IV, 147, 159 I

Erster Weltkrieg und Weimarer Republik 1914 bis 1933
141 II, IV, 148 I—II, 149 I—II, 150/151 I—II, 152 I—III, 153 I—IV, 154 I—II

Die Herrschaft des Nationalsozialismus 1933 bis 1945
154 VI, 155 I—II, 156/157 I—III, 160 I, 161 III

Deutschland seit 1945
142 V, 143 II, 159 II, 160 II—III, 161 I—II, IV—VII, 164/165 I, III, 166/167 I—III, 168, 170 I

Preußen

Die Pruzzen
50/51, 54/55, 57, 60 I, 61 II, V, 66 I

Der Deutsche Orden in Preußen bis 1525
64/65 VII, 66 II, 67 III, 68/69 I—II, 70 I, 71 I, III, 74 I—III, 75, 79 VII, 83 V, 84 I—II, 88/89 I, 91 I—IV, 92/93 I—II, 106/107 III

Das Herzogtum Preußen 1525 bis 1660
96/97 I, 102/103 I, 104 II, IV, 106/107 I, III

Brandenburg unter den Askaniern, Wittelsbachern und Luxemburgern 1157 bis 1415
66 II, 68/69 I, 70 I, 71 III, 74 I, III, 75, 84 I, 88/89 I—II, 91 I, IV
91 I, IV

Das Kurfürstentum Brandenburg unter den Hohenzollern 1415 bis 1660
83 V, 84 II, 91 III—IV, 92/93 I—II, 96/97 I—II, 102/103 I, 104 II, 105 I, 106/107 I—III

Brandenburg-Preußen vom Großen Kurfürsten bis zum Wiener Kongreß 1815
105 I, 106/107 I—III, 108 I—II, 110, 113, 115 I—II, 116/117 I, III, 119, 121 I—IV, 122/123 I, 124 I, III, 125 I—II, 126/127 I—IV, 143 I

Preußen im 19. Jh. bis 1918
128 II—V, 129 I—II, 140 II, 141 I, III, 143 I—II, 145 I—II, 148 I, 159 I

Preußen 1918 bis 1945
141 II, IV, 152 II, 153 I—II, 154 I—II, 155 I—II, 156/157 I, III, 159 II

Brandenburg nach 1945
160 III, 161 I—II, IV, VI—VII

Bayern

Von der Festsetzung der Bajuwaren bis zur Einbeziehung in das Reich Karls d. Gr. 788 (Das 1. Stammesherzogtum der Agilolfinger)
48 I—II, 49 I, III, 50/51, 52 II—III, 88/89 I—II

Bayern unter den Karolingern
52 III, 53 II, 54/55 I, 56 II, 59 II, 62 I, 83 I, 88/89 I—II

Das zweite Stammesherzogtum vom Aufkommen der Luitpoldinger bis zur Übertragung an die Wittelsbacher 1180
57 I, 58/59 I—III, 60 I, 61 II, 62 I—IV, 63 I, 64/65 I, 66 I, 67 I, 74 I, III, 83 I, 87 I—II, 88/89 I—II

Bayern unter den Wittelsbachern bis zum Landshuter Erbfolgekrieg 1180 bis 1505
62 II, 66 II, 68/69 I, 70 I, 71 III, 78 III, 81 I—II, 82 I, 83 IV—V, 85 III, 86 I, 91 I—V, 92/93 I—II, 96/97 I—II

Vom 16. Jh. bis zur Errichtung des Königreiches Bayern 1805
102/103 I, 104 II, 105 I, 106/107 I—II, VII, 108 I—III, 110, 115, 116/117 I, III, 120 V, 122/123 I

Das Königreich Bayern bis zur Weimarer Republik 1805 bis 1918
124 I, 125 I, 126/127 I, 128 I, III, 129 I—II, 130/131 I, 141 I, III, 145 I—II, 148 I

Bayern 1918 bis 1945
141 II, IV, 152 II, 153 I—II, 154 I—II, 155 I—II, 156/157 I, III

Das Bundesland Bayern nach 1945
160 III, 161 IV—VII

2. Niederlande, Belgien, Luxemburg (Benelux-Staaten)

Vorgeschichte
1 I, III—V, 2 I—II, 3 II, 4 V, 5 I—II, 24 I, 29 I

Römerzeit 1. Jh. v. Chr. bis 5. Jh. n. Chr.
28 II, 29 I, 34/35 I, 36, 41 I—II, 42/43 I—II, 44 I—II

Im Frankenreich 4. bis 9. Jh.
48 I—II, 49 I—II, 50/51, 52 II—III, 53 II, 54/55 I—IV, 56 I, 57 I, 83 I, 88/89 I—II

Kaiserzeit 10.—13. Jh.
58/59 I, 60 I, 61 I, 62 III—IV, 66 I—II, 67 I—II, 78 IV, 83 I, IV, 85 II, 87 I—II

Wirtschaftsblüte und Aufgehen im burgundischen Staat 13. bis 16. Jh.
68/69 I, III, 70 I, 71 III, 74 III, 78 IV, 79 IV, 83 IV, V, 84 I—II, 85 I—II, 86 II, 90 I—II, 91 I—V, 92/93 I, III, 95, 96/97 I—IIIb, 170 IV

Aufspaltung seit der Reformation 1555 bis 1789
90 II, 102/103 I, 104 I—III, 105 I, 106/107 I, 108 I—II, 109 II, 110, 114, 115 I, 116/117 I, III, 170 IV

Kolonialbesitz im 16. bis 18. Jh.
98/99 I, 100/101 I, VIII, 111 I—II, 115 II, 116/117 IV, 118 III, 135 I—II

Das 19. Jh. (1789—1914)
96/97 IIIc, 122/123 I, III, 124 I, III, 125 I, 126/127 I—II, IV, 128 II, IV—V, 129 I—II, 130/131 I, 141 I, 143 Ia, 144 I, 145 IV, 147, 170 IV

Kolonialbesitz im 19. Jh.
118 III, 125 II, 133 II, 135 I—II, 136 II, 137 I—II, 138/139 V

1914 bis 1939
141 II, 148 I—II, 149 II, 150/151 I, 152 I—III, 153 III—IV, 154 VI, 155 II

Kolonialbesitz bis zum Zweiten Weltkrieg
135 II, 136 II, 137 I—II, 146 I, 149 II, 158 I—II

Seit 1939
96/97 IIId, 143 Ib, 155 I—II, 156/157 I—III, 160 I, III, 161 III, 164/165 I, III, 166/167 II—III, 168, 170 I, IV

3. Großbritannien und das Commonwealth of Nations

Vor- und Frühgeschichte bis 1. Jh. v. Chr.
1 I, III—V, 2 I—II, 3 II, 4 V, 7 I—II, 14/15 I, 24 I, 29 I

Römerzeit 1. Jh. v. Chr. bis 5. Jh. n. Chr.
29 I, 34/35 I, 36, 40 I, IV, 42/43 I—II, 44 I—II, 48 I

Angelsachsen- und Wikingerreiche 5. bis 11. Jh.
48 I—II, 49 I, 50/51, 52 I, III, 53 II, 54/55 I, 57 I—II, 58/59 I, 60 I, 61 I, 87 I, 88/89 I

England in der Auseinandersetzung mit Frankreich 12. bis 15. Jh.
64/65 I—II, 66 I—II, 67 I—II, 68/69 III, 70 I, 71 III, 84 I—II, 85 I—II, 86 II, 87 II, 88/89 I, 90 I, 91 II, V, 92/93 I, III, 95

England und die Anfänge seines Kolonialreiches 16. bis 18. Jh.
90 II, 100/101 I, VIII, 102/103 I, 104 I, 108 I—II, 110, 111 I—II, 115 II, 116/117 I—II, IV, 118 I—III, 142 I

Großbritannien als Beherrscherin der Meere 19. Jh. bis 1914
109 I, 124 I, III, 125 I—II, 126/127 I, 128 II, IV—V, 130/131 I, 132 I—II, 133 I—II, 134 II, 135 I, 136 I—II, 137 I, 138/139 I—VI, 142 II, 144 I, 145 III, IV, 146 I, 147

Großbritannien und das Empire vom 1. Weltkrieg bis 1939
142 III, 146 I, 148 I—III, 149 II, 150/151 I, 152 I, III, 153 III—IV, VI, 154 IV, VI, 155 II

Großbritannien im Zweiten Weltkrieg
155 II, 156/157 I—III, 158 I—II, 161 III

Großbritannien und das Commonwealth of Nations nach 1945
159 II, 161 III, 162 II—III, 163 I, 164/165 I—IV, 166/167 I—III, 168, 170 I—II

4. Irland

Vor- und Frühgeschichte bis 8. Jh. n. Chr.
1 III, 2 I—II, 4 V, 5 I, 24 I, 42/43 I—II, 44 II, 48 I, 49 I, 50/51 I, 52 I, III, 53 II, 88/89 I

Wikingerzeit 8. bis 11. Jh.
54/55 I, 57 I—II, 60 I, 88/89 I

Irland und England im Mittelalter 12. bis 15. Jh.
66 II, 71 III, 87 II, 88/89 I, 92/93 I, 102/103 I, 104 I

Irland in der Neuzeit unter englischer Herrschaft bis 1920
104 I, 108 II, 110, 116/117 I, 125 I, 126/127 I, 128 II, 138/139 I, 147, 159 I

Eire seit 1921
150/151 I, 152 I, 153 III—IV, 154 VI, 156/157 I—II, 159 II, 164/165 I, III, 166/167 III, 168, 170 I—II

5. Frankreich (Elsaß-Lothringen vgl. auch bei Deutschland)

Vor- und Frühgeschichte bis 1. Jh. v. Chr.
1 I, III—V, 2 I—II, 3 I—II, 4 V, 5 I—II, 11 II, 14/15 I, 22/23 I, 24 I—II, 26/27 I—II, 29 I

Frankreich unter römischer Herrschaft
28 I—II, 29 I, V, 34/35 I, 36, 42/43 I—II, V, 44 I—II, 48 I

Völkerwanderungszeit und Frankenreich 5. Jh. bis 9. Jh.
48 I—II, 49 I—II, 50/51, 52 II—III, 53 II, 54/55 I—IV, 56 I, 57 I

Der Aufstieg des französischen Königtums 10. bis 13. Jh.
58/59 I, 60 I, 61 I, 64/65 I—II, 66 I—II, 67 I—II, 70 I, 83 IV, 87 I—II, 88/89 I—II, 91 V

Frankreich im Spätmittelalter 14. bis 15. Jh.
68/69 I, III, 70 I, 71 III, 83 IV, V, 85 I—III, 86 II, 88/89 I—II, 90 I—II, 91 II, V, 92/93 I, III, 94 I—II, 95

Frankreich als absolutistische Großmacht 16. bis 18. Jh.
96/97 I, 102/103 I, III, 104 I, 105 I, 106/107 I, 108 I—II, 109 IV, 110, 111 I, 114, 115 II, 116/117 I, III, 120 I—III, 122/123 II

Frankreichs erstes Kolonialreich 16. bis 18. Jh.
100/101 I, VIII, 111 I—II, 115 II, 116/117 II, IV, 118 I, III, 135 I

Frankreich von der Französischen Revolution bis zum Ersten Weltkrieg (1789—1914)
122/123 III, 124 I—III, 125 I—II, 126/127 I—IV, 128 I—II, IV—V, 129 I—II, 130/131 I, 141 I, 144 I, 145 III—IV, 147

Frankreichs Kolonialreich im 19. Jh.
125 II, 130/131 I, 132 I—II, 133 II, 136 I—II, 137 I, 138/139 III, 145 III—IV

Frankreich 1914—1939
141 II, 148 I—II, 149 II, 150/151 I, 152 I—II, 153 III—IV, 154 VI

Frankreich im Zweiten Weltkrieg
155 II, 156/157 I—III, 160 I, 161 III

Frankreich seit 1945
160 II—III, 161 IV, 164/165 I, III, 166/167 I—III, 168, 170 I—II

Frankreichs Kolonien im 20. Jh.
146 I, 147, 149 II, 150/151 I, 152 I, 156/157 I—II, 158 I—II, 162 I—III, 163 I, III, 164/165 I, IV

6. Spanien / Portugal

Vorgeschichte
1 I, III—IV, 2 I—II, 3 I—II, 4 V, 5 I—II, 21 IV, 24 I, 26/27 II

Spanien im karthagischen Einflußbereich 8. bis 3. Jh. v. Chr.
11 II, 14/15 I, 21 IV, 22/23 I, 26/27 I—II

Spanien und Portugal im Römischen Reich 3. Jh. v. Chr. bis 5. Jh. n. Chr.
21 IV, 28 I—II, 29 VI, 34/35 I, 38/39 II, 42/43 I—II, IV, 44 I—II, 48 I

Unter westgotischer Herrschaft 507 bis 711
48 II, 49 I—II, 50/51, 52 III

Islamische Reiche und christliche Reconquista 8. bis 13. Jh.
50/51, 53 II, 54/55 I, 57 I, 58/59 I, 64/65 I—III, 66 I—II, 67 I—II, 70 I, 71 III, 83 IV, 85 I, 87 I—II, 88/89 I, 90 I, 91 V

Spanien als Großmacht 15. bis 17. Jh.
86 II, 88/89 I, 90 II, 91 II, V, 92/93 I, 100/101 I, 102/103 I—II, 108 I—II, 110, 111 I

Spanien im 18. und 19. Jh.
108 II, 115 II, 116/117 I, 124 III, 125 I—II, 126/127 I, 128 II, IV—V, 130/131 I, 132 I, 144 I, 145 IV

Spanien und Portugal im 20. Jh.
147, 148 I, 149 II, 150/151 I, 152 I, 153 IV, 154 V—VI, 155 II, 156/157 I—II, 164/165 I, III, 166/167 II—III, 168, 170 I—II

Spanische und portugiesische Entdeckungsfahrten und Kolonialreiche 15. bis 18. Jh.
98/99 I, IV, 100/101 I—II, VII—VIII, 111 I—II, 115 II, 116/117 II, IV, 118 I, III, 135 I

Spanische Niederlande
102/103 I, 104 I, III, 105 I, 106/107 I, 110, 114

Spanische und portugiesische Kolonien im 19. Jh.
125 II, 130/131 I, 132 I—II, 133 I—II, 135 I, 136 I, 137 I, 138/139 II, 145 III

Spanische und portugiesische Kolonien im 20. Jh.
145 IV, 146 I, 147, 149 II, 150/151 I, 154 V, 162 III, 164/165 I

7. Italien

Vor- und Frühgeschichte
1 I, III, 2 I—II, 3 I—II, 4 V, VI, 5 I—II, 11 II, 24 I—II

Italien zur Zeit der römischen Republik 5. bis 1. Jh. v. Chr.
14/15 I, 16 II, 17 I, II, 20 I, 21 I, V, 22/23 I, 25 I—II, 26/27 I—II, 28 I—III, 30/31 I—III, 32 II—III, 33 II

Italien in der römischen Kaiserzeit 1. Jh. bis 5. Jh. n. Chr.
25 III, 30/31 I—III, 32 I, III, 33 I—III, 34/35 I, 42/43 I—II, 44 I—II, 45 II—III, 48 I, 88/89 I—II

Italien in der Völkerwanderungszeit 5. bis 8. Jh.
48 I—II, 49 I—III, 50/51, 52 II, III

Italien im Frankenreich der Karolinger 8. bis 9. Jh.
53 I—II, 54 I, III—IV, 56 II, 57 I, 88/89 I—II

Italien in der Kaiserzeit des Mittelalters 10. bis 13. Jh.
58/59 I, III, 61 II, 63 I—II, 64/65 I—III, 66 I—II, 67 I—II, 83 IV, 87 I—II, 88/89 I—II, 91 V

Italiens Zerfall im Spätmittelalter 14. bis 15. Jh.
45 I, 68/69 I, 70 I—II, 71 III, 78 I, 80 II, 83 IV—V, 85 I, III, 86 II, 88/89 I—II, 90 I—IV, 91 II, IV—V, 92/93 I, 94 I—II

Vom 16. Jh. bis 1792
90 II, IV, 96/97 I—II, 102/103 I, IV, 104 II, 106/107 I, 108 I—II, 110, 111 I, 112 I, 115 I—II, 116/117 I, 144 I

Italien im frühen 19. Jh. (ca. 1792 bis 1860)
122/123 II—III, 124 I—II, 125 I, 126/127 I, 128 II, IV

Italien von der Einigung bis nach dem Ersten Weltkrieg 1860 bis 1922
124 III, 128 V, 130/131 I—III, 132 I, 138/139 III, 141 I,
145 III—IV, VI, 146 I, 147, 148 I, 149 II, 150/151 I—II, 152 III,
153 IV, VI

Faschismus und Zweiter Weltkrieg 1922 bis 1945
141 II, 150/151 I—II, 152 I, 153 III—IV, VI, 154 IV—VI, 155 II,
156/157 I—III, 160 I, 161 III

Italien seit 1945
160 II—III, 164/165 I, III, 166/167 II—III, 168, 170 I

8. Schweiz (Eidgenossenschaft)

Vorgeschichte
1 I, III—V, 2 I—II, 3 I—II, 5 I—II, 14/15 I, 24 I, 28 I—II, 29 I

Römische Kaiserzeit 1. bis 5. Jh. n. Chr.
34/35 I, 36, 37 I, 40 III, 41 I, 42/43 I—III, 44 I—II, 48 I,
88/89 I—II

Völkerwanderungszeit und Frankenzeit 5. bis 9. Jh.
48 II, 49 I—III, 50/51, 52 II—III, 53 II—III, 54/55 I, III—IV,
57 I, 83 I

Kaiserzeit 10. bis 13. Jh.
58/59 I, 62 I—IV, 63 I, 66 I—II, 67 I, 83 I, 87 I—II, 88/89 I—II

Die Eidgenossenschaft im späten Mittelalter 13. bis 15. Jh.
68/69 I, 70 I, 71 III, 74 III, 78 III, 80 II, 81 II, 82 I, 83 III—V,
85 I, III, 86 II, 90 I, 91 I—II, IV—V, 92/93 I, 95

Die Eidgenossenschaft im 16. bis 18. Jh.
80 II, 90 II, 91 III, 96/97 I—II, 102/103 I, 104 I—II, 105 I,
106/107 I, 108 I—II, 110, 114, 115 I, 116/117 I

Die Schweiz von der Französischen Revolution bis zum Ersten Weltkrieg
122/123 I—III, 124 I—III, 125 I, 126/127 I, 128 II, IV—V,
130/131 I—III, 141 I, 147

Die Schweiz seit 1914
141 II, 148 I, 149 II, 150/151 I, 152 I, 153 IV, 154 VI, 155 II,
156 I—III, 160 III, 164/165 I, III, 166/167 III, 168

9. Österreich

Vorgeschichte
1 I, III—IV, 2 I—II, 3 I—II, 4 V, 5 I—II, 14/15 I, 24 I, 28 II

Römerzeit 1. Jh. v. Chr. bis 5. Jh. n. Chr.
34/35 I, 37 I, 38/39 I, 41 I, 42/43 I—II, 44 I—II

Völkerwanderungszeit und Frankenreich 5. bis 9. Jh.
48 I—II, 49 I, III, 50/51, 52 II—III, 53 II, 54/55 I, 56 II, 57 I,
62 I, 58/59 II, 83 I, 88/89 I—II

Kaiserzeit 10. bis 13. Jh.
58/59 I, III, 61 II, 62 I—II, IV, 64/65 I—II, 66 I—II, 67 I, III,
74 I, III, 75, 86 I, 87 I—II, 88/89 I—II

Unter Habsburger Herrschaft im späten Mittelalter (13. bis 15. Jh.)
68/69 , 70 I—II, 71 III, 75, 80 II, 82 I, 83 V, 85 III, 86 I—II,
88/89 I—II, 91 I—II, IV—V, 92/93 I—II, 94 I—II

Reformations- und Türkenzeit 16. bis 17. Jh.
86 I, 91 III, 96/97 I—II, 102/103 I, 104 II, 105 I, 106/107 I—III,
108 I, 109 V, 110, 112 I—II, 113, 115 I

Österreich im 18. Jh.
108 II—III, 115 I—II, 116/117 I, III, 119, 122/123 I

Kaiserreich Österreich-Ungarn 1804—1918
124 I—III, 125 I—II, 126/127 I, 128 I—V, 129 II, 130/131 I—III,
141 I, III, 144 I, 145 III—VI, 147, 148 I, 149 I, II, 152 III, 159 I

Österreich 1918 bis 1938
141 II, IV, 150/151 I—II, 152 I—II, 153 III—IV, 155 II

Österreich im „Großdeutschen Reich" 1938 bis 1945
154 VI, 155 I—II, 156/157 I—III, 160 I, 161 III

Österreich seit 1945
159 II, 160 II—III, 164/165 I, III, 166/167 III, 168, 170 I

10. Ungarn (mit Slowakei, Banat, Siebenbürgen)

Vorgeschichte
1 I, III, 2 I—II, 3 I—II, 4 V, 5 I—II, 14/15 I, 24 I, 28 I—II, 41 I

Unter römischer Herrschaft 107 bis 270 n. Chr.
34/35 I, 38/39 I, 42/43 I—II

Ungarn während der Völkerwanderungen 3. bis 9. Jh.
42/43 I—II, 44 I—II, 48 I—II, 49 I, 50/51, 52 III, 54/55 I, 56 II,
57 I, 58/59 II

Ungarn von der Festsetzung der Magyaren (895) bis zum Ende des Hauses der Arpaden (1301/08)
58/59 I, III, 60 I, 61 II, V, 63, 64/65 I—III, 66 I—II, 67 III,
72/73 II, VI, 74 I, III, 75, 86 I, 87 I, 88/89 I—II

Ungarn von der Herrschaft der Anjou bis zum Türkeneinbruch 1308 bis 1526
68/69 I, 70 I—II, 71 I—III, 74 I, III, 75, 82 I, 83 V, 84 II, 85 III,
86 I—II, 88/89 I—II, 91 III—V, 92/93 I—II, 94 I—II

Habsburg in der Türkenabwehr 1526 bis 1699
96/97 I, 98/99 I, 102/103 I, 104 II, 105 I, 106/107 I, III, 108 I,
112 I—II, 113, 115 I, 119

Von der Befreiung Ungarns bis zum Zusammenbruch der Habsburger 1699 bis 1918
74 III, 108 II, 112 II, 115 I, 116/117 I, 119, 121 VI, 124 I—III,
125 I, 126/127 I, 128 II, IV—V, 130/131 I, 140 V, 141 I, III, 144 I,
145 III—VI, 147, 148 I, 149 I—II, 152 III, 159 I

Ungarn 1918 bis 1945
141 II, IV, 150/151 I—II, 152 I, 153 III—IV, 154 VI, 155 II,
156/157 I—III, 160 I, 161 III

Ungarn unter kommunistischer Herrschaft seit 1945
159 II, 160 II—III, 164/165 I, III, 166/167 I—III, 168

11. Jugoslawien (Serbien, Montenegro, Kroatien, Bosnien, Dalmatien, Mazedonien)

Vorgeschichte
1 I, III, 2 I—II, 3 I—II, 4 V, 5 I—II, 10 II, 14/15 I, 20 I—II,
22/23 I, 24 I—II, 26/27 I—III, 28 I—II

Unter römischer Herrschaft 2. Jh. v. Chr. bis 6. Jh. n. Chr.
28 I—II, 34/35 I, 38/39 I, 42/43 I—II, VIIIa, 44 I—II, 48 I—II,
49 I

Germanische Völkerwanderung und Slaveneinbruch 5. bis 10. Jh.
42/43 VIIIb, 48 I—II, 49 I, III, 50/51, 52 III, 53 II, 54/55 I, 56 II,
57 I, 58/59 II, 88/89 I—II

Südslawische Staaten 11. bis 14. Jh.
58/59 I, III, 61 II, 63, 64/65 I—III, 66 I—II, 67 I, III, 68/69 I,
70 I—II, 71 I—III, 72/73 II, 74 III, 75, 88/89 I—II, 90 III, 94 I—II

Unter osmanischer Herrschaft 15. Jh. bis 1817
83 V, 85 III, 86 II, 88/89 I—II, 92/93 I, 94 II, 96/97 I, 102/103 I,
104 II, 106/107 I, 108 I—II, 112 I—II, 115 I, 116/117 I, 124 I—III,
125 I

Aufstände und Staatenbildung 1817 bis 1918
126/127 I, 128 II, IV—V, 130/131 I, 132 I, 141 I, III, 144 I,
145 III—VI, 147, 148 I, 149 I—II, 152 III

Königreich Jugoslawien 1918 bis 1945
141 II, IV, 150/151 I—II, 152 I, 153 III—VI, 154 VI, 155 II,
156/157 I—III, 160 I, 161 III

Jugoslawien unter Marschall Tito seit 1945
160 II—III, 164/165 I, III, 166/167 I, III, 168, 169 II, 170 I

12. Griechenland / Albanien

Vor- und Frühgeschichte
1 I, III, 2 I—II, 3 I—II, 4 V, VII, 5 I—II, 9 I—III, 10 I—III,
11 I—V, 12 II—III, 17 IV, 18/19 II, IV, 20 IV

Klassisches Griechenland 6. bis 4. Jh. v. Chr.
12 I—II, IV—VII, 13 I—III, 14/15 I, III—V, 16 I—II, 17 I—IV,
18/19 I—IV, 20 I, III—IV

Makedonisch-hellenistische Zeit 4. bis 1. Jh. v. Chr.
12 I, IV, VI, 14/15 III, 17 III—IV, 18/19 I, 20 II, IV,
21 I, III—IV, VI, 22/23 I—V, 24 I, 26/27 I—V

Im Römischen Reich 2. Jh. v. Chr. bis 5. Jh. n. Chr.
12 I, IV, VI—VII, 20 IV, 28 I—II, 29 III—IV, 34/35 I, 38/39 I,
42/43 I—II, 44 I—II, 45 IV, 48 I

Slaweneinbruch und Byzantinisches Reich bis 1204
45 IV—VI, 48 II, 49 I, 50/51, 52 III, 54/55 I, 56 II, 57 I, 61 II, V,
64/65 I, III, 88/89 I

Vom Lateinischen Kaiserreich bis zur türkischen Eroberung von Byzanz 1204 bis 1453
45 VI, 64/65 II, 66 II, 70 II, 71 II—III, 72/73 II, VI, 88/89 I

Unter türkischer Herrschaft 14. bis 19. Jh.
85 III, 71 II—III, 72/73 VI, 86 II, 92/93 I, 98/99 I, 102/103 I,
112 I, 115 II, 116/117 I, 125 I, 126/127 I

Griechenland als unabhängiger Staat 1829 bis 1941
124 III, 126/127 I, 128 II, IV—V, 130/131 I, 132 I, 145 IV—VI,
147, 148 I, 149 I—II, 150/151 I—II, 152 I, 153 III—VI, 154 VI,
155 II

Griechenland seit dem Zweiten Weltkrieg 1941
156/157 I, III, 160 I—II, 161 III, 164/165 I, III, 166/167 II—III,
168, 170 I

13. Bulgarien

Vorgeschichte
1 I, III, 2 I—II, 3 I—II, 4 V, 5 I—II, 11 II, 14/15 I, 16 II, 20 I—II, 22/23 I, 24 I, 26/27 I, 28 I—II

Bulgarien unter römischer Herrschaft 1. bis 6. Jh.
29 IV, 34/35 I, 38/39 I, 42/43 I—II, 44 I—II, 48 I—II, 49 I

Germanen- und Slaweneinbrüche im 4. bis 6. Jh.
48 I—II, 49 I, 50/51, 52 III

Das Bulgarenreich des 9. bis 10. Jh.
52 III, 54/55 I, 56 II, 57 I

Bulgarien unter Byzanz 10. bis 13. Jh.
61 II, V, 64/65 I, III

Das Bulgarenreich des 13. Jh.
64/65 II, 66 II, 67 III, 70 II, 72/73 II, 88/89 I

Bulgarien unter türkischer Herrschaft 14. Jh. bis 1878
71 II—III, 72/73 VI, 85 III, 92/93 I, 102/103 I, 112 I, 116/117 I, 119, 124 III, 125 I, 126/127 I

Bulgariens Aufstieg zum unabhängigen Königtum 1878 bis 1914
128 V, 130/131 I, 134 II, 145 III—VI, 147, 159 I

Bulgarien in der Zeit der Weltkriege 1914 bis 1945
148 I, 149 I—III, 150/151 I—II, 152 I, III, 153 III—VI, 154 VI, 155 II, 156/157 I—III, 160 I, 161 III

Bulgarien seit 1945
159 II, 160 II—III, 164/165 I, III, 166/167 I—III, 168

14. Rumänien (Moldau, Walachei, Siebenbürgen, Banat vgl. bei 10. Ungarn)

Vorgeschichte
1 I, III, 2 I—II, 3 I—II, 4 V, 5 I—II, 14/15 I, 22/23 I, 24 I, 26/27 I, 28 I—II, 34/35 I, 38/39 I

Völkerwanderungen 1. bis 13. Jh.
34/35 I, 42/43 I—II, 44 I—II, 48 I—II, 49 I, 50/51, 52 III, 54/55 I, 56 II, 57 I, 61 II, V, 64/65 I—III, 66 II, 67 II
72/73 II—III

Die Fürstentümer Moldau und Walachei im 13. bis 14. Jh.
70 II, 71 I—III, 72/73 VI, 88/89 I

Tributärfürstentümer der Osmanen 1396 bis 1878
71 II—III, 75, 85 III, 88/89 I, 92/93 I, 98/99 I, 102/103 I, 112 I—II, 113, 115 I, 116/117 I, 119, 124 III, 125 I, 126/127 I, 128 V, 130/131 I

Rumänien 1878 bis 1914
130/131 I, 134 II, 145 III—VI, 147, 159 I

Rumänien in der Zeit der Weltkriege 1914 bis 1945
141 IV, 148 I, 149 I—III, 150/151 I—II, 152 I, III, 153 III—V, 154 VI, 155 II, 156/157 I—III, 160 I, 161 III

Rumänien seit 1945
159 II, 160 II, III, 164/165 I, III, 166/167 I—III, 168

15. Tschechoslowakei (Böhmen, Mähren), Slowakei s. 10. Ungarn

Vorgeschichte
1 I, III—V, 2 I—II, 3 I—II, 4 V, 5 I—II, 14/15 I, 24 I, 34/35 I, 36,• 41 I

Die Zeit der Völkerwanderungen 3. bis 9. Jh.
42/43 I—II, 48 I—II, 49 I, III, 50/51, 52 III, 54/55 I, 56 II, 57 I, 59 II

Böhmen-Mähren während der Kaiserzeit vom 10. bis 13. Jh.
52 III, 58/59 I, III, 60 I, 61 II, 64/65 I—II, 66 I—II, 67 I—III, 74 I, III, 75, 78 V, 86 I, 87 I—II, 88/89 I—III

Böhmen-Mähren von der Herrschaft der Luxemburger (1310) bis 15. Jh.
68/69 I, 70 I—II, 71 III, 75, 78 V, 82 I, 83 V, 84 I—II, 85 III, 86 I—II, 88/89 I—III, 91 I—V, 92/93 I—II, 106/107 III

Böhmen-Mähren unter den Habsburgern 1526 bis 1804
86 I, 96/97 I, 102/103 I, 104 II, 105 I, 106/107 I—III, 108 I—II, 113, 115 I, 116/117 I, III, 122/123 I

Böhmen und Mähren unter den Habsburgern 19. Jh. bis 1918
124 I, III, 125 I, 126/127 I, III, 128 II—V, 129 II, 130/131 I, 141 I, III, 144 I, 145 III, IV, 147, 148 I, 159 I

Die Tschechoslowakei 1918 bis 1938
141 II, IV, 148 I, 150/151 I—II, 152 I—II, 153 III—IV, 154 VI, 155 II

Das NS-Protektorat Böhmen-Mähren 1938 bis 1945
154 VI, 155 I—II, 156/157 I, III, 160 I, 161 III

Die Tschechoslowakei seit 1945
159 II, 160 II—III, 164/165 I, III, 166/167 I—III, 168, 170 I

16. Polen

Vorgeschichte
1 I, III—V, 2 I—II, 3 I—II, 4 IV—V, 5 I—II, 14/15 I, 24 I, 34/35 I, 41 I, 42/43 I—II

Einwanderung slawischer Stämme 4. bis 9. Jh.
48 I—II, 49 I, 50/51, 52 III, 54/55 I, 56 II, 57 I

Der polnsiche Staat bis zur Union mit Litauen 10. Jh. bis 1386
58/59 I, 60 I, 61 I—II, V, 64/65 I—II, VII, 66 I—II, 67 III, 68/69 I—II, 70 I, 71 I, 72/73 II, 74 I, III, 75, 79 VII, 84 I, 86 I, 87 II, 88/89 I—III, 91 I, IV—V

Polen-Litauen als Großmacht 1386 bis zur Real-Union von Lublin 1569
68/69 I, 71 I—III, 72/73 VI, 75, 82 I, 83 V, 84 II, 85 III, 86 I—II, 88/89 I, 91 IV, 92/93 I—II, 96/97 I

Polen-Litauen von 1569 bis 17. Jh.
102/103 I, 104 II, IV, 105 I—II, 106/107 I, III, 108 I, 112 I, 113

Die polnischen Teilungen des 18. Jh.
74 III, 108 II, 115 I—II, 116/117 I, III, 119, 122/123 I, 170 III

Polen unter fremder Herrschaft 1795 bis 1918
121 VII, 124 I, III, 125 I—II, 126/127 I, 128 II, IV—V, 129 II, 130/131 I, 141 I, III, 144 I, 145 I, III IV, 147, 148 I, 149 II, 159 I, 170 III

Polen als Republik 1918 bis 1939
141 II, IV, 149 I, III, 150/151 I—II, 152 I—II, 153 III—IV, 154 VI, 155 II, 170 III

Polen im Zweiten Weltkriege 1939 bis 1945
154 VI, 155 I—II, 156/157 I—III, 160 I, 161 III

Polen seit 1945
159 II, 160 II—III, 161 IV, VI—VII, 164/165 I, III, 166/167 I—III, 168, 170 III

17. Litauen

Vor- und Frühgeschichte bis ins 13. Jh.
1 III, V, 2 I—II, 4 V, 5 I—II, 34/35 I, 41 I, 48 I, 49 I, 50/51, 54/55 I, 57 I, 60 I, 61 V, 66 II

Litauen als Großmacht 13. bis 16. Jh.
67 III, 68/69 II, 71 I, III, 74 II, 75, 84 I—II, 88/89 I, 92/93 I, 96/97 I, 98/99 I, 102/103 I, 104 II, IV, 105 I, 113

Polen-Litauens Untergang 17. bis 18. Jh.
106/107 I, III, 108 I—II, 113, 115 I, 116/117 I

Litauen unter russischer Herrschaft 1795 bis 1917
116/117 I, 119, 124 I, III, 125 I, 126/127 I, 141 I, III, 144 I, 147, 148 I, 149 I—II, 159 I

Litauen als unabhängiger Staat 1918 bis 1940
141 II, IV, 149 I—III, 150/151 I—II, 152 I—II, 153 III—IV, 154 VI, 155 II

Litauen im Zweiten Weltkrieg und unter bolschewistischer Herrschaft seit 1940
155 I—II, 156/157 I, III, 159 II, 160 I—III, 164/165 I

18. Lettland (Livland und Kurland)

Vor- und Frühgeschichte
1 V, 2 I—II, 5 I—II, 41 I, 48 I, 49 I, 50/51, 54/55 I, 57 I, 60 I, 61 V

Unter der Herrschaft des Deutschen Ordens 13. Jh. bis 1561
66 II, 68 II, 71 I, III, 74 II, 75, 84 I—II, 88/89 I, 91 IV, 92/93 I

Unter polnischer und schwedischer Herrschaft 1561 bis 1795
102/103 I, 104 II, IV, 108 II, 113, 116/117 I, 119

Unter russischer Herrschaft 1721/95 bis 1917
116/117 I, 119, 124 III, 125 I, 126/127 I, 144 I, 147, 148 I, 159 I

Lettland als unabhängiger Staat 1918 bis 1940
149 I—III, 150/151 I—II, 152 I, 153 III—IV, 154 VI

Lettland im Zweiten Weltkrieg und unter bolschewistischer Herrschaft seit 1940
155 II, 156/157 I, III, 159 II, 160 I—II, 164/165 I

19. Estland

Vor- und Frühgeschichte
2 I—II, 5 I—II, 48 I, 49 II, 50/51, 57 I, 60 I, 61 V
Unter Dänemark und dem Deutschen Orden 13. bis 16. Jh.
66 II, 68 II, 71 I, III, 74 II, 75, 84 I—II, 88/89 I, 91 III—IV, 92/93 I
Unter schwedischer Herrschaft 1561 bis 1721
102/103 I, 104 IV, 113
Unter russischer Herrschaft 1721 bis 1917
116/117 I, 119, 124 III, 125 I, 126/127 I, 144 I, 147, 148 I, 159 I
Estland als unabhängiger Staat 1918 bis 1940
149 I, III, 150/151 I—II, 152 I, 153 III—IV, 154 VI
Estland im Zweiten Weltkrieg und unter bolschewistischer Herrschaft
155 II, 156/157 I, III, 159 II, 160 I—II, IV, 164/165 I

20 a. Rußland

(Siehe auch 20 b. Sowjetunion und 40. Russisch-Asien)

Vorgeschichte
1 I, III, 2 I—II, 3 I—II, 4 III, V, 5 I—II, 14/15 I, 24 I, 34/35 I, 42/43 I—II, 44 II
Der Schwarzmeerraum im Altertum 8. Jh. v. Chr. bis 4. Jh. n. Chr.
11 II, 14/15 I, 16 II, 20 I, 22/23 I, 24 I, 26/27 I, 28 II, 29 III—IV, 34/35 I, 38/39 I, 42/43 I—II, 44 I—II
Die Ausbreitung der Slawen 4. bis 9. Jh.
48 I—II, 49 I, 50/51
Das Kiewer Reich 9.—13. Jh.
52 III, 54/55 I, 57 I, 61 II, V, 64/65 I—III, 66 II, 88/89 I
Rußland unter tatarischer Oberhoheit 1237 bis 1480
67 III, 68/69 II, 70 II, 71 I, III, 72/73 II—III, VI, 75, 78 VI, 84 I—II, 85 III, 88/89 I
Der Moskauer Staat 1480 bis 1700
75, 92/93 I, 98/99 I, 102/103 I, 104 IV, 105 II, IV, 108 I, 112 I, 113, 144 I
Russen in Sibirien und Turkestan 16. bis 19. Jh.
98/99 I, 100/101 I, 105 III, 115 II, 119, 125 II, 132 I, 134 I—II, 136 I, 138/139 VI, 159 I
vgl. auch 40. Russisch-Asien.
Rußland seit Peter d. Gr. im 18. Jh.
108 II, 109 III, 115 I—II, 116/117 I, 119
Russen in Alaska
125 II, 133 I
Rußland 1795 bis 1917
124 I, III, 125 I—II, 126/127 I—II, 128 II, IV—V, 130/131 I, 132 I, 133 I, 134 I—II, 136 I, III, 137 I, 138/139 VI, 140 IV, 145 III—VI, 147, 159 I
Weltkriege und UdSSR siehe 20 b. Sowjetunion.

20 b. Sowjetunion

(Siehe auch 20 a. Rußland und 40. Russisch-Asien)

Erster Weltkrieg, bolschewistische Revolution und Bürgerkrieg 1917 bis 1922
148 I, III, 149 I—IV, 150/151 I, 152 III, 153 VI
UdSSR 1922 bis 1941
150/151 I—II, 152 I, III, 153 III—IV, 154 III, VI, 155 II
Die UdSSR im Zweiten Weltkrieg 1941 bis 1945
155 I—II, 156/157 I—III, 158 I—II, 160 I, 161 III
Die UdSSR als Weltmacht seit 1945
158 III, 159 II, 160 II—IV, 161 IV, 162 I—II, 163 II, 164/165 I—III, 166/167 I—III, 168

21. Finnland

Vorgeschichte bis 12. Jh.
1 I, 2 I—II, 5 I—II, 50/51, 57 I, 60 I, 61 V, 88/89 I
Finnland unter schwedischer Herrschaft 13. Jh. bis 1809
66 II, 68/69 II, 74 II, 75, 84 I—II, 92/93 I, 102/103 I, 104 IV, 105 II, 113, 116/117 I, 119, 159 I
Finnland unter russischer Herrschaft 1809 bis 1917
116/117 I, 119, 125 I—II, 126/127 I, 144 I, 145 IV, 147
Die Republik Finnland 1917 bis 1939
148 I, 149 I—III, 150/151 I—II, 152 I, 153 IV, 154 VI, 155 II
Finnland im Zweiten Weltkrieg 1939 bis 1945
155 II, 156/157 I—III, 160 I, 161 III
Finnland seit 1945
159 II, 160 II, IV, 164/165 I, III, 166/167 III, 168, 170 I

22. Schweden

Vorgeschichte
1 I, III, V, 2 I—II, 4 V, 5 I—II, 24 I, 41 I
Völkerwanderung und Wikingerzeit 4. bis 13. Jh.
48 I, 49 I, 50/51, 52 III, 54/55 I, 56 I, 57 I, 60 I, 87 II, 88/89 I, 61 I, V, 68/69 II
Schweden vom 13. bis 15. Jh.
66 II, 67 II, 68/69 II, 71 III, 74 II, 75, 84 I—II, 91 II, IV—V, 92/93 I
Schweden als Großmacht 16. bis 18. Jh.
96/97 I, 102/103 I, 104 II, IV, 105 II, 106/107 I, 108 I—II, 110, 113, 115 II, 116/117 I, III, 119, 122/123 I
Schwedische Kolonien
111 I
Schweden im 19. Jh. bis zur Auflösung der Union mit Norwegen 1905
124 I, III, 125 I, 126/127 I, 128 II, IV—V, 141 I, 144 I, 147, 159 I
Schweden im 20. Jh.
141 II, 147, 148 I, 149 II, 150/151 I—II, 152 I, 153 IV, 154 VI, 155 II, 156/157 I—III, 159 II, 160 I, 164/165 I, III, 166/167 III, 168, 170

23. Dänemark

Vorgeschichte
1 I, III—V, 2 I—II, 3 II, 4 V, 5 I—II, 24 I, 34/35 I, 36, 41 I, 42/43 I—II
Völkerwanderung und Wikingerzeit 4. bis 10. Jh.
48 I, 49 I, 50/51, 52 III, 53 II, 54/55 I, III, 56 I, 57 I, 60 II—IV
Christliches Königreich im Mittelalter 10. bis 15. Jh.
58/59 I, 60 I, IV, 61 I, III—IV, 66 I—II, 67 II, 68/69 I—II, 70 I, 71 I, III, 74 III, 75, 83 I—II, 84 I—II, 87 II, 88/89 I—II, 91 I, II, IV—V, 92/93 I
Vom 16. bis 18. Jh.
90 II, 96/97 I, 102/103 I, 104 II, IV, 105 I, 106/107 I, 108 I—II, 110, 113, 116/117 I, III, 122/123 I
Das 19. Jh.
124 I, 125 I, 126/127 I, 128 II, IV—V, 129 I—II, 141 I, 144 I
Das 20. Jh. bis zum Zweiten Weltkrieg
141 II, 147, 148 I, 149 II, 150/151 I—II, 152 I—II, 153 IV, 154 VI, 155 II, 159 I
Dänemark im Zweiten Weltkrieg
155 II, 156/157 I—III, 160 I
Dänemark seit 1945
159 II, 164/165 I, III, 166 II—III, 168, 170 I
Dänen in Übersee
57 I—II, 58/59 I, 60 I, 111 I—II, 115 II, 116/117 IV, 118 III, 125 II, 133 I, 135 I, 147, 149 II, 156/157 I—II, 164/165 I—II

24. Norwegen

Vorgeschichte
1 I, V, 2 II, 5 I—II, 24 I
Völkerwanderung, Wikingerzeit und nationales Königtum 4. bis 14. Jh.
48 I, 49 I, 50/51, 52 III, 57 I, 60 I, 61 I, 66 II, 71 III, 84 I, 87 II, 88/89 I, 90 I, 91 IV
Norwegische Wikinger in Übersee 8. bis 10. Jh. (siehe auch 25. Island)
50/51, 54/55 I, 57 I—II, 58/59 I, 60 I, 61 I
Norwegen unter dänischer Herrschaft 1397 bis 1814
71 III, 84 II, 91 IV, 92/93 I, 102/103 I, 108 II, 110, 113, 116/117 I, 119, 125 I
Personalunion mit Schweden 1814 bis 1905
126/127 I, 128 II, IV—V, 144 I, 147, 159 I
Unabhängiges Königreich 1905 bis 1940
147, 148 I, 149 II, 150/151 I—II, 152 I, 153 IV, 154 VI, 155 II
Norwegen im Zweiten Weltkrieg 1940 bis 1945
155 II, 156/157 I—III, 161 III
Norwegen seit 1945
159 II, 160 IV, 164/165 I—III, 166/167 II—III, 168, 170 I

25. Island

Frühgeschichte 9. bis 12. Jh.
57 I, III, 60 I, 61 I, 88/89 I
Island unter dänischer Herrschaft 1397 bis 1918
84 II, 115 II, 125 II, 133 I, 147
Island als selbständige Republik seit 1918
149 II, 150/151 I, 152 I, 156/157 I—II, 164/165 I—III, 166/167 II—III, 168, 170 I—II

A F R I K A

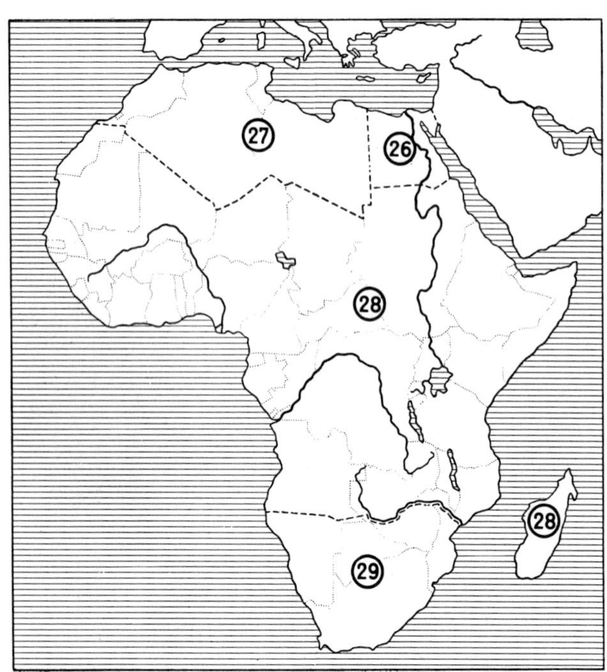

26. Ägypten

Vorgeschichte
1 I, III

Reiche der ägyptischen Hochkultur 3. bis 1. Jahrtausend v. Chr.
3 I—II, 4 V, 6 I, 7 II, IV—V, 8 II, 9 I, III

Ägypten unter persischer und hellenistischer Herrschaft
6. bis 1. Jh. v. Chr.
11 II, 14/15 I, 16 II, 20 I, 22/23 I—II, 26/27 I, V, 28 II, 29 II—IV, 46/47 I

Ägypten im Römischen Reich 1. Jh. v. Chr. bis 7. Jh. n. Chr.
34/35 I, 38/39 I, 42/43 I—II, 44 I—II, 46/47 III, 48 I, 49 I, 50/51

Ägypten im Mittelalter unter islamischer Herrschaft 7. bis 16. Jh.
50/51, 52 III, 64/65 I—III, 72/73 II—III, VI, 85 III,
98/99 I, III—IV, 100/101 I

Ägypten im Osmanischen Reiche 1517 bis 1882
111 II, 112 I, 115 II, 125 I—II, 130/131 I, 138, 139 IV, 144 I

Ägypten unter britischem Protektorat 1882 bis 1936
132 I—IV, 134 II, 138/139 I, III—IV, 146 I, 148 III, 149 II,
150/151 I, 153 VI

Ägypten als unabhängiger Staat seit 1936
152 I, 156/157 I, 162 III—IV, 163 II, 164/165 I, III, 166/167 I, 168,
169 I—IV, 170 I

27. Afrika nördlich der Sahara (Marokko, Algerien, Tunesien, Libyen)

Vorgeschichte
1 I, III, 2 I, 3 I—II, 5 II, 9 I, III

Von der phönikischen Kolonisation bis zum Untergang Karthagos
ca. 1000 bis 146 v. Chr.
11 II, 14/15 I, 16 II, 20 I, 21 II, 22/23 /, 26/27 I—II

Unter römischer Herrschaft 146 v. Chr. bis 697 n. Chr.
21 II, 28 I—II, IV, 29 II—IV, 32 VI, 34/35 I, III, 38/39 I—II,
42/43 I—II, 44 I—II, 48 I—II, 49 I, 50/51

Wandalenreich 429 bis 533
48 I—II

Islamische Reiche 697 bis zum Zerfall des Almohadenreiches (13. Jh.)
50/51, 52 III, 54/55 I, 57 I, 64/65 I—III, 66 II

Islamische Reiche vom 14. Jh. bis 1830
70 II, 71 III, 85 III, 88/89 I, 92/93 I, 98/99 IV, 100/101 I,
102/103 I, 111 I, 112 I, 116/117 I, 125 I, 126/127 I, 144 I

Von der Besetzung durch Europäer bis zum Zweiten Weltkrieg
1830 bis 1945
130/131 I, 132 I—IV, 138/139 I, III, 145 III—IV, 146 I, 147, 149 II,
150/151 I, 152 I, 153 III, VI, 154 V, VI, 156/157 I—II

Unabhängige Staaten nach dem Zweiten Weltkrieg
162 III, 163 III, 164/165 I, III, 166/167 I, 168, 169 I—IV, 170 I—II

28. Afrika zwischen Sahara und Sambesi

Vorgeschichte
1 I, 34/35 I, 42/43 I, 52 III, 72/73 II, 98/99 IV

Europäische Entdeckungsreisen und Kolonialgründungen 15. bis 18. Jh.
98/99 I, IV, 100/101 I, 111 I—II, 115 II, 125 II, 144 I

Europäischer Imperialismus vom 19. Jh. bis 1914
132 I—IV, 138/139 I, III, 144 I, 146 I

Afrika in der Zeit der Weltkriege 1914 bis 1945
146 I, 149 II, 152 I, 153 VI, 154 IV, 157 II

Unabhängige Staaten nach dem Zweiten Weltkriege
162 III, 163 IV, 164/165 I, III, 166/167 I, III, 168, 169 I—IV,
170 I—II

29. Südafrika (mit Madagaskar)

Vorgeschichte
1 I

Europäische Entdeckungsreisen und Festsetzung der Niederländer
15. Jh. bis 1795
98/99 IV, 100/101 I, 111 II, 125 II

Südafrika im Britischen Empire und Commonwealth 1795 bis 1961
125 II, 132 I—IV, 138/139 I—II, 144 V, 146 I, 149 II, 152 I, 162 III

Südafrika als unabhängige Republik seit 1961
162 III, 164/165 I, III, 166/167 I, 168, 170 I—II

A S I E N

30. Türkei

Vor- und Frühgeschichte Kleinasiens
1 I, III, 2 I—II, 3 I—II, 4 V, 5 I—II, 7 VIII, 8 I—II, 9 I—III

Griechische Besiedlung und Perserreich in Kleinasien
ca. 1500 bis 334 v. Chr.
8 I, 9 I—III, 10 II, 11 I—II, 13 III, 14/15 I, V, 16 I—II, 18/19 I, V,
20 I—III, 21 VI, 22/23 III, 24 I

Kleinasien von der Eroberung durch Alexander (334 v. Chr.)
bis 1. Jh. v. Chr.
22/23 I—II, V, 26/27 I, III—IV, 28 I—II, 29 III—IV

Kleinasien im Römerreich 1. Jh. v. Chr. bis 5. Jh. n. Chr.
22/23 V, 28 I—II, 29 III—IV, 34/35 I, 38/39 I, 42/43 I—II, 44 I—II,
46/47 III, 48 I

Kleinasien im Byzantinischen Reich 6. Jh. bis 1453
45 IV, V, 48 II, 49 I, 50/51, 52 III, 54/55 I, 56 II, 57 I, 61 II, V,
64/65 I—IV, 66 II, 70 II, 71 II—III, 72/73 II—III, 88/89 I

Der Türkeneinbruch in Kleinasien 11. bis 14. Jh.
64/65 I—IV, 66 II, 72/73 II—III

Das Osmanische Reich 1326 bis 18. Jh.
70 II, 71 II—III, 72/73 VI, 85 III, 92/93 I, 98/99 I, 102/103 I,
105 II, 112 I, 115 II, 116/117 I, 119, 144 I

Das Osmanische Reich vom 19. Jh. bis 1922
119, 124 III, 125 I—II, 126/127 I, 128 V, 130/131 I, 132 I, 134 I—II,
138/139 I, 145 III—VI, 147, 148 I, III, 149 I—III, 152 III, 153 VI,
159 I

Die Türkische Republik seit 1922
146 I, 150/151 I—II, 152 I, 153 IV—VI, 154 VI, 155 II, 156/157 I,
159 II, 160 II—III, 163 II, 164/165 I, III, 166/167 II—III, 168,
169 I, 170 I

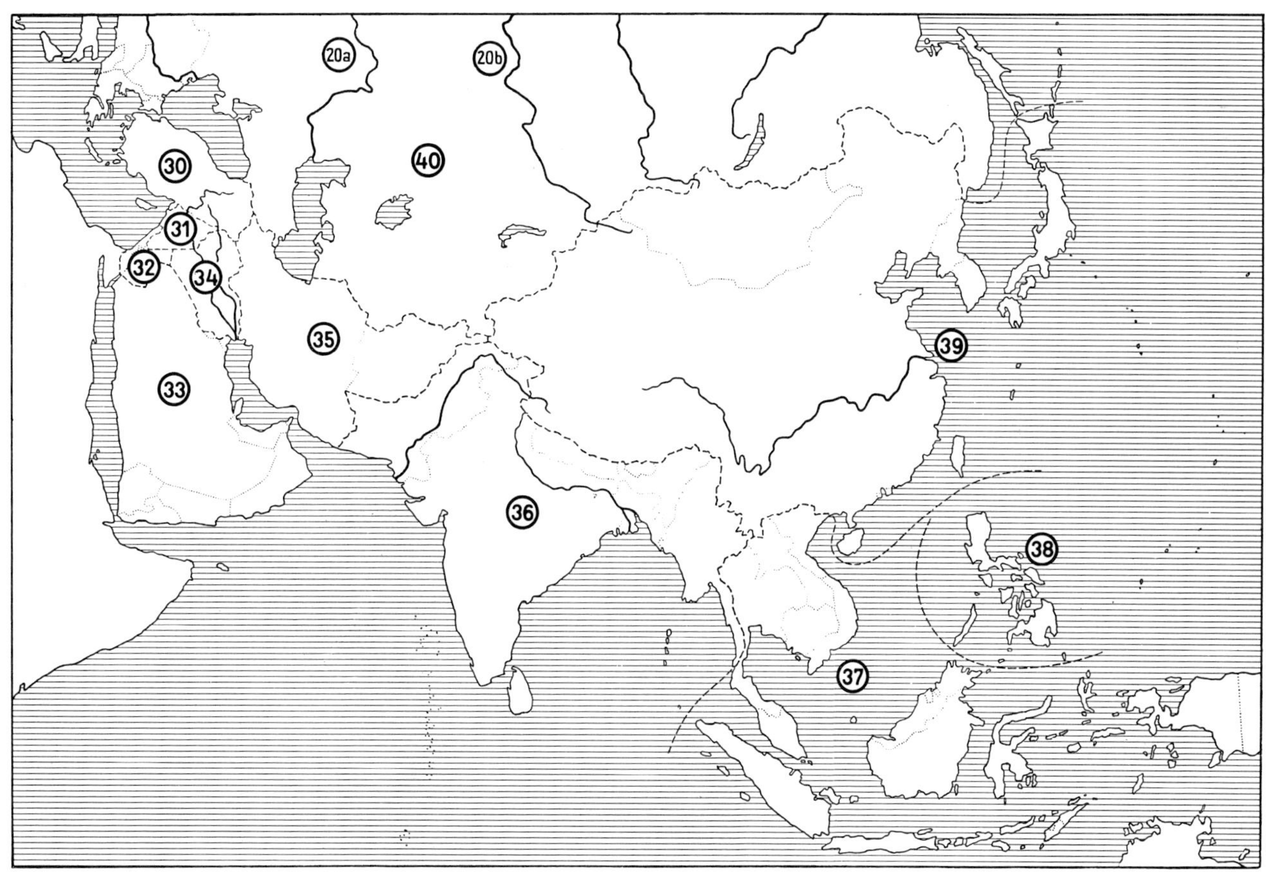

31. Syrien / Libanon

Vor- und Frühgeschichte
1 I, III, 2 I—II, 3 I—II, 5 I—II, 8 I—IV, 9 I—III, 11 II

Syrien unter persischer und hellenistischer Herrschaft 6. bis 1. Jh. v. Chr.
14/15 I, 16 II, 20 I, 22/23 I—III, 26/27 I, IV, 28 I, 29 III, 42/43 VII, 46/47 I

Syrien unter römischer Herrschaft 1. Jh. v. Chr. bis 7. Jh. n. Chr.
28 II, 29 IV, 34/35 I—II, IV, 38/39 I, 41 III, 42/43 I—II, 44 I—II, 46/47 III, 48 I, 49 I, 50/51

Syrien unter islamischer Herrschaft 7. bis 16. Jh.
50/51, 52 III, 57 I, 64/65 I—IV, 70 II, 72/73 II, VI

Kreuzfahrerstaaten 1098 bis 1291
64/65 I—II, IV—VI, 72/73 III

Syrien unter osmanischer Herrschaft 1526 bis 1918
85 III, 98/99 I, 111 II, 112 I, 125 I, 130/131 I, 132 I, 134 II, 144 I, 148 III, 159 I

Syrien als Völkerbundsmandat 1920 bis 1941
146 I, 150/151 I, 152 II, 153 VI, 156/157 I

Syriens unabhängige Staaten seit 1941
156/157 I, 159 II, 162 III, IV, 163 II, 164/165 I, III, 166/167 I, 168, 169 I—II, 170 I

32. Israel (Palästina) / Jordanien

Vorgeschichte
1 I, III, 2 I, 3 I—II, 6 I, 8 II—III, 9 I—II

Das jüdische Volk und seine Staaten
8 III—IV, 9 III, 34/35 II, V

Palästina unter persischer und hellenistischer Herrschaft
539 bis 64 v. Chr.
14/15 I, 16 II, 20 I, 22/23 I—II, 26/27 I, 28 I, 29 II—III, 46/47 I

Palästina unter römischer Herrschaft 64 v. Chr. bis 636 n. Chr.
28 II, 29 IV, 34/35 I—II, V, 38/39 I, 42/43 I—II, VI, 44 I—II, 46/47 III, 48 I, 49 I, 50/51

Palästina unter islamischer Herrschaft im Mittelalter seit 636 n. Chr.
50/51, 52 III, 64/65 I—III, 72/73 VI, 98/99 I

Kreuzfahrerstaaten 1099 bis 1291
64/65 I—II, IV, 72/73 II—III

Palästina unter osmanischer Herrschaft 1516 bis 1918
85 III, 111 II, 112 I, 125 I, 130/131 I, 132 I, 134 II, 144 I, 148 III

Jordanien und Palästina als Völkerbundsmandate 1920 bis 1946/48
146 I, 150/151 I, 152 I, 153 VI, 156/157 I

Jordanien (1946) und Israel (1948) als unabhängige Staaten
156/157 I, 162 III—IV, 163 II, 164/165 I, III, 166/167 I, 168, 169 I, 170 I

33. Arabien

Vorgeschichte
1 I, 3 I—II, 9 I—II

Arabien und seine Nachbarn: Perser, hellenistische Staaten, Römer und Parther 6. Jh. v. Chr. bis 7. Jh. n. Chr.
14/15 I, 22/23 I, 26/27 I, 34/35 I, 42/43 I—II, 44 I, 46/47 I, III, 50/51

Arabien unter dem Islam vom 7. bis 15. Jh. n. Chr.
50/51, 52 III, 64/65 I, III, 72/73 II—III, VI, 98/99 IV

Arabien seit der Zeit der europäischen Entdeckungsreisen 15. bis 18. Jh.
98/99 I, 100/101 I, 111 II, 115 II, 144 I

Arabien im 19. Jh.
130/131 I, 132 I, 134 II, 138/139 I, III

Arabien im 20. Jh. bis 1945
134 II, 146 I, 148 III, 149 II, 150/151 I, 152 I, 153 VI, 156/157 I, 159 I, 162 III

Arabien nach 1945
159 II, 162 III, 163 II, 164/165 I, III, 166/167 I, 168, 169 I—II, 170 I—II

34. Irak (Mesopotamien)

Vorgeschichte
1 I, 2 I—II

Mesopotamische Hochkulturen und Reiche 3. Jahrtausend bis 6. Jh. v. Chr.
3 I—II, 5 II, 6 II—IV, 7 I, III, VII, 8 II, 9 I, III

Mesopotamien unter persischer und hellenistischer Herrschaft
6. Jh. v. Chr. bis 2. Jh. n. Chr.
14/15 I, 22/23 I—III, 26/27 I, IV, 28 I

Mesopotamien unter parthischer und sassanidischer Herrschaft
1. Jh. v. Chr. bis 7. Jh. n. Chr.
28 II, 29 I—II, 34/35 I, 38/39 I, 41 III, 42/43 I—II, VII, 44 I—II, 46/47 I, III, 48 I, 49 I, 50/51

Mesopotamien unter islamischer Herrschaft 7. bis 15. Jh.
50/51, 52 III, 57 I, 64/65 III, 72/73 II—IV

Mesopotamien unter osmanischer Herrschaft 16. Jh. bis 1918
98/99 I, 111 II, 112 I, 132 I, 134 II, 138/139 I, 148 III, 159 I

Mesopotamien als Völkerbundsmandat 1920 bis 1932
146 I, 150/151 I, 153 VI

Irak seit 1932
150/151 I, 152 I, 156/157 I, 159 II, 162 III, 163 II, 164/165 I, III, 166/167 I, 168, 169 I—II, 170 I—II

35. Iran (Persien) / Afghanistan

Vorgeschichte
1 I, 3 I—II, 8 II, 9 I, III

Iran unter persischer und hellenistischer Herrschaft 6. Jh. v. Chr. bis um 200 v. Chr.
14/15 I—II, 22/23 I—II, 26/27 I, 46/47 II

Iran im Parther- und Sassanidenreich 250 v. Chr. bis 633/51 n. Chr.
34/35 I, 42/43 I, 46/47 I—III, 50/51

Iran unter islamischer Herrschaft 7. bis 16. Jh.
50/51, 52 III, 64/65 III, 72/73 II—VI, 98/99 I, 100/101 I, 112 I

Persien im 17. und 18. Jh.
98/99 I, 111 II, 115 II, 116/117 IV, 119, 125 II

Persien im 19. Jh. bis 1935
132 I, 134 I—II, 135 I, 137 III, 144 I, 146 I, 148 III, 149 II, 152 I, 159 I, 153 VI

Iran seit 1935
150/151 I, 159 II, 162 II—III, 163 I—II, 164/165 I, III, 166/167 II, 168, 169 I—II, 170 I

36. Indien / Sri Lanka (Ceylon) / Pakistan / Nepal

Vorgeschichte
1 I, 3 I—II, 7 VI

Indien im Altertum 6. Jh. v. Chr. bis 6. Jh. n. Chr.
14/15 I, 21 III, 22/23 I, 26/27 I, 46/47 I—III, 72/73 IV

Indien im Mittelalter 7. bis 14. Jh.
46/47 IV, 50/51, 52 III, 64/65 III, 72/73 I—VI

Das Mogulreich und die Entdeckungsfahrten der Europäer 15. bis 17. Jh.
98/99 I, 100/101 I, 111 II, 116/117 IV

Indien unter britischer Herrschaft 18. Jh. bis 1947
115 II, 116/117 IV, 125 II, 132 I, 134 II, 135 I, 136 I, 137 III, 138/139 I, 144 I, 149 II, 152 I, 158 I—II, 159 I

Unabhängige Staaten des Subkontinents seit 1947
159 II, 162 II, 163 I, 164/165 I, III, 166/167 I—II, 168, 169 I—II, 170 I—II

37. Hinterindische Staaten / Indonesien

Vorgeschichte
1 I

Die Zeit vom 1. bis 12. Jh. n. Chr.
46/47 I, III—IV, 52 III, 72/73 I, IV

Reiche des 13. bis 16. Jh.
72/73 I—II, IV—V, 98/99 I

Entstehung europäischer Kolonien 16. bis 18. Jh.
98/99 I, 100/101 V, VIII, 111 II, 115 II, 135 II

Die Zeit des europäischen Imperialismus vom 19. Jh. bis 1941
125 II, 135 I—II, 136 I—II, 137 I—III, 138/139 I, V, 144 I, 149 II, 152 I

Die Erringung der Unabhängigkeit seit 1941
158 I—II, 162 I—II, 163 I, 164/165 I, III, 166/167 I—II, 168, 169 I—II, 170 I—II

38. Philippinen

Spanische Kolonialzeit 16. bis 19. Jh.
98/99 I, 100/101 I, VIII, 111 II, 115 II, 125 II

Protektorat der USA 1898 bis 1946
137 I, III, 144 I, 149 II, 158 I—II, 162 I

Unabhängiger Staat seit 1946
162 II, 164/165 I, III, 166/167 II, 168, 169 I, 170 I

39. Ostasiatische Staaten (China, Japan, Korea, Mongolei)

Vorgeschichte
1 I, 3 III

Reiche des 11. bis 2. Jh. v. Chr.
3 III—V

Reiche des 1. Jh. v. Chr. bis 13. Jh. n. Chr.
46/47 I—IV, 72/73 I, IV

Reiche des 13. bis 18. Jh.
72/73 II, 98/99 I—II, 100/101 I, 111 II, 135 I

Die Auseinandersetzung mit den europäischen Großmächten 19. Jh. bis 1941
136 I—III, 137 I, III, 138/139 I, VI, 144 I, 149 II, IV, 152 I, 154 III, 159 I, 162 I

Der Zweite Weltkrieg (seit 1941) und seine Folgen
158 I—III, 159 II, 161 III, 162 I—II, 163 I, 164/165 I, III, 166/167 I—III, 168, 169 I, 170 I

40. Russisch-Asien (Sibirien, Turkestan)
(Siehe auch 20 a. Rußland und 20 b. Sowjetunion)

Vorgeschichte
1 I, 3 I—II

Turkestan im Altertum 6. Jh. v. Chr. bis 6. Jh. n. Chr.
14/15 I, 22/23 I, 26/27 I, 46/47 I—III

Vordringen des Islam in Innerasien 7. bis 11. Jh.
50/51, 52 III, 64/65 III, 72/73 III

Mongolenzeit 13. Jh. bis 14. Jh.
72/73 I—II, VI

Innerasien im 15./16. Jh.
98/99 I

Russisch-Asien 16. Jh. bis 1917
100/101 I, 105 III, 115 II, 119, 125 II, 134 II, 135 I, 136 I, III, 137 I, 138/139 VI, 149 II, 159 I

Russisch-Asien seit der bolschewistischen Revolution 1917
149 II, IV, 154 III, 158 I—III, 159 II, 162 I—II, 163 II, 164/165 I—III, 166/167 I—III, 168

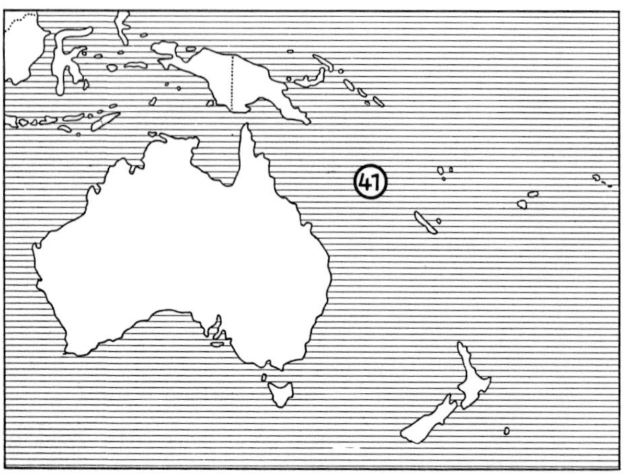

AUSTRALIEN / OZEANIEN

41. Australien, Neuseeland, Ozeanien

Vorgeschichte
1 I

Entdeckungszeit 16. bis 19. Jh.
100/101 I, VIII, 125 II, 137 I—II, 138/139 I

Das 20. Jahrhundert
137 I—II, 138/139 I, 149 II, 152 I, 158 I—II, 164/165 I, III, IV, 166/167 I—II, 168, 170 I—II

A M E R I K A

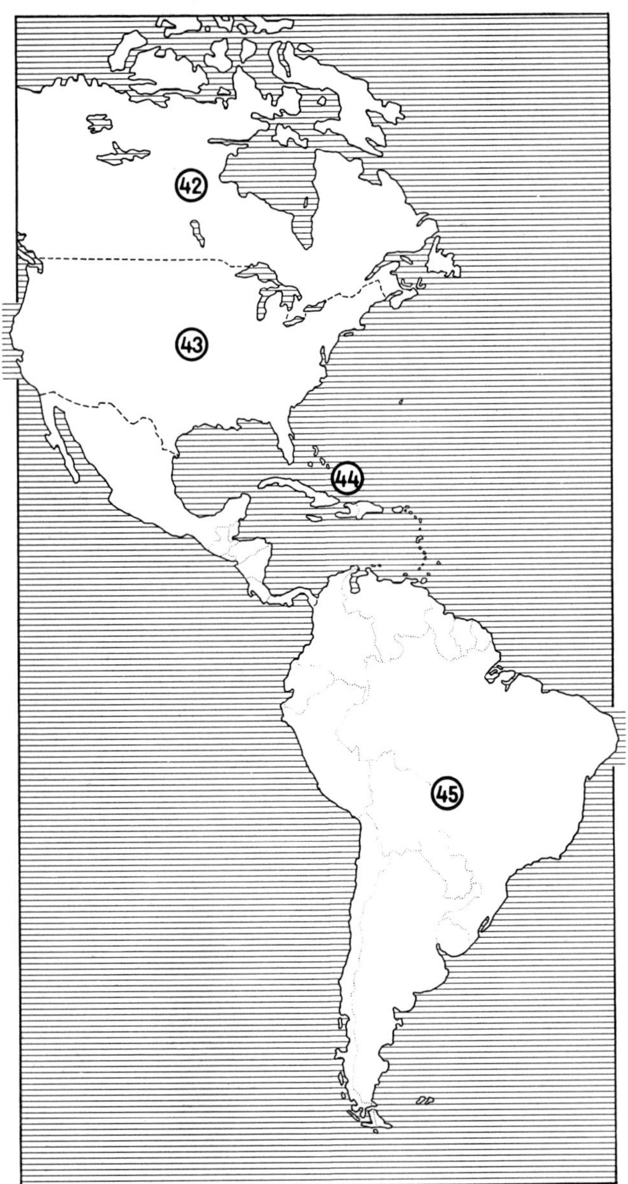

42. Kanada

Vor- und Frühgeschichte
1 I, 100/101 I
Die französische und englische Kolonisation bis 1867
111 I, 115 II, 116/117 II, 118 I, 125 II, 144 I
Kanada als britisches Dominion seit 1867
133 I, III, 137 I, 138/139 I, 149 II, 152 I, III
Das Dominion Kanada seit 1939
157 II, 158 I—II, 164/165 I—III, 166/167 I—III, 168, 170 I

43. Die USA

Vor- und Frühgeschichte bis 16. Jh.
1 I, 100/101 I
Europäische Kolonien auf dem Boden der USA bis 1776
111 I, 115 II, 117 II, 118 I—III
Entstehung und Wachstum der USA 1776 bis 1917
118 I, 125 II, 133 I, III, 137 I, 138/139 I, 143 III, 144 I—IV
Die USA in der Zeit der Weltkriege 1917 bis 1945
144 IV, 149 II, 152 I, III, 156/157 II, 158 I—II, 161 III
Die USA seit 1945
143 IV, 144 III, 164/165 I—IV, 166/167 I—III, 168, 170 I—II

44. Mexiko, Mittelamerika und die Inseln im Karibischen Meer

Vorgeschichte, Indianerreiche und europäische Entdeckungsreisen
1 I, 100/101 I—II, IV—VII
Zeit der europäischen Kolonialreiche 16. bis 18. Jh.
111, I, 115 II, 116/117 II, 118 III, 125 II, 144 I
Mittelamerikanische Staaten und Kolonien im 19. Jh.
125 II, 133 I—II, 138/139 I
Mittelamerika im 20. Jh.
144 II, 149 II, 152 I, 157 II, 164/165 I, III, 166/167 I—III, 168, 170 I—II

45. Südamerika

Vorgeschichte
100/101 I, III, VII
Die Zeit der europäischen Kolonialreiche 16. bis 18. Jh.
111, I, 115 II, 118 III, 125 II, 144 I
Südamerikas Staaten im 19. Jh.
125 II, 133 I—II, 138/139 I
Südamerikas Staaten im 20. Jh.
149 II, 152 I, 156/157 II, 164/165 I, III—IV, 166/167 I—III, 168, 170 I—II

NAMENVERZEICHNIS

Anmerkungen zur Benutzung:

Zum Auffinden der Namen sind die Karten mit Seitenzahlen versehen. Befinden sich mehrere Karten auf einer Atlasseite, trägt jede Karte zusätzlich eine römische Ziffer (rote Zahl im roten Kreis). An den oberen und unteren Kartenrändern sind die Gradfelder mit roten Buchstaben, an den beiden Seitenrändern mit roten Zahlen bezeichnet. Danach sind z. B. zu finden:

Domburg, O. 36 C 2 auf Seite 36 im Gradfeld C 2,

Braunschweig, O. 58/59 V B 1 auf der Doppelseite 58/59, Karte V im Gradfeld B 1.

Die auf den Karten abgekürzten Namen sind im Verzeichnis voll ausgeschrieben. Aufgenommen sind alle im Atlas vorkommenden Namen. Für häufig wiederkehrende Namen mußte eine Auswahl der Kartennennungen vorgenommen werden. Diese erfolgte nach verschiedenen Gesichtspunkten: Der Name ist a) der Karte des größten Maßstabs entnommen, b) Erstnennung im Atlas, c) Hinweis auf wichtige Ereignisse, d) eine Neugründung, e) auf Grund der politischen, wirtschaftlichen oder kulturgeschichtlichen Entwicklung aus bestimmten Karten aufgenommen usw.

Die Auswahl ist ferner so erfolgt, daß der Name mit mindestens je einem Hinweis im Teil Altertum, Mittelalter oder Neuzeit vorkommt. Der Benutzer kann dadurch jeden Namen auf Karten, die im Atlas nach dem jeweiligen Hinweis stehen, leicht selbst verfolgen. Für die Namen von Flüssen gilt der Verweis für diejenige Karte, auf der der Fluß möglichst mit seinem ganzen Verlauf zu finden ist.

Die Angaben im Register sind im wesentlichen Lagebezeichnungen. Die unterschiedliche Bedeutung ist durch Zusätze zum Eigennamen gekennzeichnet, z. B. Köln, Ort / Köln, Erzbistum / Köln, Universität, usw.

Gleichlautenden Namen ist stets ein Zusatz als Unterscheidungsmerkmal beigefügt, z. B. Königsberg, Ort in Neumark / Königsberg, Ort in Preußen. Ist die Bedeutung eines Namens nicht eindeutig ersichtlich, so ist ihm eine nähere Erklärung hinzugesetzt: B. = Berg, Fl. = Fluß, usw.

Bei Ortsnamen ist der Zusatz: O. = Ort in der Regel nur dann verwendet, wenn mehrere gleichlautende Namen vorhanden sind oder ihre Bedeutung, z. B. Annaberg, Freiburg, Schönsee, Wuppertal, nicht ohne weiteres erkennbar ist.

Die benutzten Abkürzungen bedeuten:

Bg.	Berg
Bm.	Bistum
Burggft.	Burggrafschaft
Dep.	Departement
Distr.	Distrikt
Ebm.	Erzbistum
Fl.	Fluß
Freigft.	Freigrafschaft
Fsm.	Fürstentum
Geb.	Gebirge
Gfsm.	Großfürstentum
Gft.	Grafschaft
Ghm., Ghzm.	Großherzogtum
Gouv.	Gouvernement
Halbins.	Halbinsel
Hft.	Herrschaft
Hzm.	Herzogtum
Ins.	Insel, Inseln
Kurfsm.	Kurfürstentum
Kgr.	Königreich
Kl.	Kloster
Kol.	Kolonie
Ld.	Land
Ldsch.	Landschaft
Mgft.	Markgrafschaft
O.	Ort
Ot.	Ortsteil
Pfalzgft.	Pfalzgrafschaft
Prov.	Provinz
Rep.	Republik
R. St.	Reichsstadt
T.	Tempel
Terr., Territ.	Territorium
V.	Volk, Volksstamm

In besonderen Fällen ist dem eigentlichen Namen ein erläuternder Hinweis zugesetzt, z. B. Heiligtum usw. Bei Namen lateinischen Ursprungs sind Namensteile wie castra, colonia, lacus, vicus usw. in der Regel dem eigentlichen Namen nachgestellt, während andere, wie Aqua, via, ville usw., vorgesetzt sind.

Namen, die auf verschiedenen Karten unterschiedliche Schreibung, z. B. griechische, lateinische oder deutsche, aufweisen, sind nach der zeitlichen Folge im Register aufgenommen: Akragas, Agrigentum, Girgenti, oder: Rhegion, Rhegium, Reggio. Jede Namensform erscheint außerdem noch einmal gesondert an der entsprechenden Stelle des alphabetischen Registers. Das gleiche gilt auch für Orts- und andere Namen, die im zeitlichen Ablauf der Geschichte geändert worden sind, z. B.: Kristiania, Christiania, Oslo, oder: Zarizyn, Stalingrad, Wolgagrad, usw.

Sämtliche Namen sind alphabetisch geordnet. Die Umlaute ä, ö, ü sind den Buchstaben a, o, u gleichgestellt, Namen, deren erster Buchstabe ein Umlaut ist, sind deshalb in der normalen Alphabetfolge zu suchen. Die Buchstaben I und J sind getrennt. ß ist ss gleichgestellt. Buchstaben mit Zeichen oder Akzenten aus fremden Sprachen gelten im Alphabet als einfache lateinische Buchstaben.

Ad Quintum decimum 30/31 I G 3
Adra 34/35 II C 2
Adramyttion, Golf v. 18/19 I G 2
—, Adramythion, Adramyttium, O. 18/19 I G 2, 54/55 I H 5
Adrana, Eder, Fl. 37 I B 1
Adrar, Ldsch. 132 I B 2
—, O. 163 III A 3
Adrastea, Ldsch. 18/19 I H 1
Adresteia, O. 10 II E 1
Adria, Atria, O. 24 II F 2
Adria, Bm. 88/89 II C 2
Adrianopel,Ebm. 88/89 I H 5
—, Hadrianopolis, Edirne, O. 38/39 I E 2, 54/55 I H 4, 70 II E 2, 71 II C 3, 145 V u. VI C 2, 153 V B 1
Adriaticum mare, Adriatisches Meer 38/39 I B/C 1/2, 63 I D—G 2—4, 130/131 I E/F 2/3
Adromyti 10 I C 1
ad Salaria 30/31 I B 1
Adscharen, V. 134 I C/D 3
Adschlul, Beth Aglaim 8 III A 3
Adschlun 8 III B 2, 64/65 IV A 4
Adschmir 72/73 V B 2, 135 I B 2
ad Sextum, O. i. Etruria 30/31 I B 1
ad Sestum, O. b. Rom 30/31 II A 2
ad Sponsas 30/31 II B 2
ad Statuas 30/31 II B 2
Adua 138/139 III B 2, 154 IV A 1
Aduatuca, Tongeren, O. 29 I C 1
Aduatuci, Aduatuker, V. 29 I C 1
Aduatucorum, Oppidum 29 I C 1
Aduli, Adulis, Zula, O. am Roten Meer 34/35 I F 5
Adulis, Ldsch. in Kusch 42/43 I F 4/5
Adullam 8 III A 3
ad Vieesimum 30/31 II A 1
Ae, Ä, s. auch A und Ai
Aeane 38/39 I D 2
Aecae 30/31 I F 3
Aeclanum 30/31 I E 3
Aedui s. auch Haedui, V. 36 C 3
Aefula 30/31 I C 3, 30/31 II B 2
Aegae s. Aigai
Aegaeum mare, Ägäisches Meer 18/19 I C—G 1—5, 38/39 I D/E 2/3
Aegates Insulae, Ägatische Inseln 17 I A 3, 63 I D 5
Aegium, Ägion s. Aigion
Aeguum 38/39 I C 2
Aegyptus s. Ägypten
Aegyptus, röm Provinz 34/35 I E/F 3/4
—, röm. Diözese 42/43 I D—F 3/4
— Herculia, röm. Provinz 42/43 I E/F 4
— Jovia, röm. Provinz 42/43 I E/F 3
Aela, Aelana 29 II C 2
Aelia Capitolina, Jerusalem 38/39 I G 4
Aemilia, regio Italiae 38/39 I B 2
Aeminium 38/39 II A 1
Aenaria, Pithekussai, Ischia, Ins. 30/31 III A 2
Aenus, Inn, Fl. 36 E 3
Aenus, O. 38/39 I E 2
Aequana, Vico Equense 30/31 III B 2
Aequi, V. 24 II F 3, 30/31 I C/D 2
Aequiculi, V. 30/31 I D 2
Aequum Tuticum 30/31 I F 3
Aeria 24 II B 2
Aesernia 25 I E 3, 30/31 I E 3
Aesica, Great Chesters 40 I B 1
Aesis, Fl. 30/31 I D 1
Aesis, O. 25 I D 2
Aeso 38/39 II C 1
Aethiopia, Äthiopien, Kusch, Ldsch. 14/15 I D/E 4/5, 34/35 I F 4/5
—, Habesch, Ldsch. 42/43 I F/G 5
Aethiopier, V. 22/23 VI
Aetna Mons, Aitna, Bg. 17 I C/D 3
Aezani 38/39 I E 3
Afghanen-Herrschaft 116/117 IV A/B 1/2
Afghanistan, Ldsch. 111 II C 1
—, Staat 134 II E/F 2/3, 162 II A 2, 164/165 III 168
Afilae 30/31 I D 3
Afram, Fl. 163 IV B 2
Africa, röm. Diözese 42/43 I B—D 3
Africa, röm. Provinz 28 I B/C 2
Africa Byzacena, röm. Prov. 42/43 I C/D 3
Africa Proconsularis, röm. Prov. 34/35 III B/C 1/2, 42/43 I C/D 3
Africa Tripolitana, röm. Prov. 34/35 I D 3
Africum Mare, Meer 34/35 III C 1/2
Afrika, Erdteil, s. auch Nordafrika bzw. die einzelnen Staaten u. Völker 1 I, 14/15 VI, 22/23 VI, 34/35 VI
Afrika, Erdteil 98/99 IV—VIII, 111 I/II, 115 II, 125 II, 130/131 I, 132 I—IV, 138/139 I—IV, 143 III, 144 VI, 146 I/II, 149 II, 153 VI, 162 III, 164/165 I—III, 166/167 I—III, 168
Afrika, Praefektur Ostroms 49 I A—C 3
Afrikanischer gemeinsamer Markt 169 IV
Afrikanisch-madagassische Union 169 III
Afyonkarahisar 153 V B 2
Adades 132 I C 3
Agadir 132 I B 2
Ägadische Inseln, Aegates Insulae 17 I A 3, 63 I D 5
Ägäisch-altkleinasiatische Völker 3 I D/E 3
Ägäische Inseln, Byzant. Thema 54/55 I G/H 4/5
Ägäische Kultur 3 II D 3
Ägäisches Meer, Aegacum mare 18/19 I C—G 1—5, 38/39 I D/E 2/3, 92/93 I G/H 5/6, 145 V u. VI B/C 2/3
Agatha, Agathe, Agde 24 II A 3
Agathyrsen, V. 14/15 I D 2
Agde, Bm. 88/89 I C 5
—, Agatha, Agathe, O. 24 II A 3, 58/59 I E 7, 110 C 4
Agder, Ldsch. 60 I F 2
Agedabia 156/157 I F 5
Agedineum, Sens 29 I B 1
Agen, Bm. 88/89 I C 5
—, Aginnum, O. 36 C 4, 49 II B 2, 110 C 4
Ager Gallicus, Ldsch. 30/31 I C/D 1
Ager Laurens 30/31 II A 2
Aggar 34/35 III B 1
Aggarsel Nepte, Nefta 34/35 III B 2
Aggersborg 60 I F 2
Agha Jari, Erdölfeld 163 II C 3
Aghlabidenreich 54/55 I D/E 5/6
Ägina, Ins., s. auch Aigina 38/39 I D 3
Aginnum, Agen 36 C 4
Ägion, Aegium, s. Aigion 26/27 III A 2, 38/39 I D 3
Agisymba. Ldsch. 34/35 VI
Agnadello 96/97 I E 7
Agora, O. 18/19 I G 1
Agordat 138/139 III B 2
Agra 98/99 I H 5, 111 II C 1, 135 I B 2
Agrai, Ot. v. Athen 12 VI
Agraia, Ldsch. 18/19 I B 2/3
Agram, Bm. 88/89 I F 4
—, Zagreb, O. 58/59 I L 6, 70 II C 1, 75 B 5, 96/97 I H 7, 112 II A 3, 150/151 I E 4, 155 II C 2, 160 III C 3
Agriana, O. i. Kappadokien 38/39 I G 3
Agriana, O. i. Kreta 10 I B 1
Agri Decumates, s. a. Decumatland 34/35 I C 2, 40 II B/C 1—3
Agrigent, siehe Agrigentum, O.
Agrigento, Bm. 88/89 I E 6
Agrigentum, Agrigent, s. auch Akragas, Girgenti, Agrigento, O. 17 I B 3, 25 III A 2
—, Plan 21 I
Agrinion 18/19 B 3
Agripina, Agrippina, s. Colonia Agrippina 41 IV
Agropoli 63 I E 4
Agryle 12 V
Agulhas, Kap 98/99 IV
Aguntum, Lienz 38/39 I B 1, 49 III C 2
Agylla, Caere 24 II E/F 3/4
Ägypten, Aegyptus, Misri, Ld. 6 I 29 II
—, Altes u. Mittl. Reich 3 II D/E 3/4
—, Neues Reich 9 I C—E 3—6. 9 III C/D 3/4
—, Pers. Satrapie 14/15 I E 4
—, i. Alexanderreich 22/23 I D/E 2/3
—, Ptolemäerreich 26/27 I D/E 2/3
—, Röm. Provinzen, s. Aegyptus
Ägypten, Misr (islam. Ld.), s. auch Ajjubiden-Reich, Fatimiden-Reich, Mamluken-Reich 50/51 E 4/5, 52 III C 2
—, osman. 112 I C/D 2/3, 130/131 I G—I 5/6
—, Khedivenreich 132 I D 2
—, brit. Besitz 132 I D 2, 138/139 I L 3, 138/139 III B 1, 138/139 IV, 156/157 I F/G 5/6
Ägypten, Staat 162 III C 1, 163 II B 3/4, 164/165 III, 166/167 I, 168
Ägypter, V. 3 I D/E 3/4
Ägyptische Gaue 6 I
Ägyptischer Sudan, Ld. 132 I D 2/3
Agyrion, Agyrium, Agyrrhium 17 I C 3, 25 I E 5
Ahaus 78 III A 1
Ahausen 106/107 I F 5
Ahhijava, s. Achijawa, V
Ahlen 56 V B 1
Ahmadabad 89/99 I H 5. 135 I B 2
Ahmadnagar, Ldsch. 98/99 I H 6, 111 II C 2
Ahnas, Herakleopolis 6 I A 2
Ahrensburg, O. 1 IV B 1
Ahrensfelde 143 II
Ahrweiler 80 I C 1
Ahsen 142 IV u. V B 1
Ahwas, Erdölfeld 163 II C 3
Ai, Fluchtburg 8 III B 3
Aiaccio 63 I B 4, 130/131 I D 3
Aja Irini 8 I A 2
Aialon 8 III B 3
Aiane 18/19 II A 2
Aichbühl 2 I B 2
Aidepsos 18/19 I D 3
Aidhab 98/99 IV
Aidin, Aidyn, Ldsch. 70 II E 3, 71 II C 4
—, Tralles, O. 38/39 I E 3. 130/131 I H 4
—, Wilajet 134 II A 2
Aigai, O. i. Achaia 18/19 I C 3
—, O. a. Euboia 18/19 I D 3
—, O. i. Ionien 18/19 I H 3
—, Edessa, O. i. Makedonien 18/19 I C 1
Aigaion-Geb. 10 III C 1
—, Grotte 10 III C 1
Aigaleon, Geb. i. Messenien 18/19 I B 4
Aigaleos, Geb. i. Attika 13 I B 1
Aige 18/19 I D 1/2
Aigeira 18/19 I C 3
Aigiai 13 II B 2
Aigialis 18/19 I F 5
Aigilia, O. 13 I B 2
Aigilios, Ins. 11 I B 1
Aigina, Ägina, Ins. u. O. 13 I A/B 2
Aiginion 18/19 I B 2
Aigion, Ägion, Aegium 18/19 I C 3
Aigiroessa 18/19 I G 2
Aigition 18/19 I C 3
Aigle 37 I A 3, 80 II A 2
Aigospotamoi, Fl. 18/19 I G 1
Aigosthena 13 I A 1
Aiguesmortes 64/65 II B 2
Aigun 154 III B 2
Aigytis, Ldsch. 18/19 I C 4
Ain, Dép. 122/123 III C 2
—, Fl. 114 C 4/5
Aineia, O. auf Chalkidike 18/19 II B 2
Aineia, O. i. Mysien 18/19 I H 2
Ainis, Ldsch. 18/19 I C 3
Ainos 18/19 I G 1
Aïn Salah, Erdölfeld 163 II C 3
Aïn Salah, O. 132 I C 2
Ain Sefra 163 III A 2
Aintab 64/65 IV B 2, 112, I D 2
Aioler, s. auch Achäer, V. 10 II, 11 I
Aiolis, Ldsch. am Kalydon. Golf 18/19 I B 3
Aiolis, Ldsch. i. Kleinasien 18/19 I G 2/3
Aipeia 11 I B 2
Air, V. 98/99 IV, 132 I C 3
Airai 18/19 I G 3
Aire, Bm. a. Adour 88/89 I B 5
—, O. 58/59 I C 7
Aire, O. i. Artois 114 B 2
Airolo 80 II C 2
Aisch, Fl. u. O. 56 III
Aisepos, Fl. 18/19 I H 1/2
Aislingen, Ponione 40 II D 3
Aisne, Dép. 122/123 III B 1
Aisne, Axona, Fl. 36 C 3, 95 B/C 3, 114 B/C 3. 148 II B/C 2
Aison, Fl. 18/19 I C 1
Aisten, Baltische Völker 48 D/E 1
Aisumas mons, Geb. 38/39 I G/H 3
Aitha 34/35 II B 1
Aithaia 18/19 B 4
Aithalia, Elba, Ins. 24 II D/E 3
Aithikia, Ldsch. 18/19 I B 2
Aitna, Aetna, Bg. 17 I C/D 3
Aitolia, Ätolien, Ldsch. 18/19 I B 2/3
Aix, s. auch Aquae Sextiae 24 I C 3
—, Ebm. 88/89 II B 3
—, O. 58/59 I F 7
—, Universität 91 V B 2
Aixone 13 I B 2
Ajas 72/73 VI B 3
Ajena 163 IV C 2/3
Ajjubidenreich 72/73 III B 3/4
Ajos Jakovos 8 I A 2
Ajos Johannes 11 IV
Ajos Paraskeyi 8 I A 1
Ajunta 22/23 I I 3
Ajuthia, s. Ayuthia 163 I E 3
Akaba 130/131 I I/K 6. 162 IV B 3
—, Golf v. 162 IV B 3
Akademie i. Athen 12 V
Akanthos 18/19 II C 2
Akarkuf, Dur Kurikalzu 6 IV B 2
Akarnania 18/19 I A/B 3
Ake 100/101 II D 1
Akershus. Schloß 116/117 I F 2
Akjab, Akyab 135 I D 2
Akition, Ins. 10 III A 1
Akka, Akkon 130/131 I K 5
Akkad, Ldsch. 9 III F 3
—, Stadt 3 II F 3
—, Reich 3 II E/F 3, 6 III
Akkader, V. 3 I F 3
Akkar 64/65 IV B 3
Akkerman, Moncastro, Tyras 38/39 I F 1, 71 II D 2. 112 I D 1, 130/131 I I 2
Akko, Akkon, Ptolemais, Col. Claudia Felix, Caesarea Philippi, Neronias, O. 34/35 II B 2
Akkon, St. Jean d'Acre, Acre, O. 64/65 IV A 4
Akkon (Sandschak) 134 II B 2
Akkra 138/139 I I 4, 162 III A 2, 163 IV B 3
Akmangit 140 IV B 2
Ak-Metschat, Perowsk 134 II E 1
Akontion. Geb. 22/23 IV
Akr, Dur-ili 6 III C 2
Akragas, Fl. 21 I
Akragas, Agrigentum, Girgenti, Agrigento, Agrigent, O. 11 II C 2, 17 I B 3
Akragas. Agrigent, Plan 21 I
Akrah 6 IV B 1
Akrai, O. i. Aiolis 18/19 I B 3
Akrai, O. i. Sizilien 17 I C 3
Akraiphia 18/19 IV B 2
Akreai 13 II B 2. 18/19 I C 5
Akritas, Kap 18/19 I B 5
Akrite, Ins. 18/19 I G 4
Akropolis, Burg v. Athen. Pläne 12 I/II
Akropotamos 4 VII A 1
Akroreia, Ldsch. 18/19 I B 4
Akrothoon 18/19 I E 1
Aksarai, Aksaray, Archelais 38/39 I F 3, 112 I D 2
Aksche 6 I A 3
Akschehir 134 II B 2
Aksel 96/97 III A—D
Aksu 46/47 I F 2, 46/47 II D 2. 136 I A 2
Aksum, Axum, Axomis 34/35 I F 5, 42/43 I F 5
Akte, Halbinsel der Chalkidike 18/19 I D/E 1
Akte, Halbinsel i. Piräus 12 V, 14/15 IV A 2
Aktion, Actium, Kap u. Tempel 18/19 I A 3, 28 II D 3
Aktjubinsk 163 II D 1
Akureyri 147 B 2
Akyab, Akjab 135 I D 2, 158 I B 3
Alabama, amerik. Staat 133 III E 3
Alabanda, Antiocheia 22/23 II A 2
Alaça Hüyük, Hüyük 2 I E 2/3, 3 II E 2, 8 I A 1
Alagonia 18/19 I C 5
Al Ahmadi 163 II C 4
Alaki, Wadi 6 I A 3
Al Akrkar, Tukulti Ninurta 6 IV B 1
Ala-Kul 50/51 K 3
Alalach, Ldsch. 8 I B 2
—, Tell Açana, O. 8 I B 2, 9 I E 2
Alalia, Aleria 24 II D 3
Alalkomenai, O. i. Böotien 18/19 IV A 2
Alalkomenai, O. a. Ithaka 18/19 I A 3
Alamannen, V. 42/43 I C 2, 42/43 II B/C 2, 48 I B/C 2, 48 II B/C 2, 49 I B 2, 49 III A/B 1/2, 54/55 II E 4, 77 I
Alamannia, Ldsch. 41 IV
Alamannien, Hzm., Alemannien, s. auch Schwaben 50/51 B/C 3, 52 II B/C 2/3. 54/55 I D/E 3
Alamannisches Sprachgut 49 II
Alameda 143 IV
Alamut 72/73 II D/E 4
Åland-Ins. 60 I H/I 1, 113 D/E 2, 119 B/C 2, 150/151 I E/F 2
Alanen, V., östl. des Ural-Fl. 46/47 I D/E 2, 46/47 II B/C 1/2, 46/47 III C 1, 48 I E/F 1/2, 49 I F 2, 50/51 F 3, 57 I G 3
—, Alani, Jassi, V., Kaukasien 34/35 I G 2,
—, V., Spanien 48 I A 3
Älanitischer Golf 29 II B 2
Alasam, Fl. 134 I E/F 2/3
Alaschja, Ins., s. auch Iatnana, Kypros, Cypern 8 I A 2/3
Alaschja, Enkomi, O. 8 I A 2
Alaska, amerik. Besitz 133 I A 1
Alaska, Ldsch., russ. 105 III I 1, 137 I G/H 1/2
Alauna 36 B 3
Alba, Bm. i. Lombardei 88/89 II B 3
—, Schottland, Kgr. 57 I B 2, 57 II A/B 1
—, O. a. Albanersee 30/31 II B 2
—, Fucens, O. a. Fuciner See 25 I D 2, 30/31 I D 2
—, O. in der Lombardei 63 I B 2, 94 I C 2, 94 II C 2
—, O. a. d. Rhône 24 II B 2
Albacete 154 V B 2
Alba Docilia, Albissola, O. 24 II D 2
Alba mons, Schwäb. Jura, Geb. 37 I B/C 2/3
Albaner, V. i. Albanien 54/55 I G 4, 71 II A/B 3/4. 150/151 II
—, V. i. Kaukasus 42/43 I G 2, 46/47 I C 2, 46/47 III C 1
Albanien, Ldsch. a. d. Adria 70 II C/D 2, 92/93 I F/G 5, 112 I B/C 1/2, 130/131 I F/G 3
—, Staat 145 VI A/B 2/3, 148 I E/F 5/6, 150/151 I E/F 4/5, 155 II C/D 2 164/165 III, 166/167 I—III, 168
—, Ldsch. i. Kaukasien 34/35 I G 2
Albanische Sprache, Balkanhalbinsel 70 II
Albanum, Albano, O. 30/31 II B 2
—, suburbikar. Bm. 53 I B 3
Albanus lacus, See 30/31 II B 2
Albanus mons, Bg. u. T. 30/31 II B 2
Albany, Fort a. d. Hudson-Bai 116/117 II C 1
Albany, O. i. Austral. 137 I C 6
Albenga, Bm. 88/89 II B 3
—, Albium, Album Ingaunum 24 II D 2, 63 I B 2, 94 I/II C 2
Albersdorf 77 II
Alberta, kanad. Provinz 133 I C 2, 133 III B 1/2
Albert-Kanal 96/97 IIId, 143 Ib
Albert-See 138/139 III B 2
Albeta 38/39 I D/E 2
Albi, Bm. 88/89 I C 5
—, Gft. u. O. 58/59 I D/E 6/7, 64/65 I B 3, 66 I B 3
Albici, V. 36 D 4
Albiga 36 C 4
Albigenser, Sekte 64/65 II B 2
Albinia, Fl. 30/31 I B 2
Albintimilium 36 D 4

Albion, Britannia, Ins. 34/35 VI
Albis, Elbe, Fl. 34/35 I C/D 1, 41 I A—C 2
Albissola, Alba Docilia 24 II D 2
Albium, Album Ingaunum, Albenga 24 II D 2/3
Albolderode, Wüstung 77 IV A 1
Alborz, Erdölfeld 163 II D 3
Albrechtshain 77 II
Albret, Gft. 92/93 I B 5
—, Hzm. 102/103 I C 5
—, O. 110 B 4
Album Ingaunum, Albium Ingaunum, Albenga 24 II D 2
Album Intimilium, Ventimiglia 24 II C/D 3
Alburnus maior 38/39 I D 1
Alcacer el Kebir 102/103 I B 6/7
Alcaçovas 92/93 I A 6
Alcalá, O. i. Portugal 3 II A 3
Alcalá de Henares, O. i. Spanien 102/103 I C 5
—, Universität 91 V A 2
Alcantara 38/39 II A 2, 64/65 I A 3
Alcatraz, Ins. 143 IV
Alcimoenis, Kelheim 40 II E 3
Alcmona, Altmühl, Fl. 40 II D—F 2/3
Alcobaça, Kl. 87 II A 4
Aldabra-Ins. 138/139 I M 5
Alea 18/19 C 4
Aleision 11 I B 2
Alemannien s. Alamannien
Alemtejo, portug. Prov. 116/117 I B 6
Alençon, Hzm. 110 B/C 3
—, O. 102/103 I D 4
Aleppo, s. Beroea, Chalybon, Haleb, O. 8 I B 2, 64/65 IV B 2, 72/73 III B 3, 112 I D 2, 148 III A 2, 150/151 I G 5
—, Wilajet 134 II B 2
Aleria, Alalia 24 II D 3, 63 I B 3
Aleschki 92/93 I I 4, 112 I D 1
Alesia, O. 29 I C 2
—, Plan 29 V
Alessandria, Bm. 88/89 II B 3
—, O. i. d. Lombardei 66 I C 3, 94 I C 2, 94 II C 2, 130/131 III B 2
Alessio 102/103 I G 5
Alet, Bm. 88/89 I C 5
Aletium 30/31 I I 4
Aletrium 30/31 II C 2
Alëuten, Ins. 137 I F/G 2, 158 I/II F/G 2
Alexanderhausen, Sàndorhaza, Plan 121 VI
Alexanders Säulen 34/35 VI
Alexandraland, Territ. 137 I D 6
Alexandreia-Antiocheia, Charax 22/23 II E 3
—, Alexandrette i. Syrien 22/23 II C 2, 64/65 IV B 2, 134 II B 2
—, Arbela 22/23 II D 2
Alexandrette, Alexandreia, Iskenderun 22/23 II C 2, 64/65 IV B 2, 134 II B 2
Alexandria, O. i. Baktrien 22/23 I H/I 2
Alexandria eschata, Chodschent 22/23 I H/I 1
Alexandria, O. i. Gedrosien 22/23 I H 3
Alexandria, Ghasni 22/23 I H 2
Alexandria, Herat 22/23 I H 2, 46/47 I E 3, 46/47 II C 3
Alexandria, O. am Hindukusch-Geb. 22/23 I H 2
Alexandria, O. am Hyphasis 22/23 I I 3
Alexandria, O. am Indus 22/23 I H 3
Alexandria, Iskenderieh, O. i. Ägypten 22/23 II A/B 3, 29 II A 1, 50/51 D 4, 52 III C 3, 112 I C 2, 130/131 I H 5, 138/139 III B 1
—, Patriarchat 64/65 I D 3
Alexandria, Kandahar 22/23 I H 2
Alexandria, O. i. Karmanien 22/23 I G 3
Alexandria Margiane, Antiochia, Merw 22/23 I H 2
Alexandria Troas 18/19 I G 2
Alexandrium 34/35 II B 2
Alexandri Vicus 30/31 II A 2
Alexandropol, O. i. Armenien 134 I D 3
Alexandropolis, O. i. Parthien 22/23 I G 2
Alexandropolis, Dedeagatsch, O. i. Thrakien 150/151 I F 4
Alexandrowsk, Fort. a. Schwarzen Meer 134 II D 1
Alexandrowsk, O. a. Eismeer 147 G 2
Alfeld 81 III A 1
Algarve, portug. Prov. 116/117 I B 6
Algarve ultramar, port.Prov. 92/93 I A 6
Algeciras 145 IV
Algerien, Ld. 102/103 I D/E 6 116/117 I D/E 6—7
—, frz. Besitz 130/131 I B—D 4/5, 132 I B/C 2, 150/151 I C/D 5
Algerien, Staat 162 III A/B 1, 163 III, 164/165 III, 168
Algerische Sahara, Wüste 163 III
Algidum 30/31 II B 2
Algier, Département 150/151 I D 5
Algier, Icosium, O, 34/35 III A I, 64/65 I B 3, 130/131 I C 4
Algoa-Bai 98/99 IV
Algonkin-Indianer, V. 116/117 II A/B 1
Alhambra, Schloß 90 I A 3
Alicante, Lucentum 38 II B 2/3, 54/55 I B 5, 64/65 I A 3, 92/93 I B 6, 130/131 I B 4, 154 V B 2
Alife 63 I E 4
Aligarh 135 I B 2
Ali Ki 10 I B 2
Alinda 16 I D 3
Aliphera 18/19 I B 4
Alisar, Alischar 8 I B 2, 2 I E 3, 3 II E 3
Alisinensium Vicus, Wimpfen 40 II C 2
Aliso, Haltern 37 I A 1, 41 II B 2
Aljubarrota 71 III A 3
Aliwal 135 I B 1
Alken 80 I C 1
Alkmaar 78 IV B 1, 95 C 1, 104 III B 1
Alkmaionidenland in Attika 12 V
Alkofen 40 II F 3
Al Kowm 41 III D 2
Al Kwem 41 III D 2
Allahabad 116/117 IV C 2, 135 I C 2
Allauch 24 II B 3
Alle, Fl. 106/107 I L 2/3
Allegheny, Geb. 116/117 II C/D 3
Allenstein, O. 96/97 I L 3, 106/107 III C 1, 152 II J 2, 160 III D 2
Aller, Fl. 81 III A/B 1
Alleringersleben 56 IV B 2
Allgäu, Ldsch. 96/97 I E/F 6
Allia, Fl. 24 I D 3
Allier, Dép. 122/123 III B 2
Allier, Fl. 68/69 I B 5/6
Allifae 30/31 I E 3
Alliierte Mächte (1. Weltkrieg), Verluste 152 III
Alliierte Mächte (2. Weltkrieg) 154 VI, 156/157 I—III, 158 I—III
Allmendingen 120 V C 1
Allobroges, V. 29 I C 2
Allstedt, Pfalz 62 II C 2
Allthing, Thingvellir auf Island 57 III A 2
Allumiere 25 II B/C 2, 5 II C 3
Alma, O. a. d. Krim 130/131 I I 3
Alma Ata, O. i. Turkestan 50/51 J 3, 136 I A 2
Almadén 86 II B 4, 102/103 I C 6
Almalik 50/51 K 3, 52 III F 2, 72/73 I B 1
Almansa 116/117 I C 6
Alme, Fl. 37 II A 2
Almeida 116/117 I B 5
Almeria, Bm. 88/89 I B 6
—, O. 2 I A 3, 64/65 I A 3, 64/65 II A 3, 92/93 I B 6, 130/131 I B 4, 154 V B 2
Almeria-Kultur 2 I A/B 2/3
Al Mina, Poseideion 11 II E 2
Almissa, Bm. 88/89 I F 5
Almo, Almone, Fl. 45 I, 45 II
Almohadenreich 64/65 I A—C 2/3, 64/65 II A—C 3
Almone, Almo, Fl. 45 I, 45 II
Almoper, V. 10 II B 1
Almopia, Ldsch. 18/19 I C 1
Almoravidenreich 64/65 I A—C 2/3
Almoshof 81 I
Almura 18/19 V B 1
Aloa, Ldsch. 34/35 I F 5
Al Odeyr 41 III D 2
Alonae 38/39 II B 2
Alope, O. i. Lokris Eoia 18/19 IV A 1
Alope, O. i. Malis 18/19 I C 3
Alope, O. i. Oitaia 18/19 III
Alopeke 12 V
Alopekonnesos, O. 18/19 I G 1
Alor 50/51 H 5
Alos 11 I C 1
Alosygni 46/47 I G 5
Alpeion, O. i. Sparta 12 VII
Alpen, Alpes montes, Geb. 38/39 I A/B 1, 49 III,
Alpenoi 18/19 I C 3
Alpenromanen 49 III
Alpes Bastarnicae, Karpaten, Geb. 38/39 I D/E 1
Alpes Cottiae, röm. Prov. 36 D 4
Alpes Graiae et Poeninae, röm. Prov. 36 D 3
Alpes Maritimae, röm. Prov. 36 D 4
Alpes maritimes, Dép. 122/123 III C 2/3
Alpes montes, Alpen, Geb. 38/39 I A/B 1
Alpes Poeninae, röm. Prov. 42/43 II B 2
Alpheios, Fl. 18/19 I B/C 4
Alsche 9 I F 2
Alsen, Ins. 106/107 I E/F 2
Alsergrund, Ot. v. Wien 109 V
Alsfeld 78 III B 2, 126/127 II B 2
Alsietina aqua, Wasserleitung 30/31 II A 1/2
Alsietinus lacus, See 30/31 II A 1
Alsium 30/31 I C 3
Alsó-Józsa, Plan 140 V B 1
Altaich, Kl. 54/55 I E 3
Alt-Altmannsdorf 77 III A 1
Altamira, Höhle 1 IV A 2
Altamura, Blera 30/31 I G 4, 94 I G 4
Alta Ripa, Altrip 40 II B 2
Altava 38/39 II B 2
Altbritische Kirche 52 I, III
Altdamm 122/123 I F 3
Altdorf, O. b. Nürnberg 81 I, 122/123 I D 4
Altdorf, O. i. d. Schweiz 80 II C 2, 130/131 II B 1
Alteburg b. Köln, röm. Flottenstation 37 I A 1
Altefähr 106/107 I G 2
Alt-Elft, Fèse Champenoise II 140 IV A 2
Alte Maas, Fl. 96/97 III a—d
Altenacker, Wüstung 56 VI A 2
Altenau, Bg., O. 86 I A 1
Altenberg, Kl. i. Berg. Land 88/89 III A 1
Altenberg, Bg., O. i. Erzgeb. 86 I B 1
Altenbochum 142 V B 2
Altenburg, Hzm. 122/123 I E 3
Altenburg, Kl. i. Ndr.-Österreich 58/59 III C 1
Altenburg, O. a. d. Aare 40 III B 2
Altenburg, O. i. Hessen 41 II C 2
Altenburg, O. i. Sachsen 58/59 I K 3, 122/123 I E 3
Altendorf, O. a. d. Ruhr 56 V B 2, 142 IV B 2, 142 V B 2
Altenessen 142 IV A/B 2, 142 V A/B 2
Altenglan 80 I C 2
Altengottem 77 IV B 2
Altengroitzsch 77 II
Altenhain 77 II
Altenkamp, Kl. 88/89 III A 1
Altenkirchen 122/123 I B 3
Altenstadt i. Elsaß, Concordia 40 II A/B 2
Altenstadt, O. a. hess. Limes 40 II B/C 1
Alterode, Wüstung 77 IV A 2
Alter Rhein, Fl. 96/97 III a—d
Alte Schelde, Fl. 96/97 III a
Alt-Friedland, O. i. Oderbruch 121 IV
Alt-Glienicke 143 II
Altheim, O. b. Regensburg 2 II C 2
Altheim, O. b. Zwiefalten 120 V B 2
Altheim-Mondsee-Laibach-Vučedol-Kultur 2 II C 2
Althen 77 II
—, Plan 76 V
Althiburos 34/35 III B 1
Altiaiensium Vicus, Alzey 40 II B 2
Altinum 38/39 I B 1
Altis i. Olympia 14/15 III
Alt-Kairo, Fustat 98/99 III
Altkastilien, Prov. 130/131 I A/B 3
Alt-Kleinasiatische Völker 8 II A/B 1/2
Altkölln, Kölln, Ot. v. Berlin 143 I
Alt-Küstrinchen 121 IV
Alt-Lewin 121 IV
Alt-Lietzegöricke 121 IV
Alt-Lünen 142 IV C 1, 142 V C 1
Altmark, Ldsch. 66 I D 1, 68/69 I F 2, 122/123 I D 2, 124 I C 1
Altmark, O. i. Westpr. 106/107 I K 3
Altmühl, Alcmona, Fl. 40 II D/F 2/3, 128 I C 2
Alt-Ofen, Aquincum 38/39 I C 1
Altona 105 I C 1, 122/123 I C 2, 129 I C 2
Altötting 96/97 I G 5
Alt-Patschkau 77 III B 2
Alt-Postal, Malo-Jaroslawetz 140 IV A 1
Altranstädt, Alt-Ranstädt 113 C 4
Altrax 18/19 I C 2
Altrip, Alta Ripa 40 II B 2
Altsohl, Bg., O. 86 I E 2
Altsteinzeit, Kulturen 1 I—IV, 4 I
Alt-Trebbin 121 IV
Alttrier 40 VI A 2
Altun-Argu, Ldsch. 50/51 I/K 3
Altun Kupri, Zaban 6 IV B 1
Alt-Wilmsdorf 77 III B 2
Alt-Wriezen 121 III/IV
Altzelle, Kl. 88/89 III B 1
Alupka 70 II F 2
Aluta, Alutus, Fl. 38/39 I D/E 1/2, 67 III C/D 3/4, 115 I E/F 3/4
Alvastra, Kl. 87 II C 2
Alversdorf 56 VI A/B 2
Alyzia 18/19 I A 3
Alzate 24 II D 2
Alzette, Fl. 80 I A/B 2
Alzey, Vicus Altiaiensium 40 II B 2, 81 II B 2
Amada 6 I A 3
Amadia, Amat 6 IV B 1
Amalfi, Ebm. 88/89 I E 5
—, O. 63 I E 4
Amami-Insel 162 II D 2
Amanus mons, Geb. 38/39 I G 3
Amara, O. i. Ägypten 6 I A 3
Amara, O. a. Tigris 148 III B 2
Amaravati 46/47 I G 5
Amarynthion, T. 18/19 I D 3
Amasenus, Fl. 30/31 I D 3
Amasia, Amisia, Ems, Fl. 36 D 2
Amasia, O. 22/23 II B 1, 64/65 I E 2, 64/65 II E 2, 134 II B 1
Amastris 22/23 II B 1, 64/65 II E 2, 70 II F 2, 92/93 I J 5
Amat, Amadia 6 IV B 1
Amathus a. Cypern 9 II D 3, 11 II E 2, 22/23 II B 3
Amathus i. Palästina 34/35 II B 2
Amazonas, Amazonenstrom, Fl. 118 III D/E 3
Amazonen, Fabelvolk 98/99 VI
Amba Aladji 132 I D 3
Ambarri, V. 36 C/D 3
Amberg, O. 86 I A 2, 122/123 I D 4
Ambiani, Samarobriva, Amiens, O. 42/43 I C 2
Ambiani, V. 36 C 2/3
Ambidravi, Ambidravii, V. 38/39 I B 1
Ambisontes, V. 38/39 I B 1
Amboina, Ins. 111 II F 3, 158 I D 5
Amboise, Schloß 92/93 I C 4, 104 I C 3
Ambra, Amper, Fl. 37 I C 2/3, 37 I C 2/3
Ambra, Schöngeising, O. 37 I C 2
Ambrakia, Ambracia, O. 18/19 I B 2
Ambrakia, Golf v. 18/19 I A/B 3
Ambrakos 18/19 A 2
Ambras, Schloß 106/107 I F 6
Ambronen, V. 24 I C/D 2/3
Ambryssos 18/19 I C 3
Amecameca 100/101 VI B 2
Ameland, Ins. 104 III B 1
Amelunxborn, Kl., 88/89 III A 1
Ameria 25 II C 2
American Independent Oil Co. 163 II
Amerika, Erdteil 98/99 VII/VIII, 100/101 I—VII, 111 I, 115 II, 118 III, 125 II, 138/139 I
—, Nord- 116/117 II, 118 I—III, 133 I/II, 144 III—V
—, Süd- 118 III, 133 II
Amerikanische Besatzungszone Deutschlands 160 III A/B 2/3
— Österreichs 160 III B 3
Amerikanischer Sektor Berlins 161 II
Amerikanische Zuwanderung nach den USA 144 II
Amestatos 17 I B 3
Amhara, Ldsch. 154 IV A 1
Amida, s. auch Diyarbekir 9 I F 2, 38/39 I H 3, 50/51 F 4
Amiens, Ambiani, Samarobriva, O. 36 C 3, 49 II B 1, 54/55 II B/C 3, 67 II B 2, 85 II B 2, 95 B 3, 114 B 3, 148 II B 2, 156/157 I D 4
Amiens, Bm. 88/89 I C 4
Amik-See 41 III B 1
Amilienhausen, Wüstung 77 IV A 2
Amir, arab. V. 50/51 F 5
Amira 10 I B 1
Amiranten, Ins., brit. 132 I E 4
Amiriden, Hft. d. Balearen 64/65 III B 3
Amisia, Amasia, Ems, Fl. 41 II B/C 1/2
Amisos, Amisus, Samsun 11 II E 1, 38/39 I G 2, 64/65 II E 2
Amiternum 30/31 I D 2
Amitinum 30/31 I C 2
Amk, Ldsch. 9 III E 2
Ammaedara, Haidra 34/35 III B 1
Ammaia 38/39 II A 2
Amman 64/65 IV A 5, 148 III A 2, 153 VI C 2
Ammatha, El Hammam 41 III C 2
Ammelshain 77 II
Ammern 77 IV A 2
Ammon, Ammoniterland 8 IV B/C 3/4, 34/35 II B/C 2/3
Ammonion, Oase Siwa, Ammons-Oase 9 I C 4, 22/23 I D 3
Amnisos 10 I B 1
Amöneburg, Kl. 52 II C 2, 122/123 I C 3
Amorbach, Kl. 56 I B 2, 87 I D 2
Amorgos, Ins. 18/19 I F 5
Amorium, Amorion 38/39 I F 3, 50/51 E 4
Amoy 136 I E 4, 158 I/II C 3, 162 II C 2
Ampelone 29 II C 2
Ampelos, Kap 18/19 I E 2
Ampelos, O. 10 I C 1
Ampelum 38/39 I D 1
Amper, Ambra, Fl. 37 I C/D 2/3
Amphiaraion, T. 13 I B 1
Amphikleia 18/19 I C 3
Amphiktionien, griechische 11 I
Amphilocher, V. 16 I A 2
Amphilochia, Ldsch. 18/19 I B 2
Amphimalla 10 III B 1
Amphipolis, Thapsakos, O. a. Euphrat 22/23 II C 2
Amphipolis, O. i. Thrakien 16 I B 1
Amphissa 18/19 I C 3
Ampsago, Fl. 34/35 I C 3
Ampsivarii, Ampsivarier, V. 41 II B 1
Ampurias, Emporiae, Emporion 36 C 4
—, Plan 21 IV
Amrah 6 I A 2
Amri 3 II H 4
Amritsar 135 I B 1, 163 I B 1
Amrum, Ins. 24 I C 2
Amšareddi 41 III D 2
Amselfeld, Kossowo, Ldsch. 71 II B 3, 148 I F 5
Amotel, Fl. 109 II
Amsterdam 68/69 I C 2, 78 IV B 1, 85 II C 1, 104 III B 1, 124 I B 1, 125 I C 2
—, Plan 109 II
Amu-darja, Oxus, Fl. 22/23 G—I 1/2, 46/47 II B—D 2/3, 72/73 II E—G 3/4, 134 II D/E 1/2
Amul 50/51 H 4
Amunclae 30/31 I D 3

Amuntempel v. Theben (i. Karnak), Plan 7 V
Amur, Fl. 72/73 II K—N 2/3, 98/99 I L—O 2/3, 137 I C/D 2
Amur-Provinz, russ. 136 I G 1/2
Amurri, V. 9 I E 3
Amyklai, Amyklä 13 II A 1
Amyros, Fl. 18/19 I C 2
Amyzon 22/23 II A 2
Ana, Anat 6 IV B 2
Anagnia, Anagni 30/31 I D 3, 53 I B 3
Anagyrus 13 I B 2
Anaia 13 III A 1
Anaktorion 18/19 I A 3
Anapa 134 I A 1
Anaphe, Ins. u. O. 18/19 I F 5
Anaphlystos 13 I B 2
Anapos, Anapus, Fl. 17 I D 3
Anargyri 10 I A 1
Anarti, V. 38/39 I D 1
Anas, Guadiana, Fl. 38/39 II A/B 2
Anasarta, Hanäser 41 III C 2
Anat, Ana 6 IV B 2
Anatolien, Ldsch. 98/99 I D/E 4, 112 I C/D 1/2
Anatolikon, byzant. Thema 50/51 D/E 4
Anatolische Kulturen 2 I C—E 2/3
Anau 3 II G 3
Anaulochos 10 III C 1
Anazarbe, Anazarbus 38/39 I G 3, 64/65 IV A 2
Anchiale 9 III D 2, 11 II E 2
Anchialus, Anchialos 38/39 I E 2
Ancon, O. i. Peru 100/101 III B 3
Ancona, Ankon, O. 20 I B 2, 24 II F 3, 30/31 I D 1, 49 III C 4, 53 I B 2, 63 I D 3, 130/131 I E 3
Ancona, Bm. 88/89 I E 5, 88/89 II C 3
Ancona, Mark 66 I D 3, 94 I E 3
Ancoriasus mons, Geb. 34/35 III A 1
Ancrum 102/103 I C 2
Ancyra, Ankara, Ankyra, O. i. Galatien, s. auch Angora 9 III D 2, 24 I F 4, 38/39 I F 3, 50/51 E 3/4, 150/151 I G 5
Ancyra Sidera, O. i. Mysien 38/39 I E 3
Andalsnes 156/157 I D 2
Andamanen, Ins. 138/139 I O 4, 158 I/II B 4, 162 II B 3
Andania, T. 18/19 I B 4
Andautonium 38/39 I C 1
Andaval 8 I A 2
Andecavi, V. 36 B 3
Andechs, Kl. 58/59 I I 5
Andeira 18/19 I H 2
Andemantuinum, Langres 36 D 3
Anderitum 36 C 4
Andermatt 80 II C 2
Andernach, Antunnacum 1 IV B 1, 40 II A 1, 54/55 II E 2, 80 I C 1, 122/123 I B 3
Andes, V. 29 I A/B 2
Andethanna, Oberanven 37 I A 2
Andhra, Ldsch. 46/47 II D/E 5
Andhra-Reich 46/47 I F 4/5
Andidschan 136 I A 2
Andier, V. 134 I F 2
Andorra, Rep. 92/93 I C 5, 130/131 I C 3
Andreasberg, Bg., O. 86 I A 1
Andria, O. 63 I F 4
Andrizetes, V. 38/39 I C 1
Androna 41 III C 2
Andros, Bm. 88/89 I G 6
Andros, Andrus, Ins. u. O. 10 II D 3, 102/103 I H 6, 145 V B 3, 145 VI B 3
Andrussow 113 G 4
Anegray, Kl. 52 II B 3
Anem 34/35 II B 2
Anemurium, O. 38/39 I F 3
Anemurium promontorium, Kap 38/39 I F 3
Anet 90 II B 2
Angamale 52 III E 4
Angeia 18/19 I C 2
Angel-Insel 143 IV
Angele 13 I B 2
Angeln, Ldsch. 61 III B 1
Angeln, Anglier, Angli, V. 36 D 1/2, 48 I B 1, 49 I A 1
Angelsachsen, V. 48 II A/B 1, 53 II A/B 1, 57 II
Angelsachsen-Mission 52 II
Angelsachsenreich 57 I B/C 2, 57 II B/C 2, 58/59 I A—D 1—3, 60 I D/E 3, 61 I A/B 2
Angelsächsische Staaten 50/51 A/B 2, 54/55 I B/C 1/2
Angerman-Älv, Fl. 113 D 2
Ångermanland, Prov. 113 D 2
Angers, Bm. 88/89 I B 4
Angers, Juliomagus, O. 36 B 3, 58/59 I C 5, 68/69 III B 2, 110 B 3
—, Universität 91 V A 2
Anghelu-Ruju 3 II B 2
Angkor 46/47 IV E 5, 72/73 I D 4, 72/73 IV C 3
Anglesey, Ins. 110 B 2
Angli, Anglier, Angeln V. 36 D 1/2, 48 I B 1, 49 I A 1
Anglikaner, Konfession 104 I
Anglo-ägyptischer Sudan 146 I D 2
Angola, Ldsch. 98/99 IV
Angola, port. Kol. 138/139 II A/B 1, 162 III B/C 3
Angora s. auch Ancyra, Ankyra 64/65 I E 3, 70 II F 3, 72/73 VI B 3, 130/131 I J 4, 148 I H 6
Angostura, Ciudad Bolivar 118 III D 2, 133 I B 1
Angoulême, Bm. 88/89 I C 4
Angoulême, Gft. 58/59 I C/D 6, 110 B/C 3
Angoulême, Iculisna, O. 36 C 3, 49 II B 2, 58/59 I C/D 6
Angra Pequena, Lüderitzbucht 132 I C 5
Angrivarier, V. 41 I A 2, 41 II C 1
Angrivarier-Wall 41 II C 1
Angularia 30/31 II A 1
Angulum 30/31 I E 2
Anhalt, evang. Landeskirche 161 VII
Anhalt, Fsm. 68/69 I F/G 2/3, 104 II B 2, 122/123 I D/E 2/3
Anhalt, Land 152 II D/E 2/3
Anhwei, chin. Prov. 136 I E 3
Ani 72/73 III C 2
Aniane, Kl. 54/55 I C 4
Anibe 6 I A 3
Anigraia 18/19 I C 4
Anim 8 III B 3
Animismus, Religion 72/73 IV D 1, 72/73 IV C/D 3
Anio, Fl. 30/31 II B 2
Anjou, Gft. 58/59 I C/D 4/5, 66 I A 2
Anjou, Gouv. 122/123 II A 2
—, Hzm. 68 III, B 2
Anjou, Haus (Achaja) 70 II D 3
Anjou, Haus (Neapel) 70 II D 3
Anjou, Haus (Polen) 68/69 I H—M 2—4
Anjou, Haus (Provence) 66 II C 3
Anjou, Haus (Ungarn) 70 II B—E 1/2
Anjou-Plantagenet, Haus 66 I
Ankara, s. Ancyra, Angora 38/39 I F 3
Anklam 83 II C 2, 84 I C 3
Ankon, s. Ancona 30/31 I D 1
Ankyle 12 VI
Ankyra, Ancyra, Ankara, s. auch Angora 9 III D 2, 24 I F 4, 38/39 I F 3, 50/51 E 3/4
Ankyropolis, Hibe 29 II B 2
Annaberg, Bg. i. Oberschlesien 153 II
Annaberg, Bg., O. i. Sachsen 86 I B 1, 122/123 I E 3, 160 III B 2
Annam, franz. Kolonie 136 II B 1/2
Annam, Reich 72/73 I D 3/4, 98/99 I L 5/6
Annecy 80 II A 3, 106/107 I D 7, 124 II A 1, 130/131 I D 2
Annfield 142 I—III A 2
Annobom, Ins. 132 I C 4
Annonay 96/97 I C 7
Annweiler 66 I C 2
Anopolis 10 III B 1
Ansarije, Geb. 41 III B 1/2
Ansbach, Fsm. 96/97 I F 5, 115 I C 3, 122/123 I D 4, 128 I C 2
Ansbach, O. 68/69 I F 4, 122/123 I D 4
Ansbach-Bayreuth, Fsm. 104 II B 2/3, 105 I C 2
Anschan 154 III B 2
Ansedonia, s. Cosa 21 V
Antakie, Antiochia, O. a. Orontes 22/23 II C 2, 38/39 I G 3, 50/51 E 4, 64/65 IV B 2, 130/131 I K 4
Antalya, Attalea 38/39 I F 3, 150/151 I I 5
Antandros 18/19 I G 2
Antäopolis 29 II B 2
Antaradus 41 III A 3
Antarktis, Ldsch. 164/165 IV
Antarktischer Magnetpol 164/165 IV
Antella 25 II B 1
Antemnac 30/31 II A/B 2
Anten, V. 42/43 I E/F 1, 48 I D/E 1, 50/51 D/E 3
Anthedon, O. i. Böotien 18/19 IV B 2
Anthedon-Agrippias, O. i. Palästina 34/35 II A 3, 22/23 II B 3
Antheia (Thuria) 10 II B/C 3
Anthele 11 I C 1, 18/19 III
Anthemus, Fl. 18/19 I C/D 1
Anthemus, O. 22/23 II C 2
Anthene 18/19 I C 4
Anthropolithari 10 I C 1
Antibes, Antipolis, O. 24 II C 3, 94 I B 3, 94 II B 3
Antibes, Bm. 88/89 II B 3
Antigonea, O. a.m Axius (Larder) 38/39 I D 2
Antigoneia, Gigonos, O. auf Chalkidike 18/19 I D 1
Antigonia, O. i. Epirus 38/39 I C/D 2
Antigonidenreich 26/27 I D 1/2, 26/27 II D 1/2, 26/27 III A/B 1/2
Antigua, Ins. 118 III D 2, 138/139 I F 4, 156/157 II C 4
Antikyra 18/19 I C 3
Antilibanon, Geb. 8 IV C 1/2
Antillen, dän., Inseln 133 I E 4
Antimacheia 18/19 I H 5
Antiuoopolis 34/35 I F 4
Antinum 30/31 I D 3
Antiocheia, Adana, O. 22/23 II C 2
Antiocheia, Alabanda, O. 22/23 II A 2
Antiocheia, Edessa, Orrhoë. O. 22/23 II C 2
Antiocheia, Gerasa, O. 22/23 II C 3
Antiocheia, Hippos, O. 22/23 II C 3
Antiocheia, O. i. Kommagene 22/23 II C 2
Antiocheia, O. a. Mäander 22/23 II A 2
Antiocheia, Mallos, O. 22/23 II C 2
Antiocheia, Nisibis, O. 22/23 II D 2
Antiocheia, Nysa, O. 22/23 II A 2
Antiocheia, O. i. Pamphylien 22/23 II B 2
Antiocheia, Tarsos, O. 22/23 II B 2
Antiochia, O. i. Pisidien 22/23 II B 2
Antiochia, Alexandria Margiane, O., s. auch Merw 26/27 I H 2, 46/47 I E 3, 46/47 II C 3
Antiochia, Antakie, O. a. Orontes 22/23 II C 2, 41 III B 1, 50/51 E 4, 64/65 IV B 2, 134 II B 2
Antiochia, Fsm. 64/65 IV A/B 2/3
Antiochia, Patriarchat 52 III C 3
Antiparos, Ins. 4 VII B 2
Antipatrea, Antipatria 38/39 I C/D 2
Antipatris 34/35 II A 2
Antiphrae 38/39 I E 4
Antipoden-Ins. 138/139 I S 7
Antipolis, Antibes 24 II C 3
Antipyrgos, Tobruk 38/39 I D 4
Antirrhion, Kap 18/19 I B 3
Antisara 18/19 I E 1
Antissa 18/19 I G 2
Antisuyu, Ldsch. 100/101 III B/C 3
Antitaurus mons, Geb. i. Armenien 38/39 I H 3
Antitaurus mons, Geb. i. Kappodokien 38/39 I G 3
Antium, Anzio 30/31 I C 3, 53 I B 3
Antivari, Ebm. 88/89 I F 5
Antivari, O. 64/65 I C 2, 92/93 I F 5, 112 I B 1, 130/131 I F 3
Antofagasta 133 II B 3
Antonia, Burg i. Jerusalem 34/35 V
Antrim 110 A 2
Antron 18/19 I D 3
Antunnacum, Andernach 40 II A 1
Antwerpen (Hansekontor) 84 II A 3
—, O. 58/59 I F 3, 78 IV B 2, 86 II C 1, 95 C 2, 96/97 IIIa—d, 104 III B 2, 105 I B 2, 126/127 IV B 2, 148 II C 1, 156/157 III B 2
—, Plan 143 Ia/Ib
Anura 46/47 I F/G 6
Anxanum 30/31 I E 2
Anxia 30/31 I F 4
An-yang 3 III B 2
Anzan, Ldsch. 9 I G 3
Anzio, Antium 30/31 I C 3, 53 I B 3, 156/157 I E 4
Anzitene, Ldsch. 38/39 I G 3
Anzus-Pakt 166/167 II
Aoos, Fl. 18/19 I A/B 1/2
Aornos, Pir-sar 22/23 I I 2
Aorsen, V. 46/47 II A/B 2
Aorsi, V. 38/39 I G 1
Aosta, Bm. 88/89 II B 2
Aosta, O. 49 II C 2, 58/59 I G 6, 68/69 I D 6, 130/131 I D 2, 160 III A 3
Apafaja, Pußta-Wüstung 140 V B 2
Apaisos 10 II E 1
Apamea, Myrleia, O. i. Bithynien 22/23 II A 1
Apamea am Orontes, O. in Syrien 22/23 II C 2, 41 III B 2, 64/65 IV B 3
Apameia, O. am Euphrat 22/23 II C 2
Apameia, Kelainai, O. i. Phrygien 22/23 II B 2
Apameia am Orontes, siehe Apamea
Apameia, O. am Tigris 22/23 II F 3
Apasiaken, V. 46/47 I D 2
Apatna 42/43 I G 3
Apatschen, Indianer, V. 116/117 II A 3, 144 IV B/C 3
Apenestae 30/31 I G 3
Apennin-Kultur 2 II C 2, 5 I C 3
Apenninus mons, Apenninen, Geb. 30/31 I B—E 1—3, 38/39 I A/B 2, 53 I A/B 1—3
Aperopia 18/19 I D 4
Apesekari 10 I A 1
Aphaia-Tempel a. Ägina 13 I B 2
Aphek, O. i. Ephraim 8 III A 2
Aphek, O. a. See Genezareth 34/35 II B 2
Aphek, O. i. Phönizien 8 III B 2
Aphetai 18/19 I D 2
Aphidnai 13 I B 1
Aphionia 10 II A 2
Aphroditopolis, Atfiyeh 6 I A 2
Aphroditopolis, Idfeh 6 I A 2
Aphrodisias 38/39 I E 3
Aphytis 18/19 II C 2
Apiarenses, V. 38/39 I E 2
Apiolae 30/31 II B 2
Aplerbeck 142 IV C 2, 142 V C 2
Apodotoi, V. 18/19 I B/C 3
Apodulu 10 I A 1
Apollinopolis, Edfu, Apollonopolis 29 II B 3
Apollon Delios-Tempel (Kap Epidelion) 18/19 I D 5
Apollonia, O. i. Babylonien 22/23 II E 3
Apollonia, O. i. Bithynien 38/39 I E 2
Apollonia, O. auf Chalkidike 18/19 I D 1
Apollonia, O. i. Cyrenaica 11 II D 2
Apollonia, Develtus Flaviopolis, O. a. Schwarzen Meer 20 I E 2, 38/39 I E 2
Apollonia, O. i. N-Kreta 10 III C 1
Apollonia, O. i. S-Kreta 10 III B 1
Apollonia, Tripolis, O. a Mäander 22/23 II A 2
Apollonia, O. i. Palästina 22/23 II B 3, 34/35 II A 2
Apollonia, O. b. Pergamon 18/19 I H 2, 22/23 II A 2
Apollonia, O. i. Phrygien 22/23 II B 2
Apollonia, O. i. Pierien 18/19 I E 1
Apollonia, O. i. Taulantierland 11 II C 1, 38/39 I C 2
Apollonis 22/23 II A 2
Apollon Lithesios-Tempel a. Kap Malea 18/19 I D 5
Apollonopolis, Apollinopolis, Edfu 29 II B 3
Apologos 46/47 I C 3
Appenzell, O. u. Kanton 80 II D 1 130/131 II B 1
Appia 38/39 I E 3
Apri 38/39 I E 2
Apsiler, V. 34/35 I F/G 2
Apsinthia, Ldsch. 18/19 I G 1
Apsinthos, Fl. 18/19 I G 1
Apsorus, Ins. 38/39 I B 2
Apsos, Fl. 18/19 I A 1
Apt, Bm. 88/89 II B 3
Apta, Apt, O. 24 II B 3
Aptara 10 III B 1
Apuani 25 I B/C 1
Apulia, Apulien, Ldsch. 30/31 I F/G 3/4
Apulia et Calabria (Regio Italiae) 30/31 I E—I 3—5
Apulien, Gft. 63 I E/F 4
—, Thema, byzantin. 63 I F/G 4
Apulische Kultur 5 II C 3
Apulum, Karlsburg 38/39 I D 1
Apure, Rio, Fl. 100/101 VII B/C 3
Apurimac, Fl. 100/101 III B 2/3
Aqua Claudia, Wasserleitung 30/31 II B 2
Aquae, Aachen, O. 37 I A 1
Aquae, Baden-Baden, O. 40 II B 3
Aquae, Baden b. Wien, O. 2 II C 2, 38/39 I C 1
Aquae, O. a. Braccianer See 30/31 II A 1
Aquae, O. b. Cherchel 34/35 III A 1
Aquae, O. i. Nordengland 36 B 2
Aquae, Saravenae, O. 38/39 I F 3
Aquae, O. b. Vindonissa 37 I B 3
Aquae Abulae, O. 30/31 II B 2
Aquae Albunae, O. 30/31 II B 2
Aquae Apollinares, O. 30/31 I C 2
Aquae Calidae, O. a. d. Loire 36 C 3
Aquae Cutiliae, O.
Aquae Flaviae, O. 38/39 II A 1
Aquae, 30/31 I C/D 2
Aquae Labanae, O. 30/31 II B 1
Aquae Mattiacorum, Wiesbaden, O. 40 II B 1
Aquae Neri, O. 36 C 3
Aquae Passerianae, O. 30/31 I C 2
Aquae Pisanae, O. 30/31 I A 1
Aquae Populaniae, O. 30/31 I A 1
Aquae Salviae, O. 30/31 II A 2
Aquae Sextiae, Aix, O. (= Aquio Sestis 41 IV) 24 I C 3, 29 I C 3
Aquae Sulis, Bath, O. 36 B 2
Aquae Tacapitanae, O. 34/35 III B 2
Aquae Tarbellicae, Dax, O. 36 B 4
Aquae Tauri, O. 30/31 I B 2
Aquae Vola terranae, O. 30 I A 1
Aqua Marcia 30/31 II B 2
Aquapendente 53 I A 2
Äquatoria, Äquatorial-Provinz, sudanes. 132 I D 3, 138/139 III B 2
Äquatorialafrika, franz. Besitz 146 I C/D 2/3
Äquatorial-Guinea, Staat 162 III B 2, 164/165 I
Aqua Traiana 30/31 II A 1
Aquila, Bm. 88/89 I E 5
Aquila, O. 63 I D 3, 94 I E 3, 94 II E 3
Aquileia, a. Arno 30/31 I B 1
Aquileia, Heidenheim, O. 40 II D 3
Aquileia, Aquileja, O. in Venetien 25 I D 1, 48 I C 2, 49 III C 3, 58/59 I K 6, 94 I E 1, 94 II E 2
—, Mission 56 II A/B 2
—, Patriarchat 88/89 II C 2
—, Patriarchat (Gebiet) 68/69 I G 5/6, 94 I E 1/2
—, -Verona, Mark 56 II A/B 2
Aquilonia 30/31 I F 3
Aquincum, Alt-Ofen 38/39 I C 1
Aquino, Aquinum 30/31 I D 3, 94 I E 4, 94 II E 4
Aquis Sestis, s. Aquae Sextiae 41 IV
Aquis Tatelis 41 IV
Aquitani, Aquitanier, V. 29 I A/B 3
Aquitania, röm. Prov. 36 B/C 3/4
Aquitanien, Hzm., s. auch Guyenne 50/51 A/B 3, 54/55 I C 3, 58/59 I C—E 5—7
Araba-Tal 34/35 II B 2/3
Araban, Schadi Kani 6 IV B 1
Arabian American Oil Co. 163 II

Araber, V. 3 I E/F 4, 50/51 D 4, 57 I, 149 II, 162 IV
Arabia, röm. Provinz 34/35 I F 3/4, 38/39 I F/G 4
Arabia felix, Südarabien, Ldsch. 34/35 I G 5
Arabicus, sinus (Arabischer Golf, Rotes Meer) 12/13 I F/G 4/5, 34/35 I F/G 4/5
Arabien, Ld., s. auch Saudi-Arabien 26/27 I E/F 2/3, 34/35 I F/G 3—5, 42/43 I F/G 3—5, 46/47 I B—D 3—5, 46/47 III B—D 2—4, 50/51 E—G 4—6, 64/65 III E—G 3—5, 72/73 II C—E 4—6, 72/73 III B/C 3/4, 72/73 VI B—D 3/4, 98/99 I D—F 4—6, 111 II A/B 1/2, 130/131 I K 5/6, 132 I D/E 2/3, 134 II B/C 2/3, 148 III A/B 2/3, 153 VI, 162 III C/D 1/2
Arabien, pers. Satrepic 14/15 I E 3
Arabische Kunst 67 I A—C 3
Arabische Liga 166/167 I
Arabischer Golf, Sinus Arabicus, Rotes Meer 42/43 I F/G 4/5, 34/35 I F/G 4/5
Arabischer Handel 111 II
Arabisches Meer 98/99 I F/G 5/6
Arabische Sprache 70 II
Arabische Wüste 50/51 F/G 5/6, 138/139 IV B/C 2/3
Arabistan, Gau 134 II C/D 2
Arabona 38/39 I C 1
Arachosien, Ldsch. 26/27 I H 2, 14/15 I H 3, 22/23 I H 2, 46/47 I E 3, 46/47 II C 3
Arachthos, Fl. 18/19 I B 2
Arad, O. i. Judaea 8 III B 3
Arad, O. i. Ungarn 74 III E 3, 112 II D 2, 156/157 III D 3
Araden 10 III B 1
Aradippia 8 I A 3
Arados, Aradus 11 II E 2, 22/23 II C 3
Arae Flaviae, Rottweil 40 II B 3
Arafura-See 158 I/II D 5
Aragon, Haus (Provence) 64/65 I B 2, 64/65 II B 2
—, Sardinien-Sizilien 70 II A—C 2/3
Aragon, Aragonien, Kgr. 64/65 I A/B 2, 64/65 II A/B 2, 92/93 I B/C 5/6, 102/103 I C/D 5/6
Aragon, Prov. Aragonien, span. 130/131 I B/C 3
Araithyrea 11 I C 1/2
Arakan, Ldsch. 135 I D 2/3
Arakynthos, Geb. 18/19 I B 3
Aralsee, Oxos-See 14/15 I G/H 2, 50/51 G/H 3, 98/99 I F/G 3, 134 II D/E 1
Aralskoje, Raim 134 II E 1
Aram, Syrien, Ldsch. 8 III B 1/2, 8 IV C 2
Aramäer, V. 3 I E/F 3
Aramco, Erdölgesellschaft 163 II
Aranjuez 130/131 I B 3/4
Araphen 13 I B 2
Arapkha, Kirkuk 6 IV B 1
Arar, Saône, Fl. 36 C/D 3/4
Ararat, Bg. 9 III F 2, 134 I E 4
Aras, Arax, Araxes, Fl. 9 III F/G 2, 50/51 F 3/4, 134 I D—G 4
Ara Ubiorum, Köln, s. Colonia Agrippina 41 II B 2
Araucaner (Indianer), V. 100/101 III B 5/6
Arausio, Orange 24 I C 3, 36 C 4
Aravisci, V. 38/39 I C 1
Araxes, Aras, Arax, Fl. 9 III F 2, 50/51 F 3/4, 134 I D—G 4
Araxos, Kap 18/19 I B 3
Arba Ilu, Erbil 6 III B 1
Arbe, Bm. 88/89 II C 3
Arbeitsbereich Generalgouvernement 155 I D—F 2/3
Arbela, Alexandreia, O. i. Assyrien 9 I F 2, 22/23 II D 2, 46/47 I C 3
Arbela, O. i. Palästina 34/35 II B 3
Arbesbach, Fl. 109 V
Arbion 10 III C 2
Arbocala 26/27 II A 1
Arboga 92/93 I F 2
Arbon, Fl. 40 III C/D 1/2
Arbon, Arbor Felix, O. 37 I C 3, 80 II D 1
Arborea, Kgr. (Sardinien). 66 II C 3/4, 71 III B 3
Arcae 30/31 I D 3
Archanes 10 I B 1
Archangelsk, Gouvernement 119 F—I 2
Archangelsk, O. 98/99 I E 1, 119 G 2, 149 III D 1
Archanthropinen, Rasse 1 II
Archas 64/65 IV B 3
Archelais, Aksaray, O. i. Cappadocia 38/39 I F 3
Archelaïs, O. i. Palästina 34/35 II B 3
Arcis, O. i. Bessarabien 140 IV B 2
Arcole 124 I C 3
Arcot 135 I B 3
Ardäbil, Ardebil 72/73 VI C 3, 134 II C 2
Ardahan 134 I D 3, 148 III B 1
Ardanis promontorium, Kap 38/39 I E 4
Ardea 30/31 II B 2
Ardebil, Ardäbil 72/73 VI C 3, 134 II C 2
Ardèche, Dép. 122/123 III C 2
Ardennen, Arduinna Silva, Geb. 36 C/D 2/3, 54/55 II D/E 2, 156/157 III B 3
Ardennes, Dép. 122/123 III C 1
Ardettos 12 VI
Ardey-Geb. 142 IV B 2, 142 V B 2
Ardiäer, V. 24 I D 3
Ardilan, Ldsch. 112 I E 2
Ardoch 36 B 1
Arduinna Silva, Ardennen, Eifel, Geb. 36 C/D 2/3, 54/55 II D/E 2
Area Mutiae 30/31 II A 1
Arecomici, V. 29 I B/C 2/3
Arelat, Burgund, Kgr., s. auch Hochburgund, Niederburgund 58/59 E—G 5—7, 66 I C 2/3
Arelate, s. auch Arles, O 24 II B 3, 36 C 4
Aremberg, Arenberg, Hft. u. O. 114 D 2, 122/123 I B 3
Aremberg, Hzm. 126/127 II A 1
Aremorica, Ldsch. vgl. Armoricanus Tractus 36 B/C 3
Aremorica-Wessex-Kultur 5 I A 2/3
Arenberg, Aremberg, Hft. u. O. 114 D 2, 122/123 I B 3
Arene 10 II B 3
Arene Candide 2 I B 2
Arensburg, O. i. Holland 36 C 2
Arensburg, O. a. Ösel 68/69 II B 1, 75 D 2
Areopag in Athen 12 IV
Areopolis, Rabba, Rabbath Moab 34/35 II B 3
Arethusa, O. i. Spanien 22/23 II C 3, 41 III B 3
Arethusa-Quelle i. Syrakus 17 I
Arevaci, V. 38/39 II B 1
Arezzo, O., s. auch Arretium 25 II B 1, 63 I C 3, 94 I D 3, 94 II D 3
—, Universität 91 V C 2
Argaeus mons, Bg. 38/39 I G 3
Argen, Fl. 37 I B/C 3
Argentan 110 C 3, 156/157 III A 3
Argentaria 38/39 I C 2
Argentia 156/157 II D 2
Argentinien, Staat 133 II B/C 3/4, 164/165 III, 166/167 II/III, 168
Argentinische Konföderation 133 II B/C 3
Argentomagus 36 C 3
Argentorate, Straßburg 40 II A 3
Argentovaria, Harburg, O. i. Elsaß 37 I A 2
Argenus 36 B 3
Argesch, Ebm. 88/89 I G 4
Argilos 18/19 II C 2
Arginussai, Ins. 18/19 I G 2/3
Argippäer, V. 14/15 VI
Argissa 11 I C 1
Argithea 18/19 I B 2
Argiza 18/19 I H 2
Argo, Nilinsel 6 I A 4
Argolis, Argos, Ldsch. 18/19 I C/D 4
Argolischer Golf 18/19 I C/D 4
Argonnen, Geb. 148 II C 2
Argos, O. i. Argolis 9 II B 2, 16 I B 3, 56 II C 4, 145 V B 3
Argos, Ebm. 88/89 I G 6
Argos, O. a. Golf v. Ambrakia 18/19 I B 3
Argos, O. i. Makedonien 18/19 II A 2
Argous Portus 30/31 I A 2
Arguin, Ins. 98/99 IV, 132 I B 2
Argun, Fl. 72/73 II K—M 2/3
Argus (Argos), O. a. Golf v. Ambrakia 38/39 I D 3
Argyll, Ldsch. 88/89 I A/B 2
Argyra, Ldsch. 46/47 I H 4/5
Argyrokastro 130/131 I G 3
Aria, Ariana, Ldsch. 14/15 I G/H 3, 46/47 I E 3, 46/47 II B/C 3
Arialbinnum 40 III A 1
Ariana, Aria, Ldsch. (siehe Aria)
Arianer, Religion 48 II, 49 I
Ariarathia 22/23 II C 2
Ariaspen, V. 22/23 I H 2
Arica 133 II B 2
Aricia 30/31 II B 2
Arier, Indo-Iranier, V 3 I H 3
Arikamedu 46/47 I F 5
Ariminum, s. auch Rimini 25 I D 1
Ariminus, Fl. 30/31 I C 1
Arinthe 17 I E 1
Ariolica, Pontarlier 37 I A 3
Arios, s. auch Heri-Rud, Fl. 14/15 I H 3
Arisbe, O. am Hellespont 10 II E 1
Arisbe, O. auf Lesbos 18/19 I G 2
Aristonautai 18/19 I C 3
Arizona, amer. Staat 133 III B/C 3
Arka 9 III E 3
Arkader, V., s. auch Achäer 11 I
Arkades, O. 10 III C 1
Arkadia, Arkadien, Ldsch. 18/19 I B/C 4
Arkadia, O. 50/51 D 4
Arkadiopolis 54/55 I H 4
Arkado Kyprier, Achäer, V. 10 II
Arkansas, amer. Staat 133 III D 3
Arkansas, Fl. 133 III C/D 3
Arkelochori 10 I B 1
Arkesine 18/19 I F 5
Arkona, Kap 58/59 I K 1
Arkot 116/117 IV B 3
Arktis, Ldsch. 164/165 II
Arktischer Magnetpol 164/165 II
Arktonnesos, Ins. 18/19 I H 1
Arlau, Fl. 61 III B 1
Arlberg-Paß 80 II E 1
Arles, Ebm. 88/89 II A 3
Arles, Arelate, O. 49 II C 3, 58/59 I F 7, 92/93 I C 5, 110 C 4
Arlon, Orolaunum 36 D 3, 95 C 3, 126/127 IV B 3
Armada, spanische Flottenfahrt 102/103 I
Armagh, Ebm. 88/89 I A 3
Armagh, O. 52 I A 2, 104 I A 2
Armagnac, Gft. 63/69 III B/C 2/3, 102/103 I D 5
Armavir 44 II F 2, 150/151 I H 4, 163 II C 2
Armenia, Armenien, Ldsch. s. auch Klein-Armenien 14/15 I E/F 2/3, 22/23 I E/F 2, 28 I E/F 1/2, 34/35 I G 3, 46/47 I C 3, 112 I E 1, 134 II C 1
Armenia I—II (röm. Provinzen) 42/43 I F 3
Armeniakon, byzant. Thema 50/51 E 3
Armenia minor, Armenien, Klein-, (zw. Euphrat u. Halys) 38/39 I G 2/3
Armenien, Rep. 148 III B 1/2, 149 III D 3
—, SSR. 150/151 I H 4/5
—, türk. Prov. 150/151 I H 4/5
Armenier, monophysitische Christen 52 III C/D 3, 64/65 I, 64/65 III
Armenier, V. 3 I E/F 2/3, 134 I, 153 V
Armenische Sprache 70 II
Armenochori 18/19 II A 2
Arment 114 B 2
Armentières 148 II B 1
Armisensium Vieus, Metzingen 40 II C 3
Armonicanus Tractus, vgl. Aremorica 42/43 I B 2
Arna, O. i. Lakonien 13 II A 2
Arna, O. i. Umbrien 30/31 I C 1
Arnay le Duc 67 I B 2
Arne, Kierion, O. i. Thessalien 18/19 I C 2
Arneburg, O. 58/59 I I 2
Arnheiler Hof 40 II C 2
Arnhem 78 IV C 1, 95 C 1, 104 III B 2, 156/157 III B 2
Arni 10 I C 1
Arnissa 18/19 I B 1
Arno, Arnus, Fl. 30/31 I A/B 1, 63 I C 3
Arnon, Fl. 8 IV B/C 4
Arnsberg, O. 68/69 I E 3, 122/123 I C 3, 126/127 II B 2
Arnsburg, O. i. Hessen 40 II B 1
Arnsburg, Kl. 88/89 III A 1
Arnstadt 58/59 I I 3, 122/123 I D 3
Arnstein, Kl. 80 I C 1
Arnswalde 122/123 I F 2
Arnus, Arno, Fl. 30/31 I A/B 1, 63 I C 3
Aroania, Ldsch. 18/19 I C 4
Aroër, O. am Arnon 8 III B 3
Aroër, O. i. Nabatäerland 34/35 II A 3
Aromata, Kap 34/35 VI
Aromata, O. 46/47 I D 5
Arpachiya 6 II B 1
Arpi 30/31 I F 3
Arpinum 30/31 I D 3
Arran, Ldsch. 50/51 F 3
Arras, Bm. 88/89 I C 3
—, Kl. 87 I C 1
Arras, Nemetacum, O. 36 C 2, 54/55 II C 2, 85 II B 2, 95 B 2, 114 B 2, 148 II B 1
Arretium, s. auch Arezzo 24 II E 3, 30/31 I B 1
Arriège, Dép. 122/123 III B 3
Arsakidenreich, s. Partherreich 29 III C/D 2
Arsamea 38/39 I G 3
Arsamosata 38/39 I G 3
Arsanias, Fl. 38/39 I H 3
Arschi, Wu-sun, V. 46/47 I F 2, 46/47 II F 2
Arsinoë, Methone, O. i. Argolis 18/19 I D 4
Arsinoë, Marion, O. auf Cypern 22/23 II B 3
—, O. i. Nordcypern 38/39 I F 3/4
—, O. i. Ostcypern 22/23 II B 2
Arsinoë-Ephesos, O. 22/23 II A 2
Arsinoë, Krokodilopolis, O. i. Fayjum 29 II B 2
Arsinoë, O. i. Kilikien 22/23 II B 2
Arsinoë, Patara, O. i. Lykien 22/23 II A 2
Arsinoë, O. i. Phönikien 22/23 II C 3
Arsinoë, O. am Roten Meer 29 II B 1
Arslantepe, Melitene, Malatya 8 I B 2
Arsuf 64/65 IV A 4
Arta 71 II B 4, 116/117 I H 6, 130/131 I G 4
Artabis, V. 38/39 II A 1
Artagira 34/35 I G 2
Artanada 38/39 I F 3
Artaxata 22/23 II D 1/2, 46/47 I C 2
Artemision, Kap 18/19 I D 2, 14/15 V A 2
Artemision, O. i. Spanien 11 II A/B 2
Artemision, Tempel am Aisepos 18/19 I H 1
Artemision, T. auf Euboia 18/19 I D 2
Artemistempel b. Brauron 13 I B 2
Artemistempel b. Ephesos 18/19 V A 2
Artemita 22/23 II E 3
Artena 30/31 II A 2
Artern, Bg., O. 86 V A 1
Artesia 64/65 IV A 3
Artlenburg, O, 106/107 I F 3
Artois, Gouvernement 122/123 II B 1
Artois, Gft. 70 I B 1, 95 B 2, 104 III A 2, 114 B 2
Artwin 134 I C 3
Aruba, Ins. 118 III D 2
Arupium 38/39 I C 2
Arurius, Aare, Fl. 37 I A/B 3, 80 II B/C 1/2
Arus, Baetarrhus 38/39 I F/G 4
Arvad 9 I E 3
Arve, Fl. 80 II A 2/3
Arverner, Arverni, V. 29 I B 2
Arvernus mons, Bg. 36 C 3
Arvi 10 I B 2
Arzanene, Ldsch. 38/39 I H 3
Arzawa, Ldsch. V. 8 I A 2
Arzbach 40 II A 1
Asad, V. 50/51 F 5
Asa Paulini 24 II B 2
Asarcik 8 I B 2
Asberg, Asciburgium, O. 37 I A 1
Ascension, Ins. brit. 138/139 I I 5
Asch 122/123 I E 3
Aschaffenburg, Fsm. des Fürstprimas 124 I C/D 2, 128 I B 1/2
Aschaffenburg, O. 78 III B 3, 105 I C 2, 122/123 I C 4
Aschanti, Ldsch. 132 I B/C 3
Aschchabad 162 II A 2
AschendorferMoor, O. 140 III
Aschersleben 81 III B 2
Aschmunein, Hermopolis 6 I A 2
Aschoka-Reich 26/27 I
Aschtaroth 8 III C 2
Asciburgium, Asberg, O. 27 I A 1
Ascoli, Ausculum, O. i. Apulien 30/31 I F 3, 63 I E 4
Asculum, Ascoli, O. i. Picenum 30/31 I D 2, 63 I D 3
Asdingen, s. auch Wandalen 42/43 I E 2, 48 I A 2; D 2
Asdod, Azotus, Azotos 8 IV A 4, 22/23 II B 3, 34/35 II A 3
Asea 18/19 I C 4, 4 VII A 2
Asenbögel 56 V A 1
Aserbaidschan, Ldsch. 112 I E 2, 134 II C 1/2, 50/51 F 4, 72/73 III C 3, 98/99 I E 4
Aserbaidschan, pers. Gau 134 II C 2
Aserbaidschan, Rep. 148 III B 1, 149 III D 3
—, SSR 150/151 I H 4/5
Aserbaidschan-Türken, V. 134 I E/F 3/4
Aschdown 57 II B 2
Ashton, O. i. Pennsylv. 118 II A 2
Asi, Fl. s. auch Orontes 8 I B 2/3
Asia, röm. Provinz 28 I D 1/2, 38/39 I E/F 3
Asiago 148 I D 4
Asiana, röm. Diözese 42/43 I E/F 3
Asiaten in den USA 144 II
Asido 38/39 II A 2
Asien, Erdteil 1 I, 14/15 VI, 22/23 VI, 34/35 VI, 46/47 I—IV, 50/51, 52 III, 64/65 I—IV, 70 II, 71 II/III, 72/73 I—VI, 98/99 I V—VIII, 105 III, 111 II, 115 II, 116/117 IV, 125 II, 134 I/II, 135 I/II, 136 I—III, 137 I—III, 138/139 I V/VI, 149 II IV, 158 I/II, 159 I/II, 162 I/II, 163 I, 164/165 I III, 166/167 I—III, 168
Asine, O. i. Argolis 18/19 I C 4
Asine, O. i. Lakonien 18/19 I C 5
Asine, O. i. Messenia 18/19 I B 5
Asir, Ldsch. 153 VI D 4
Asisium, Assisi 25 II C 1, 30/31 I C 1, 94 I/II E 3
Askalon 8 III A 3, 22/23 II B 3, 64/65 IV A 5
Askanier, Geschlecht 66 I, 66 II D 2, 68/69 I G 2/3
Asklepieion, T. auf Kos 18/19 I H 5
Asklepios-Tempel i. Epidaurus 18/19 I D 4
Askra 18/19 IV B 2
Askyrion 18/19 I C 2
Asla, Wüstung 77 IV A 1
Asmara 138/139 III B 2, 154 IV A 1
Asmari 10 I B 1
Asopos, Fl. i. Argolis 18/19 I C 4
Asopos, Fl. i. Böotien 13 I A/B 1, 18/19 IV B/C 2
Asopos, Fl. i. Oitaia 18/19 III
Asopos, O. 18/19 I C 5
Asow, Gouvernement 119 F/H 4/5
Asow, Tana, O. 70 II G 1, 112 I D 1, 119 F 5
Asowsches Meer 67 III F 3, 130/131 I K 2
Aspadana 46/47 I D 3
Aspendos, Aspendus 11 II E 2, 38/39 I F 3
Aspergle, Klein- 24 II D 1
Aspern 124 I E 2
Aspis 26/27 I C 2
Aspledon 18/19 IV B 1
Aspromonte, Geb. 17 I D 2
Assa, Assera 18/19 I D 1
Assab, O. 154 IV B 1
Assabbai, Ldsch. 138/139 III C 2
Assam, Ldsch. 72/73 I C 3, 72/73 II E 5, 72/73 IV B 2, 98/99 I I/K 5, 135 I D 2

Assassinen, Sekte 64/65 IV B 3
Assaye 135 I B 2
Asse, Geb. 58/59 V B 1
Assen 104 III C 1
Asser, V. 8 IV B 2/3
Assera, Assa 18/19 I D 1
Assiniboia, kanad. Distr. 133 III B/C 1/2
Assisi, Asisium 25 II C 1, 30/31 I C 1, 94 I E 3, 94 II E 3
Assiut, Lykopolis 6 I A 2
Asso 25 II B/C 2
Assoros 17 I C 3
Assos, Assus 18/19 I G 2
Assuan, Syene 6 I A 3, 50/51 E 5, 138/139 III B 1
Assuan-Damm 153 VI C 3
Assur, Kalat Schirkat 6 II—IV B 1, 9 I F 2
—, Plan 7 VII
Assuras 34/35 III B 1
Assus, s. auch Assos 38/39 I E 3
Assyrer, V. 3 I
Assyrien, Ldsch. 6 II—IV B 1/2
—, röm. Prov. 34/35 I G 3,
—, Athura, pers. Satrapie 14/15 I E/F 3
Assyrisches Reich 6 IV, 8 II, 8 IV, 9 I, 9 III
Astakos, O. i. Akarnanien 18/19 I B 3
—, O. i. Bithynien 16 I E 1
Astale 10 III B 1
Astara 119 H 7
Astarab 119 I 7
Astarabad, O. u. Ldsch. 134 II D 2
Astaroth-Dion 34/35 II C 2
Astata, Ldsch. 9 I E 2
Asterion 11 I C 1
Asthianene, Ldsch. 38/39 I H 3
Asti, Bm. 88/89 II B 3
Asti, Gft. 94 I B/C 2, 94 II B/C 2
Asti, Hasta, O. 36 D 4, 63 I B 2, 94 I C 2, 94 II C 2
Astica, Ldsch. 38/39 I E 2
Ästier, V. 41 I D 1/2
Astigi, Ecija 38/39 II A 2
Astorga, Asturica Augusta, O. 38/39 II A 1
Astorga, Bm. 88/89 I A 5
Astrachan, Chanat 98/99 I E/F 2/3, 105 II C 4
—, Gouvernement 119 H 5
—, O. 72/73 VI C 2, 98/99 I E 3, 105 II C 4
Astura, Fl. 30/31 II B 2/3
Astura, Villa, O. 30/31 I C 3, 30/31 II B 3
Asturer, Astures, V. 28 I A 1, 38/39 II A 1
Asturia, Asturien, Ldsch. 38/39 II A 1
Asturica Augusta, Astorga 38/39 II A 1
Asturien, Kgr. 50/51 A 3, 57 I B 3
—, Ldsch. 64/65 I A 2
Asturische Dolmenkultur 2 I A 2
Asturische Markgft. = Kastilien 58/59 I B 7/8
Astypalaia, Astypalaea, Ins. u. O. 18/19 I G 5
Astyra, O. i. Dardanien 18/19 I G 1
Astyra, O. am Ida (Troas) 18/19 I G 2
Asuncion 118 III E 4, 133 II C 3
Atacama-Wüste 133 II B 3
Ataka, Dschebel- 138/139 IV B/C 3
Atarneus 18/19 I G 2
Ataroth 8 III B 3
Atbara, Fl. 6 I A 4
Atella, O. i. Campania 30/31 I E 4
Atella, O. i. Lukanien 30/31 I F 4, 94 I/II F 4
Atenco 100/101 VI B 1
Atene 13 I B 2
Aterno, Aternus, Fl. 30/31 I D/E 2, 53 I B 2
Aternum 30/31 I E 2
Aternus, Aterno, Fl. 30/31 I D/E 2, 53 I B 2
Atesis, Etsch, Fl. 24 II E/F 2
Ateste, Este 24 II E 2
Atfiyeh, Aphroditopolis 6 I A 2
Ath 95 B 2, 114 B 2
Athabaska, kanad. Distr. 133 III B/C 1
Athamanen, V. 26/27 III A 2
Athamania, Ldsch. 18/19 I B 2
Athelney 57 II B 2
Athen, Athenae, Athenai, O. s. auch Attika, Attischer Seebund 4 VII A 2, 9 II B 2, 13 I B 2, 50/51 D 4, 92/93 I G 6, 112 I C 2, 130/131 I G 4, 153 V A 2
—, Pläne 12 I/II, 12 IV—VI
Athen, Ebm. 88/89 I G 6
Athen, Hzm. 70 II D 3, 71 II B 4
Athenai Diades, O.a. Euboia 18/19 I C 3
Athena-Tempel i. Pallene (Attika) 13 I B 1
— a. Kap Sumion 13 I C 2
Athenopolis, St. Tropez 24 II C 3
Äthiopien,Abessinien, Reich 98/99 I D/E 6/7, 98/99 IV D/E 6/7, 132 I D/E 3, 138/139 III B/C 2, 154 IV, 162 III C/D 2, 164/165 III, 168
Äthiopier, christl. Kirche 52 III C/D 4
Athlib 20 I F 4
Athlit, Burg 64/65 IV A 4
Athos, Bg. 18/19 I E 1, 145 VI B 2
Athos, Mönchsrepublik 45 VI, 88/89 I G 5
Athribis 6 I A 1
Athura, Assyrien, pers. Satrapie 14/15 I E/F 3
Atjeh, Lgsch. 111 II D 2
Atina, O. i. Campania 30/31 I D 3
Atina, O. i. Lucania 30/31 I F 4
Atintanien, Ldsch. 20 II B 2/3
Atitlan 100/101 II C 3
Atlanta 133 III E 3
Atlantischer Ozean, Okeanos, Oceanus Atlaiticus 22/23 VI, 98/99 VII/VIII, 100/101 I D—I 1—8, 111 I, 156/157 II, 164/165 I F—K 1—7
Atlantischer Raum 111 I
Atlas, Geb. 14/15 VI, 22/23 VI, 163 III A/B 1/2
Atlit 162 IV A 1
Ätoler, V. 24 I E 4
Ätolien, Aitolia, Ldsch. 18/19 I B 2/3
Ätolischer Bund 26/27 III A 2
Atrebates, V. 29 I B 1
Atrek, Fl. 119 I/K 7
Atri, s. auch Hadria 63 I D 3
Atria, s. Adria, O. 11 II C 1
Atropatene, Media Atrop. Ldsch. 26/27 I F 2, 34/35 I G 3, 46/47 I C 3
Atschin 135 I D 4
Attalea, Adalia, Antalya, Attalia, Attaleia, O. i. Pamphylien 22/23 II B 2, 50/51 E 4, 64/65 I E 3, 64/65 II E 3, 130/131 I I 4
Attaleia, O. i. Aiolis 18/19 I G 2
Attaleia, O. i. Mysien 22/23 II A 2
Attendorn 78 III A 2
Atthalia, Ilva, Elba, Ins. 30/31 I A 2
Attidium 30/31 I C 1
Attigny, Pfalz 54/55 II D 3
Attika, Ldsch. u. Polis 13 I
Attischer Seebund 16 I
Attisches Seereich 16 II D/E 2/3
Attu, Ins. 158 I/II F 2
Aturae 38/39 II B 1
Aturis, Fl. 38/39 II B 1
Atzigenrode, Wüstung 77 IV B 1
Aube, Dép. 122/123 III B/C 1
Aube, Fl. 95 B/C 3/4
Auch, Ebm. 88/89 I C 5
Auch, Elimberris, O. 36 C 4, 58/59 I D 7, 104 I C 4
Auckland, Ins., brit. 138/139 I S 7
Auckland, O. 137 I F 6, 137 II D 3
Audaghost, V. 98/99 IV
Aude, Dép. 122/123 III B 3
Audschila 50/51 D 5
Auerstedt 124 I C 2
Aufida 30/31 I D 2
Aufidena 28 III, 30/31 I E 3
Aufidus, Fl. 28 III, 30/31 I F/G 3/4
Aufinum, O. i. Samnium 30/31 I D 2
Aufinum Transmontanum, O. i. Picenum 30/31 I D 2
Augarten, Ot. v. Wien 109 V
Aughrim 116/117 I B 3
Augila 34/35 I E 4
Augment 118 II A 2
Augsburg, Bm. 88/89 II C 2, 145 I, 161 VI
—, Bm. Territ. 68/69 I F 4/5, 122/123 I D 4/5, 128 I B 2/3
—, Kl. 87 I E 2
—, O., RSt., s. auch Augusta Vindelicorum 49 III B 1, 50/51 C 3, 68/69 I F 4, 81 II C 2, 86 II E 2, 105 I C 2, 122/123 I D 4, 128 I B 2
Augst, Bm. 88/89II B 2
—, O., s. Augusta Rauricoum
Augusta, O. i. Georgia 133 III E 3
Augusta Bagiennorum, O. i. Piemont 36 D 4
Augustae, O. i. Moesia inf. 38/39 I D 2
Augusta Libanensis, röm. Provinz 42/43 I F 3
Augusta Praetoria, Aosta, O. 36 D 3
Augusta Raurica, Rauracum, Rauraci, Rauracorum, Rauricorum colonia, Augst, Kaiseraugst 40 III A 1, 41 I A 3
Augustaritum, Limoges, O. 36 C 3
Augusta Suessionum, Soissons, O. 36 C 3
Augusta Taurinorum, Turin, O. 36 D 3
Augusta Traïana, Beroea, Stara Zagora, O. 38/39 I E 2
Augusta Treverorum, Treveri, Trier, O. 37 I A 2, 40 VI A 2
Augusta Treverorum, Trier, Plan 40 V
Augusta Vindelicum, Augusta Vindelicorum, Augusta, Augsburg, O. 40 II D 3
Augusta Viromanduorum, St. Quentin, O. 36 C 3
Augustobona, Troyes 36 C 3
Augustobriga 38/39 II A 2
Augustodunum, Autun 36 C 3
Augustodurum, Bayeux 36 B 3
Augustonemetum, Clermont-Ferrand 36 C 3
Augustowo 124 I F 1
Aulef 163 III A 3
Aulerci, Aulerci Cenomani, Aulerci Diablinthes, V. 29 I A/B 1
Auliakome 18/19 V A 1
Aulis 18/19 IV C 2
Aulon, O. i. Albanien 38/39 I C 2
Aulon, Meerenge b. Andros 18/19 I E/F 4
Aulon-Tal, a. Peloponnes 18/19 I B 4
Aumale, Auzia 34/35 III A 1, 58/59 I D 4, 110 C 3
Aunjetitzer-Kultur 5 I C/D 2
Aunis, Gouv. 122/123 II A 2
Auranitis, Hauran, Ldsch. 34/35 II C 2
Aurasius Mons, Geb. 34/35 III B 1
Aureliani, s. Cenabum Aureliani, Orléans 36 C 3, 42/43 I C 2
Aurel. Vicus, Öhringen 40 II C 2
Aurgi, Jaen 38/39 II B 2
Aurich 122/123 I B 2, 161 IV A 1
Aurignac 1 III C 2
Aurillac, Kl. 87 I C 3, 116/117 I D 5
Aurinia Saturnia, s. auch Saturnia 24 II E 3, 25 II B 2
Aurunci, V. 30/31 I D 3
Aus, V. 50/51 F 5
Auschwitz, NS-Konzentrationslager 155 I D 2
Auschwitz, O. 68/69 I K 3, 115 I D 3, 129 II I 3
Ausci, O. 42/43 I C 2
—, V. 36 B/C 4
Ausculum, Ascoli, O. i. Apulien 30/31 I F 3, 63 I E 4
Ausetani, V. 38/39 II C 1
Ausfeld, Wüstung 77 IV B 1
Ausleben 56 VI B 2
Aussee, Bg., O. 86 I B 3
Äußere Mongolei, Staat, Mongolische Volksrepublik 136 I B—E 1/2, 136 III A/B 1/2, 149 IV D/E 2, 162 II B/C 1
Äußeres Meer, s. Oceanus 14/15 VI
Außer-Rhoden, Ldsch. 130/131 II B 1
Aussig 92/93 II C 3, 122/123 I F 3
Austerlitz 124 I E 2
Australien, Erdteil, brit. Dominion 100/101 VIII A—C 3/4. 125 II, 137 I/II, 138/139 I, 158 I/II C—E 5/6, 164/165 III, 166/167 I/II, 168
Australier in den USA 144 II
Australischer Staatenbund, Commonwealth 138/139 I P—R 5—7
Australopithecinen, Menschenrasse 1 I, 1 II
Austrien, Ldsch. 54/55 I D/E 2/3
Ausum 34/35 III A 2
Auswanderung nach den USA 144 II/III
Autafort 66 I B 2
Autariatae, Autariaten, V. 24 I D/E 3
Autessiodurum, Auxerre 36 C 3
Autobahnen 155 I, 161 I, 161 IV
Autricum 36 C 3
Autrigones, V. 38/39 II B 1
Autun, Bm. 88/89 II A 2
Autun, Augustodunum, O. 36 C 3, 49 II C 2, 95 C 4, 96/97 I C 6, 110 C 3
Auvergne, Gouv. 122/123 II B 2
Auvergne, Gft. 58/59 I E 6, 66 I B 2
—, Hzm. 68/69 III C 2, 102/103 I D 4/5, 110 C 3/4
Auxerre, Bm. 88/89 I C 4
—, Gft. 58/59 I E 5, 95 B 4
Auxerre, Autessiodurum, O. 36 C 3, 54/55 II C 4, 110 C 3
Auximum 25 I D 2
Auxonne 110 D 3
Auzia, Aumale 34/35 III A 1
Ava, Birma, Ldsch. 98/99 I K 5, 111 II D 1/2
Ava, O., 135 I D 2
Avalites 46/47 I C 5
Avalon 116/117 II F 2
Avanti, Ldsch. 46/47 I F 4, 46/47 II D 4
Avaricum, Bourges 29 I B 2
Avaris, Ramses, Tanis 6 I A 1
Ava Ubiorum, Ava Agrippinensium, Colonia, Köln 37 I A 1
Avdu 10 I B 1
Aveia 30/31 I D 2
Avenches, Bm. 88/89 II B 2
Avenches, Aventicum, A. Helveticum, O. 37 I A 3
—, Plan 42/43 III
Avennio, Avignon 24 II B 3
Avens, Nar, Fl. 24 II F 3
Aventicum, Avenches, Aventicum Helvetiorum 37 I A 3
—, Plan 42/43 III
Aventinus, Hügel Roms 32 II, 45 I
Avernubs lacus, See 30/31 III B 1
Aversa, Bm. 88/89 I E 5
Aversa, Gft. u. O. 63 I E 4
Avesnes 95 B 2, 114 B 2
Aveyron, Dép. 122/123 III B 2/3
Avezzano 53 I B 2
Avignon, Avennio, O. 24 II B 3, 66 I B 3, 68/69 I C 7, 70 I B 3, 86 II C 3, 110 C 4
Avignon. Ebm. 88/89 II A 3
Avila, Bm. i. Kastilien 88/89 I B 5
Avila, O. i. Kastilien 92/93 I B 5, 102/103 I C 5
Avila, O. i. Sizilien 63 I E 6
Aviosen, Nerthusvolk 41 I
Aviz 64/65 I A 3
Avlona, Valona 54/55 I F 4
Avranches, Bm. 88/89 I B 4
Avranches, O. 58/59 I B 4, 156/157 III A 3
Awadh, Oudh, Staat 116/117 IV B/C 2, 135 I C 2
Awaren, Shou-shan, V. 46/47 III G—L 1, 49 I F 2, 56 II C/D 2, 134 I E/F 2
Awarenreich 50/51 C/D 3, 54/55 I F/G 3, 58/59 II
Awarenring, Burg 54/55 I G 3, 58/59 II E 3
Awarenwüste 58/59 II D/E 2
Awaso 163 IV A 2
Axios, Axius, Vardar, Wardar, Fl. 38/39 I D 2
Axomis, Aksum, Axum 34/35 I F 5
Axona, Aisne, Fl. 36 C 3, 95 B/C 3
Axos 10 III B 1
Axum, Aksum, Axomis 34/35 I F 5, 42/43 I F 5
Ayacucho 133 II B 2
Aydin, Aidin, Tralles, O. 38/39 I E 3, 130/131 I H 4, 153 V B 2
—, Wilajet 134 II A 2
Ayotlan 100/101 VI B 2
Ayudhya, Ayuthia 98/99 I L 6, 136 II B 2
Azali, V. 38/39 I C 1
Azania, Ldsch. 18/19 I B/C 4
Azaz 64/65 IV B 2
Azcapotzalco 100/101 VI A 2
Azeka 8 III A 3
Azelerode, Wüstung 77 IV A 1
Azenia 13 I B 1
Azetium 30/31 I G/H 3
Azincourt 92/93 III C 1, 95 B 2
Aziris 38/39 I G 3
Azor 8 III A 2
Azoren, Ins. 98/99 IV, 111 I E 2, 132 I A 2
Azoros 18/19 I C 2, 18/19 II B 3
Azotus, Asdod 8 IV A 4, 22/23 II B 3, 34/35 II A 3
Azteken, V. 100/101 II A—C 1—3

Baala 8 III A 3
Baalbek, Heliopolis 38/39 I G 4, 44 I E 3
—, Tempel, Plan 34/35 IV
Baal Salisa 34/35 II B 2
Baar, Ldsch. 96/97 I E 6
Babba 38/39 II A 3
Bab el Abwab, Derbent 50/51 F 3
Babel, Babylon i. Babylonien 6 III B 2, 6 IV B 2
—, Plan 7 III
Babenberger, Geschlecht 66 I, 66 II D 3
Babenhausen 122/123 I C 4
Babol 134 II D 2
Babylon, Babel, O. i. Babylonien 6 III B 2, 6 IV B 2
—, Plan 7 III
Babylon Fossatum, Alt-Kairo 38/39 I F 4, 50/51 E 4
Babylonien, Sangar, Ldsch. 6 II—IV, 9 I, 46/47 I C 3
—, pers. Satrapie 14/15 I F 3
Babylonier, V. 3 I
Babylonisches Reich 8 II B/C 2
Bacalar-See 100/101 II D 2
Baccanae 30/31 II A 1
Bacharach 80 I C 1
Bacherode, Wüstung 77 IV A 2
Bachtschisarai, Baghtschesarai 92/93 I I 5, 112 I D 1, 119 E 6
Backofenhöhle 1 IV C 2
Badachschan, Ldsch. 50/51 H/I 4, 134 II E/F 2
Badajoz, Bm. 88/89 I A 6
—, O. 64/65 I/II A 3, 130/131 I A 4, 154 V A 2
Badaon, Ldsch. 72/73 V B/C 2
Badasi 6 I A 2
Baden,Aquae, O. b. Wien 2 II C 2, 38/39 I C 1, 122/123 I G 4
Baden, evang. Landeskirche 161 VII
Baden, Ghm. 124 I B/C 2/3, 124 III B/C 2/3, 128 I A/B 2/3, 128 III A/B 2/3, 129 I B/C 4/5, 129 II C/D 4/5
Badeen, Ld. 152 II B/C 4/5, 160 III A 3, 161 IV A 2
Baden, Mgft. 68/69 I D/E 4/5
Baden, NS-Gau 155 I A/B 3
Baden, O. a. Reuß 80 II C 1, 81 II B 3
Badene-Baden,Aquae, O. 40 II B 3, 81 II B 2, 122/123 I C 4
Baden-Baden, Mgft. 122/123 I C 4
Baden-Durlach, Mgft. 122/123 I B 5, C 4
Baden-Württemberg, Ld. 160 III A 3, 161 IV A/B 2
Badener Kultur 2 II C 2
Badenweiler 37 I A 3, 128 I A 3
Bades, Badias 34/35 III B 2
Bad Freienwalde 121 IV
Badgastein 122/123 I E 5
Bad Godesberg 154 VI
Badh-Gaya 22/23 I K 3
Badias, Bades, O. i. Numidien 34/35 III B 2
Badies Vicus, O. i. Sabinerland 30/31 I D 2
Baecula 26/27 II A 2
Baelo 38/39 II A 2
Baerl, Berl 142 IV A 2, 142 V A 2
Baesippo 38/39 II A 2
Baesucci 38/39 II B 2

Baetarrhus, Arus 38/39 I F/G 4
Baeterrae, Béziers 24 II A 3
Baetica, röm. Prov. 38/39 II A/B 2
Baetis, Guadalquivir, Fl. 38/39 II A/B 2
Baffinland, Ins. 164/165 I E/F 1
Bagacum, Bavai 36 C 2
Bagdad, Kalifat 72/73 III C 3
Bagdad, Baghdad, Seleukeia, Seleukia, O. 22/23 II D 3, 50/51 F 4, 52 III D 3, 72/73 II D 4, 72/73 III C 3, 72/73 VI C 3, 98/99 I E 4, 112 I E 2, 148 III B 2, 150/151 I H 5
—, Wilajet 134 II C 2
Bagdad-Bahn 145 IV
Bagdadieh 148 III B 2
Baghouz 6 II B 2
Baghtschesarai, s. Bachtschisarai 134 II B 1
Bagida 132 I C 3
Bagienni, V. 25 I A 1
Bagirmi, Ldsch. 138/139 III A 2
Bagradas, Fl., s. auch Medscherda 28 IV, 34/35 III B 1
Bahama-Inseln 116/117 II D 4, 138/139 I F 3, 156/157 II C 3
Bahawalpur, O. 135 I B 2
—, Staat 116/117 IV B 2, 135 I B 2
Bahee 8 I A/B 2
Bahia, Salvador 118 III F 3, 164/165 I H 5
Bahia Blanca 133 II B 3
Bahmanabad 50/51 H 5
Bahmani, Ldsch. 72/73 V B 3
Bahregan Sar, Erdölfeld 163 II C 4
Bahrein-Ins., Tylos-Ins. 22/23 I G 3, 132 I E 2, 138/139 I M 3
Bahrein, Ldsch. , Ins. 50/51 F/G 5, 162 III D 1
Bahrein Petroleum Co. 163 II
Bahr el Ghasel, Ldsch. 138/139 III B 2
Bahr el Ghasel, sudan. Prov. 132 I D 3
Bahrieh, Oase 6 I A 2
Bahriyat, Isin 6 II C 2
Baia, Baja, Bm. i. d. Moldau 88/89 I H 4
—, O. i. d. Moldau 75 E 5
Baiae, O. i. Campania 30/31 III B 1
Baiburt 148 III B 1
Baie, Meeresbucht a. d. Loiremündung 85 I A 2
Baierischer Reichs-Kreis 96/97 II C 3
Baiern, Hzm. (siehe auch Bayern) 50/51 C 3, 52 II C/D 2/3, 54/55 I E 3, 58/59 I I—L 3—6, 66 I D 2, 96/97 I F/G 5/6,
Baiern, Baiwasen, V. 48 I, 48 II, 49 I C 2, 49 III B/C 1/2
Baiern-Landshut, Hzm. 68/69 I F/G 4
Baiern-München, Hzm. 68/69 I F 4/5
Baiern-Straubing, Hzm. 68/69 I G 4
Baikalsee 72/73 II K 2, 136 I D 1, 149 IV E 2
Bailen 125 I B 4
Bailleud 114 B 2
Bairische Ostmarken 54/55 I, 56 II, 57 I, 58/59 I, 58/59 II, 58/59 III
Bairisch-württemberg. Zollverein 129 I
Baiwaren, Baiern, V. 48 I C 2, 48 II C 2, 49 I C 2, 49 III B/C 1/2
Baja, Baia, Bm. i. d. Moldau 88/89 I H 4
Bajasid 148 III B 2
Bajran 21 III
Bakel 132 I B 3
Baker-Ins. 158 I G 5
Bakr-Awa 6 II C 1, 6 IV C 1
Baksaya 6 IV C 2
Baktra, Balch 14/15 I H 3, 22/23 I H 2, 26/27 I H 2, 46/47 I E 3, 46/47 II C 3, 50/51 H 4, 72/73 II F 4, 72/73 III E 3
Baktser, V. 3 I H 73
Baktrien, Graeco-Baktrisches Reich 46/47 I F 3, 46/47 II C 3, 46/47 III E 2
Baktrien, Ldsch. u. pers. Satrapie 14/15 I H 3, 22/23 I H 2
—, Staat 26/27 I H/I 1/2
Baku, O. 112 I E 1, 134 I G 3,
—, Chanat 134 I G/H 3
Baku, Erdölfeld 163 II C 2
Balabo mons, Geb. 30/31 I F 4
Balaklawa, Cembalo 70 II F 2, 102/103 I K 5, 130/131 I I 3
Balalesa 38/39 I H 3
Balaneae, Balaneia 22/23 II C 2
Balari, V. 38/39 I A 2
Balasagun, Kuz Ordu 50/51 I 3, 72/73 I A 1, 72/73 II G 3
Balawat, Imgur Bel 6 IV B 1
Balch, s. auch Baktra 46/47 I E 3, 46/47 II C 3, 50/51 H 4, 72/73 II F 4, 72/73 III E 3, 134 II E 2
Baldenau, O. u. Amt 80 I C 2
Baldeneck, Amt 80 I C 1
Balearen, Gymnesische Inseln 14/15 I B 2/3, 38/39 II C 2, 48 I B 2/3, 48 II B 2/3, 49 I B 2/3, 50/51 B 4, 64/65 I/II B 2/3, 71 III B 2/3, 102/103 I D 6, 116/117 I D 5/6, 125 I C 3/4
Balearicum mare, Meer 38/39 II C 1/2
Balga, Burg 68/69 II A 2
Bali, Ins. 72/73 I E 6, 72/73 IV C 4, 98/99 I M 8, 135 II C/D 2, 158 I C 5
Balikesir, Balykesir 130/131 I H 4
Balikpapan 158 I C 5
Balis, O. a. Euphrat 64/65 IV C 3
Balkan, Geb. 145 V B/C 2
Balkanländer, Auswanderung nach USA 144 II
Balkanraum 112 I, 130/131 F—H 3/4, 145 V, 145 VI
Balkarer, V 134 I D 2
Balkasch 136 I A 2
Balkaschsee 50/51 I 3, 136 I A 2
Ballane 29 II B 3
Ballas, Ombos 6 I A 2
Ballenstedt 58/59 I I 3
Ballos 18/19 II B 2
Balmas Ujvaros 112 II D 2
—, Plan 140 V A 1
Balta 116/117 I I 4, 130/131 I H 2, 148 I G 4
Balten, Baltische Völker, Aisten 3 I D 1, 48 I D/E 1, 49 I C/D I, 50/51 C/D 2
Baltikum, Ldsch. 74 II
Baltim 138/139 IV B 1
Baltimore 118 I C 2
Baltische Kultur, — Bronzekultur 5 I D 2, 5 II D 2
Baltische Völker, Aisten, V. 3 I D 1, 48 I D/E 1, 49 I C/D 2, 50/51 C/D 2, 160 I, 160 II
Balykesir, Balikesir 130/131 I H 4
Balzheim 120 V D 2
Bamako 132 I B 3
Bamberg, Bm. 88/89 II C 2
—, Bm.-Territ. 122/123 I D 3/4, 128 I C 1/2
—, Ebm. 145 I, 161 IV
—, Kl. 87 I E 2
—, O. 58/59 I I 4, 122/123 I D 4
Bambyke, Hierapolis 22/23 II C 2
Bamoth Baal 8 III B 3
Banasa 38/39 II A 3
Banat (v. Temesvar) 112 II D/E 3, 124 III, 130/131 I G 2, 155 II D 2
Banda-Ins. 111 II F 3
Bändär Abbas, s. Bender Abbas 134 II D 3
Bandjermasin 111 II E 3, 137 II A 2
Bandkeramik-Kulturen 2 I, 4 II
Bandol, Tauroeis 24 II B 3
Bandung 135 II B 1
Bandung-Konferenz 169 I
Baneasa 38/39 I E 2
Baneh 148 III B 2
Bangalur 135 I B 3
Bangi 162 III B 2
Bangka, Ldsch. 72/73 I D 6
Bangkok 136 II B 2, 158 I/II C 4
Bangla Desh (St.) 162 II B 2, 163 I C/D 1, 164/165 I
Bangor, Bm. i. Wales 88/89 I B 3
Bangor, Kl. u. O. i. Irland 57 II A 2, 110 A 2
Bangor, O. i. Wales 52 I B 2, 110 B 2
Bangweolo-See 132 I D 4
Banijas 64/65 IV A 4, 163 II B 3
Banjaluka 112 II B 3, 130/131 I F 3
Banjamas 135 II B 1
Banjuwangi 135 II C 2
Banna, Bewcastle 40 I B 1
Banomkert 140 V A 2
Bantam, Banten, O. 98/99 I L 8, 135 II B 1
Banten, Staat 135 II B 1
Bantia 30/31 I F/G 4
Bantuneger, V. 132 III
Banu Eretna, Ldsch. 70 II G/H 3
Banz, Kl. 122/123 I D 3
Bapaume 148 II B 1
Baquaten, V. 34/35 I B 3
Bar, Hzm., s. auch Barrois 68/69 I C 4, 95 C 3, 102/103 I D/E 4, 114 C 3
Baranow 156/157 III D 2
Baranowieze, Baranowitschi 148 I G 3, 156/157 I F 3
Barathron 12 VI
Barawa 98/99 IV
Barbados, Ins. 138/139 I G 4
Barbalissus, Meskene Barbalissos 38/39 I G 3, 41 III D 2
Barbareskenstaaten 92/93 I A—E 6/7, 102/103 I B—E 7, 116/117 I B—E 6/7
Barbaricini V. 25 I B 3/4
Barbonicon 46/47 I B 4
Barbosi 38/39 I E 1
Barbuda, Ins. 118 III D 2
Barca, s. auch Barka, O. 9 III B 3
Barcelona, Bm. 88/89 I C 5
—, Gft. ,s. Katalonien 58/59 I D/E 7/8, 64/65 I B 2
—, Barciano, Barcino, O. 38/39 II C 1, 54/55 I C 4, 64/65 I B 2, 64/65 II B 2, 130/131 I C 3, 154 V C 1
—, Plan 42/43 IV
—, Universität 91 V B 2
Barcelonette 68/69 I D 6, 94 II B 2, 116/117 I E 5
Barciano, Barcelona, O. 38/39 II C 1
Bardia 156/157 I F 5
Bardo, Schloß 130/131 I E 4
Bärdorf 77 III A/B 1
Bardowiek 54/55 I E 2, 66 I D 1
Barduli 30/31 I G 3
Bareli 135 I B 2
Barenau 37 II A 1
Barent-See 156/157 I G/H 2
Bargylia 26/27 III B 2
Bargylus mons, Geb. 38/39 I G 3/4
Barhawi 6 II B 1
Bari, Ebm. 88/89 I F 5
Bari, O., s. auch Barium 50/51 C 3, 54/55 I F 4, 56 II B 3, 63 I F 4, 130/131 I F 3
Baria, Vera 38/39 II B 2
Barium, s. auch Bari 30/31 I G 3
Barka, Barca, O. 9 III B 3, 11 II D 2, 50/51 D 4
Barka, Cyrenaica, Ldsch. 50/51 D 4, 112 I C 2, 132 I D 2
Barkal, Djebel 6 I A 4
Barkhoven 56 V B 2
Bar le Duc 58/59 I F 4, 68/69 I C 4, 114 C 1
Barletta, Ebm. 88/89 I F 5
Barletta, O. 63 I F 4
Barmen 145 II
Bärn, Bg., O. 86 I D 2
Barneberg, O. 56 VI B 2
Barnus, Geb. 18/19 I B 1
Baroda 98/99 I H 5, 135 I B 2
Barotseland, Ldsch. 132 I D 4
Barramija 6 I A 2
Barrois mouvant, s. Bar, Hzm. (frz.) 114 C 3
Barsippa, Borsippa, Birs-Nimrud 6 III B 2, 6 IV B 2
Bar sur Aube, O. 95 C 3
—, Messen 83 IV B 2
Bar sur Seine, O. 95 C 3
Bartenstein, O. 74 III E 1, 124 I F 1
Bartfeld, O. 82 I D 2, 106/107 III C 2
Barth 83 II C 1
Barup 142 V B 2
Bärwalde, O. b. Münsterberg 77 III A 1
Bärwalde, O. i. Neumark 121 I, 121 III, 121 IV
Bärwalde, O. i. Pommern 68/69 I I 2
Barygaza 46/47 F 4
Barzdorf 77 III B 2
Basan, Batanaea, Ldsch. 34/35 II C 2, 8 IV C 3
Baschkiren, V. 46/47 III C/D 1, 119 K 3/4
Baschkirische ASSR 150/151 I I 3
Basch Tepe 6 IV B 1
Basel, Bm. 88/89 II B 2
—, Bm.-Territ. 80 II A/B 1, 122/123 I B 5
—- Kanton, 80 II B 1, 130/131 II A 1
—, Messen 83 V B 3
—, Basilia, O., RSt. 40 III A 1, 49 II C 2, 58/59 I G 5, 68/69 I D 5, 80 II B 1, 130/131 II A 1
—, Universität 91 IV B 2
Basken, V. 24 II B 3, 49 II A 3
Baskische Provinz Spaniens 116/117 I C 5, 154 V B 1
Basra, O. 50/51 F 4, 52 III D 3, 72/73 III C 3, 72/73 VI C 3, 98/99 I E 4, 112 I E 2, 148 III B 2
—, Wilajet 134 II C 2
Bas-Rhin, Dép. 122/123 III C 1
Bassae, Bassai 18/19 I B 4
Bassano 58/59 I I 6, 94 I D 2, 94 II D 2
Bassein, O. b. Bombay 135 I B 3
—, O. b. Rangun 135 I D 3
Basses Alpes, Dép. 122/123 III C 2/3
Basses Pyrénées, Dép. 122/123 III A 3
Bassiana 38/39 I C/D 2
Baßleben, Wüstung 56 VI B 2
Basta 30/31 I I 4
Bastar, Staat 135 I C 3
Bastarnae, Bastarnen, Peukiner, V. 24 I D/E 3, 38/39 I E 1
Bastetani V. 38/39 II B 2
Bastia 94 I C 3, 94 II C 3
Bastide-Eze 24 II C 3
Bastoon 6 II B 1
Bastuli V. 38/39 II A/B 2
Basutoland, brit. 138/139 II B 2/3
Batalha 90 I A 3
Batanaea, Basan, Ldsch. 34/35 II B/C 1/2
Bata Pagrae 38/39 I G 2
Batava castra, Passau 38/39 I B 1
Batavi, Bataver, V. 24 I C 2, 41 I A 2
Batavia, s. Djakarta, O. 135 II B 1, 158 I C 5, 158 II C 5, 162 II C 4
Batavische Republik 122/123 III B/C 1
Bath, Aquae Sulis, O. 36 B 2, 110 B 2
Bath, Bm. 88/89 I B 3
Bathnae 41 III C 1
Bathurst, O. i. Gambia 132 I B 3
Bathurst, O. i. Südafr. 138/139 II B 3
Bathys 38/39 I H 2
Batia 30/31 I C 2
Batnae 38/39 I G 3
Batschka, Ldsch. 112 II C 3, 155 II C 2
Batum 112 I E 1, 134 II C 1, 148 II B 1, 149 III D 3, 156/157 I H 4
Baturin 113 G 4
Bauernkrieg 96/97 I
Bauernkulturen, früheste 2 I, 3 II, 3 III
Bauernpartei, deutsche 154 I, 154 II
Bauke 77 III B 2
Bausenhagen 142 IV C 1, 142 V C 1
Bauske 68/69 II C 2, 74 II C 2
Bautzen, kathol. Präfektur 145 I
Bautzen, Ld. 68/69 I H 3
Bautzen, O. 58/59 I L 3, 66 I D 1, 122/123 I F 3, 161 VI
Bavai, Bagacum 36 C 2, 54/55 II C 2
Bavian 6 IV B 1
Bawean, Ins. 135 II C 1
Baxar 135 I C 2
Baycesultan, Beycesultan 5 I D 4
Bayern, Hzm. (siehe auch Baiern) 140 II B 3, 105 I C/D 2/3, 106/107 I F/G 5/6, 106/107 II
—, Kurfsm. 106/107 I F/G 5/6, 122/123 I D/E 4/5
—, Kgr. 124 I C/D 2/3, 128 I, 128 III, 129 I B—E 3—5, 129 II C—F 3—5
—, evang. Landeskirche 161 VII
—, Rep. III, 152 II B—E 3—5, 160 III A/B 3, 161 IV A/B 2
Bayeux, Augustodurum, O. 36 B 3, 58/59 I C 4
Bayeux, Bm 88/89 I B 4
Bay Farm, Ins. 143 IV
Bayonne, Bm. 88/89 I B 5
Bayonne, Lapurdum, O. 36 B 4, 58/59 I C 7, 68/69 III B 3, 92/93 III B 3, 110 B 4
Bayreuth, Fsm. s. auch Ansbach-Bayreuth 96/97 I F/G 4/5, 115 I C 2/3, 122/123 I D/E 3/4, 128 I C/D 1/2
Bayreuth, NS-Gau 155 I B/C 2/3
Bayreuth, O. 68/69 I F 4, 122/123 I D 4, 161 IV B 2
Bayrische Ostmark (NS-Gau) 155 I B/C 2/3
Bayrische Volkspartei (BVP) 154 I u. II
Bayrischer Bauernbund 153 I
Bays Water, Fl. 109 I
Bazas, Bm 88/89 I B 5
Bazas, O. 58/59 I C 6
Beacharra 2 I A 1
Beacharra-Kultur 2 I A 1
Béarn, Ldsch 58/59 I C 7, 102/103 I C 5
Beaucaire 24 II B 3, 86 II C 3, 110 C 4
Beaujeu 95 C 4
Beaumont 110 C 3
Beaune 95 C 4
Beauregard 24 II B 2/3
Beauvais, Bm 88/84 I C 4
Beauvais, O. 54/55 II C 3, 58/59 I E 4, 67 II B 2
Beberstedt 77 IV A 1
Bebra 58/59 I H 3, 161 I, 161 V
Bec, Kl. 87 I C 2
Beccaria, Hft. 94 I C 2
Bechau 77 III B 1
Becherkultur, nordwestdeutsche 2 II B 1
Bechlershausen, Wüstung 77 IV A 1
Bechstedt, Wüstung 77 IV A 2
Beck 142 IV A 2, 143 V A 2
Beckfoor 40 I A 2
Beckum 78 III B 2
Beckumer Berge 37 II A 2
Beda Vicus, Bitburg 40 VI A 2
Bedford 58/59 I C 2, 110 B 2
Bedlington 142 I A 1, 142 III A 1
Bedr 50/51 E 5
Bedriarum 25 I C 1
Beelitz 58/59 K 2
Beerseba, Beerscheba, Birscheba 8 III A 3, 148 III A 2, 162 IV A 2
Beeskow 122/123 I F 2
Begorritis-See 18/19 I B 1
Behesni 64/65 IV B 2
Behneseh 6 I A 2
Behnsdorf 56 VI B 1
Beibasar 112 I D 1
Beiersdorf 77 II
Beilan-Paß 22/23 I E 2
Beinheim 128 I B 2
Beira, O. i. Mocambique 138/139 II C 1
Beira, port. Prov. 116/117 I B 5
Beirode, Wüstung 77 IV A 1
Beirut, Berytus, Biru, Berut, Lardikeia, O., s. auch Berytos 38/39 I G 4, 64/65 IV A 4, 70 II G 4, 130/131 I K 5, 148 III A 2, 150/151 I G 5
Beirut, Wilajet 134 II B 2
Beisan 64/65 IV A 4, 162 IV B 1
Beistandspakte der USA 166 II
Beit el Wali 6 I A 3
Beit Kallaf 6 I A 2
Beja, s. Pax Julia 38/39 II A 2, 126/127 I B 6
Bekescsaba 112 II D 2
Belbina, Ins. 18/19 I D 4
Belem, Para, O. i. Brasilien 164/165 I G 5
Belem, O. i. Portugal 90 I, 90 II A 3
Belerion, Kap 24 I B 2
Belewi 18/19 I A 1
Belfast 110 A 2, 156/157 I C 3
Belfort 95 D 4, 110 D 3, 148 II D 3, 156/157 III B 3
Belgae, Belger, (in England) V. 29 I A 1
—, (in Gallien) V. 29 I B/C 1
Belgard 122/123 I F 1
Belgern 58/59 I K 3
Belgica (röm. Prov.) 36 C/D 2/3, 42/43 I C 1/2
Belgica Vicus, Billig, O. 37 I A 1
Belgien, Bevölkerungsverluste 152 III, 161 III
Belgien, Kgr. 124 III, 126/127 IV A/B 2/3, 128 II—V.

141 I A/B 2/3, 141 II A/B 2/3, 148 I B/C 3/4, 148 II B/C 1/2, 155 II B 1, 156/157 I D 3/4, 156/157 III B 2,164/165 III, 166/167 II/III, 168
Belgier in USA 144 II
Belginum, Hinzerath 37 I A 2
Belgisch-Kongo, Kol. 146 I C/D 2/3
Belgrad, Singidunum 38/39 I D 2, 50/51 D 3, 64/65 I/II D 2, 67 III C 4, 70 II D 2, 96/97 I L 7, 112 I C 1, 112 II D 3, 115 I E 4, 130/131 I G 3, 148 I F 5, 150/151 I F 4, 155 II D 2, 156/157 I F 4, 156/157 III D 3, 160 III D 4
Belize 118 III C 2
Bellac 58/59 I D 5
Bellary 135 I B 3
Bellelay 80 II B 1
Belley, Bm. 88/89 II B 2
Belley, O. 58/59 I F 6
Belli, V. 38/39 II B 1
Bellizona, Bilito 37 I B 3, 49 III A 2, 80 II D 2, 130/131 II B 1
Bellowaci 36 C 3
Belluno, Bm. 88/89 II C 2
Bellunum, Belluno, O. 24 II F 1, 58/59 I K 5, 68/69 I G 5, 94 I E 1, 94 II E 1, 130/131 III D 1
Belminatis, Ldsch. 18/19 I C 4
Belmonte 30/31 I D 1
Belovar 112 II B 3
Belsk 116/117 I H 3
Belt, Großer, Meerenge 113 C 3
—, Kleiner, Meerenge 113 B 3
Belutschistan, Ldsch. 111 II C 1, 116/117 IV A 2, 134 II E 3, 138/139 I N 3, 163 I A 2
Belvedere, O. auf Kreta 10 I B 1
Belz 71 I B 2, 75 D 4
Belzec, NS-Konzentrationslager 155 I E 2
Belzig 122/123 I E 2
Bemaltkeramik-Kulturen 2 I
Bemm 50/51 G 5
Benaket 50/51 H 3
Benares 98/99 I I 5, 111 II D 1, 116/117 IV C 2, 135 I C 2
Bender 75 F 5, 112 I C 1, 119 D 5
Bender Abbas, Bändär Abbas 134 II D 3
Bender Schah 163 II D 3
Bender Schapur 163 II C 3
Bendorf 40 II A 1
Bene 10 III C 1
Benediktbeuren, Kl. 58/59 I I 5
Benediktiner-Kloster, Idealplan 53 III
Beneschau 122/123 I F 4
Benevent, Ebm. 88/89 I E 5
—, Fsm. Hzm. 54/55 I E/F 4, 56 A/B 3, 63 I E 4, 125 I D 3
Beneventum, Benevent, Maluentum, O. 25 I E 3, 30/31 I E 3, 63 I E 4, 94 I F 4, 94 II F 4, 130/131 I E 3
Benfeld 77 I A 2
Bengalen, Ldsch. 98/99 I I/K 5, 111 II D 1, 115 II L 3, 135 I C/D 2
Bengalisches Meer 135 I C/D 2/3
Bengasi, O. 130/131 I G 5, 132 I D 2, 156/157 I F 5, 162 III C 1
—, Prov. 150/151 I E/F 5
Benguella 132 I C 4
Benha 138/139 IV B 2
Beni Hasan 6 I A 2
Beni Margana 54/55 I C 5
Benin, Ldsch. u. V. 98/99 IV, 132 I C 3
Benjamin, Benjaminiten, V. 8 II B/C 2, 8 IV B 4
Benningen, Vic. Murrensium 40 II C 3
Benninghausen 142 IV B 2, 142 V B 2
Bennisch, Bg., O. 86 I D 2
Bentheim, Gft. u. O. 58/59 I G 2, 68/69 I D 2, 122/123 I B 2, 126/127 II A 1
Bentschen 122/123 I F 2
Benuë, Fl. 132 I C 3
Benwel, Condercum 40 I C 2
Berar, Ldsch. 116/117 IV B/C 2
Berar, Staal 135 I B 2
Berat 112 I B 1, 145 V A 2, 145 VI A 2
Beratzhausen 62 III D 3
Beraun, Fl. 122/123 I E/F 3/4
Beraun, O. 122/123 I F 4
Berbach, O. 81 I
Berber, O. 138/139 III B 2
Berber V. 3 I A/B 3
Berbera 98/99 V, 132 I E 3
Berberische Sprache 70 II
Berceto, Kl. 63 II A 2
Berchem 143 Ia u. Ib
Berchtesgaden, Bg., O. 86 I B 3
Berchtesgaden, Kl. 68/69 I G 5
Berchtesgaden, O. 122/123 I E 5, 128 I D 3
Berdan 34/35 II A 3
Berditschew 116/117 I I 4, 156/157 I F 4
Beregra 30/31 I D 2
Berekum 163 IV A 2
Berenike, O. a. d. Straße v. Aden 34/35 I G 5
Berenike, O. a. Golf v. Akaba 29 II B 2
Berenike, Berenice, O. i. d. Cyrenaika 34/35 I E 3
Berenike, Pella, O. i. Palästina 22/23 II C 3
Berenike, O. a. Roten Meer 29 II C 3
Beresina, Fl. 67 III D 2, 125 I E 2
Beresina, O. i. Bessarabien 140 IV A 1
Beresow, O. a. Ob 100/101 I M 1
Beressoff, O. i. Tunesien 130/131 I D 5
Berg, Gft. 68/69 I D 3, 104 II A 2
Berg, Ghzm. 124 I B/C 1/2, 125 I C 2, 126/127 II A/B 1/2
Berg, Hzm., 95 D 2, 96/97 I D 4, 106/107 I D 4, 122/123 I B 3
Berg, O. b. Ulm 120 V C 1
Berga, Erdölfeld 163 III A 3
Bergalei V. 37 I B 3
Bergamo, b. Pergamon 92/93 I H 6, 130/131 I H 4
Bergamo, Bm. 88/89 II B 2
Bergamum, Bergamo, O. 38/39 I B 1, 63 I B 2, 94 I C 2, 94 II C 2, 130/131 III B 2
Bergbauorte 86 II
Berge, O. b. Hamm 142 IV C 1, 142 V C 1
Berge, O. a. Strymon 18/19 II C 1
Bergen, Bm. i. Norwegen 88/89 I D 1
Bergen, Deutsche Brücke, Hansekontor i. Norwegen 84 I B 1, 84 II B 1
Bergen, i. Hessen 40 II B 1, 116/117 III
—, a. d. Nahe 40 II A 2
Bergen, Mons, O. i. Belgien 95 B 2, 104 III A 2
Bergen, O. i. Norwegen 24 I C 1, 92/93 I D 1, 113 B 2, 156/157 I D 2, 156/157 II G 1
Bergen, O. a. Rügen 122/123 I E 1
Bergen-Belsen, NS-Konzentrationslager 155 I B 2
Bergen op Zoom 95 C 2, 104 III B 2
Bergerac 58/59 I D 6
Bergheim 83 III A 1
Bergidum 38/39 II A 1
Bergreichenstein, Bg., O. 86 I B 2
Bergsche Maas, Fl. 96/97 IIId
Bergslagen, Ldsch. 113 C/D 2/3
Bergstadtl i. Böhmerwald, Bg., O. 86 I B 2
Bergstädtl, Ratibořiz, Bg., O. 86 I C 2
Bergues 114 B 2
Bergvölker, westiranische 8 II B/C 2
Bergzabern 122/123 I B 4
Berjesow 98/99 I G 1
Beringersdorf 81 I
Bering-Meer 158 I F/G 1/2, 158 II F/G 1/2
Beringstraße 159 I L 1, 159 II 1
Berkeley-Berge 143 IV
Berkeley, O., Plan 143 IV
Berksee, Wüstung 77 IV A 1
Berl, Baerl 142 IV A 2, 143 V A 2
Berlichingen, Burg 96/97 I E 5
Berlin 68/69 I G 2, 105 I D 1, 115 I C 2, 129 I F 2, 129 II F 2, 152 II E 2, 155 I C 2, 156/157 III C 2, 161 I/II
—, Plan 143 I/II
Berlin, Bm. 161 VI
Berlin-Brandenburg. evang. Landeskirche 161 VII
Berlin-Ost, Pläne 161 I/II, 161 IV B 1
Berlin-West, Pläne 161 I/II, 161 IV B 1
Berlin-Spandau-Kanal 143 I/II
Bermion, Geb. 18/19 I C 1
Bermuda-Ins. 138/139 I F 3, 156/157 II C 3
Bern, Kanton u. O. 80 II B 2 130/131 II A/B 1
Bernau 92/93 II B 2
Bernay 85 II B 2
Bernburg, O. 122/123 I D 3
Berner (Veroneser) Klause Straßenenge 58/59 I I 6
Bernicia, Ldsch. 57 II B 1/2
Bernkastel, O. u. Amt 80 I C 2
Bernsdorf 77 III A/B 1
Bernterode, Wüstung 77 IV B 1
Beroea, Beroia, s. Aleppo, Haleb 22/23 II C 2, 41 III C 1
Beroea, Berrhoia, O. i. Makedonien 18/18 II B 2, 54/55 I G 4
Beroë, O. Moesia inferior 38/39 I E 2
Beroë, Beroea Traiana Augusta, Stara Zagora 38/39 I E 2
Beroia, Beroea, s. Aleppo, Haleb 26/27 I E 2, 34/35 I F 3
Beromünster 91 II B 2
Berones V. 38/39 II B 1
Berrice 24 I B 2
Berry, Gouv. 122/123 II B 2
Berry, Hzm 92/93 I C 4 95 A/B 4
Berry, O. 102/103 I D 4
Bersabi 34/35 II B 2
Bersera 41 III C 1
Bertinore, Bm. 88/89 II C 3
Bertiskon, Geb. 18/19 I D 1
Bertunense oppidum 32 V
Bertunum, Birten, Vicus Vetera 32 V
Berut, Beirut 9 D/E 3
Berwick 92/93 I B 2, 110 B 1
Berytus, Berytos, Biru, Berut, Laodikeia, s. auch Beirut 8 IV B 2, 22/23 II C 3
Berzovia 38/39 I D 1
Besa 13 I B 2
Besançon, Ebm. 88/89 II B 2
Besançon, Vesontio, O. 36 D 3, 49 II C 2, 58/59 I G 5, 95 D 4, 114 D 4, 156/157 III B 3
—, RSt. 68/69 I D 5
Besatzungsgebiete nach dem 1. Weltkrieg 152 II
Besatzungszonen i. Deutschland u. Österreich 160 III
Beschbalik 72/73 I B 1, 72/73 II H 3
Besidiae 30/31 I G 5
Besiktepe 4 VII B 2
Beskiden, Geb. 75 C/D 4
Bessapara 38/39 I D 2
Bessarabien, Ldsch. 102/103 I I 4, 119 D 5, 130/131 I H/I 2, 145 V C 1, 148 I G 4, 150/151 I F 4, 156/157 I F 4
Bessica, Ldsch. 38/39 I D 2
Betha Emek 8 III B 2
Beth Aglaim, Adschlul 8 III A 3
Bethania, O. i. Palästina 34/35 II B 3
Bethanien, O. i. SW-Afrika 138/139 II A 2
Betharamphta-Livias 34/35 II B 3
Beth Dagon 8 III B 2
Bethel 8 III B 3, 34/35 II B 3
Bether 8 III B 3
Beth Gamul 8 III B 3
Beth Haran 8 III B 3
Beth Hogla 34/35 II B 3
Beth Jerasch 8 III B 3
Beth Jesimoth 8 III B 3
Bethlehem 8 III B 3, 34/35 II B 3, 64/65 IV A 5, 162 IV B 2
Bethnall Green 109 I
Beth Nimra 8 III B 3
Bethoron 8 III B 3
Beth Pelet 8 III A 3
Beth Pesses 8 III B 2
Bethsaida, Julias 34/35 II B 2
Bethsean, Bethshan, Betschean, Skythopolis 8 III B 2, 22/23 II C 3, 34/35 II B 2
Bethsemes 34/35 II A 3
Bethsura, Bethsur 8 III B 3
Beth Tappuah 8 III B 3
Bethul 8 III A 3
Béthune 95 B 2, 148 II B 1
Betifuli 30/31 I D 3
Bet Proclis 41 III B/C 3
Betschean, s. Bethsean
Betschuanaland, brit. Protektorat 138/139 II B 1/2, 144 V B 2
Beturi, V. 38/39 II B 2
Betuwe, Ldsch 49 II C 1
Betzelsrode, Wüstung 77 IV A 1
Beuron, Kl. 120 V A 2
Beuthen, Fsm. u. O. a. d. Oder 58/59 I L 3, 122/123 I F 3
Beuthen i. Oberschlesien, Bg., O. 86 I E 1
—, Hft. 96/97 I K 4, 106/107 I K 4
—, O. 68/69 I K 3, 106/107 I K 4, 106/107 III B 2, 152 II H 3, 161 IV C 1
Beveren 143 Ia und 143 Ib
Beverley 85 II A 1
Bevern 122/123 I C 3
Bevölkerung der USA 144 II—IV
Bevölkerungspolitik 160 I, 160 II, 160 IV
Bevölkerungsverluste i. d. Weltkriegen 152 III, 161 III
Bewcastle, Banna 40 I B 1
Beycesultan, Baycesultan 5 I D 4
Bezek 8 III B 2
Bezereos 34/35 III B 2
Bezetha, Ot. v. Jerusalem 34/35 V
Béziers, Bm. 88/89 I C 5
Béziers, Baeterrae, O. 24 II A 3, 58/59 I E 7, 110 C 4
Bgeydid 41 III C 2
Bhagalpur 135 I C 2
Bhamo 135 I D 2
Bhapta 34/35 VI
Bharhut 22/23 I I 3
Bhir Mound, Taxila 21 III
Bhonsla von Berar, Hft. 116/117 IV B/C 2
Bhopal 135 I B 2
Bhutan, Ld. 135 I C/D 2, 162 II B 2
Biala 105 I E 2
Bialowies 160 III D 2
Bialystok, Bezirk 155 II D 1
Bialystok, O. 75 D 3, 113 E 4, 115 I E 2, 124 I F 1, 150/151 I F 3, 156/157 III D 2, 160 III D 2
Biberach, O. b. Lahr 77 I B 2
Biberach, RSt. a. Riß 68/69 I E 4, 120 V C 2, 128 I B 2
Bibiensium Vicus, Sandweier 40 II B 3
Bibracte 29 I C 2
Bibrax 29 I B 1
Bicocca 96/97 I E 7, 102/103 I E 5
Bidjapur, Ldsch. 111 II C 2
Bidlis, Bitlis, O. u. Wilajet 134 II C 2
Biecz 82 I D 2
Bieda, Blera 25 II B 2
Biedenkopf 122/123 I C 3
Biel 80 II B 1, 122/123 I B 5
Bielefeld 122/123 I C 2
Bieler See 130/131 II A 1
Bielitz 74 I C 2, 122/123 I H 4,
Biella 94 I C 2, 94 II C 2
Bielsk 75 D 3, 113 E 4
Biesdorf 143 II
Biesern, Plan 76 II
Bietigheim, Vicus Matisonensium 40 II C 3
Bigerriones, V. 36 B/C 4
Bigha, Mütessuryfyk 134 II A 1/2
Bigha, O. 112 I C 1
Big Neshaminy Creek, Fl. 118 II B 1
Bigorre, Gft. 58/59 I C/D 7
Bihar, Bm. i. Ungarn 61 II C 2
Bihar, Ldsch. i. Indien 72/73 V C 2, 98/99 I I 5, 135 I C 2
Bihatsch 96/97 I H 7, 112 I B 1, 112 II A 3
Bikaner 135 I B 2
Bikni, Demawend, Bg. 9 III H 2
Bilbar 58/59 I B 7, 102/103 I C 5, 154 V B 1
Bilbilis 38/39 II B 1
Bile, Bira 64/65 IV C 2
Bilitio, Bellinzona 37 I B 3
Biliton, Ins. 72/73 I D 6
Billig, Belgica Vicus, O. b. Bonn 37 I A 1
Billig, O. b. Trier 40 VI A 2
Billunger-Mark 58/59 I I/K 1/2
Binche 114 C 2
Bingen, Bingium 40 II A 2, 54/55 II E 3, 80 I C 2, 122/123 I B 4, 128 I A 2
Bingerville 146 I B 2
Bingium, Bingen 40 II A 2
Bing Sloot, Fl. 109 II
Bionnos, O. a. Kreta 10 III C 1
Bionnos, O. a. Kreta am Elektros-Fl. 10 III B 1
Biora 25 I B 4
Bira, Bile 64/65 IV C 2
Birdoswald, Camboglanna 40 I B 1/2
Birecik 8 I B 2
Biriciana, Biriciani, Weißenburg a. Altmühl 40 II D/E 2/3
Birka 60 I H 2
Birke 41 III D 2
Birkenfeld, oldenbg. Ldsch. u. O. 129 I B 4, 129 II C 4, 152 II B 4
Birma, Ava, s. Burma 111 II D 1/2
Birma, Staat 163 I D 2/3
Birma-Straße 163 I D/E 2
Birmingham 110 B 2
Birnbaumer Sattel 49 III D 3
Birnthon 81 I
Birosaba 38/39 I F 4
Birrens, Blatobulgium 40 I A 1
Birscheba, s. Beerseba 148 III A 2
Birs-Nimrud, Barsippa 6 III B 2
Birten, Bertunum, Vicus Vetera 32 V, 41 II B 2
Birtley 142 I—III A 2
Birtu 6 IV B 2
Biru, s. Beirut 9 III E 3
Bisaltia, Ldsch. 18/19 I D 1
Bisanthe 16 I D 1
Biscaya, Golf 85 I A 2, 122/123 III A 2
Bisceglie 30/31 I G 3
Bischofsheim, O. b. Mainz 80 I D 2
Bischofsheim, O. b. Würzburg 62 IV C 3
Bisenzio, Visentium 25 II B 2
Biserta, Bizerta 54/55 I D 5, 130/131 I D 4
Biskara 64/65 I B 3, 64/65 III B 3, 116/117 I E 7
Biskra 147 D 5, 163 III B 2
Biskupin 5 II C 2
—, Plan 4 IV
Bislohe 81 I
Bismantova 4 VI A 3
Bismaya, Adab 6 III C 2
Bissi, Geb. 41 III E 2
Bistritz, Bistritza, O. 67 III C 3, 70 II D 1, 112 II F 2
Bistritza, Fl. 112 II F/G 2
Bisungar 22/23 I I 3
Bisutun 14/15 I F 3
Bitburg, Vicus Beda 40 VI A 2, 80 I B 2, 122/123 I B 4
Bit-Hadippa 6 IV B 1
Bithguer, V. 10 II F 1, 16 I E/F 1
Bithynia, röm. Provinz 29 IV B/C 1
Bithynia et Pontus, röm. Provinz, Regnum Bospori (zu Bithynia) 28 II D/E 2, 38/39 I F 2, 38/39 I G 1/2
Bithynien, Ldsch. 9 III C/D 1 28 I D/E 1
Bitlis, Bidlis 134 II C 2, 148 III B 2
Bitolia, Bitolj, Monastir 145 VI B 2
Bitsch 95 D 3, 114 D 3
Bittendorf 77 III B 2
Bitterfeld 122/123 I E 3
Bitterseen, ägyptische 6 I A 1
Bitter-Seen b. Sues 138/139 IV C 2
Bituriges, Bourges, O. 42/43 I C 2
Bituriges, V. um Bourges 29 I B 2
Bituriges Vivisci, Biturigen, Bituriges, Virisci (um Bordeaux) V. 36 B 3
Bituriza 30/31 I B 1
Bizerta, Bizerte, Biserta 54/55 I D 5, 102/103 I E 6, 130/131 I D 4, 156/157 I D 5
Bizye 38/39 I E 2
Bjelaja, Fl. 119 I/K 3/4
Bjelaja Zerkow 75 F 4, 113 G 5
Bjelgorod 119 F 4, 156/157 I G 3
Bjeloje-See 119 F 2
Bjeloosero 92/93 I K 2, 116/117 I L 2

Bjelosensk 126/127 I L 2
Bjelyj 156/157 I G 3
Bjelyjgorod, Ot. v. Moskau 105 IV
Björkoe 145 IV
Björneborg, Pori 92/93 I G 1, 113 E 2
Black Callerton 142 I—III A 1
Blackwater, O. 102/103 I B 3
Bladenhorst 142 IV/V B 1
Blagowjeschtschensk 136 I F 1, 149 IV F 2
Blanco, Kap 132 I B 2
Blanda, O. i. Lucanien 30/31 I F 5
Blanda, O. i. Tarraconensis 38/39 II C 1
Blandona 30/31 I F 1
Blankenburg, Bg., O. 86 I A 1, 122/123 I D 3
Blankenburg, Ot. v. Berlin 143 II
Blankenheim, Kl. 80 I B 1
Blankenstein 142 IV B 2, 142 V B 2
Blatobulgium, Birrens 40 I A 1
Blauer Nil, Fl. 132 I D 3
Blaundus, Blayndos 38/39 I E 3, 22/23 II A 2
Blavet 110 B 3
Blaydon 142 I—III A 2
Bleidenstadt, Kl. 80 I D 1
Blekinge, Ldsch. 96/97 I H 1, 113 C/D 3
Blemmyer, V. 34/35 I F 4, 42/43 I E/F 4/5, 42/43 II E 4
Blera, Altamura, O. i. Apulien 30/31 I G 4
Blera, Bieda, O. i. Toscana 25 II B 2
Blesen, Kl. 88/89 III B 1
Blies, Fl. 40 II A 2
Blindheim 122/123 I D 4
Bloemfontain 138/139 II B 2, 144 V B 2
Blois, Gft. u. Schloß 58/59 I D/E 5, 92/93 III C 2, 104 I C 3
Bludenz 96/97 I E 6
Blumenegg, Hft. 122/123 I C 5
Blumenthal, O. 77 III B 2
Blyth, Fl. 142 I—III A 1
Blyth, O. 142 I—III A 1
Bobbio, Bm. 88/89 II B 3
Bobbio, Kl. 52 II C 3, 63 I B 2
Bober, Fl. 58/59 I L 3, 122/123 I F 3
Böblingen 96/97 I E 5
Bobruisk 156/157 I F 3, 156/157 III D 2
Bocchetta-Paß 63 I B 2
Bochnia, Salzberg, Bg., O. 86 I F 2, 113 E 5
Bochum 56 V B 2, 142 IV B 2, 142 V B 2
Böckelheim, Pfalz 58/59 I G 4
Bockenem 81 III B 2
Böckingen 40 II C 2
Bockum 142 IV C 1
Bockum-Hövel 142 V C 1
Boconti, s. Vocontii, V. 41 IV
Bod-dschi, Tibeter, V. 46/47 II E/F 3/4
Bode, Fl. 81 III B 2
Bodelschwingh 142 IV B 1, 142 V B 1
Bodendorf, Wüstung 77 IV A 1
Bodenmais, Bg., O. 86 I B 2
Bodensee, Lacus Venetus, See 37 B 3, 80 II D 1, 128 I B 3
Bodersweier 77 I A 1
Bodfeld, Botfeld, Pfalz 62 III D 2
Bodman, Pfalz 58/59 I H 5
Bodrog 2 II D 2
Bodrog-Keresztur-Kultur 2 II D 2
Boechout 143 I b
Boele 142 IV B 2, 142 V B 2
Boerengat, Fl. 143 I a
Bogazköy, Boghazköj, Hattusas, Hattusa 8 I A 1/2, 9 III D 2
—, Plan 7 VIII
Bögge 56 V B 1
Boghar 34/35 III A 1
Bogomilen, Sekte 64/65 I und III
Bogotá 118 III D 2, 133 II B 1
Böhmen, Hzm. 58/59 I K-M 3/4, 60 I G/H 3/4
—, Kgr. 66 I D/E 1/2, 68/69 I G—I 3/4, 70 I D/E 1/2, 71 III L 1/2, 74 I B/C 2, 86 I B—D 1/2, 92/93 I E/F 3/4, 92/93 II B—D 3/4, 96/97 I G—I 4/5, 104 II B/C 2/3, 105 I D/E 2, 115 I C/D 2/3
Böhmen, Tschechen, V. 54/55 I E/F 3
Böhmen-Mähren, Protektorat 155 I C/D 2/3
Böhmerwald, Geb. 74 III C 2
Böhming 40 II E 3
Bohnsdorf 143 II
Bohuslän, Ldsch. 113 C 3
Boiai 18/19 I D 5
Boian 3 II D 2
Boian-Kultur 2 I D 2
Boibe, O. a. Kreta 10 III B 2
Boibe, O. i. Thessalien 18/19 I C 2
Boibeis-See 18/19 I C 2
Boii (Bojer), Gallien 29 I B 2
Boinoa 18/19 I B 4
Boion, Geb. 18/19 I A 1
Boion, O. 18/19 I C 3
Boiota, Ldsch. 18/19 I C/D 3, 18/19 IV, 20 III
Bojador, Kap. 98/99 IV, 132 I B 2
Bojer, Boiil (Gallien), V. 24 I C 3
—, (Donauland) 24 I D 3, 38/39 I C 1
—, (Italien) 24 I D 3, 25 I C 1
Bokel 140 III
Bokelermoor, O. 140 III
Boksburg 144 V B 2
Bolae 30/31 II B 2
Bolama 146 I B 2
Bolander Flöß-Bach 121 V
Bolan-Paß 22/23 I H 2/3
Bolbe-See 18/19 I D 1
Bolbitinische Nil-Mündung 29 II B 1
Bolentium 38/39 I C 1
Boliden 150/151 I F 2
Bolissos 18/19 I F 3
Bolivien, Staat 133 II B/C 2/3, 164/165 III, 166/167 II und III, 168
Bollrode, Wüstung 77 IV A 2
Bollstedt 77 IV B 2
Bologna, Bm. 88/89 II C 3
—, O., s. auch Bononia, Felsina 4 VI C 2, 53 I A 1, 58/59 I I 6, 63 I C 2, 68/69 I F 6, 94 I D 2, 94 II D 2, 130/131 I E 3, 156/157 III C 3
—, Universität 91 V C 2
Bolschewistische Revolution 149 I—IV
Bolsena, Volsinii 24 II F 3, 63 I C/D 3
Boma 132 I C 4
Bomarzo 25 II C 2
Bombay 98/99 I H 6, 135 I B 3
Bömelburg, von, Reichsritter 120 V D 2
Bona, Bône, s. Hippo Regius 34/35 III B 1, 64/65 I u. II B 3, 102/103 I E 6, 130/131 I D 4, 156/157 I D 5, 163 III B 1
Boneitoi 18/19 V B 1
Bönen 142 IV u. V C 1
Boneweg, Kl. 80 I B 2
Bonifacio 94 I u. II C 4
Bonin, Ins. 137 I E 3, 158 I E 3
Bonna, Bonnac, Bonn 37 I A 1, 68/69 I D 3, 122/123 I B 3, 126/127 II A 2, 129 II C 3, 161 IV A 1
Bonndorf 128 I B 3
Bononia, Bologna, Felsina 4 VI C 2, 24 II E 2, 25 I C 1
Bononia, Gesoriacum, Boulogne 30 C 2
Bononia, Vidin 38/39 I D 2
Boofzheim 77 I A 2
Bootaxt-Kultur 2 II C/D 1
Boothby 40 I B 2
Böotien, s. Boiotia, Ldsch. 18/19 IV
Bopfingen, RSt. 81 II C 2, 122/123 I D 4, 128 I C 2
Boppard, Boudobriga, O. 40 II A 1, 54/55 II E 2
—, Oberamt 80 I C 1
Bor 8 I A 2
Borbeck 142 V A 2
Borbetomagus, Worms 40 II B 2
Borcovicium, Housesteads 40 I B 1
Bordeaux, Ebm. 88/89 I B 5
—, Burdigala, O. 36 B 4, 49 II A 2, 58/59 I C 6, 66 I A 3, 68/69 III B 2, 104 I B 4, 156/157 III A 3
—, Universität 91 V A 2
Boresti, V. 36 B 1
Borg 60 I G 2
Borgå 75 E 1
Borgerhout 143 I a/b
Börgermoor, O. 140 III
Börglum, Bm. 88/89 I D 2
Borgzarour 41 III C 2
Borissow 113 F 4, 125 I E 2
Boritz 56 IV
Bork 142 IV B 1, 142 V B 1
Borken 78 III A 2
Borkendorf 77 III B 2
Borku, Ldsch. 132 I C/D 3
Borkum, Burcana, Ins. 41 II B 1, 122/123 I B 2
Bormio 80 II E 2, 94 I D 1, 94 II D 1, 130/131 III C 1
Bormiskos 18/19 II C 2
Borna 77 II
Borneo, Kalimantan, Ins. 72/73 I D/E 5/6, 98/99 I L/M 7/8, 100/101 VIII A 2/3, 111 II E 2/3, 137 I C 4/5, 137 II A 1/2, 158 I C 4/5, 158 II C 4/5, 162 II C 3/4
Bornholm, Ins. 54/55 I E/F 1, 113 C/D 3, 156/157 III C 2
Bornhöved 66 I D 1
Bornu, V. u. Ldsch. 98/99 IV, 132 I C 3
Borobudur, Tempel 72/73 I D 6, 72/73 IV C 4
Borodino, O. i. Bessarabien 140 IV A 1
Borodino, O. b. Moskau 119 F 3
Borowa, Joachimsthal, Bg., O. i. Ungarn 86 I D 2
Borsbeek, O. 143 Ia, 143 Ib
Borshom 134 I D 3
Borsippa, Barsippa, Birs-Nimrud 6 III B 2, 6 IV B 2
Borysthenes, Dnjepr, Fl. 34/35 I F 1/2
Bosa 63 I B 4
Boscoreale 30/31 III B 1
Bosna, Fl. 58/59 I M/N 6/7
Bosniaken, V. 150/151 II
Bosnien, Bm. 88/89 I F 5
Bosnien, Rama, Ldsch. 64/65 I C 1, 64/65 II C 2, 66 I E 3, 92/93 I F 5, 112 I B 1, 130/131 I F 3, 145 V A 2, 145 VI A 2
Bosnier, V. 54/55 I F 4
Bosporanisches Reich, Bospori regnum 20 I F/G 1/2, 24 I F 3, 38/39 I G 1/2
Bosporos, Pantikapaeon, Kertsch, O. 16 II G 1, 52 III C 2
Bosporus Cimmerius, Meerenge b. Istambul 38/39 I E 2
Bosporus Thracius, Meerenge b. Istambul 38/39 I E 2, 92/93 I H 5, 130/131 I H 3
Bosra 64/65 IV B 4
Bossendorf 56 V B 1, 142 IV B 1, 142 V B 1
Bost 50/51 H 4
Boston, O. i. Amerika 118 I C 1, 133 III F 2
Boston, O. i. England 85 I A 1, 110 B 2
Bostra 38/39 I G 4
Bosworth 92/93 I B 3
Botfeld, Bodfeld, Pfalz 62 III D 2
Bothwell, Schloß 102/103 I C 2
Botscha, Bg., O. 86 I E 2
Bottaike 18/19 II B 2
Bottiaia, Ldsch. 18/19 II B/C 2
Bottiaier, V. 10 II C 1
Bottnischer Meerbusen 68/69 II A/B 1, 113 D/E 1/2
Bottrop 56 V A 1, 142 IV A 1, 142 V A 1
Botwood 156/157 II D 2
Bouc 85 I B 2
Bouchout 143 Ib
Bouches du Rhône, Dép. 122/123 III C 3
Boudobriga, Boppard 40 II A 1
Bougainville, Ins. 137 I E 5, 158 II E 5
Bougie, s. auch Budschaja, Bugia, Saldae 34/35 III B 1, 64/65 I—III B 3, 102/103 I E 6, 130/131 I C/D 4, 156/157 I D 5, 163 III A/B 1
Bouillon, Hzm. 95 C 3, 104 III B 3
—, O. 58/59 I F 4, 114 C 3
Boulogne, Gft. 95 A 2
Boulogne, Bononia, Gesoriacum, O. 34/35 I C 1, 36 C 2, 58/59 I D 3, 95 A 2, 114 A 2, 148 II A 1
Boulonnais, Gouvernement 122/123 II B 1
Bounty-Ins. 100/101 VIII E 5, 138/139 I 57
Bourbon, Gft. 58/59 I E 5
Bourbon, Hzm. 95 B 4, 110 C 3
Bourbon, O. i. Frankreich 58/59 I E 5, 110 C 3
Bourbon, Réunion, Ins. 111 II B 4
Bourbonnais, Gouv. 122/123 II B 2
Bourg en Bresse 95 C 4, 114 C 4
Bourges, Avaricum, O. 29 I B 2, 36
—, Bituriges, O. 42/43 I C 2
—, Ebm. 88/89 I C 4
—, Gft. 58/59 I E 5
—, Universität 91 V B 2
Bourgneuf 49 II A 2
Bourgogne, Gouv. 122/123 II C 2
Bourgogne, Ldsch. 102/103 I D 4
Bourgogne, s. Burgund, Hzm. 95 B/C 4
Bourg St. Andeol 44 I B 2
Bou Sâada 34/35 III A 1
Bouvet-Ins. 164/165 IV
Bouvines 66 I B 1
Bovianum Undecimanorum 30/31 I E 3
Bovianum vetus 30/31 I E 3
Bovillae 30/31 II B 2
Bovino 63 I E 4
Boxdorf 81 I
Boyle, Kl. 87 II A 2
Boybeyipunaris 8 I B 2
Boyne, Fl. 116/117 I B 3
Boyneburg, Pfalz 62 II B 2
Bozen, O. 49 III B 2, 58/59 I I 5, 68/69 I F 5, 130/131 I E 2, 150/151 I E 4,
—, Messen 83 V C 3
Bozüyü-Kultur 2 I E 3
Brabant, Hzm. 68/69 I C 3, 95 C 2, 104 III B 2
Brabanter Recht 78 IV B 2
Bracara Augusta, Braga 38/39 II A 1
Bracciano 53 I B 2
Brackel 142 IV C 1, 142 V C 1
Bradanus, Fl. 30/31 I G 4
Bradford 110 B 2
Braga, Ebm. 88/89 I A 5
Braga, Bracara Augusta, O. 38/39 II A 1, 92/93 I A 5, 102/103 I B 5
Braganza 92/93 I A 5, 102/103 I B 5
Brake, Fl. 106/107 I I/K 3
Brahmanen, Religion 137 III A 2/3
Brahmaputra, Fl. 135 I C/D 2
Braila 75 F 5, 102/103 I I 4, 148 I G 4
Brakpan 144 V B 2
Brand, O. 81 I
Brandeis 106/107 I H 4
Brandenburg, Bm. 88/89 II C 1
Brandenburg, Bm., Territ. 68/69 I G 2
Brandenburg, Mgft., Kurfsm., Kur-Brandenburg 68/69 I F—H 2, 70 I D 1, 71 III C 1, 96/97 I F—I 3/4, 115 I
Brandenburg, Ld. 160 III B 2, 161 IV B 1
Brandenburg, Mark, NS-Gau 155 I B/C 2
Brandenburg, Mgft. (= Fsm. Ansbach 81 I
Brandenburg, O. i. Brandenburg 58/59 I K 2, 75 B 3, 122/123 I E 2
Brandenburg, O. i. Preußen 68/69 II B 2
Brandenburg, preuß. Prov. 152 II E/F 2/3
Brandenburg-Pommern, kath. Delegatur 145 I
Brandis 77 II
Branitschewo 64/65 I D 2
Branodunum 36 C 2
Braschaat 143 Ia u. Ib
Brasilia, O. 164/165 I G 5
Brasilien, portug. Kol., Vizekgr. 111 I C—E 3/4, 1118 III E/F 2—4
—, Staat 125 II, 133 II B—D 1—3, 164/165 III, 166/167 II u. III, 168
Braslaw-Fsm. 56 II B 2, 58/59 II C/D 3
Braşov, Brasso, s. Kronstadt 150/151 I F 4
Bratananium, Gauting 37 I C 2
Bratislava, s. Preßburg 150/151 I E 4
Brattia, Ins. 38/39 I C 2
Bratuspantium 29 I B 1
Braunau, O. i. Böhmen 122/123 I G 3
Braunau, O. a. Inn 122/123 I E 4
Braunsbach 81 I
Braunsberg, O. 68/69 I K 1, 104 IV A 2, 105 I E 1
Braunschweig, Hzm., s. auch Welfisches Land 81 III A/B 1/2, 122/123 I C/D 2/3, 128 III, 129 I C/D 2/3, 129 II D/E 2/3
Braunschweig, O. 58/59 V B 1, 68/69 I F 2, 122/123 I D 2
Braunschweig, Ld. Rep. 152 II C/D 2/3
Braunschweig-Calenberg, Hzm. 96/97 I E 3/4
Braunschweig-Göttingen, Hzm. 68/69 I E/F 3
Braunschweig-Grubenhagen, Hzm. 68/69 I F 3
Braunschweig-Lüneburg, Hzm. 68/69 I E/F 2, 96/97 I E/F 3
Braunschweig-Wolfenbüttel, Hzm. 96/97 I E/F 3/4
Brauron 13 I B 2
Bravonium 36 B 2
Brazlaw 71 III D 2, 113 F 5
Brazza, Ins. 94 I G 3, 94 II G 3
Brazzeville 132 I C 4, 162 III B 3
Brea 18/19 E 1
Brechin, Bm. 88/89 I B 2
Breda 68/69 I C 3, 78 IV B 2, 95 C 2, 104 III B 2
Bredelar, Kl. 88/89 III A 1
Bredenei, Bredeney 142 IV A 2, 142 V A 2
Bregenstedt 56 VI B 1
Bregenz, Brigantium 37 I B 3, 49 III A 2, 122/123 I C 5
Breidafjord 57 III A 1
Breisach, Brisiacus mons, O 37 I A 2, 95 D 3, 144 D 3, 122/123 I B 4
Breisach, Neu-, O. u. Festung, Plan 120 II
Breisgau, Ldsch. 68/69 I D/E 5, 95 D/E 4, 114 D 3/4, 115 I B 3, 128 I A/B 2/3
Breitenbich 77 IV A 1
Breitenfeld 106/107 I G 4
Breme, Kl. 87 I D 2
Bremelau 120 V C 1
Bremen, evang. Landeskirche 161 VII
Bremen, Ebm. 56 I B 1, 61 I B 2, 88/89 II B 1
—, Ebm. Territ. 68/69 I E 2, 104 II A 2
—, Hzm. 106/107 I E 3, 122/123 I C 2
Bremen, Ld. 152 II C 2, 160 III A 2
Bremen O., RSt. 54/55 I D 2, 68/69 I E 2, 105 I C 1, 122/123 I C 2, 125 I C 2, 129 I C 2, 129 II D 2, 156/157 III B 2
Bremen-Verden, Hzm. (schwed.) 113 B 4
Bremenium, High Rochester 40 I B/C 1
Bremerhaven 129 II D 2, 161 IV A 1
Bremervörde 83 II A 2
Bremetennacum, Ribchester 36 B 1
Brenne, Fl. 29 V
Brenner, Paß 37 I C 3, 49 III B 2, 156/157 III C 3
Breseia, Bm. 88/89 II C 2
Brescia, O. 49 III B 3, 63 I C 2, 94 I D 2, 94 II D 2, 130/131 III C 2
Breslau, Bm. 88/89 II D 1, 145 I
Breslau, Ebm. 161 VI
Breslau, Fsm. 122/123 I G 3
Breslau, Messen 83 V D 2
Breslau, O. 60 I H 3, 61 II B 1, 68/69 I I 3, 75 C 4, 105 I E 2, 115 I D 2, 129 I G 3, 156/157 III C 2, 160 III C 2
—, Markt Ring), Plan 82 III
Bresse, Ldsch. **95 C 4**, 114 C 4
Brest, Gesocribate, O. i. d. Bretagne 36 B 3, 68/69 III A 1, 110 B 3, 156/157 II F 2, 156/157 III A 3
Brest Litowsk, Brešć 67 III C 2, 71 I B 2, 75 D 3, 113 E 4, 116/117 I H 3, 148 I F 3, 150/151 I F 3, 155 II D 1, 156/157 III D 2, 160 III D 2
Brest Litowsk, Frieden 149 I
Bretagne, Gouv. 122/123 II A 1/2
Bretagne, Ldsch. 48 II A 2, 54/55 I B 3
—, Hzm. 58/59 I A/C 4/5, 66 I A 2, 66 II B 3, 92/93 I B 4, 92/93 III B 1/2
Bretigny 68/69 III C 1
Breton, Kap 116/117 II F 2
Bretonen, Kelten, V. 48 I A 2, 49 II A 1/2
Bretonische Mark 54/55 I B 3
Bretten 114 E 3, 128 I B 2
Breuci, V. 38/39 I C 1
Breuni V. 37 I C 3

Breusch, Fl. 77 I A 1
Brevnow, Kl. 87 I E 1
Briançon 110 D 4
Briansk, Bm 88/89 I I 3
Brieg, Fsm. 122/123 I G 3
Brieg, O. 75 C 4, 82 I C 2, 122/123 I G 3
Brielle 68/69 I C 3, 95 C 2, 96/97 III a—d, 104 III B 2
Brienne, O. i. Bessarabien 104 IV B 2
Brienz 80 II C 2
Brienzer See 80 II B 2
Bries, Bg., O. 86 I E 2
Briey 148 II C 2
Brigaecium 38/39 II A 1
Brigantes, V. i. Nordengland 36 B 2
Brigantii, V. a. Bodensee 37 I B 3
Brigantio 24 II C 2
Brigantium, Bregenz 37 I B 3
Brigantium i. Gallaecien 38/39 II A 1
Brigetio 38/39 I C 1
Brighton 110 B 2
Brigittenau, Ot. v. Wien 109 V
Brigobane, Hüfingen 37 I B 3
Brilon 122/123 I C 3
Briloner Höhen 37 II A 2
Brindisi, Ebm. 88/89 I F 5
Brindisi, O. 56 II B 3, 63 I F 4, 64/65 I C 2, 64/65 II C 2, 130/131 I F 3
Briona 24 II D 2
Brioude 58/59 I E 6
Brisbane, O. i. Australien 137 I E 6, 137 II C 3
Brisbane, Ot. v. S. Francisco 143 IV
Brisiacus mons, Breisach, O. 37 I A 2
Bristol 58/59 I B 3, 110 B 2
Britanni, V. 29 I A/B 1
Britannia, röm. Prov. 34/35 I B/C 1
—, I et II, röm. Prov. 42/43 I B/C 1
—, Inferior, röm. Prov. 36 B/C 2
—, Superior, röm. Prov. 36 A/B 2
Britanniae, röm. Diözese 42/43 I B/C 1
Britannicus oceanus, Der Kanal 36 B 2/3
Britannien, Ld. 24 I B/C 2, s. auch Albion 34/35 VI
Briten, V. 48 I A 1, 50/51 A 2/3
Britisch-Afrika 111 I, 125 II, 132 I, 138/139 I—IV, 146 I
Britsch-Amerika 111 I, 115 II, 116/117 II,, 118 I—III, 125 II, 133 I—III, 138/139 I
Britisch Columbia, kanad. Provinz 133 I B 2, 133 III A/B 1/2
Britisch-Hinterindien 125 II, 136 II, 138/139 V
Britisch-Honduras, Ldsch. 138/139 I E 4
Britisch-Indien 111 II, 115 II, 116/117 IV, 125 II
—, Vizekgr., Kaiserreich 135 I, 138/139 I
Britisch-Nord-Borneo, Kol. 138/139 I P 4
Britisch-Ostafrika, Kol. 132 I D/E 3/4, 138/139 I L/M 4/5
Britisch-Somaliland, Kol. 132 I E 3, 138/139 I M 4
Britische Besatzungszone Deutschlands 160 III A/B 2
—, Österreichs 16 III B/C 3
Britischer Common Law 124 III
Britischer Einfluß in Persien 134 II
Britischer Sektor v. Berlin 161 II
Britisches Empire 138/139 I—IV
Britolagae V. 38/39 I E 1
Britz 143 II
Brixellum, Brixillum 25 I C 1
Brixen, Bm. 88/89 II C 2
Brixen, Bm., Territ. 96/97 II C 3, 106/107 I F 6
Brixen, O. 58/59 I I 5, 68/69 I F 5, 130/131 III C 1
Brixia, Brescia 38/39 I B 1
Brixillum, Brixellum 25 I C 1
Brjansk, O. 71 I D 2, 119 E 4, 156/157 I G 3
Brno, s. Brünn 150/151 I E 4
Brocomagus, Brumath 40 II A 3
Brod 145 V A 1
Brody 115 I F 2, 156/157 III D 2
Broggingen 77 I A 3
Brogne, Kl. 87 I C 1
Brohl, ad Fines 37 I A 1
Broich 142 IV A 2, 142 V A 2
Bromberg, Bydgoszcz 74 I C 1, 74 III D 1, 106/107 I I/K 3, 106/107 III B 1, 122/123 I G 2, 124 I E 1, 129 I G 2, 152 II G 2, 155 I D 2, 160 III C 2
Bromley 109 I
Brompton 109 I
Brömsebro 113 D 3
Bronzezeit 4 IV—VII, 5 I u. II
Brooks, Ins. 143 IV
Brouage 110 B 3
Brou en Bresse, Kl. 95 C 4
Browney, Fl. 142 II u. III A 2
Broxbouyn 1 V B 1
Bruchhausen, Bruckhausen 142 IV A 1
Bruchhauser Steine 41 II C 2
Bruchium, Ot. v. Alexandria 26/27 V
Bruchsal 58/59 I H 4, 128 I B 2
Bruck a. d. Mur 58/59 II B 2, 75 B 5, 122/123 I F 5
Bruck, O. a. Regnitz 81 I
Bruckhausen 142 V A 1
Brucksteine, O. 77 III A 2
Bructeri, Burcturi, Brukterer, V. 37 II A 1/2, 41 II B/C 2
Brugg, O. a. Aare 80 II C 1
Brügge, Hansekontor 84 I A 3, 84 II A 3
—, O. i. Flandern 68/69 I B 3, 68/69 III C 1. 78 IV A 2, 85 II C 1, 86 II C 1, 95 B 2, 96/97 III a—d, 104 III A 2, 126/127 IV A 2
—, Plan 79 IV
Brügge, O. b. Kamen 142 IV C 1, 142 V C 1
Brüggen 62 III C 1
Brugnato, Bm. 88/89 II B 3
Brukterer, V. 52 II B 2
Brumath, Brocomagus 40 II A 3
Brunanburh 57 II B 2
Brundisium, s. auch Brindisi 25 I F 3
Bruneck 106/107 I F 6
Brunei, brit. Kol. 137 I C 4, 138/139 I P 4, 158 I C 4, 158 II C 4, 162 II C 3
Brunkeberg, Berg 84 II D 2
Brünn, Brno 1 IV C 2, 54/55 I F 3, 75 C 4, 105 I E 2. 122/123 I G 4, 156/157 III C 3. 160 III C 3
—, Plan 82 V
Brunnen, O. 80 II C 2
Brünschwitz 77 III B 2
Brussa, Prusa 38/39 I E 2, 64/65 II D 2, 70 II E 2, 130/131 I H 3
Brüssel 68/69 I C 3, 85 II C 2, 95 C 2, 104 III B 2, 115 I A 2, 122/123 III C 1, 126/127 I D 3, 126/127 IV B 2, 148 II C 1, 156/157 I D 3
Brutti, Bruttii, Bruttier V. 17 I E 1/2
Bruttium, Ldsch. 25 III B 1
Brüx 92/93 II B 3
Bry Kunda 10 II E 4
Bryseai, Brysiai 13 II A 1
Bubanj 2 I D 2
Bubastis 6 I A 1
Bubusti 18/19 II A 2
Buca 30/31 I E 2/3
Buch, Kl. i. Sachsen 88/89 III B 1
Buch, O. b. Nürnberg 81 I
Buch, O. i. Württ. 40 II D 3
Buchara, Chanal 134 II E/F 1/2
Buchara, O 50/51 H 4, 52 III E 3, 72/73 II F 4, 72/73 III E 3, 72/73 VI E 3, 98/99 I G 4, 134 II E 2
Buchau, RSt. 5 II B 3, 68/69 I E 4, 120 V C 2
—, Kl., Territ. 120 V B/C 2
Büchen 161 I, Karte V
Buchenwald, NS-Konzentrationslager 155 I B 2
Buchheim 77 II
Buchhorn, Friedrichshafen, RSt. 80 II D 1, 122/123 I C 5, 128 I B 3
Buchhorst 161 I, Karte V
Buchsdorf 77 III B 2
Bückeberg, Bg. 155 I B 2
Bückeberge, Geb. 37 II B 1
Buckenhof 81 I
Buckingham, Palast i. London 109 I
Buckow, Kl. 88/89 III C 1
Buckow, Ot. v. Berlin 143 II
—, O. b. Küstrin 121 III u. IV
Bucks, County 118 II B 1
Buconica, Nierstein 40 II B 2
Buczacz 113 F 5, 148 I G 4
Buda, Ofen, Ofen-Pest, Buda-Pest, Budapest 85 III C 2, 112 II C 2, 130/131 I F 2, 156/157 III C 3
Budberg, O. 142 IV A 1, 142 V A 1
Buddhismus, nördl., Mahayana, Lamaismus, Religion 52 III E—G 2—4, 72/73 IV u. VI, 137 III
Buddhismus, südl., Hynayana, Religion 52 III E—G 2—4, 72/73 IV u. VI, 137 III
Büderich, O. b. Unna 142 IV C 1, 142 V C 1
—, O. b. Wesel 37 I A 1, 142 IV A 1, 142 V A 1
Buderon 13 I A 2
Budetsch 58/59 I L 4
Budin 126/127 III E 2
Budiner, V. 14/15 VI
Büdingen 122/123 I C 3
Budoron, Buderon, O. 13 I A 2
Budoros, Fl. 18/19 I D 3
Budow, Ot. v. Berlin 143 II
Budschaja, Bougie, s. auch Saldae 64/65 I—III B 3, 130/131 I C/D 4
Budweis 86 I C 2, 122/123 I F 4
Buea 132 I C 3
Buena Vista 133 I C 3
Buenos Aires, O. 118 III D 4, 133 II C 3
Buenos Aires, Staat 133 II B/C 3
Buer 142 IV B 1, 142 V B 1
Buffalo 133 III F 2
Bug, Fl. i. Polen 61 II C 1, 67 III C 2, 116/117 I H 3
Bug, Hypanis, Fl. i. Ukraine 24 I E/F 3, 67 III D/E 3, 112 I C/D 1, 130/131 I H/I 2, 155 II D/E 2
Bugey, Ldsch. 114 C 5
Bugia, Budschaja, Bougie, Saldae 34/35 III B 1, 64/65 I—III B 3, 102/103 I E 6, 130/131 I C/D 4
Buguruslan 163 II D 1
Buhen 6 I A 3
Bui 163 IV A 1
Buiksloot 109 II
Buitenzorg 135 II B 1
Buka, Ins. 158 II E 5
Bukarest 75 E 5, 92/93 I H 5, 112 I C 1, 130/131 I H 3, 148 I G 5, 156/157 III D 3
Bukation 18/19 I B 3
Bukephala 22/23 I I 2
Bukolianoi 18/19 V B 1
Bukowina Ldsch. 113 F 5, 115 I F 3, 130/131 I H 2
Bukowina, Nord-, Ldsch. 160 III E 3
Bulak, Nilinsel 98/99 III
Bulawayo 138/139 II B 2
Buleleng 135 II D 2
Bulgar, O. 50/51 F 2, 52 III D 2, 57 I G 2, 72/73 II D 2, 72/73 III C 1
Bulgaren. Onoguren, Wolga-Bulgaren, V. 46/47 III D 1, 48 II D/E 2, 49 I D/E 2, 50/51 D 3, 50/51 E/F 3, 50/51 F/G 2, 67 III, 150/151 II, 153 V, 161 I
Bulgaren in Bessarabien, V. 140 IV
Bulgarenreich, Bulgaren 54/55 I G/H 3/4, 56 II C/D 3, 61 II C 2, 64/65 I D 2, 64/65 II D 2, 66 II D/E 3, 70 II D/E 2, 71 II B/C 3
Bulgarien, Bevölkerungsverluste 152 III, 161 III
Bulgarien, Fsm., Kgr. 128 V, 130/131 I G/H 3, 145 III—VI B/C 2, 148 I F/G 5, 150/151 I F 4, 155 II D 2, 156/157 I F 4, 156/157 III D 3
Bulgarien, Patriachat 88/89 I G/H 5
Bulgarien, türk. Prov. 116/17 I H/I 5
Bulgarien, Volksrep. 160 III D/E 4, 164/165 III, 166/167 I—III, 168
Bulgarmaden 8 I A 2
Bulis 18/19 IV A 2
Bullach 81 I
Bulla Regia 34/35 III B 1
Büllingen 62 III B 2
Bumelitaia 18/19 IV B 1
Bumiaju 135 II B 1
Buna 158 I E 5
Bundekhand, Staat 135 I B/C 2
Bundesrepublik, Deutschland 161 I, 161 IV—VII
Bunzelwitz 122/123 I G 3
Bunzlau 92/93 II C 3, 122/123 I F 3
Buphagion 18/19 I B 4
Buprasion, Buprosion 18/19 I B 3
Bura 18/19 I C 3
Büraburg, Bm. 52 II C 2, 88/89 II B 1
—, O. 54/55 I D 2
Burcana, Borkum, Ins. 41 II B 1, 122/123 I B 2
Burcht 143 I a—b
Burcturi, s. Bructeri, V. 41 IV
Burdigala, Bordeaux 36 B 4
Büren 58/59 I H 4
Burer, V. 41 I C/D 3
Bürg 40 II C 2
Burg b. Eschenz, Tasgaetium 40 III B 1
Burg, O. a. Fehmarn 75 A 3
Burg, O. b. Magdeburg 122/123 I D 2
Burgar, Erdölfeld 163 II C 4
Burgas 71 II C 3, 145 V C 2, 145 VI C 2
Burgau, Mgft. 96/97 I F 6, 115 I C 3, 128 I B 2
Burgdorf, O. i. d. Schweiz 80 II B 1
Burgh, Aballava 40 I A 2
Burghley House, Schloß 90 II A 1
Burghöfe, Summuntorium 40 II D 3
Burginatium 37 I A 1
Bürglen 80 II C 2
Burgos, Bm. 88/89 I B 5
Burgos, O. 54/55 I B 4, 67 II A 2, 102/103 I C 5
Burgudschi 140 IV B 2
Burgund, fränk. Besitz 49 I B 2, 50/51 B 3, 54/55 I C/D 3/4, 57 I C 3
Burgund, Gft., Freigft. Franche Comté 58/59 I F/G 5, 68/69 I C/D 5, 95 C/D 4, 96/97 I C/D 6, 114 C/D 4, 115 I B 3
Burgund, Hzm., Bourgogne 58/59 I F 5, 95 B/C 4
Burgund, Kgr., Arelat, s. auch Hochburgund, Niederburgund 58/59 I E—G 5—7, 66 I C 2/3
Burgund, Staat d. Spät-MA 95
Burgundarholm, Bornholm, Ins. 41 I B/C 1
Burgunder, V. 42/43 I D 1, 48 I C 1, 48 I B 2
Burgunderreich (German.) 48 II B 2
Burgundischere Kreis 96/97 II A/B 2/3
Burgundisches Erbe der Habsburger 115 I
Burgundisches Sprachgut 49 II
Burjäten, V. 72/73 II K 2
105 III E 2
Burkartshain 77 II
Burkendorf 122/123 I G 3
Burladingen 40 II C 3
Burlus-See 138/139 IV A/B 1
Burma, Birma, Ldsch., s. auch Ober-, Unter-Birma 72/73 II I 5, 72/73 IV B 2, 111 II D 1/2, 135 I D 2/3, 138/139 I O 3/4, 158 I B 3/4, 158 II B 3/4
Burma, Birma, Staat 162 II B 2/3, 164/165 III, 168
Burma-Straße 136 II A/B 1, 158 I B/C 3, 158 II B/C 3
Burmesen, V. 46/47 IV, D 4
Burnum 38/39 I C 2
Burridava 38/39 I D 2
Burtassen, V. 57 I G 2
Burudschänd 134 II D 2
Burundi, Staat 162 III C 3, 164/165 III, 168
Bury St. Edmunds, Kl. 58/59 I D 2
Burzenland, Ldsch. 67 III D 3
Busaddir, Melilla 38/39 II B 2
Busca 24 II C 2
Buschir 134 II D 3
Buschmänner, V. 132 III
Busendorf 62 III B 3
Busiris 6 I A 1
Bußmannshausen 120 V C 2
Bust 52 III E 3
Büsum, Ins. 61 III A 2
Butadai, Ot. i. Athen 12 VI
Butheia 18/19 I G 3
Buthrotum 38/39 I D 3
Butmir 2 I C 2
Butmir-Kultur 2 I C 2
Buto 6 I A 1
Bütow 96/97 I I 2, 106/107 I
Butrinto 71 II B 4, 102/103 I G 5/6
Butschak, Ldsch 92/93 I H 4, 112 I C 1
Buttenheim 56 III
Butuntum 30/31 I G 3
Butzbach 40 II B 1
Bützow 105 I D 1
Buxar 116/117 IV C 2
Buxentum, Pyxus 30/31 I F 4
Buxu 1 IV A 2
Buxus 30/31 II A 2
BVP, Bayr. Volkspartei 154 I u. II
Byblos, Byblus, Gubla, Gebal 8 I B 3, 22/23 II C 3
Bydgoszcz, s. Bromberg 150/151 I E 3
Bylazora 26/27 II D 1
Byllis 38/39 I C 2
Byrsa, Burg v. Karthago, Plan 21 II
Büyük-Kale 7 VIII
Büyük-kaya-deresi, Fl. 7 VIII
Byzacena, röm. Prov. 42/43 I C/D 3
Byzantiner, Griechen, V. 67 III
Byzantin. Reich, s. auch Oströmisches Reich, Römisches Kaisertum 48 I C—F 2/3, 48 II C/D 2/3, 49 I C—F 2/3, 50/51 A—F 3—5, 54/55 I C—H 4/5, 63 I D—G 2—6, 64/65 I—III C—F 2/3, 70 II D/E 2, 71 II
Byzantion, Byzantium, Byzanz, s. auch Konstantinopel 38/39 I E 2
—, Plan 45 IV

C vergleiche auch K
Caba 30/31 II B 2
Cabali, V. 36 C 4
Caballio, Cabellio, Cavaillon 24 II B 3
Cabeza 154 V A 2
Cabillonum, Chalon s. Saône 36 C 3
Cabira, Kabira 28 I E 1
Cabul, O. i. Galilaea 8 III B 2, 34/35 II B 2
Cabyle, Kabyle 38/39 I E 2
Cac, Central American Community 166/167 III
Cáceres, Norba 38/39 II A 2
Cades, Kedesch 34/35 II B 1
Cadi 38/39 I E 3
Cadiz, Bm. 88/89 I A 6
Cadix, Cadiz, Gades, Gadir 38/39 II A 2, 48 II A 3, 49 I A 3, 64/65 I u. II A 3, 111 I F 2, 130/131 I A 4
Cadore 94 I E 1, 94 II E 1
Cadouin, Kl. 87 II B 3
Cadurci, V. 36 C 4
Caecina, Fl. 30/31 A/B 1
Caelia, Ceglie 30/31 I G 3
Caelianum 30/31 I G 4
Caelio Monte, Kellmünz, O. 37 I C 2
Caelium, O. 30/31 I H 4
Caelius, Celio, Hügel in Rom 32 II, 45 I
Caen, O. 58/59 I C 4, 110 B 3, 156/157 III A 3
—, Universität 91 V A 2
Caenica, Ldsch. 38/39 I E 2
Caere, Agylla, Cerveteri 24 II F 3/4
Caerlon, Isca 36 B 2
Caerwent, Venta Silurum 36 B 2
Caesaraugusta, Zaragoza 38/39 II B 1
Caesarea, Kaisareia, Kaisaria, Kayseri, O. i. Kappadokien 38/39 I G 3, 48 I E 3, 64/65 I E 3, 70 II G 3
Caesarea, Iol, Cerchel, O. i. Mauretanien 34/35 III A 1, 48 I B 3, 50/51 B 4
Caesarea, Stratonsturm, O. i. Palästina 34/35 II A 2, 64/65 IV A 4
Cäsarea, O. a. Orontes 64/65 IV B 3
Caesarea Germanicia, O. i. Commagene 38/39 I G 3
Caesarea Philippi, Col. Claudia Felix, Neronias, Ptolemais, s. auch Akko 34/35 II A/B 2
Caesarea Philippi, Paneas 34/35 II B 1
Caesarobriga 38/39 II B 2
Caesarodunum, Tours 36 C 3
Caesaromagus, O. b. Beauvais 36 C 3
Caesaromagus, O. i. England 36 C 2
Caesena, Cesena 30/31 I C 1, 94 I E 2, 94 II E 2
Caetobriga 38/39 II A 2

Cagdin 8 I B 2
Cagli, ad Cales, Cales 30/31 I C 1, 63 I D 3
Cagliari, Ebm. 88/89 I D 6
Cagliari, s. auch Caralis, O. 11 II B 2, 54/55 I D 5, 130/131 I D 4
Cahors, Bm. 88/89 I C 5
Cahors, Divona, O. 58/59 I D 6
—, Universität 91 V B 2
Caiatia 30/31 I E 3
Cairo, O. i. Illinois 133 III E 3
Caistor b. N., Venta Icenorum 36 C 2
Caithness, Halbins., s. Katanes 88/89 I B 2
Cajamarca 100/101 III B 2, 118 III D 3
Cakchiquel-Reich der Maya 100/101 II C 3
Calabar 132 I C 3
Calabria, Calabrien, Kalabrien, Ldsch. 30/31 I H/I 4/5, 50/51 C 4, 64/65 I C 3
—, byzant. Thema 57 I D 4, 63 I E/F 5/6
Calagurris 38/39 II B 1
Calahorra, Bm. 88/89 I B 5
Calahorra, O. 58/59 I B/C 7
Calais 68/69 III C 1, 95 A 2, 114 A 2, 148 II A 1
Calais, Straße von 95 A 2
Calakmul 100/101 II D 2
Calama 34/35 III B 1
Calapverdi 8 I B 2
Calatia 30/31 I E 3
Calatrava 64/65 I A 3, 64/65 II A 3, 102/103 I C 6
Calava 36 B 2
Calbe, Kl. 58/59 I I 3
Calchedon, s. Chalkedon 38/39 I F 2
Caledonia, Ldsch. 36 B 1
Calena 30/31 I E 3
Calenberg, Fsm. 122/123 I C 2
Cales, O. i. Kampanien 30/31 I E 3
Cales, ad Cales, Cagli, O. i. Umbrien 25 II C 1, 30/31 I C 1, 63 I D 3
Caletes, Caleti, V. 36 C 3
Caletra, Marsiliana 25 II B 2
Cali 100/101 VII B 3
Calishock 143 Ib
Callaici, Gallaeci, V. 28 I A 1
Callao 118 III D 3, 133 II B 2
Callatis, Mangalia, s. Kallatis 38/39 I E 2
Calleva Atsebatium 36 B 2
Callipolis, Kallipolis, O. i. Calabrien 30/31 I H 4
Callipolis, Kallipolis, Gallipoli 18/19 I G 1
Callishock 143 Ib
Calor, Fl. 30/31 I E 3
Calpo mons, Gibraltar, Bg. 38/39 II A 2
Caltabellotta 63 I D 6
Caltanisetta 17 I C 3
Caluci, V. 37 I B 3
Calucones, V. 36 E 2
Calugareni 102/103 I I 5
Calvados, Dép. 122/123 III A/B 1
Calven, Ldsch. 80 II E 2
Calvi 94 I C 3, 94 II C 3
Calvörde 122/123 I D 2
Calw 128 I B 2
Calycadnus, Kalykadnos, Fl. 38/39 I F 3
Camaldoli, Kl. 94 I D 3, 94 II D 3
Camarina, s. Kamarina 25 I E 5
Cambete, Kembs 40 III A 1
Cambodunum, Kempten 37 I C 3
—, Plan 32 IV
Camboglanna, Birdoswald 40 I B 1/2
Camboise 142 I—III A 1
Cambrai, Bm. 88/89 II A 1
Cambrai, Bm., Territ. Gft. 95 B 2, 104 III A 2
Cambrai, O. 49 II B 1, 54/55 II C 2, 58/59 I E 3, 105 I A 2, 114 B 2, 148 II B 1
Cambridge, O. 57 II C 2, 110 C 2
—, Universität 91 V B 1
Cambuläer, V. 9 III G 3
Camellaria 30/31 I C 1
Camen, Kamen 142 IV C 1, 142 V C 1
Cameria 30/31 II B 1
Camerinum, Camerino 30 I D 1, 63 I D 3, 94 I E 3, 94 II E 3
Camertes, V. 30/31 I C 1/2
Camineti, Hft. i. Treviso 94 I D/E 1/2
Cammerforst, O. 77 IV A 2
Cammin, Bm., Terr., s. auch Kammin 96/97 II D 2
Cammin, Kammin, O. 115 C 2, 122/123 I F 2
Campania, Kampanien, Ldsch. 30/31 I C—F 3/4, 30/31 III B/C 1/2
Campbell, Ins. brit. 138/139 I S 7
Campeche 100/101 II C 2
Campiglia 25 II A 1
Campigny 1 V B 2
Campione 94 I C 2, 94 II C 2
Campo 30/31 I E 2
Campobasso 94 I F 4, 94 II F 4
Campoformio 124 II C 1
Campus Martius, Marsfeld i. Rom 32 II
Campus salinarum Romanarum, Lagune 30/31 II A 2
Camulodunum, Colchester 36 C 2
Canada, Kanada, Ldsch., brit. Dominium 111 I C 1, 115 II B/C 2, 116/117 II C/E 1/2, 118 I B/D 1, 133 I A—E 1/2, 133 III A—H 1/2, 138/139 I B—G 1/2
Canale, O. 17 I E 2
Canal Royal, Kanal 110 C 4
Canatha 38/39 I G 4
Canberra 137 I E 6
Candarli 4 VII B 2
Candia, Chandax, Herakleion, s. auch Kandia, O. 11 IV
Candida casa, Whithorn 52 I B 2
Candidum Promontorium, Kap 34/35 III B 1
Canea, Kanea 130/131 I G 4
Caninefates, V. 36 C 2
Canino 25 II B 2
Cannae, Canne 26/27 II C 1, 30/31 I G 3, 63 I F 4
—, Schlachtplan 28 III
Cannes 116/117 I E 5
Canossa, Burg 63 II B 2
Cannstatt 40 II C 3
Cantabri, Kantabrer, V. 38/39 II B 1
Cantabricum mare, Golf v. Biscaya 36 B 3/4
Cantal, Dép. 122/123 III B 2
Canterbury, Ebm. 52 I C 2, 88/89 I C 3
—, Kl. 87 I C 1
Canterbury, Durovernum, O. 36 C 2, 57 II C 2, 104 I C 2
Cantii, V. 36 C 2
Canusium 30/31 I G 3
Caorle, Bm. 88/89 II C 2
Caparcotna 42/43 II E 3
Capareas 41 III B 2
Cape Coast Castle 132 I B 3, 163 IV B 3
Capelle, Kapelle, O. b. Nordkirchen 142 IV C 1, 142 V C 1
Capena 30/31 I C 2
Capera 38/39 II A 1
Capestrano 24 II F 3
Capharnaum 34/35 II B 2
Capidava 38/39 I E 2
Capitolias 34/35 II B 2
Capitolium i. Rom, Capitol, Kapitol 32 II, 33 I—III
Capitulum Hernicorum 30/31 I D 3
Capodistria, Bm. 88/89 II C 2
Capolago 24 II D 1/2
Capori, V. 38/39 II A 1
Cappadocia, röm. Provinz s. auch Kappadokien 38/39 I G 2/3
—, I et II, röm. Provinzen 42/43 I F 3
Cappenberg, Schloß 142 IV C 1, 142 V C 1
Capracotta Agnone 30/31 I E 3
Capraria, Ins. 38/39 II C 2
Caprasia, Ins. 38/39 I A 2
Caprasia, O. i. Bruttium 17 I E 1
Capreae, Capri, Ins. 30/31 III B 2
Capri, Capreae, Ins. 30/31 III B 2
Caprivi-Zipfel 132 I D 4
Capsera, Ins. 130/131 I D 3
Capsa, Gafsa 34/35 III B 2
Capua, Bm. 88/89 I E 5
Capua, Fsm. 63 I D/E 4
Capua 24 II G—4, 30/31 I E 3, 63 I D/E 4, 130/131 I E 3
Caput Aquae, Kl. 87 II B 3
Caput Vada 48 II C 3
Caqueta, Rio, Fl. 100/101 VII B 3
Caracalla-Mauer (Dacien) 38/39 I D/E 2
Carácas 100/101 VII C 2, 118 III D 2, 133 II B 1
Caraceni, V. 30/31 I D/E 3
Caralis, Carales, Cagliari, Karalis 11 II B 2
Carambis prom., Kap 38/39 I F 2
Carana 38/39 I H 3
Carasa 38/39 II B 1
Carberry Hill, Bg. 102/103 I C 2
Carcaso, Carcasso, Carcassonne, O. 36 C 4, 58/59 I E 7, 66 I B 3
Carcassonne, Bm. 88/89 I C 5
Carcinites-Golf 38/39 I F 1
Cardamyla, Kardamyle (Lakonien) 18/19 I C
Cadeña, Kl. 87 I B 3
Carecium inferior, O. 30/31 I E 3
— superior, O. 30/31 I E 3
Careiae 30/31 II A 1
Carem 8 III B 3
Carentan 156/157 III A 3
Caria, röm. Provinz, s. auch Karien 38/39 E 3, 42/43 I E 3
Carlisle, Bm. 88/89 I B 3
Carlisle, Luguvallium 40 I B 2, 92/93 I B 3, 104 I B 2
Carmel, O. 8 III B 3
Carmo 38/39 II A 2
Carna 46/47 I C 5
Carnae, Heiligtum i. d. Bretagne 5 I A 3
Carnarvon, Segontium 36 B 2
Carni, V. 38/39 I B 1
Carnonacae, V. 36 A 1
Carnuntum 38/39 I C 1, 54/5 I F 3
Carnutes, V. 36 C 3
Carolath 122/123 I F 3
Carolina, amer. Staat 116/117 II C/D 3
Carolina, Nord- u. Süd-, amer. Staat 118 I B/C 2, 133 III E/F 3
Caroline-Ins. 138/139 I B 5
Carpathus, Ins. s. Karpathos 38/39 I E 3
Carpentras, Bm. 88/89 II B 3
Carpetana Iuga, Geb. 38/39 II B 1/2
Carpetani, Karpetaner, V. 38/39 II B 1/2
Carpentorate 36 D 4
Carpi, Karpen, V. 38/39 I D 1
Carpis, O. i. Afrika 28 IV B 2
Carrara, Hft. i. Padua 94 I D/E 2
Carrara, O. 63 II B 2
Carrhae, Harran, Karrhä 8 II B 2, 22/23 II C 2, 28 II E 3, 41 III D 1, 46/47 I B/C 3
Carrion, Kl. 87 I B 3
Carrodunum 38/39 I C 1
Carrowburgh, Procolitia 40 I B 1
Carsioli 25 I D 2
Carsulae 30/31 I C 2
Cartagena-Murcia, Bm. 88/89 I B 6
Cartagena, Nova Carthago, O. i. Spanien 38/39 II B 2, 48 I A/B 3, 48 II A/B 3, 49 I A/B 3, 54/55 I B 5, 64/65 II A 3, 130/131 I B 4, 154 V B 2
Cartagena, O. i. Kolumbien 100/101 VII B 2, 118 III D 2, 133 II B 1
Cartago, O. i. Venezuela 100/101 VII B 3
Carteia 38/39 II A 2
Cartenna, Cartennae, Ténès 34/35 III A 1
Carthaginiensis Hispania, röm. Prov. 42/43 I B 3
Carthago, Karthago 11 II C 2, 26/27 II C 2, 28 IV B 2
—, Plan 21 II
Cartima 38/39 II B 2
Caruentum 30/31 II B 2
Carusa 38/39 I G 2
Carvoran, Magnae 40 I B 1/2
Casablanca 132 I B 2, 156/157 I C 5, 156/157 II F 3
Casablanca-Staaten 169 III
Casale, Bm. 88/89 II B 2
Casale, O. 94 I C 2, 94 II C 2
Casalmarittimo 25 II A 1
Casamari, Kl. 87 II C 3
Casarano 30/31 I I 4
Casca-Bai, O. 156/157 II C 2
Cascia 24 II F 3
Caserta 94 I F 4, 94 II F 4, 130/131 I E 3
Cashel, Ebm. 88/89 I A 3
Casilinum 30/31 I E 3
Casinalbo 4 VI B 2
Casinum 30/31 I D 3
Caspium mare,s. Kaspisches Meer 43/43 I G/H 2/3
Cassandrea, s. Kassandreia 38/39 I D 2
Cassel, O. i. Flandern 70 I B 1, 95 B 2, 114 B 2
Castel Arizano 63 II B 1
Castellazzo 4 VI A 2
Castelbellino 30/31 I D 1
Castel del Monte, Burg 94 I G 4
Castelfidardo 130/131 I E 3
Castell, Gft. i. Franken 122/123 I D 4
Castell, Schloß i. Franken 68/69 I F 4, 128 I C 2
Castell, Gf. Reichsritter i. Schweden 120 V C 1
Castellamare, Stabiae 30 III B 2
Castellieri-Kultur 24 II F/G 2
Castellina 25 II B 1
Castello, O. b. Florenz 25 II B 1
Castello di Sangro, Burg 94 I F 4
Castellon 154 V B 2
Castelluccio, O. i. Nordsizilien 2 II C 3
Castelluccio, O. b. Syrakus 17 I C 4
Castellum Dimmidi, Messad 34/35 III A 2
Castellum Firmanum 30/31 I D 1
Castellum Mattiacorum, Kastel 40 II B 1
Castellum Menapiorum 36 C 2
Castellum Tingitanum, Orléansville 34/35 III A 1
Castelmezzano 30/31 I G 4
Castelnaudary 116/117 I D 5
Castelsecco 25 II C 1
Castiglioncello 25 II A 1
Castiglione 110 E 3
Castillejo b. Numuntia, Römerlager, Plan 29 VI
Castillon 92/93 III B/C 2
Castlesteads, Uxellodunum 40 I B 1
Castor, Durobrivae 36 B 2
Castra Batava, Passau 38/39 I B 1
Castra Exploratorum, Netherby 40 I B 1
Castra Hannibalis 25 I F 4
Castra nova, Perrégaux 38/39 II C 2
Castra Regina, Regensburg, Legio Ratisbona, Ratisbona 37 I D 2, 40 II F 2/3
Castra Vetera, Birten, Plan 32 V
Castres, Bm. 88/89 I C 5
Castres, O. 92/93 I C 5
Castrionoenium 30/31 II B 2
Castrop 56 V B 1, 142 IV B 1
Castrop-Rauxel 142 V B 1
Castrum Mineroae 30/31 I I 4
Castrum Novum, O. b Caere 25 II B 2
Castrum Novum, O. i. Picenum 30/31 I D 2
Castrum Truentinum 30/31 I D 2
Castula, Arretium, Fidentius 30/31 I B 1
Castulo 38/39 II B 2
Castulonensis saltus, Geb. 38/39 II B 2
Casuentini, V. 30/31 I B 1
Casuentus, Fl. 30/31 I G 4
Catabathmus maior 34/35 I E 3
Catana, Catania, Katana, Katane, O. 17 I D 3, 63 I E 6, 130/131 I F 4
Catania, Bm. 88/89 I E 6
—, Universität 91 V C 3
Cateau Cambrésis, Schloß 96/97 I B 4, 114 B 2
Catlenburg 62 II C 2
Cattaro, Bm. 88/89 I F 5
Cattaro, Kottor, O. 63 I G 3, 64/65 I C 2, 112 I B 1, 125 I D 3, 130/131 I F 3, 156/157 I E 4
Cattenates, V. 37 I C 2/3
Catterick 54/55 I B 2
Cattigara 34/35 VI
Catubrini, V. 38/39 I B 1
Caturiges, V. 41 IV
Catuvellauni, V. 36 B/C 2
Cauca, O. 38/39 II B 1
Cáuca, Rio, Fl. 100/101 VII B 3
Caucasus mons, s. Kaukasus, Geb. 38/39 I G/H 2
Caucones, V. 38/39 I F 2
Caudebec 110 C 3
Caudini, V. 30/31 I E 3/4
Caudium 25 I E 3, 30/31 I E 3
Caulonia, Kaulonia 17 I E 2
Caunus s. Kaunos 38/39 I E 3
Caurium 38/39 II A 1
Causennae 36 B 2
Cavaillon, Bm. 88/89 II B 3
Cavaillon, Caballio, Cabellio, O. 24 II B 3
Cavares, V. 41 IV
Cayenne 118 III E 2, 133 II C 1
Ceará, Fortaleza 118 III F 3
Cebenna mons, Geb. 36 C 4
Cebro 38/39 I D 2
Cefa 42/43 I G 3
Cefalu, Bm. 88/89 I E 6
Cefalu, O. 63 I E 5
Ceglie, Caelia 30/31 I G 3
Celadussae, Ins. 30/31 I F 1
Celbis, Kylt, Fl. 40 VI A 1/2
Celebes, Sulawesi, Ins. 98/99 I M/N 7/8, 111 II E/F 2/3, 137 I C/D 4/5, 137 II A/B 1/2, 158 I C/D 4/5, 158 II C/D 4/5, 162 III C/D 3/4
Celeia, Cilli 38/39 I C 1
Celeusum, Pförring 40 II E 3
Celio, Caelius, Hügel i. Rom 32 II, 45 I
Celle 81 III B 1, 122/123 I D 2, 155 I B 2
Celsa 38/39 II B 1
Celtiberi, Keltiberer, V. 24 I B 3/4
Celtici, V. 38/39 II A 2
Celticum prom., Kap 38/39 II A 1
Cembalo, Balaklawa 70 II F 2
Cemenelum, Cimiez 24 II C 3
Cempoallan 100/101 II B 2
Cenabum Aureliani, Orléans, s. auch Aureliani 36 C 3
Ceneda, Bm. 88/89 II C 2
Cenia 38/39 I B 1/2
Cenomani, Aulerci-, V. 29 I A/B 1
Cento-Pakt 166/167 II
Centoripa, Kentoripa 17 I C 3
Central American Community, Cac 166/167 III
Centula, St. Riquier, Kl. 87 I C 1
Centumcellae 30/31 I B 2
Centum Putea 41 III C 3
Cephallenia, Ins., s. Kephallenia 38/39 I D 3
Cephaloedium, Kephaloidion 17 I C 2
Ceprano 53 I B 3
Cerasus, s. Kerasus 38/39 I G 2
Ceraunilia 30/31 I F 3
Cercenna-Insel 34/35 III C 2
Cerdagne, Gft. 58/59 I D/E 7
Cereatae 30/31 I D 3
Ceresale 96/97 I D 7
Cereta, Burg 63 II C 1
Cerfennia 30/31 I D 2
Cerigo, Kythera, Kythira, Ins. 18/19 C/D 5, 70 II D 3, 102/103 I H 6, 126/127 I H 6, 145 V B3, 145 VI B 3
Cerignola 94 I F 4, 94 II F 4
Cerilli, Kerilloi 17 I D 1
Cernauti, Czernowitz 150/151 I F 4
Cernusco 24 II D 2
Cerretani, V. 38/39 II C 1
Certose di Pavia, Kl. 90 IV A 1
Cervara 30/31 II B 2
Cerveteri, s. Caere 25 II C 3
Cervia, Bm. 88/89 II C 3
Cervia, O. 94 I E 2, 94 II E 2
Cervini, V. 38/39 I A 2
Ceryneia 38/39 I F 3
Cesena, Bm. 88/89 II C 3
Cesena, Caesena, O. 30/31 I C 1, 94 I u. II E 2
Cesi 25 II C 2
Cessetani, V. 38/39 II C 1
Cetinje 130/131 I F 3, 148 I E 5
Cetium, St. Pölten 38/39 I C 1
Cetona 25 II B 2
Ceus, Ins., s. Keos 38/39 I D 3
Ceuta 50/51 A 4, 92/93 I A 6, 102/103 I B 6, 116/117 I B 6
Ceutrones, V. 29 I C 2
Cevennen, Geb. 104 I C 3/4
Ceyhan, Fl. 8 I B 2
Ceylon, Tuprobane, Singhala, Ins. 46/47 I F/G 6, 72/73 I A/B 5, 72/73 II G/H 7, 72/73 IV B 3, 98/99 I H/I 7
Ceylon, ndl. Ins. 111 II C/D 2, 116/117 IV B/C 4
—, brit. Ins. 135 I B/C 4, 138/139 I N/O 4
Ceylon, Staat (Sri Lanka) 162 II A/B 3, 164/165 III, 166/167 I, 168
Ceyreste, Kitharista 24 II B 3
Chabarowsk 138/139 VI C 2

Chablais, Ldsch. 80 II A 2
Chaboras, Fl. 38/39 I H 3
Chaco-Indianer, V. 100/101 III C 4/5
Chagar Bazar 6 II, III u. IV B 1
Chaiber-Paß 135 I A 1
Chailar 154 III A 2
Chaironeia, Chäronea, Schlachtplan 22/23 IV
Chala 22/23 II E 3
Chalai 18/19 I C 2
Chalaion 18/19 I C 3
Chalcedon s. Chalkedon
Chalcidice s. Chalkidike
Chalcis s. Chalkis
Chalco 100/101 II B 2, 100/101 VI B 2
Chalco-See 100/101 VI B 2
Chaldac, V. 38/39 I G 2
Chaldän, Ldsch. 22/23 II E 3
Chaldäer, V. 3 I F 3, 9 I F/G 3, 9 III F/G 3
Chaldäerreich, Neubabylonisches Reich 9 III E—G 2/3
Chalkedon, Chalcedon, Kalchedon 11 III D 1, 38/39 I E 2, 50/51 D 3, 52 III C 2
Chalkidike, Halbinsel 18/19 I C—E 1/2, 18/19 II B/C 2/3
Chalkis, Chalcis, O. b. Aleppo 22/23 II C 2, 41 III C 2
Chalkis, Chalcis, O. b. Baalbek 22/23 II C 3
Chalkis.a. Euböa, Chalcis, O. 11 II D 2, 18/19 I D 3
Chalkis, O. a. Kalydon. Golf 18/19 I B 3
Chalon sur Saône, Bm. 88/89 II A 2
—, Messen 83 IV B 2
—, O. 58/59 I F 5, 95 C 4, 114 C 4
Châlons sur Marne, Bm. 56 I A 2, 88/89 II A 2
—, O. 54/55 II D 3, 58/59 I F 4, 114 C 3, 148 II C 2
Chalyber, Chalybes, V. 38/39 I G 2
Chalybon, Haleb, s. Aleppo 22/23 I E 2
Cham 68/69 I G 4, 122/123 I E 4
Chamaizi 10 I C 1
Chamars, s. Clusium 24 II E 3
Chamavi, Chamaven, V. 36 D 2
Chambalik, Peking, O. 72/73 II L 4
—, Plan 98/99 II
Chambéry 96/97 I C 7, 110 D 3, 122/123 III C 2, 130/131 I D 2
Chambord, Schloß 90 II B 2, 102/103 I D 4
Chametula 10 I C 1
Chami, Kumul 46/47 I H 2, 72/73 I C 1, 136 I C 2
Chamonix 94 I B 2, 94 II B 2
Champagne, Gouvernement 122/123 II B/C 1/2
Champagne, Gft. 58/59 I E/F 4, 95 B/C 3, 148 II C 2
Champagne-Messen 83 IV
Champmol, Kl. 95 C 4
Champotoon 100/101 II C 2
Chamsä, Gau 134 II C 2
Chandax, Candia, Herakleion, Kandia 11 IV
Chanhu-Daro 3 II H 4
Chantilly 90 II B 2
Chaoner, V. 26/27 III A 2
Chaonia, O. 22/23 II C 2
Chaonien, Ldsch. 20 II A/B 2/3
Chapultepec 100/101 VI A 2, 164/165 III
Charadra, O. i. Doris 18/19 I C 3
Charadra, O. i. Epirus 18/19 I A 2
Charax, Alexandreia, Antiocheia, O. a. Pers. Golf 22/23 II E 3
Charax, O. a. d. Syrte 26/27 II C 2
Charbin 136 I F 2, 136 III C 2, 138/139 VI B 2, 162 II D 1
Charente, Dép. 122/123 III A/B 2
Charente inférieure, Dép. 122/123 III A 2
Chari, Fl. 162 III B 2
Charidemi prom., Kap. 38/39 II B 2
Charkow, Charkiv 119 F 5, 149 I C 2, 149 III C 3, 156/157 I G 3/4
Charlemont 114 C 2
Charleroi 114 B 2, 126/127 IV B 2, 148 II C 2
Charleston 116/117 II C/D 3, 133 III F 3
Charlottenburg, O. 143 II
Charmande, Hit 22/23 III C 2
Charolles, Charolais, Gft. 95 C 4, 114 C 4
Charolles, O. 106/107 I C 6
Charput 134 II B 2
Charran, s. Harran 14/15 I E/F 3
Chartres, Bm. 88/89 I C 4
Chartres, Gft. 58/59 I D 4
Chartres, O. 54/55 II B 3, 85 II B 2, 110 C 3
Chartum, Khartum 98/99 IV, 138/139 I L 4, 138/139 III B 2, 162 III C 2
Charuneh 6 I A 2
Chasaren, V. 46/47 III D/E 1, 49 I F 2, 52 III C/D 2
Chasarenreich, Chanat 50/51 E—G 2/3, 57 I F/G 2/3
Chasradsch, V. 50/51 F 5
Chassey, O. 2 I B 2
Chassey-Kultur 2 I B 2
Chasuarier, Chasuarii, V. 41 II B/C 1
Château Dauphin 110 D 4
Châteaudun 110 C 3
Châteauroux 58/59 I D 5
Château Thierry 148 II B 2
Châtelleraud 110 C 3
Chatham- Ins. 138/139 I T 7
Châtillon, Burg b. Aosta 94 I B 2, 94 II B 2
—, O. i. Bourgogne 95 C 4
Chattanooga 133 III E 3
Chatten, Chatti, V. 37 I B 1, 41 II C 2
Chattuarii, V. 36 D 2
Chauaca 100/101 II D 1
Chauchitsa 18/19 II B 1
Chauken, Chauci, Ch. minores et maiores, V. 36 D 2
Chaumont 95 C 3
Chauvigny 67 I B 2
Chavin 100/101 III B 2
Chavos, Fl. 11 V
Chefrenpyramide i. Giseh, Plan 7 II
Cheiber, O. i. Arabien 50/51 F 5
Chelat, Ldsch. 72/73 III C 3
Chelidonische Ins. 16 II F 3
Chelles 1 III C 2
Chelm, Cholm, Bm. i. Polen 71 I B 2, 88/89 I G 3
—, O. 67 III C 2, 113 E 4, 124 I F 2, 148 I F 3, 156/157 I G 3
Chelmno, NS-Konzentrationslager 155 I D 2
Chelonatas, Kap 18/19 I B 4
Chelonatas-Golf 18/19 I B 4
Chelsea 109 I
Chemchemal 6 IV B 1
Chemin des Dames 148 II B 2
Chemnitz, Karl-Marx-Stadt 68/69 I G 3, 122/123 E 3, 141 I C 2, 141 II C 2, 161 IV B 1
Chenciny, Bg., O. 86 I F 1
Chenoboskion 29 II B 2
Cheopspyramide i. Giseh, Plan 7 II
Cher, Dép. 122/123 III B 2
Cher, Fl. 58/59 I D/E 5
Cherasco 124 II A 1
Cherbourg 68/69 III B 1, 110 B 3, 156/157 III A 3
Cherchel, Iol, s. Caesarea 34/35 III A 1, 48 I B 3, 50/51 B 4
Cheribon 136 II B 4
Cherokee-Indianer, V. 144 IV D 3
Cherso, Ins. 94 I F 2, 94 II F 2
Cherson, Chersonesos, Chersonesus, Korssun, Sewastopol, O. 11 II E 1, 38/39 I F 2, 50/51 E 3, 52 III C 2, 61 V 3, 70 II F 2
Cherson, O. am Dnjepr 116/117 I K 4, 149 III C 3
Chersonasos, Chersonesus, O. a. Kreta 10 III C 1
Chersones Hellespont, 16 D 1, 20 II F 2, 26/27 III B 1
Chersonesos, Chersonesus, Sebastopol, O. 11 II E 1
Chersonesos, Kap auf Euböa 18/19 E 3
Chersonesos, Kap auf Kreta 10 III A 1
Chersonesus, Chersonesos, Sewastopol, O. 38/39 I F 2, 44 E 2
Chersonesus Tanrica, Halbinsel Krim 38/39 I F/G 1/2
Chertsey 54/55 I B 2
Cherusci, Cherusker, V. 37 I B 1, 37 II A/B 1, 41 II C 1
Cherusker, Cherusci, V. 37 I B 1, 37 II A/B 1, 41 II C 1
Chesapeake-Bai 133 III F 3
Chester, County (Pennsylv.) 118 II A 1/2
Chester, Deva, O. b. Liverpool 36 B 2, 54/55 I B 2, 110 B 2
Chester, O. b. Newcastle 142 I—III A 2
Chesterholm, Vindolanda 40 I B 2
Chesters, Cilurnum 40 I B 1
Chester Township, O. i. Pennsylv.) 118 II A 2
Chetumal 100/101 II D 2
Chiavenna, Clavenna 49 III A 2, 58/59 I H 5, 80 II D 2, 130/131 III B 1
Chiaravalle, Kl. 87 II B 3
Chibinogorsk, Kirowsk 150/151 I G 2
Chicago 133 III E 2
Chichen Itza 100/101 II D 1
Chichester, Bm. 88/89 I B 3
Chichester, Noviomagus, Sealsea, O. 36 B 2, 52 I B 2, 110 B 2
Chichimeken, V, 100/101 II A/B 1
Chiemsee, Bm. 88/89 II C 2
Chiemsee, See 62 II D 4
Chieri 94 I B 2
Chieti, Bm. 88/89 I E 5
Chieti, O. 63 I E 3, 94 I F 3, 94 II F 3
Chihuahura 118 III B 1
Chilantarion, Athos-Kl. 45 VI B 1
Chile, Staat, 118 III D 4, 125 II, 133 II B 3/4, 164/165 III, 166/167 II u. III, 168
Chilemat, Fl. 38/39 II C 2
Chillon 80 II A 2
Chiloë, Ins. 118 III D 5
Chilokku, Mazaka 9 III E 2
Chinchasuyu, Chinus-Reich 100/101 III A/B 2
Chin-Dynastie i. China (Ts'in) 3 V
China, Mandschu-Reich 105 III E/F 2, 111 II D—F 1/2, 136 I u. III, 138/139 VI A/B 2/3
China, Reich 3 III—V, 46/47 I F—L 2—5, 46/47 II G/I 2—4, 46/47 III I/K 2/3, 46/47 IV A—G 2—5, 72/73 I D—F 2—4, 72/73 II K—M 4—6, 72/73 IV C 2
China, Rep. 149 IV C—F 2—4, 158 I u. II A—D 2/3, 159 I u. II E—H 2/3,
—, National-China 162 I B/C 2., 164/165 III, 168
—, Volks-Rep. 162, I, 166/167 I—III
Chinalaph, Fl. 38/39 II C 2
Chin-an 46/47 III K 3
Chinchasuyu, Ldsch. 100/101 III A/B 2/3
Chinesen, V., im Ausland 144 II, 162 II, 163 I
Chinesische große Mauer 3 V A—C 1/2, 136 I D/E 2/3
Chinnereth 8 III B 2
Chinon, O. a. Vienne 68/69 III C 2
—, O. i. Gft. Nevers 95 B 4
Chinus-Reich, Chinchasuyu 100/101 III A/B 2
Chiny 95 C 3
Chioggia, Bm. 88/89 II C 2
Chioggia, O. 94 I u. II E 2,
Chios, Ins. u. O. 11 I D/E 1, 18/19 I F/G 3, 64/65 I u. II D 3, 70 II E 3, 112 I C 2, 145 V u. VI C 3
Chippenham 57 II B 2
Chişinau s. Kischinew 150/151 I F 4
Chitai, Kitan-Reich, Lino-Reich 46/47 IV F/G 2, 72/73 I D—G 1
Chiusi, s. Clusium 25 II B/C 1/2, 63 I C 3, 94 I D 3, 94 II D 3
Chiusure 25 II B 1
Chivasso 94 I B 2, 94 II B 2
Chiwa, Chanat 134 II D/E 1
Chiwa, O. 50/51 H 3,134 II E 1
Chmielnik 67 III C 2, 75 E 4
Choarene, Ldsch. 9 III H 2
Choaspes, Uknu, Fl. 9 I G 3
Chodawendkjar, Wilajet 134 II A/B 1/2
Chodschant, Chodschent, Alexandria eschata 22/23 I H 1, 72/73 II F 3, 134 II E 1
Chodzibej 112 I C 1
Choi 148 III B 2
Choinobaskion 6 I A 2
Choirospilia 4 VII A 2
Chokand 50/51 I 3, 98/99 I H 3, 134 II E/F 1
Cholargos 13 I B 1
Cholleidai 13 I B 1
Cholm, O. a. Lowat 116/117 I K 2
Cholm, Chelm, Bm. i. Polen 71 I B 2, 88/89 I G 3
—, O. 67 III C 2, 113 E 4, 124 I F 2, 148 I F 3, 156/157 I F 3
Cholmogory 119 G 2
Cholon 136 II B 3
Cholula 100/101 II B 2
Chondria 18/19 V A 1
Choner, V. 17 I E 1
Chorasan, Ldsch. u. pers. Gau 46/47 III D 2, 50/51 G/H 4, 72/73 II F 4, 72/73 III D/E 3, 134 II D/E 2
Chorasmier, Choresmier, V. 3 I G/H 2, 22/23 I G/H 1
Chorazin, O. 34/35 II B 2
Choresm, Choresmien, Ldsch. 14/15 I G/H 2, 50/51 G/H 3, 72/73 II E/F 3, 72/73 III D/E 2
Choresmier, Choasmier, V. 46/47 I D/E 2
Choresm-Schah, Reich des 72/73 II E/F 3/4, 72/73 III D/E 2/3
Chorin, Kl. 88/89 III B 1
Chortitza 119 E 5
Choschot-Mongolen, V. 111 II D 1
Chotan 46/47 I F 3, 72/73 II G 4, 135 I B 1
Chotěboř, Bg., O. 86 I C 2
Chotin 92/93 I H 4, 113 F 5, 119 D 5, 126/127 I I 4
Chotscho-Idykut schachri, Kara, Kao-tschang 72/73 I B 1
Chotusitz 122/123 I F 4
Christburg, O. 74 I C 1
Christchurch 137 I F 7, 137 II D 4
Christentum s. Kirchen
Christentum in Asien 137 III
Christiania, Kristiania, Oslo 148 I D 2
Christlich soziale Volkspartei (CSVP) 154 II
Christliche Volkspartei (CVP) 153 I
Christmas-Ins., brit., (b. Java!) 138/139 I P 5
Christmas-Ins., br. (i. Südsee) 138/139 I B 4
Christos, O. 10 I A 2
Christos-Insel 10 I B 1
Chrysa, Chryse 10 II E 2
Chrysafa 13 II B 1
Chrysokeras, Goldenes Horn, Meeresbucht 45 IV
Chubuskia 9 III F 2
Chullu 34/35 III B 1
Chur, Bm. 88/89 II B 2
—, Bm.-Territ. 68/69 I E/F 5
—, Curia, O. 37 I B 3, 49 III A 2, 58/59 I H 5, 80 II D 2, 130/131 II B 1
Churchill, Fort 116/117 II B 1
Chur-Rätien, Ldsch. 58/59 I H 5
Chusistan, Ldsch. 50/51 F/G 4
Chutbe 6 I A 2
Chutizi, Gau 56 IV
Chyretiai 18/19 I C 2
Chytri, Chytroi 8 I A 2
Cibalae 38/39 I C 1
Cibyra, Kibyra 26/27 IV A 2
Cidamus, Ghadames 34/35 I C 3
Ciliba 28 IV B 2
Cilicia (röm. Prov.) 28 II E 3, 38/39 I F/G 3
—, I et II (röm. Prov.) 42/43 I F 3 s. auch Kilikien
Cilli, Gft. 68/69 I H 5
Cilli, Celeia, O. 38/39 I C 1, 58/59 III C 2, 112 II A 2
Cilurnum, Chesters 40 I B 1
Cimbri, Kimbern, V. 24 I B—D 2/3, 41 I A/B 1
Cimiez, vgl. Cemenelum 24 II C3
Ciminius mons, Bg. 30/31 I C 2
Cimithier, V, 34/35 I C/D 3
Cinceo 98/99 I M 5
Cicinnati 133 III E 3
Cingari 28 IV A 2
Cingulum 30/31 I D 1
Cintra 92/93 I A 6, 116/117 I B 6
Circaeum prom., Kap 38/39 I B 2
Circeji, Circei 30/31 I D 3
Circesium 38/39 I H 3
Circus maximus (in Rom) 33 I
Ciro, Krimissa 17 I F 1
Cirta, Cirta colonia, Constantina, Constantine 34/35 III B 1, 48 I B 3, 43 II B 3
Cisalpinische Republik 124 II B/C 1/2
Cisternino 30/31 I H 4
Citeaux, Kl. 87 II B 3
Citium, s. Kition 38/39 I F 4
Citta Castellana, Civita Castellana, Falerii 25 II C 2, 63 I D 3
Citta di Castello, Tifernum Tiberinum 25 II C 1, 94 I E 3, 94 II E 3
Citta di Pieve 25 II C 2
Cittanova, Bm. 88/89 II C 2
Citta Vecchia, O. a. Malta 25 III A 2
Ciudad Bolivar, Angostura 133 II B 1
Ciudad Real 130/131 I B 4
Ciudad Rodriguez, Bm. 88/89 I A 5
Ciudad Rodriguez, O. 125 I B 3
Cius, Ins.,s. Kios 38/39 I E 2
Cividale 49 III C 2, 63 I D 1, 94 I E 1, 94 II E 1
Civita, O. i. Sardinien 63 I B 4
Civita Castellana, Citta Castellana , Falerii 25 II C 2, 63 I D 3
Civitas Ulpia Sueborum Nicretum, Lopodunum, Ladenburg 40 II B 2
Civitas Taunensium Nida, Heddernheim 40 II B 1
Civitate 63 I E 4
Civitavecchia 53 I A 2, 130/131 I E 3
Civitella 94 I E 3, 94 II E 3
Clacton 1 III C 1
Clairvaux, Kl. 87 II B 3, 95 C 3
Clampetia 17 I E 1
Clanius, Fl. 30/31 I E 3—4
Clanoventa 36 B 2
Clanus, Fl. 30/31 I B/C 1/2
Clarenna, Donnstetten 40 II C 3
Classis 48 II C 2
Claudiopolis, O. i. Bithynien 38/39 I F 2
Claudiopolis, O. i. Kilikien 38/39 I F 3
Clausentum 36 B 2
Clausthal, Bg. O. 86 I A 1, 122/123 I D 3
Clavenna, s. Chiavenna 37 I B 3
Clazomenai, s. Klazomenai 38/39 I E 3
Clerkenwell, Ot. v. London 109 I
Clermont en Argonne 114 C 3
Clermont-Ferrand, Bm. 88/89 I C 4
Clermont-Ferrand, Augustonemetum, O. 36 C 3, 49 II B 2, 58/59 I E 6, 110 C 3
Cleve, s. auch Kleve 106/107 I D 4
Climashogue 57 II A 2
Clipperton, Ins. 164/165 I D 4
Cliternia 30/31 I D 2
Clodiana 38/39 I C 2
Clonard 52 I A 2
Clontarf 60 I C 3
Cloppenburg, O. 68/69 I E 2, 122/123 I B 2, 126/127 II B 1
Clostra 30/31 II B 3
Cluacaria 28 IV A 2
Cluentus, Fl. 30/31 I D 1
Cluj, Kolozsvar, Klausenburg 150/151 I F 4
Clunia am Duero 38/39 II B 1
Clunia, Feldkirch 37 I B 3
Cluny, Kl. 58/59 I F 5, 87 I C 2
Clumiazenser-Klöster 87 I
Clupea 34/35 III C 1
Clusium, Chamars, s. auch Chiusi 24 I D 3, 25 II B/C 1/2, 30/31 I B 1
Clusium Novum 25 II B 1
Cluviae 30/31 I E 3
Cnidus, s. Knidos 38/39 I E 3
Cnossus, s. Knossos 38/39 I E 3
Coatepec, Rio, Fl. 100/101 VI B 2
Coatepec, O. 100/101 VI B 2
Coatitlan 100/101 VI A 1
Cobbs, Fl. 118 II A/B 1/2
Coburg, Hzm. 122/123 I D 3
Coburg, O. 68/69 I F 3, 106/107 I u. II F 4, 152 II D 3

Cochem, Kochem 80 I C 1
Cochinchina, Ld. 136 II B 2/3
Coco, Rio, Fl. 100/101 VII A 2
Cocos-Ins., Keeling, brit. 138/139 I O 5
Coelaletica, Ldsch. 38/39 I D/E 2
Coelesyria, Ldsch. 38/39 I G 4, 42/43 II E 3
Cognac 104 I B 3, 110 B 3
Cohors Breucorum 38/39 II C 2
Coimbra, Bm 88/89 I A 5
Coimbra, O. 64/65 I A 2, 64/65 II A 2, 102/103 I B 5
—, Universität 91 V A 2
Coistoboci, V. 38/39 I D 1
Colchester, Camulodunum 36 C 2, 54/55 I C 2, 110 C 2
Colchis, Ldsch, s. Kolchis 38/39 I H 2
Col de Grimone, Bg. 26/26 II B 1
Colditz 77 II
Colesberg 138/139 II B 3
Colhuacan 100/101 VI A 2
Collasuyu, Ldsch. 100/101 III B/C 3—5
Collatia, O. i. Apulien 30/31 I F 3
Collatia, O. i. Latium 30/31 II B 2
Colle 94 I D 3
Collippo 38/39 II A 2
Colmar, Kolmar, RSt. 68/69 I D 4, 95 D 3
Colomb Béchar 150/151 I C 5
Colombo, Kolombo 100/101 I N 4, 162 II A/B 3
Colonia Augusta Rauricorum, Rauraci, Augst, Kaiseraugst, s. Augusta Raurica 40 III A 1, 41 I A 3
Colonia Claudia Ara Agrippinensium, Colonia Agrippina, Ara Ubiorum, Colonia, Köln 37 I A 1
Colonia Claudia Felix, s. Caesarea Philippi, Neronias, Akko, Ptolemäis 34/35 II B 2
Colonia Julia, Karthago, Plan 21 II
Colonia Julia Equestris, Nyon 37 I A 3
Colonia Julia Faventia, Barcino, Barcelona, Plan 42/43 IV
Colonia Marciana Traiana, s. Thamugadi, Plan 32 VI
Colonia Traiana, Colonia Ulpia Traiana, Xanten 34/35 I C 1
—, Plan 32 V
Colonna 63 I D 4
Colorado, amer. Staat 133 III C 2/3
Colorado, Fl. 144 IV B/C 2/3
Colossae 44 II D 3
Columbia, Brit.-, kanad. Distrikt 133 I B 2, 133 III A/B 1/2
Columbia, Fl. 133 III A/B 2
Columbus, O. i. Ohio 133 III E 3
Columnata 34/35 III A 1
Comacchio, Bm. 88/89 II C 3
Comacchio, O. 53 I B 1, 94 I E 2, 94 II E 2
Comana, O. i. Pamphylien 38/39 I F 3
Comana, Hieropolis, O. i. Kappadokien, s. Komana 38/39 I G 3
Comana, O. i. Pontus, s. Komana 38/39 I G 2
Combres 148 II C 2
Comecon 166/167 III
Comer See 80 II D 3
Cominium 30/31 I D 3
Commagene, Ldsch., s. Kommagene 38/39 I G 3
Comminges, Bm. 88/89 I C 5
Comminges, Gft. 58/59 I D 7
Commonwealth of Australia 138/139 I P—R 5—7
Commonwealth of Nations 166/167 I
Como, Bm. 88/89 II B 2
Como, Comum, O. 38/39 I A 1, 49 III A 3, 63 I B 2, 94 I u. II C 2, 130/131 III B 2, 156/157 III B 3
Compiègne 54/55 II C 3, 58/59 I E 4, 106/107 I B 5, 148 II B 2, 156/157 I D 4
Compitum Anagninum 30/31 II C 2
Compleutica 38/39 II A 1
Compsa 30/31 I F 4
Comum, Como 38/39 I A 1
Concepcion 118 III D 4
Concordia, Altenstadt, O. i. Elsaß 40 II A 2
Concordia, O. i. Venetien 38/39 I B 1
Concordia, Bm. 88/89 II C 2
Condate, O. a. d. Loire 36 C 3
Condate, Rennes 36 B 3
Condatomagus, Graufesengue 36 C 4
Condé 96/97 I B 4, 114 B 2
Condercum, Benwell 40 I C 2
Condom, Bm. 88/89 I C 5
Condrusi, Kondruser, V. 29 I C 1
Confey 57 II A 2
Conflans, Gft. i. Pyrenäen 58/59 I E 7
Conflans, O. a. d. Seine 95 B 3
Confluentes, Koblenz 40 II A 1
Conii, Cynetes, V. 38/39 II A 2
Connaught, Ldsch. 102/103 I B 3
Connecticut, amer. Staat 118 I C 1, 133 III F 2
Connewitz 77 II
Consentia, Cosentia, Cosenza 17 I E 1, 48 I C 3
Consilinum 30/31 I F 4
Constantia, O. a. Cypern 42/43 I F 3
Constantia, Konstanz 40 III C 1
Constantina, Constantine, O. i. Algerien, s. auch Cirta 42/43 I C 3, 50/51 B 4, 130/131 I D 4, 132 I C 2, 163 III B 1
Constantine, Département 147 D 5
Constantinopolis, Nova Roma, s. auch Byzantium, Konstantinopel 42/43 I E 2
Constanza, s. Tomis-Constantiana 38/39 I E 2
Consuantes, V. 37 I C/D 2
Contestani, V. 38/39 II B 2
Contionacum, Konz 40 VI A 2
Contrebia 38/39II B 1
Conza, Ebm. 88/89 I F 5
Cook-Ins., brit. 138/139 I B 5/6
Coolgardie 137 I D 6
Copan 100/101 II D 3
Copia, Thurii 30/31 I G 5
Coptus 42/43 I F 4
Cora 30/31 II B 2
Coracensi, V. 25 I B 3
Corato 30/31 I G 3
Corbie, Kl. 54/55 II C 2, 56 I A 2, 95 B 3
Corbio 30/31 II B 2
Corbridge, Carstopitum 36 B 2, 40 I B/C 2
Corcaigh, Cork 60 I C 3, 102/103 I B 3
Corcyra, Ins., s. Korkyra 38/39 I C/D 3
Corcyra Nigra, Ins. 38/39 I C 2
Cordoba, Bm. 88/89 I B 6
Cordoba, Omoijaden-Emirat, Kalifat 54/55 I B/C 4/5, 57 I B 4
Cordoba, Cordova, Corduba, O. 38/39 II B 2, 48 II A 3, 49 I A 3, 57 I B 4, 64/65 I A 3, 64/65 II A 3 130/131 I B 4
Cordoba, span. Prov. 130/131 I A/B 4
Cordova, Cordoba 85 I A 3, 92/93 A/B 6
Corduba, Cordoba 38/39 II B 2
Corduene, Cordyene, Gordyene, Ldsch. 28 II F 3
Coreae 34/35 II B 2
Corfinium 30/31 I D 2
Coria, Bm. 88/89 I A 6
Coriallum 36 B 3
Corinium 42/43 I B 1, 36 B 2
Corinthus, s. Korinthos 38/39 I D 3
Corioli 30/31 II B 2
Coritani, V. 36 B 2
Cork, Corcaigh 60 I C 3, 102/103 I B 3
Cornacum 38/39 I C 1
Cornavii, V. 36 B 1
Corneto, s. Tarquinii 25 II B 2, 63 I C 3
Corniculum 30/31 II B 1
Cornovii, V. 36 B 2
Cornwall, Ldsch., s. auch Wales 57 II A/B 2, 102/103 I C 3
Coró 100/101 VII C 2, 118 III D 2
Coronea, s. Koroneia 38/39 I D 3
Coronel 149 II
Corpillica, Ldsch. 38/39 I E 2
Corregidor 158 I D 4
Corrèze, Dép. 122/123 III B 2
Corrientes 118 III E 4, 133 II C 3
Corsi, V. 24 II D 3/4, 25 I B 3
Corsica, Gouv., s. auch Korsika 122/123 II
Corsica, s. Korsika, Ins. 25 I B 2/3, 38/39 I A 2
Corstopitum, Corbridge 36 B 2, 40 I B/C 2
Cortaillod, O. 2 I B 2
Cortaillod-Kultur 2 I B 2
Corte 94 I C 3, 94 II C 3
Cortenuova 66 II C 3
Cortina 94 I E 1, 94 II E 1
Cortona, O. i. Katalonien 38/39 II C 1
Cortona, O. i. Umbrien 24 II E 3, 30/31 I B 1, 94 I D 3, 94 II D 3
Corvey, Kl. 56 I B 2, 68/69 I E 3, 87 I D 1, 122/123 I C 3, 126/127 II B 2
Corvini, V. 25 I B 2
Corycus 38/39 I F 3
Cos, Ins. u. Stadt, s. Kos 38/39 I E 3
Cosa, O. i. Aquitanien 36 C 4
Cosa, Cusi, Ansedonia, O. i. Toskana 24 II E 3, 30/31 I B 2
—, Plan 21 V
Cosentia, Consentia, Cosenza, O. 17 I E 1, 48 I C3
Cosenza, Ebm. 88/89 I F 6
Cosne 95 B 4
Cossa, Kossa 17 I E 1
Cossura, Kossyra, Ins. 11 II C 2, 34/35 III C 1
Costarica, Kostarika, Staat 133 I D 4, 164/165 III, 166/167 II u. III, 168
Costebelle 24 II C 3
Côte d'Or, Dép. 122/123 III C 2
Côtes du Nord, Dép. 122/123 III A 1
Cotiaium, Kutaya 38/39 I E 3
Cotit Regnus 41 IV
Cotrone 63 I F 5
Cottbus, Kottbus 68/69 I H 3, 96/97 I H 4, 122/123 I F 3
Cotyora, Kotyora 38/39 I G 2
Courtrai 95 B 2, 114 B 2
Coutances, Bm. 88/89 I B 4
Coutances, O. 58/59 I C 4
Coutras 102/103 I C 4
Coveliacae 37 I C 3
Coventry, Bm. 88/89 I B 3
Coventry, O. 110 B 2, 156/157 I C 3
Coyoacan 100/101 VI A 2
Cozumel, Ins. 100/101 II D 1
Crac des Chevaliers, Krak, Kurdenschloß, Burg 64/65 IV B 3
—, Plan 64/65 VI
Crailsheim, RSt. 122/123 I D 4, 128 I C 2
Craiova, Pelendava 38/39 I D 2
Cramlington 142 I, II u. III A 1
Cramond 36 B 1
Cramwinkel 56 V B 2
Cranganor 52 III E 4
Crange, Krange 142 IV B 1, 142 V B 1
Crannon, Krannon 18/19 I C 2
Craonne 148 II B 2
Crateae, Ins. 30/31 I F 1
Crater sinus, Cumanus sinus, Golf. v. Neapel 30/31 III B 1/2
Crathis, Fl. 30/31 I G 5
Crawford 102/103 I C 2
Crécy 68/69 III C 1
Creglingen 128 I C 2
Crema 63 I B 2, 94 I C 2, 94 II C 2
Cremna 38/39 I F 3
Cremona, Bm. 88/89 II C 2
Cremona, O. 25 I B/C 1, 63 I C 2, 94 I D 2, 94 II D 2, 130/131 III C 2
Crépy 58/59 I E 4, 102/103 I D 4
Crespellano 4 VI C 2
Creswell 1 IV A 1
Creta, Ins., s. Kreta 38/39 I D/E 3/4
Creta et Cyrenaica, röm. Provinz 42/43 II D 3
Creuse, Dép. 122/123 III B 2
Crimisa, Krimissa, Ciro, O. 17 I E 1
Crimisa promontorium, Krimissa, Kap 17 I F 1
Crisia, Fl. 38/39 I D 1
Crobyzi, V. 38/39 I E 2
Croccia Cognato 30/31 I G 4
Cro Magnon 1 III C 2
Crossen, Krossen 122/123 I F 2
Crössinsee, NS-Ordensburg 155 I D 2
Crostolo, Fl. 4 VI B 2
Croto, Croton, s. Kroton 25 I F 4
Crottendorf 77 II
Croyland, Kl. 87 I B 1
Crozet-Ins. 164/165 IV
Crudenburg (Krudenburg) 142 IV A 1
Crustumerium 30/31 II B 1
Crutisium, Pachten 37 I A 2
Crysea, Ins. 10 III C 2
Csanad, Bm. 88/89 I G 4
Csanad, O. 61 II C 2
CSVP Christl. soziale Volkspartei) 154 II
Ctesiphon, s. Ktesiphon 42/43 I G 3
Cuba, s. auch Kuba, Ins. 100/101 VII A/B 1
Cubulteria 30/31 I E 3
Cuculle 38/39 I B 1
Cucuta 133 II B 1
Cucuteni, O. 2 I D 2, 2 II D 2
Cucuteni-Tripolje-Kultur 2 I D 2
Cuenza, Bm. 88/89 I B 5
Cuenza, Cuenca, O. 54/55 I B 4, 116/117 I C 5/6
Cuetlaxtlan 100/101 II B 2
Cugerni, V. 37 I A 1
Cuicul, Djemila 34/35 III B 1
Cuitlahuac 100/101 VI A 2
Cularo, Grenoble 24 II B 2
Cullercoats 142 II B 1, 142 III B 1
Culloden 116/117 I C 2
Cumae, Kyme 11 II C 1, 30/31 III B 1
Cumana 100/101 VII C 2
Cumanus sinus, sinus crater, Golf v. Neapel 30/31 III B 1/2
Cumberland, Ldsch. 60 I D 3
Cumlosen 161 I u. V
Cuneo 94 I B 2, 94 II B 2
Cunetio 36 B 2
Cuntisuyu, Ldsch. 100/101 III B 3
Cuppae 38/39 I D 2
Cupra Maritima, Cupra 30/31 I D 1
Cupra Montana 30/31 I D 1
Curaçao, Ins. 118 III D 2
Cures 30/31 II B 1
Curia, Chur 37 I B 3
Curiga 38/39 II A 2
Curiosolites, V. 29 I A 1
Curium 38/39 I F 4
Curl, Kurl 142 IV C 1, 142 V C 1
Curubis 34/35 III C 1
Curzola, Bm. 88/89 I F 5
Curzola, Ins. 94 I G 3, 94 II G 3
Curzon-Linie 150/151 I F3/4
Cusi, s. Cosa 24 II E 3
Custozza 130/131 III C 2
Cuxhaven 122/123 I C 2
Cuyabá 118 III E 3
Cuzcatlan 100/101 II D 3
Cuzco 100/101 III B 3, 118 III D 3, 133 II B 2
CVP (Christliche Volkspartei) 153 I
Cydonia, s. Kydonia 38/39 I D 3
Cygnus 38/39 I H 2
Cyllene, Kyllene i. Elis 18/19 I B 4
Cynetes, Conii, Kyneten, V. 38/39 II A 2
Cyparissae, Ins. 38/39 I D 3
Cypern, Cyprus, Kypros, Alaschja, Iatnana, Ins., s. auch Kypros 38/39 I F 3/4, 46/47 I B 3, 50/51 E 4, 64/65 I u. II E 3, 64/65 IV A 3, 92/93 I I 7, 112 I D 2, 130/131 I I 4/5, 138/139 I L 3, 148 III A 2
—, Kgr. 64/65 II E 3, 64/65 IV A 3
Cypern, Zypern, Staat 162 III C 1, 164/165 III, 166/167 I, 168
Cyprische Kultur 2 II E 3
Cyprus, siehe Cypern
Cypsela, Kypsela 18/19 I G 1
Cyrenaica, Barka, Cyrenaika, Kyrenaika, Ldsch. 22/23 I D 2, 28 II D 3, 125 I E 4, 132 I D 2, 156/157I F 5
Cyrene, Kyrene, O. 11 II D 2, 38/39 I D 4, 48 I D 3
Cyrrhus, Kyrrhos i. Syrien 41 III B 1
Cyrus, Fl. 42/43 I G 2
Cytaea 38/39 I H 2
Cythera, Ins., s. Kythera 38/39 I D 3
Cythnus, Ins., s. Kythnos 38/39 I D 3
Cytorus 38/39 I F 2
Cyzicos, Cyzicus 38/39 I E 2
Czegled 112 II C 2
Czernavoda 148 I G 5
Czernowitz, Cernauti 148 I G 4, 150/151 I F 4, 156/157 I F 4
Czersk 71 I B 2
Częstochowa, s. Tschenstochau 150/151 I E 3
Czikador, Kl. 87 II C 3
Czucza, Pußta-Wüstung 140 V A 2

Dabarkot 3 II H 4
Daberoth 8 III B 2
Dabik 112 I D 2
Dachau, O. 128 I C 2
—, NS-Konzentrationslager 155 I B 3
Dacher, V. 46/47 I D 3
Dachrieden 77 IV A 1
Dacia, röm. Diözese 42/43 I D/E 2
Dacia Apulensis, Ldsch. 38/39 I D 1
Daciae, röm. Prov. 34/35 I E 2
Dacia inferior, röm. Prov. 38/39 I D/E 1
Dacia Maluensis, Ldsch. 38/39 I D 1
Dacia mediterranea, röm. Provinz 42/43 I E 2, 42/43 II D 2
Dacia Porolissensis, Ldsch. 38/39 I D 1
Dacia ripuaria, röm. Prov. 42/43 I E 2, 42/43 II D 2
Dacia superior, röm. Prov. 38/39 I D/E 1
Dacore 54/55 I B 2
Dadaissas, Ldsch. 8 I A 2
Daesitiates, V. 38/39 I C 2
Daghestan, Ldsch. 112 I E 1, 134 I F 2/3, 134 II C 1
Daghestanische ASSR 150/151 I H 4
Daghestanische Völker 134 I
Dagö, Ins. 68/69 II B 1, 74 II B 2, 104 IV B 1, 113 E 3, 116/117 I H 2, 148 I F 2, 150/151 I F 3
Dagsburg, O. 122/123 I B 4
Daher, V. 14/15 I H 2, 22/23 I G 2
Dahlem 143 II
Dahlhauseen 56 V B 2
Dahlum, Pfalz 62 III D 2
Dahme 122/123 I E 3
Dahomé, frz. Kol. 132 I C 3
Dahome, Dahomey, Staat 162 III B 2, 164/165 III, 166/167 I u. III, 168
Daibul 50/51 H 5
Dairen, Dalni 136 I F 3, 136 III C 3, 149 IV F 3, 158 I D 3, 158 II D 3, 162 I C 2
Dajaëni, Taocher, V. 9 III F 1
Dakar 132 I B 3, 156/157 II F 4, 162 III A 2
Daker, V. 24 I E 3
Dakka 135 I D 2
Dakkee, Dakkeh, Pselchis 6 I A 3, 29 II B 3
Dakota, s. Nord-, Süd- 133 III C/D 2
Dalambangan, Staat 135 II C 1/2
Dalby, Bm. 61 I C 2
—, O. 60 I G 2
Dalekarlien, Ldsch. 113 C 2
Daleminze, Gau 56 IV
Daleminzier, V. 54/55 I E 2, 56 II A 1
Dallas 133 III D 3
Dalldorf, Wittenau 143 II
Dalmater, V. 28 I C 1
Dalmatia, röm. Provinz 38/39 I C 2
Dalmatien, röm. Prov. 49 II C 2
—, byzant.Thema 56 II A/B 3
—, ungar. 68/69 I H/I 6/7
—, venez. 94 II F/G 2/3, 116/117 I G5
Dalmatien, französ. 124 I D/E 3/4
—, habsbg. Kgr. 124 II C/D 1/2, 130/131 I F 3
Dalni s. Dairen
Dalsland, Ldsch. 113 C 3
Dalton 40 I B 2
Daman, Damão 98/99 I H 5, 135 I B 2, 162 II A 2/3
Damanhur 6 I A 1
Damania 10 I B 1
Damão 163 I B 2
Damaraland, Ldsch. 138/139 II A 2
Damaskus 8 IV C 2, 22/23 II C 3, 50/51 E 4, 64/65 IV B 4, 72/73 III B 3, 72/73 VI B 3,

98/99 I D 4, 130/131 I K 5, 148 III A 2, 150/151 I G 5
Dambach 40 II D 2
Damghan, Ldsch. 50/51 G 4
Damiette 64/65 II E 3, 130/131 I I 5, 138/139 IV B 1
Damliagh 52 I A 2
Damm, O. a. d. Oder 113 C 4
—, O. b. Wesel 142 IV A 1, 142 V A 1
Damman, Erdölfeld 163 II C 4
Damonii, V. 36 B 1
Damvillers 114 C 3
Dan, O. 8 III B 1
Dan, V. 8 IV B 2
Dana, Tyana 22/23 III B 2
Danaba 38/39 I G 4
Dandarier, V. 20 I G/H 2
Danelag, Hft. 57 II B/C 2
Dänemark, Kgr. 60 I F/G 2/3, 61 I B/C 2, 66 II C/D 2, 71 III B/C 1, 84 I B/D 2/3, 84 II B/D 2/3, 102/103 I E—G 2/3, 104 II A/B 1/2, 105 I C/D 1, 113 B/C 3/4, 126/127 I E/F 2/3, 128 II, IV u. V, 129 I C—F 1, 129 II D—I 1, 156/157 I D/E 3, 164/165 III, 166/167 II u. III, 168
Dänemark-Norwegen, Kgr. 113 B—G 1/4
Dänen, V. 48 I C 1, 49 I C 1, 54/55 I D/E 1, 150/151 II
Dänen im Bismarck-Reich 145 I
Dänen in England, V. 57 I u. II, 60 I
Dänen in den USA 144 II
Dänenreich des Göttrik 54/55 I D/E 1
Danewerk, Befestigung 60 IV A 2, 61 III B 2, 61 IV B 2
Dangsdorf, Wüstung 77 IV A 2
Dänisch-Amereika 118 III
Dänische Kolonien 111 I u. II
Dänischer Besitz in Indien 116/117 IV, 135 I
Dänischer Wohld, Grenzwald 61 III B/C 2
Danischmandiden-Herrsch. 64/65 III E 2/3
Dannemora 102/103 I G 1
Dannenberg, O. 96/97 I F 3
Dante, Hafun 154 IV C 1
Dantheletica, Ldsch. 38/39 I D 2
Danuna, Ldsch. 9 I E 2
Danuvius, Fl., Ister, Donau 38/39 I A—E 1/2
Danzig, Bm. 161 VI
Danzig, O. 68/69 I K 1, 68/69 II A 2, 104 II C 2, 104 IV A 2, 105 I E 1, 106/107 III B 1, 122/123 I H 1, 155 I D 1, 160 III C 2
—, Rep. (1807) 124 I E 1
Danzig, Freie Stadt 152 II H 1
Danzig-Westpreußen, NS-Gau 155 I D 1/2
Daphne, O. i. Ägypten 11 II E 2
Daphne, O. b. Antiochia 41 III B 1
Daphni, O. i. Attika 14/15 IV A 1
Daphnos, Fl. 18/19 I B/C 3
Daphnus, O. i. Lokris 18/19 IV A 1
Dara 38/39 I H 3
Daraw 6 I A 3
Darbandi Balula 6 III C 2
Darbandi Kawur 6 III C 1
Darby, Fl. u. O. 118 II A 2
Dardanellen, Meerenge 130/131 I H 3, 145 V C 2, 145 VI C 2, 148 I G 5
Dardaner, V. i. Illyrien 22/23 I D 1
Dardaner, V. i. Troas 10 II E 1/2
Dardania, Ldsch. am Hellespont 18/19 I G 1
Dardania, Ldsch. i. Illyrien 38/39 I D 2
Dardanos 18/19 I G 1
Dardschiling 135 I C 2
Darende 8 I B 2
Daressalam 132 I D 4, 162 III C 3
Darfur, Ldsch. 98/99 IV
Darfur, sudan. Prov. 138/139 III B 2
Darginer, V. 134 I F 2/3
Dargo 134 I F 2
Dargun, Kl. 88/89 III B 1
Darién 100/101 VII B 3
Dariorigum, Vannes 36 B 3
Darmstadt 96/97 I E 5, 122/123 I C 4
Darnis, Derna 38/39 I D 4
Dartmouth 110 B 2
Darum, Burg 64/65 IV A 5
Daschur 6 I A 2
Daskyleion, Daskylion 16 II E 2
Dasonari 10 I C 1
Dassaretae, V. 38/39 I D 2
Dassaretis, Ldsch. 18/19 I A 1
Dassel 66 I C 1, 126/127 II B 2
Dastudierd 42/43 I G 3
Daton 18/19 I E 1
Datteln 142 IV B 1, 142 V B 1
Daubornerhof 40 II A 2
Daugavpils s. Dünaburg
Daulaiyat 6 II B 1
Daulatabad, Deogir 72/73 V B 3
Daulis 18/19 IV A 1
Daun, O. u. Amt 80 I B 1
Dauni, V. 30/31 I F/G 3
Dauphin, Fort 111 II B 4
Dauphiné, Gouv. 122/123 II C 2
Dauphiné, Ldsch. 68/69 I C/D 6, 104 I D 3/4
Dausara 41 III D 2
Davidgorodok 75 E 3
Dax, Bm. 88/89 I B 5
Dax, Aquae Tarbellicae, O. 36 B 4, 54/55 I B 4
Da-yüan, V. 46/47 I E/F 2
DDP, Deutsche demokr. Partei 153 I, 154 I
DDR, s. „Deutsche demokr. Rep.“, sowjet. Besatzungszone
Dea 24 II B 2
De Aar 138/139 II B 3
Debir 8 III A 3
Debra Markos 154 IV A 1
Debrecen, Debreczin 75 D 5, 112 II D 2, 150/151 I F 4, 156/157 III D 3, 160 III D 3
—, Plan 140 V B 2
Decantae, V., 36 B 1
Decetia 29 I B 2
Decimum 48 II C 3
Decs 75 D 5
Decumatland, Agri Decumates 34/35 I C 2, 40 II B/C 1—3
Dedan, Öla 34/35 I F 4
Dedeagatsch, Alexandropolis 145 V C 2, 145 VI C 2, 150/151 I F 4
Defenneh 6 I A 1
Degeangli, V. 36 B 2
Deggendorf 122/123 I E 4
Dehibat 34/35 III C 2
Deira, Ldsch. 52 I B 2
Deirades 13 I B/C 2
Deiradiotai 13 I C 2
Deir el Bahari, Tempel (Theben), Plan 7 IV
Deir el-Medine (Theben) 7 IV
Dekopolis, Ldsch. 34/35 II B 2
Dekeleia 13 I B 1
Dekkan, Ldsch. 22/23 I I 3
Dekkhan-Sultanate 98/99 I H/I 5/6
Delagoa-Bai 138/139 II C 2
Delaware, amer. Staat 118 I C 2, 133 III F 3
Delaware, Fl. 118 II A/B 1/2
Delft 78 IV B 1, 104 III B 1
Delfzijl 104 III C 1
Delhi, O. 72/73 II G 5, 72/73 V B 2, 111 II C 1, 116/117 IV B 2, 135 I B 2
Delhi, Sultanat 72/73 V A—C 1—3
Deli Abbas 148 III B 2
Delidsche, Fl. 8 I A/B 1/2
Delion 18/19 IV C 2
Dellmensingen 120 V C 1
Delmatae, V. 38/39 I C 2
Delme, Ad Duodecimum. O. 37 I A 2
Delmenhorst 122/123 I C 2
Delminium 38/39 I C 2
Delos, Heiligtum, Plan 17 IV
Delos, Delus, Ins. 10 II D 3, 16 I C 3
Delphi, Pytho, Heiligtum, Plan 17 III
Delphi, O. 10 II C 1, 18/19 I C 3
Delschiler 140 IV B 2
Delus, Ins. s. Delos 38/39 I D 3
Demak, Staat u. O. 135 II B/C 1
Demawend, Bikni, Bg. 9 III H 2
Demblin 148 I F 3
Demetae, V. 36 A/B 2
Demeter-Tempel i. Eleusis 13 I B 1
—, Plan 20 IV
Demetrias, O. i. Thessalien 18/19 I C 2
Demetrias, O. a. Tigris 22/23 II D 2
Demirkagi 140 IV B 2
Demjansk 156/157 I G 3
Demmin 58/59 I K 2, 122/123 I E 2
Demotika, Dimotika 145 V C 2, 145 VI C 2
Dendera, Tentyra 6 I A 2
Dendermonde 114 C 2
Dendur 6 I A 3
Deneuvre, Donnabriga 37 I A 2
Denia, Dianium 38/39 II C 2
Den Haag s. Haag
Denisli 112 I C 2
Dennewitz, O. i. Bessarabien 140 IV A 2
Dennewitz, O. i. Sachsen 126/127 III D 2
Denning 37 I C 2
Denpasar 135 II D 2
Dentheliatis, Ldsch. 18/19 I C 4/5
Denver 133 III C 3
Deobriga 38/39 II B 1
Deogir, Ld. 72/73 V B 2
Deogir, Daulatabad, O. 72/73 V B 3
Deptford 109 I
Der 6 III B 2, 6 IV B 2
Deraa 148 III A 2
Derbani, Ldsch. 38/39 I C 2
Derbe 38/39 I F 3
Derbent, Bab el Abwab 9 III G 1, 50/51 F 3, 112 I E 1, 134 I G 2
Derby 57 II B 2, 110 B 2
Der el-Gebrawi 6 I A 2
Derna, Darnis, O. 38/39 I D 4, 130/131 I G 5 132 I D 2, 156/157 I F 5
Derna, Provinz 150/151 I F 5
Derneburg, Kl. 88/89 III B 1
Derr 6 I A 3
Derrhis, Kap 18/19 I D 2
Derry, Londonderry 110 A 1/2
Dertona 38/39 I A 2
Dertosa 38/39 II C 1
Derwent, Fl. 142 I, II u. III A 2
Deschasche 6 I A 2
Des Moines 133 III D 2
Desna, Fl. 71 I D 2, 113 G 4
Dessau 68/69 I G 3, 122/123 I E 3, 152 II E 3, 156/157 III C 2
Dessie 154 IV A 1
Dessobriga 38/39 II B 1
Dessueri 17 I C 3
Detmold 37 II A 2, 54/55 I D 2, 126/127 II B 2
Détroit 118 I B 1, 133 III E 2
Detzem, ad Decem 40 VI A 2
Deuna 77 IV A 1
Deurne 143 Ia u. Ib
Deutsch-Afrika 132 I, 146 I
Deutsch-Brod, Bg., O. 86 I C 2
Deutsche, V. 106/107 III, 150/151 II, 160 I u. II
Deutsche in Bessarabien, V. 140 IV
Deutsche i. d. Niederlanden, V. 126/127 IV
Deutsche in Ungarn, V. 112 II
Deutsche in den USA 144 II
Deutsche Demokratische Rep. (DDR) 161 I u. IV B 1, 166 I u. III
Deutsche demokrat. Partei (DDP) 153 I, 154 I
Deutsche Entdeckungsreisen 100/101 I u. VII
Deutsche Kolonien 132 I, 137 I, 138/139 VI
Deutsche Nationalversammlung 153 I
Deutsche Siedlungstätigkeit 56 III, IV, V u. VI, 58/59 II, 67 III, 70 II, 74 I, II u. III, 75, 76 I, II, III, 1V, V, VI, VII u. VIII, 77 I, II, III u. IV
Deutsche Sprache, Sprachgrenze 49 II u. III, 54/55 II, III u. IV, 130/131 II
Deutsche Südseekolonien 137 I
Deutscher Bund 126/127 I E—G 3/4, 128 III, 129 II
Deutscher Orden 64/65 II D 2, 67 III B/C 2, 67 III C/D 3, 68/69 I I—M 1/2, 68/69 I E 4, 68/69 II, 71 I A—C 1/2, 71 III C/D 1, 96/97 I K—M 1—3, 104 IV
Deutscher Orden, Mergentheim 122/123 I C 4
Deutscher Orden inSchwaben 120 V C 1, 128 I B 2
Deutscher Reichstag 154 I u. II
Deutscher Zollverein 129 I
Deutsches Recht 124 III
Deutsches Reich, Bevölkerungsverluste 152 III, 161 III
Deutsches Reich, Deutschland, Kgr. 58/59 I E—M 1—6, 66 I B—E 1/2, 66 II C/D 2/3, 68/69 I, 92/93 III D/E 1/2, 96/97 I
Deutsches Reich im Hl. Röm. Reich 102/103 I D—G 3/4, 104 II, 105 I, 106/107 I, 115 I, 122/123 I
Deutsches Reich, Bismarck-Reich 124 III, 128 V, 129 II, 141 I, II, III u. IV, 145 III u. IV, 148 I C—F 2—4
Deutsches Reich, Weimarer Rep. 152 II
—, GroßdeutschesReich, NS-Reich 155 I u. II, 156/157 I D—F 3/4, 156/157 II G 2, 156/157 III B—D 2/3, 160 I u. II
Deutsche Volkspartei, DVP 153 I, 154 I u. II
Deutsch-Krone 74 I C 1, 122/123 I G 2
Deutschland, s. Deutsches Reich
Deutschland, Besatzungszonen 160 III
Deutschland, Bundesrepublik 161 I, IV, V, VI, VII, 166/167 II u. III
Deutsch-Lipesche, Bg.O. 86 I E 2
Deutschnationale Volkspartei, DNVP 153 I, 154 I u. II
Deutsch-Ostafrika 132 I D 4
Deutsch-Pilsen, Bg.O. 86 I E 3
Deutsch-Proben, Bg.O. 86 I E 2
Deutsch-sowjet. Interessengrenze 154 VI, 155 II
Deutsch-Südwest-Afrika 132 I C/D 4/5, 138/139 II A B 1/2
Deutz, Divitia 42/43 I C 1, 58/59 I G 3
—, Plan 78 II
Deux Nethes, Dép. 122/123 III C 1
Deux Sèvres, Dép. 122/123 III A 2
Deva, Chester 36 B 2
Develtos, Develtus Flaviopolis, s. Apollonia 54/55 I H 4
Deventer, Messen 83 V B 2
Deventer, O. 68/69 I D 2, 78 IV C 1, 104 III C 1
Déversoir 138/139 IV C 2
Devils Dyke, Burgwall 40 IV
Devon, Westwales, Ldsch., s. auch Wales 54/55 I B 2, 57 II B 2
Dewlet Agatsch 140 IV A 2
Dharmarajika 21 III
Dhola 163 I D 2
Dhubba, V. 50/51 F 5
Dhubjan, V. 50/51 E 5
Dia, Ins. 10 I B 1
Diablinthes, Aulerci-, V. 29 I A/B 1
Diamantina 118 III E 3
Diana 34/35 III B 1
Dianium, Ins. 30/31 I B 2
Dianium, Denia, O. i. Spanien 38/39 II C 2
Diatonion 10 III C 1
Dibon 8 III B 3
Dibschiya 6 II, III u. IV A 1
Dictynnaeum 38/39 I D 3
Didoer, V. 134 I E 2
Didyma, Apollonheiligtum 13 III A 2
Didymoteichos 18/19 I H 1, 71 II C 3
Die, Bm. 88/89 II B 3
Die, O. 58/59 I F 6
Diebach, O. 78 III A 2
Dieburg, Vicus V. V. 40 II B 2
Diedenhofen 54/55 II E 3, 95 D 3, 114 D 3, 148 II D 2
Diedorf 77 IV A 2
Diefkenshoek 143 Ia
Diego Garcia, Ins. brit. 138/139 I N 5
Diego Suarez 132 I E 4
Diemel, Fl. 37 I B 1
Dienbienphu 163 I E 2
Diependorf 81 I
Diepholz, Gft. u. O. 68/69 I E 2, 122/123 I C 2, 126/127 II B 1
Dieppe 95 A 3, 110 C 3, 156/157 I D 4
Dießen 81 II B 3
Dietenheim 120 V D 2
Dietkirchen, Kl. 80 I D 1
Dievenow-Schanze 106/107 I H 2
Diez 80 I D 1, 122/123 I C 3
Digda 18/19 V C 1
Digne, Bm. 88/89 II B 3
Digne, O. 58/59 I G 6, 110 D 4
Dijala, Turnat, Fl. 9 III F/G 3
Dijarbekr, O. u. Wilajet, s. auch Diyarbekir, Amida 72/73 III C 3, 134 II C 2
Dijon, Kl. 87 I C/D 2
—, O. 49 II C 2, 58/59 I F 5, 95 C 4, 110 D 3
Dikaia 18/19 I F 1
Dikaiarcheia, Puteoli, Puszuoli 30/31 III B 1
Dikoa 132 I C 3
Diktaion 10 III D 1
Dikte, Ldsch. 10 III D 1
Diktynna-Heiligtum a. Kreta 10 III A 1
Dilbat, Dulaim 6 III B 2, 6 IV B 2
Dilla, Bg. O. 86 I E 2
Dilldorf 142 IV B 2
Dillenburg 122/123 I C 3, 126/127 II B 2
Dillingen 105 I C 2, 122/123 I D 4, 128 I C 2
Dilmun, Ins. 9 III G 4
Dimeh 6 I A 2
Dimini 2 I D 3, 4 VII A 2
Dimitrowka 140 IV A 2
Dimotika, Demotika 145 V C 2, 145 VI C 2
Dinagelia 38/39 I E 1
Dinan 110 B 3
Dinant 68/69 I C 3, 95 C 2, 114 C 2, 148 II C 1
Dindings 138/139 V A 2
Dingelstädt 77 IV A 1
Ding-ling, V. 46/47 I H/I 2, 46/47 II F/G 1
Dinkelsbühl, RSt. 68/69 I F 4, 122/123 I D 4, 128 I C 2
Dinnington 142 I, II u. III A 1
Dinslaken 142 IV A 1, 142 V A 1
Diolindum 36 C 4
Diomedeae, Ins. 30/31 I F 2
Diomeia, Ot. i. Athen 12 VI
Dion, O. i.Chalkidike 18/19 I E 1
Dion, O. i. Dekapolis 22/23 II C 3
Dion, O. a. Euböa 18/19 I C 3
Dion, O. a. Kreta 10 III C 1
Dion, O. i. Pierien 18/19 II B 2
Dionysopolis 22/23 II A 2
Dionysos-Tempel i. Ikaria 13 I B 1
—, b. Panakton 13 I A 1
Diorhyktos, Meerenge 18/19 I A 3
Dioscoridis insula, Sokotra, Ins. 46/47 I D 5
Dios Hieron, Pyrgion 18/19 V C 1
Dioskurias, Sebastopolis 34/35 I G 2, 38/39 I H 2, 46/47 I C 2
Diospolis, Theben i. Ägypten 29 II B 2
Dios-Pontus, röm. Prov. 42/43 I F 2
Dipaia, Dipäa 18/19 I C 4
Dipoina 18/19 I C 4
Dira Abu el-Naga 7 IV
Dire, Kap 34/35 I G 5
Dirphys, Geb. 18/19 I D 3
Dirschau 92/93 II E 1, 106/107 I K 2
Disentis, Kl. 80 II C 2
Disful 112 I E 2, 134 II C 2
Disibodenberg, Kl. 80 I C 2
Dithmarschen, Ldsch. 61 III B 2, 96/97 I E 2/3
Ditiones, V. 38/39 I C 2
Diu 98/99 I H 5, 135 I B 2, 162 II A 2
Dium, O. i. Dekapolis, s. Dion 34/35 II B 2
Dium, O. i. Makedonien, s. Dion 38/39 I D 2
Divitia, Deutz 37 I A 1
Divodurum, Metz 37 I A 2
Divona, Cahors 36 C 4
Dixmuiden 104 III A 2, 148 II B 1
Diyalo, Fl. 22/23 III C 2
Diyan 6 II B 1
Diyarbekir, Amida, O. 38/39 I H 3, 72/73 III C 3, 134 II C 2
Djakarta, Batavia, O. 135 II B 1, 162 II C 4
Djakarta, Staat 135 II B 1
Djakovar, Djakowo, O. 68/69 I K 6
Djakowo, Bm. 88/89 I F 4
Djapan, Staat 135 II C 1
Djapara 135 II C 1

Djebel Ohod, Bg. 50/51 F 5
Djelfa, O. i. Algerien 34/35 III A 2, 150/151 I D 5
Djemdet Nasr 6 III B 2
Djemila, Cuicul 34/35 III B 1
Djibuti, Dschibuti 132 I E 3
Djipang, Staat 135 II C 1
Djohor, Sultanat 138/139 V B 2
Djokjakarta, Mataram, O. 135 II C 1
Djokjakarta, Staat 135 II B/C 1
Djuba, Dschuba, Fl. 132 I E 3, 154 IV B 2
Djulemen 140 IV A 1
Dnjepr, Borysthenes, Fl. 24 I F 2/3, 57 I E/F 2/3, 67 III E 1/3, 119 E 3–5
Dnjepr-Kultur 2 II D/E 1
Dnjeprodsershinsk 150/151 I G 4
Dnjepropetrowsk, Jekaterinoslaw 156/157 I G 4
Dnjestr, Tyras, Fl. 38/39 I E/F 1, 67 III C—E 3, 113 E—G 5, 116/117 I H/I 4, 130/131 I G/I 4
DNVP, Deutsch-nationale Volkspartei 153 I, 154 I u. II
Dob, Edfu 6 I A 3
Döbeln 56 IV
Doberan, Kl. 88/89 III B 1
Doblen 68/69 II B 2
Döbling 109 V
Dobrilugk, Kl. 88/89 III B 1
Dobrin, Dobrzyn 68/69 I K 2, 116/117 I G 3
Döbritz 1 IV C 1
Dobrudscha, Ldsch. 71 II C 2/3, 112 I C 1, 130/131 I H 3, 145 V C 2, 145 VI C 2, 160 III E 4
Dobrzyn, Dobrin 106/107 I K 3, 116/117 I G 3
Dobschun, Bg. O. 86 I F 2
Dobu 6 I A 2
Dobuni, V. 36 B 2
Dochiariu, Athos-Kl. 45 VI B 1
Docimium 38/39 I F 3
Doclea 38/39 I C 2
Docleatae, V. 38/39 I C 2
Dodekanes, Inselgruppe 145 VI C 3, 156/157 I F 5
Dodekaschoinos, Zwölfmeilenland 29 II B 3
Dodona 10 II B 2, 18/19 I A 2
Doel 143 I a—b
Döffingen 68/69 I E 4
Doggerbank i. d. Nordsee 148 I B 2/3
Doha 163 II D 4
Dohna 68/69 I G 3
Dokimeion 22/23 II B 2
Dokkum 52 II B 1, 78 IV B/C 1
Dol, Bm. 88/89 I B 4
Dol, O. 58/59 I C 4
Dôle, O. 58/59 I F 5, 95 C 4, 114 C 4
—, Universität 91 V B 2
Dolgubnii, Dulgubnier, V. 41 I B 2
Doliche, O. a. Euphrat 38/39 I G 3, 44 I E 3
Doliche, O. i. Thessalien 18/19 II B 2
Dolina 75 E 4
Doliones, V. 38/39 I E 2
Dollar-Währung 144 I
Dollart, Bucht 106/107 I D 3
Dollarzone 170 II
Dolleyrup 3 C D 1
Döllnitz, Fl. 56 IV
Doloper, V. 16 I A/B 2
Dolopia, Dolopien, Ldsch. 18/19 I B 2
Domavia 38/39 I C 2
Dombas 156/157 I D 2
Dombes, Ldsch. 96/97 I C 6
Domburg, O. 36 C 2, 96/97 III a
Dominica, Ins. 100/101 VII C 2
Dominikanische Republik 133 I E 4, 164/165 I F 4, 164/165 III F 4, 166/167 II u. III, 168
Dömitz 75 A 3, 122/123 I D 2
Domodossola 80 II C 2
Domremy 95 C 3
Domsdorf 77 III B 2
Domstädtel 116/117 III
Don, Tanais, Fl. 34/35 I F/G 1/2, 50/51 E/F 2/3, 105 II B/C 3/4, 119 F/G 4/5
Donau, Danuvius, Ister, Fl. 38/39 I A—E 1/2, 54/55 I D—H 3/4, 102/103 I E—I 4/5, 116/117 I E—I 4/5, 130/131 I D—H 2/3
Donaueschingen 128 I B 3
Donauländ. Kulturen 2 I
Donauwörth, RSt. 68/69 I F 4, 106/107 I F 5
Donbecken, Ldsch. 164/165 II
Don Benito 154 V A 2
Donelson, Fort 133 III E 3
Donez, Fl. 61 V C 3, 119 F/G 4/5, 149 III C/D 3, 156/157 I G/H 4
Donezbecken 159 II C 2
Dongola 138/139 III B 2
Don-Kosaken, V. 112 I E 1
Donnabriga, Deneuvre 37 I A 2
Donnersberg 40 II A 2
Donnstetten, Clarenna 40 II C 3
Donon 37 I A 2
Donusa, Ins. 18/19 I F 4
Donzy 95 B 4
Dooren, O. b. Antwerpen 143 I b
Doos 81 I
Dora, Dor, O. 8 III A 2, 22/23 II B 3, 34/35 II A 2
Dora Baltea, Duria, Fl. 24 II C 2, 114 D/E 5
Dorchester, Bm. 52 I B 2
Dorchester, O. 110 B 2
Dordogne, Dép. 122/123 III B 2
Dordogne, Fl. 58/59 I C—E 6, 104 I B/C 3/4
Dordrecht 68/69 I C 3, 78 IV B 2, 96/97 III a—d, 104 III B 2
Dörenschlucht, Paß 37 II A 2
Dorer, Dorier, V. 10 II u. III, 11 I
Dorestadt 54/55 I D 2, 57 I C 2
Dorion, O. i. Ionien 18/19 I G 3
Dorion, O. i. Messinien 11 I B 2
Doris, Ldsch. i. Kleinasien 18/19 I H 4/5, 11 I E/F 2/3
Doris, Ldsch. i. Mittelgriechenland) 18/19 I C 3
Dorische Siedlungen 11 II
Dorisch-nordwestgriech. Zuwanderer 5 II
Doriskos, O. 18/19 I G 1
Doriskos, Ebene v. 18/19 I F/G 1
Dorkeia, Quelle 12 VII
Dorla, Ob., Ndr. 77 IV A 2
Dörna 77 IV A 2
Dorna Watra 112 II F 2
Dornbach, Bach 109 V
Dornburg, Pfalz 62 III D 2
Dornoch, Bm. 88/89 I B 2
Dörnrode, Wüstung 77 IV A 1
Dorogobusch 113 G 4
Dorostol, Silistria, Durostorum 38/39 I E 2, 48 II D 2, 54/55 I H 4
Dorotheenstadt, Ot. i. Berlin 143 I
Dorpat, Bm. 88/89 I H 2
—, Bm. Territ. 68/69 II, 104 IV C 1/2
Dorpat, Jurgew, Tartu, O. 75 E 2, 104 IV C 1, 148 I G 2, 150/151 I F 3, 156/157 III D 2, 160 IV B 4
Dorsten 56 V A 1, 142 IV A 1, 142 V A 1
Dortmund, Pfalz 58/59 I G 3
—, RSt. 68/69 I D 3, 122/123 I B 3, 126/127 II A 2, 142 IV B 1, 142 V B 1
Dortmund-Ems-Kanal 142 V B 1
Dortmunder Recht 78 IV C 2
Dorylaeum, Dorylaion, Eskischehir 22/23 II B 2, 38/39 I F 3, 64/65 I E 3, 64/65 II E 3
Dothan, Dothain 8 III B 2
Douai 85 II C 2, 95 B 2, 114 B 2, 148 II B 1
Doubs, Dép. 122/123 III C 2
Doubs, Dubis, Fl. 37 I A 3, 95 C/D 4, 114 C/D 4
Douglas, Burg 92/93 I B 2
Doullens 95 B 2
Douz 34/35 III B 2
Dover 58/59 I D 3, 110 C 2
Downpatrick 110 A 2
Drabeskos 16 I C 1
Drachenfels, O. 40 II B 2
Dragmos 10 III D 1
Draheim 113 D 4
Drakenburg 96/97 I E 3
Drakensberge, Bg. 138/139 II B/C 2
Drakones 10 I B 1
Drama 145 VI B 2
Dramburg, O. 68/69 I H 2, 122/123 I F 2
Drangajökull, Berg 57 III A 1
Drangiana, Ldsch. 22/23 I H 2, 46/47 II C 3
Drapsaka 22/23 I H 2
Draschna Valeni 38/39 I E 1
Drau, Dravus, Fl. 58/59 II B—D 2/3, 112 II A—D 2/3
Drauwald, Gft. hinter d. — 58/59 III C 2
Dravus, Drau, Fl 38/39 I B/C 1,
Drawidische Völker 3 I H/I 3/4
Dregowitschen, V. 54/55 I G/H 2
Drei Grafschaften (Oberösterr.) 58/59 II A/B 1/2
Dreileben 56 VI B 2
Dreilinden, Ot. v. Berlin 161 II
Dreisam, Fl. 79 II
Drenthe, Drente, Hst. 96/97 I D 3, 104 III C 1
Drepanon, Drepanum 17 I A 3
Dreros 10 III C 1
Dresden, kathol. Vikariat 145 I
—, O. 68/69 I G 3, 122/123 I E 3, 156/157 III C 2, 161 IV B 1
—, Plan 120 IV
Dreux 58/59 I D 4, 110 C 3
Drevenack 142 IV A 1, 142 V A 1
Drewljanen, V. 54/55 I H 2
Driburg 37 II B 2
Driesen 68/69 I H 2, 121 I
Drilon, Fl. 38/39 I D 2
Drin, Fl. 145 V A/B 2, 145 VI A/B 2
Drinus, Drina, Fl. 38/39 I C 2, 54/55 I F 4, 130/131 I F 3
Drobeta 38/39 I D 2
Drogheda 110 A 2
Drohobycz 156/157 III D 3, 160 III D 3
Drôme, Dép. 122/123 III C 2
Drontheim, Ebm. 88/89 I E 1
Drontheim, Trondheim, O. 92/93 I E 1, 113 C 2, 156/157 I E 2
Drontheim, Stift 113 B/C 2
Drossen 121 I
Druentia, Durance, Fl. 24 II B/C 2/3
Drusen-Gebiet 150/151 I G 5
Druxberge 56 VI B 2
Drymos 18/19 I C 3
Drymussa, Ins. 18/19 I G 3
Dryopis, Ldsch. 18/19 I E 3
Drys 18/19 I F 1
Dschabalpur 135 I B 2
Dschaffna, Dschafna 98/99 I I 7, 135 I C 4
Dschaipur, O. i. nördl. Sarkars 135 I C 3
Dschaipur, O. i. Radschputana 135 I B 2
Dschambalik 52 III F 2, 72/73 I B 1
Dschammu, Ldsch. 162 II A 2
Dschamna, Fl. 135 I B/C 2
Dschats, Staat 116/117 IV B 2
Dschawan 50/51 C 5
Dschelfa 163 III A 2
Dschenin 162 IV B 1
Dscherasch, Gerasa, Plan 42/43 VI
Dscherba, Ins. 130/131 I E 5
Dschibal, Ldsch. 50/51 F/G 4
Dschibuti, Djibuti 162 II D 2
Dschidda 42/43 I F 4, 98/99 I D 5, 111 II A 1
Dschihun, Oxus Fl. 50/51 H 3/4
Dschodhpur 135 I B 2
Dschohor 98/99 I L 7
Dschuba, Djuba, Fl. 154 IV B 2
Dschulek 134 II E 1
Dschunije 64/65 IV A 4
Dschurdschan, Ldsch. 50/51 G 4
Dschurtschen, Mandschu, V. 98/99 I N 3
Dschurtschen-Reich, Kin 72/73 I D—G 1/2
Dsungarei, Ldsch. 136 I B 2
Duala 132 I C 3
Dubis Fl., Doubs 36 D 3
Dubitza 75 C 5
Dublin, Ebm. 88/89 I A 3
Dublin, O. 57 II A 2, 60 I C 3, 110 A 2
Dubno 75 E 4, 148 I G 3
Dubrae 36 C 2
Dubrownik, s. Ragusa 150/151 I E 4
Ducie, Ins. 138/139 I C 6
Duderstadt 122/123 I D 3
Duero, Durius, Fl. 57 I B 3, 130/131 I A/B 3
Duisburg 58/59 I G 3, 106/107 I D 4, 142 IV A 2, 142 V A 2
Dulaim, Dilbat 6 III B 2
Duleigno 145 V A 2, 145 VI A 2
Dulduli, Hit 6 III B 2, 6 IV B 2
Dulebner, Wolhynier, V. 50/51 D 2/3
Dulgadyr, Ldsch. 70 II G/H 3
Dulgubnier, Dolgubnii, V. 41 I B 2
Duluth 133 III D 2
Dumbarton Oaks 164/165 III
Dumfries 71 III A 1
Dumna, Ins. 36 A 1
Dumnio, Dumnissus, Kirchberg, 40 II A 2
Dumnonii, V. 36 B 2
Dümpten 56 V A 2
Dün-Geb. 77 IV A/B 1
Düna, Fl. 68/69 II C/D 2, 113 E/G 3
Dünaburg, Daugavpils, Dwinsk 74 II C 3, 75 E 3, 104 IV C 2, 113 F 3, 116/117 I I 2, 156/157 I F 3, 156/157 III D 2
Dunajec, Fl. 74 I D 2
Dünamünde, Kl. 88/89 III C 1
Dünamünde, O. 68/69 II C 2
Dunapentele, Intercisa 38/39 I C 1
Dunbar 54/55 I B 1, 110 B 1
Dunblane, Bm. 88/89 I B 2
Dundee 110 B 1
Dunedin 137 II D 4
Dungul, Oase 6 I A 3
Dunkeld, Bm 88/89 I B 2
Dünkirchen 95 B 2, 114 B 2, 148 II B 1, 156/157 I D 3
Dunkwa 163 IV B 3
Dunois, Gft. 92/93 I C 4
Dunwich, Bm. 52 I C 2
Duodecimum Ad., Delme 37 I A 2
Duquesne, Fort 116/117 II C 2
Dura-Europos, —us, Dura 22/23 II D 3, 38/39 I H 4
—, Plan 42/43 VII
Durance, Fl. 58/59 I F/G 6/7
Durango 118 III B 1
Duranius, Dordogne, Fl. 36 B/C 3/4
Durazzo, Ebm. 88/89 I F 5
Durazzo, Durres, Dyrrhachium 50/51 C 3, 64/65 I C 2, 64/65 II C 2, 102/103 I G 5, 145 V A 2, 145 VI A 2
Durban 138/139 II C 2, 144 V C 2
Durham, Bm. 88/89 I B 3
Durham, O. 57 II B 2, 142 I—III A 2
Duria. Dora Baltea, Fl. 24 II C 2, 114 D/E 5
Dur-ili, Akr 6 III C 2, 6 IV C 2
Durius, Duero, Fl. 38/39 II A/B 1, 57 I B 3, 130/131 I A/B 3
Dur Kurigalzu, Kurikalzu, Akarkuf 6 IV B 2
Durlach 122/123 I C 4
Dürnkrut 70 I E 2
Durnovaria 36 B 2
Dürnstein 66 I D/E 2
Durobrivae, Castor 36 B 2
Durobrivae, Rochester 36 C 2
Durocortorum, Reims 36 C 3
Durostorum, Dorostol, Silistua 38/39 I E 2, 48 II D 2
Durotriges, V. 36 B 2
Durovernum, Canterbury 36 C 2
Dürr-Arnsdorf 77 III B 2
Durres, Durazzo 150/151 I E 4
Dur Scharrukin, Khorsabad, Sargonsburg 6 IV B 1, 9 III F 2
Dur-Umtasch 9 I G 3
Düsseldorf, O. 96/97 I D 4, 122/123 I B 3, 126/127 II A 2, 129 I B 3, 129 II C 3, 161 IV A 1
Düsseldorf, NS-Gau 155 I A 2
Dutch Harbor 137 I G 2, 158 I G 2, 158 II G 2
Düttstedt 77 IV A 1
Dutzendteich, O. bei Nürnberg 81 I
Duvensee, O. 1 V C 1
Dux 75 B 4
Dvaravati, Ldsch. 72/73 I C/D 4, 72/73 II I/K 6
Dvin, Dwin, O. 50/51 F 3
DVP, Deutsche Volkspartei 153 I, 154 I u. II
Dwin, Dvin, O. 50/51 F 3
Dwina, Fl. 50/51 F 1, 119 G/H 2
Dwinsk, s. Dünaburg
Dyle, Dép. 122/123 III C 1
Dyme 18/19 I B 3
Dyrrhachion, byzant. Thema 54/55 I F 4
Dyrrhachium, Dyrrhachion, Durazzo, Epidamnos, O. 38/39 I C 2, 50/51 C 3, 64/65 I C 2, 64/65 II C 2, 102/103 I G 5, 145 V A 2, 145 VI A 2
Dystos 18/19 I E 3

Earsdon 142 I—III B 1
Easington 142 I—III B 2
East London 138/139 II B 3, 144 V B 3
East Town 118 II A 1
Ebal, Bg. 34/35 II B 2
Ebchester, Vindomora 40 I C 2
Ebelrode, Wüstung 77 IV A 1
Eberbach, Kl. 88/89 III A 1
Ebermannstadt 56 III
Ebernburg, Burg 96/97 I D 5, 114 D 3
Ebingen 120 V B 2
Ebrach, Kl. 87 II C 3
Ebora, Evora 38/39 II A 2, 116/117 I B 6
Ebrach 128 I C 2
Ebro, Iberus, Fl. 54/55 I B/C 4, 130/131 I B/C 3
Ebrodurum 42/43 I C 2
Eburacum, York 36 B 2
Eburodunum, Yverdon 37 I A 3
Eburones, V. 29 I C 1
Eburovices, V. 29 I A/B 1
Eburum 30/31 I F 4
Ebusos, Ebusus, Ins. u. O. 38/39 II C 2
Ecab 100/101 II D 1
Ecatepec 100/101 VI A 1
Eccobriga 38/39 I F 3
Ecdippa 34/35 II B 1
Echallens, Ldsch. 80 II A 2
Echedoros, Fl. 18/19 I C 1
Echelidai 14/15 IV A 2
Echet Aten, Echut Aten, Tell el-Amarna 6 I A 2
Echetla 17 I C 3
Echinaden, Ins. 18/19 I A/B 3
Echinos 18/19 I C 3
Echternach, Kl. 52 II B 2, 54/55 II E 3, 87 I D 2, 104 III C 3
Echut Aten, Echet Aten, Tell el-Amarna 6 I A 2
Echzell 40 II B 1
Ecija, Astigi 38/39 II A 2
Eckenhaid 81 I
Ecker, Fl. 58/59 V B 2
Ecnomus Mons, Eknomos, Kap 17 I B 3
Ecuador, Ekuador, Staat 133 II A/B 1/2, 164/165 III, 166/167 II u. III, 168
Edam 78 IV B 1, 104 III B 1
Edegem 143 I b
Eder, Adrana, Fl. 37 I B 1, 126/127 II B 2
Edessa, Gft. 64/65 IV B/C 1/2
Edessa, Aigai, O. i. Makedonien 18/19 II B 2, 153 V A 1
Edessa, Antiocheia, Orrhoë, Urfa, O. i. Orrhoëne 22/23 II C 2, 38/39 I G 3, 50/51 E 4, 52 III C 3, 64/65 IV C 2
Edessa, Reich von 29 III C/D 2
Edfu, Dob, Apollinopolis 6 I A 3, 29 II B 3
Edgehill 116/117 I C 3
Edinburgh 60 I D 2, 92/93 I B 2, 110 B 1
Edirne, s. Adrianopel, Hadrianopolis 153 V B 1
Edmonton 133 III B 1
Edom, Ldsch. 8 IV A/B 5
Edoner, Edones, V. 10 II C 1, 16 I C 1
Edrei 8 III C 2
Edremit 102/103 I I 6
Edscheleh, Erdölfeld 163 III B 3
Edschura 163 IV B 2
Eetioneia, Bg. 12 V
Efta, Europ. Freihandelszone 166/167 III
Eger, Fl. 58/59 I K 3, 122/123 I E/F 3
Eger, O., 58/59 I K 3, 68/69 I G 3, 75 B 4, 106/107 I G 4, 106/107 II G 4
Egeta 38/39 I D 2
Eggegebirge 37 II A 2
Eggelsen 81 I
Eggmühl 124 I D 2
Eggolsheim 56 III
Eglingen 120 V B 1
Eglisau 80 II C 1
Eglon 8 III A 3
Egmond 104 III B 1
Egra, Higr 34/35 I F 4
Egres, Kl. 87 II D 3

Egriköy 8 I B 2
Ehingen 120 V C 1
Ehl, Helellum 40 II A 3
Ehrenbreitstein, Amt 80 I C 1
Eibach, O. 81 I
Eichau 77 III B 1
Eiche, Ot. in Berlin 143 II
Eiche, Wüstung 77 IV A 2
Eichelrode, Wüstung 77 IV A 1
Eichsfeld, Ldsch. 81 III B 2, 104 II A/B 2, 122/123 I D 3, 126/127 II C 2
Eichstädt, Bm. 88/89 II C 2, 145 I, 161 VI
Eichstätt, Bm-Territ. 68/69 I F 4, 122/123 I D 4, 128 I C 2
Eichstätt, O. 58/59 I I 4
Eickel 142 IV B 1
Eider, Fl. 61 III A/B 2, 122/123 I C 1
Eidenstedt, Ins. 61 III A 2
Eidgenossenschaft, Territ. 80 II, 102/103 I E/F 4, 104 II A/B 3
Eidsvold, Eidsvoll 60 I G 1, 126/127 I F 1
Eifel, Geb. 54/55 II E 2
Eigenfeld, Neu-Paris 140 IV B 1
Eigenrieden 77 IV A 2
Eigenrode 77 IV A 1
Eilenburg, O. 77 II
Eilpe 56 V B 2
Eilsleben 56 VI B 2
Eimersleben 56 VI B 2
Einbeck 81 III A 2, 84 I B 3, 84 II B 3
Eindhoven 104 III B 2
Einem 56 V B 2
Eining, Abusina 40 II E 3
Einsiedeln, Kl. 80 II C 1, 87 I D 2
Einwanderung in die USA 144 II u. III
Einzelgrabkultur, jütländische 2 II B 1
Eion 18/19 II C 2
Eiones 18/19 I C 4
Eircte Mons, Bg. 25 I D 4
Eire, Irland, Staat 150/151 I C 3
Eisenach, Hzm. 122/123 I D 3
—, O. 68/69 I F 3
Eisenbahnen in Deutschland 129 I
—, in den USA 133 III
Eisenberg, Bg. O. 86 I A 1
Eisenburg, O. 75 C 5, 106/107 I I 6
Eisenerz, Bg. O. 86 I C 3
Eisenhüttenstadt, Stalinstadt 161 IV B 1
Eisenstadt 122/123 I G 5
Eisenzeit-Kulturen 4 VI, 5 II
Eiserner Vorhang 161 V
Eisernes Tor, Donau-Durchbruch 148 I F 5
Eisernes Tor, Paß b. Derbent 9 III G 1
Eiskeller, Ot. v. Berlin 161 II
Eisleben, Bg. O. 86 I A 1, 122/123 I D 3
Eismeer, s. Nordpolarmeer
Eismeerbahn 156/157 I G 2
Eismeerkanal 156/157 I G 2
Eismeerstraße 160 IV B 2
Eiszeit-Kulturen 1 I—III
Ekallate 6 IV B 1
Ekbatana, Hamadan, Epiphaneia 9 III G 3, 22/23 II E 3, 46/47 I C 3
Ekeren 143 I a—b
Eknomos, Kap 17 I B 3
Ekrek 8 I B 2
Ekron 8 IV A 4
Ekuador, Ecuador, Staat 133 II B 1/2
El Abiod 130/131 I B 5
El Agheila 156/157 I E 5
Elaia, Golf v. 18/19 I G 3
Elaia, Eläa, O. i. Pergamon 18/19 I H 3
Elaius, O. i. Jonien 18/19 I G 3
Elaius, O. d. thrak. Chenones 18/19 I G 1
Elaiusai, Ins. 13 I A 2
El Akaba 148 III A 3, 150/151 I G 6
El Alamein 156/157 I F 5
Elam, Elymais, Ldsch., Staat 8 II C 2, 26/27 I F 2, 46/47 I C/D 3
Elamiten, V. 3 I F 3, 8 II
Elaos 18/19 I B 3
El Argar 5 I A 4
—, Kultur 5 I A/B 3/4
El Arisch 148 III A 2, 162 IV A 2
Elateia, Elatea 18/19 IV A 1
Elath 6 I B 2, 162 IV A 3
El Audscha 162 IV A 2
Elaver, Allier, Fl. 24 II A 1/2
Elba, Aithalia, Ilva, Ins. 24 II D/E 3, 25 II A 2, 63 I C 3, 124 II B 2, 130/131 I E 3
Elbasan 112 I C 1
Elbe, Albis, Fl. 34/35 I C/D 1, 41 I A—C 2, 54/55 I E 2, 75 A/B 3/4, 122/123 I D—F 2/3
El Benia 38/39 I D 4
Elberfeld 129 I B 3
Elberfeld-Barmen 141 I B 2
Elbericherode, Wüstung 77 IV A 1
El Bersche 6 I A 2
Elbeuf 110 C 3
Elbing-Fluß 79 VIII
Elbing, O. 68/69 I K 1, 68/69 II A 2, 96/97 I K 2, 113 D 4, 115 I D 2, 160 III C 2
Elbing,Plan 79 VIII
Elbistan 5 I E 4, 8 I B 2
Elb-Oder-Slawen, V. 67 III
Elbrus, Berg 134 I D 2, 156/157 I H 4
Elburg, O. 68/69 I C 2, 78 IV B 1
Elburs-Geb. 9 III H 2
El Castillo 1 IV A 2
El Charge, Hibe, Große Oase 6 I A 2, 9 I C/D 4
Elche, Ilici 38/39 II B 2
Elchingen, Kl. 122/123 I D 4, 128 I C 2
Eldena, Kl. 87 II C 2
El Djem 34/35 III C 1
Elea, Velia 30/31 I F 4
Elealeh 8 III B 3
Eleasa 34/35 II B 3
Elektros, Fl. 10 III B 1
Eleon 18/19 IV B 2
Elep, Pußta-Wüstung 140 V A 2
Elephantine, Nil-Insel 6 I A 3
El Escorial, Schloß 102/103 I C 5
—, Plan 102/103 II
Eleusis, O. i. Attika 13 I B 1
—, Heiligtum, Plan 20 IV
—, Bucht v. 13 I A/B 1
Eleusis, Juliopolis, Ot. v. Alexandria (Ägypten) 26/27 V
Eleutherai, Ldsch. 13 I A 1
Eleutherna 10 III B 1
Eleutheros, Fl. 9 I E 3
El-Far 41 III C 2
El Faye 41 III C 3
Elfenbeinküste, frz. Kol. 132 I B 3
Elfenbeinküste, Staat 162 III A 2, 164/165 III, 166/167 I u. III, 168
Elfsborg 113 C 3
El Gassi, Erdölfeld 163 III B 2
El Gazala 156/157 I F 5
El Geili 6 I A 4
Elgin, Bm. 88/89 I B 2
El Golea 163 III A 2
El Habbat 41 III B 2
El Hammam, Ammatha 41 III C 2
El Hassa, Ldsch. 112 I E 3, 153 VI D 3
El-Hiba, Urukug 6 II C 2
El Hibeh 6 I A 2
El Hoch 6 I A 3
Elimberris, Auch 36 C 4
Elimeia, Elimea, Ldsch. 18/19 II A/B 2
Eliocroca, Lorca 38/39 II B 2
Elis, Ldsch. u. O. 18/19 I B 4
Elisabethville 162 III C 3
Elista 156/157 I H 4
El Kab, Necheb 6 I A 2
El Kahira, Kairo 112 I D 2
El Kantara 138 IV C 2. 148 III A 2
el Kasr el Kebir 64/65 I A 3, 64/65 II A 3
El Khadra 34/35 III A 2
Ellandun 54/55 I B 2
Ellenais 10 I A 1
Elleporos, Fl. 20 I C 3
Ellera, O. i. Indien 22/23 I I 3
Ellera-S. Mariano, O. i. Umbrien 25 II C 1
Ellerbek 1 V C 1
Ellguth 77 III B 2
Ellice-Ins., brit. 138/139 I S 5
Ellingen 40 II E 2
Ellrich 161 V
Ellwangen, Kl. 54/55 I D 3, 68/69 I F 4, 122/123 I D 4, 128 I C 2
Elm, Geb. 56 VI A 2
El Mansura 138/139 IV B 1
Elmham, Bm. 52 I C 2
Elmina 98/99 IV, 132 I B 3
Elne, Bm. 88/89 I C 5
Elne, O. 58/59 I E 7
El Obeid 132 I D 3
Elone 11 I C 1
El Qued 34/35 III B 2
El Pardo, Schloß 116/117 I C 5
El Paso 118 III B 1, 133 I C 3
Elsa, Fl. i. Toskana 25 II A/B 1
El Salvador, Staat 164/165 I E 4, 166/167 II u. III, 168
Elsaß, Gouvernement 122/123 II C 1/2
Elsaß, Ldsch. 50/51 B 3, 58/59 I G 4, 114 D 3/4, 122/123 I B 4/5, 148 II D 2/3, 152 II B 4/5, 155 I A 3
Elsaß, Landvogtei Unter-Elsaß, Ober-Elsaß, s. auch Sundgau 95 D/E 3/4
Elsässer, V. 160 I
Elsaß-Lothringen, Reichsland 129 I B 4/5, 129 II C 4/5
Elsaß-Lothringer im Reich, V. 145 I
Else, Fl. i. Teutoburger Wald 37 II A 1
Elsfleth 122/123 I C 2
Elster, Fl. 77 II
Elsterwerda 122/123 I E 3
Eltekeh 8 III A 3
Elten 62 III B 2, 122/123 I B 3
Eltersdorf 81 I
Eltville 80 I D 1
Eltynaia 10 III C 1
El Ubaid 6 II C 2, 6 III C 2
El Uëd 163 III B 2
Elusa, O. i. Aquitanien 42/43 I C 2
Elusa, O. i. Nabataca 34/35 II A 3
Elvas 92/93 I A 6, 102/103 I B 6
Ely, Bm. 88/89 I C 3
Ely, Kl. u. O. 87 I C 1
Elymais, Elam, Ldsch., Staat 8 II C 2, 26/27 I F 2
Elymer, V. 17 I A 3
Elymnion 18/19 I D 3
Elyros 10 III A 1
Elz, Fl. i. Baden 77 I A 2/3
Elz, Nebenfl. d. Mosel 80 I C 1
Elze 56 I B 1
Emba, Erdölfeld 163 II D 2
Emba, Fl. 163 II D 2
Emba, O. 159 II D 2
Embrun, Ebm. 88/89 II B 3
Embrun, O. 58/59 I G 6, 68/69 I D 6, 104 I D 4
Emden 84 I B 3, 84 II B 3, 104 II A 2, 105 I B 1, 106/107 I D 3, 115 I B 2
Emerita Augusta, Merida 38/39 II A 2
Emerkingen 37 I B 2, 120 V C 2
Emesa, Homs 41 III B 3
Emhofen 81 I
Emilia, Ldsch. 94 II D 2
Emirgazi 8 I A 2
Emisheim 95 D 4
Emma 41 III B 1
Emmaus 34/35 II A 3
Emmer, Fl. 37 II B 1/2
Emmerich, O. b. Kleve 78 IV C 2, 105 I B 2, 122/123 I B 3
Emmerich, O. b. Rheinhausen 142 IV A 2, 142 V A 2
Emodus, Ldsch. 34/35 VI
Emona, Laibach 38/39 I B 1, 48 II C 2
Empire, britisches 138/139 I—V
Emporia, der Karthager 26/27 I C 2
Emporiae, Emporio, Ampurias, O. i. Spanien 11 II B 1
Emporio, O. a. Chios 18/19 I F 3
Emporion, Emporiae, Ampurias, O. i. Spanien 11 II B 1
—, Plan 21 IV
Ems, Amisia, Fl. 41 II B/C 1/2, 58/59 I G/H 2/3, 122/123 I B/C 2/3
Ems, Bad, O. 40 II A 1
Emscher, Fl. 56 V A/B 1/2, 142 IV A—C 1/2, 142 V A—C 1/2
Emscher Bruch, Moor 142 IV B 1, 142 V B 1
Endor 8 III B 2
Enez, Ebm. 88/89 I H 5
Enez, O 153 V B 1
Engadin, Ldsch. 80 II D/E 2
Engannim 8 III B 2
Engedi 34/35 II B 3
Engelberg, Kl. 80 II C 2
Engelsberg, Bg. O. 86 I D 1
Engelsk 150/151 I H 3
Engern, Ldsch. 58/59 I H 2
Engers 80 I C 1
Enghien 104 III B 2
England, s. auch Angelsachsen, Angelsachsenreich
England, Kgr., (dän.) 57 II, 58/59 I, 60 I 67 I
—, Kgr. (normann.) 60 I, 67 I
—, Kgr. (13.—15. Jh.) 66 II B/C 2, 68/69 III A—C 1, 71 III A/B 1, 85 II A/B 1/2, 92/93 I A—C 2/3, 92/93 III A—C 1
England, Kgr. (16.—17. Jh.) 102/103 I A—D 2/3, 104 I A—C 1/2, 110 A—C 1/2, 156/157 II F/G 2
Englianos 10 II B 3
Englisch-ägyptischer, s. anglo-ägypt. Sudan 154 IV A 1/2
Englische Entdeckungsreisen 100/101 I u. VIII
Englische Kolonien, s. Britische Kolonien, Empire, Britisches
Englische Lehen in Frankreich 64/65 I A/B 2, 64/65 II A/B 2, 70 I
Enipeus, Fl. 18/19 I C 2
Eniwetok, Ins. 158 II F 4
Enkenbach 40 II A 2
Enkhuizen 104 III B 1
Enkomi, Alaschja 8 II A 2
Enna 17 I C 3, 63 I E 6
En Nachl 148 III A 3
Ennetach 37 I B 2
Enniskillen 116/117 I B 3
Enns, Fl. 58/59 II A/B 1/2, 58/59 III B/C 1/2, 68/69 I G/H 5, 122/123 I E/F 4/5
Enns, O. 68/69 I H 4, 122/123 I F 4
Ennsburg, Burg 58 59 II B 1
Enope 11 I C 2
Enos 145 VI C 2
En Rimmon 8 III A 3
Enseli 148 III B 2
Ensérune 24 II A 3
Entdeckungsreisen 98/99 I u. IV, 100/101 I u. II, 100/101 VII u. VIII
Entebbe 162 III C 2/3
Entella 17 I B 3
Entente, baltische 153 III
Entremont 24 II B 3
En Yahab 162 IV B 2
Enza, Fl. 4 VI A 2
Enzberg, Frh. v., Reichsritter 120 V A 2
Eordaia, Ldsch. 18/19 II A 2
Eordaikos, Fl. 18/19 I A 1
Eorder, V. 10 II B 1
Epakria, Ldsch. 13 I B 1/2
Epamanduodurum 37 I A 3
Epanockorio 10 I B 1
Epeiros, Epirus, Ldsch. 18/19 I A/B 1/2
Eperies 74 I D 2, 106/107 I L 5
Epernay 110 C 3, 148 II B 2
Epfach, Abodiacum 37 I C 3
Ephesos, Ebm. 88/89 I H 6
Ephesos, Ephesus, Arsinoë, O. 4 VII B 2, 18/19 I H 4, 18/19 V A 2, 22/23 II A 2, 50/51 D 4
—, Polis 18/19 V A/B 1/2
Ephraim, O. 34/35 II B 3
—, V. 8 IV B 3
—, Geb. 8 III B 2/3
Ephron 34/35 II B 2
Ephyra, Ins. 18/19 I E 5
Ephyra, O. i. Elis 11 I B 2
Epidamnos, Dyrrhachion, Durazzo 11 II C 1, 38/39 I C 2
Epidaurum, O. i. Dalmatien 38/39 I C 2
Epidauros, Epidaurus, O. i. Argolis 18/19 I D 4
Epidauros Limera 18/19 I D 5
Epidelion, Kap 18/19 I D 5
Epikephisia, Ldsch. 12, V
Epinal 68/69 I D 4, 95 D 3, 122/123 I B 4, 148 II D 2
Epiphaneia, Ekbatana, Hamadan 22/23 II E 3
Epiphania, O. i. Cilicien 29 IV C 2
Epiphania, Hamath, O. a. Orontes 9 III E 2, 22/23 II C 2, 41 III B 2
Epipolai, Burg b. Syrakus, Plan 17 I
Epiros, Epirus, Epeiros, Ldsch. 10 II B 1/2, 18/19 I A/B 1/2, 20 II B 2/3, 70 II D 3, 112 I C 2, 145 V A/B 2/3, 145 VI A/B 2/3
—, osman. Prov. 92/93 I G 6
Epirus, Despotat 64/65 II C/D 2/3, 66 II D/E 3/4
Epirus, röm. Prov. 38/39 I D 3
— nova, — vetus, röm. Prov. 42/43 I D/E 2/3
Episkopi 10 I B 1
Epitalion 18/19 I B 4
Epomeus mons, Bg. 30/31 III A 2
Eporedia, Ivrea 36 D 3
Eppenstein, Burg 58/59 III C 2
Epte, Fl. 58/59 I D 4
Equizeto 34/35 III A 1
Eragiza 41 III C 1
Erana 18/19 I B 4
Erasinos, Fl. 13 I B 2
Eratyra 18/19 I B 1
Erbach, Gft. 81 II B 2, 122/123 I C 4
Erbach, O. i. Odenwald 128 I B 2
Erbach, O. b. Ulm 120 V C 1
Erbach, Schenk v., Gf. 78 III B 3
Erbessus 25 I D 5
Erbil, Arba-Ilu 6 III B 1
Ercavia 38/39 II B 1
Erchia, O. i. Attika 13 I, B 2
Erchie, O. i. Calabrien 30/31 I H 4
Erdmannshain 77 II
Erdölfelder, -Gesellschaften, -Leitungen 163 II u. III
Erebus, Bg. 164/165 IV
Erechtheion, T. i. Athen 12, I
Eregli, Herakleia, O. i. Kappadokien 64/65 IV A 2
—, O. a. Schwarzen Meer 70 II F 2, 130/131 I I 3
Ereikinion 18/19 I C 2
Erfurt, Bm. 52 II C 2
—, Messen 83 V C 2
—, O. 58/59 I I 3, 68/69 I F 3, 105 I C 2, 122/123 I D 3, 129 II E 3
—, Universität 91 V C 1
Eresburg, Burg 54/55 I D 2, 58/59 I H 3
Eressos 18/19 I F 2
Eretia, Ldsch. 18/19 I D/E 3
Eretria, O. 11 II D 2, 18/19 I D 3
Eretum 30/31 II B 1
Erg, großer, Wüste 163 III A/B 2/3
Ergitium 30/31 I F 3
Erguel, Ldsch. 80 II A/B 1
Eridanos, Fl. 12 VI
Eridu, Schahrain 6 II C 2, 6 IV C 2
Erie-See 133 III E/F 2
Erigon, Fl. 26/27 III A 1
Erikeia 13 I B 1
Erimi 2 I E 3
Erin, Iris, Irland, Ins. 24 I B 2
Erineos, O. i. Achaia 18/19 I B 3
Erineos, O. i. Doris (Mittelgriechenland) 18/19 I C 3
Eriwan, Jerewan, O. 112 I E 1, 134 I E 3, 134 II C 1, 148 III B 1, 149 III D 3
—, Chemat 134 I D/E 3
Eriza 38/39 I E 3
Erkilet 8 I B 2
Erlangen 56 III, 105 I C 2, 122/123 I D 4, 128 I C 2
Erlau, Bm. 88/89 I G 4
Erlau, O. 74 III E 3, 112 II D 2
Erlenstegen 81 I
Ermanak 112 I D 2
Ermes 104 IV C 2
Ermland-Frauenburg, Bm. 88/89 I G 3, 145 I, 161 VI
—, Bm. Territ. Ldsch. 68/69 II A/B 2/3, 92/93 I F/G 3, 105 I E/F 1, 106/107 I K/L 2/3, 115 I D/E 2
Ernestinische Lande, s. auch Wettinische Lande 106/107 I F 4
Erolzheim 120 V D 2
Erösd, O. 2 I D 2
Erösd-Kultur 2 I D 2
Er Riad 153 VI D 3
Er Rif, Ldsch 147 C 5, 150/151 I C 5
Erserum, Erzerum, Erzurum, O. 9 III F 2, 64/65 I F 3, 64/65 II F 3, 148 III B 2, 112 I E 2
—, Wilajet 134 II B/C 1/2
Ersindschan 112 I D 2, 148 III A 2
Erstein, O. 77 I A 2
Ertebölle 1 V B 1
Erxleben 56 VI B 2
Erykes, Fl. 17 I C 3
Erymanthos, Fl. 18/19 I B 4
Erymanthos, Geb. 18/19 I B 3/4
Erythräisches Meer, Indischer Ozean 22/23 VI
Erythrai, O. i. Böotien 18/19 IV B 2

Erythrai, Erythrä, O. i. Jonien 18/19 I G 3
Erythraion, Kap 10 III D 2
Erythrea, ital. Kol. 132 I D/E 3
Eryx, Bg. u. O. 17 I A 2
Erzbahn, schwedische 156/157 I E/F 2
Erzerum, Erzurum, s. Erserum
Erzgebirge, Geb. 74 III C 2
Esbjerg 147 D 3, 150/151 I D 3, 156/157 I D 3
Escaut, Dép. 122/123 III B/C 1
Escaut, Schelde, Fl. 143 I a/b
Eschenau 81 I
Eschnuna, Tell Asmar 6 III B 2, 6 IV B 2
Eschtaol 8 III A 3
Eschtemoh 8 III B 3
Eschwege 126/127 II C 2
Eschweilerhof 40 II A 2
Escorial, Schloß 90 II A 2, 108 I A 2
—, Plan 102/103 II
Escudo-Zone 170 II
Escum 37 I C 3
Esdraela, Jesreel, O. 34/35 II B 2
Esdrelon- od. Jesreel-Ebene in Samaria 8 III B 2, 34/35 II B 2
Esesfeld 54/55 I D 2
Eskilstuna 113 D 3
Eski Mosul 6 IV B 1
Eskischehir, Dorylaeum 38/39 I F 3, 92/93 I I 6, 134 II B 2, 153 V B 2
Esne, Latopolis 6 I A 2, 50/51 E 5
Española, Ins. (Haiti) 118 III D 2
Espenhain 77 II
Esphigmenu, Athos-Kl. 45 VI B 1
Espiritu Santo, Ins. 100/101 VIII D 3, 158 I F 5
Esquilinus, Hügel in Rom 32 II, 45 I
Esrom, Kl. 87 II C 2
Es Salt 162 IV B 1
Esseg 68/69 I K 6, 112 II C 3
Essen, Bm. 161 VI
Essen, Kl. u. O. 58/59 I G 3, 68/69 I D 3, 122/123 I B 3, 126/127 II A 2, 142 IV B 2, 142 V A/B 2
Essen, NS-Gau 155 I A 2
Essequibo, Ldsch. 111 I D 3, 118 III E 2
Essex, Ldsch. 54/55 I C 2, 57 II C 2
Esslingen, RSt. 68/69 I E 4, 81 II B 2, 122/123 I C 4, 128 I B 2
Este-Hft. 68/69 I F 6, 94 I D/E 2, 94 II D/E 2
—, Ateste, O, 24 II E 2, 63 II C 1, 94 I D 2, 94 II D 2
Esten, Tschuden, V. 50/51 D 2, 74 II C 2, 150/151 II
Estiones, V. a. d. Iller 37 I C 3
Estland, russ. Gouv. 116/117 I H/I 2
Estland, Ldsch. 68/69 II C 1, 104 IV B/C 1, 113 E/F 3, 119 C/D 3
Estland, Staat 149 III B 2, 150/151 I F 3
Estnische Sowjetrep. 155 II D 1, 156/157 I F 3
Estremadura, portug. Prov. 116/117 I B 6
Estremadura, span. Prov. 130/131 I A 3/4
Etam 8 III B 3
Etampes 95 B 3, 116/117 I D 4
Etanna 24 II B 2
Étaples 54/55 II B 2
Etelköz, Ldsch. 57 I E/F 3
Eteokreter, Minoër, V. 10 III
Eteokretische Sprache 9 II C 2/3
Eteokyprische Sprache 9 II D 3
Ethandun 57 II B 2
Ether 8 III A 3
Etruria, Etrurien, Ldsch., s. auch Toscana 24 II, 26/27 I C 1
—, Regio Italiae 30/31 I A—C 1/2
Etrurien, Kgr. 124 II B 2
Etrusker, V. 9 I C 3, 24 II
Etsch, Atesis, Fl. 37 I C 3, 49 III B/C 2/3, 130/131 III C/D 1/2
Ettal, Kl. 87 I E 2
Ettenheim 77 I A 2
Et Tih, Wüste 148 III A 2
Ettlingen 40 II B 3
Etzelskirchen 56 III
Etzoldshain 77 II
Eu, Gft. 95 A 2/3
Euboia, Golf v. 18/19 I D 3
Euboia, Euboea, Ins., s. auch Negroponte 18/19 I C—E 3, 64/65 I D 3, 64/65 II D 3, 92/93 I G 6, 130/131 I G 4
Euboia, O. a. Sizilien 17 I D 3
Eucarnia 38/39 I F 3
Eudosen, V. 36 D/E 1, 41 I A 1
Euenos, Fl. i. Mittelgriechenld. 18/19 I B/C 3
Euenos, Fl. i. Mysien 18/19 I G/H 2
Euhesperides 11 II C/D 2
Eula, Fl. 77 II
Euläos, Ulai, Fl. 9 I G/H 3
Eulau 58/59 I L 3
Eulbach, O. 40 II C 2
Eule, Bg. O. i. Böhmen 86 I C 2
Eumenia, Eumeneia 22/23 II A 2, 38/39 I E 3
Euonymeis 12 V
Eupalion 18/19 I B 3
Eupatoria, O. a. d. Krim 102/103 I K 4, 116/117 I K 4
Eupatoria, O. i. Pontus 22/23 II C 1
Eupen 152 II B 3
Euphrat, Fl. 6 II—IV, 8 I B 1/2, 50/51 E/F 4, 72/73 II C/D 4, 134 II B/C 2
Euphratensis, röm. Prov. 42/43 I F 3
Eupyridai 13 I B 1
Eure, Dép. 122/123 III B 1
Eure et Loir, Dép. 122/123 III B 1
Euripos, Meerenge 13 I C 1
Euroia 18/19 I A 2
Europa, Erdteil 22/23 VI, 98/99 V—VIII
Europa, röm. Prov. 42/43 I E 2
Europäer in Afrika 132 III
— in Südafrika 144 VI
— in den USA 144 II
Europäische Freihandelszone, Efta 166/167 III
Europäische Wirtschaftsgemeinschaft, EWG 166/167 III
—, afrikan. assoziierte Staaten 169 IV
Europos, Fl. 18/19 I C 1/2
Europos, O. a. Euphrat 22/23 II C 2
Europos, O. i. Makedonien 18/19 II B 2
Europos, Rhagai 22/23 II F 2
Europus, Karkemisch 38/39 I G 3
Eurotas, Fl. 13 II
Eurydikeia, Smyrna 22/23 II A 2
Euryelos, Burg i. Syrakus 17 I
Eurymedon, Fl. 20 I F 3
Eurytania, Ldsch. 18/19 I B 3
Eusebeia-Mazaka 22/23 II C 2
Eusebeia, Tyana 22/23 II B 2
Eutin 122/123 I D 1
Eutresia, Ldsch. 18/19 I C 4
Eutresis 18/19 IV B 2
Eutritzsch 77 II
Euxcinos Pontos, Euxinus Pontus, Schwarzes Meer 38/39 I E—H 1/2
Evangelische Christen 104 I u. II, 105 I, 126/127 IV, 130/131 II
Eversael 142 IV A 1, 142 V A 1
Everschop, Ins. 61 III A 2
Everstein, Burg 68/69 I E 3
Evesham, Kl. 87 I B 1
Evghenița 140 IV A 1
Evian 80 II A 2
Evora, Bm. 88/89 I A 6
Evora, Ebora, O. 38/39 II A 2, 92/93 I A—C, 116/117 I B 6
Evraeokastro 18/19 I D 2
Evreux, Bm 88/89 I C 4
Evreux, Mediolanum, O. 54/55 II B 3, 95 A 3
Ewers, Fl. 40 I A/B 1/2
EWG, Europäische Wirtschaftsgemeinschaft 166/167 III
—, afrikan. assoziierte Staaten 169 IV
Exaloth 34/35 II B 2
Exeter, Bm. 88/89 I B 3
Exeter, Isca Dumnoniorum, O. 36 B 2, 57 II B 2, 110 D 2
Exetra 30/31 II C 2
Exulanten, lutheranische, aus Österreich 105 I
Eyck 90 I B 1
Eythra 77 II
Ezion-geber 8 IV A 6
Fabrateria vetus, Fabrateria nova 30/31 I D 3
Fabriano 30/31 I C 1, 53 I B 2
Faenza, Bm. 88/89 II C 3
Faenza, O. 36 E 4, 53 I A 1, 94 I D 2, 94 II D 2
Faesulae, Fiesole 24 II E 3, 25 II B 1, 63 I C 3
Fagifulae 30/31 I E 3
Fagutal, Tal i. Rom 32 II
Faied 138/139 IV C 2
Faimingen, Ponione 40 II D 3
Fairbanks 164/165 II
Fajum a. Moerissee 3 II, 50/51 E 5, 130/131 I I 6
Falaise 60 I D 4, 156/157 III A/B 3
Falciu 75 F 5
Falerii novi et vetus, Città Castellana 25 II C 2, 30/31 I C 2
Falerio 30/31 I D 1
Falesia 30/31 I A 2
Falisci, Falisker, V. 25 II C 2
Falkenau, Kl. 88/89 III C 1
Falkenberg, Ot. i Berlin 143 II
Falkenberg, O. i. Oderbruch 121 III u. IV
Falkenberg, O. i. Schlesien 68/69 I I 3
Falkenburg am Crössinsee 155 I D 2
Falkenstein, Bg. O. 86 I B 1
Falkirk 116/117 I C 2
Falkland-Ins. 138/139 I F/G 7, 149 II
Falmouth 110 A 2
Falster, Ins. 122/123 I D/E 1
Falsterbo 75 B 3, 84 I C 2
Falterona 25 II B 1
Faludscha 162 IV A 2
Falun 113 D 2
Famagusta 64/65 IV A 3, 85 III E 3, 130/131 I I 4
Fanning-Ins. 138/139 I B 4
Fano, O. 54/55 I 4, 63 I D 3, 94 II E 3
Fanum Clitumni, T. b. Spoletium 30/31 I C 2
Fanum Cuprae, T. b. Fermo 30/31 I C 1
Fanum Fortunae, Fano 30/31 I D 1, 63 I D 3
Fao 163 II C 3/4
Fara, Scharuhen 8 III A 3
Fara, Schuruppak 6 III C 2
Farab, Otrar 50/51 H 3
Farah 52 III E 3, 134 II E 2
Faraoani 140 IV B 1
Faras 6 I A 3
Farfa, Kl. 63 I D 3, 87 I E 3
Farma 50/51 E 4
Faro 102/103 I B 6
Färöer, Bm. 88/89 I A 1
Färöer, Ins. 57 I B 1, 61 I A 1, 102/103 I B 1, 156/157 II F 1
Fars, Persis, Ldsch. 50/51 G 4, 134 II D 2/3
Farschut, Abydos 6 I A 2
Fasaneninsel b. S. Sebastian 110 B 4
Faschismus 153 III u. IV
Faschoda, Kodok 138/139 III B 2
Fasiler 8 I A 2
Fatjanowo-Kultur 2 II E/F 1
Fatimidenreich, s. auch Ägypten 64/65 I D/E 3/4
Fauglia 25 II A 1
Faustinopoli 38/39 I F 3
Faustkeil-Kulturen 1 III
Faventia, Faenza 36 E 4, 53 I A 1, 94 I D 2, 94 II D 2
Faviana, Favianis, Mautern 38/39 I B 1
Faxafloi, Bai 57 III A 2
Fécamp, Kl. 87 I C 2
Feddersen, Wierde 36 D 2
Federsee, See 1 V B 2, 120 V C 2
Fegyvernek, Fl. 140 V A 2
Fehmarn, Ins. 122/123 I D 1
Fehrbellin 113 C 4
Feingerät-Kulturen 1 V
Felchta 77 IV A 2
Feldberg, O. i. Taunus 40 II B 1
Feldkirch, Clunia 37 I B 3, 68/69 I E 5, 122/123 I C 5
Fellin 75 E 2, 104 IV C 1
Felling 142 I A 2, 142 II A 2, 142 III A 2
Felluja, Palukat 6 IV B 2
Felsina, Bononia, Bologna 4 VI C 3, 24 II E 2
Felsö-Józsa, Plan 140 V B 1
Feltre, Bm. 88/89 II C 2
Feltria, Feltre, O. 38/39 I B 1, 63 I C 1, 68/69 I F 5, 94 I D 1, 94 II D 1
Fen, Ldsch. 110 B 2
Fennen, Finno-Ugrier, V. 41 I D 1
Feodosia, Kaffa 119 F 5
Feraig 6 I A 3
Fère Champenoise I, Neu-Elft 140 IV A 1
Fère Champenoise II, Alt-Elft 140 IV A 2
Fère en Tardenois 1 V B 2
Ferentinum 30/31 I D 3, 30/31 II C 2
Ferentium 25 II C 2, 30/31 I C 2
Fergana, Ldsch. 22/23 I H/I 2, 50/51 I 3
Fèriana, Thelepte 34/35 III B 2
Ferme Romanette 34/35 III A 1
Fermo, Firmum 30/31 I C 1, 53 I B 2, 63 I D 3, 94 I E 3, 94 II E 3
Fernando de Noronha, Ins. 156/157 II E 5
Fernando Póo, Ins. 98/99 IV, 132 I C 3
Fernöstliche Rep. 149 IV E/F 2
Fern-Paß 37 I C 3
Ferns 52 I A 2
Feronia, Feroniae 25 II C 2
Ferrara, Bm. 88/89 II C 3
Ferrara, Hzm., s. auch Este 94 II D/E 2
Ferrara, O. 53 I A 1, 63 I C 2, 68/69 I F 6, 94 I D 2, 94 II D 2, 102/103 I F 5, 124 I C 3, 124 II B 1, 130/131 III C 2
—, Universität 91 V C 2
Fescennia 25 II C 2
Fessan, O. u. Ldsch. 50/51 C 5, 98/99 IV, 132 I C 2
Feucht 81 I
Feuerland, Ld. 164/165 I F 7
Feurs 58/59 I F 6
Fez, O. 50/51 A 4, 130/131 I B 5, 132 I B 2
Fez u. Marokko, Sultanat 102/103 I B/C 7
Ficana 30/31 II A 2
Ficulea 30/31 II B 2
Fidenae, O. a. Tiber 30/31 II B 2
Fidenae Etruscae, O. a. Tiber 30/31 II B 2
Fidschi-Ins. 100/101 VIII D 3, 138/139 I S/T 5, 158 I F 5, 158 II F 5
Fiener Bruch 1 V C 1
Fiesole, Bm. 88/89 II C 3
Fiesole, Faesulae 24 II E 3, 25 II B 1, 63 I C 3
Figeac, Kl. 87 I C 3
Figig 132 I B 2
Filehne 124 I E 1
Finale 110 D 4
Finisterre, Dép. 122/123 III A 1/2
Finisterre, Kap 125 I B 3
Finnen, Suomen, V. 60 I I 1, 150/151 II, 160 I
Finningen 40 II D 3
Finnischer Meerbusen 68/69 II C/D 1, 113 E/F 2/3
Finnisch-ugrische Völker, Fennen 3 I E—G 1, 41 I D 1, 48 I D—F 1, 49 I D—G 1, 50/51 C—H 1/2
Finnland, Bevölkerungsverluste 161 III
Finnland, Ld. 113 E 2, 119 C—E 1/2
Finnland, russ. Gftm. 126/127 I H/I 1
Finnland, Staat 149 I B/C 1, 149 III B/C 1, 156/157 I F/G 2, 156/157 III D/E 1, 160 IV A—C 1—3, 164/165 III, 166/167 III, 168
Finocchito 17 I C/D 3/4
Finow-Kanal 122/123 I E/F 2
Fiora, Fl. 25 II B 2
Fiore Matiena 30/31 I D 2
Fiorentino, Burg 94 I F 4, 94 II F 4
Firaktin 8 I B 2
Firenzuola 94 I D 2
Firmum, Fermo 30/31 I C 1
Firth of Forth, Meeresbucht 57 II B 1
Fiscellus Mons, Geb. 30/31 I D 2
Fischbach, O. 81 I
Fischer-, Srednij-Halbins. 156/157 I G 2, 160 IV C 2
Fischhausen, Bm. Territ. 68/69 II
Fischhausen, O. 68/69 II B 2, 121 II
Fischhausen-Samland, Bm. 88/89 I F/G 3
Fitero, Kl. 87 II A 3
Fiume, 63 I E 2, 68/69 I H 6, 106/107 I H 7, 130/131 I E 2, 150/151 I E 4
Fivizzano 94 I D 2, 94 II D 2
Flachsmeer, O. 140 III
Flaesheim 142 IV B 1, 142 V B 1
Flamen, V. 126/127 IV
Flaminia, röm. Prov. 42/43 I D 2
Flandern, Gft. 58/59 I E 3, 68/69 I B 3, 68/69 III C 1, 85 II B/C 1/2, 95 B/C 5, 104 III A 2, 114 B 2, 148 I B 1
Flandern u. Hennegau, frz. Gouvernement 122/123 II B/C 1
Flandrisches Recht 78 IV A/B 2
Flarchheim 77 IV A 2
Flatow 68/69 I I 2, 106/107 I I 3
Flatters, Fort 163 III B 3
Flavia Caesariensis, röm. Provinz 42/43 I B/C 1
Flavia Solva, O. 38/39 I C 1
Flavinium 30/31 II B 1
Flaviobriga 38/39 II B 1
Flemalle 90 I B 1
Flensburg, O. 84 I B 3, 84 II B 3, 122/123 I C 1, 156/157 III B 2
Fleurus 124 I B 2
Fleury, Kl. 87 I C 2
Flevo lacus, Zuidersee 41 II A 1
Floci 75 F 5
Flodden 102/103 I C 2
Florenz, Ebm. 88/89 I E 5, 88/89 II C 3
—, Florentia, O. 25 II B 1, 49 III B 4, 63 I C 3, 86 II E 3, 130/131 I E 3
—, Rep. 68/69 I F 7, 94 I D 3, 94 III 3
—, Universität 91 V C 2
Florida, amer. Staat 133 III E 3/4
Florida, span. u. brit. Besitz 116/117 II C 3/4, 118 III C 1
Florina 18/19 I B 1, 145 VI B 2
Flossenbürg, NS-Konzentrationslager 155 I C 3
Flüelen 80 II C 2
Fochabers 36 B 1
Focsani 148 I G 4
Föderation Arabischer Emirate 162 III D 1
Foederaten, german. 48 I D 2
Foetes, Füssen 37 I C 3
Fogarasch 112 II F 3
Foggia 94 I F 4, 94 II F 4, 156/157 I E 4
Föhr, Ins. 122/123 I C 1
Foix, Gouv. 122/123 II B 3
Foix, Gft. 92/93 I C 5, 110 C 4
Foix, O. 92/93 III C 3, 122/123 II B 3
Fokschani 75 E 5, 130/131 I H 2
Fontaine, Kl. 52 II B 3
Fontainebleau, Schloß 90 II B 2, 114 B 3
Fontanka, Kanal i. Petersburg 109 III
Font de Gaume, O. 1 IV B 2
Fonte Avellana, Kl. 63 I D 3
Fontenoy 54/55 I C 3
Fontveille 24 II B 3
Food-Vessel-Kultur 5 I A 2
Forchheim 54/55 I E 3, 56 III, 128 I C 2
Forentinum 30/31 II B 2
Forentum 30/31 I F 4
Forêts, Dép. 122/123 III C 1
Forez, Gft. u. O. 58/59 I E/F 6, 110 C 3
Forkenbach, O. 56 V B 1
Forli, Bm. 88/89 II C 3
Forli, Forum Livii 38/39 I B 2, 53 I A 1, 63 I D 2, 94 I E 2, 94 II E 2
Formiae 38/39 I B 2
Formosa, Liu-tschiu, Taiwan, Ins. 72/73 II M 5, 98/99 I N 5, 111 II F 1, 136 I F 4, 158 I D 3, 158 II 3
Foronovo 94 I D 2, 94 II D 2
Foronovo, Bm. u. O. 53 I B 2
Forst, O. 122/123 I F 3
Forst, Wüstung 77 IV B 1
Fortaleza, Ceará 133 II D 2
Fort Dauphin 146 I E 4
Fortetsa 11 IV
Fort Lamy, s. auch Lamy 162 III B 2
Fortrose, Bm. 88/89 I B 2
Fortunatae Insulae, Ins. 34/35 VI
Foruli 30/31 I D 2
Forum Appi, O. 30/31 II B 3
Forum Aureli, O. 30/31 I B 2
Forum Boarium, Platz i. Rom 32 II
Forum Cassii, O. 30/31 I C 2

Forum Clodii, Materano, O. 30/31 II A 1
Forum Deci, O. 30/31 I D 2
Forum Flamini, O. 30/31 I C 2
Forum Julii, Fréjus, O. 36 D 4
Forum Julii, O. i. Friaul 38/39 I B 1
Forum Livii, Forli, O. 36 E 4, 38/39 I B 2
Forum Novum, O. i. Samnium 30/31 I F 3
Forum Novum, O. i. Umbrien 30/31 I C 2
Forum Popili, O. i. Emilia 30/31 I C 1
Forum Popili, O. i. Lucanien 30/31 I F 4
Forum Romanum, Platz in Rom, Plan 33 II u. III
Forum Semproni, O. i. Ager Gallicus 30/31 I C 1
Forum Vulcani, O. b. Neapel 30/31 III B 1
Fosna-Kultur 1 V B 1
Fossa-Kultur i. Italien 5 II C 3
Fossalta 66 II D 3
Fossanova, Kl. 87 II C 3
Fossa Papiriana, O. 30/31 I A 1
Fossatum, Babylon-, Alt-Kairo 42/43 I F 3/4
Fosses 54/55 II D 2
Fotheringhay, Schloß 104 I B 2
Francavilla 30/31 I H 4
Francford, O. 118 II B 1
Francford Creek, Fl. 118 II B 1
Franche Comté, s. Burgund, Freigft. 95 C/D 4, 114 C/D 4
Franche Comté, Gouvernement 122/123 II C 2
Franco-Regierung Spaniens 150/151 I C 4, 154 V
Franc-Zone 170 II
Franeker 105 I B 1
Franken, Hzm. 58/59 I G—I 3/4,
—, Siedlung 49 II, 54/55 II, 56 III
—, V., s. auch Mainfranken, Ostfranken 42/43 I C 1, 48 I B 1, 49 II C/D 1, 54/55 I D/E 3
Franken, NS-Gau 155 I B 3
Frankenberg, O. 126/127 II B 2
Frankenhausen, Bg. O. 86 I A 1
Frankenhofen 120 V C 1
Frankenreich 48 II A—C 1/2, 49 I A—C 1/2, 50/51 A—C 2/3, 52 II, 54/55 I B—F 2—4, 57 I, 58/59 II
Frankfurt/Main, Messen 83 V B 2
—, O. 54/55 I D 2
—, Recht 81 II
—, RSt. 68/69 I E 3, 105 I C 2, 122/123 I C 3, 129 I C 3, 129 II D 3, 160 III A 2
Frankfurt/Oder, Messen 83 V C 2
—, O. 67 III A 2, 68/69 I H 2, 122/123 I F 2, 156/157 III C 2, 160 III B 2
Fränkische Mission 52 II, 56 I u. II, 58/59 II
Fränkische Saale, Fl. 40 II C 1
Fränkischer Kreis 96/97 II B/C 2/3
Fränkisches Sprachgut 49 II
Franklin, kanad. Ldsch. 133 I C—E 1
Frankoprovençalische Sprache 49 II
Frankreich, Bevölkerungsverluste 152 III, 161 III
Frankreich, Kaiserreich 124 I A—C 2—4, 124 III B/C 2/3, 125 I B—D 2/3, 128 IV, 128 V
Frankreich, Kgr. 57 I C 3, 58/59 I A—F 3—8, 66 I A—C 1—3, 66 II B/C 2/3, 67 II A/B 1/2, 68/69 III A—D 1—3, 70 I A—C 1—3, 83 IV A—C 1—3, 86 II B/D 2/3, 91 V A/B 2, 92/93 I B—D 4/5, 92/93 III B—D 4/5, 95 A—C 2—4, 102/103 I C—E 3—5, 104 I B—D 2—4, 105 I A/B 2/3, 110 B—D 2—4, 114 A—C 2—5, 122/123 II, 126/127 I C—E 3—5, 128 II
Frankreich, Rep. 122/123 III, 124 II A/B 1/2, 128 IV u. V, 148 I A—C 3—5, 148 II A—D 1—3, 153 III u. IV, 155 II A/B 1/2, 156/157 I C/D 3/4, 156/157 III A/B 2/3, 164/165 III, 166/167 I—III, 168
Franzien, Ldsch. 58/59 I D/E 4
Franzosen, V. 160 I
Franzosen i. d. Niederlanden, V. 126/127 IV
Franzosen i. Ungarn, V. 112 II
Franzosen i. d. USA 144 II
Französisch-Afrika 132 I, 146 I
Französisch-afrikan. Gemeinschaft 166/167 I
Französisch-Amerika 118 III
Französisch Äquatorialafrika 146 I C/D 2/3
Französisch-deutsche Sprachgrenze 130/131 II
Französisch-Guinea 146 I B 2
Französisch-Indien 135 I
Französisch-Indochina 136 II, 158 I C 3/4
Französisch-ital. Sprachgrenze 130/131 II
Französisch-Kongo, Ld. 132 I C 3/4
Französisch-Nordafrika 130/131 I B—E 4/5
Französisch Somaliland 154 IV B 1
Französisch-Westafrika 146 I B/C 1/2
Französische Entdeckungsreisen 100/101 I u. VIII
Französische Kolonien 111 I u. II, 115 II, 116/117 II u. IV, 125 II, 132 I, 136 II, 137 I, 138/139 III
Französische Republik 124 II A/B 1/2, s. Frankreich, Republik
Französische Sprache 49 II
Französische Zonen Deutschlands u. Österreichs 160 III A/B 2/3
Französischer Besitz i. d. Antarktis 164/165 IV
Französischer Code civil 124 III
Französischer Sektor Berlins 161 II
Friedeberg, O. i. Reichensteiner Geb. 77 III B 2
Friedenau 143 II
Friedenfeld 140 IV B 1
Friedenskirchen, lutherische, i. Schlesien 105 I
Friedensthal, O. 140 IV B 1
Friedland, O. i. Böhmen 106/107 I H 4
Friedland, O. b. Göttingen 161 I A 1, 161 IV A 1
Friedland, O. i. Mecklenburg 83 II C 2
Friedland, O. i. Oderbruch 121 III u. IV
Friedland, O. i. Ostpreußen 124 I F 1
Friedrichroda, Bg. O. 86 I A 1
Friedrichseck 77 III B 2
Friedrichsfelde, Rosenfelde 143 II
Friedrichshain, Ot. i. Berlin 143 I
Friedrichstadt, Ot. i. Berlin 143 I
Friedrichstadt, O. a. d. Düna 75 E 2
Friedrichstadt, O. i. Schleswig 105 I C 1
Friedrichstraße, Ot. v. Berlin 161 II
Friedrichswerder, Ot. i. Berlin 143 I
Friedrich-Wilhelm-Kanal 122/123 I F 2
Friemersheim 142 IV A 2, 142 V A 2
Friesach, Bg. O. 68/69 I H 5, 86 I C 3, 122/123 I F 5
Friesen, Frisii, V. 36 D 2
— maiores et minores 41 I A 2, 48 I B 1, 48 II B 1, 50/51 B 2, 52 II A—C 1/2
Friesisches Meer, Nordsee 50/51 B 2
Friesland, Hft., niederld. 96/97 I C/D 3, 104 III B/C 1
Friesland, Ldsch., s. auch Ostfriesland 56 I A 1, 58/59 I F/G 2, 68/69 I C/D 2
Frigidis 38/39 II A 3
Frisches Haff 122/123 I H 1
Fritzlar 52 II C 2, 83 I C 2, 122/123 I C 3
Frohse, Pfalz 62 III D 1
Fröndenberg, O. 142 IV C 2, 142 V C 2
Frosta 60 I G 1
Frühgermanen, V. 24 I
Frühgriechen, V. 5 I u. II
Frumusica 140 IV B 1
Frusino 30/31 II C 2
Frusteniae 30/31 I D 2
Fruttuaria, Kl. 87 I D 2
Fuchshain, O. 77 II
Fuchswinkel 77 III B 2
Fucinus lacus, See 30/31 I D 2/3
Fufluna, s. Populonia 24 II E 3
Fugger, Gft. 120 V C/D 2, 122/123 I C/D 4, 128 I B 2
Fuggerau 86 II E 2
Fukien, chin. Prov. 136 I F 4
Fukuoka 46/47 III M 2
Fulda, Bm. 145 I, 161 VI
Fulda, Bm.-Territor. 122/123 I C 3, 128 I B 1
Fulda, Fl. 37 I B 1, 78 III B 2, 122/123 I C 3
Fulda, Fsm. (oran.) 126/127 II B 2
Fulda, Kl., O. 52 II C 2, 56 I B 2, 87 I D 1, 105 I C 2, 106/107 II
—, Kl. -Territ. 68/69 I E 3
Fulginiae 30/31 I C 2
Fulrode, Wüstung 77 IV A 2
Fumay 104 III B 3
Französischer Sudan 146 I B/C 2
Französisches Recht 124 III
Frascati 53 I B 3
Frassinoro, Kl. 94 I D 2
Frauenburg, Ermland, Bm. 145 I
Frauenburg, O. 113 D 4, 161 VI
Frauenfeld, O. 80 II C 1, 130/131 II B 1
Frauenmarkt, Bg. O. 86 I E 2
Frauenseiffen, Bg. O. 86 II G 2
Fraustadt 105 I D 1, 122/123 I G 3, 152 II G 3
Fraxinetum, Burg 58/59 I G 7
Fredericia 106/107 I E 2
Frederiksborg, Schloß 90 II C 1
Frederiksburg, O. i. Virginia 133 III F 3
Frederiksnager, Srirampur 135 I C 2
Fredrikshald 113 C 3
Fredrikshamn 113 F 2, 116/117 I I 1
Freemantle 137 I C 6
Freetown 132 I B 3, 156/157 II F 4
Fregellae 30/31 I D 3
Fregenae 25 II C 3
Freiberg, Bg. O. 75 B 4, 86 I B 1, 122/123 I E 3
Freiburg/Breisgau, Ebm. 145 I, 161 VI
—, O. 95 D 4, 114 D 4, 122/123 I B 5
—, Plan 79 II
—, Recht 81 II
—, Universität 91 V B 2
Freiburg, O. i. d. Schweiz 68/69 I D 5, 80 II B 2, 130/131 II A 1
Freie Ämter (Schweiz) 80 II C 1
Freienwalde 121 III u. IV
Freiheit, Bg. O. i. Böhmen 86 I C 1
Freiroda 77 II
Freising, Bm. 52 II C 2, 88/89 II C 2
—, Bm.-Territ. 96/97 I F 5, 122/123 I D 4
—, O. 49 III B 1, 68/69 I F 4
Freistadt, O. i. Österreich 122/123 I F 4
Fréjus, Bm. 88/89 II B 3
Fréjus, Forum Julii, O. 36 D 4, 94 I B 3, 94 II B 3
Freiwaldau, Bg. O. 86 I D 1, 86 II F 1
Frentani, V. 30/31 I E/F 2/3
Frento, Fl. 30/31 I F 3
Fretum Gaditanum, Meerenge v. Gibraltar 38/39 II A 2
Fretum Gallicum, Straße v. Bonifacio 38/39 I A 2
Freudenfeld 140 IV B 1
Freudenstadt 105 I C 2, 122/123 I C 4
Freudenthal, Bg. O. 86 I D 2
Freyberg, Frhr. v., Reichsritter 120 V C 1/2
Friaul, Mgft. 54/55 I E 3, 58/59 I K 5/6, 58/59 III A—C 2/3
Friauler, V. 49 III C 2/3
Friedberg, O. i. Bayern 62 II C 3
Friedberg, O. i. Hessen, RSt. 40 II B 1, 96/97 I E 4, 122/123 I C 3, 128 I B 1
—, Messen 83 V B 2
Friedberg, O. i. d. Steiermark 122/123 I G 5
Friedeberg, O. i. d. Neumark 92/93 II C 2, 121 I
Fu-nan, Ldsch. 46/47 III I 4
Fundi 25 I D 3, 30/31 I D 3
Fünen, Ins. 96/97 I E/F 2, 106/107 I E/F 2
Fünfburgenland, Ldsch. 57 II B/C 2
Fünfhaus, Ot. v. Wien 109 V
Fünfkirchen, Bm. 88/89 I F 4
Fünfkirchen, Pecs, O. 75 C 5, 112 II C 2
—, Universität 91 V C 2
Furfo 30/31 I D 2
Furnes 95 B 2, 114 B 2
Furni 28 IV A 2
Fürstenberg, Gft. 81 II B 2/3
Fürstenberg, O. 106/107 I E 6
—, Fsm. 122/123 I C 4/5, 128 I B 3
Fürstenfelde 121 III u. IV
Fürstenwalde 68/69 I H 2
Fürstprimas v. Aschaffenburg-Regensburg 124 I C/D 2
Fürth, O. b. Nürnberg 81 I, 129 I D 4
Furth im Walde 58/59 I K 4, 106/107 I G 5
Fusan 158 III A 2
Fuschun 154 III B 2
Füssen, Foetes 37 I C 3, 81 II C 3, 122/123 I D 5, 128 I C 3
Fustat, Alt-Kairo 98/99 III
Futa Djalon, Ldsch. 132 I B 3
Futa-Paß 63 II C 2
Fu-tschou 72/73 I E 3, 136 I E 4

Gaba, O. a. Karmel 34/35 II B 2
Gabae, Gabai, Isfahan 22/23 I G 2
Gabala, O. i. Syrien 38/39 I G 3
Gabali, V. 29 I B 2
Gaban 64/65 IV B 2
Gabara 34/35 II B 2
Gabbula 41 III C 1
Gabermühle 81 I
Gabes, Kabis, Tacapsae 34/35 III C 2, 50/51 C 4, 130/131 I E 5, 156/157 I E 5
Gabii 30/31 II B 2
Gablonz 122/123 I F 3
Gabun, frz. Kol. 132 I C 4
Gabun, Staat 162 III B 2/3, 164/165 III, 166/167 I u. III, 168
Gach Saran, Erdölfeld 163 II D 3
Gad, V. 8 IV B 3/4
Gadara 22/23 II C 3, 34/35 II B 2
Gadda 34/35 II C 2
Gadebusch 124 I C 1
Gadeira 14/15 VI
Gades, Gadir, Cadix 11 II A 2, 38/39 II A 2
Gaekwar, Ldsch. 116/117 IV B 2
Gaeta, Bm. 88/89 I E 5
Gaeta, O. 63 I D 4, 130/131 I E 3
Gaetuler, Gaetuli, V. 28 II A/B 3
Gaetulia, Gaetulica, Ldsch. 22/23 I B 2
Gafsa, Capsa 34/35 III B 2, 156/157 I D 5
Gagar 64/65 IV C 2
Gagausen, V. i. Bessarabien 140 IV
Gagra, Fl. 135 I C 2
Gahlen 142 IV A 1, 142 V A 1
Gaiella 25 II C 1
Gaillon 90 II B 2
Gaiman 42/43 I G 5
Gaimersheim 40 II E 3
Gaismannshof 81 I
Gaisonis Limne, Ldsch. 113 III A 1
Gaja 135 I C 2
Galapagos-Ins. 133 II A 2
Galarina 17 I C 3
Galassa 10 I B 1
Galata 71 II C 3
—, Plan 45 IV
Galater, V. 24 I E/F 3/4
Galatia, röm. Prov. 38/39 I F 2/3, 42/43 II E 2/3
Galaticus Pontus, Ldsch. 38/39 I F/G 2
Galatien, Ldsch. 29 III C 1/2, 46/47 I B 3
Galatz 102/103 I I 4, 130/131 I H 2
Gale 18/19 I D 1
Galepsos 18/19 I E 1
Galgenhof 81 I
Galilaea, Ldsch. 34/35 II B 2
Galinden, Ldsch. 68/69 II B 3
Gälische Hochlandstämme, V. 71 III A 1
Galitsch 105 II C 3
Galizien, Ldsch. i. Polen 113 E 5
— u. Lodomerien, Kgr., habsburg. 115 I E 3, 116/117 I H/I 3/4
Galizien, Ldsch. i. Spanien 57 I B 3, 116/117 I B 5
Galla, Ldsch. 154 IV A 2
Gallaeci, Callaici, V. 38/39 II A 1
Gallaecia, röm. Provinz 38/39 II A 1
Galle 111 II D 2
Galli, Gallier, V., s. auch Kelten 29 I A—C 1/2
— (Poebene) 20 I A/B 1/2
Gallia, Gallien (Frankreich) 29 I, 36
Gallia, G. cisalpina (Poebene) 28 II B/C 2
Galliae, röm. Diözese 42/43 I B/C 1/2
Gallia Belgica, röm. Prov. 36 C/D 2/3
— Lugdunensis, röm. Prov. 36 B/C 3
— Narbonnensis, röm. Prov. 29 I B/C 2/3, 36 C/D 3/4
Gallien s. Gallia
Gallier s. Galli
Gallipoli, Kallipolis 64/65 I D 2, 70 II E 2, 130/131 I H 3, 148 I G 5
Gällivare 147 F 2
Galloway, Ldsch. 57 II B 1/2
Galtellia 63 I B 4
Galveston 133 III D 4
Galway 92/93 I A 3, 102/103 I B 3
Gamala 34/35 II B 2
Gambela 154 IV A 2
Gambia, brit. Kol. 132 I B 3, 138/139 I I 4
Gambia, Fl. 132 I B 3
Gambreion 18/19 I H 2
Gammerschwang, v. Reichsritter 120 V C 1
Gammertingen 120 V B 2
Gandersheim, Kl. 58/59 I I 3
Gandhara, Ldsch. 14/15 I H/I 3, 26/27 I I 2, 46/47 II D 3
Gando, Ldsch. 132 I C 3
Gändschä, Chanat 134 I E/F 3
Gändschä, Jelisawetpol, O. 134 I F 3
Gang, Bg. O. 86 I C 2
Ganges, Fl. 22/23 I I/K 3, 46/47 I F/G 4, 135 I B/D 2
Gangra 38/39 I F 2
Ganos, O. 18/19 I H 1
—, Geb. 18/19 I H 1
Gansheim 40 II D 3
Gap, Bm. 88/89 II B 3
Gap, O. 58/59 I G 6
Garama 34/35 I D 4
Garamanten, V. 34/35 I C/D 4
Garayos, Ins., brit. 138/139 I M 5
Gar Cahal 3 II A 3
Gard, Département 122/123 III B/C 2/3
Garda, O. 63 II B 1, 94 I D 2, 94 II 2
Gardar, Bm. 88/89 I A 1
Gardarike, Waräger-Reich 57 I E/F 2
Garda-See 63 II B 1
Gardelegen 83 II B 2, 122/123 I D 2
Garenfeld 56 V B 2
Gargani promontorium, Kap 30/31 I G 3
Garganus, Geb. 30/31 I F/G 3
Gargara, O. 18/19 I G 2
Gargaros, Geb. 18/19 I G/H 2
Garhwal, Ldsch. 135 I B 1
Gariannonum 36 C 2
Garigliano, Fl. 57 I D 3, 130/131 I E 3, 156/157 I E 4
Garion 41 III B 3
Garizim, Berg, Heiligtum 8 III B 2
Garmisch 122/123 I D 5
Garon de Sanary 24 II B 3
Garonne, Garumna, Fl. 36 B/C 4, 58/59 I C/D 6/7, 110 B/C 4
Garsaura 9 III D 2
Gartok 136 I B 3
Gartz 106/107 I H 3
Garumna, Garonne, Fl. 36 B/C 4

Garut 135 II B 1
Garz 83 II D 2
Gasaland, Ldsch. 138/139 II C 2
Gascogne, Ldsch. 54/55 I B/C 4
—, Hzm. 58/59 I C/D 6/7, 64/65 I A/B 2, 64/65 II A/B 2, 66 I A/B 3, 68/69 III B/C 3, 110 B/C 4
Gasgäer, Kaskäer, V. 9 I E 1, 9 III E 1/2
Gastein, Bg. O. 86 I B 3, 86 II E 2
Gaster, Ldsch. 80 II D 1
Gasul 8 III B 3
Gasus, Wadi 6 I A 2
Gateshead 142 I—III A 2
Gâtinais, Gft. 58/59 I E 4/5
Gath 8 III A 3
Gath Rimmon 8 III B 2
Gathun 34/35 II B 1
Gatschina 126/127 I K 2
Gattinara 96/97 I E 7
Gauchsmühle 81 I
Gaudenzdorf 109 V
Gaudos, Ins. 10 III B 2
Gauers 77 III B 1
Gaugamela 22/23 I F 2
Gaulanitis, Ldsch. 34/35 II B 1/2
Gaurion 18/19 I E 4
Gaurus mons, Bg. 30/31 III B 1
Gauting, Bratananium 37 I C 2
Gävle 147 E 2
Gavurkale 8 I A 2
Gaza 8 III A 3, 22/23 II B 3, 64/65 II E 3, 64/65 fV A 5, 130/131 I I 5, 148 III A 2
Gaza-Streifen 162 IV A 2
Gazellengau, ägypt. 8 II B 3
Gazi 10 I B 1
Gaziantep 8 I B 2
Gdingen 152 II H 1
Gebal, Gubla, s. auch Byblos 8 I B 3
Gebel al Tarik, Gibraltar 50/51 A 4
Gebelen 6 I A 2
Gebel Silsile, Ldsch. 29 II B 3
Gebersdorf 81 I
Gederoth 8 III A 3
Gedid 132 I D 3
Gedrosien, Ldsch., pers. Satrapie 14/15 I H 4, 46/47 I E 4, 46/47 II C 4
Gedser 161 IV B 1
Gefle 113 D 2
Gehrden 37 II B 1
Geigal 8 I B 2
Geislingen 40 II B 3
Geispolsheim 77 I A 1
Gela, O. 11 II C 2, 17 I C 3
Gelas, Fl. 17 I C 3
Gelbes Meer 138/139 VI B 3
Geldenrieden, Wüstung 77 IV A 2
Geldern, Hzm. 68/69 I C/D 2/3, 95 C/D 1/2, 96/97 I C/D 3, 104 III B/C 1/2
—, O. 95 D 2, 122/123 I B 3
—, niederld. Prov. s. auch Obergeldern 122/123 I A/B 2
Gelduba, Gellep 37 I A 1
Gelnhausen, Pfalz 58/59 I H 3
—, RSt. 68/69 I E 3
Gelsenkirchen 56 V B 1, 142 IV B 1, 142 V B 1
Gem Aten, Kawa 6 I A 4
Gembloux, Kl. 87 I C 1, 104 III B 2
Gemeinsamer Afrikanischer Markt 169 IV
Gemellae 34/35 III B 2
Gemen 122/123 I B 3
Gemona 38/39 I B 1, 58/59 I K 5
Gemünden 122/123 I C 3
Genauni, V. 37 I C 3
Genava, Genf 36 D 3
Geneffa 138/139 IV C 2
Generalgouvernement (Polen) 155 I D—F 2/3, 156/157 I F 3/4, 160 I B/C 2/3
Generalitätslande 104 III B 2
Generalstaaten, s. auch Niederlande 114 B—D 1/2
Genèvre, Mont, Bg. 26/27 II B 1
Genezareth, Tiberias, O. 34/35 II B 2
—, See 34/35 II B 2
Genf, Bm. 88/89 II B 2
—, Bm.-Territ. 68/69 I D 5
—, Gft. 68/69 I C/D 5/6
—, Messen 83 IV C 2, 83 V B 3
—, Genava, O. 36 D 3, 49 II C 2, 58/59 I G 5, 80 II A 2, 86 II D 2, 104 I D 3, 130/131 II A 1
Genfer Konventionen (Rotes Kreuz) 146 II, 152 IV
Genfer See 80 II A 2, 114 D 4
Gengenbach, Kl. u. O. 58/59 I H 4, 77 I B 2
—, RSt. 122/123 I C 4
Gennep 58/59 I G 3
Gensan 154 III B 3
Gent, Kl. 87 I C 1
Gent, O. 54/55 II C 2, 58/59 I E 3, 78 IV A 2, 85 II C 1, 95 B 2, 104 III A 2, 126/127 IV A 2
Genua, Ebm. 88/89 II B 3
—, Golf v. 124 I B/C 3—4
—, O. 24 II D 2, 49 III A 3, 50/51 B 3, 63 I B 2, 102/103 I E 5, 124 I C 3, 130/131 I D 3
Genua, Republik (Territor.) 68/69 I D/E 6/7, 94 I B/C 2—4, 94 II B/C 2—4, 110 D 4
Genueser Besitz 70 II, 71 II
Genusia 30/31 I G 4
Georgetown, O. i. Guayana 133 II C 1
—, O. i. Malaya 138/139 V A 1
Georgia, amer. Staat 118 I B 2, 133 III E 2
Georgien, Grusinien, Iberien, Ldsch. 50/51 F 3, 57 I G 3, 112 I E 1, 134 I E 2/3, 148 III B 1, 149 III D 3
—, Kgr. 64/65 III F 2, 72/73 II D 3
—, osman. u. pers. 98/99 I E 3
Georgier, V. 70 II H 2, 134 I C—F 2/3
Georgijewsk 134 I D 1
Georgische Völker 134 I
Gepiden, V. 42/43 II D 2, 48 I D 2
Gepidenreich 48 II C/D 2, 49 I C/D 2
Gera 68/69 I G 3, 75 A 4, 122/123 I E 3, 161 IV B 1
Geraistos, O. 18/19 I E 4
—, Kap 18/19 I E 4
Gerara 34/35 II A 3
Gerasa, Antiocheia, Dscherasch 22/23 II C 3, 34/35 II B 2
—, Plan 42/43 VI
Gerenia 18/19 I C 5
Gerf Hussen 6 I A 3
Gergis 18/19 I G 2
Gergovia 29 I B 2
Gerichshain 77 II
Gerichstetten 40 II C 2
Germa 38/39 I F 3
German Township, O. b. Philadelphia 118 II B 1
Germanen, Germani (Sprach- u. Volksgruppe) s. auch Nordgermanen 3 I B/C 1, 24 I, 44 II B—E 1/2, 48 I u. II, 49 I—III, 50/51, 52 I u. II
Germani, V. 24 I C 1
Germania, röm. Provinz 34/35 I C 1/2
— I et II, röm. Provinzen 42/43 I C 1/2
— inferior, röm. Provinz 36 C/D 2
— superior, röm. Provinz 36 C/D 2/3
Germanicum, Kösching 40 II E 3
Germanicum mare, Germanisches Meer, Nordsee 36 B—D 1/2
Germanien, Ldsch. 34/35 I C—E 1, 36 D/E 2, 41 I
Germanisches Meer s. Germanicum mare
Germe 18/19 I H 2
Germerode, 2 Wüstungen 77 IV A 1, 77 IV A 2
Germersheim, Julius Vicus 40 II B 2
Germia 38/39 I F 2
Germigny des Prés, Kl. 53 II B 2
Germijan, Ldsch. 70 II E/F 3, 71 II C/D 4
Germiston 144 V B 2
Gernrode, Pfalz 62 IV D 2
Gernsheim 40 II B 2
Gerolstein 122/123 I B 3
Gerona, Bm. 88/89 I C 5
Gerona, O. 54/55 I C 4, 130/131 I C 3
Geronthrai 13 II B 2
Gerrha, O. 22/23 I G 3, 46/47 I C 4
Gerrhäer, V. 14/15 I F/G 4, 46/47 I C 4
Gers, Département 122/123 III B 3
Gersau 80 II C 1/2
Gersdorf, Alt- u. Neu- (b. Jauernig) 77 III A 2
Gersthof 109 V
Gerstungen 161 V
Gerunium 30/31 I E 3
Geryville 34/35 III A 2
Gerzeh 6 I A 2
Gesäß 77 III B 2
Gesellschafts-Ins. 100/101 VIII F 3, 158 I H 5/6
Gesichtsurnen-Kultur 14/15 I C/D 1
Gesocribate, Brest 36 B 3
Gesoriacum, Bononia, Boulogne 36 C 2
Gestrikland, Ldsch. 113 D 2
Getae, Geten, V. 14/15 I D 2, 38/39 I E 2
Getty Oil Co. 163 II
Gettysbury 133 III F 2
Gewürzinseln, Molukkken 100/101 VIII B 2, 111 II F 2/3
Gewürzinseln, Seeweg zu den 98/99 I N 8
Gex 80 II A 2, 114 D 4
Gezer 8 III A 3
Ghadames, Cidamus, Ghadamis 34/35 III C 2, 50/51 B 4, 130/131 I D 5, 132 I C 2
Ghana V. 98/99 IV
Ghana, Staat 162 III A 2, 163 IV, 164/165 III, 166/167 I, 168
Ghardaia 163 III A 2
Ghasi Tschelebi, Ldsch. 70 II F/G 2
Ghasna, Ghasni, Alexandria 22/23 I H 2, 50/51 H 4
Ghasnawiden-Reich 72/73 III D—F 3/4, 72/73 V A 1/2
Ghassaniden, V. 42/43 I F 3/4, 46/47 III B 2/3
Ghat 132 I C 2
Ghawar, Erdölfeld 163 II D 4
Ghor, Ldsch. 72/73 III E 3
Ghoriden, Hft. 72/73 III D/E 3
Gianicolo, Hügel in Rom 45 I
Gibea 8 III B 3
Gibeon 8 III B 3
Gibitzenhof 81 I
Giblet, O. 64//65 IV A 3
—, Burg, Plan 64/65 V
Gibraltar, Gebel el Tarik 50/51 A 4, 64/65 I A 3, 116/117 I B 6, 138/139 I I 3
Giebichenstein, Burg 58/59 I K 3
Gien 95 B 4
Giengen, RSt. 68/69 I F 4, 81 II C 2, 122/123 I D 4
Giesendorf 143 II
Giesmannsdorf 77 III B 2
Gießen 122/123 I C 3
Gifford 104 I B 1
Gifhorn 122/123 I D 2
Gigonos, Antigoneia 18/19 II C 2
Gigthis 34/35 III C 2
Gihon-Quelle in Jerusalem, s. auch Gion 34/35 V
Gijon 154 V A 1
Gilan, Ldsch 50/51 F/G 4, 72/73 II D/E 4, 134 II C 2
Gilbert-Ins., brit. 138/139 I S 4/5, 158 I F 4/5, 158 II F 4/5
Gilboa, Bg. 8 III B 2
Gilead, Ldsch. 8 IV B 3
—, Geb. 34/35 II B 2
Gilgal, b. Jericho 34/35 II B 3
—, in d. Ebene Saron 8 III A 2
Gilgit 135 I B 1
Giloh 8 III B 3
Gimborn 122/123 I B 3, 126/127 II A 2
Gindarus 41 III B 1
Ginoë 34/35 II B 2
Gion, Paradieses-Fl., s. auch Gihon 98/99 VI
Giophyra, Fl. 11 IV
Giophyrakia 10 I B 1
Girba, Girbe, Dscherba, Ins. 34/35 III C 2
Girgenti, Agrigent, s. auch Akragas, Agrigentum, Agrigento 63 I D 6, 130/131 I E 4
Girnar 72/73 V B 2
Gironde, Dép. 122/123 III A 2
Gironde, Fl. 156/157 III A 3
Gischala 34/35 II B 1
Giseh, Gize Gizeh 6 I A 2, 98/99 III, 130/131 I I 5
—, Pyramiden (Memphis), Plan 7 II
Gisons 66 I B 2
Gitschin 106/107 I H 4
Gitta Hepher 8 III B 2
Gittaim 8 III 2
Giubiasco 24 II D 1
Giurgewo 145 V C 2
Giurgiu 156/157 III D 3
Givet 95 C 2, 114 C 2, 148 II C 1
Gize, Gizeh, Giseh 6 I A 2, 98/99 III, 130/131 I I 5
Gjantse 135 I C 2
Gladbeck 142 IV A 1, 142 V A 1
Glambach 77 III B 1
Glamujökull, Bg. 57 III A 1
Glan, Fl. 80 I C 2
Glandève, Bm. 88/89 II B 3
Glanis, Fl. 25 II B/C 1/2
Glanum, St. Rémy 24 II B 3
Glaphyrai 18/19 I C 2
Glarus, O. u. Kanton 68/69 I E 5, 80 II C/D 1/2, 130/131 II B 1
Gläsendorf 77 III B 1
Glasgow, Ebm. 88/89 I B 2
Glasgow, O. 92/93 I B 2, 110 B 1
—, Universität 91 V A 1
Glashütte, Erzgeb., Bg. O. 86 I B 1
Glasinac 5 II C 3
Glasow 149 III E 2
Glastonbury, Kl. 87 I B 1
Glatz, Gft. 96/97 I I 4, 122/123 I G 3
—, O. 60 I H 3, 67 III B 2, 115 I D 2, 161 IV C 1
Glauberg, O. 40 II C 1
Glauchau 62 II D 2, 122/123 I E 3
Glauke Limen, Ins. 13 III A 1
Glaukos, Fl. 18/19 I B 3
Glawan 140 IV A 2
Gleisbühl 81 I
Gleishammer 81 I
Gleiwitz 92/93 II E 3, 156/157 III C 2, 160 III C 2
Glenmailen 36 B 1
Glevum, Gloucester 36 B 2
Glienicker Brücke, Ot. v. Berlin 161 II
Glina 2 II D 2
Glinditiones, V. 38/39 I C/D 2
Glisas 18/19 IV B 2
Glockenbecher-Kultur 2 II A—D 1—3
Glogau, Hzm. 122/123 I F/G 3
Glogau, O. 58/59 I M 3
Glom, Fl. 113 C 2/3
Gloucester, Glevum 36 B 2, 92/93 I B 3, 104 I B 2
Glücksburg, Schloß 122/123 I C 1
Glückstadt 105 I C 1
Glumpenau 77 III B 2
Glympeis 13 II B 1
Gmünd, O. i. Ndr.-Öst. 122/123 I F 4
Gmünd, s. Schwäb.-Gmünd
Gmunden 122/123 I E 5
Gnadenfeld 140 IV B 1
Gnadenkirchen, lutherische 105 I
Gnadenthal 140 IV B 2
Gnathia 30/31 I H 4
Gnesen-Posen, Bm., 145 I
Gnesen, Ebm. 88/89 II D 1
Gnesen, O. 58/59 I M 2, 67 III B 2, 113 D 4, 115 I D 2
Gnotzheim, Mediana 40 II D 2
Goa 98/99 I H 6, 135 I B 3, 162 II A 3
Gobi, Wüste 136 I D/E 2
Godawari, Fl. 46/47 I F/G 5, 135 I B/C 3
Godesberg, O. 161 IV A 1
Godhavn 156/157 II D 1
Godmanchester 36 B 2
Gödöllö 130/131 I F 2
Godthaab 133 I F 1, 156/157 II D 1
Goes 95 B 2
Gog, Fabelvolk 98/99 V
Göksa, Fl. 8 I A 2
Gök-Tepe 134 II D 2
Golan, Gaulanitis, Ldsch. 34/35 II B 1/2
Goldap 75 D 3
Goldberg, O. a. Donau 2 I C 2
Goldberg, Bg. O. i. Schlesien 86 I C 1
Goldene Horde (Chanat) 67 III, 71 III D—F 1/2, 72/73 II B—F 2/3
Goldenes Horn, Chrysokeras, Meeresbucht 45 IV
Goldenes Tor, Golden Gate, Meerenge 143 IV
Goldentraum, Bg. O. 86 I C 1
Goldingen 74 II B 2, 75 D 2
Goldkronach, Bg. O. 86 I A 1
Goldküste, brit. Kol. 132 I B/C 3, 138/139 I I 4, 163 IV A—C 3
Golgatha, b. Jerusalem 34/35 V
Golkonda, Ldsch 98/99 I I 6, 111 II C/D 2
Gollendorf 77 III B 2
Göllheim 68/69 I E 4
Göllnitz, Bg. O. 86 I F 2
Gollnow 68/69 I H 2, 106/107 I H 3, 122/123 I F 2
Golo, Dép. (Corsica) 122/123 III
Golubatz 112 II D 3
Gomadingen 40 II C 3
Gomel 75 F 3, 113 G 4, 116/117 I K 3, 148 I H 3, 156/157 I G 3
Gompersdorf 77 III A 2
Gomphoi, Gomphi 18/19 I B 2
Gondar, Ldsch. 154 IV A 1
Gondorf 40 II A 1
Gondwana, Ldsch. 72/73 V B/C 2, 98/99 I I 5, 111 II D 1
Gonia 4 VII A 2
Gonies 10 I A 1
Gonnos 18/19 II B 3
Gonzaga, Burg 63 II C 2, 94 I D 2, 94 II D 2
Gonzaga 68/69 I F 6
—, Hft. i. Mantua, Mgft. 68/69 I F 6, 94 I D 2, 94 II D 2
Goosen, Ldsch. 138/139 II B 2
Gophna 34/35 II B 3
Göppingen 62 IV C 3
Gorbeus 29 IV C 2
Gordion, Gordium 2 I E 3, 38/39 I F 3
Gordyene, Kordilene, Ldsch. 29 IV D 2
Gorée 115 II F 4
Gorgippia 38/39 I G 2
Gorgobina 29 I B 2
Gorinchem 96/97 III a—d
Göritz 121 I
Gorki, Nishnij Nowgorod 150/151 I H 3
Gorlice 148 I F 4
Görlitz, Land 68/69 I H 3
Görlitz, O. 67 III A 2, 92/93 II C 3, 106/107 I H 4, 115 I C 2, 161 IV B 1
Gorlowka 163 II B 2
Görmer 77 IV A 2
Gormaz 58/59 I B 8
Gorneae 34/35 I G 2
Gorodki 163 II D 1
Gorontia, Ins. 18/19 I E 2
Gortyn, Gortyna 10 I A 1, 38/39 I D 3
Gortys 18/19 I C 4
Gön, Gft. 68/69 I F/G 5/6, 96/97 I G 6/7, 115 I C 3
Görz, O. 63 I D 2, 75 B 5, 148 I D 4, 130/131 II D 2
Gorzano 4 VI B 2
Gorze, Kl. 87 I D 2
Gosberg 56 III
Göschenen 80 II C 2
Gösel-Bach 77 II
Goslar, Bg. O. 86 I A 1
—, Pfalz 58/59 I I 3, 58/59 V A 2
RSt. 68/69 I F 3, 75 A 4, 122/123 I D 3, 126/127 II C 2, 155 I B 2
Gossensass, Bg. O. 86 I A 3
Gostenhof 81 I
Gostitz 77 III A 2
Göta-Älf, Fl. 60 I G 2, 113 C 3
Göteborg 113 C 3
Goten, Gotonen, V., s. auch Westgoten, Ostgoten 42/43 II D/E 1/2, 41 I C 2
Göten, V. 57 I D 2
Gotha 122/123 I D 3, 152 II D 3
—, Hzm. 122/123 I D 3
Gothien, Septimanien, Mgft. 58/59 I E 7
Gotische Kunst 67 II, 90 I
Gotische Siedlungsnamen 49 III
Gotische Sprache (Krim) 70 II F 1
Gotland Ins. 41 I C 1, 50/51 C 2, 68/69 II A 2, 84 I D 2, 84 II D 2, 113 D 3
Götland, s. Ost-Götland, West-Götland
Gotonen, s. Goten, Westgoten, Ostgoten
Götterwagen-Berg 34/35 VI
Gottesberg, Bg. O. 86 I D 1
Gotteshausbund, Hft. 80 II D 2
Gotthard-Paß 80 II C 2
Göttingen, O. 68/69 I E 3, 122/123 I C/D 3, 126/127 II B 2
Gottorp, Schloß 61 IV C 1, 106/107 I E 2
Gottschee 75 B 5, 96/97 I H 7, 112 II A 3
Göttweig, Kl. 106/107 I H 5
Gouadeloupe, Ins., s. Guadeloupe
Gouda 96/97 III a—d
Gough, Ins. 164/165 I I 7
Gozo, Ins. 25 III A 2
Gräbelsberg 40 II B 3
Grabitz-Bach 121 V

Gracchurris 38/39 II B 1
Graechwil, b. Bern 24 II C 1
Graeco-Baktrisches Reich 46/47 II C/D 2—4
Gradisca 106/107 I G 7 46/47 II C/D 2/4
Gräditz 77 III B 2
Grado, O. 63 I D 2, 68/69 I G 6
Grado, Patriarchat 88/89 II C 2
Grahamland, Ld. 164/165 IV
Grahamstown 138/139 II B 3, 144 V B 3
Grai Resch 6 II B 1
Gran, Ebm. 88/89 I F 4
Gran, Fl. 86 I E 2/3, 112 II C 1/2
Gran, O. 75 C 5, 58/59 I N 5, 106/107 I K 6, 115 I D 3
Granada, Ebm. (Span.) 88/89 I B 6
Granada, Kgr. 64/65 II A 3, 92/93 I A/B 6, 102/103 I C 6
Granada, O. i. Mittelamerika 100/101 VII A 2
Granada, Iliberris, O. i. Spanien 64/65 I A 3, 130/131 I B 4, 154 V B 2
Granada, Prov. Spaniens 130/131 I A/B 4
Gran Chaco, Ldsch. 133 II B 3
Grandson 95 D 4
Grand Surrey-Kanal 109 I
Grängesberg, O. 150/151 I E 2
Granheim 120 V C 1
Granikos, Fl. 18/19 I G/H 1/2, 22/23 I D 1
Gran Sasso 156/157 I E 4
Gras 10 III D 1
Grasberg, Ldsch. 80 II B 2
Graschwitz 77 III B 1
Grasleben 56 VI B 1
Graslitz, Bg. O. 86 I B 1
Grasse, Bm. 88/89 II B 3
Graubünden, Kanton 80 II C—E 2, 124 II B 1, 130/131 II B/C 1
Graudenz 106/107 I K 3, 122/123 I H 2, 124 I E 1
Grauer Bund, oberer Bund, Hft. 80 II C/D 2
Graufesenque, Condatomagus 36 C 4
Graupen, Bg. O. 68/69 I G 3, 86 I B 1
Graupius mons, Geb. 36 B 1
Grave 114 C 2
Gravedona 24 II D 1
Gravelingen, Gravelines 95 B 2, 114 B 2
Gräverode, Wüstung 77 IV A 2
Graviscae 30/31 I B 2
Graz 68/69 I H 5, 75 B 5, 105 I D 3
Great Chesters, Aesica 40 I B 1
Great Yarmouth 148 I B 3
Greenwich 109 I
Greetsiel 96/97 I D 3, 115 I B 2
Greifenhagen 106/107 I H 3
Greiffenberg 92/93 II C 3
Greifswald, O. 68/69 I G 1, 75 B 3, 122/123 E 1
—, Universität 91 V C 1
Greiz 122/123 I E 3
Grenoble, Bm. 88/89 II B 2
Grenoble, Cularo, O. 24 II B 2, 58/59 I F 6, 68/69 I C 6, 130/131 I D 2
—, Universität 91 V B 2
Grenzgrund, O. 77 III B 2
Grenzmark Posen-Westpreußen 152 II F/G 2
Grenzprovinzen, nordwestl.. indische 135 I A/B 1
Gresik 135 II C 1
Grethen 77 II
Grevenmacher 80 I B 2
Grevesmühlen 83 II B 2
Greyerz, Gruyère, Gft. 80 II B 2
Griechen,V. 3 I, 150/151 II, 153 V, 160 I u. II
Griechenland, Ld. 18/19, 38/39 I
Griechenland, Bevölkerungsverluste 161 III
Griechenland, Kgr., Rep. 124 III, 128 II, 128 IV u. V, 130/131 I F/G 4, 145 IV, 145 V B 3, 145 VI B/C 3/4, 148 I F 5/6, 156/157 I F 4/5, 156/157 III D 3/4, 164/165 III, 166/167 II u. III, 168
Griechische orthodoxe Kirche 52 III, 56 II, 61 II u. V, 64/65 I u. III, 88/89 I
Griechische Sprache 70 II
Griechisch-kyprische Silbenschrift 9 II D 2
Griesbach, O. 153 II
Griesheim 77 I A 1
Gries-Paß Schweiz) 80 II C 2
Grigoriu, Athos-Kl. 45 VI B 2
Grimaldi 1 III C 2
Grimburg, O u. Amt 80 I B 2
Grimma 77 II, 106/107 I G 4
Grimsby 110 B 2
Grimsel-Paß 80 II C 2
Grinario, Köngen 40 II C 3
Grion, Geb. 13 III A/B 2
Gripsholm, Schloß 113 D 3
Gröba 56 IV
Grobin, Seeburg 60 I I 2, 75 D 2, 113 E 3
Grodno 67 III C 2, 75 E 3, 116/117 I H 3, 148 I F 3, 156/157 III D 2, 160 III D 2
Grohnde 37 II B 1
Groitzsch 77 II
Grone, Pfalz b. Göttingen 62 II B 2
Gronau, Kl. b. Oberwesel 80 I C 1
Gronau, O. b. Elze 81 III A 1
Groningen, Hft. 96/97 I D 3, 104 III C 1
Groningen, O. 68/69 I D 2, 78 IV C 1, 104 III C 1
Groningen, Prov. 115 I B 2
Groninger Land 122/123 I B 2
Grönland, Bm. 88/89 I A 1
Grönland, Ins. 60 I A/B 1, 61 I A 1
Grönland, dän. Besitz 135 I F/G 1, 156/157 II D/E 1
Groote Schijn-Bach 143 I b
Grootfontein 138/139 II A 1
Groppendorf 56 VI B 2
Grosny, Erdölfeld 163 II C 2
Grosnyj, O. 134 I E 2, 156/157 I H 4
Groß-Bardau 77 II
Groß-Bartensleben 56 VI B 2
Groß-Beeren 126/127 III D 1
Groß-Betschkerek 145 V B 1
Groß-Bothen 77 II
Großbritannien, Auswanderung n. d. USA 144 II
—, Bevölkerungsverluste 152 III, 161 III
Großbritannien u. Irland, Verein. Kgr. 115 II F 2, 116/117 I A—D 1—4, 128 II, 138/139 I I/K 2, 145 III u. IV, 148 I A/B 2/3
Großbritannien u. Nordirland, Kgr. 150/151 I C/D 3, 156/157 I B/D 3, 156/157 III A/B 2, 164 III, 166/167 I—III, 168
Großbritann. Besitz i. d. Antarktis 164/165 IV
Großchan-Kaiserreich 72/73 II H—N 2—5
Groß-Dechsendorf 56 III
Großdeutsches Reich 155 I u. II, 156/157 I—III, 160 I
Groß-Dirschkeim 121 II
Groß-Dölzig 77 II
Große Cayman Ins. 116/117 II C 5
Große Kabardei, Ldsch. 134 I D/E 1/2
Große Kuhlake, Ot. v. Berlin 161 II
Große Oase, El Charge, Hibe 9 I D 4
Großengottern 77 IV B 2
Großer Erg, Wüste 163 III A/B 2/3
Großer Fisch-Fluß 138/139 II B 3
Großer Graben, Fl. (am Elm) 56 VI A/B 2
Großer Salzsee 133 III B 2
Großer St. Bernhard-Paß 58/59 I G 6
Grosseto 24 II E 3, 63 I C 3, 94 I D 3, 94 II D 3
Groß-Friedrichsburg, brandenburg. Kol. 111 I F 3, 163 IV A 3
Groß-Gerau 40 II B 2
Großgrabe, O. 77 IV B 2
Groß-Griechenland, Groß-Hellas, Ldsch. 17 I, 25 I D—G 3—5, 30/31 I D—I 4/5
Groß-Gründlach 81 I
Groß-Hubnicken 121 II
Groß-Jägersdorf, O. i. Ostpr. 116/117 III
Groß-Kanischa 96/97 I I 6, 106/107 I I 6, 112 II B 2
Groß-Karoly 112 II E 2
Groß-Kolumbien, Ld. 133 II A—C 1/2
Groß-Krotzenburg 40 II B 1
Großmährisches Reich 56 II A/B 1/2, 58/59 II C/D 1
Großmogulreich 111 II C/D 1/2, 116/117 IV
Groß-Nossen 77 III B 1
Groß-Polen, Ldsch. 67 III B 2, 106/107 I H—K 3
Groß-Reuth 81 I
Großrussen, V, 134 I, 150/151 II
Groß-Salze, Bg. O. 86 I A 1
Großsteinbauten, —gräber, 2 II, 3 II
Großsteingrab-Kultur 2 I
Groß-Strehlitz 68/69 I K 3
Großwardein, Bm. 88/89 I G 4
Großwardein, O. 75 D 5, 102/103 I H 4, 112 II D 2, 160 III D 3
Groß-Ziehen 143 II
Groß-Zschepa 77 II
Grotenburg 37 II A 2
Grottaglia 30/31 I H 4
Grotta oscura 30/31 II A 1
Grotte di Torri 30/31 II B 1
Grubenhagen, Fsm. 122/123 I D 3
Grumbach, Burg 96/97 I F 5
Grumentum 30/31 I F 4
Grumum 30/31 I G 3
Grünau, O. i. Berlin 143 II
Grünberg, O. i. Hessen 78 III B 2
Grünberg, O. i. Schlesien 122/123 I F 3
Grund, Bg. O. 86 I A 1
Grundlach-Bach 81 I
Grunewald, Forst 143 II
Grunewald, O. 143 II
Grünhain, Kl. 88/89 III B 1
Grünhoff 121 II
Grünwald, O. a. Isar 37 I C 2
Grünwinkel 40 II B 2/3
Grusinien, s. Georgien, Ldsch. 134 I E 2/3
Grusinische Heerstraße 134 I E 2/3
Grusinische SSR 150/151 I H 4
Grüssau, Kl. 88/89 III C 1
106/107 I I 4
Gruyère, Greyerz, Gft. u. O. 80 II B 2
Grylios, Fl. 18/19 I G/H 2
Gryneion 18/19 I H 3
Grytviken, Ins. 164/165 IV
Gschaid, Gr.-, Kl.- 81 I
Gsteinach 81 I
Guadalajara, O. i. Mexico 118 III B 1
Guadalajara, O. i. Spanien 90 I A 2, 154 V B 1
Guadalcanar, Ins. 158 I E/F 5, 158 II E/F 5
Guadaloupe, Gouadeloupe, Guadeloupe, Ins. 100/101 VII C 2, 118 III D 2, 133 II B 1
Guadalquivir, Wadi al Kebir, Baetis, Fl. 38/39 II A/B 2, 64/65 I A 3, 130/131 I A/B 4
Guadarrama, Geb. 154 V B 1
Guadiana, Fl. 92/93 I A/B 6, 130/131 I A/B 4
Guadix, Bm. 88/89 I B 6
Guam Ins., span. V. St. 137 I E 4, 158 I E 4, 158 II E 4
Guanahani, San Salvador, Ins. 100/101 VII B 1
Guanajuato 118 III B 1
Guano-Inseln, brit. 138/139 I K 6, 138/139 II A 2
Guantanamo 156/157 II C 3/4
Guarani, V. 118 III E 4
Guarda, Bm. 88/89 I A 5
Guardiana, Anas, Fl. 38/39 II A/B 2
Guastalla, Fsm. u. O. 63 II B 2, 94 I D 2, 94 II D 2, 124 I C 3, 124 II B 1, 130/131 III C 2
Guatemala, Staat 133 I D 4, 144 I D 4, 164/165 III, 166/167 II u. III, 168
-, O. 118 III C 2
Guaviase, Rio, Fl. 100/101 VII B/C 3
Guayana, brit., ndld., frz. Kol. 118 III D/E 2, 125 II, 133 II B/C 1, 138/139 I F/G 4, 156/157 II C/D 4
Guayaquil 118 III D 3, 133 II B 2
Gubbio, Iguvium 25 II C 1, 53 I B 2
Guben 68/69 I H 3, 96/97 I H 4, 122/123 I F 3
Gubla, Gebal, s. auch Byblos 8 I B 3
Gudbrandsdal, Ldsch. 60 I F/G 1
Gudenushöhle 1 IV C 2
Gudscherat, Ldsch. 72/73 II G 5, 72/73 V A/B 2, 98/99 I G/H 5, 135 I B 2
Gudschrat, O. 135 I B 1
Gudvala, Kl. 87 II C 2
Guéret 122/123 II B 2
Guernsey, Ins. 92/93 I B 4, 110 B 3
Guhrau 122/123 I G 3
Guildford 85 II A 1
Guinea, Golf von 98/99 IV 132 I B/C 3/4
Guinea, frz. Kol. 132 I B 3
—, portug. Kol. 132 I B 3
—, span. Kol. 162 III B 2
Guinea, Staat 162 III A 2, 164/165 III, 168
Guinegate 95 B 2
Guines 95 A 2
Guipuzcoa, Ldsch. 66 I A 3, 66 II B 3
Guise 95 B 3, 110 C 3
Guium 38/39 II C 2
Gula 60 I F 1
Gulberga 72/73 V B 3
Gülistan 134 I F 3
Gumbinnen 129 II L 1
Gumelnitza 2 I D 2
Gumelnitza-Kultur 2 I D 2
Gummis 28 IV B 2
Gundelsheim 122/123 I C 4
Gunib 134 I F 2
Gundremmingen 40 II D 3
Güns 54/55 I F 3, 75 C 5, 106/107 I I 6, 112 II B 2
Güntersbühl 81 I
Günthersdorf 77 II
Guntia, Günzburg 40 II D 3
Guntur 135 I C 3
Gunuga 34/35 III A 1
Günzburg, Guntia 40 II D 3
128 I C 2
Günz-Eiszeit 1 II
Gunzendorf 56 III
Gunzenhausen 40 II D 2
Gupta-Reich 46/47 III E—G 2—4
Gurdschara-Pratihara-Reich 46/47 IV B/C 4
Gurgan 64/65 III G 3
Gurgum, Ldsch. 9 III E 2
Gurien, Ldsch. 134 I C/D 2/3
Gurina 24 II F 1
Gurjew 119 I 5, 163 II D 2
Gurk, Bm. 88/89 II C 2
Gurk, Bm.-Territ. 96/97 I H 6
Gurk, O. 58/59 I L 5
Gurnes 10 I B 1
Gurnet Murai i. Theben 7 IV
Gurnia 10 I B 1
Gurschdorf 77 III B 2
Gurulis 25 I B 3
Gürün 8 I B 2
Güstebiese 121 III u. IV
Güstrow 82 I B 1, 83 II C 2, 122/123 I E 2
Gutäer, V. 3 II F 3
Gutenfürst 161 V
Gutenstein, O. 120 V B 2
Gutenzell, Kl. 120 V D 1/2
Guttwitz 77 III B 1
Guyenne, Aquitanien, Hzm. 58/59 I C—E 5—7, 66 I A/B 2, 68/69 III B/C/2, 70 I A/B 2/3, 92/93 III B/C 2, 102/103 I C/D 5
Guyenne et Gascogne, Gouvernement 122/123 II A/B 2/3
Guzana, Tell Halaf 6 IV B 1
Gwadar 135 I A 2
Gwalior 72/73 V B 2, 98/99 I H 5, 135 I B 2
Gyantse 136 I B 4
Gyaros, Ins. 18/19 I E 4
Gymnesische Ins., Balearen 14/15 I B 2/3
Gymnias 22/23 III C 1
Gyrton 18/19 I C 2
Gytheion, Gzthion, Gythium 13 II B 2

Haag, Den Haag 104 III B 1
Haager Konferenzen, Konventionen 146 III, 152 V
Haar-Geb. 37 II A 2, 56 V B 1/2
Haard-Wald, b. Recklinghausen 56 V B 1
142 IV B 1, 142 V B 1
Haardt, Geb. a. Oberrhein 54/55 II E 3
Haarlem 78 IV B 1, 104 III B 1
Habana, Havanna 100/101 VII A 1, 118 III C 1
Habana, Havana 118 III C 1
Habesch, Äthiopien, Ldsch. u. Staat 34/35 I F/G 5, 42/43 I F/G 5
Habitancium, Risingham 36 B 1
Habsburg, Burg 68/69 I E 5, 80 II C 1
Habsburger, Geschlecht 70 I, 71 III, 96/97 I u. II
Habsburger Lande, s. auch Österreich 102/103 I, 104 III, 106/107 I, 110, 114, 115 I, 116/117 I, 122/123 I
Habsburgisch-Ungarn, s. auch Ungarn, Kgr. 102/103 I F—H 4/5, 106/107 I H—L 5—7, 112 I B/C 1, 112 II B/D 1/2, 115 I C—E 3/4
Hadamar, Kl. 80 I D 1, 124 I C 2, 126/127 II B 2
Haddeby 60 IV B 1
Haddebyer Noor 60 IV B 1/2
Hadeln, Ldsch. 68/69 I E 2, 122/123 I C 2
Hadersleben 96/97 I E 2
Hadid 8 III A 3
Haditha 163 II C 3
Hadjar 50/51 G 5
Hadramaut, Ldsch. 46/47 I C/D 5, 98/99 I E/F 5/6, 164/165 I M 4
Hadranon, Hadranum 17 I C 3
Hadria, O. i. Picenum 30/31 I D 2
Hadriani, O. i. Mysien 38/39 I E 3
Hadrianopolis, Adrianopel, Edirne 38/39 I E 2
Hadrianopolis, O. i. Epirus 38/39 I D 3
Hadriansstadt, Ot. i. Athen, Plan 12 VI
Hadrianswall, Vallum Hadriani 36 B 1/2, 40 I
Hadrianutherae 38/39 I E 3
Hadrumetum, Sousse 11 II C 2, 34/35 III C 1, 48 II C 3
Haedui, Aedui, Häduer, V. 29 I B/C 2
Haemimontus (röm. Prov.) 42/43 I E 2
Haemi promuntorium, Kap 38/39 I E 2
Haemos, Haemus mons, Geb. 38/39 I D/E 2
Haffküstenkultur 2 II C/D 1
Hafrsfjord, Fjord 57 I C 2
Hafsiden-Herrschaft 70 II A/B 3
Haft Kel, Erdölfeld 163 II C 3
Haft Safid, Erdölfeld 163 II C 3
Hafun, Dante 154 IV C 1
Hagelberg, O. 126/127 III D 1
Hagen 122/123 I B 3, 142 IV B 2, 142 V B 2
Hagenau 5 I B 3, 62 II A 3, 68/69 I D 4, 95 D 3, 114 D 3, 115 I B 3
Hagenberg, O. 81 I
Hagenow 122/123 I D 2
Hagir Eirene 10 I B 2
Hagia Marina 2 II D 3, 4 VII A 2
Hagia Pelagia 10 I B 1
Hagia Photia 10 I B 1
Hagia Sophia, Kirche i. Konstantinopel, Plan 45 V
Hagia Triada 10 I A 1
Hagiorgitika 4 VII A 2
Hagios Dionysios, Athos-Kl. 45 VI B 2
Hagios Georgios-Insel 14/15 IV A 2
Hagios Johannis 10 I B 1
Hagios Kosmas 12 V
Hagios Mamas 10 II C 1
Hagios Nikolaos 10 I B 1
Hagios Paulos, Athos-Kl. 45 VI B 2
Hagios Sabas 10 I B 2
Hagios Theodoros 10 I B 1
Hagnus 13 I B 2
Haidarabad, O. a. Indus 135 I A 2
Haidarabad, O. i. Südindien 135 I B 2
Haidarabad, Reich des Nisam von 116/117 IV B/C 3, 135 I B/C 3
Haidra, Ammaedara 34/35 III B 1
Haifa 64/65 IV A 4, 134 II B 2, 162 IV A 1
Haikal 6 IV B 1
Hail 153 VI D 3
Haimon, Fl. 22/23 IV
Hain, O. b. Boma 77 II
Haina, Kl. 88/89 III A 1
Hainan, Ins. 72/73 I D/E 4, 136 I D/E 5, 158 I C 4, 158 II C 4
Hainburg, O. 58/59 I M 4
Hainich, Geb. 77 IV A 2
Hainichen 77 II
Haiphong 136 II B 1
Haithabu 56 I B 1, 57 I C 2, 58/59 I H 1, 61 III B 2, 61 IV C 2
—, Plan 60 IV
Haïti, Ins. 100/101 VII B/C 2 115 II C 4, 125 II

Haïti, Rep. 133 I E 4, 164/165 III, 166/167 II u. III, 168
Hajdu-Böszörmény 5 II D 3
Hajduken, madjarische, V. 112 II
Hajdu-Samson 5 I D 3
Hakenfelde 143 II
Hakodate 137 I E 2
Halai, O. i. Ost-Attika 13 I C 2
—, O. i. Süd-Attika 13 I B 2
—, O. i. Lokris Eoia 18/19 IV B 1
Halaisa, Halaesa 17 I C 2
Halasarna 18/19 I H 5
Halberstadt, Bm. 56 I B 2, 88/89 II C 1
—, Bm.-Territ. 81 III B 1/2, 115 I C 2
—, Fsm. 122/123 I D 2/3
—, O. 68/69 I F 3, 81 III B 2, 122/123 I D 3
Haldensleben 62 II C 1
Haleb, Aleppo, Chalybon, Beroia 8 I B 2, 22/23 II C 2, 130/131 I K 4
Halgerdeshus, Wüstung 56 VI B 1
Halheim 40 II D 3
Haliakmon, Haliacmon, Wistritsa, Fl. 18/19 II A/B 2/3
Haliartos, O. i. Böotien 18/19 IV B 2
Haliartos, O. i. Messenien 18/19 I B 4
Halicyae, Halikyai 17 I A 3
Halieis 18/19 I D 4
Halifax, O. i. England 110 B 2
Halifax i. Neu-Schottld. 116/117 II E 2, 156/157 II C 2,
Halikarnassos, Halicarnassus 11 I E 2, 18/19 I H 4
Halikyai, Halicyae 17 I A 3
Halimus 12 V, 13 I B 2
Halis, Fl. i. Jonien 18/19 I H 3
Halitsch, Bm. Ebm. 88/89 I G 4,
—, Fsm. 64/65 I D 1/2, 64/65 II D 1/2
—, Kgr. 67 III C/D 2/3
—, Metropolitie 88/89 I G 4
—, O. 61 II C 2, 67 III C 3, 71 I B 3
Halkyonischer Golf 13 I A 1
Hall s. Schwäb. Hall
Hall, Bg. O. i. Tirol 86 I A 3, 86 II E 2, 105 I C 3, 144 I I 2
Halland, Ldsch. 60 I G 2, 113 C 3
Halle, O. i. Brabant 95 C 2
Halle, O. a. d. Saale 54/55 I E 2, 68/69 I F 3, 75 A 4, 86 I B 1, 115 I C 2, 122/123 I D/E 3
Halle-Merseburg, NS-Gau 155 I B/C 2
Hallein, Bg. O. 86 I B 3
Hallstadt, O. i. Franken 54/55 I E 3
Hallstatt, Bg. O. i. Salzkammergut 24 I D 3, 86 I B 3
Hallstatt-Kultur 5 II, 24 I
Hallungen 77 IV A 2
Halmstad 110 E 1
Halogaland, Ldsch. 57 I D 1
Halone, Ins. 18/19 I H 1
Halonnesos, Ins. 18/19 I E/F 2
Halos 18/19 I C 2
Halpi 9 III E 2
Hälsingborg s. Helsingborg
Halte 140 III
Haltern, Aliso 37 I A 1, 41 II B 2, 142 IV B 1
Halton, Hunnum 40 I B/C 1
Haluntium 25 III A 1
Halupe 6 IV B 1
Halus 18/19 I C 4
Halwan Alaman, Saripul 6 IV C 2
Halykos, Halycus, Fl. 17 I B 3
Halys, Kisil I., Kizil Irmak, Fl. 38/39 I F/G 2/3, 50/51 E 3/4, 70 II F/G 2/3
Ham, O. i. Frankreich 148 II B 3
Hama, O. i. Syrien 64/65 IV B 3, 134 II B 2
Hamadan, Gau 134 II C 2
Hamadan, Ekbatana, Epiphaneia, O. 9 III G 3, 22/23 II E 3, 50/51 F 4, 98/99 I E 4, 112 I E 2
Hamar, Bm. 88/89 I E 1
—, O. 60 I G 1, 113 C 2
Hamath, Epiphania, O. a. Orontes 8 I B 2, 22/23 II C 2, 41 III B 2
Hamaxitos 18/19 I G 2
Hambach, O. 128 III
Hamborn 142 IV A 2, 142 V A 2
Hamburg, Ebm. 56 I B 1, 61 I, 88/89 II B 1
Hamburg, evang. Landeskirche 161 VII
—, NS-Gau 155 I B 2
—, O. 54/55 I D/E 2, 68/69 I F 2, 75 A 3, 105 I C 1
—, Freie Stadt 122/123 I D 2, 125 I C 2, 129 I D 2, 141 I B/C 2, 141 II B/C 2, 152 II C/D 2, 156/157 III B/C 2, 160 III A 2
Hamburg-Ahrensburger Kultur 1 IV B/C 1
Hamburg-Bremer Mission 56 I, 61 I
Hameln 37 II B 1, 56 I B 1, 81 III A 1, 122/123 I C 2
Hämen, Tavastländer, V. 60 I I/K 1
Hameriten, V. 34/35 I G 5
Hamid, Ldsch. 70 II F 3, 71 II C/D 4, 112 I C/D 2
Hamilton, O. i. Kanada 138/139 I F 2
Hamilton, O. i. Schottland 102/103 I C 2
Hamiten, Völkergruppe 3 I B—D 3/4, 132 III
Hamm, O. i. Pommern 106/107 I H 3
Hamm, O. i. Westfalen 56 V B 1, 122/123 I B 3, 142 IV C 1, 142 V C 1
Hammadiden-Reich 64/65 I B 3
Hammamat, Wadi 6 I A 2
Hammath a. See Genezareth 8 III B 2
Hammelburg, Pfalz 54/55 I D 2
Hammerfest 147 F 1
Hammerstein, O. u. Amt 80 I C 1
Hammon, O. i. Phönizien 34/35 II B 1
Hamtha 8 III B 2
Hampton Court, Burg 90 II A 1
Han-Dynastie i. China 3 V
Han, Staat 3 V B 2
Hanäser, Anasarta 41 III C 2
Hanau, Gft. 122/123 I C 3
—, Fsm. 126/127 II B 2
Hanau 68/69 I E 3, 105 I C 2, 126/127 II B 2, 126/127 III B 2
Hanau-Lichtenberg, Gft. 122/123 I B 4
Handelsverein, mitteldeutscher 129 I
Hangenstein, Bg. O. 86 I D 2
Hangö 113 E 3, 156/157 I F 3
Hang-tschou 72/73 I E 2, 136 I E/F 3/4
Hanifa, V. 50/51 F 5
Hankau, Wuhan 136 I E 3, 136 III B 3, 158 II C 3, 162 I B 2, 162 II C 2, 164/165 I P 3
Hannathon 8 III B 2
Hannover, evang. Landeskirche 161 VII
Hannover, Kgr. 128 III, 129 I B—D 2/3, 129 II C—E 2/3
—, Kurfsm., s. auch Welfische Lande 116/117 III, 122/123 I C/D 2
—, O. 37 II B 1, 68/69 I E 2, 105 I C 1, 122/123 I C 2, 160 III A 2
—, Plan 82 IV
Hannover, preuß. Prov. 152 II B—D 2
Hanoi 72/73 I D 3, 136 II B 1, 158 I C 3, 158 II C 3, 162 II C 2
Hanse, Hansehandel 68/69 I, 84 I u. II
Han-tschung 46/47 I I 3
Hanyeri, Comana, Hieropolis, Komana 8 I B 2, 38/39 I G 3
Hapalla, Ldsch. 8 I A 2
Hapsal, Bm. 88/89 I G 2
Hapsal, O. 75 D 2, 104 IV B 1, 113 E 3
Harada 6 IV B 1
Harae 41 III D 3
Harappa 3 II I 3
Harar 138/139 III C 2, 154 IV B 2
Harbke 56 VI B 2
Harburg, Argentovaria, O. i. Elsaß 37 I A 2
Harburg, Hzm. 96/97 I E 3
Harburg, O. a. d. Elbe 122/123 I C 2
Hardehausen, Kl. 88/89 III A 1
Harderwijk 68/69 I C 2
Harenatium 37 I A 1
Harfleur 92/93 III C 1, 110 C 3
Haridu 6 IV B 2
Harier, V. 41 I
Harim, Burg 64/65 IV B 2
Hariri, Mari 6 III B 2
Harlingen 104 III B 1
Harma 18/19 IV B 2
Harmal 6 III B 2, 6 IV B 2
Harmatus, Kap 18/19 I G 3
Harmersbach, Fl. 77 I B 2
Harmonassa-Caesarea 38/39 I G 2
Harmotia, Harmozia, Hormus 22/23 I G 3, 46/47 I D 4, 50/51 G 5, 72/73 II E 5, 111 II B 1, 134 II D 3
Harmozica, Harmozika 34/35 I G 2
Haroscheth 8 III B 2
Harpagion 18/19 I H 1
Harpii, V. 38/39 I E 1
Harpis, O. 38/39 I E 1
Harran, Carrhas, Charan i. Mesopotamien 8 II B 2, 22/23 II C 2, 28 II E 3, 41 III D 1, 64/65 IV C 2
Harran i. Syrien 41 III B 2
Harrien, Ldsch. 104 IV C 1
Harrouard, Fort 2 I B 2
Harsany 106/107 I K 7
Harscha-Reich (Indien) 46/47 III E—H 2/3
Harsefeld, Kl. 58/59 I H 2
Harterode, Wüstung 77 IV A 2
Hartlepool 54/55 I B 2, 104 I B 2
Hartley 142 I—III B 1
Hartmannsweilerkopf, Bg. 148 II D 3
Haruden, V. 24 I C/D 1/2
Harwich 110 C 2
Harz, Geb. 74 III B 2, 156/157 III C 2
Harzburg, Burg, Bg. O. 58/59 V B 2, 86 I A 1
Harzburger Front 153 II
Harzgerode, Bg. O. 86 I A 1
Hase, Fl. 37 II A 1
Haselhorst 143 II
Hasengau, ägypt. 8 II B 3
Hasenpoth 75 D 2
Haslach 77 I B 2, 122/123 I C 4
Hasmonäer-Staat 28 I E 2, 29 III C 2
Hasor 8 III B 1
Hasselt, O. i. Bm. Utrecht 68/69 I D 2
—, O. i. Bm. Lüttich 95 C 2, 104 III B 2, 126/127 IV B 2
Hassi-Geb. 41 III C 2
Hassi Messaud, Erdölfeld 163 III B 2
Hassi R'mel, Erdölfeld 163 III A 2
Hassuna 6 II B 1, 6 IV B 1
Hasta, Asti 36 D 4
Hasta, O. i. Baetica 38/39 II A 2
Hasta, O. i. Toskana 30/31 I B 2
Hastenbeck 116/117 III
Hastinapur 22/23 I I 3
Hastings 60 I E 3
Haswell 142 II B 2, 142 III B 2
Hatay, Ldsch. 150/151 I G 5
Hatfield House, Schloß 90 II A 1
Hatien 136 II B 2
Hatita 34/35 II C 2
Hatnub 6 I A 2
Hatra, Ot. i. Alexandria (Ägypten) 26/27 V
Hatra, O. i. Mesopotamien 34/35 I G 3
Hatteras, Fort 133 III F 3
Hatti, Hethiter, V. u. Ldsch. 8 I A 2, 8 I B 2
Hattiland der Großreichzeit, s. auch Hethiter 8 I A/B 2
Hattin, Ldsch. b. Alexandrette 8 I B 3
Hattin, O. i. Palästina 64/65 IV A 4
Hattingen 142 IV B 2, 142 V B 2
Hattusa, Hattusas, Bogazköy 8 I A 1
—, Plan 7 VIII
Hatvaner Kultur 5 I D 3
Hauran, Auranitis, Ldsch. 8 IV C 3
Haurieden, Wüstung 77 IV A 1
Hausach 77 I B 2
Hausberg 40 II B 1
Hausbergen, O. 78 III A 3
Hausen, Hft. 122/123 I C 4
Hausen, Wüstung 77 IV B 2
Hauserode, Wüstung 77 IV A 2
Hausruckviertel, Ldsch. 128 I D 2/3
Haussa, V. 98/99 IV
Haute Garonne, Dép. 122/123 III B 3
Haute Loire, Dép. 122/123 III B/C 2
Haute Marne, Dép. 122/123 III C 1/2
Hautes Alpes, Dép. 122/123 III C 2
Haute Saône, Dép. 122/123 III C 2
Hautes Pyrenées, Dép. 122/123 III A/B 3
Haute Vienne, Dép. 122/123 III B 2
Haut-Rhin, Dép. 122/123 III C 1/2
Havana, Habana 100/101 VII A 1, 118 III C 1
Havel, Fl. 58/59 I K 2, 122/123 I E 2
Havelberg, Bm. 88/89 II C 1
—, Bm.-Territ. 68/69 I G 2
—, O. 58/59 I K 2, 122/123 I E 2
Haverford Township 118 II A 2
Havuzköy 8 I B 2
Hawaii-Ins. 100/101 VIII F 1, 137 I H 3/4, 158 I H 3/4, 158 II H 3/4
Hawara 6 I A 2
Hayingen 120 V B 1
Hayn, O. b. Leipzig 77 II
Hazar-enan 8 IV D 1
Hazebrook 148 II B 1
Heard-Ins. 164/165 I N 7
Heba, Magliano 25 II B 2
Hebburn 142 I—III A 2
Hebräische Alphabet 9 II D/E 3
Hebriden, Bm. 88/89 I A 2
Hebriden, Süderinseln 60 I C 2, 102/103 I B 2
—, Kgr. Man 66 II B 2
—, schott. 92/93 I A 2
Hebron 8 III B 3, 34/35 II B 3, 64/65 IV A 5, 162 IV B 2
Hebros, Hebrus, Maritza, Fl. 18/19 I G 1, 38/39 I E 2
Hebuden, Hemoden, V. 24 I B 2
Heddernheim, Civitas Taunensium Nida 40 II B 1
Heddesdorf 40 II A 1
Hedemora 113 D 2
Hedschas, Ldsch. 50/51 E/F 5, 162 III C 1
Hedschas, Wilajet 132 I D 2, 134 II B 3
Hedschas u. Nedschd, Kgr. 146 I D/E 1, 153 VI C/D 3, 162 III C/D 1
Hedschas-Bahn 148 III A 3
Heerstraße, Ot. v. Berlin 161 II
Heeßen 142 IV C 1, 142 V C 1
Heftrich 40 II B 1
Heggbach, Kl. 120 V C 2
Hegyes, Pußta-Wüstung 140 V A 2
Heide, O. b. Antwerpen 143 Ib
Heidelbach, Ober-, Unter-, O. 81 I
Heidelberg, Rufiniana, O. 40 II B 2, 68/69 I E 4, 106/107 II, 114 E 3, 128 I B 2
—, Universität 91 V B 2
Heidengraben, O. 40 II C 3
Heidenheim 52 II C 2
Heidenheim, Aquileia, O. 40 II D 3, 128 I C 2
Heidweiler 40 IV A 2
Heilbronn, RSt. 54/55 I D 3, 68/69 I E 4, 122/123 I C 4, 128 I B 2
Heiligenbeil 106/107 I K/L 2
Heiligenberg b. Heidelberg 40 II B 2
Heiligenberg, O. i. d. Vogesen 40 II A 3
Heiligenkreuz, Kl. 87 II C 3
Heiligenkreuzthal, Kl. 120 V B 2
Heiligenstadt 62 IV D 2, 105 I C 2
Heiligenzell, O. 77 I A 2
Heiligerlee 104 III C 1
Heiliges Römisches Reich deutscher Nation 102/103 I, 104 II, 105 I, 106/107 I u. II, 116/117 I, 122/123 I
Heilsberg, O. 96/97 I L 2, 122/123 I I 1
Heilsberg (Ermland), Bm. 88/89 I G 3
Heimendorf 81 I
Heimsheim 62 III C 3
Heinersdorf, Ot. v. Berlin 143 II
Heinersdorf, O. b. Ottmachau 77 III B 2
Heiningen, Kl. 58/59 V B 1
Heinrichau, Kl. 88/89 III C 1
Heinstetten 120 V A 2
Heinzendorf 77 III B 2
Heisingen 56 V B 2
Heisterbach, Kl. 88/89 III A 1
Hekale 13 I B 1
Hekatompedon, T. i. Athen 12 II
Hekatompylos, O. i. Hyrkanien 22/23 I G 2, 46/47 I D 3
Hekatonnesoi, Ins. 18/19 I G 2
Hekla, Berg 57 III B 2
Hela 96/97 K 2, 122/123 I H 1
Heleia 10 III D 1
Heldenbergen 40 II B 1
Helder 104 III B 1
Heldringhausen 56 V B 1
Helela 41 III D 3
Helellum, Ehl 40 II A 3
Helena, Ins. 13 I C 2
Heleno-Pontus, Dios Pontus, röm. Prov. 42/43 I F 2
Helgoland, Abalas, Ins. 24 I C 2, 58/59 I G 1, 68/69 I D 1, 152 II B 1, 122/123 I B 1, 124 I B 1
Helike 18/19 I C 3
Helikon, Geb. 18/19 IV A/B 2
Heliopolis, O. i. Ägypten 6 I A 1, 125 I F 4
Heliopolis, Baalbek 38/39 I G 4
—, Tempel, Plan 34/35 IV
Helisier, V. 41 I
Helisson, Fl. 18/19 I C 4
Helkat 8 III B 2
Helladische Kultur 2 I D 3, 2 II D 3, 10 II
Hellana 30/31 I B 1
Hellas, Ldsch. a. Golf v. Malia 10 II C 2
—, s. Griechenland 22/23 I D 2
Hellas, byzant. Thema 54/55 I G 5
Hellenpütz 40 II A 1
Hellespontos, Hellespontus, Meerenge 18/19 I G 1
Hellopia, Ldsch. 18/19 I A/B 2
Hellweg, Straße 37 II A 2, 37 II B 1, 142 IV C 1, 142 V C 1
Helmsdorf 77 IV A 1
Helmstedt, O. 81 III B 1, 161 I u. V
—, Kloster St. Liudger
Heloros, Helorus 17 I D 4
Helos, O. i. Jonien 18/19 I G 3
Helos, O. i. Lakonien 13 II B 2
Helse, Wüstung 56 VI B 2
Helsingborg 84 I C 2, 110 E 1, 113 C 3
Helsingfors, Helsinki 74 II C 1, 113 F 2, 119 C 2, 148 I F 1, 156/157 I F 2, 156/157 III D 1
Helsingland, Ldsch. 113 C/D 2
Helsingör 110 E 1
Helväonen, V. 41 I
Helvetier, Helvetii, V. 29 I C/D 2, 37 I A/B 3
Helvetische Republik 124 II A/B 1
Helvii, V. 36 C 3/4
Helvillum 30/31 I C 1
Hemamije 6 I A 2
Hemeroskopeion, Hemeroskopion 11 II A 2
Hemmingstedt 96/97 I E 2
Hemoden, Hebuden, V. 24 I B 2
Hengstburg, Burg 58/59 III C 2
Henneberg, Gft. 96/97 I F 4, 122/123 I D 3
Henneberg, O. 58/59 I I 3
Hennegau, Gft. 58/59 I E/F 3, 68/69 I B/C 3, 95 B/C 2, 96/97 I B/C 4, 104 III A/B 2
Hennen 142 IV C 2
Henrichenburg, O. 56 V B 1, 142 IV B 1, 142 V B 1
Henry, Fort 133 III E 3
Hepha 8 III B 2
Hephaistia 18/19 I F 2
Hephthaliten, weiße Hunnen, V. 46/47 III F/G 1/2
Heptanomis, Ldsch. 29 II B 2
Heräa, Heraia 20 III A 2
Heraclea Cybistra, Eregli, O. i. Kappadokien 38/39 I F 3, 64/65 IV A 2
Heraclea, Herakleia, O. i. Lukanien 30/31 I G 4
Heraclea, O. i. Makedonien 38/39 I D 2
Heraclea Minoa, O. a. Sizilien s. auch Herakleia Minoa 17 I B 3

Heraclea Pontica, s. auch Herakleia, Heraklea, Eregli, O. am Schwarzen Meer 11 II E 1, 38/39 I F 2, 70 II F 2
Heraclea Sintica, O. am Strymon 38/39 I D 2
Heraeum, T. i. Lukanien 30/31 I E 4
Heraia, Heräa 18/19 I B 4
Heraion, T. i. Argolis 18/19 I C 4
Heraion, Perachora, T. a. Isthmos 18/19 I C 3
Heraion, T. a. Samos 18/19 I G 4
Heraion Teichos, O. i. Thrakien 20 II E 2
Herakleia, O. i. Aiolis 18/19 I G 2
Herakleia, O. a. Hermos-Fl. 18/19 I H 3
Herakleia, O. a. Marmarameer 44 II D 2, 54/55 I H 4
Herakleia, O. i. Medien 22/23 II E 3
Herakleia Minoa, Heraclea Minoa, O. a. Sizilien 17 I B 3
Herakleia, Heraklea, Heraclea Pontica, Eregli, O. a. Schwarzen Meer 11 II E 1, 38/39 I F 2, 70 II F 2
Herakleia, Pleistarcheia, O. i. Jonien 13 III B 2
Herakleia, Sporaden-Ins. 18/19 I F 5
Herakleia, Trachinia, O. i. Oitaia 18/19 I C 3
Herakleion, Chandax, Candia, Kandia, O. a. Kreta 10 III C 1, 11 IV, 156/157 I F 5
Herakleion, O. i. Kempanien 24 II G 4
Herakleion, O. i. Thessalien 18/19 II B 3
Herakleion, T. i. Attika 12 V
Herakleion, T. i. Korydaller-Geb. 14/15 IV A 2
Herakleopolis, Ahnas 6 I A 2
Herakles Monoikos, Monaco 24 II C 3
Herat, Alexandria 22/23 I H 2, 46/47 I E 3, 50/51 H 4, 52 III E 3, 72/73 II F 4, 134 II E 2
Hérault, Dép. 122/123 III B 3
Herbede 142 IV B 2, 142 V B 2
Herbern 56 V B 1, 142 IV C 1
Herboldsdorf 81 I
Herbsdorf 77 III B 2
Herculaneum 30/31 III B 1
Herculis, Ins. 38/39 I A 2
Herdecke 56 V B 2, 142 IV B 2, 142 V B 2
Herdoniae 30/31 I F 3
Hereford, Bm. 88/89 I B 3
Hereford, O. 60 I D 3
Herentals-Kanal 143 Ia
Herero, V. 138/139 II A 2
Herford, Kl. 37 II A 1, 58/59 I H 2
Héricourt 95 D 4
Heri-Rud, Fl. 134 II E 2
Herisau 130/131 II B 1
Herjedalen, Ldsch. 113 C 2
Herleshausen 161 I u. V
Hermaeum promontorium, Kap 38/39 I E 4
Hermann, Frhr. v., Reichsritter 120 V D 1/2
Hermannstadt, Sibiu 67 III C 3, 75 E 5, 112 II F 3, 150/151 I F 4, 156/157 III D 3
Herminius mons, Geb. 38/39 II A 1
Hermione 18/19 I D 4
Hermokapeleia 18/19 I H 3
Hermon, Geb. 8 IV B/C 2, 34/35 II B/C 1
Hermonthis 6 I A 2
Hermopolis, Aschmunein 6 I A 2
Hermos, Hermus, Fl. 18/19 I H 3
Hermos, O. i. Attika 13 I B 1
Hermunduri, Hermunduren, V. 41 I B 2/3
Hermus, Hermos, Fl. 18/19 I H 3
Hernad, Fl. 106/107 I L 5
Hernals 109 V
Herne 142 IV B 1, 142 V B 1
Hernici, V. 24 II F 4, 30/31 II C 2
Herodeion 34/35 II B 3
Heroldishausen 77 IV B 2
Heroldsbach, O. 56 III
Heroldsberg, O. 81 I
Heroopolis 29 II B 1
Heroopolitischer Golf 29 II B 2
Herpersdorf 81 I
Herrenhausen, Schloß 122/123 I C 2
Herrevad, Kl. 87 II C 2
Herringen 142 V C 1
Herrnburg 161 V
Herrnhut 105 I D 2, 161 VII
Herschbach, O. u. Amt 80 I C 1
Hersfeld, Fsm. 106/107 I E 4
Hersfeld, Kl. 52 II C 2, 56 I B 2, 87 I D 1
Hersfeld, O. 126/127 II B 2
Herstal, Pfalz 54/55 II D 2
Herstelle 37 II B 2
Herten 56 V B 1, 142 IV B 1, 142 V B 1
Hertogenbosch 78 IV B 2, 95 C 2, 104 III B 2
Hertwigswalde 77 III A 1
Heruler, Heruli, V. 36 E 1, 42/43 I F 2, 48 I C 1, 48 I C 2, 48 I E 2
Hervest 142 IV B 1, 142 V B 1
Herzegowina, Ldsch. 92/93 I F 5, 130/131 I F 3, 145 V A 2, 145 VI A 2
Herzogenaurach 56 III
Herzwinkel, Wüstung 77 IV A 1
Herzynischer Wald, Geb. 24 I C/D 1/2
Hesbon 8 III B 3
Hesdin 95 B 2, 104 III A 2
Hesselbach, O. 40 II C 2
Hessen, Kurfsm. (Kurhessen) 126/127 II B/C 2, 129 I C/D 3, 129 II D/E 3
Hessen, Ld. 152 II C 3/4, 160/III A 2
Hessen, Landgft. 68/69 I E 3, 96/97 I E/F 4
—, Ldsch. 58/59 I H 3
—, V. 42/43 I C 1, 52 II C 2
Hessen-Darmstadt, Ldgft. 122/123 I C 3/4
—, Grhzm. 124 I B/C 2, 128 I A/B 1/2, 128 III A/B 1/2, 129 I C 3/4, 129 II D 3/4
Hessen-Homburg 128 I B 1
Hessen-Kassel, Ldgft. 104 II A 2, 122/123 I C/D 3
Hessen-Nassau,evang. Landeskirche 161 VII
Hessen-Nassau, NS-Gau 155 I A/B 2/3
Hestiaia 11 I C 1
Hestiaiotis, Ldsch. 18/19 I B/C 2
Hethiter, Hatti, V. 3 I E 3, 8 I B 2, 8 II B 2, 9 I
Hethiter-Kultur 5 I D—F 2/3, 5 II E/F 4
Hethiterreich 2 II E 2, 8 I, 9 I
Hethitische Bilderinschriften 8 I
Hethitische Hieroglyphen 9 II D/E 2
Het Ij, Meeresarm 109 II
Hetterscheid 56 V A 2
Hetzeldorf 56 III
Heuching 81 I
Heuneburg 24 I C 3
Heveller, V. 54/55 I E 2
Hever, Fl. 61 III A 2
Hexham, Bm. 52 I B 2
Heyerode 77 IV A 2
Hia 3 III B 2
Hia-Dynastie 3 III
Hibbe, Bg. O. 86 I E 2
Hibe, Ankyropolis 29 II B 2
Hibe, El Charge, Große Oase 6 I A 2, 9 I C/D 4
Hibernia, Iris, Erin, Irland, Ins. 24 I B 2, 34 I B 1
Hiddensee, Kl. 88/89 III B 1
Hiddinghausen 56 V B 2
Hierakonpolis, Nechen, Kom el Ahmar 6 I A 2
Hierapetra 10 I B 1/2
Hierapolis Bambyke, Membig, O. a. Euphrat 22/23 II C 2, 38/39 I G 3, 41 III C 1
Hierapolis Castabala, Kastabala, O. i. Cilicien 22/23 II C 2, 38/39 I G 3
Hierapolis, O. i. Phrygien 38/39 I E 3, 22/23 II A 2
Hierapytna 10 III C 1
Hierasus, Sereth, Fl. 38/39 I E 1
Hierasykaminos, Maharraka 29 II B 3
Hieron-Geb. 10 III C 1
Hieron, O. a. Bosporus 20 II F 2
Hieropolis, Comana, Hanyeri 38/39 I G 3
Hierosolyma, s. Jerusalem, Aelia Capitolina 42/43 I F 3, 42/43 II E 3
Hiesfeld 142 IV A 1, 142 V A 1
High Callerton 142 I—III A 1
High Rochester, Bremenium 40 I B/C 1
High Spen 142 I—III A 2
Higr, Egra 34/35 I F 4
Hilara, Iller, Fl. 37 I C 2/3
Hilbeck 142 IV C 1, 142 V C 1
Hildburghausen, Hzm. u. O. 122/123 I D 3
Hildesheim, Bm. 56 I B 1, 88/89 II B 1, 145 I, 161 VI
—, Bm.-Territ. 81 III A/B 1, 96/97 I E/F 3 122/123 I C/D 2/3
—, Kl. 87 I D 1
—, O. 68/69 I E 2, 83 II B 2, 105 I C 1
—, O., Plan 79 III
Hille 134 II C 2
Hillen 56 V B 1
Hillesheim, O. u. Amt 80 I B 1
Hilmend, Fl. 134 II E 2
Him-Bach 77 IV A 2
Himalaja, Geb. 22/23 I I/K 2/3, 135 I B/D 1/2
Himella, Fl. 30/31 I C/D 2
Himern, Fl. 17 I B/C 3
Himera, O. 17 I B 3
Himeras, Fl. 17 I B 3
Himjaren, V. 46/47 I C 5
Himmelgarten, O. 81 I
Himmelpforte, Kl. 88/89 III B 1
Himmelstädt 121 I
Himmerod, Kl. 88/89 III A 1
Hinayana, südl. Buddhismus, Religion 72/73 IV, 137 III
Hindana 6 IV B 2
Hindisheim 77 I A 2
Hinduismus, Religion 52 III E/F 3/4, 72/73 IV, 137 III A/B 2/3
Hindukusch, Parapamisos, Geb. 22/23 I H/I 2, 135 I A/B 1
Hindus in Indien u. Pakistan 163 I
Hindu-Staaten 72/73 II G/H 5—7, 72/73 III F 4, 72/73 V, 116/117 IV
Hinnom, Fl. b. Jerusalem 34/35 V
Hinterindien, Ld. 136 II
Hinterpommern, Ldsch. 115 I C/D 2, 122/123 I F/G 1/2
Hinter-Rhein, Fl. 80 II D 2
Hinzerath, Belginum 37 I A 2
Hipparis, Fl. 17 I C 4
Hippo Diarrhytos 11 II B 2, 34/35 III B 1
Hipponion 17 I E 2
Hippo Regius, Bône 11 II B 2, 34/35 III B 1, 48 I B 3
Hippos, Antiocheia 22/23 II C 3
Hippotomadai 13 I B 1
Hira 42/43 I G 3, 46/47 III C 2, 50/51 F 4, 52 III D 3
Hiragla 41 III D 2
Hiroshima 158 II D 3
Hirpini, V. 30/31 I E 3
Hirsau, Kl. 87 I D 2, 114 E 3
Hirschaid 56 III
Hirschberg 82 I B 2, 122/123 I F 3
Hispalis, Sevilla 38/39 II A 2
Hispania Baetica, röm. Provinz 38/39 II A/B 2
Hispania citerior, — ulterior, röm. Provinzen 28 I A/B 1/2, 28 II A/B 2/3
Hispania Gallaecia, röm. Prov., Hispania nova 38/39 II A 1
Hispania Lusitania, röm. Provinz 38/39 II A 1/2
Hispania nova, röm. Prov. 42/43 II A 2
Hispania Tarraconensis, röm. Provinz 38/39 II A/B 1/2
Hispaniae, röm. Diözese 42/43 I B/C 2/3
Hispellun 30/31 I C 2
Histiaia, Histiäa 18/19 I D 3
Histonium 30/31 I E 2
Histri, Istres, V. 25 I D 1
Histria, Istria, Istrien, Ldsch. 28 I C 1, 38/39 I B/C 1
Histria-Istrus, O. i. Moesia inferior 38/39 I E 2
Hit, Dulduli, Charmande 6 III B 2, 22/23 III C 2, 148 III B 2
Hitzacker 122/123 I D 2
Hiung-nu, Hunnen, Hunnische Völker, nördl. u. südl. Hunnen, V. 3 I I/K 2, 3 IV A/B 1, 42/43 I G/H 2, 46/47 I D—K 2
Hiung-nu, Hunnen-Reich 46/47 II D—I 1/3
Hjaltland-Ins., Shetland-Ins. 57 B 1
Hjörungavag 60 I F 1
Hobart 137 I E 7, 137 II C 4
Hoboken, O. b. Antwerpen 143 Ia u. Ib
Hoby 36 E 2
Hochberg, Mgft. 95 D 4, 122/123 I B 4
Hochberg, O. 128 I A 2
Hochburgund, Kgr. 54/55 IV B/C 3, 58/59 I G 5
Hochdeutsche Sprache 49 II C/D 1/2
Hochkirch 122/123 I F 3
Höchst 40 II B 1, 106/107 I E 4, 106/107 II E 4
Höchstadt, O. i. Franken 56 III
Höchstedt, O. a. d. Donau 58/59 I I 4, 122/123 I D 4
Hodeida 98/99 I E 6, 132 I E 3
Hoek van Holland 96/97 IIId
Hoevenen 143 Ib
Hof 68/69 I F 3, 122/123 I D 3, 160 III B 2, 161 V
Hofe, O. b. Papenburg 140 III
Höfen 81 I
Hoffmannsfeld 140 IV B 1
Hoffnungsfeld 140 IV B 2
Hoffnungsthal 140 IV B 1
Hofheim 40 II B 1, 80 I D 1
Höfles 81 I
Hofsjökull, Berg 57 III B 2
Hofweier 77 I A 2
Hoggar, Ldsch. 132 I C 2
Hohenaltheim 58/59 I I 4
Hohenasperg, Burg 122/123 I C 4
Hohenberg, Gft. (Württemberg) 81 II B 2, 122/123 I C 4, 128 I B 2
Hohenburg, Burg (Elsaß) 62 IV B 3
Hohenburg, O. b. Nürnberg 58/59 I I 4
Hoheneck, Gft. 128 I B/C 3
Hohenelbe, Bg. O. 86 I C 1
Hohenfriedeberg, O. 122/123 I G 3
Hohenfurt 68/69 I H 4
Hohengeroldseck, Hft., v. d. Legen, Fsm. 128 I A 2
Hohenheida 77 II
Hohenkirchen 86 II E 1
Hohenleina 77 II
Hohenlinden 124 I C/D 2
Hohenlohe, Gft. 68/69 I E 4, 122/123 I C 4
Hohenlohe, Fsm. 128 I B 2
Hohenmauth 122/123 I G 4
Hohensaaten 121 III u. IV
Hohensalza, Inowrazlaw 122/123 I H 2
Hohen-Schönhausen 143 II
Hohenstaufen, Staufen, (Burg) 62 IV C 3
Hohenstaufen, Staufer, Geschlecht 62 II u. IV, 63 I u. II, 64/65 I—IV, 66 I u. II, 67 III
Hohentwiel, Burg 58/59 I H 5
Hohenzollern, Gft., Fsm. 96/97 I E 5, 120 V B 1/2, 122/123 I C 4, 128 I B 2/3, 128 III B 2/3, 129 I C 4
—, Ld. 152 II C 4/5
Hohenzollern, Haus 92/93 A—C 2—4
Hohe Straße 84 I B—E 3/4, 84 II B—E 3/4, 85 III B—D 1/2
Höhlenkultur, Altsteinzeit 1 IV,
—, Jungsteinzeit 2 I A 2
Höhnebach, O. 161 V
Hohnsleben 56 VI B 2
Hohnstein, Gft. 68/69 I F 3, 122/123 I D 3
Hohnstein, O. 115 I C 2
Hohorst, Kl. 87 I D 1
Hokühle, Wüstung 77 IV A 1
Holar, Bm. u. O. 57 III B 1
Holkar, Ldsch. 116/117 IV B 2
Holland, Gft. 58/59 I F 2, 68/69 I C 2/3, 78 IV B 1, 95 C 1, 104 III B 1/2
Holland, Kgr. 124 I A/B 1/2
Holländer, V. 126/127 IV
Hollandia 158 II E 3
Holländische Entdeckungsreisen 100/101 I u. VIII
Hollenbach, Ndr. Wüstung 77 IV A 2
Hollenstein 122/123 I F 5
Hollingstedt 61 III B 2, 61 IV A 2
Holmgard, s. Nowgorod 57 I F 2
Holstein, Gft. 58/59 I H 1, 68/69 I E/F 1/2
Holstein, Hzm. 96/97 I E/F 2/3, 105 I C 1, 122/123 I C/D 1/2, 129 I C/D 1/2, 129 II D/E 1/2
Holsterhausen 37 I A 1, 142 IV A 1, 142 V A 1
Holten 142 IV A 1, 142 V A 1
Holthausen 142 IV B 1, 142 V B 1
Holwan 9 III G 3
Holzhausen 40 II A 1
Homberg, O. b. Moers 142 IV A 2, 142 V A 2
Homburg, O. i. d. Pfalz 114 D 3
Homburg, O. i. Taunus 122/123 I C 3, 129 I C 3
Homilai 18/19 III
Homolion 18/19 I C 2
Homonadeis, Ldsch. 38/39 I F 3
Homo sapiens, Menschenrasse 1 I—III
Homs, Emesa 41 III B 3, 50/51 E 4, 64/65 I E 3, 64/65 IV B 3, 130/131 I K 5
Honan, chin. Prov. 136 I E 3
Honan-Kultur 3 III B 2
Hondo, Ins. 72/73 I G/H 1/2, 136 I G 3
Hondschoote 85 II B 2
Honduras, brit. 138/139 I E 4
Honduras, Staat 133 I D 4, 164/165 III, 166/167 II u. III, 168
Honfleur 110 C 3
Höngede 77 IV A 2
Hongkong 136 I E 4, 136 III B 4, 158 I C 3, 158 II C 3, 162 I B 2, 163 I F 2
Honolulu 137 I H 3
Honstedt, Wüstung 56 VI B 1
Honte, Wester-Schelde, Fl. 96/97 IIIa—d
Hooge Veld, Ldsch. 138/139 II B 2
Hoorn, Gft. 96/97 I C 4, 104 III B/C 2
Hoorn, O. 104 III B 1
Hoorn, O. 104 III B 1
Hopei, Tschili, chines. Prov. 136 I E 2/3
Horburg, Gft. u. Burg 128 I A 2
Hördaland, Ldsch. 60 I F 1/2
Horde, s. weiße H., goldene H.
Hörde 142 IV C 2, 142 V C 2
Horgener Kultur 2 II B 2
Horma 8 III A 3
Hormoita 18/19 I H 3
Hormuz, Hormus, Harmotia, Harmozia 22/23 I G 3, 46/47 I D 4, 50/51 G 5, 72/73 II E 5, 111 II B 1, 134 II D 3
Horn, Kap a. Island 57 III A 1
Horn, O. i. Mähren 122/123 I F 4
Horn, O. i. Westfalen 37 II A 2
Horn, Paß 37 II A 2, 41 II C 2
Hornberg, O. b. Triberg 128 I B 2
Horneburg, O. 142 IV B 1, 142 V B 1
Hornos de la Peña 1 IV A 2
Hornstein, v., Reichsritter 120 V B 2
Horodez 75 E 4
Horodlo 71 I B 2
Horreum Margi, O. 38/39 I D 2
Horsmar 77 IV A 1
Horst, O. a. d. Emscher 142 IV B 1, 142 V B 1
Horst, O. b. Lauenburg 161 I u. V
Horta, Orte 30/31 I C 2
Hortobagy-Pußta, Ebene 140 V A 2
Hosingen, Kl. 80 I B 1
Hottentotten, V. 132 III
Houghton le Spring 142 I—III B 2
Housesteads, Borcovicium 40 I B 1
Hove, O. b. Antwerpen 143 Ib
Hovedö, Kl. 87 II C 2
Hövel 142 IV C 1
Howland, Ins. 158 I G 4
Höxter 37 II B 2, 54/55 I D 2, 122/123 I C 3

Hoya, Gft. 96/97 I E 3, 122/123 I C 2
Hoya, O. 83 II A 2, 126/127 II B 1
Hoysala, Ldsch. 72/73 II G 6
Hreybe 41 III D 2
Hromkla, Rumkalat 64/65 IV B 2
Hsi-an 72/73 II K 4, 98/99 I L 4, 136 I D 3
Hsi-kang, chin. Prov. 136 I C/D 3/4
Hsiliang 72/73 II K 4
Hsin, O. 3 IV B 2
Hsin-yang, O. 3 IV A 2
Hsingan 136 I D 3
Hsinkiang-Uigur, Prov., s. auch Sinkiang 162 II A/B 1/2
Hsinking, Hsingking, Tschang-tschun 136 I F 2, 136 III C 2, 138/139 VI B 2, 158 I D 2, 158 II D 2
Hsü, Ldsch. 46/47 I K/L 3
Hu 6 I A 2
Huamanga 100/101 III B 3
Huancapampa 100/101 III B 2
Huang-ho, s. Hwang-ho, Fl. 46/47 IV D—F 2/3
Huanuco 100/101 III B 3
Huaxteken, V. 100/101 II B 1
Hubertusburg, Schloß 122/123 I E 3
Huckarde 142 IV B 1, 142 V B 1
Huckingen 142 IV A 2, 142 V A 2
Hude, Kl. 88/89 III A 1
Hudiksvall, O. 113 D 2
Hudson-Bai 111 I B/C 1, 116/117 II B—D 1
Hudson-Bay-Company 133 I C—E 1—2
Huë 163 I E 3
Huelva 154 V A 2
Huesca, Bm. 88/89 I B 5
—, Osca, O. 38/39 II B 1, 58/59 I C 7, 64/65 I A 2
—, Universität 91 V A 2
Huexotlan 100/101 VI B 2
Hüfingen, Brigobane 37 I B 3
Hügelgräber-Kultur 5 I B/C 2/3, 5 II B/C 2/3
Hugenotten, französ. 104 I, 105 I
Hu-kieh, V. 46/47 II E 2
Hulaya, Ldsch. u. Staat 8 I A 2
Hull 110 B 2, 156/157 I C 3
Hullern 56 V B 1, 142 IV B 1, 142 V B 1
Hüls 142 IV B 1, 142 V B 1
Hulst 96/97 III a—d, 104 III B 2
Hultschin 152 II H 4
Humaitá 133 II C 3
Humber, Fl. 57 II B 2
Hunan, chines. Prov. 136 I D/E 4
Hunderode, Wüstung 77 IV A 1
Hundsfluß, Nahr-el-kelb, Fl. 8 IV B 1/2
Hüningen 124 I B 3
Hunkjar-Skelessi 130/131 I H 3
Hunnen, Hiungnu (südl. u. nördl.), V. 3 I I/K 2, 3 IV A/B 1, 42/43 I G/H 2, 46/47 I D—K 2, 46/47 III D/E 1, 48 I D—F 2
Hunnen-, Hiung-nu-Reich 46/47 II D—I 1—3
Hunnen, weiße, Hephthaliten, V. 46/47 III E—G 1/2
Hunnisch-chinesische Reiche 46/47 III H—K 1/2
Hunnische Völker 48 II D/E 2
Hunnum, Halton 40 I B/C 1
Hunoldstein, O. u. Amt 80 I C 2
Hunsrück, Geb. 54/55 II E 2/3
Hunte, Fl. 41 II C 1, 126/127 II B 1
Huntingdon 110 B 2
Hünxe 142 IV A 1, 142 V A 1
Hunyad 102/103 I H 4
Hunzel 40 II A 1
Hupei, chines. Prov. 136 I C/D 3/4
Hüpstedt 77 IV A 1
Hürbel 120 V C 2
Hurghada, Erdölfeld 163 II B 4
Huron-See 133 III E 2
Hurri, Hurriter, Naharain, V. 3 I E/F 3, 8 II B/C 2, 9 I E/F 2
—, -Kultur 2 II E 3
Hürtigheim 77 I A 1
Huschi 75 F 5
Husen 142 IV B 2, 142 V B 2
Hussinetz, Husinetz 92/93 II B/C 4
Hussitenkriege 92/93 II
Husum 96/97 I E 2, 122/123 I C 1
Huszt 75 D 4
Hutterer-Sekte in Mähren 105 I
Huwaisch 6 IV B 1
Huy 85 II C 2, 95 C 2
Hüyücek i. Aiolis 4 VII B 2
Hüyük, Alaça Hüyük, O. i. Anatolien 2 I E 2/3, 3 II E 2, 8 I A 1
Hvalfjordur 156/157 II E 1
Hvar 2 I C 2
Hwang-ho, Fl. 3 III—V A/B 1/2, 46/47 I H—K 2/3, 72/73 I C—E 1/2, 136 I C—E 2/3
Hwicce, Ldsch. 54/55 I B 2
Hyampolis 18/19 IV A 1
Hybanda 13 III A 1
Hydaspes, Fl. 22/23 I I 2
Hyde Park in London 109 I
Hydra, Ins. 130/131 I G 4
Hydramos 10 III B 1
Hydrax 38/39 I D 4
Hydrea, Insel 18/19 I D 4
Hydruntum, Hydrus 30/31 I I 4
Hyères, Olbia 24 II C 3, 68/69 I D 7
Hyettos 18/19 IV B 1
Hykkara 17 I B 2
Hyksos, V. 3 I E 3, 8 B 2
Hyle 18/19 IV B 2
Hylleer, V. 9 I B 2
Hylike-See 18/19 IV B 2
Hylton 142 I—III B 2
Hymettos, Geb. 13 I B 2
Hypaipa, O. u. Ldsch. 18/19 V B 1
Hypanis, ukrain. Bug, Fl. 24 I E/F 3
Hypanis, Kuban, Fl. 24 I F/G 3, 38/39 I G 1
Hypata 18/19 I C 3
Hyperasia 18/19 I C 3
Hyperborei, V. 34/35 VI
Hyperesta 11 I B 1
Hyperteleaton, T. 18/19 I C 5
Hyphasis, Fl. 22/23 I I 2/3
Hypos, Fl. b. Akragas 21 I
Hypothebai 11 I C 1
Hypsas, Fl. b. Selinus 17 I A/B 3
Hyria 18/19 IV C 2
Hyrkanien, Ldsch. 14/15 I G 3, 46/47 I D 3
Hyrkanis, O. 22/23 II A 2
Hyrkanisches Meer, s. Kaspisches Meer 14/15 I F/G 2/3
Hyrmine 11 I B 1
Hyrminos, Fl. 17 I C 4
Hyrtakina 10 III A 1
Hysiai, O. i. Argolis 18/19 I C 4
Hysiai, O. i. Böotien 13 I A 1, 18/19 IV B 2

Iaca 38/39 II B 1, 58/59 I C 7, 64/65 I A 2
Iacetani, V. 38/39 II C 1
Ialysos 10 II F 3
Iammura 41 III B 3
Ianiculum, Hügel in Rom 33 I
Iapudes, Iapuden, V. 38/39 I B/C 1/2
Iatnana, Cypern, Ins. 9 III D 2/3
Iasos 18/19 I H 4
Iasos, Golf v. 18/19 I H 4
Iberia, Iberien, Ldsch. i. Kaukasien 34/35 I G 2, 38/39 I H 2
Iberer, V. i. Kaukasien 42/43 I G 2, 49 I F 2
Iberer, V. i. Spanien 3 I A/B 2/3, 24 I B/C 3/4
Ibericum mare, West-Mittelmeer 38/39 II B/C 2
Iberien, Georgien, Ldsch. 50/51 F 3
Ibero-Amerika, Erdteil 118 III, 133 II
Ibero-Mauretanische Kultur 2/1 A/B 3
Iberus, Ebro, Fl. 38/39 II B/C 1
Ibiza, Ins. 64/65 I B 3, 130/131 I C 4
Ibrahim Bayis 6 II—IV B 1
Ibrim, Primis 6 I A 3, 29 II B 3
Iburg 37 II A 1, 58/59 I H 2
Ibzaikh 6 III C 2, 6 IV C 2
Icaria, Ikaria, Ins. 38/39 I E 3
Ichenheim 77 I A 2
Ichmul 100/101 II D 1
Ichnai 22/23 II C 2
Ichthys, Kap 18/19 I B 4
Iceni, V. 36 C 2
Iciniacum, Theilenhofen 40 II D 2
Iconium, Ikonion, Konia 38/39 I F 4, 48 I E 3, 50/51 E 4, 64/65 I E 3, 70 II F 3
Icorigium, Jünkerath 37 I A 1
Icosium, Algier 34/35 III A 1
Iculisna, Angoulême 36 C 3
Ida, Geb. a. Kreta 10 I A 1
Ida, Geb. i. Troas 18/19 I G 2
Ida-Grotte, Idaion, a. Kreta 10 III B 1
Idaho, amer. Staat 133 III B 2
Idalion 8 I A 2
Idfeh, Aphroditopolis 6 I A 2
Idice, Fl. 4 VI C/D 2/3
Idimum 38/39 I D 2
Idistaviso 37 II A/B 1, 41 II C 1
Idomene 18/19 I B 2
Idria 96/97 I H 7
Idrisidenreich 54/55 I B/C 5/6
Idstein, Kl. 80 I D 1
Idstedt 129 II D 1
Idubeda mons, Geb. 38/39 II B 1
Idumäa, Ldsch. 34/35 II A/B 3
Ierne, Irland, Ins. 22/23 VI
Iflatunpunar 8 I A 2
Ifni 132 I B 2
Igarka 164/165 I O 1
Igel 40 VI A 2
Igilgili 34/35 III B 1
Igilium, Ins. 30/31 I A 2
Iglau, Bg. O. 75 B 4, 86 I C 2, 106/107 I H 5
Igli 132 I B 2
Iguala 133 I D 4
Iguvium, Gubbio 24 II F 3
Ij, het, Meeresbucht 109 II
Ijssel, Fl. 95 C/D 1, 96/97 IIIa—d
Ikaria 18/19 I G 4
Ikaria, O. i. Attika 13 I B 1
Ikarisches Meer b. Samos 18/19 I G 4
Ikkur 6 I A 3
Ikonion, Iconium, Konia, O. 38/39 I F 4, 50/51 E 4, 64/65 I E 3, 70 II F 3
Ikonion-Reich, Rum-Seldschuken-Sultanat, Konia-Sultanat 64/65 I E 3, 72/73 II B/C 3/4
Ikos, Ins. u. Ort 18/19 I D 2
Iktis, Ins. 24 I 24 I B 2/3
Ilchane-Reich 72/73 II C—F 3—5
Ile de France, Gouvernement 122/123 II B 1
Ile de France, Ldsch. i. Frankreich 67 I B 2
Ile de France, Mauritius, Ins. 125 II
Ilercavones, V. 38/39 II B/C 1
Ilerda 38/39 II C 1, 50/51 B 3
Ilergeten, Ilergetes, Illergetes, V. 38/39 II B/C 1
Iles, Hft. 95 B/C 3/4
Ilhéos 118 III F 3
Ili, Fl. 50/51 I/K 3
Ili, Kuldscha, O. 136 I B 2
Iliberris, Illiberis, Granada 38/39 II B 2
Ilici, Elche 38/39 II B 2
Ilig-Chane, s. Karluken-reich, Karachaniden 72/73 I A—C 1/2
Ilion, Ilium, O. i. Troas 18/19 I G 2
Ilipa, O. 38/39 II A 2
Ilipula maior, O. 38/39 II B 2
Ilipula mons, Geb. 38/39 II A/B 2
Ilissos, Fl. 12 V
Iliturgicola 38/39 II B 2
Iliturgis 38/39 II B 2
Ilium, s. Ilion
Ill, Fl. 77 I A 1/2, 83 III A 1/2
Illahun 6 I A 2
Ille, Fl. 42/43 V
Ille et Vilaine, Dép. 122/123 III A 1/2
Iller, Hilara, Fl. 37 I C 2/3, 122/123 I D 4/5
Illereichen 120 V D 2
Illergetes, Ilergetes, Ilergeten, V. 38/39 II B/C 1
Illertissen 120 V D 2
Illiberris, Primis, Iliberis, Granada 38/39 II B 2
Illig 146 I E 2
Illinois,amer. Staat 133 III D/E 2/3
Illyrer, V. 3 I C 2, 9 I A 1, 24 I D 2
Illyricum, Illyrien, Ldsch. 38/39 I C 1/2
Illyricum, röm. Praefektur 48 I C 2, 48 II C/D 2/3
—, oström. Praefektur 49 I C/D 2/3
Illyricum, röm. Provinz 28 II C 2, 34/35 I D 2
Illyrien, Kgr. 130/131 I E/F 2
Illyrische Provinzen Frankreichs 125 I D 3
Ilmenau, Bg. O. 86 I A 1
Ilmensee, See 75 F 2, 113 G 3, 156/157 I G 3
Ilmen-Slawen, V. 50/51 D/E 2
Iluro, Oloron 36 B 4
Ilva, Ins., Atthalia, Elba 30/31 I A 2
Imam Ibrahim, Kutha 6 III B 2
Imam Kulu 8 I B 2
Imaus, Ldsch. 34/35 VI
Imbros, Imbrus, Ins. u. O. 18/19 I F 1, 145 VI C 2
Imeretien, Ldsch. 134 I D 2/3
Imgur-Ellil, Imgur Bel, Balawat 6 IV B 1, 9 III F 2
Immenstadt 128 I C 3
Imola, Bm. 88/89 II C 3
—, O. 63 I C 2, 94 I D 2, 94 II D 2
Imperium Romanum, Römerreich 28 I u. II, 29 III u. IV, 34/35 I, 42/43 I u. II
Imprimeta 25 II B 1
Ina, O. i. Sizilien 25 III B 2
Ina, O. i. Syrien 34/35 II B 1
Inachos, Fl. i. Argolis 18/19 I C 4
Inachos, Fl. i. Ätolien 18/19 I B 2/3
Inari-See 160 IV B 2
Inatos 10 III C 2
Inchuthill 36 B 1
Inden, Kl. 87 I D 1
Inder, V. 3 I H/I 3, 14/15 I H/I 4
Inder in Südafrika, V. 144 V
Indiana, amer. Staat 133 III E 2/3
Indianapolis 133 III E 3
Indianer, V. 100/101 II—VI
Indianer-Reservationen 144 IV
Indianer, trop. Waldvölker 100/101 III B/C 2/3
Indica, O. i. Spanien, Plan 21 IV
Indicetes, V. 36 C 4
Indien, Ld. 3 I I 3/4, 3 II H/I 3/4, 14/15 I H/I 3/4, 22/23 I H—K 2—4, 26/27 I H/I 2/3, 46/47 I—IV, 50/51, 52 III, 72/73 I—VI
Indien, Ld. 111 II C/D 1/2, 115 II K/L 3/4, 116/117 IV
—, brit. 125 II, 135 I
—, brit., Kaiserreich 138/139 I N/O 3/4
Indien, Indische Union, Rep. 162 II A/B 2/3, 163 I A—D 1—3, 164/165 III, 166/167 I, 168
Indische Nordwestl. Grenzprovinzen 135 I A/B 1
Indischer Ozean 98/99 I D—L 5—10, 100/101 I L—O 3—6, 138/139 I M—P 3—6
Indische Zentralprovinz 135 I B/C 2
Indochina, Ld., frz. 136 I D 4/5, 137 I C 3/4, 158 I C 3/4, 158 II C 3/4
Indoeuropäer, V. 3 I
Indo-Iranier, Arier 3 I H 3, 8 II C 2
Indomelanesier, V. 132 III
Indonesien, ndl. 115 II L—N 4/5
Indonesien, Staat 162 II B—D 3/4, 164/165 III, 168
Indore 135 I B 2
Indraprastha 22/23 I I 3, 46/47 I F 4
Indrapura 46/47 III I 4
Indre, Dép. 122/123 III B 2
Indus, Fl. 22/23 I H/I 2/3, 46/47 I E/F 3/4, 50/51 H/I 4/5, 72/73 II F/G 4/5, 135 I A/B 1/2
Indus-Kultur 3 II H/I 3/4, 7 VI
Industria 36 D 3
Inessa Aitna 17 I C 3
Ingauni, V. 36 D 4
Ingelfingen 40 II C 2
Ingelheim, Pfalz 54/55 II F 3, 80 I D 2
Ingermanland, Ldsch. 113 F/G 3, 119 D/E 3
Ingermanland, russ. Gouv. 116/117 I I/K 2
Ingermanländer, V. 160 I
Ingoldingen 120 V C 2
Ingolstadt, O. 68/69 I F 4, 105 I C 2, 122/123 I D 4
—, Universität 91 V C 2
Inguschen, V. 134 I E 2
Inheiden 40 II B 1
Inka-Reich 100/101 III A—C 1—5
Inkerman 130/131 I I 3
Inn, Aenus, Fl. 38/39 I B 1, 49 III B/C 1/2, 58/59 I I/K 4/5, 122/123 I D/E 4/5
Innere Mongolei, Ldsch., s. auch Mongolei 136 I C—E 2/3, 136 III A/B 2/3, 162 II C 1
Inneres Meer, Mittelmeer 22/23 VI
Inner-Rhoden, Ldsch. 130/131 II B 1
Innerste, Fl. 79 III
Inner-Tibet, chin. Prov. 136 I C 3/4
Innviertel, Ldsch. 122/123 I E 4
Innsbruck, O. 68/69 I F 5, 86 II E 2, 105 I C 3, 124 I C 3, 124 II B 1
Innichen, Kl. 49 III B 2
Inowrazlaw, Hohensalza 122/123 I H 2
In Portu 30/31 I A 1
In Salah 163 III A 3
Insterburg, O. 96/97 I L 4, 106/107 III C 1, 148 I F 3
Insubrer, Insubres, V. 26/27 II B 1
Insulae, röm. Prov. 42/43 I E 3
Insulinde, Ldsch. 98/99 I K—N 7/8
Interamna Lirenas 30/31 I D 3
Interamna Nahars 30/31 I C 2
Interamnia, O. i. Picenum 30/31 I D 2
Interamnium, Mordillo, O. i. Bruttium 17 I E 1
Intercatia 38/39 II A 1
Intercisa, Dunapentele 38/39 I C 1
Interlaken 80 II B 2
Internationaler Währungsfond 170 I
Internum mare, Mittelmeer 28 I A—E 1/2
Interocrium 30/31 I D 2
Interpronium 30/31 I D 2
Intervention, antibolschewistische 149 II—IV
Interzonenverkehr, Interzonenwege 160 III, 161 I
Intimilii, V. 36 D 4, 38/39 I A 2
Inuca 28 IV B 2
Inverness 116/117 I C 2
Iol, Caesarca, Cherchel 34/35 III A 1
Iolla 18/19 I G/H 2
Iomnium, Tigzirt 34/35 III A 1
Iona, Ins, Kl. 52 I A 2, 54/55 I A 1
Ioner, Ionier, V. 10 II, 11 I
Ionia, Ionien, Ldsch. 11 I D/E 1/2, 14/15 I D 3, 18/19 I G/H 3/4
Ionische Inseln 102/103 I G/H 6, 125 I E 4, 130/131 I F/G 4, 145 V A/B 3, 145 VI A/B 3
Ionische Kolonisation 11 II
Ionisches Meer, Ionium mare 34/35 I D/E 3, 145 V A 3, 145 VI A 3
Ios, Ins. u. Ort 18/19 I F 5
Iotape 38/39 I F 3
Iowa, amer. Staat 133 III D 2
Ipek, Peć, Patriarchat 88/89 I G 5
Ipek, O. 145 V B 2, 145 VI B 2
Ipoh 136 II B 3
Ipsos, Ipsus 26/27 I E 2
Ipswich 110 C 2, 156/157 III B 2
Irak, Staat 150/151 I G/H 5/6, 163 II B/C 3/4, 164/165 III, 166/167 I, 168
Irak-i Adschämi, pers. Gau 134 II C/D 2
Iran, Persien, Kaiserreich 150/151 I H 5, 164/165 III, 166/167 III, 168
Iranion Oil Exploration and Producing Co. 163 II
Iranische Völker 134 I
Iraq Petroleum Co. 163 II
Irawadi, Fl. 46/47 IV D 4/5, 136 II A 1/2
Irbit 119 L 3
Iren, V. 48 I A 1
Irenmission 52 I—III
Irgenhausen 37 I B 3
Iria Flavia 38/39 III A 1
Iris, Fl. 38/39 I G 2

Iris, Erin, Irland, s. Hibernia 24 I B 2
Irkat 9 I E 3
Irkutsk 105 III E 2, 137 I C 2, 149 IV E 2
Irland, Erin, Hibernia, Iris, Ld. 24 I B 2, 52 I A 2, 60 I C 3, 71 III A 1
Irland, Kgr., brit. 102/103 I B 3, 104 I A 1/2, 110 A 1/2
Irland, Eire, Staat 150/151 I C 3, 164/165, 166/167 III, 168
Irokesen, V. 116/117 II C/D 2
Iroschottische Kirche u. Mission 52 I u. II
Irrendorf 120 V A 2
Irrhesia, Ins. 18/19 I E 2
Irsuna 30/31 I G 4
Irtysch, Fl. 50/51 I/K 1/2, 98/99 I H/I 2/3, 105 III C/D 2
Irun 154 V B 1
Isar, Isara, Fl. 37 I C/D 2/3, 49 III B/C 1/2, 128 I C/D 2/3
Isara, Isère, Fl. 24 II B/C 2, 58/59 I F/G 6
Isara, Oise, Fl. 36 C 3
Isarci, V. 37 I C 3
Isarnho, Wald 61 III B/C 2
Isarnia 130/131 I E 3
Isauria, röm. Provinz 42/43 I F 3
Isaurien, Ldsch. 9 III D 2, 26/27 I E 2, 49 I E 3
Isborsk 57 I E 2, 61 V B 2, 104 IV C 2
Isca, Caerlon 36 B 2
Isca Dumnoniorum, Exeter 36 B 2
Ischali, Kabalati 6 III B 2, 6 IV B 2
Ischewsk 163 II D 1
Ischia, Aenaria, Ins. 30/31 III A 2
Ischimbajewo 163 II D 1
Ischl, Bg. O. 86 I B 3, 122/123 I E 5
Isel, Berg 124 I C 3
Isenburg, Gft. 122/123 I C 3
—, Fsm. 126/127 II B 1/2, 128 I B 1
Iseo-See 63 II B 1
Isère, Dép. 122/123 III C 2
Isère, Isara, Fl. 24 II B/C 2, 38/39 I F/G 6, 106/107 I C/D 7
Iserlija 140 IV A 2
Iserlohn 56 V B 2
Isernia 94 I F 4
Isfahan, Gau 134 II C/D 2
Isfahan, Gabai, Ispahan, O. 9 III H 3, 22/23 I G 2, 50/51 G 4, 52 III D 3, 134 II D 2
Isfendijar Ogullary, Ldsch. 70 II F 2
Isfidschab 50/51 H 3
Ishewsk 150/151 I I 3
Isin, Bahriyat 6 II—IV C 2
Isjum 130/131 I K 2, 156/157 I G 4
Iskenderieh, Alexandria 112 I C 2
Iskenderun, Alexandretta 8 I B 2, 148 III A 2
Iskhaim 6 III C 2, 6 IV C 2
Iskine 163 II D 2
Islahiye 8 I B 2
Islam (Religion), s. auch Mohammedaner 50/51, 52 III, 54/55 I, 57 I, 64/65 I—IV, 70 II, 71 II u. III, 72/73 II—VI, 98/99 I K 7/8, 98/99 IV K 7/8, 163 I
Islam (Religion) in Afrika 132 III
Islam, Schiiten, Sunaiten in Asien (Religion) 135 II, 137 III
Islam (Religion) in Indien 116/117 IV
Islamabad 163 I B 1
Islamiisches Recht 124 III
Island, Ins., dän. 57 I A 1, 57 III A 1, 61 I A 1, 133 I G/H 1, 156/157 I A/B 2
Island, Staat 164/165 III, 166/167 II u. III, 168
Ismaeliten, V. 46/47 I B/C 4
Ismail 116/117 I I 4, 130/131 I H 2, 145 V C 1
Ismailije, Ismailia 138/139 IV C 2
Ismed, Mütessaryflik 134 II A/B 1
Ismid, Nikomedia, O. 92/93 I H 5, 130/131 I H 3
Isnik, Nikaia 92/93 I H 5, 112 I C 1
Isny, RSt. 68/69 I F 5, 81 II C 2, 122/123 I D 5, 128 I B 3
Isopata 11 IV
Ispahan, Isfahan 50/51 G 4, 52 III D 3
Ispekcür 8 I B 2
Israel, Staat 162 IV, 164/165 III, 168
Israel, Israeliten, V. 3 I E 3, 8 III u. IV
Isrye 41 III C 2
Issa, Ins. 20 I C 2, 28 I C 1
Issa, O. b. Reate 30/31 I C 2
Issachar, V. 8 IV B 3
Issatis 46/47 I D 3
Issedoner, V. 14/15 VI
Issel, Fl. 142 IV A 1, 142 V A 1
Issorion 12 VII
Issos 22/23 I E 2
Issoudun, 58/59 I D 5
Issyk-kul, Ldsch. 50/51 I/K 3
Istablat 6 III B 2
Istachr 50/51 G 4/5
Istambul, Stambul, Konstantinopel 150/151 I F 4, 153 V B 1
Istapata 34/35 II B 2
Istaritz 1 IV A 2
Ister, Istros, Danuvius, Donau, Fl. 38/39 I A—E 1/2
Isthmos v. Korinth, Landenge 18/19 I C 4
Isthmos, O. a. Kos 18/19 I G 5
Istrer, Histri, V. 26/27 II C 1
Istres, O. 24 II B 3
Istria, Histria, Istrien, Ldsch. 28 I C 1, 54/55 I E 3
—, Mark 58/59 I K/L 6
—, Mgft., österr. 115 I C 3
Istrien, venez. 63 I D 2, 94 I E 2, 94 II E 2, 106/107 I G/H 7, 124 I D 3, 124 II C 1
Istrier, V. 49 III C 4
Istron, O. a. Kreta 10 III C 1
Istros, Histria, Istrus, O. i. Moesien 11 II D 1, 38/39 I E 2
Istros, Ister, s. Danuvius, Donau, Fl. 29 III B 1
Isurium Brigantum 36 B 2
Isuwa, Ldsch. 8 I B 2
„Italia", Ldsch. i. Calabrien 17 I D/E 2
Italia, Italien, Ld. 25 I, 30/31 I
Italia, röm. Diözese 42/43 I C/D 2/3
— annonaria, röm. Diözese 42/43 I C/D 2
— suburbicaria, röm. Diözese 42/43 I D 2/3
Italica 38/39 II A 1
Italien, Bevölkerungsverluste 152 III, 161 III
Italien, s. auch Italia, Ld. 25 I, 30/31 I
Italien, byzant. Praefektur 49 I B/C 2/3
—, Kirchl. Ordnung 53 I, 88/89 I
—, Kgr. (Kaiserzeit d. Mittelalters) 58/59 I G—L 5—8, 63 I, 64/65 I B/C 2, 64/65 II B/C 2, 66 I C/D 2/3, 66 II B/C 2, 68/69 I, 87 II B/C 3, 94 I u. II
—, Kgr. d. Karolinger 54/55 I D/E 3/4, 54/55 III B/C 3/4, 54/55 IV B/C 3/4
—, Kgr. d. Langobarden 50/51
—, Kunst 53 II, 67 I u. II, 90 III u. IV
—, Odowakar-Reich 48 I
—, Ostgotenreich 48 II
—, Volkstum 49 III
Italien, Kgr. 124 I C/E 3/4, 124 III C/E 3/4, 125 I C/D 3, 128 V, 130/131 I D—F 2—4, 145 III u. IV, 148 I C—E 4—6, 150/151 I D—E 4/5, 155 II B/C 2, 156/157 I D/E 4/5, 156/157 II G 2/3
Italien, Rep. 156/157 III B/C 3/4, 160 III A/B 3/4, 164/165 III, 166/167 II u. III, 168
Italiener, V. 49 III A—C 2—4, 150/151 II, 160 II
Italiener in den USA 144 II
Italienisch-Afrika 132 I, 146 I, 154 IV
Italienische Entdeckungsreisen 100/101 I
Italienische Republik 124 II B/C 1/2
Italienisch-Ostafrika 154 IV
Italienisch-Somaliland 132 I E 3
Italienische Sprache 49 II C/D 2/3, 49 III C/D 2/3, 70 II
Italienische Sprachgrenze 130/131 II
Italiker, V. 3 I C 2, 24 II, 25 I
Italiotenbund 20 I B/C 2/3
Itanos, Kap u. O. 10 III D 1
Ith, Geb. 37 II B 1/2
Ithaka, Ins. u. O. 18/19 I A 3, 130/131 I G 4
Ithome, Bg., T., Burg i. Messenien 18/19 I B 4
—, O. i. Thessalien 18/19 I B 2
Itil, O. 50/51 F 3, 52 III D 2
Itil, Wolga, Fl. 50/51 E/F 2/3
Itius Portus 29 I B 1
Iton, T. 18/19 I C 2
Itschang 136 I D 3
I-tschou, Ldsch. 46/47 I I 3
I-tschou, O. 46/47 I I 4
Ittenweiler 40 II A 3
Itu, Tekrit 9 III F 3
Ituraea, Ldsch. 34/35 II B 1
Ituwa Aestuarium, Meer 40 I A 2
Itzehoe 75 A 3, 83 II A 2, 122/123 I C 2
Iuvanum 30/31 I E 3
Iuvavum, Salzburg 38/39 I B 1
Iviron, Kl. 45 VI B 2
Ivois 58/59 I F 4
Ivrea, Bm. 88/89 II B 2
Ivrea, O. 63 I A 2, 94 I B 2, 94 II B 2
Ivriz 8 I A 2
Ivry 102/103 I D 4
Iwangorod 104 IV D 1
Iwanowka 140 IV A 2
Iwanowo 150/151 I H 3
Iwojima, Ins. 158 II E 3
Ixil, Ldsch. 100/101 II C 2
Iximché, Quauhtemallan 100/101 II C 3
Ixtapan, Rio, Fl. 100/101 VI B 1
Iytos-Berg 10 III C 1
Izabal-See 100/101 II D 2
Izgin 8 I B 2
Izmid, s. Nicomedia 38/39 I B 2
Izmir, s. Smyrna 38/39 I E 3, 153 V B 2
Iznik, s. Nicaea 38/39 I E 2
Iztapalapen 100/101 VI A 2
Izumo, Ldsch. 46/47 I M 3
Jabbok, Fl. 34/35 II B/C 2/3
Jabes, Jabes Gilead 8 III B 2
Jablunkapaß 54/55 I F 3
Jablunkau, O. 106/107 I K 5
Jabneel 8 III A 3
Jabrud 1 III F 3
Jackson, Fort 133 III E 4
Jacksonville 133 III E 3
Jade, Meeresbucht 106/107 I E 3
Jader, Zorra 38/39 I C 2
Jaen, Bm. 88/89 I B 6
—, Aurgi, O. 38/39 II B 2, 64/65 I A 3, 130/131 I B 4
—, span. Prov. 130/131 I B 4
Jaffa, O. 64/65 IV A 4, 130/131 I I 5, 162 IV A 1
Jaffa u. Askalon, Gft. 64/65 IV A 5
Jaffna 111 II D 2
Jägerndorf, Fsm. 96/97 I I 4/5, 106/107 I I 4/5
Jägerndorf, O. 68/69 I I 3, 122/123 I G 3
Jagiellonen, Geschlecht in Polen u. Litauen 68/69 I, 71 I—III
Jagst, Fl. 40 II C/D 2, 81 II B/C 2
Jagsthausen 40 II C 2
Jahna, Fl. u. O. 56 IV
Jaice 92/93 I F 5, 112 II B 3
Jaik, Ural, Fl. 119 I/K 4/5
Jainagar, Orissa, Ldsch. 72/73 V C 2
Jakobiten, monophysit. Christen 52 III C/D 3, 64/65 I u. III
Jakobstadt 75 E 2 148 I G 2
Jakuten, V. 105 III E/F 1
Jakutsk 105 III F 1
Jalman, Geb. 9 III F 3
Jalta 70 II F 2, 155 II E 2
Jalu, Fl. 154 III B 2
Jaluit, Ins. 158 II F 4
Jamaika, Ins. 98/99 VII, 118 III D 2, 138/139 I F 4
Jamaika, Staat 164/165 III, 168
Jamama, Ldsch. 50/51 F 5
Jambia 42/43 I F 4
Jamburg, O. 113 F 3
Jamchad, Ldsch. 8 II B 2
Jamnia 34/35 II A 3
Jamnitz, Bg. O. 86 I C 2
Jampol 113 F 5
Jämtland, Ldsch 60 I G/H 1, 113 C/D 2
Jamutbal, Ldsch. 8 II C 2
Janaon 135 I C 3, 162 II B 3
Jandial 21 III
Jangtse-kiang, Fl. 46/47 I H—K 3/4, 136 I C—F 3/4
Janina, Ebm. 88/89 I G 6
Janina, O. 71 II B 4, 112 I C 2, 130/131 I G 4, 145 V B 3, 145 VI B 3
Jäniskoski 160 IV B 2
Jankau 106/107 I H 5
Jan Mayen, Ins. 164/165 II
Jap, Ins. 149 II, 158 I D 4, 158 II D 4
Japan, Bevölkerungsverluste 161 III
Japan, Reich 46/47 I M 3, 72/73 I F—H 1/2, 98/99 I O 3/4, 136 I F—H 2/4, 136 III C—E 2/4, 137 I D/E 2/3, 138/139 VI C/D 2/3, 149 IV F/G 2/4, 158 I C—F 2/4, 158 II C—F 2/4, 158 III A/B 1/2, 162 I C/D 1/2, 162 II D/E 1/2, 164/165 III, 166 II, 168
Japan, Yamato, Reich 46/47 I M 3
—, Zipangu, Reich 72/73 II NO 3/4
Japaner in USA 144 II
Japan. Mandate 137 I D/F 4
Japanisches Meer 98/99 I O 3/4, 138/139 VI B/D 1/3
Japyger, V. 5 II, 14/15 I C 2
Jarbu, V. 50/51 F 5
Jarkand 46/47 I F 3, 50/51 I 4, 52 III E 3, 136 I A 3
Jarmouth 8 III A 3
Jarmuk, Fl. 34/35 II B/C 2, 50/51 E 4, 64/65 IV A/B 4
Jarnae 102/103 I C 4
Jaroslau, Jaroslaw, O. a. San 105 I F 2
Jaroslawl, Fsm. a. d. Wolga 71 I E 1
—, O. 92/93 I K 2
Jaroslawl, O. a. d. Wolga 105 II B 3, 119 G 3
Jarrow 52 I B 2, 142 I—III B 2
Jarwana 6 IV B 1
Jäsd, pers. Gau u. O. 134 II D 2
Jaser 8 III B 2
Jasien, Fl. 121 VII
Jassi, Alanen, V. 50/51 F 3
Jassy, O. 75 E 5, 130/131 I H 2
Jastorf 24 I D 2
Jastrow 106/107 III B 1
Jathir, O. i. Phönizien 34/35 II B 1
Jathira, O. i. Idumaea 34/35 II A/B 3
Jathrib, Lathrippa, Medina 34/35 I F/G 4, 42/43 I F 4, 46/47 I B/C 4
Jativa, Saetabis 38/39 II B 2
Jatwingen, V. 54/55 I G 2, 67 III C 2
Jauer, Hszm. 70 I E 1, 122/123 I F/G 3
—, O. 68/69 I I 3
Jauernig 77 III B 2
Jaufen-Paß 58/59 I I 5
Jauja 100/101 III B 3
Jaunde 132 I C 3, 162 III B 2
Jausa, Fl. 105 IV
Java, Ins. 1 I, 72/73 I D/E 6, 98/99 I L/M 8, 111 II E 3, 135 II, 158 I C 5, 158 II C 5, 162 II C 4
Java-See 135 II B/C 1
Jaxartes, Fl., Sihun, s. Syrdarja 14/15 I H/I 2, 50/51 H/I 3
Jazyges, V. am Dnjepr 38/39 I F/G 1
—, V. a. Theiß 38/39 I C/D 1
Jebusiter, V. 8 IV B 4
Jedisan, Ldsch. 92/93 I H/I 4, 102/103 I I/K 4, 119 D/E 5
Jedo 98/99 I O 4
Jeha 34/35 I F 5
Jehol, O. 136 I E 2, 154 III A/B 2
Jehol, chines. Prov. 136 I E/F 2
Jekaterinburg, Swerdlowsk, O. 119 L 3, 149 IV C 2, 150/151 I K 3
Jekaterinodar, Krasnodar 134 I B 1, 150/151 I G 4
Jekaterinoslaw, Dnjepropetrowsk 116/117 I K 4, 148 I H 4, 150/151 I G 4
Jelez 92/93 I K 3, 116/117 I L 3,
Jelgava, Mitau 150/151 I F 3
Jelisawetgrad, Kirowograd 116/117 I K 4, 150/151 I G 4
Jelisawetpol, Gändschä, O. 134 I F 3
Jellinge 60 I F 2
Jemappes, Dép. 122/123 III B/C 1
Jemappes, O. 115 I A 2
Jemen, Ldsch. 72/73 II D 6, 98/99 I E 6
Jemen, Staat 162 III D 2, 164/165 III, 166/167 I, 168
Jena 96/97 I F 4, 122/123 I D 3
Jenahin 163 IV A 2
Jenan 162 I B 2
Jenbach, Bg. O. 86 I A 3
Jendrzejow, Kl. 87 II D 2
Jenikalé 119 F 5
Jenissei, Fl. 98/99 I I/K 1/2, 105 III D 1/2
Jenisseisk 105 III D 2
Jentsch 77 III B 1
Jerachmeel 8 IV A 4
Jerewan, Chanat 134 I D/E 3
Jerewan, Eriwan, O. 134 I E 3
Jerez de la Frontera 50/51 A 4
Jericho, O. 2 I E 3, 8 III B 3, 162 IV B 2
Jerichow, Kl. 96/97 I G 3
Jersey, Ins. 92/93 I B 4, 110 B 3
Jerusalem, Kgr. 64/65 IV A 4/5
—, Aelia Capitolina, Hierosolyma, O. 8 III B 3, 22/23 I E 2, 34/35 II B 3, 38/39 I G 4, 50/51 E 4, 130/131 I K 5, 148 III A 2, 162 IV B 2
—, Mütessaryflyk 134 II B 2
Jerusalem, Plan 34/35 V
—, Patriarchat 44 II E 3, 52 III C 3
Jerwen, Ldsch. 104 IV C 1
Jesreel- od. Esdrelon-Ebene in Samaria 8 III B 2, 34/35 II B 2
Jesreel, O. i. Judea 8 III B 3
Jesreel, Esdraela, O. in Samaria 8 III B 2, 34/35 II B 2
Jesuitenkollegs 105 I
Jesuitenreduktionen in Amerika 118 III
Jever, Hft. u. O. 83 I B 1, 96/97 I D/E 3, 106/107 I D 3, 116/117 I E 3
Jibleam 8 III B 2
Jigodin 38/39 E 1
Jih-nan, Ldsch. 46/47 I I 5
Joachimsthal, O. i. Brandenburg 105 I D 1
Joachimsthal, Bg. O. i. Erzgeb. 86 I B 1, 106/107 I G 4, 144 I I 2
Joachimsthal, Borowa, Bg. O. i. d. Slowakei 86 I D 2
Johannesburg, O. i. Südafrika 1 I, 138/139 II B 2, 144 V B 2
Johanngeorgenstadt 105 I D 2, 106/107 I G 4
Johannisburg, O. i. Ostpr. 75 D 3, 106/107 I L 3
Johannisthal, Ot. v. Berlin 143 II
Johanniterorden, Besitz in der Neumark 121 I
Johanniterorden auf Malta 112 I B 2
Johanniterorden, Hft., auf Rhodos 70 II E 3
Johnsdorf 77 III B 1
Johnston, Ins. 137 I G 4
Johore 111 II E 2
Joinville 95 C 3, 110 D 3
Jokha, Umma 6 III C 2
Joktaniden, Kathaniden, V. 46/47 I C/D 5
Jola 132 I C 3
Jolkos 18/19 I C 2
Jomsburg, O., s. Vineta, Wollin, Jumne 58/59 I L 2
Jönköping 113 C 3
Joppe 8 III A 2
Jordan, Fl. 8 III B 2/3, 64/65 IV A 4/5, 162 IV B 1/2
Jordanien, Kgr., s. auch Transjordanien 162 III C 1, 164/165 III, 166/167 I, 168
Jordansmühl 2 I C 1, 2 II C 1
Josaphat-Tal in Jerusalem 34/35 V
Joschin 154 III B 2
Joseph, V. 8 IV B 3
Josephstadt, Ot. v. Wien 109 V
Jotschou 136 I E 4
Juan Fernandez, Ins. 164/165 I E/F 6
Juba 162 III C 2
Jucar, Fl. 54/55 I B 5, 130/131 I B 4
Juchen, V. 98/99 O 3

Juchhöh 161 I u. V
Juda, V. 8 IV A/B 4
Juda, Wüste, Geb., Ldsch. 8 III B 3
Judaea, Ldsch. 34/35 II A/B 3, 34/35 II B/C 3
Juden, V. 155 II, 160 I u. II, 162 IV
Juden, V. in Bessarabien 140 IV
Judenburg, O. 68/69 I H 5, 122/123 I F 5
Judentum, Religion 52 III, 57 I G 3
Jüe-dschi, „Tocharer", V. 3 I I 3, 3 IV A 2, 3 V A 2, 46/47 I E/F 3, 46/47 I H 3, 46/47 II F 3
Juelinge 36 E 2
Jugoslawien, Bevölkerungsverluste 161 III
Jugoslawien, Staat 141 II C—E 3/4, 141 IV A—C 3/4, 150/151 I E/F 4, 155 II C/D 2, 156/157 I E/F 4, 164/165 III, 166/167 I u. III, 168
Jukagisen, V. 105 III F/G 1
Juktas 10 I B 1
Juliacum, Jülich 37 I A 1
Julias, s. Bethsaida 34/35 II B 2
Julia Traducta, Tarifa 38/39 II A 2, 48 I A 3
Jülich, Gft., Hzm. 68/69 I D 3, 95 C/D 2, 105 I B 2, 106/107 I C/D 4, 122/123 I A/B 3
Jülich, Juliacum, O. 37 I A 1, 58/59 I G 3, 114 D 2
Julier-Paß 37 I B 3, 80 II D 2
Juliobona 36 C 3
Juliobriga 38/39 II B 1
Juliomagus, Angers 34/35 I B 2, 36 B 3
Juliomagus, Schleitheim 37 I B 3
Juliopolis, Eleusis, Nicopolis, Ot. in Alexandria 26/27 V, 38/39 I E/F 4
Juliopolis, O. i. Bithynien 38/39 I F 2
Julis 18/19 I E 4
Julium Carnicum 36 E 3
Julius Vicus, Germersheim 40 II B 2
Jumièges- Kl. 87 I C 2
Jumne, Vineta, Jomsburg, Wollin 57 I D 2, 60 I G 3
Jungbunzlau 122/123 I F 3
Jungferndorf 77 III B 2
Jungfernheide, Forst b. Berlin 143 II
Jungnau 120 V B 2
Jungsteinzeit 2 I u. II, 4 II u. III
Junin 133 II B 2
Jünkerath, Icorigium 37 I A 1
Jünnan, Kunming, O. 72/73 I D 3, 98/99 I L 5, 136 I D 4
Jünnan, chin. Prov. 136 I C/D 4
Jupiter Latiaris, T. 30/31 II B 2
Jura, Dép. 122/123 III C 2
Jura Mons, Geb. 37 I A 3
Jurjew, s. Dorpat, Tartu 147 F 3
Justingen 120 V C 1
Juta 34/35 II B 3
Jüten, V. 48 I B 1, 61 III B 1
Jüterbog 68 I G 3, 122/123 I E 3
Jütland, Ldsch. 60 I F 2, 113 B/C 3
Jütländ. Einzelgrabkultur 2 II B 1

K vergleiche auch C
Kaaden 68/69 I G 3
Kaart, Hooge- u. Leege- 143 I b
Kaarta, Ldsch. 132 I B 3
Kabalati, Ischali 6 III B 2, 6 IV B 2
Kabardei, große, Ldsch. 134 I D/E 1/2
Kabardiner, V. 134 I C 1, 134 I D/E 2
Kabinda 132 I C 4
Kabira, Cabira 28 I E 1
Kabirion, T. 13 I A 1
Kabis, Gabes 50/51 C 4
Kabseel 8 III A 3
Kabul, Kabura 22/23 I H 2, 26/27 I H 2, 46/47 I E 3, 50/51 H 4, 72/73 II F 4, 111 II C 1, 116/117 IV A 1, 134 II E 2
Kabura, siehe Kabul
Kabyle, Cabyle 20 II E 1
Kachetien, Ldsch. 134 I E/F 2/3
Kadares, Fl. 140 V A 1/2
Kade 163 IV B 2
Kader Mohra 21 III
Kadesch, Kinza 9 I E 3
Kadesia 50/51 F 4
Kadiston, Ldsch. 10 III C 1
Kadoi 22/23 II A 2
Kadusier, V. 22/23 I F 2
Kaenepolis i. Armenien 34/35 I G 2
Käferhain 77 II
Kaffa 64/65 I E 2, 70 II G 1/2, 92/93 I K 4/5, 112 I D 1, 119 F 5
Kaffraria, Ldsch. 138/139 II B 3
Kafiristan, Nuristan, Ldsch. 135 I A/B 1
Kafti, Kreta, Ins. 3 II D 3, 9 I B/C 3
Kagul 119 D 5
Kahlenberg, Bg. 112 II B 1
Kaifeng 72/73 I E 2, 98/99 I M 4
Kaikiai, Ins. 13 I A 2
Kaikos, Fl. 18/19 I H 2/3
Kaims 36 B 1
Kainai 22/23 III C 2
Kaindorf 77 III B 2
Kaine 11 II A 2
Kainepolis 18/19 I C 5
Kairatos, Fl. 11 IV
Kairo (Alt-), Babylon Forsatum 38/39 I F 4
Kairo, El Kahira, s. auch Fustat 50/51 E 4/5, 112 I D 2, 138/139 IV B 2, 162 III C 1
—, Plan 98/99 III
Kairuan 50/51 C 4, 102/103 I F 6, 130/131 I E 4
Kaisanoi 18/19 V B 1
Kaisareia, Kaisaria, Caesarea, Kaisarieh, O. i. Kappadokien 50/51 E 4, 64/65 I E 3
Kaisarieh, Kaiserië, Kaiserieh, O. i. Kappadokien 134 II B 2
Kaiseraugst, Rauraci, s. Augusta Raurica 40 III A 1
Kaiseresch, O. u. Amt 80 I C 1
Kaisershagen 77 IV A 1
Kaiserslautern 62 II A 3, 114 D 3, 122/123 I B 4, 152 II C 5
Kaiserswerth, Pfalz 54/55 II E 2
—, Kl. 52 II B 2
Kaisertum, Römisches, s. Byzantinisches Reich, Karolingerreich, Oströmisches Reich, Römisches Reich, Römisches Reich deutscher Nation
Kaiser-Wilhelm-, Nord-Ostsee-Kanal 148 I C 3
Kaja 46/47 IV G 3
Kaki Thalassa, T. 13 I C 2
Kakovatos 10 II B 3
Kakzu, Kasr Schamamok 6 IV B/C 1
Kalabrien, Calabrien, röm. Prov. 50/51 C 4
—, byzant. Thema 54/55 I F 5
—, normann. 63 I E/F 5
Kalabsche, Talmis 6 I A 3
Kalach, Larisa, Nimrud 6 III B 1, 6 IV B 1, 9 III F 2, 22/23 III C 2
Kalahari, Wüste 138/139 II B 2
Kalamä 147 E 5
Kalamafka 10 I B 1
Kalamata 130/131 I G 4
Kalamyde 10 III A 1
Kalanau, Ldsch. 72/73 V B 1
Kalat el Mutiq 8 I B 2
Kalat-Esch-Schirgat, Kalat Schirkat, Assur 6 II B 1, 148 III B 2
Kalathiana 10 I A 1
Kalauveia, O. u. T. 18/19 I D 1
Kalauvos, Geb. 18/19 I C/D 1
Kalchedon, s. Chalkedon 11 II D 1
Kale Akte, Kap a. Kreta 10 III A 1
Kale Akte, O. i. Sizilien 17 I C 2
Kaleb, V. 8 IV B 4
Kalergi 10 I B 1
Kalgan 154 III A 2
Kalgoorlie 137 I D 6
Kalifenreich, Kalifat 50/51 A—I 3—5, 57 I F/G 4, 64/65 III F 3
Kalifornien, Ldsch. 118 III B 1
Kalifornien, amerik. Staat 133 I B/C 2/3, 133 III A/B 2/3
Kalikut 72/73 II G 6, 98/99 I H 6, 111 II C 2, 116/117 IV B 3, 135 I B 3
Kalimantan, s. Borneo, Ins. 162 II C 3/4
Kalinga-Reich 46/47 I G 4/5,
Kalinga, Ldsch. 72/73 I B 3/4
Kalinin, Twer 156/157 I G 3
Kaliningrad, Königsberg 160 III D 2
Kalinschar 72/73 I B 3
Kalisch 68/69 I K 3, 106/107 I K 4, 106/107 III B 2, 116/117 I G 3, 126/127 I G 3, 152 II H 3
Kalka, Fl. 67 III F 3
Kalkau 77 III B 2
Kalkfontein 138/139 II A 2
Kalkreuth 81 I
Kalkutta 135 I C 2, 162 II B 2
Kallatis, Mangalia, Callatis 38/39 I E 2
Kallidromos, Geb. 18/19 III
Kallion 18/19 I C 3
Kallipolis, Callipolis, O. i. Calabrien 30/31 I H 4
Kallipolis, Callipolis. s. auch Gallipoli, O. a. Dardanellen 18/19 I G 1
Kallipolis, O. i. Sizilien 17 I D 2
Kallistai 18/19 I C 3
Kallo 143 I a—b
Kalmar 75 C 2, 113 D 3
Kalmücken, Oiraten, V. 98/99 I I/K 2/3, 105 III C 2, 112 I E/F 1, 119 G/H 5, 160 II
Kalmückische ASSR 150/151 I H 4
Kalochorio 10 I B 1
Kalocsa, Ebm. 88/89 I F 4
Kalocsa, O. 74 III D 3
Kaloi 10 III B 2
Kalpaki, Passaron 18/19 I A 2
Kalpe 20 I F 2
Kaluga 92/93 I K 3, 105 II B 3, 119 F 4, 156/157 I G 3
Kalundborg 102/103 I F 2
Kalvinisten, s. Reformierte 104 I u. II, 105 I
Kalydon 18/19 I B 3
Kalydonischer Golf 18/19 B 3
Kalykadnos, Calycadnus, Fl. 38/39 I F 3
Kalymnos, Ins. u. O. 18/19 I G/H 4/5, 4 VII B 2
Kalynda 22/23 II A 2
Kama, Fl. 50/51 G 2, 119 I/K 2/3
Kamakura, 72/73 II N 4
Kamaon, Ldsch. 135 I B/C 1/2
Kamara, Ins. b. Kreta 10 III C 1
Kamaran, Ins. i. Roten Meer 138/139 I M 4
Kamares 10 I A 1
Kamarina, Camarina, 17 I C 4, 25 I E 5
Kamaru, Ldsch. 72/73 V D 2
Kamarupa, Ldsch. 46/47 III H 3
Kamba 62 III C 3
Kambodscha (Khmer), Staat 98/99 I L 6, 111 II E 2, 136 II B 2, 162 II C 3, 163 I E 3, 164/165 III, 168
Kameiros 10 II E 3
Kamen, Camen 56 V B 1. 142 IV C 1, 142 V C 1
Kamenz, Kl. i. Schlesien 88/89 III C 1
Kamenz, O. i. Lausitz 68/69 I H 3
Kamerun, dt. Kol., Mandat 132 I C 3, 152 I
Kamerun, Staat 162 III B 2, 163/165 III, 166/167 I u. III, 168
Kamieniez Podolsk, Bm. 88/89 I H 4
Kamieniez Podolsk, O. 67 III D 3, 71 I C 3, 113 F 5, 119 D 5
Kamin, O. i. Westpreußen 122/123 I G 2
Kaminaki 10 I B 1
Kaminia 18/19 I F 2
Kamitz 77 III A 2
Kammanu 9 III E 2
Kammin, Cammin, Bm. 88/89 II C 1
—, Bm. Territ. 68/69 I H/I 1/2
Kammin, Cammin, O. 66 I D 1, 106/107 I H 3
Kamnig 77 III B 1
Kampanien, Campania 24 II, 30/31 I u. III D—F 3/4
Kampen, O. a. Zuidersee 68/69 I C 2
Kamtschatka, Halb-Ins. 105 III G/H 2
Kamtschik 140 IV B 2
Kana Fl. 34/35 II A 2
Kana, O. i. Galilaea 34/35 II B 2
Kana, O. i. Phönizien 8 III B 1
Kanaan, Ld. 9 I D/E 3
Kanaanäer, V. 3 I E 3, 8 III
Kanada, Canada, Ld., 8 III B 1
Dominion 111 I C 1, 115 II B/C 2, 116/117 I C—E 1/2, 118 I B—D 1, 133 I, 138/139 I B—G 1/2, 156/157 II A—D 1/2, 164/165 III, 166/167 I u. III, 168
Kanada, Bevölkerungsverluste 152 III
Kanada-Pazifik-Eisenbahn 133 III A—F 1/2
Kanadier in USA 144 II
Kanai 18/19 I G 2
Kanal, La Manche, Ärmelkanal 68/69 III A—C 1, 110 B/C 2/3
Kanal, großer (China) 72/73 II L 4
Kanara, Ldsch. 135 I B 3
Kanarische Inseln 98/99 IV, 111 I F 2, 132 I B 2
Kanarische Inseln, Bm. 88/89 I A 6
Kanastraion, Kap 18/19 I D 2
Kanazawa 136 I G 3
Kandahar, Alexandria 22/23 I H 2, 50/51 H 4, 72/73 II F 4, 134 II E 2
Kandalakscha 156/157 I G 2
Kandia, Ebm. 88/89 I H 6
Kandia, s, Kreta, Ins. 64/65 I D 3, 64/65 II D 3, 102/103 I H/I 6, 112 I C 2, 130/131 I G/H 4/5, 145 V B/C 3/4, 145 VI B/C 3/4
Kandia, Herakleion 54/55 I H 5, 102/103 I I 6, 112 I C 2, 145 V C 3, 145 VI C 3, 156/157 I F 5
Kandy 135 I C 4
Kane, Geb. 18/19 I G 3
Kanea 102/103 I H 6, 112 I C 2
Kanem, Ldsch. 98/99 IV, 132 I C 3
Kanesch, Kültepe 3 II E 3, 8 II B 2
Kanew 75 F 4
Kangean-Ins 135 II D 1
Kang-gü, V. 3 I I 3, 46/47 E/F 2
Kanis, s. Kanesch, Kültepe 8 II B 2, 9 I E 2
Kanli Kastelli 10 I B 1
Kannanore, Kannanur 98/99 I H 6, 135 I B 3
Kano 132 I C 3, 162 III B 2
Kanodsch 46/47 III G 3
Kanopische Nil-Mündung 29 II B 1
Kanopos 29 II B 1
Kanpur 135 I C 2
Kansas, amer. Staat 133 III C/D 3
Kansas, O. 133 III D 3
Kansipura 72/73 I A/B 4
Kansu, chin. Prov. 136 I D 3
Kansu-Kultur 3 III A 1/2
Kantabrer, Cantabri, V. 38/39 II B 1, 48 I A 2, 48 II A 2
Kantabrisches Meer, Cantabricum, mare, Golf v. Biskaya 34/35 I B 2
Kantanos 10 III A 1
Kantharos, Hafen v. Piräus 12 V
Kantier, Cantii, V. 29 I B 1
Kanton, Kuang-tschou 72/73 II L 5, 136 I E 4, 136 III B 4, 158 I C 3, 158 II C 3, 162 I B 2
Kantschi 46/47 III F 4
Kan-tschou 46/47 IV E 3, 52 III F/G 3, 136 I E 4
Känugard, s. Kiew 57 I F 2
Kao-li, Korea, Ld. 72/73 I F 2, 98/99 I N 3/4
Kao-tschang, Chotscho 46/47 III G 1
Kap delle Colonne 63 I F 5
Kap der Guten Hoffnung, Stürmisches Kap 98/99 IV
Kapelle, Capelle, O b. Nordkirchen 142 IV C 1, 142 V C 1
Kapellen, O. b. Antwerp 143 Ib
Kapellen, O. b. Koblenz 40 II A 1
Kapellen, O. b. Mörs 142 IV A 2, 142 V A 2
Kapersburg 40 II B 1
Kaphereus, Kap 18/19 I E 3
Kaphtor, Kafti, Kreta, Ins. 9 I
Kaphyai 18/19 I C 4
Kapilavasta, Kapilavastu 22/23 I K 3, 72/73 IV B 2
Kapitol in Rom, Capitolium 45 I
Kap-Kolonie 138/139 II A/B 2/3
Kapland, Ldsch. 125 II, 132 I C/D 5
Kapolna 130/131 I G 2
Kaporn 121 II
Kappadokien, Ldsch. 22/23 I E 2, 26/27 IV B/C 2, 28 I E 2
Kappadokische Buntkeramik 2 II E 3
Kappel 80 II C 1, 104 II A 3
Kappenberg, Cappenberg 142 IV C 1, 142 V C 1
Kapp-Putsch 153 II
Kap-Provinz, Kap-Kolonie 138/139 I K/L 6, 138/139 II A/B 2/3
Kapros-Hafen 18/19 I D 1
Kapstadt 138/139 II A 3, 144 VI A 3
Kaputschen, V. 134 I F 2
Kap Verde 98/99 IV
Kapverdische Inseln 98/99 IV, 111 I E 3
Kara, Ldsch. i. Indien 72/73 V B/C 2
Kara, Chotscho-Idykutschachri, O. i. Tarimbecken 72/73 I B 1
Karabagh,Chanat 112 I E 1/2, 134 I E/G 3/4
Kara Balgasun 46/47 IV E 2
Karabel 10 II E 2
Karaburçlu 8 I B 2
Karaburun 8 I A 2
Karachanidenreich, Karlukenreich der Ilig-Chane 46/47 IV B/C 2, 50/51 I/K 3, 72/73 I A—C 1/2
Kara Chitai, westl. Liao-Reich, Kitan 72/73 I A—C 1/2, 72/73 II F—H 3, 72/73 III E—G 2/3
Karadagh 8 I A 2
Karafuto, Sachalin, Ins. 136 I H 2, 137 I E 2
Karaganda, O. u. Ldsch. 159 II E 2
Karahissar 70 II F 3
Karahüyük 8 I B 2
Karakallu, Athos-Kl. 45 VI B 2
Karakalpaken, V. 134 II D/E 1
Karakorum, Geb. 136 I A 3
Karakorum, Ordu-Balyk, O. 46/47 IV E 2, 52 III G 2, 72/73 II K 3
Karakuyu 8 I B 2
Karalis, Caralis, Cagliari 11 II B 2
Karaman, Ldsch. 70 II F 3, 92/93 I I 6
Karaman, Laranda, O. 38/39 I F 3, 98/99 I D 4, 112 I D 2
Karanagi 34/35 I F 4
Karanis 29 II B 2
Karanlik 4 VII B 2
Karansebes 112 II E 3
Karantanen, V. 50/51 C 3
Karantanien, Ldsch., s. Kärnten 58/59 II A/B 2
Karapapachen, V. 134 I D 3
Karaschahr 46/47 I G 2, 52 III F 2
Kara-See, Karisches Meer 159 I D/E 1, 159 II D/E 1
Kar Assur 9 III F 3
Karasy, Ldsch. 70 II E 3
Karatschaier, V. 134 I C/D 2
Karatschi 135 I A 2, 137 III A 2, 163 I A 2
Kara Tepe, O. i. Babylonien 6 II B 2, 6 IV B 2
Kara tepe am Ceyhan- Fl. 8 I B 2
Karchedon, s. Karthago 14/15 I C 3
Kardamyle, O. a. Chios 18/19 I G 3
Kardamyle, Cardamyla, O. i. Lakonien 18/19 I C 5
Karden, Kl. 80 I C 1
Karden, O. 40 II A 1
Kardia 18/19 I G 1
Kardis 113 F 3
Kardiumverzierte Keramik 2 I
Karduchen, V 22/23 III C 2
Kar-Duniasch, Ldsch. 9 I F/G 3
Karelien, Ldsch. 113 F/G 2, 119 D/E 2, 160 II D 1, 160 IV B/C 3

Karelier, V. 50/51 D/E 1, 68/69 II D 1, 160 I D 1
Karelische ASSR 150/151 I G 2
Karelo-finnische SSR 160 IV B/D 1—3
Karene 18/19 I G 2
Karer, V. 8 II A 2
Karesos, Fl. 18/19 I H 1/2
Karfreit 24 II F 1
Karga 8 I B 2
Karia, Karien, Caria, Ldsch. 9 I C 2, 22/23 II A 2, 38/39 I E 3
Karibisches Meer 100/101 VII A—C 2, 111 I B/C 3, 118 III C/D 1/2
Karikal 135 I B/C 3, 162 II A 3
Karische Schrift 9 II C 2
Karisches Meer, siehe Kara-See
Karkemisch, Europus 6 II—IV A 1, 8 I B 2
Karkine 16 II F 1
Karl-Marx-Stadt, Chemnitz 161 IV B 1
Karlowitz, Gr. u. Kl., O. b. Ottmachau 77 III B 1
Karlowitz, O. i. Ungarn 112 II C 3
Karlsbad 122/123 I E 3
Karlsburg, Bm. 88/89 I G 4
Karlsburg, Apulum, O., Bg. O. 38/39 I D 1, 75 D 5, 112 II E 2
Karlsdorf, Wüstung 56 VI B 2
Karlshafen 105 I C 2
Karlshamn 113 C 3
Karlshorst 143 II, 161 II
Karlskrone 113 D 3
Karlsruhe 122/123 I C 4, 141 I B 3, 141 II B 3, 161 IV A 2
Karlstadt, O. i. Schweden 113 C 3
Karlstadt, O. i. Kroatien 96/97 I H 7, 112 II A 3
Karlstadt, O. a. Main 96/97 I E 5
Karlstein, Burg 68/69 I H 4
Karluken-, Karachaniden-Reich 46/47 IV B/C 2, 50/51 I/K 3, 72/73 I A—C 1/2
Karmana, O. 22/23 I G 2, 46/47 I D 3
Karmanien, Ldsch. 22/23 I G 3
Karmel-Gebirge 8 III B 2
Karmu 163 I D 1
Karnaim 8 III C 2
Karnak, Amuntempel v. Theben, Plan 7 V
Karnap 142 IV B 1, 142 V B 1
Karnatak, Ldsch. 116/117 IV B 3, 135 I B 3/4
Karnberg, Burg 58/59 II B 2
Karnos, Insel 18/19 I A 3
Kärnten, Mark, Karantanien 54/55 I E/F 3, 58/59 II A/B 2
—, Hzm. 58/59 III B/C 2, 68/69 I G/H 5, 70 I D 2, 104 II B 3, 106/107 I G/H 6, 115 I C 3
Kärnten, NS-Gau 155 I C 3
Kärntner Mark 58/59 I L 5
Karolinen-Inseln 100/101 VIII B/C 2, 137 I E 4, 158 I E 4, 158 II E 4
Karolingerreich, s. auch Frankenreich 54/55 I—IV, 56 I—II, 57 I, 58/59 II, 62 I
Karolingische Kunst 53 II u. III
Karpaten, Geb., s. auch Alpes Bastarnicae 3 II D 2, 74 III E/F 2/3
Karpathos, Carpathus, Ins. 38/39 I E 3, 145 VI C 3
Karpato-Ukraine, Ld. 150/151 I F 4, 160 III D 3
Karpen, Carpi, V. 34/35 I E 2
Karpenstein 77 III A 2
Karpetaner, Carpetani, V. 38/39 II B 1/2
Karpfen, Bg., O. 75 C 4
Karrhä, s. Carrhae, Harran 26/27 IV C 2
Kars 57 I G 3, 112 I E 1, 134 I D 3, 149 III D 3
Kartachen, V. 134 I F 2
Kartalinien, Ldsch. 134 I D/E 2/3
Kartan 8 III B 1
Kartasura 135 II C 1
Karthagisches Reich 14/15 I A—C 3, 17 I A/B 2/3, 22/23 I A—C 1/2, 26/27 I A—C 1/2, 26/27 II A—C 1/2
Karthago, Exarchat 50/51 B/C 4
Karthago, Karchedon, O. 11 II C 2, 34/35 III C 1, 48 I C 3, 48 II C 3
Karthago, Plan 21 II, 28 IV
Karthago, Neu-, s. Carthagena, Nova Carthago 26/27 II A 2
Karthaia 18/19 I E 4
Karthause v. Pavia, Kl. 94 II C 2
Kar Tukulti Ninurta 9 I F 2
Karumpais 10 I C 1
Karyai 18/19 I C 4
Karydaki 10 I B 1
Karydi 10 I C 1
Karyes 45 VI B 2
Karystos 18/19 I E 3
Karzig 121 I
Kasachen, Kirgisen, Kleine Horde, V. 98/99 I F—H 3, 105 III B/C 2, 119 I/K 4/5, 134 II D/E 1
Kasachische SSR 150/151 I H/I 3/4
Kasakstan, Ldsch. 136 I A 2
Kasalinsk 134 II E 1
Kasan-Chanat, Reich 98/99 I E/F 2, 105 II C/D 3
Kasan, Gouvernement 119 G/K 3/4
Kasan, O. 105 II C 3, 119 H 3
Kasbek, Bg. 134 I E 2, 156/157 I H 4
Kaschau, Košice, Kassa 75 D 4, 106/107 I L 5, 106/107 III C 2, 112 II D 1, 115 I E 3, 150/151 I F 4
Kaschgar, Chanat 98/99 I H/I 3/4
Kaschgar, O. 46/47 I F 3, 52 III E 2, 72/73 II G 4, 136 I A 3
Kaschgarien, Ldsch. 46/47 I F/G 2/3
Kaschjar-Geb. 9 I E/F 2
Kaschmir, Ldsch. 22/23 I I 2, 46/47 I F 3, 72/73 II G 4, 98/99 I H 4, 116/117 IV B 1, 135 I B 1, 138/139 I N 3, 162 II A 2
Kaschpalat 140 IV B 1
Kaschuben, V. 67 III B 2, 106/107 III B 1
Kasi 46/47 III G 3
Kasischka 77 III B 1
Kaskäer, Gasgäer, V. 9 III E 1/2
Kaskaskia 116/117 II C 3
Käsmark, Kesmark, O. 68/69 I L 4, 112 II D 1, 115 I E 3
Kasos, Ins. 11 I E 3
Kaspatyrus a. Indus 14/15 VI
Kaspier, V. 14/15 I F 3
Kaspirer, V. 14/15 I I 3
Kaspische Pforte, — Tore, Paß 9 III H 2, 22/23 I G 2
Kaspisches Meer, Caspium mare, Hyrkanisches Meer 14/15 I F/G 2/3, 46/47 I C/D 2/3, 72/73 II D/E 3/4, 98/99 I E/F 3/4, 119 H/I 5—7, 134 II C/D 1/2
Kasr ibn Wardan 41 III C 2
Kasr-i-Schirin 42/43 I G 3
Kasr Schamamok. Kakzu 6 IV B/C 1
Kassa, Košice, s. Kaschau 150/151 I F 4
Kassai, Fl. 132 I C/D 4
Kassala 132 I D 3, 138/139 III B 2
Kassandreia, Poteidaia, Kassandrea, Cassandrea 18/19 II C 2
Kassel 68/69 I E 3, 105 I C 2, 122/123 I C 3, 156/157 III B 2, 161 IV A 1
Kassiten, V. 6 IV, 8 II C 2
Kassogen, Tscherkessen, V. 50/51 E/F 3
Kassope 18/19 I A 2
Kassopia, Ldsch. 18/19 I A 2
Kastabala, Hieropolis 22/23 II C 2
Kastal 41 III C 2
Kastamonitu, Athos-Kl. 45 VI B 1
Kastamonu, Wilajet 134 II B 1
Kastamuni 92/93 I 75, 130/131 I I 3
Kastel, Castellum Mattiacorum, O. b. Mainz 40 II B 1, 80 I D 1
Kastellaun 80 I C 1
Kastelli, O. a. Kreta 10 I B 1
Kasthanaia 18/19 I C 2
Kastilien, Mgft. 57 I B 3, 58/59 I B 7/8
—, Kgr. 64/65 I A 2/3, 64/65 II A 2/3, 92/93 I A/B 5/6, 102/103 I B/C 5/6
Kastolupedion, Ebene 22/23 III A 2
Kastoria 145 V B 2
Kastritsa 4 VII A 2
Käswasser, O. 81 I
Kaswin, pers. Gau. u. O. 134 II C/D 2
Katabaner, V. 46/47 I C 5
Katak 135 I C 2
Katakomben in Rom 45 I u. II
Katalanen in Griechenland, Hft. 70 II D 3
Katalanische Sprache 49 II B 3
Katalaunische Felder 48 I B 2
Katalonien, Gft. Barcelona, Ldsch. 64/65 I B 2, 64/65 II B 2, 116/117 I D 5
Katalonien, Prov. 130/131 I C 3, 154 V C 1
Katane, Katana, Catania 17 I D 3
Katanes, s. Caithness, Ldsch. 60 I D 2
Katanga, O. 132 I D 4
—, Ldsch. 146 I D 3, 162 III C 3
Katar, Ldsch. 162 III D 1, 163 II D 4
Katar Petroleum Co. 163 II D 4
Katchreti 163 II C 2
Kath 50/51 H 3
Kathaniden, Joktaniden, Hft. 46/47 I C/D 5
Kathedral-Kunst, französische 67 II, 90 I
Kathiawar, Ldsch. 22/23 I H/I 3, 135 I A/B 2
Katholiken, Konfession 104 I—III, 105 I
Katholiken (Konfession) i. d. Niederlanden 126/127 IV
—, i. d. Schweiz 130/131 II
Katholiken in Vietnam 163 I E 2/3
Katholische, Römische Christen, — Kirche, — Mission, s. auch Kirchenstaat, Klosterwesen, Patrimonium Petri 48 II, 49 I, 52 I—III, 56 I u. II, 58/59 II, 61 I u. II, 64/65 I, III u. IV
Katholische, Römische Kirche (Organisation) 88/89 I u. II
Katholische Kirche in Deutschland 145 I, 161 VI
Katholisch Hennersdorf 122/123 I F 3
Katif 163 II D 4
Katmandu 135 I C 2
Katna 8 II B 2
Kato Elunta 10 I B 1
Kato Sime 10 I B 1
Katsamba 10 I B 1
Katsch, Ins. 135 I A/B 2
Kattegat 84 I C 2, 84 II C 2
Kattowitz 141 I D 2, 141 II D 2, 141 III B 2, 141 IV B 2, 152 II H 3, 156/157 I E 3
Kattura 46/47 III G 4
Katyn 156/157 I G 3
Katzbach, Fl. 126/127 III E/F 2
Katzbach, O. i. Bessarabien 140 IV A 1
Katzenelnbogen, Gft. 96/97 I D/E 4/5, 122/123 I B/C 3, 126/127 II A/B 2
Kaub 126/127 III A 2
Kau el-Kebir 6 I A 2
Kauen, s. Kowno 67 III C 1/2
Kaufbeuren, RSt. 68/69 I F 5, 81 II C 3, 122/123 I D 5, 128 I B 3
Kaukasien, Ldsch. 134 I
Kaukasische Sprachen 70 II
Kaukasische Völker 134 I, 160 II
Kaukasus, Geb. 22/23 I F 1, 119 G/H 6, 134 I, 156/157 I G/H 4
Kaulonia, Caulonia 17 I E 2
Kausldorf 143 II
Kaulun 136 I E 4
Kaunas, s. Kowno 150/151 I F 3
Kaunos, Caunus 9 III C 2, 38/39 I E 3
Kauthara, Ldsch. 46/47 I I 5
Kavusi 10 I B 1
Kawa, Gem Aten 6 I A 4
Kawalla 130/131 I G 3, 145 V B 2, 145 VI B 2, 156/157 I F 4
Kawar, Ldsch. 50/51 B/C 5
Kaweri, Fl. 135 I B 3
Kawieng, Ins. 158 II E 5
Kawkasskaja 134 I C 1
Kawla Kandal 6 II B 1, 6 IV B 1
Kaya 46/47 I L 3
Kayara, Erdölfeld 163 II C 3
Kayseri, Caesarea, O. i. Kappadokien 38/39 I G 3, 150/151 I G 5
Kaysersberg 114 D 3
Kaystros, Fl. 18/19 V
Kazanli, O. i. Kilikien 8 I A 2
Kazanlik, O. i. Ost-Rumelien 145 V C 2
Kazimierz, O. b. Krakau 79 VII, 82 I C 2
Kdeim, Acadama 41 III D 2
Kebakeb 41 III E 2
Kebrene 18/19 I G 2
Kecskemet 112 II C 2
Kedah, Staat 138/139 V A 1
Kedemoth 8 III B 3
Kedesch, Cades 8 III B 1
Kedin 135 II C 1
Kediri 72/73 I E 6
Kedoi 13 I B 2
Kedrëer, V. 9 III E 3
Keeling-, Cocos-Ins., brit. 138/139 I O 5, 158 I B 5, 158 II B 5
Keetmanshop 138/139 II A 2
Keewatin, canad. Territor. 133 I C/D 1
Kefferhausen 77 IV A 1
Kehl 77 I A 1, 114 D 3, 161 IV A 2
—, Fort, Plan 120 I
Kehlheim 62 IV D 3
Keijo, Söul 154 III B 3
Keiriadai, Ot. i. Athen 12 VI
Kekaumene, Laodikeia 22/23 II B 2
Kekryphaleia, Ins. 18/19 I D 4
Kelänä, Kelainai, Apameia 9 III D 2, 22/23 II B 2
Kelantan, Sultanat 138/139 V A/B 1/2
Kelanten, O. 72/73 I D 5
Kelat 134 II E 3
Kelb, Ldsch. 50/51 E 4
Kelenderis 11 II E 2
Keletron 18/19 I B 1
Kelheim, Alcimoenis 40 II E 3, 106/107 I F 5
Kelischin 6 IV B 1
Kelle 18/19 I B 1
Kellmünz, Caelio Monte 37 I C 2, 120 V D 2
Kells, Kl. 57 II A 2
Kelten, Bretonen, V. 49 II A 1/2
— d. brit. Inseln, V. 57 II
Kelten, Gallier, V. 3 I B/C 2, 24 I, 29 I
Keltiberer, Celtiberi, V. 24 I B 3/4
Kem 156/157 I G 2
Kembs, Cambete 40 III A 1, 54/55 II E 4
Kemel 40 II B 1
Kemi, Fl. 113 E/F 1
Kemi, O. 113 E 1, 160 IV A 2
Kemijärvi 160 IV B 2
Kemmel, Bge. 148 II B 1
Kempen, O. i. Polen 105 I E 2
Kempenich, O. u. Amt 80 I C 1
Kempser, V. 14/15 I A 3
Kempten, Cambodunum 37 I C 3
Kempten, Kl. 58/59 I I 5
—, RSt. 68/69 I F 5, 81 II C 2, 122/123 I D 5, 128 I C 3
Kenadsa 150/151 I C 5
Kenchreai 18/19 I C/D 4
Kendal 110 B 2
Kendari 158 I D 5
Kendel, Fl. 142 IV A 1/2, 142 V 1/2
Kene, Wadi 6 I A 2
Keng 3 III B 2
Kenia, Ldsch., brit. Besitz 1 I, 146 I D/E 2/3
Kenia, Staat 162 III C 2/3, 164/165 III, 168
Keniter, V. 8 IV B 4
Kenninghall 102/103 I D 3
Kensington 109 I
Kent, Ldsch. 52 I C 2, 54/55 I C 2, 58/59 I C/D 3
Kentoripa, Centoripa 17 I C 3
Kentrites, Fl. 22/23 III C 2
Kentucky, amer. Staat 118 I B 2, 133 III E 3
Kenzingen 77 I A 3
Keos, Bm. 88/89 I G 6
Keos, Ceus, Ins. 18/19 I E 4
Kephale 13 I B 2
Kephallenia, Kephalonia, Ins. 18/19 I A 3, 54/55 I G 5. 56 II C 4, 64/65 II D 3, 70 II D 3, 92/93 I G 6, 102/103 I H 6, 126/127 I H 6, 130/131 I G 4
Kephalonia, Bm. 88/89 I G 6
Kephaloidion, Cephaloedium 17 I C 2
Kephisia 13 I B 1
Kephisos, Fl. i. Böotien 18/19 IV A 1/2
Kephisos, Fl. b. Eleusis 13 I A/B 1
Kephissos, Kephisos, Fl. b. Athen 13 I B 1/2
Kepoi, Ot. v. Athen 12 VI
Keräti, V. 72/73 II I/K 3
Keraitai 10 III A 1
Kerak, Krak von Moab, Burg 64/65 IV A 5
Kerala, Ldsch. 46/47 I F 5
Kerameikos, Ot. i. Athen
Kerasus, Cerasus, Kerasun Pharnakeia 11 II E 1, 22/23 II C 1, 148 III A 1
Keratos 10 I B 1
Kerbela 50/51 F 4, 148 III B 2, 150/151 I H 5
Keresztes 106/107 I L 6
Kerguelen, Ins. 164/165 I N 7
Keria, Ins. 18/19 I F 5
Kerilloi, Cerilli 17 I D 1
Kerinthos 18/19 I D 3
Kerketeus, Geb. 18/19 I G 4
Kerkina, Ins. 26/27 II C 2
Kerkuk 134 II C 2, 148 III B 2
Kerma 6 I A 4
Kermadec-Ins., neuseeld. 138/139 I I 6
Kerman, Kirman, Ldsch. 50/51 G 4/5, 134 II D/E 2/3
—, O. 64/65 III G 3, 72/73 II E 4, 134 II D 2
Kermian, Ldsch. 92/93 I H/I 6
Kernbeilkulturen 1 V
Kersbach, O. 56 III
Kersen 64/65 IV B 2
Kertosono 135 II C 1
Kertsch, Bm. 71 I E 3
Kertsch, Panticapaeum, O. 102/103 I L 4, 119 F 5, 156/157 I G 4
Keryneia, Geb. 18/19 I B/C 4
Keryneia, O. 18/19 I C 3
Kerynitis, Fl. 18/19 I B/C 3/4
Kesalon 34/35 II B 3
Kesch 50/51 H 4
Kesmark, s. Käsmark 112 II D 1
Kesselsdorf 122/123 I E 3
Kesselshain 77 II
Kesselstadt 40 II B 1
Kete-Kratschi 163 IV B/C 2
Ketta 138/139 I N 3
Kettwig 142 IV A 2, 142 V A 2
Ketzerbach. Fl. 56 IV
Keula 77 IV B 1
Kexholm 113 G 2, 160 IV C 3
Key West 156/157 II B 3
Khafaja 6 II—IV B 2
Khaiber-Paß 163 I B 1
Khairpur 163 I A 2
Khanakin 148 III B 2, 163 II C 3
Khandesch, Ldsch. 135 I B 2
Khark 163 II D 4
Kharput 148 III A 2
Khartum, Chartum 6 I A 4
Khiang, V. 46/47 II F/G 3/4
Khmer, s. Kambodscha (St.)
Khmer-Reich 46/47 IV E 5, 72/73 I D 4, 72/73 II I/K 5—7, 72/73 IV B/C 3
Khola, Ldsch. 46/47 I F 5
Khorsabad, Dur Scharrukin 6 IV B 1
Khotan 136 I A 3
Khurais, Erdölfeld 163 II C 4
Khursag-Kalama, Nghara 6 III B 2 u. 6 IV B 2
Kiangsi, chin. Prov. 136 I E 4, 162 I B 2
Kiangsu, chin. Prov. 136 I E/F 3
Kiautschou, dt. Kol. 138/139 VI A/B 3
Kibyra, Cibyra 38/39 I E 3
Kibyraioton, byzantin. Thema 50/51 D/E 4
Kichyros 18/19 I A 2
Kidi Basikin 6 II B 1, 6 IV B 1
Kidron, Fl. 34/35 V
Kiel, O. b. Antwerpen 143 Ib
Kiel, O. i. Holstein 68/69 I F 1, 122/123 I D 1, 152 II D 1, 156/157 I E 3, 161 IV B 1
Kielce 75 D 4, 156/157 I F 3
Kien-Kun, V. 46/47 II D/E 1
Kierion, Arne 18/19 I C 2
Kieros, Prusias 22/23 II B 1

Kiew, Ebm., Metropolitie, ruthen. Metropolitie 61 II C 1, 88/89 I 73
Kiew, Fsm. 67 III D/E 2/3
Kiew, Gouvernement 119 E/F 5/6
Kiew, Känugard, O. 57 I F 2, 67 III E 2, 71 I D 2, 113 G 4, 119 E 4, 148 I H 3, 149 I C 2, 156/157 I G 3
Kiewer Reich 57 I E/F 2/3, 61 V B/C 1—3
Kighi 148 III B 2
Kikonen, V. 10 II D 1
Kikynna 13 I B 2
Kildare 52 I A 2
Kilia 71 I C 3, 92/93 I H 4, 116/117 I I 4, 130/131 I H 2
Kiliker, V. 9 III D/E 2
Kilikien, s. auch Cilicia 14/15 I E 3, 38/39 I F/G 3
Kilikische Pforte, Paß 16 II F 3
Kilimandscharo, Bg. 132 I D 4
Killa 18/19 I G 2
Killburg, Amt u. Ort 80 I B 1
Killingworth 142 I—III A 1
Kilwa 98/99 I D 8, 98/99 IV D 8, 111 II A 3, 132 I D 4
Kimberley, O. 138/139 II B 2, 144 V B 2
Kimberley, Territ. 137 I D 5
Kimbern, Cimbri, V. 24 I B—D 2/3, 41 I A/B 1
Kimbrisches Vorgebirge 24 I C/D 2
Kimmerier, V, 3 I E/F 2, 5 II F 3, 9 III G 1
Kimmerischer Bosporus, Bosporos, Straße von Kertsch 24 I F 3
Kimolos, Ins. u. O. 18/19 I E 5
Kinana, Ldsch. 50/51 E 5
Kinaros, Ins. 18/19 I G 5
Kinburn 119 E 5
Kindu 132 I D 4
Kings County 110 A 2
Kings Lynn 110 C 2
Kinloss, Kl. 87 II A 2
Kinneroth, Genezareth, See 8 III B 2
Kin-Reich, Dschurtschen 72/73 I D—G 1/2
Kinsale 102/103 I B 3
Kinshasa 162 III B 3
Kintampo 163 IV B 1
Kinyps, O. 11 II C 2
—, Fl. 14/15 I C 3
Kinza, Kadesch 9 I E 3
Kinzig, Fl. 40 II A/B 3, 77 I A/B 1/2
Kios, Chios, O. a. Chios 11 II D 2
Kios, Cius, O. a. Propontis 38/39 I E 2
Kioto 72/73 I G 2, 136 I I 3, 136 III D 3
Kirberg, O. b. Limburg/Lahn 80 I D 1
Kirchberg, Dumnio, Dumnissus 40 II A 2
Kirchberg, Wüstung b. Mühlhausen/Thür. 77 IV A 1
Kirchberg, O. b. Simmern 80 I C 2
Kirchberg, O. b. Ulm 120 V D 1
Kirchderne 142 IV u. V C 1
Kirche, christl. u. Sekten, siehe unter:
Albigenser
Anglikaner
Arianer
Armenische Kirche
Griechische Kirche
Hugenotten
Jakobiten
Katholische Kirche
Koptische Kirche
Lutheraner
Monophysiten
Nestorianer
Orthodoxe Kirche
Protestanten
Reformierte
Römische, Kathol. Kirche
Unierte Kirchen
Waldenser
Kirchen i. Niederlanden 126/127 IV
Kirchenstaat, Patrimonium Petri 53 I, 58/59 I I/K 6—8, 64/65 II C 2, 94 I D/E 2—4, 94 II D/E 2—4, 102/103 I F 5, 116/117 I F 5, 124 II B/C 2, 130/131 I E 3
Kirchheimbolanden 122/123 I B 4
Kirchhellen 142 IV A 1, 142 V A 1
Kirchheller Heide 142 IV A 1, 142 V A 1
Kirchhörde 142 IV B 2, 142 V B 2
Kirchrüsselbach 56 III
Kirgisch, Fl. 140 IV A 2
Kirgisen, Kasachen, Kleine Horde, V. 46/47 I H 1, 72/73 I B—D 1, 105 III B/C 2, 119 I/K 4—5
Kirgisen-Steppe 156/157 I H 4
Kirgisische SSR. 159 II E 2
Kiriath 8 III B 3
Kirin 136 I F 2
Kirjathaim 8 III B 3
Kirkenes 156/157 I F 2
Kirkjubö, Bm. 88/89 I A 1
Kirk Kilisse 145 VI C 2
Kirkuk, Arapkha, O. 6 IV B 1, 163 II C 3
Kirkuk, Erdölfeld 163 II C 3
Kirkwall, Bm. 88/89 I B 2
Kirman, s. Kerman
Kirmanschah, Gau u. O. 134 II C 2, 148 III B 2
Kir Moab 34/35 II B 3
Kim 80 I C 2
Kirnbach, Fl. 80 I C 2
Kirow, Wjatka 163 II C 1
Kirowo 156/157 I G 4
Kirowograd, Jelisawetgrad 150/151 I G 4
Kirowsk, Chibinogorsk 150/151 I G 2
Kirrha 18/19 I C 3
Kiruna 147 F 2
Kisamon, Kap 10 III B 1
Kisamos 10 III A 1
Kisch, Uhaimir 6 II B 2, 6 IV B 2
Kischinew, Chişinau 119 D 5, 130/131 I H 2, 150/151 I F 4, 156/157 I F 4
Kisil Irmak, Kizil Irmak, Halys, Fl. 38/39 I F/G 2/3, 70 II F/G 2/3, 130/131 I I/K 3/4
Kisimajo 154 IV B 3
Kision 8 III B 2
Kiska, Ins. 158 I F 2, 158 F 2
Kisljar 134 I F 2
Kison, Fl. 34/35 II B 2
Kissenbrück 58/59 V B 1
Kißleben 56 VI A 2
Kissus 18/19 I G 3
Kista 6 IV B 1
Kistan 9 III E 2
Kisthene 18/19 I G 2
Kisurra, Abu Hatab 6 III B 2
Kitaigorod, Ot. i. Moskau 105 IV
Kitan, westl. Lino-Reich, Kara-Chitai 72/73 I A—C 1/2
Kithairon, Geb. 13 I A 1, 18/19 IV B 2
Kitharista, Ceyreste 24 II B 3
Kition, Citium 9 II D 3, 38/39 I F 4
Kitzbühel, Bg. O. 86 I B 3
Kitzingen, Kl. 52 II C 2
Kiuschu, Ins. 72/73 I F/G 2
Kiutschwan, Sutschou 164/165 I O 3
Kivik 5 II C 2
Kizil dagh 8 I A 2
Kizil Irmak, s. Kisil Irmak, Halys, Fl.
Kizlar-kaya-deresi, Fl. 7 VIII
Kizzuwatna, Ldsch. 8 I B 2
Kjachta 136 I D 1
Kladeos, Fl. 14/15 III
Kladno 122/123 I F 3
Kladrau, Kl. 87 I F 2
Klagenfurt 68/69 I H 5, 106/107 I H 6, 155 I C 3
Klaipeda, s. Memel, O. 150/151 I F 3
Klar-Älv, Fl. 113 C 2/3
Klaros 18/19 I H 3
Klattau 122/123 I E 4
Klause, Berner (Veroneser), (Straßenenge) 58/59 I I 6
Klausen, O. 49 III B 2
Klausen, Salurner (Straßenenge) 58/59 I I 5
Klausenburg, Cluj, Kolozsvar, Napoca, O. 38/39 I D 1, 75 D 5, 112 II E 2, 150/151 I F 4, 156/157 III D 3
Klazomenai, Klazomenä 18/19 I G 3, 38/39 I E 3
Klčevac 5 I D 3
Klein-Armenien, Ldsch. i. Kappadokien, s. Armenia minor 26/27 IV C/D 1/2
Klein-Armenien, Fsm., Kgr. i. Kilikien 64/65 I E 3, 64/65 II E 3, 64/65 III E 3
Kleinasien, Ld. 38/39 I E—G 2/3, 50/51, 52 III, 64/65 I—IV, 70 II, 71 II, 72/73 IV
Kleinasiatische Urbevölkerung, s. Ägäisch-altkleinasiat. Völker 3 I D/E 3, 3 II D/E 3
Klein-Aspergle 24 I C 3
Kleinbartloff 77 IV A 1
Klein-Briesen 77 III B 2
Kleine Horde der Kasachen (s. auch Kasachen, Kirgisen) 119 I/K 4/5
Kleine Oase i. Ägypten 29 II A 2
Kleine Sunda-Inseln 164/165 I P/Q 5
Kleine Walachei, Ldsch. 112 II E/F 3
Kleingrabe 77 IV B 2
Klein-Gründlach 81 I
Klein-Hamersleben, Wüstung 56 VI B 2
Klein-Heide, Plan 76 IV
Klein Hötensleben, Wüstung 56 VI B 2
Klein-Keula 77 IV B 1
Klein-Machnow 143 II
Klein-Mahlendorf 77 III B 1
Kleinpolen, Ldsch. 67 III B/C 2/3, 106/107 I K—M 4
Klein-Reuth (2 Dörfer b. Nürnberg) 81 I
Klein-Schnellendorf 122/123 I G 3
Klein-Sendelbach, O. 56 III
Kleitor 18/19 I C 4
Kleonai, O. i. Argolis 18/19 I C 4
Kleonai, O. a. Chalkidike 18/19 I E 1
Kleparz, O. b. Krakau 79 VII, 82 I D 2
Klephten, V. 130/131 I G 4
Klepsydra, Quelle 12 I u. II
Klettgau, Ldsch. 122/123 I C 5, 128 I B 3
Kleve, Gft. 95 D 2
—, Hzm. 96/97 I D 4, 115 I B 2, 122/123 I B 3
Kleve, O. 114 D 2
Klewitz 121 III u. IV
Klingenberg-Kraftwerk i. O.-Berlin 161 II
Klisidi 10 III C 1
Klissow 106/107 I L 4
Kljutsch 112 II B 3, 145 V A 2
Klodebach, O. 77 III B 1
Klostergrab, Bg. O. 86 I B 1, 106/107 I G 4
Klosterneuburg, Kl. 58/59 III D 1
Klosterwesen, christliches 45 VI, 52 II, 53 III, 87 I u. II, 88/89 III
Klöstitz 140 IV A 1
Klötze 122/123 I D 2
Klysma 29 II B 2
Knäred 113 C 3
Knauthain 77 II
Knautnaundorf 77 II
Kneblinghausen 37 II A 2
Knemis, Geb. 18/19 I C 3
Knidos, Alt-, Neu-, Cnidus 18/19 I H 5
Knin, Bm. 88/89 I F 5, 88/89 II D 3
Knin, O. 112 II B 3
Knocke, Forst 114 B 2
Knossos, Cnossus 10 I B 1
—, Plan 11 III u. IV
Knoviz 5 II C 2
Knoxville 133 III E 3
Knysna 138/139 II B 3
Kobe 136 I G 3, 136 III D 3
Kobern 80 I C 1
Koblenz, Amt 80 I C 1
Koblenz, Confluentes, O. 40 II A 1, 54/55 II E 2, 80 I C 1, 105 I B 2, 122/123 I B 3, 152 II B 3
Koblenz-Trier, NS-Gau 155 I A 2/3
Koburg, s. Coburg
Kochem, Cochem, O. u. Amt 80 I C 1
Kocher, Fl. 37 I B/C 2
Kodkitaj 140 IV A 2
Kodok, Faschoda 132 I D 3
Koesfeld, Coesfeld 78 III A 2
Koevorden 104 III C 1
Koforidua 163 IV B 2
Köge 75 B 3
Kogel, Wüstung 77 IV A 2
Kogilnik, Fl. 140 IV A/B 1/2
Kohlenwald, Geb. 54/55 II C/D 2
Kohlstedt, Wüstung 77 IV A 1
Köhra 77 II
Koile, Ot. i. Athen 12 VI
Kokala 22/23 I H 3
Kokenhusen 68/69 II C 2, 75 E 2, 104 IV C 2
Kokoretsa, Fl. 11 V
Kokos-, Keeling-Ins. 158 I B 5, 158 II B 5
Kok Tepe 6 III B 1, 6 IV B 1
Kök-Türken-Reiche 46/47 IV A—G 1—3, 50/51 G—K 3/4
Ko-ku-rye, Korea, Ld. 46/47 I L—2/3, 46/47 III L 1/2
Kola, O. 119 E 1
—, Halbinsel 160 IV C/D 2
Kolapur 135 I B 3
Kolas 18/19 V C 1
Kolbatz, Kl. 87 II C 2
Kolberg, Bm. 88/89 II D 1
Kolberg, O. 61 I C 2, 68/69 I H 1, 75 B 3, 124 I D 1, 156/157 III C 2
Kolcher, V. 26/27 IV D 1
Kolchis, Colchis, Ldsch. 38/39 I H 2
Kolding 106/107 I E 2
Kolin, Bg. O. 86 I C 1, 116/117 III, 122/123 I F 3
Kollam, Quilon 135 I B 4
Kölln, O. b. Berlin 68/69 I G 2, 143 I
Kollytos, Ot. i. Athen 12 VI
Kolmar, Colmar 95 D 3, 114 D 3
Köln, Ebm. 88/89 II B 2, 145 I, 161 VI
—, Ebm.-Territ., Kur-Köln, Kurfsm. 78 III A 2, 122/123 I B 3
Köln, Colonia Claudia Ara Agrippinensium, Ara Ubiorum, Colonia, O., RSt. 37 I A 1, 49 II C 1, 52 III B 2, 54/55 II E 2, 68/69 I D 3, 105 I B 2, 141 I B 2, 141 II B 2, 152 II B 3, 156/157 I D 3
Köln, Plan 78 II
—, Universität 91 V B 1
Köln-Aachen, NS-Gau 155 I A 2
Köln-Lindenthal 2 I B 1
—, Plan 4 II
Kölner Recht 78 IV C 2
Kölln, Altkölln b. Berlin 144 I
Kolombo, Colombo 98/99 I H 7, 135 I B 4
Kolomea 75 E 4, 115 I F 3 156/157 I F 4
Kolomna 102/103 I L 2
Kolomyjscyna 2 I E 1
—, Plan 4 III
Kolonai, O. a. Hellespont 18/19 I G 1
Kolonai, O. i. Troas 18/19 I G 2
Kolonides 18/19 I B 5
Kolonos Hippios 12 V
Kolophon 18/19 I H 3
Kolosjoki 160 IV C 2
Kolozsvar, Cluj, s. Klausenburg 150/151 I F 4
Kolumbien, Staat 133 II A/B 1/2, 164/165 III, 166/167 II u. III, 168
Kolumbien, Groß- (Staat) 113 II A—C 1/2
Kolyma 159 I I/K 1, 159 II I/K 1
Komana, Comana, Hanyeri. Hieropolis, O. i. Kappadokien 9 I E 2, 38/39 I G 3
Komana, Comana, O. i. Pontus 9 I E 1, 38/39 I G 2
Komantschen-Indianer, V. 116/117 II A 2, 144 IV C/D 3
Kom el-Ahmar, Hierakonpolis, Nechen 6 I A 2
Kom el Hisn 6 I A 1
Komi-ASSR 150/151 I I 2
Komm 134 II D 2
Kommagene, Commagene, Ldsch. 38/39 I G 3
Kommunistische Partei Deutschlands, KPD 154 I u. II
Kommunistische Revolutionen 149 I—IV, 160 III, 162 I u. II
Kommunistischer Staatenblock 166/167 I
Komo, O. a. Kreta 10 I A 1
Komoren, Ins. 132 I E 4
Komorin, Kap 135 I B 4
Komorn 68/69 I K 5, 106/107 I K 6, 112 II C 2
Komotau 92/93 II B 3, 122/123 I E 3, 126/127 III D 2
Komsomolsk 154 III C 1
Konakry 132 I B 3, 162 III A 2
Kondoros, Pußta-Wüstung 140 V B 2
Kondruser, Condrusi, V. 29 I C 1
Konfuzianismus, Religion 72/73 IV, 137 III
Kong, Ldsch. 132 I B 3
Köngen, Grinario 40 II C 3
Kongo, Fl. 132 I C/D 3/4, 132 II C/D 3/4
Kongo, frz. Kol. 132 I C 3/4
Kongo-Freihandelsgebiet 132 I
Kongo-Freistaat 138/139 I K/L 4/5, 138/139 III A/B 2/3
Kongo (-Brazzaville), Staat 162 III B 2/3, 164/165 III, 166/167 I u. III, 168
Kongo (Demokrat. Rep., Zaire), Staat 162 III B/C 2/3, 164/165 III, 166/167 III, 168
Kongolo 132 I D 4
Kongostaat 132 I C/D 3/4
Kongrad 134 II D 1
Kongreß-Polen, Kgr. 126/127 I G/H 3, 129 I G—K 2/3
Konia, Iconium, Ikonion, O. 38/39 I F 3, 70 II F 3, 130/131 I I 4
—, Wilajet 134 II B 2
Konia, Sultanat, s. Rum-Seldschuken, Ikonion-Reich 64/65 I E 3, 64/65 II E/F 2/3
Königgrätz 68/69 I H 3, 106/107 III A 2
Königsberg, Bg. O. a. Grau 86 I E 2
Königsberg, O. i. Neumark 121 I, 122/123 I F 2
Königsberg,O. i. Preußen 68/69 II B 2, 121 I, 122/123 I I 1, 156/157 III D 2. 160 III D 2
Königsborn, Saline 142 IV C 1, 142 V C 1
Königseck, Königsegg, Gft. 120 V C 2, 128 I B/C 3
Königsfeld 80 I C 1
Königshammer 81 I
Königshardt 132 IV A 1, 132 V A 1
Königshofen, O. i. Franken 96/97 I E 5
Königshofen, O. b. Straßburg 40 II A 3
Königslutter, Kl. 58/59 I I 2, 87 I E 1
Königssaal, Kl. 88/89 III C 2
Königstadt, Ot. v. Berlin 143 I
Königstein, O. a. Elbe 122/123 I F 3
Königstein, O. i. Taunus 80 I D 1
Königsstraße, persische 14/15 I D—F 3
Königswalde, O. 121 I
Königsweg, Straße b. Brilon 37 II A 2
Königswinter 126/127 II A 2
Königs-Wusterhausen 122/123 I E 2
Konin 122/123 I H 2
Konitz 75 C 3, 122/123 I G 2
Konkan, Ldsch. 135 I B 3
Könnern, Bg. O. 86 I A 1
Konope 18/19 I B 3
Konradshöhe, Ot. v. Berlin 143 II
Konstantinopel, Byzanz, Zarigrad, Istanbul, O. 50/51 D 3, 64/65 II D 2, 92/93 I H 5, 112 I C 1, 153 V B 1
—, Plan 45 IV
—, Plan d. Hagia Sophia 45 V
—, Patriarchat, s. auch orthodoxe Kirche 88/89 I H 5
Konstanz, Bm. 88/89 II B 2
Konstanz, Bm.-Territ. 122/123 I C 5, 128 I B 3
Konstanz, Constantia, O., RSt. 40 III C 1, 54/55 I D 3, 68/69 I E 5, 105 I C 3, 128 I B 3
Konstanza 145 V C 2, 145 VI C 2
Konya, s. Ikonion, Iconium, Konia
Konz, Contionacum 40 VI A 2
Konzentrationslager 155 I
Kopai 18/19 IV B 2
Kopais-See 18/19 IV B 2
Kopenhagen, O. 75 B 3, 113 C 3, 124 I D 1,
—, Universität 91 V C 1
Köpenick 143 II
Köping 75 B 2
Koporja, Koporje 113 F 3
Kopperberg, O. 75 B 2
Köppernig 77 III B 2
Kopros 13 I A 1
Kopten, monophysit. Christen 52 III C 3, 64/65 I, 64/65 III E 4/5, 132 III
Koptos 6 I A 2
Kora 116/117 IV B 2
Koraku 4 VII A 2
Korallensee, Meer 158 I E/F 5, 158 II E/F 5
Korax, Geb. 18/19 I C 3

Korbilon 24 I B 3
Kordilene, Gordyene, Cordyene, Corduene, Ldsch. 29 IV D 2
Kordofan, sudan. Prov, 132 I D 3, 138/139 III B 2
Korea, Ko-ku-rye, Kao-li, Tschosen, Ld., s. auch Nord-K., Süd-K. 46/47 I L 2/3, 46/47 III L 1/2, 72/73 I F 2, 72/73 II M 4, 72/73 IV D 1/2, 98/99 I N 3/4, 136 I F 2/3, 138/139 VI B 2/3, 158 I D 2/3, 158 II D 2/3, 162 II D 1/2
Korea-Straße, Meerenge 138/139 VI B 3
Koresia 18/19 I E 4
Korfu, Ebm. 88/89 I F 6
Korfu, Ins., s. auch Korkyra 54/55 I F 5, 64/65 II C 3, 70 II C/D 3, 116/117 I G 6, 125 I D 4, 130/131 I F 4
Korinth, Corinthus, Korinthos, O. 18/19 I C 4, 54/55 I G 5, 102/103 I H 6, 130/131 I G 4
—, Golf v. 18/19 B/D 3
Korinthia, Ldsch. 18/19 I C/D 4
Koritza 145 V B 2, 145 VI 2
Kork, O. b. Kehl 77 I A 1
Korkyra, Corcyra, Ins., s. auch Korfu 9 II A 2, 38/39 I C/D 3
Komburg 81 I
Körne 142 IV C 1, 142 V C 1
Kornelimünster, Kl. 122/123 I B 3
Korneuburg 122/123 I G 4
Korntal 140 IV B 1
Korone 18/19 I B 5
Koroneia, Koronea, Coronea 18/19 IV A 2
Koronta 18/19 I B 3
Korope 18/19 I D 2
Körös, Crisia, Fl. i. Ungarn 74 III E 3, 112 II D 2
Koros, O. i. Syrien 64/65 IV B 2
Korosko 6 I A 3
Körös-Starčevo-Sesklo-Kultur 2 I C/D 2
Korseia 18/19 IV B 1
Korsiai, Ins. 18/19 I G 4
Korsiai, O. i. Böotien 18/19 IV A 2
Korsika, Corsica, Kyrnos, Ins. 11 II B 1, 25 I B 2/3, 48 I B 2, 48 II B 2, 50/51 B 3, 63 I B 3/4, 116/117 I E 5
Korssun, Chersonesos, O. a. Krim 61 V C 3
—, O. b. Kiew 75 F 4, 113 G 5
Korthion 18/19 I E 4
Korti 6 I A 3
Kortrijk, s. Courtrai 126/127 IV A 2
Korvey, s. Corvey 58/59 I H 3
Korydalleis, O. 14/15 IV A 2
Korydallos, Geb. 14/15 IV A 2
Korykas, O. 10 III A 1
Korykos, Geb. 18/19 I G 3
Korykos, Kap 18/19 I G 3
Koryphasion, Kap 18/19 I B 5
Koryphe, Ldsch. 18/19 I G 3
Kos, Ins. u. Ort 18/19 I H 5, 145 VI C 3
Kosaken, V. 98/99 I D/E 3, 102/103 I K 4, 105 II B—D 4
Kosaken, am Don 112 I E 1
Kosaken, Saporoyer 112 I D 1, 116/117 I K/L 4
Kosala, Ldsch. 22/23 I K 3
Koschan 134 II D 2
Kösching, Germanicum 37 I C 2
Koschpendorf 77 III B 1
Koseir, Weißer Hafen 6 I A 2, 29 II B 2
Kosel, O. a. Oder 116/117 III, 122/123 I H 3
—, O. b. Patschkau 77 III A 2
Košice, Kassa, s. Kaschau 150/151 I F 4
Köslin 122/123 I G 1, 161 IV C 1
Kossa, Cossa 17 I E 1
Kossäer, V. 14/15 I F 3
Kossowo, Amselfeld 71 II B 3, 112 I C 1
Kossyra, Cossura, Ins. 11 II C 2, 34/35 III C 1
Kostarika, Staat 133 I D 4
Kostelatz, Viminacium 38/39 I D 2
Kosten 68/69 I I 2
Kostroma 105 II C 3, 119 G 3
Kostromskaja 24 I G 3
Köterberg, Bg. 37 II B 2
Köthen 122/123 I D 3
Kothen-Bach 76 VII
Kothokidai 13 I B 1
Kothon, Hafen v. Karthago, Plan 21 II
Kotiner, V. 41 I C 3
Kotka 116/117 I I 1, 160 IV B 3
Kotlas 150/151 I H 2
Kotschin 52 III E 4, 98/99 I H 6, 135 I B 4
Kotschinchina, Ld. 111 II E 2
Kottbus, Cottbus 68/69 I H 3, 122/123 I F 3
Kottor, s. Cattaro 160 III C 4
Kötükale 8 I B 2
Kotyora, Cotyora 38/39 I G 2
Kotyrta 18/19 I C 5
Kou-wu, Staat 3 IV B 2
Koweit, s. Kuwait 134 II C 3
Kowel 74 III F 2, 113 E 4, 156/157 I F 3, 156/157 III D 2
Kowno, Kauen, Kaunas 67 III C 1/2, 68/69 II B 2, 75 D 3, 116/117 I H 2/3, 150/151 I F 3, 156/157 I F 3, 156/157 III D 2, 160 III C 3
Köylütolu 8 I A 2
Kozel-Fsm. 58/59 II C/D 2
Kozielsk 71 I E 2
KPD, Kommunistische Partei Deutschlands 154 I u. II
Krackwitz 77 III B 2
Kraftshof 81 I
Kragau 121 II
Kragujewatz 112 II D 3
Krain, Mark 58/59 I L 5/6
—, Hzm. 68/69 I H 6, 106/107 I H 7, 112 II A 3, 115 I C/D 3, 130/131 I E 2
Krajowa 112 II E 3, 115 I E 4, 148 I F 5, 156/157 III D 3
Krak, Kurdenschloß, Crac desChevaliers 64/65 IV B 3
—, Plan 64/65 VI
Krak vonMoab, Kerak 64/65 IV A 5
Krak von Montréal, Schaubek 64/65 IV A 5
Krakau, Bm. 61 II B 1, 88/89 I F 3
—, Messen 83 V D 2
—, O. 67 III B 2, 68/69 I K 3, 75 D 4, 82 I, 105 I E 2, 115 I D 2, 150/151 I E 3, 155 I D 2
—, Plan 79 VII
Kranai 18/19 I A 3
Kranburg 59/59 I L 5, 106/107 I H 6
Krange, Crange 142 IV B 1, 142 V B 1
Kranniaios-Grotte 10 III B 1
Krannon, Crannon 18/19 I C 2
Krapjak, Ldsch. 135 II B 1
Krasi 10 I B 1
Krasna 140 IV A 1
Krasnik 148 I F 3
Krasnodar, Jekaterinodar 163 II B 2
Krasnojarsk 105 III D 2, 159 II F 2
Krasnowodsk 163 II D 2
Krathis, Fl. 18/19 I C 3/4
Krautenwalde 77 III A 2
Krbava, Bm. 88/89 II D 3
Krefeld 105 I B 2, 115 I B 2
Kreimbach, O. 40 II A 2
Kremenez 67 III D 2
Kremenskaja 156/157 I H 4
Krementschug 113 G 5, 156/157 I G 4
Kreml, Burg i. Moskau 105 IV
Kremnitz, Bg. O. 86 I E 2, 112 II C 1
Krems 75 B 4, 122/123 I F 4, 155 I C 3
Kremsier 92/93 II D 4, 122/123 I G 4
Kremsmünster, Kl. 58/59 II B 1
Krenai 18/19 I B 3
Krestonia, Ldsch. 18/19 I D 1
Kreta, Creta, Kafti, Kandia, Kaphtor, Ins. 10 I—III, 54/55 I G/H 5, 56 II C/D 4, 64/65 II D 3, 102/103 I H/I 6, 112 I C 2, 130/131 I G/H 4/5, 145 V B/C 3/4, 145 VI B/C 3/4, 156/157 I F 5
Kreter, V. 9 I C 2/3
Kretisch-mykenische Kultur 5 I, 10 II
Krëusis 18/19 IV B 2
Kreuzberg, Ot. i. Berlin 143 I
Kreuzburg, O. i. Schlesien 92/93 II E 3, 122/123 I H 3
Kreuzfahrerstaaten 64/65 I, II u. IV, 72/73 III B 3
Kreuznach 40 II A 2, 80 I C 2, 122/123 I B 4
Kreuz-Paß i. Kaukasus 9 III F 1
Krewo 71 I C 2
Krim, Halbinsel 24 I F 3, 67 III E/F 3/4, 130/131 I I/K 2/3, 148 I H/I 4/5, 156/157 I G 4
Krim-ASSR 150/151 I G 4
Krim-Chanat 71 I D/E 3/4, 92/93 I I/K 4/5, 98/99 I D 3, 105 II B 3/4, 112 I D/E 1, 119 D—G 5/6
Krimgoten, V. 49 I E 2
Krimgotische Sprache 70 II F 1
Krimisa, Kap, Crimisa 17 I F 1
Krimissa, Ciro, O. 17 I F 1
Krim-Tataren, V. 160 II
Krio 4 VII B 2
Krisa 10 II C 2
Krischna, Fl. 46/47 I F/G 5, 135 I B/C 3
Kristiania, Oslo 113 C 3
Kristiansand, O. 113 B 3, 156/157 I D 3
Kristiansten, Festung 116/117 I F 1
Kristinestad 113 E 2
Krith, Fl. 34/35 II B 3
Kritsana 4 VII A 1
Kriu Met, Kap 10 III A 1
Kriwitschen, V. 50/51 E 2
Kriwoi Rog 156/157 I G 4, 163 II B 2
Kroaten, V. 50/51 C 3, 56 II B 2/3, 112 II, 150/151 II, 160 I
Kroaten, schwarze, V. 54/55 I F 2/3
Kroaten, weiße, V. 54/55 I G/H 3
Kroatien, Kgr. 56 II B 2/3, 58/59 I L—N 5—7, 64/65 I C 2, 64/65 II C 2, 70 II C 2, 112 II A/B 2/3, 115 I D 3
Kroatien, Rep. 155 I C/D 3, 156/157 III C 3
Kroatien-Slawonien, Kgr. 130/131 I E/F 2/3
Kroja 71 II A 3, 116/117 I G 5
Krokeai 13 II B 2
Krokodilopolis, Arsinoë 29 II B 2
Krommyon 13 I A 2
Kronach 58/59 I I 3
Kronberg, Festung 90 II C 1, 110 E 1
Krone 122/123 I G 2
Kronos-Hügel i. Olympia 14/15 III
Kronstadt, Braşov, Brasso, O. i. Siebenbürgen 67 III D 3, 112 II F 3, 150/151 I F 4, 156/157 III D 3
Kronstadt, O. b. St. Petersburg 116/117 I I 1/2, 148 I G 1/2, 149 III B 1
Kroonstad, O. i. Oranje 144 V B 2
Kropia 13 I B 1
Krosno, Krossen, O. i. Galizien 82 I D 2, 106/107 III C 2
Krosse, O. b. Weidenau 77 III B 2
Krossen, Crossen, O. a. d. Oder 75 B 3, 121 I, 122/123 I F 2
Krotalos, Fl. 17 I E 1/2
Kroton, Croto, Croton 17 I F 1
Kröv 80 I C 2
Kröver Reich, Wald 80 I C 1
Krudenburg 142 V A 1
Krügendorp 144 V B 2
Krugiai, Ins. 13 I A 2
Kruibeke 143 Ia/b
Kruibekebeek, Fl. 143 Ia
Krumau, Bg. O. 86 I C 2, 122/123 I F 4
Kruppwerke bei Essen 142 IV A 2
Kruschewatz 112 II D 4
Kruschwitz 60 I H 3
Krzemieniec Wolhynsk 113 F 4
Ktesiphon, Ctesiphon 29 III D 2, 50/51 F 4, 148 III B 3
Ktimene 18/19 I C 2
Kuala Lumpur 138/139 V A 2
Kuango, Fl. 132 I C 4
Kuang-tschou, Kanton 46/47 IV F 4
Kuba, Ins., Staat 118 III C/D 1, 133 I D/E 3/4, 164/165 III, 168
Kuba, O. u. Chanat i. Kaukasus 134 I G 3
Kuban, Fl., Hypanis 24 I F/G 3, 38/39 I G 1, 70 II G/H 1/2, 134 I A—C 1/2, 156/157 I G/H 4
Kuban-Bronzekultur 5 II F 3
Kubango, Fl. 138/139 II A/B 1
Kubanije 6 I A 3
Kuban-Kultur 2 II F 2
Kuban-Terek-Kultur 5 I E/F 3
Kubban 6 I A 3
Kuë, Ldsch. 9 III D/E 2
Kuënlun, Geb. 136 I B—D 3
Kufa 50/51 F 4
Kufra, Oase 132 I D 2
Kufstein, Bg. O. 86 I B 3, 122/123 I E 5, 128 I D 3
Kuhistan, pers. Gau 134 II D/E 2
Kühmstedt, Wüstung 77 IV A 1
Kuibyschew, Samara 163 II D 1
Kujawien, Ldsch. 66 I E 1, 113 D 4
Kujawien-Wlozlawek, Bm. 88/89 I F 3
Kujawier, V. 60 I H/I 3
Kuka 132 I C 3
Kük-Koba 1 III F 2
Kuku 10 III D 1
Ku-ku-nor, See 46/47 IV D/E 3
—, chines. Prov. 72/73 IV B 2, 136 I C 3
Kukuvitsa 18/19 I B 4
Kuldscha, Ili, O. 72/73 II H 3, 136 I B 2
Küllstedt 77 IV A 1
Kulm, Bm.-Territ. 68/69 II
Kulm, O. i. Böhmen 126/127 III D 2
Kulm, O. a. d. Weichsel 68/69 I K 2, 75 C 3, 106/107 III B 1, 115 I D 2, 156/157 I E 3
Kulm-Kulmsee, Bm. 88/89 I F 3
Kulm-Pelplin, Bm. 145 I
Kulmbach, O. 92/93 II A 3, 122/123 I D 3, 128 I C 1
Kulmerland 67 III B 2, 122/123 I H 2
Kulmsee, Bm. 88/89 I F 3
Kul Oba 24 I F 3
Kulpa, Fl. 58/59 I L/M 6, 106/107 I H/I 7
Kültepe, Kanesch 2 II E 3, 3 II E 3, 8 I B 2
Kum 163 II D 3
Kuma, Fl. 134 I D—F 1
Kumanen, Polowzer, V. 61 V C/D 2/3, 64/65 I D—F 2, 67 III B/C 3
Kumanenreich, Kumanisches Reich 64/65 II D—F 2, 67 III D—F 2—4
Kumanowo 145 VI B 2
Kumasa 10 I B 2
Kumasi 163 IV B 2
Kumme 6 I A 3
Kummuch, Ldsch. 9 III E 2
Kummuch, Samosata, O. 9 III E 2
Kumpfmühl 40 II F 3
Kumtepe A VII B 2
Kumüken, V. 134 I F 2
Kumul, Chami 72/73 I C 1
Kunaxa 22/23 III C 2
Kunde 132 I C 3
Kunduz 46/47 III E 2, 134 II E 2
Kunene, Fl. 132 I C 4
Kuneni, O. 10 I C 1
Kunersdorf 116/117 III, 122/123 I F 2
Kungälf, O. 60 I G 2
Kuniako 18/19 I C 3
Kunming, Jünnan, O. 136 I D 4, 158 I C 3, 158 II C 3, 162 II C 2
Kunzendorf, Gr.- 77 III B 2
Kuolajärvi, Salla 156/157 I F 2, 160 IV B 2
Kuomintang-Partei 149 IV E 3, 162 I
Kuopio 160 IV B 3
Kuparan 140 IV A 1
Kupferberg, Bg. i. Schweden 113 D 2
Kupferberg, Bg. O. i. Schlesien 86 I C 1, 106/107 III A 2
Kupferdreh 142 V B 2
Kupferzeit-Kulturen 2 II
Kuphonisi, Ins. 10 I C 2
Kuphowuno 4 VII A 2
Kura, Fl. 134 I D/F 3
Kur-Brandenburg, s. Brandenburg, Kurfsm. 96/97 II C/D 2, 115 I
Kurden, V. 70 II G/H 3, 134 I
Kurdenschloß, Krak, Crac des Chevaliers, Burg 64/65 IV B 3
Kurdische Sprache 70 II
Kurdistan, Ldsch. 112 I E 2, 134 II C 2
Kuren, V. 54/55 I G 1, 74 II B 2, 106/107 III
Kurg, Ldsch. 135 I B 3
Kurgane, skythische Grabhügel 24 I
Kurhessen, s. Hessen,Kurfsm. 129 I C/D 3, 129 II D/E 3
—, NS-Gau 155 I B 2
Kurhessen-Waldeck, evang. Landeskirche 161 VII
Kurian-Murian, Ins., brit. 138/139 I M 4
Kurilen, Ins. 137 I E 2, 158 I E 2, 158 II E 2
Küriner, V. 134 I F/G 3
Kurion 8 I A 3
Kurköln, s. Köln, Kurfsm.
Kurkur, Oase 6 I A 3
Kurl, Curl 142 IV C 1, 142 V C 1
Kurland, Bm. 88/89 I G 2
—, Bm.-Territ. 104 IV B 2
Kurland, Hzm. 104 II D 1, 104 IV B/C 2, 113 E/F 3, 119 C/D 3
Kurland, Ldsch. 92/93 I G 2, 148 I F/G 2, 156/157 III D 2
Kurländ. Kolonie Tobago 118 III D 2
Kur-Mainz, s. Mainz, Ebm., Kurfsm.
Kurmark, Ldsch. 106/107 II, 115 I C 2
Kurmark, NS-Gau 155 I C 2
Kurna 148 III B 2
Kurno 18/19 I C 5
Kurpfalz, s. Pfalz, Rheinpfalz, Kurfsm. 68/69 I D/E 4, 104 II A 3, 105 I B/C 2, 106/107 II, 114 D/E 3, 122/123 I B/C 3/4
Kurrheinischer Kreis 96/97 II B 2/3
Kur-Sachsen, s. Sachsen, Kurfsm. 104 II B 2, 105 I C/D 2, 106/107 II, 122/123 I D—F 2/3
Kursk 71 III E 1, 119 F 4, 156/157 I G 3
Kürtoglu 8 I B 2
Kur-Trier, s. Trier, Kurfsm., Ebm.
Kurtzes 18/19 I B 1
Kuru, Ldsch. 22/23 I I 2/3
Kurubel 8 I B 2
Kürzell 77 I A 2
Kus, O. 6 I A 2
Kusä, O. 6 I A 2
Kusch, ägypt. Vizekgr. 6 I A 2/3, 9 I D 5/6
—, Äthiopien, Reich 14/15 I D/E 4/5
Kuschan-Reich 46/47 I E/F 3, 46/47 III E/F 2
Kusdar 50/51 H 5
Kuse 10 I A 1
Kusnezk, Leninsk-K., O. 105 III D 2
Kusnezk-Becken, Ldsch. 159 II F 2
Kusseri 132 I C 3
Küssnacht 80 II C 1
Küstendil, Pautalia 38/39 I D 2, 145 VI B 2
Küstenland, Istrien, Ldsch. 130/131 I E 2/3
Küstrin 121 I, III u. IV, 122/123 I F 2, 156/157 III C 2
Küstrinchen 121 III
Kutahia 130/131 I H 4
Kutais 134 I D 2
Kutalla, Tell Sifir 6 III C 2, 6 IV C 2
Kutaya, Cotiaium 38/39 I E 3
Kut el Amara 163 II C 3
Kutha, Imam Ibrahim 6 III u. IV B 2
Kutlumusiu, Athos-Kl. 45 VI B 2
Kutno 156/157 I E 3
Kutscha 46/47 I G 2, 52 III F 2
Kutsch Bihar 135 I C 2
Kütschük-Kainardschi 116/117 I I 5
Kutsokera 10 I A 2
Kuttenberg, Bg. O. 86 I C 2, 122/123 I F 4
Kuwait Oil Co. 163 II C 4
Kuweit, Ld. 138/139 I M 3, 148 III B 3, 163 II C 3, 166/167 I
Kuz Ordu, Balasagun 50/51 I 3
Kwajalein, Ins. 158 I F 4, 158 II F 4
Kwangsi, chin. Prov. 136 I D/E 4
Kwangtschouwan, frz. 136 I E 4, 162 II C 2
Kwangtung, chin. Prov. 136 I E 4
Kwantung, Halbinsel 136 I F 3
Kweijang 136 I D 4
Kweilin 136 I E 4
Kweitschou, chin. Prov. 136 I D 4
Kybeleia 18/19 I G 3

Kyburg, Burg 80 II C 1
Kydathenaion, Ot. v. Athen 12 VI
Kydonia 10 III B 1
Kykale 13 I B 1
Kykladen, Ins. 18/19 I E/F 4, 145 V B 3, 145 VI B 3
Kykladische Kultur 2 I D 3, 2 II D 3
Kyll, Fl. 80 I B 1
Kyllene, Bg. i. Arkadien 18/19 I C 4
Kyllene, Golf v. 18/19 I B 3/4
Kyllene, O. i. Aiolis 18/19 I G 3
Kyllene, Cyllene, O. i. Elis 18/19 I B 4
Kylt, Celbis, Fl. 37 I A 1/2
Kyme, O. i. Aiolis 18/19 I G 3
Kyme, Cumae, O. i. Campanien 24 II F 4
Kyme, O. a. Euboia 18/19 I E 3
Kynaitha 18/19 I C 3
Kyneten, Cynetes, Conii, V. 38/39 II A 2
Kynos 18/19 IV B 1
Kynoskephalä 26/27 III A 2
Kynosura, Halbinsel auf Salamis 14/15 IV A 2
—, Halbinsel a. Euripos 13 I C 1
—, Spartiatendorf 12 VII
Kynuria, Ldsch. 10 II C 3
Kyoros 34/35 II B 3
Kyparisseeis 10 II B 3
Kyparissia, Golf von 18/19 I B 4
Kyparissia, O. 18/19 I B 4
Kypern, s. Cypern 46/47 I B 3
Kyphanta 18/19 I C 5
Kypros, s. auch Alaschja, Cypern, Insel 8 I A 2/3
Kypsela 18/19 I G 1
Kyraunis, Insel 14/15 VI
Kyrenaika, Cyrenaica, Ldsch. 22/23 I D 2
Kyrene, Cyrene 11 II D 2, 38/39 I D 4
Kyreschata 14/15 I H 2
Kyrnos, Korsika, Ins. 14/15 VI
Kyrrhos, O. i. Makedonien 18/19 I C 1
—, Cyrrhus, O. i. Syrien 22/23 II C 2, 41 III B 1
Kyrtone 18/19 IV B 1
Kytaion 10 III C 1
Kyterion 17 I F 2
Kythera, Kythira, Cerigo, Ins. u. O. 18/19 I C/D 5, 145 V B 3, 145 VI B 3
Kytherros, Spata 13 I B 2
Kythnos, Bm. 88/89 I G 6
Kythnos, Cythnus, Ins. u. O. 18/19 I E 4
Kytinion 18/19 I C 3
Kyzikos, Cyzicos, Cyzicus 38/39 I E 2, 54/55 I H 4

Laaland, Lolland, Ins. 122/123 I D 1
Laarsebeck, Fl. 143 Ia/b
Laas, Las 11 I C 2
Laba, Fl. 134 I B/C 1/2
La Bassée 148 II B 1
Labeates lacus, See v. Skutari 38/39 I C 2
Labiau 113 E 4
Labici 30/31 II B 2
Labitolosa 38/39 II C 1
Labrador, Winland, Ldsch. 60 I A/B 1
Labrador, neufundld. Ldsch. 133 I E/F 2, 138/139 I F 2
Labuan, Ins. brit. 138/139 I P 4
La Cava, Kl. 87 I E 3
Lachania 10 II E 4
La Chapelle, O. b. Paris 109 IV
La Charité, Kl. u. O. 87 I C 2, 104 I C 3
Lachisch 8 III A 3
Lachmiden, V. 42/43 I G 3/4, 46/47 III C 2
Laciburgium 36 E 2
La Ciotat 24 II B 3
La Cisa-Paß 63 II A 2
Lack 96/97 I H 6, 106/107 I H 6
La Coruña 102/103 I B 5
Lactarius mons, Bg. 30/31 III C 2
Ladakh, Ldsch. 72/73 II G/H 4, 72/73 V B/C 1, 163 I B 1
Lade, Ins. 13 III A 1
Lade, O. i. Norwegen 60 I G 1
Ladenburg, Lopodunum, Civitas Ulpia Sueborum Nicretum 40 II B 2
Ladiner, V. 49 III B 2
Lado, Ldsch. 138/139 III B 2,
—, O. 132 I D 3
Ladoga, O. 57 I F 1
Ladoga-See 92/93 I I 1, 113 G 2, 156/157 I G 2
Ladon, Fl. 18/19 I B/C 4
Lae 158 I E 5, 158 II E 5
La Fère 148 II B 2
La Ferrassie 1 IV B 2
La Ferté, Kl. 87 II B 3
Lafta, Lateinamerikan. Freihandelszone 166/167 III
Lagaria 17 I E 1, 30/31 I G 5
Lagasch, Telloh 6 II C 2, 6 III C 2, 6 IV C 2
Laghouat 34/35 III A 2, 163 III A 2
Lagny, Messeort 83 IV B 2
La Goletta 102/103 I F 6
Lago Maggiore, See 80 II C 2/3, 130/131 II B 1/2
Lagona, Lahn, Fl. 37 I A/B 1
Lagos, brit. Kol. u. O. i. Afrika 132 I C 3, 138/139 I K 4, 156/157 II G 4, 162 III B 2
Lagos, O. i. Portugal 92/93 A 6, 116/117 I B 6
Lagosta, Ins. 150/151 I E 4
Lagow 121 I
Lagozza, O. 2 I B 2
Lagozza-Kultur 2 I B/C 2
La Grace-Dieu, Kl. 87 II A 3
La Grasse, Kl. 87 I C 3
La Guaira 100/101 VII C 2
Lagunen-Ins. 137 I F 5, 158 I F/G 5, 158 II F/G 5
Lagussa, Ins. 18/19 I F 5
Lahawur, Lahore 116/117 IV B 1, 135 I B 1
Lahn, Lagona, Fl. 37 I A/B 1, 62 I A/B 2, 126/127 II A/B 2
La Hogue 116/117 I C 4
Lahore, Lahawur, O. 72/73 I A 2, 72/73 II G 4, 116/117 IV B 1, 135 I B 1
—, Ldsch. 72/73 V B 1
Lahr 37 I A 2, 77 I A 2, 128 I A 2
Lahti 148 I G 1
Laiatico 25 II A 1
Laibach, Emona, Ljubljana 38/39 I B 1, 48 II C 2, 54/55 I E 3, 58/59 III C 2, 112 II A 2, 115 I C 3, 125 I D 3, 130/131 I E 2, 150/151 I E 4, 155 II C 2
Laietani, V. 38/39 II C 1
Laimgruben, Ot. v. Wien 109 V
Lajazzo 64/65 IV A 2
Lakedaimon, s. Lakonien 10 II C 3
Laken, V. 134 I F 2/3
Lakhnauti, Ldsch. 72/73 V C 2
Lakiadori 12 V
Lakinion, Kap, Lakinisches Vorgebirge 17 I F 1
Lakkadiven, Ins., brit. 138/139 I N 4, 162 II A 3
Lakmos, Geb. 18/19 I B 2
Laknau 98/99 I I 5, 135 I C 2
Lakonia, -en, Lakedaimon, 13 II, 18/19 I C 4/5
Lakonischer Golf 18/19 I C 5
Lalassis 38/39 I F 3
Lali, Erdölfeld 163 II C 3
Lam, Bg. O. 86 I B 2, 106/107 III A 2
Lama 30/31 I E 2
La Madelaine 1 IV B 2
Lamaismus, Mahayana, nördl. u. östl. Buddhismus 72/73 IV, 137 III B/C 1/2
La Marche, Marche, Gft. 58/59 I D/E 5/6, 110 C 3
Lambach, Kl. 58/59 III B 1
Lambaesis, Lambèse 34/35 III B 1
Lambeth 109 I
Lame, O. i. Kamerun 132 I C 3
Lamego, Bm. 88/89 I A 5
Lametos, Golf 17 I D/E 2
Lamia 18/19 I C 3, 38/39 I D 3
Laminium, O. i. Bruttium 30/31 I F 5
Laminium, O. i. Tarraconensis 38/39 II B 2
Lamon 10 III B 1
La Mothe 110 D 3
Lampacao 98/99 I M 5
Lamponeia 18/19 I G 2
Lampsakos, Lampsakus, Lampsacus 18/19 I G 1
Lampsimandos, Ins. 18/19 I H 4
Lamptrai 13 I B 2
Lamu, Ins. u. O. 98/99 I E 8, 98/99 IV E 8
Lamuten, V. 98/99 I N/O 2, 105 III F/G 1/2
Lamy, Fort 132 I C 3, 162 III B 2
Lancaster, Hzm. 92/93 I B 3
Lancaster, O. 71 III A 1
Lanchester 142 II A 2, 142 III A 2
Lanci, V. 37 I B 1
Lancia 38/39 II A 1
Lanciano 63 I E 3
Landau, RSt. 96/97 I E 5, 114 E 3, 128 I B 2
Landbund, Partei 154 I u. II
Landeck, O. i. Tirol 68/69 I F 5, 122/123 I D 5
Landen 54/55 II D 2
Landes, Dép. 122/123 III A 2/3
Landeshut, O. i. Schlesien 92/93 II D 3, 105 I E 2, 122/123 I G 3
Landrecies 114 B 2
Landsberg, O. a. Lech 81 II C 2, 105 I C 2, 122/123 I D 4
Landsberg, O. a. d. Warthe 68/69 I H 2, 121 I
Landshut, O. i. Bayern 68/69 I G 4, 122/123 I E 4
Landshut, O. i. Galizien 82 I D 2, 106/107 III C 2
Landskron 74 I C 2, 106/107 I K 5
Landstraße, Ot. v. Wien 109 V
Landstuhl 40 II A 2, 96/97 I D 5, 122/123 I B 4
Landvogtei Unter-Elsaß 95 D/E 3, 115 I B 3
Landwehr-Kanal i. Berlin 143 I
Langanes, Kap 57 III C 1
Langeland, Ins. 106/107 I F 2
Langeleben 56 VI A 2
Langemarck 148 II B 1
Lange Mauern v. Athen 12 V
Lange Meile, Ldsch. 56 III
Langendreer 142 IV B 2, 142 V B 2
Langenenslingen 120 V B 2
Langenhain, O. b. Groitzsch 77 II
Langenhain, O. a. Taunus 40 II B 1
Langensalza 58/59 I I 3, 122/123 I D 3
Langjökull, Berg 57 III A 2
Langobarden, Langobardi V. 41 I A/B 2, 48 I B/C 1, 48 II C 2, 49 I C 2, 49 III
Langobardenreich 50/51 B/C 3
—, = Kgr. Italien 54/55 I D/E 3/4
Langobardien, byzant. Thema 54/55 I F 4
Langobardische Siedlungsnamen 49 III
Langos 10 I A 1
Langres, Bm. 88/89 II B 2
—, Bm.-Territ. 58/59 I F 5
Langres, Andemantunnum, Lingones 36 D 3, 42/43 I C 2, 54/55 II D 4, 95 C 4, 114 C 4
Langschede 142 IV C 2, 142 V C 2
Langside 102/103 I C 2
Languedoc, Gouv. 122/123 II B/C 2/3
Languedoc, Ldsch. 68/69 III C/D 2/3
Langula 77 IV A 2
Lankwitz 143 II
Lantschou 136 I D 3
Lanuvium 30/31 II B 2
Laodikeia-Berytos, Beirut 22/23 II C 3
Laodikea, Laodicea, Laodikeia, O. i. Karien 22/23 II A 2, 38/39 I E 3, 64/65 I D 3
Laodikeia, Laodicea, Lattakie, O. i. Syrien 41 III A 2, 22/23 II C 2, 64/65 IV A 3
Laodikeia Kekaumene, Laodicea Catacecaumene, O. i. Lykaonien 22/23 II B 2, 38/39 I F 3
Laodikeia, Laodicea (ad Libanum) 22/23 II C 3, 41 III B 3
Laokai 136 II B 1
La Oliva, Kl. 87 II A 3
Laon, Bm. 88/89 I C 4
Laon, O. 54/55 II C 3, 58/59 I E 4, 110 C 3, 148 II B 2
Laos, Ld. 98/99 I L 5/6, 136 II B 1/2
—, Staat 162 II C 2/3, 164/165 III, 168
Laos, O. i. Bruttium 17 I D 1
Lao-Staaten 111 II D/E 1/2
La Pasiega 1 IV A 2
Lapathos, Lapethos, O. a. Cypern 20 I F 3, 22/23 II B 2
Lapathus, O. i. Thessalien 18/19 I C 2
La Paz 118 III D 3, 133 II B 2
Lapidaria 37 I B 3
Lapinna 18/19 I B 1
La Plata, Vizekgr. 118 III D/E 4, 125 II
La Portelle 64/65 IV B 2
Lappa 10 III B 1
Lappen, Scridefinnen, V. 57 I D/E 1, 61 I C 1, 113 E/G 1
Lappenhausen 142 IV C 2, 142 V C 2
Lappmark, Landsch. 118 B—D 1
Lappmark, Prov. 113 D/F 1
Lappwald, Bg. 56 VI B 1
Laptau 121 II
Laptew-See, Nordenskiöld-See 159 I G/H 1, 159 II G/H 1
Lapurdum, Bayonne 36 B 4
Larak 6 III C 2, 6 IV C 2
Laranda, Karaman 38/39 I F 3
Larga 37 I A 3
Larino 63 I E 4
Larinum 30/31 I E 3
Larisa, O. i. Ionien 18/19 V B 1
Larisa, O. i. Malis 18/19 I C 3
Larisa, Larissa, O. i. Thessal. 18/19 I C 2
Larisa, Kalach, O. a. Tigris 22/23 III C 2
Larisa, O. i. Troas 18/19 I G 2
Larissa, O. i. Aiolis 18/19 I H 3
Larissa, O. i. Argolis 10 II C 3
Larissa, Ebm. 88/89 I G 6
Larissa, Sizara, O. i. Syrien 22/23 II C 2, 41 III B 2
Larissa, O. i. Thessalien 18/19 I C 2, 54/55 I G 5, 71 II B 4, 102/103 I H 6, 130/131 I G 4
Laroche, Lixus 38/39 II A 2
La Rochelle 68/69 III B 2, 104 I B 3, 111 I F 1, 156/157 II F 2, 156/157 III A 3
Larsa, Sinkara 6 III C 2, 6 IV C 2
Larymna 18/19 IV B 1
Las, Laas 18/19 I C 5
Lasaia 10 III B 2
Lascaux 1 IV B 2
Laschio 136 II A 1
Lascuta 38/39 II A 2
Lasem 135 II C 1
Lasen, V. 134 I C/D 3
La Serena 118 III D 4
Lashio 158 I B 3, 158 II B 3
Lasion 18/19 I B 4
La Skirra 163 III C 2
Laskowitz 77 III B 1
Las Palmas, Bm. 88/89 I A 6
La Spezia, s. Spezia
Lassithi, Geb. 10 I B 1
Laßwitz 77 III B 1
Latakia, Laodikeia, O. u. Ldsch. 150/151 I G 5
Lateinamerikan. Freihandelszone, Lafta 166/167 III
Lateinisches Kaiserreich 64/65 II D 2/3, 66 II E 3
La Tène, O. 24 I C 3
La Tène-Kultur 14/15 I B/C 2, 24 I
Lateran, Papstsitz i. Rom 45 I u. II
Lathrippa, Jathrib, Medina 42/43 I F 4
Latini, Latiner, V. 24 II F 4, 32 II
Latinisches Recht 25 I
Latino-Falisker 5 II C 3, 30/31 I u. II
Latium, Ldsch. 16 II B 2, 30/31 II
Latium et Campania, Regio Italiae 30/31 I C—F 3/4
Latmos, Geb. 13 III B 1/2
Lato 10 III C 1
Latobici, V. 38/39 I B/C 1
Latopolis, Esne 6 I A 2
Lattakie, s. Laodicea 38/39 I G 3
La Trappe, Kl. 87 II B 3
Lauban 68/69 I H 3, 122/123 I F 3
Lauenburg, Sachsen-L., Hzm. 68/69 I F 2, 122/123 I D 2, 129 I D 2, 129 II E 2
—, O. a. d. Elbee 70 I D 1, 122/123 I D 2, 161 I u. V
Lauenburg, O. i. Pommern 75 C 3, 96/97 I I 2, 113 D 4, 122/123 I G 1
Lauf 81 I
Laufamholz 81 I
Laufen, O. a. d. Salzach 128 I D 3
Laufenburg 83 III B 2
Lauffen, O. a. Neckar 96/97 I E 5
Laugerie 1 IV B 2
Laun 106/107 III A 2
Laupen 80 II B 2
Laupheim 96/97 I E 5
Laureion, Geb. 13 I C 2
Laurentes, Ager Laurens 30/31 I C 3, 30/31 II A 2
Lauriacum, Lorch, a. d. Donau 38/39 I B 1
Lauro-Laurentum 30/31 II A 2
Laus, Lodi 36 D 3, 63 I B 2
Lausanne, Bm. 88/89 II B 2
—, Bm. Territ. 68/69 I D 5
Lausanne, Lousanna, O. 37 I A 3, 80 II A 2, 130/131 II A 1
Lausigk 77 II
Lausitz, Niederlausitz, s. auch Niederlausitz, Oberlausitz
Mark, Mgft. 58/59 I K/L 3, 61 II B 1, 66 I D 1, 68/69 I G/H 3, 70 I D 1, 92/93 II B/C 2/3, 102/103 I F 3, 104 II B 2, 115 I C/D 2
Lausitzer Kultur 4 IV, 5 I u. II
Laussel 1 IV B 2
Lautenthal, Bg. O. 86 I A 1
Lauter, Fl. i. d. Pfalz 80 I C 2
Lauter, Fl. i. Württemberg 120 V B/C 1
Lauterberg, Bg. O. i. Harz 86 I A 1
Lauterburg, O. i. Elsaß 78 III B 3
Lauterecken 114 D 3
Lautlingen 40 II B 3
Lavant, St. Andrä, Bm. 88/89 II C 2
—, Bm.-Territ. 68/69 I H 5
Lavaur 66 I B 3
Lavernae 30/31 I D 2
La Vilette 109 IV
Lavinium 30/31 II A 2
Lawra, Athos-Kl. 45 VI B 2
Laxenburg, O. 68/69 I I 4
Layh 81 I
Lazen, V. 34/35 I G 2, 49 I F 2
Lazika, Ldsch. 50/51 F 3
Lea, Fl. b. London 109 I
Lea, Fl. b. St. Albans 40 IV
Leadgate 142 I A 2, 142 II A 2, 142 III A 2
Leal 68/69 II B 1
Leba, O. 122/123 I G 1
Lebadeia 18/19 IV A 2
Lebedos, Ptolemais 18/19 I G 3, 22/23 II A 2
Lebena 10 III B 2
Lebinthos, Ins. 18/19 I G 4/5
Lebus, Bm. 88/89 II C 1
—, Bm., Territ. 96/97 I H 3
Lebus, O. 58/59 I L 2, 68/69 I H 2, 121 I
Lebusa, Burg 58/59 I K 3
Lecce 63 I G 4
Lech, Licca, Fl. 37 I C 2/3, 68/69 I F 4/5, 128 I C 2/3
Lechaion 18/19 I C 4
Lechen, Polen, V. 50/51 C 2
Lechfeld, Ldsch. 58/59 I I 4
Le Creusot 147 D 4
Lectoure, Bm. 88/89 I D 7
Ledon 18/19 IV A 1
Ledosus, Lezoux 36 C 3
Leeds 110 B 2
Leer 83 I B 1, 122/123 I B 2
Leese 37 II B 1
Leeuwarden 78 IV B 1, 104 III B 1
Leeward-Ins. 138/139 I F 4
Legelshurst 77 I A 1
Legio VII, Gemina, Leon 38/39 II A 1
Legio Ratisbona, s. Castra Regina, Regensburg 40 II F 2/3
Legnago 130/131 III C 2
Legnano 63 I B 2
Leh 163 I B 1
Le Havre 54/55 II B 2, 110 C 3
Lehnin, Kl. 88/89 III B 1
Leicester, Bm. 52 I B 2
Leicester, Ratae, O. 36 B 2, 54/55 I B 2, 57 II B 2, 102/103 I C 3
Leiden 85 II C 1, 104 I C 2, 104 III B 1
Leighlin 52 I A 2
Leine, Fl. 37 I B/C 1, 81 III A 1—3, 126/127 II B 1/2
Leiningen, Fsm. zw. Neckar u. Main 128 I B 2
Leiningen, Gft. i. d. Pfalz 81 II A/B 2, 122/123 I B/C 4
Leinster, O. u. Gft. 110 A 2
Leipsydrion 13 I B 1

Leipzig, O. 68/69 I G 3, 75 B 4, 77 II, 122/127 I E 3, 126/127 III D 2, 141 I C 2, 141 II C 2, 145 II
—, Universität 91 V C 1
Leipziger Messen 83 V C 2
Leise, Leithra 50/51 C 2, 60 I G 2
Leisnig 62 II D 2
Leith 110 B 1
Leitha 58/59 II C 2, 58/59 III D 1/2
Leithra, Leire 50/51 C 2, 60 I G 2
Leitmeritz 75 B 4, 122/123 I F 3
Leitomischl, Bm. 88/89 II D 2
Leitomischl, O. 58/59 I M 4
Leitschou 136 I D 4
Lek, Fl. 95 C 2, 96/97 III a—d, 126/127 IV B 2
Lekton, Kap 18/19 I G 2
Lelantische Ebene 18/19 D 3
Lelantos 18/19 I D 3
Leleger, V. 10 II E 2/3
Lelm 56 VI A 2
Lelów 82 I C 2
Leman, Dép. 122/123 III C 2
Lemanone 36 C 2
Le Mans, Bm. 88/89 I C 4
Le Mans, Suindinum, O. 36 C 3, 49 II B 1, 58/59 I D 4, 122/123 II B 1, 156/157 III B 3
Lemanus Lacus, Genfer See 37 I A 3
Lemba 34/35 II B 3
Lemberg, Ebm. 71 I B 3, 88/89 I G 4
Lemberg, NS-Distrikt 155 I E/F 2/3
Lemberg, Lviv, Lwow, O. 75 E 4, 113 E 5, 115 I E 3, 148 I F 4, 150/151 I F 4, 155 I F 3, 156/157 III D 3, 160 III D 3
Lembet, Sindos 18/19 II C 2
Lemgo 37 II A 1
Lemincum 24 II B 2
Lemnos, Lemnus, Limnus, Ins. 18/19 I F 2, 64/65 I D 3, 64/65 II D 3, 70 II E 3, 92/93 I H 6, 112 I C 2, 145 V C 3, 145 VI C 3
Lemonum, Limonum, Poitiers 29 I B 2
Lemsal 68/69 II C 2, 75 E 2
Le Moustier 1 III C 2
Lemovices 29 I B 2
Lemovier, V. 41 I B/C 2
Lena, Fl. 98/99 I L—N 1/2, 105 III E/F 1/2
Lengefeld, O. b. Mühlhausen 77 IV A 1
—, Bg. O. i. Erzgeb. 86 I B 1
Lengyel, O. 2 I C 2
Lengyel-Kultur 2 I C/D 2
Leningrad, Petrograd, St. Petersburg 149 III C 3, 156/157 I G 3, 156/157 III E 2, 160 IV C 4
Leninsk-Kusnezk 159 II F 2
Lenkai 18/19 I G 3
Lenne, Fl. 126/127 II A/B 2
Lens 110 C 2, 148 II B 1
Lentia, Linz 38/39 I B 1
Lentschiza, Lentschitz 60 I H 3, 122/123 I H 2
Lenzburg 81 II B 3
Lenzen 58/59 I I 2
Leoben, Bg. O. 86 I C 3, 122/123 I F 5
Leobschütz 75 C 4
Leon, Bm. i. Spanien 88/89 I A 5
—, Kgr. 57 I B 3, 64/65 I A 2, 64/65 II A 2
—, Legio VII Gemina, O. i. Spanien 38/39 II A 1, 64/65 I A 2, 64/65 II A 2, 102/103 I B 5
—, O. i. Mittelamerika 100/101 VII A 2
—, span. Prov. 130/131 I A/B 3
Leonidas-Hügel 18/19 III
Leontes, Lita, Fl. 34/35 II B 1
Leontinoi, Leontini 17 I D 3
Leontion 18/19 I B/C 3/4
Leontopolis 6 I A 1
Leopoldstadt, O. a. d. Waag 106/107 I I 5, 112 II B 1
Leopoldstadt, Ot. v. Wien 109 V
Leopoldville 132 I C 4
Leostadt, Ot. i. Rom, Plan 45 I u. II
Lepanto 92/93 I G 6, 112 I C 2
Lepinus mons, Geb. 30/31 II B/C 2
Lepontii, Lepontier, V. 37 I B 3
Lepreon 18/19 I B 4
Lepsia, Ins. 18/19 I G 4
Lepte, Syrias promontorium, Kap 38/39 I F/G 2
Leptis, Leptis magna, O. i. Libyen 11 II C 2, 14/15 I C 3, 48 I C 3, 48 II C 3
Leptis, Leptis-minor, O. i. Libyen 11 B/C 2, 20 I B 3
Le Puy, Bm. 88/89 I C 4
Le Puy, O. 54/55 I C 4
Le Quesnoy 114 B 2
Lerida, Bm. 88/89 I C 5
Lerida 54/55 I C 4, 64/65 I B 2, 102/103 I D 5, 154 V C 1
—, Universität 91 V B 2
Lérias, Kl. 87 I D 3
Lérins, O. 44 II B 2
Lerna 4 VII A 2, 18/19 I C 4
Leros, Ins. u. O. 18/19 I G 4, 150/151 I F 5
Lesbos, Lesbus, Mytilini, Ins. 18/19 I G 2, 54/55 I H 5, 70 II E 3, 92/93 I H 6, 112 I C 2, 145 V C 3, 145 VI C 3
Lescar, Bm. 88/89 I B 5
Les Combarelles 1 IV B 2
Lesghische Völker 134 I
Lesgier, V. 112 I E 1
Lesina, Bm. 88/89 I F 5
Lesina, Ins. 94 I u. II G 3
Leskowatz 145 V B 2
Lesur, Lieser, Fl. 40 VI A 1/2
Lesum, Kl. 58/59 I H 2
Lete, Saratsi 18/19 II C 2
Lethaios, Fl. 10 III B/C 1
Letitschew 75 E 4
Letocetum 36 B 2
Letopolis 6 I A 1
Letrinoi 18/19 I B 4
Letschin 121 III u. IV
Letten, O. b. Nürnberg 81 I
Letten, V. 57 I E 2, 74 II B/C 2, 150/151 II, 160 I u. II
Lettgaller, V. 50/51 D 2, 74 II C 2
Lettland, Rep. 149 III B 2, 150/151 I F 3
—, SSR. 155 II D 1, 156/157 I F 3
Leuben (Burgward) 56 IV
Leubus, Kl. 88/89 III C 1, 106/107 I I 4
Leuchtenburg, Burg 68/69 I G 4
Leuci, V. 36 D 3
Leuka, Geb. 10 III A/B 1
Leukas, Leucas, Ins. u. O. 18/19 I A 3, 145 V B 3
Leukates, Kap 18/19 I A 3
Leuke, Ins. 10 III D 2
Leuke, O. 18/19 I C 5
Leuke Kome 26/27 I E 3, 34/35 I F 4, 46/47 I B 4
Leukonoë 13 I B 1
Leukopetra, Kap 17 I D 2/3
Leukos-Limen, Weißer Hafen, Koseir 26/27 I E 3, 29 II B 2
Leuktra 18/19 IV B 2
Leuktron 18/19 I C 5
Leuna 153 II
Leusaba 38/39 I C 2
Leuthen 116/117 III, 122/123 I G 3
Leutkirch, RSt. 68/69 I F 5, 81 II C 2, 122/123 I D 5, 128 I B 3
Leutschau 75 D 4, 86 I F 2, 112 II D 1
Leutzsch 77 II
Leva, O. 106/107 I K 5
Levantehandel 85 III
Leventina, Ldsch. 80 II C 2
Leversum 56 V B 1
Lewes, Kl. 87 I B 1
Lewin 121 III u. IV
Lexovii, V. 29 I A/B 1
Leyen, v. d., Fsm., Hft. Hohengeroldseck 124 I B/C 2, 128 I A 2
Leyen, Gft. v. d., i. Pfalz 122/123 I B 4
Leyer-Berg 56 III
Leyte 158 II D 4
Lezoux, Ledosus 36 C 3
Lezuza, Libisosa 38/39 II B 2
Lhasa 46/47 IV D 4, 72/73 I C 3, 136 I C 4, 137 III B 2, 162 II B 2
Liamone, Dép. (Corsica) 122/123 III
Liampo 98/99 I N 5
Liang, Ldsch. 46/47 I H/I 3
Lianokladi 4 VII A 2, 10 II C 2
Liaojang, Liaoyan 72/73 I F 1, 138/139 VI B 2
Liao-Reich (östl.), Kitan-Reich, Chitai 72/73 I D—G 1
Liao-Reich (westl.), Kitan, Kara-Chitai 72/73 I A—C 1/2
Liaoyan, Liaojang 72/73 I F 1, 138/139 VI B 2
Liautung, Halbinsel 136 I F 2/3
Libanon, Geb. 8 IV B 1/2
Libanon, Mandat, Staat 150/151 I G 5, 162 III C 1, 164/165 III, 166/167 I, 168
Libanon (Mütessaryflyk) 130/131 I K 4/5
Libarna 24 II D 2
Libau, Liepaja 75 D 2, 104 IV B 2, 119 C 3, 150/151 I F 3, 156/157 I F 3, 156/157 III D 2
Liberia, Liberien, Staat 132 I B 3, 162 III A 2, 164/165 III, 168
Libisosa, Lezuza 38/39 II B 2
Libitz 60 I H 3
Libna 8 III A 3
Libreville 132 I C 3
Libu, Libyer, V. 3 II C/D 3/4
Liburni, Liburner, V. 24 II F 3, 24 II G 2
Libya, röm. Prov. 38/39 I D 4
Libya inferior, Libya superior (röm. Provinzen) 42/43 I E 3/4
Libyen, Putujaman, Ldsch. 9 III B 3, 22/23 I C/D 2/3, 50/51 D 4
Libyen, ital. Kol. 132 I C/D 2, 156/157 I E/F 5
Libyen, Staat 162 III B/C 1, 164/165 III, 166/167 I, 168
Libyer, V. 3 I B—D 3/4, 9 I B 3
Libysche Wüste 138/139 IV A/B 2/3
Licata 17 I B 3
Licates, V. 37 I C 2/3
Licca, Lech, Fl. 37 I C 2/3
Lichfield, Bm. 52 I B 2
Lichtenberg, O. i. Berlin 143 II
Lichtenfels 128 I C 1
Lichtenhof 81 I
Lichtenrade 143 II
Lichtenthal 140 IV B 1
Lichterfelde 143 II
Licordia 17 I C 3
Lida 75 E 3
Lidice 155 II C 1
Liebenau 77 III A/B 1/2
Liebenburg 58/59 V A 1
Liebenstein, Frhr. v., Reichsritter 120 V B 1
Liebingerode, Wüstung 140 Ia u. Ib
Liechtenstein, Fsm. 80 II D 1, 130/131 II B 1
Liegnitz, Fsm., Hzm. 96/97 I H/I 4, 105 I D/E 2, 122/123 I G 3
Liegnitz, O. 68/69 I I 3, 115 I D 2
Lienz, Aguntum 49 III C 2, 68/69 I G 5, 96/97 I G 6, 115 I C 3
Liepaja, Libau 150/151 I F 3
Lier 104 III B 2
Lieser, Lesura, Fl. 37 I A 1/2, 80 I B 1/2
Liestal, O. 130/131 II A 1
Lietzegöricke 121 III
Liga der arabischen Staaten 166/167 I
Liger, Fl. Loire 36 B/C 3
Ligurer, Ligures, V. 3 I B 2, 24 I C 3, 24 II B/C 3
Ligures Baebiani, O. i. Apulien 30/31 I E 3
Ligures Corneliani, O. i. Apulien 30/31 I E/F 3
Liguria, Regio Italiae 36 D 4
Liguria et Aemilia, röm. Prov. 42/43 I C/D 2
Ligurische Castellieri 24 II C—E 2
Ligurische Kultur 5 I B 3
Ligurische Republik 124 II A/B 1/2
Ligusticum mare, Ligusticus sinus, Ligurisches Meer 24 II A—D 3/4, 124 II A/B 1/2
Ligyer, V. 14/15 VI
Lihyan, Ldsch 34/35 I F/G 4
Lilaia 18/19 I C 3
Lille, Rijssel 85 II B 2, 95 B 2, 104 I C 1, 104 III A 2, 114 B 2, 148 II B 1
Lillehammer 156/157 I E 2
Lillo, Fort u. O. 143 Ia u. Ib
Lilybaion, Lilybäon, Lilybaeum 17 I A 3, 48 II C 3
Lima 118 III D 3, 133 II B 2
Limasol 64/65 I E 3, 64/65 II E 3
Limburg. Amt a. Lahn 80 I D 1
—, O. a. Lahn 122/123 I C 3
Limburg, belg. Prov. 126/127 IV B 2
Limburg, Bm. a. Lahn 145 I, 161 VI
Limburg, Limpurg, Gft. i. Schwaben 115 I B 3, 122/123 I C 4, 128 I B 2
Limburg, Hzm. 68/69 I C/D 3, 95 C/D 2, 96/97 I C/D 4, 104 III B/C 2
Limburg, Kl. a. d. Hardt 58/59 I H 4
Limburg, ndld. Prov. 126/127 IV B/C 2
Limburg, O. u. Hzm. 95 C/D 2
Limburg, Pfalz i. Schwaben 62 II B 3
Limehouse, O. 109 I
Limerick 60 I C 3, 102/103 I B 3
Limes, römische Grenzsicherung i. Africa u. Numidien 34 III
—, i. Britannien 40 I
—, i. Germanien 40 II u. III
Limes Saxoniae, Grenze Sachsens 58/59 I I 1/2
—, i. Syrien 41 III
—, Traiani i. Dacien 38/39 I D 2
Lim-Fjord 60 I F 2
Limmat, Fl. 130/131 II B 1
Limnai, O. i. Messenien 18/19 I C 4
Limnai, Spartiatendorf 12 VII
Limnai, O. (thrak. Chersones) 18/19 I G 1
Limnaia 18/19 I B 3
Limnaion 18/19 I B/C 2
Limnos, Ins., s. Lemnos 130/131 I H 4
Limoges, Bm. 88/89 I C 4
—, Augustaritum, O. 36 C 3, 54/55 I C 3
—, Gft. 110 C 3
—, Kl. 87 I C 2
Limonum, Lemonum, Poitiers 36 C 3
Limousin, Gouv. 122/123 II B 2
Limousin, Gft. 58/59 I D/E 6
Limpopo, Fl. 138/139 II B/C 2
Limpurg, Limburg, Gft. i. Schwaben 115 I B 3, 122/123 I C 4, 128 I B 2
Limyra 9 II D 2, 20 I F 3
Linares 150/151 I C 5
Lincoln, Bm. 88/89 I B 3
Lincoln, Lindum, O. 36 B 2, 57 II B 2, 85 II A 1
Lindau, RSt. 80 II D 1, 122/123 I C 5, 128 I B 3
Linden, O. a. Ruhr 142 IV B 2, 142 V B 2
Lindenau 77 III B 1
Lindenhorst 142 IV B 1, 142 V B 1
Lindennaundorf 77 II
Lindenthal 77 II
Lindisfarne, Kl. 52 I B 1, 54/55 I B 1
Lindos 10 II F 3
Lindsey, Ldsch. 52 I B 2, 54/55 I B 2
Lindum, Lincoln, O. 36 B 2
Linearbandkeramik 2 I B—D 1/2
Lingayen 158 II D 4
Lingen, O. 115 I B 2
—, Gft. 122/123 I B 2
Lingolsheim 77 I A 1
Lingones, V. i. Gallien 36 C/D 3
Lingones, V. a. Po 25 I C 1
Lingones, Langres, O. 42/43 I C 2
Linköping, Bm. 88/89 I F 2
Linköping, O. 75 B 2
Linksradikale Aufstände in Deutschland 153 II
Lintorf 56 V A 2
Lin-tun, Ldsch. 46/47 I L 3
Linz, Lentia, O. 38/39 I B 1, 49 III D 1, 58/59 II B 1, 122/123 I F 4, 155 I C 3, 160 III B 3
—, Messen 83 V C 3
Lipan 92/93 II C 3/4
Liparae Insulae 17 I C 2, 63 I E 5
Liparia, Lipara, O. 17 I C 2
Liparische Inseln 17 I C 2, 63 I E 5
Lipno 122/123 I H 2
Lippe, evang. Landeskirche 161 VII
Lippe, Lupia, Fl. 37 I A/B 1, 52 II B/C 2, 56 V A—C 1, 126/127 II A/B 2, 142 IV A—C 1, 142 V A—C 1
Lippe, Gft. 68/69 I E 2/3
Lippe, Lippe-Detmold, Gft., Fsm. 122/123 I C 2/3, 126/127 II B 1/2, 128 III, 129 I C 2/3, 129 II D 2/3
—, Ld. (Rep.), s. auch Schaumburg-Lippe 152 II C 2/3
Lippe-Seiten-Kanal 142 V A—C 1
Lippenhausen, Wüstung 77 IV A 2
Lippramsdorf 142 IV B 1, 142 V B 1
Lippspringe 54/55 I D 2
Lippstadt 126/127 II B 2, 156/157 III B 2
Lipsokutali, Psyttaleia, Ins. 14/15 IV A 2
Liri, Liris, Fl. 30/31 I D 3, 53 I B 3
Liria 38/39 II B 2
Lischt 6 I A 2
Lisieux, Bm 88/89 I C 4
Lisieux, O. 54/55 II B 3
Lismore, Bm. 88/89 I A 2
Lissa, Ins. 130/131 I F 3
Lissa, O. i. Posen 96/97 I I 4, 105 I E 2, 106/107 III B 2
Lissa, O. i. Schlesien 122/123 I G 3
Lissabon, Ebm. 88/89 I A 6
Lissabon, s. auch Olisipo, O. 38/39 II A 2, 48 II A 3, 50/51 A 4, 64/65 I A 3, 102/103 I B 6
—, Universität 91 V A 3
Lissos, Lissus, O. i. Dalmatien 20 I C 2, 38/39 II C 2
Lissos, O. a. Kreta 10 III A 1
Lita, Leontes, Fl. 34/35 II B 1
Litarba 41 III B 1
Litauen 67 III C/D 1/2
—, Gfsm., eigentliches 71 I B/C 1/2
—, Gfsm. 71 III D/E 1, 113 E—G 3/4
Litauen, Rep. 148 I F/G 2, 149 III B 2, 150/151 I F 3
—, SSR. 155 II D 1, 160 III D/E 1/2
Litauen-Polen, Unionskgr. 92/93 I F—K 2/4
Litauer, V. 50/51 D 2, 67 III, 106/107 III, 150/151 II, 160 I u. II
Liternum 30/31 I E 4
Little Rock, O. 133 III D 3
Litus Saxonicum, Ldsch. 42/43 I B/C 1/2
Litzmannstadt, Lodz 155 I D 2
Liudewit, Fsm. i. Pannonien 58/59 II C/D 3
Liutizen, Wilzen, V. 54/55 I E 2, 58/59 I K 2
Liu-tschiu, Formosa, Ins. 72/73 II M 5
Livadia, O. 130/131 I I 3
Livadien, Ldsch. 102/103 I H 6, 130/131 I G 4
Liven, V. 50/51 D 2, 74 II C 2
Liverpool 110 B 2, 138/139 I I 2
Livingstone, O. 138/139 II B 1
Livland, Ldsch. 68/69 II
Livland, poln. 104 IV C 1/2, 113 E/F 3
—, poln. Restgebiet 116/117 I I 2
Livland, russ. Gouv. 119 C/D 3, 149 I B 2
Livland, schwed. 113 E/F 3
Livno 145 V A 2
Livorno 63 I C 3, 130/131 I E 3
Lixos, Lixus, Laroche 38/39 II A 2, 11 II A 2
Ljubljana, Laibach 150/151 I E 4
Ljusne-Älv, Fl. 113 C/D 2
Llandaff, Bm. 88/89 I B 3
Llandaff, O. 52 I B 2, 110 B 2
Loanda 132 I C 4
Loango, Ldsch. 98/99 IV
Löbau, O. i. Kulmerland 67 III B 2, 96/97 I K 3, 122/123 I H 2, 124 I E 1
Löbau, O i. Oberlausitz 68/69 I H 3, 92/93 II C 3
Lobbes, Kl. 87 I C 1
Lobedau 77 III B 2
Lobenfeld, Nediensium, Vicus 40 II B 2
Lobenstein 122/123 I D 3
Lobetani, V. 38/39 II B 2
Lobkowitz 96/97 I H 4, 106/107 I H 4
Lobositz 122/123 I F 3
Löbschütz 77 II
Locarno 80 II C 2, 94 I C 1, 94 II C I, 150/151 I D 4
Loccum, Kl. 88/89 III A 1
Lochham 5 I C 3
Lochias, Kap b. Alexandreia 26/27 V
Lochleven 102/103 I C 2
Lochstädt 121 II

Locri, Lokri, Lokroi 17 I E 2
Locus Felicis, Mauer, O. 44 I C 2
Lodève, Bm. 88/89 I C 5
Lodi, Bm. 88/89 II B 2
Lodi, Laus, O. 36 D 3, 63 I B 2, 124 I C 3
Lodka, Fl. 121 VII
Lodka, Ot. v. Lodz, Plan 121 VII
Lodomerien, Kgr. 115 I E/F 3
Lödöse 84 I C 2
Lodz, Litzmannstadt 141 I D 2, 141 II D 2, 148 I E 3, 150/151 I E 3, 155 I D 2, 156/157 I E 3, 156/157 III C 2
—, Plan 121 VII
Lofot-Ins. 57 I D 1
Lohe 81 I
Loir et Cher, Dép. 122/123 III B 1/2
Loire, Dép. 122/123 III B/C 2
Loire, Liger, Fl. 36 B C 3, 49 II A—C 2, 110 B/C 3
Loire inférieure, Dép. 122/123 III A 2
Loire-Schlösser 90 II A/B 2
Loiret, Dép. 122/123 III B 1/2
Lo-jang 46/47 IV F 3
Lokri, Lokroi, O. 17 I E 2
Lokris Eoia, Ldsch. 18/19 I C/D 3
Lokris Ozolis, Ldsch. 18/19 I B/C 3
Lokroi, Lokri 17 I E 2
Lolland, s. Laaland, Ins. 122/123 I D 1
Lombardei, Ldsch. 63 I A—C 1—3
Lombardei, österr. u. ital. 126/127 I E/F 4, 130/131 III B/C 1/2
Lombardenbund 66 I
Lombok, Ins. 135 II D 2
Lome 132 I C 3, 162 III B 2
Lommatzsch 56 IV
Lomza, Lomscha 67 III C 2, 124 I F 1, 148 I F 3
Lond, Kl. 88/89 III C 1
Londa 25 II B 1
London, Bm. 88/89 I B 3
Londinium, London, O. 36 B/C 2, 54/55 I B 2, 57 I B/C 2, 57 II B 2, 110 B 2
London (s. auch Londinium), Plan 109 I
—, Stalhof (Hansekontor) 84 I A 3, 84 II A 3
Londonderry, Derry 110 A 1/2
Lone, Bg. 143 III
Longa 18/19 I B 5
Longleat House, Burg 90 II A 1
Longula 30/31 II B 2
Longwy 95 C 3, 126/127 IV B 3, 148 II C 2
Lons 95 C 4
Loos 148 II B 1
Lopodunum, Ladenburg, Civitas Ulpia Sueborum Nicretum 40 II B 2
Lorca, Eliocroca 38/39 II B 2
Lorch, Lauriacum, O. a. Donau 38/39 I B 1, 54/55 I E 3, 58/59 II B 1
Lorch, O. a. Rhein 54/55 II E 2
Lorch, O. i. Schwaben 40 II C 3
Lörchingen, Vicus Saravus 37 I A 2
Lord Howe Ins. 138/139 I R 6
Lorenzer Wald, b. Nürnberg 81 I
Loreto 53 I B 2
Lorettohöhe 148 II B 1
Lorient, L'Orient 60 I D 4, 110 B 3, 156/157 II F 2, 156/157 III A 3
Lorium 30/31 II A 2
Lörrach 122/123 I B 5
Lorsch, Kl. 54/55 I D 3, 87 I D 2
Losaneusis Lacus, s. Lemanus Lacus 41 IV
Los Angeles 118 III B 1, 133 III B 3
Loslau Hft. u. O. 122/123 I H 3/4
Los Millares, O. 2 II A 3
Los Millares-Kultur 2 II A 3
Losodica, Munningen 40 II D 3
Lossendorf, Wüstung 56 VI B 1
Lot, Dép. 122/123 III B 2
Lot, Fl. 58/59 I D/E 6
Lot et Garonne, Dép. 122/123 III B 2
Loteva, Luteva, Lodève 42/43 I C 2
Lotharingien, s. Lothringen 54/55 III A—C 1—4
Lothian, Ldsch. 57 II B 1
Lothringen, Ldsch. 152 II B 4, 155 I A 3
Lothringen, Stammes-Hzm. 54/55 III A—C 1—4, 58/59 I F/G 2—5
—, Hzm. (Territor.) 68/69 I D 4, 95 D 3/4, 114 D 3 s. auch Lothringen, Ndr.-, Ober-Lothringen
Lothringen u. Bar, frz. Gouv. 122/123 II C 1
Lötzen 148 I F 3
Loudun 58/59 I D 5
Louis, Fort 114 E 3
Louisburg 116/117 II E 2
Louisiana, amer. Territ. 125 II, 133 I D 3
—, amer. Staat 133 III D/E 3/4
Louisiana, frz. u. span. Territor. 111 I B 2, 115 II B 2/3, 116/117 II B/C 3, 118 III C 1
Louisville 133 III E 3
Lou-lan 46/47 I G/H 2, 72/73 I C 1
Lourenço Marques 132 I D 5, 138/139 II C 2
Lousanna, Lausanne 37 I A 3
Louth 52 I A 2
Lowat, Fl. 75 F 2, 113 G 3, 156/157 I G 3
Löwen, O. 57 I C 2, 68/69 I C 3, 78 IV B 2, 85 II C 2, 104 III B 2, 105 I B 2, 126/127 IV B 2, 148 II C 1
—, Universität 91 V B 1
Löwenberg, Bg. O. 75 B 4, 86 I C 1
Lowicz, Lowitsch 113 D 4
Lowtschen, Bg. 148 I E 5
Loyalty-Ins. 100/101 VIII D 4
Lo-yang, Tschöng-tschou 3 IV B 2, 46/47 I K 3
Loyola, Schloß 102/103 I C 5
Lozère, Dép. 122/123 III B 2
Lu, O. 46/47 I K 3
Lu, Staat 3 IV B 2
Luanda 162 III B 3
Lubartow 106/107 III C 2
Lübben 106/107 I G 4, 106/107 III A 2
Lübeck, Alt- 60 I G 3
Lübeck, evang. Landeskirche 161 VII
Lübeck, Bm. 88/89 II C 1
—, Bm. Territ. 68/69 I F 1/2
—, Fsm. 122/123 I D 1/2
—, RSt. 68/69 I F 2, 75 A 3, 84 I C 3, 84 II C 3, 129 I D 2, 129 II E 2, 152 II D 2, 161 IV B 1, 161 V B 1
—, —, Plan 79 VI
—, Markt, Plan 82 II
Lübecker Recht 75
Lublin 67 III C 2, 75 D 4, 113 E 4, 115 I E 2, 156/157 III D 2
Lubliner Union Polen-Litauen 102/103 I G—L 2—4
Lublinitz 122/123 I H 3
Lübsow 36 E 2
Luca, Lucca 30/31 I A 1
Lucani, Lukaner, V. 20 I C 2, 24 II G 4, 30/31 I F/G 4
Lucania, Regio Italiae 30/31 I F/G 4
Lucca, Bm. 88/89 II C 3
—, Fsm., Hzm. 124 I C 4, 130/131 I E 3
—, Rep. 68/69 I F 7, 94 I D 2/3, 94 II D 2/3, 124 II B 1/2
Lucca, O. 30/31 I A 1, 63 I C 3
Lucentum, Alicante 38/39 II B 2
Lucera, Luceria 30/31 I F 3, 63 I E 4
Lüchow 122/123 I D 2
Luckenwalde 122/123 I E 2
Luçon, Bm. 88/89 I B 4
Lucrinus Lacus, See 30/31 III B 1
Lucus Angiliae 30/31 I D 3
Lucus Asturum, Oviedo 38/39 II A 1
Lucus Augusti, Lugo 38/39 II A 1
Lucus Feroniae 30/31 II B 1
Lucus Fratrum Arvilium, Heiligtum 30/31 II A 2
Lüdenscheid 122/123 I B 3
Lüderitz 144 V A 2
Lüderitzbucht, Angra Pequena, O. 132 I C 5, 138/139 II A 2
Ludersheim 81 I
Lüdinghausen 56 V B 1, 122/123 I B 3
Ludwigsburg 122/123 I C 4
Ludwigshafen 141 II B 3
Ludwigslust 122/123 I D 2
Ludwigstadt 161 I u. V
Luftkorridore 160 III, 161 I u. IV
Luftkrieg (2. Weltkrieg) 156/157 I
Luga 50/51 A 3, 160 IV B 4
Lugano 80 II C 2
Lugdunensis (röm. Prov.) 36 B/C 3
Lugdunum, Lyon 36 C 3
Lugdunum, O. a. Garonne 36 C 4
Lugier, V. 41 I C 2
Lugh Ferrrandi 154 IV B 2
Lugo, Lucus Augusti 38/39 II A 1
Luguido 25 I B 3
Luguvallium, Carlisle 40 I B 2
Luhne, Fl. 77 IV A 1/2
Luisenstadt, Ot. v. Berlin 143 I
Luisenstädter Kanal 143 I
Luithagen 143 I b
Lukaner, Lucani, V. 24 II G 4, 30/31 I F/G 4
Lu-kiang, Saluen, Fl. 135 I D 2/3, 136 II A 1/2
Lukmanier-Paß 80 II C 2
Lukow 75 D 4
Luleå 113 E 1
Lülle Burgas 145 VI C 2
Lulubäer, V. 3 II F 3
Lumadjang 135 II C 2
Luna, O. 24 II D 2, 57 I C/D 3
Luna-Sarzana, Bm. 88/89 II B 3
Lund, Ebm. 61 I C 2, 88/89 I E 2
Lund O. 60 I G 2, 113 C 3
Lunda, Ldsch. 132 I C/D 4
Lundenburg 106/107 I I 5
Lundi Nala, Fl. 21 III
Lüneburg, Hzm. 122/123 I C/D 2
Lüneburg, O. 68/69 I F 2, 75 A 3, 122/123 I D 2, 156/157 III C 2
Lünen 56 V B 1, 142 IV C 1, 142 V C 1
Lunéville 58/59 I G 4, 114 D 3, 148 II D 2
Lunga, Ins. 94 I F 2/3, 94 II F 2/3
Lung-hsi 3 V A 2, 46/47 I I 3,
Lung-Pien 46/47 IV E 4
Lungtschou 136 I D 4
Luniniec 156/157 III D 2
Lupatia 30/31 I G 4
Lupia, Lippe, Fl. 37 I A/B 1, 41 II B/C 2
Lupiae, O. 30/31 I I 4
Luristan, Ldsch. 9 I G 3, 98/99 I E 4, 112 I E 2, 134 II C 2
Lurn 58/59 III B 2
Lusaka 162 III C 3
Lusia 12 V
Lusignan, Kgr. v. Cypern 66 II F 4, 71 III E 3
Lusignan, O. 58/59 I D 5
Lusitani, V. 38/39 II A 2
Lusitania, röm. Provinz 34/35 I B 2/3, 38/39 II A 1/2
Lusizer, V. 58/59 I K/L 3
Lusoi 18/19 I C 4
Lusones, V. 38/39 II B 1
Lut, Wüste 50/51 G 4
Lüta 164/165 I Q 3
Lutetia, Paris, s. auch Parisii 36 C 3
Luteva, Lodeva, Lodève 36 C 4
Lutheraner, Konfession 104 I u. II, 105 I
Lutherische Landeskirche Deutschlands 161 VII
Lutra 10 I A 1
Lutraki 10 I B 1
Lutsa 13 I C 2
Lutschanen, V. 60 I H 3/4
Lutter am Barenberge 106/107 I F 4
Lüttgendortmund 142 IV B 1, 142 V B 1
Lüttich, Bm. 88/89 II B 1
Lüttich, Bm.-Territ. 95 C 2, 104 III B 2, 114 C 2
Lüttich, O. 49 II C 1, 54/55 II D 2, 95 C 2, 114 C 2, 126/127 IV B 2, 148 I C 1
Lützelbach 40 II C 2
Lützelburg, s. Luxemburg 58/59 I G 4
Lützelstein 128 I A 2
Lützen 106/107 II
Luvier, V. 8 II B 2
Luxemburg, Hzm. 95 C/D 2/3, 102/103 I E 3/4, 115 I B 2/3
—, Grhzm. 126/127 IV B/C 2/3, 128 III, 129 I A/B 3/4, 129 II B/C 3/4, 148 II C/D 1/2, 155 I A 2/3, 164/165 III, 166 II u. III, 168
Luxemburg, Lützelburg, O. 58/59 I G 4, 95 D 3, 114 D 3, 152 II B 4
Luxemburg, belg. Prov. 126/127 IV B 2/3
Luxemburger, Herrscherhaus 68/69 I, 70 I, 71 II u. III, 92/93 II
Luxeuil, Kl. 52 II B 3,
Luxor 6 I A 2
Luzern, O. u. Kanton 80 II C 1, 130/131 II A/B 1
Luzk, Bm. 88/89 I H 3
Luzk, O. 67 III D 2, 75 E 4, 113 F 4
Luzon, Ins. 98/99 I N 6, 111 II F 2, 137 I D 4, 158 I D 4, 158 II D 4
Lwów, Lemberg, Lviv 150/151 I F 4
Lycaonia, Lykaonia, Lykaonien, Ldsch. 26/27 IV B 2, 34/35 I F 3
Lycia, s. Lykien, Ldsch.
Lycia et Pamphylia, röm. Provinz 38/39 I F 3, 42/43 II D/E 3
Lychnidus 38/39 I D 2
Lyck 124 I F 1
Lycus, Fl. 38/39 I G 2
Lydda 34/35 II A 3, 162 IV A 2
Lyder, V. 8 II A 2
Lyderreich 9 III C/D 1/2
Lydia, Lydien, Ldsch. 18/19 I H 2/3, 22/23 II A 2
—, pers. Satrapie 14/15 I D/E 3
Lykabettos, Bg. 12 VI
Lykaion, Geb. 18/19 I B 4
Lykaonia, Lycaonia, Lykaonien, Ldsch. 26/27 IV B 2
Lykastos 10 III C 1
Lykeion, T. b. Athen 12 V
Lykien, Lycia, Ldsch. 9 I C/D 2, 22/23 II A/B 2, 34/35 I E/F 3
Lykier, V. 8 II A/B 2
Lykische Schrift 9 II C/D 2
Lykoa 18/19 I B 4
Lykopolis, Assiut 6 I A 2
Lykosura 18/19 I C 4
Lyktos 10 III C 1
Lyngby 1 V B 1
Lynkestis, Ldsch. 18/19 I B 1, 20 II B 2
Lynkos, Geb. 18/19 I A/B 2
Lyon, Ebm. 88/89 I C 4
—, Messen 83 IV B 2
—, Luydunum, O. 36 C 3, 49 II C 2, 58/59 I F 6, 68/69 I C 6, 110 C 3
Lyonnais, Gouv. 122/123 II C 2
Lyrkeia 18/19 I C 4
Lyrnessos 18/19 I H 2, 10 II E 2
Lyrus, Fl. 34/35 I G 2/3
Lys, Dép. 122/123 III B 1
Lys, Fl. 104 III A 2
Lyse, Kl. 87 II B 1
Lysianka 75 F 4
Lysias, i. Phönikien 22/23 II C 2
—, i. Phrgien 22/23 II B 2
Lysimacheia, O. i. Aiolis 22/23 II A 2
Lysimachia, Lysimacheia, O. a. thrak. Chersones 18/19 I G 1
Lysimeleia-Sümpfe b. Syrakus 17 II
Lystra 38/39 I F 3

Maadi 3 II E 4, 6 I A 2
Maafir, Ldsch. 42/43 I G 5
Maagga 34/35 II C 1
Ma'an, Maan 64/65 IV A 5, 148 III A 2
Maardijk 106/107 I B 4
Maas, Mosa, Fl. 36 C/D 2/3, 54/55 II D 2/3, 58/59 I F 3/4, 95 C/D 2/3, 114 C/D 2/3
Maasmündung 96/97 IIIa—d
Maastricht, Bm. 88/89 II B 2
Maastricht, O. 54/55 II D 2, 78 IV B 2, 95 C 2, 104 III B 2, 126/127 IV B 2
Macao 98/99 I M 5, 111 II E 1, 136 I E 4
Macchia 25 II B 2
Machu Picchu 100/101 III B 3
MacDonald-Ins. 164/165 IV
Macedonia, röm. Provinz 28 I D 1, 38/39 I D 2
Macedonia, röm. Diözese 42/43 I D/E 2/3
Macedonien, Makedonien, Ldsch. 18/19 I B 3, 130/131 I G 3, 145 VI B 2, 153 V A 1
Maceio 156/157 II E 5
Macerata 53 I B 2
Machaerus 38/39 I G 4
Machatsch Kala 134 I F 2, 150/151 I H 4, 163 II C 2
Machern 77 II
Maciejovice 116/117 I H 3
Mackenzie, Fl. 133 I B/C 1/2
Mackenzie, Ldsch. 133 I B/C 1
Mâcon, Bm. 88/89 II A 2
—, Gft. 95 C 4
—, Matisco, O. 36 C 3, 58/59 I F 5, 114 C 4
Macquarie, Ins., brit. 138/139 I R 7
Macs, Pußta-Wüstung 140 V B 1/2
Mactaris 34/35 III B 1
Madagaskar, Ins. 98/99 IV, 111 II B 3/4, 132 I E 4/5
Madagaskar, Staat 162 III D 3/4, 164/165 III, 166/167 I u. III, 168
Madain, Ktesiphon 50/51 F 4
Mad'arovce 5 I C 3
Madaura, Madaurus 34/35 III B 1
Madeba 8 III B 3
Madeira, Ins. 98/99 IV, 132 I B 2
Madeira, Rio, Fl. 133 II B/C 3
Mäder, V. 20 II C 2
Madi 6 I A 2
Madiun 135 II C 1
Madjapahit, Reich 72/73 I D/E 6, 98/99 I K—N 7/8
Madjaren, Magyaren, s. Ungarn, V. 50/51 G/H 2, 57 I E/F 3, 112 II
Madnasa 18/19 I H 4
Madras 111 II D 2, 116/117 IV C 3
Madrid 86 II B 3, 130/131 I B 3, 154 V B 1
Madschdal 162 IV A 2
Madura, Ldsch. i. Java 72/73 I E 6, 135 II C 1
Madura, O. i. Südindien 46/47 I F 6, 135 I B 4
Madura, Sultanat i. Südindien 72/73 V B 3/4
Madytos 18/19 I G 1
Maeander, Maiandros, s. auch Menderes, Fl. 16 I D/E 2/3
Maedica, Ldsch. 38/39 I D 2
Maenuba 38/39 II B 2
Maeotis, Mäotis, Asowsches Meer 14/15 E 2, 38/39 I G 1
Maezaei, V. 38/39 I C 2
Mafeking 146 I D 4
Mafia, Ins. 132 I D 4
Mafra 116/117 I B 6
Magadha, Ld. u. Reich, s. Maghada
Magaga 6 I A 2
Magara, Neapolis v. Karthago, Plan 21 II
Magasa 10 I C 1
Magdalena, Rio, Fl. 100/101 VII B 3
Magdalénien-Kultur 1 IV
Magdeborn 77 II
Magdeburg, Ebm. 61 II B 1, 88/89 II C 1
—, Ebm.-Territ., Hzm. 68/69 I F 2, 115 I C 2, 122/123 I D/E 2/3
—, Kl. 87 I F 1
—, O. 54/55 I E 2, 58/59 I I 2, 68/69 I F 2, 105 I C 1, 106/107 II, 156/157 III C 2
—, Plan 79 V
Magdeburg-Anhalt, NS-Gau 155 I B/C 2
Magdeburger Recht 75 A 3
Magenta 130/131 III B 2
Magetobriga 29 I C 2
Maghada, Ldsch. 22/23 I K 3, 46/47 I G 4, 46/47 II E 4,
Maghar 6 II B 1, 6 IV B 1
Maghara, Wadi 6 I A 2
Maghrib, Ldsch. 50/51 A/B 4
Magia, Maienfeld 37 I B 3
Magidunum 40 III A 1
Magione 25 II C 1
Magiovinium 36 B 2
Maglemose 1 V C 1
Magliano, Heba 25 II B 2
Magnae, Carvoran, O. i. Nordengland 40 I B 2
Magnae, O. i. Wales 36 B 2
Magnesia, Ldsch. i. Thessalien 14/15 V A 2, 18/19, I C/D 2
Magnesia, O. a. Hermos 18/19 I H 3
Magnesia, Manisa, O. a. Mäander 18/19 I H 4
Magnitogorsk 150/151 I I 3
Magog, Fabelland 98/99 V
Magre 24 II E 2
Maguelonne, Bm. 88/89 I C 5
Maguellonne, O. 58/59 I E 7
Magula, Fl. 12 VII

Magyaren, Madjaren, s. Ungarn, V. 50/51 G/H 2 57 I E/F 3, 112 II
Mahakosala, Ldsch. 46/47 III F/G 3
Mahalic 8 I A 2
Mahanadi, Fl. 135 I C 2
Mahanaim 8 III B 2
Maharraka, Hierasykaminos 29 II B 3
Mahayana, Lamaismus, nördl. u. östl. Buddhismus 72/73 IV, 137 III
Mahdi-Reich 138/139 III B 2
Mahé 135 I B 3, 162 II A 3
Mahlberg, O. 77 I A 2
Mahon, s. Port Mahon 154 V C 2
Mahra, Ldsch. 46/47 III D 4
Mahratten-, Marathen-Staaten 111 II C 2, 116/117 IV A—C 2/3, 135 I B 2
Mähren, Mgft., s. auch Großmährisches Reich 58/59 I L/M 4, 67 III B 3, 70 I E 2, 86 I C—E 1/2, 92/93 II C/D 3/4, 105 I D/E 2, 106/107 I H—K 5
Mährer, V. 54/55 I F 3, 56 II B 2
Mährische bemalte Keramik 2 I C 2
Mährisch-Neustadt 122/123 I G 4
Mährisch-Ostrau 141 I D 3, 156/157 III C 3
Mährisch-Trübau 122/123 I G 4
Maia, Meran-Obermais 37 I C 3
Maiach 81 I
Maiandros, Maeander, Menderes, Fl. 16 I D/E 2/3
Maidstone 110 C 2
Maienfeld, Magia 37 I B 3
Maikop, Erdölfeld 163 II C 2
Maikop, O. 2 II F 2, 134 I C 1, 156/157 I H 4
Mailand, Ebm. 88/89 II B 2
—, Hft. d. Visconti 68/69 I D—F 5/6, 94 I B—D 1/2
—, Hzm. 94 II B—D 1/2, 96/97 I E 7, 115 I B/C 3/4
—, Kl. 87 I D 2
—, Mediolanum 38/39 I A 1, 49 III A 3, 63 I B 2, 86 II D 2, 110 D 3, 124 I C 3, 130/131 III B 2, 156/157 III B 3
Maillezais, Bm. 88/89 I B 4
Main, Moenus, Fl. 37 I B/C 1/2, 68/69 I E/F 3/4, 122/123 I C/D 3/4, 128 I B/C 1/2
Maina, Ldsch. 130/131 I G 4
Mainake 11 II A 2
Mainalia, Ldsch. 18/19 I C 4
Mainalos, Geb. 18/19 I C 4
Mainalos, O. 18/19 I C 4
Maine, amer. Staat 133 III F/G 2
Maine, frz. Gouvernement 122/123 II A/B 1/2
Maine, Gft. 58/59 I C/D 4/5, 92/93 I B 4, 92/93 III B/C 1
Maine et Loire, Dép. 122/123 III A 2
Mainfranken, NS-Gau 155 I B 2/3
Mainhardt 40 II C 2
Maintenon, Schloß 116/117 I D 4
Mainz, Bm. 145 I, 161 VI
Mainz, Ebm. 52 II C 2, 88/89 II B 2
—, Ebm.-Territ., Kurfsm., Kur-Mainz 78 III B 2/3, 78 III C 1, 122/123 I B/C 3/4
—, Mogontiacum, O. 40 II B 1/2, 49 II D 1, 54/55 II F 3, 105 I C 2, 124 I C 2, 128 I B 2, 161 IV A 1
—, Universität 91 V B 2
Maioner, V. 10 II F 2
Maisur, O. u. Staat 116/117 IV B 3, 135 I B 3
Majdanek, NS-Konzentrationslager 155 I E 2
Majuba Hill, Bg. 138/139 II C 2
Majuro, Ins. 158 II F 4
Maka, Ldsch., pers. Satrapie 14/15 I H 4
Makajewka 150/151 I G 4
Makalle 154 IV A 1
Makarska, Bm. 88/89 I F 5
Makasser 111 II E 3, 137 II A 2, 137 III C 4, 158 I C 5, 158 II C 5
Makedonen, V. 9 II B 1
Makedonia, Makedonien, Ld. u. Reich, s. auch Macedonia 18/19 II, 20 II B/C 2
Makedonien, Macedonien, Ldsch. 71 II B 3, 130/131 I H 5, 145 VI B 2, 160 III D 4
Makedonien, byzant. Thema 54/55 I G/H 4
Makedonische Bronzekultur 5 I D 3
— Kultur 2 II D 2
Maken, V. i. Oman 14/15 I G 4, 46/47 I D 4
Maker, V. i. Beludschistan 3 I H 4
Makistos 18/19 I B 4
Makria, Kap 18/19 I G 3
Makrobier, V. 14/15 VI
Makrygialos 10 I B 1
Malaca, Malaga, O. 11 II A 2, 38/39 II B 2, 48 II A 3, 50/51 A 4, 130/131 I B 4, 154 V B 2
Malaga, Bm. 88/89 I B 6
Malaien, V. 98/99 IV
Malaienhalbinsel 138/139 V
Malaienstaaten, föderierte u. nicht föderierte, brit. Protektorat 136 II B 3, 138/139 V
Malakka, O. 98/99 I L 7, 111 II E 2, 138/139 V B 2
Malakka, Straße v. 138/139 V A/B 2
Malakka, Sultanat 138/139 V B 2
Malamocco, Bm. 88/89 II C 2
Malamocco, O. 63 I D 2
Malang 135 II C 1
Malao 46/47 I C 5
Malapane, Fl. 86 I E 1
Mälar-See 113 D 3
Malaskert 148 III B 2
Malaspina, Hft. Massa 68/69 I E/F 6
Malatesta, Herrsch. v. Rimini 94 I E 2/3
Malatia, Ldsch. 8 I B 2
Malatia, Melitene 50/51 E 4
Malatya, Arslantepe, Melitene, O. 8 I B 2, 50/51 E 4, 64/65 IV C 1, 70 II G 3, 112 I D 2
Malaya, Ldsch., Staat 158 I B/C 4, 162 II C 3, 164/165 III, 166/167 I, 168
Malaysia, Staat 162 II C 3
Malborghet 124 I D 3
Malborghetto 30/31 II A 1
Malchow 143 II
Malden-Ins. 138/139 I B 5
Malea, Kap 18/19 I D 5
Malediven, Ins., brit. 135 I B 4, 138/139 I N 4, 162 II A 3
Mali, Staat 162 III A/B 1/2, 164/165 III, 166/167 I u. III, 168
Mali, V. 98/99 IV
Malia, Golf v. 18/19 I C 3
Malindi 98/99 I D/E 8, 98/99 IV D/E 8
Malis, Ldsch. 18/19 I C 3
Malischer Golf,, G. v. Malia 18/19 I C 3
Malla 10 III C 1
Maller, V. 22/23 I I 2
Mallia 10 I B 1
Malloia 18/19 I C 2
Mallorca, Ins. 64/65 I B 3, 130/131 I C 4
—, Kgr. (Balearen) 66 II C 3/4, 71 III B 2/3
Mallus, Mallos, Antiocheia 38/39 I G 3, 22/23 II C 2
Malmaison, Schloß 125 I C 3
Malmedy, Kl. u. O. 54/55 II E 2, 80 I B 1, 122/123 I B 3, 126/127 IV C 2, 152 II B 3
Malmesburg, Kl. 87 I B 1
—, O. 54/55 I B 2
Malmö 75 B 3, 84 I C 2, 84 II C 2, 102/103 I F 2, 113 C 3
Malmsbach, O. 81 I
Maloja-Paß 80 II D 2
Malo-Jaroslawetz = Alt-Postal, O. i. Bessarabien 140 IV A 1
Malojaroslawetz = Wittenberg, O. i. Bessarabien 140 IV A 1
Malojaroslawez, O. b. Moskau 125 I F 2
Malplaquet 116/117 I D 3
Maginot-Linie 156/157 I D 4
Malta, Bm. 88/89 I E 6
—, Melita, Melite, Ins. 2 I C 3, 11 II C 2, 48 I C 3, 48 II D 3, 56 II A 4, 63 I E 7, 71 III C 3, 125 I D 4, 138/139 I K 3, 156/157 I E 5
Malta, Johanniterorden-Hft. 102/103 I F 6
Maltai 6 IV B 1
Malthi 4 VII A 2, 10 II B 3
Maluentum, s. Beneventum 30/31 I E 3
Malvasia, Ebm., Bm. 88/89 I G 6
Malvasia, Monemwasin, O. 50/51 D 4, 92/93 I G 6, 112 I C 2
Malvito 17 I D 1
Malwa, Ldsch. 72/73 V B 2, 135 I B 2
Mamas 18/19 II C 2
Mamertium 17 I D 2
Mamistra 64/65 IV A 2
Mamlukenreich (Ägypten/Syrien) 64/65 II D/E 3/4, 72/73 II B—D 4—6, 98/99 I C/D 4/5
Mamluken-Sultanat in Delhi 72/73 II F/H 4/5
Mamre, Heiligtum 34/35 II B 3
Mamuret ül Asis, Wilajet 134 II B 2
Man, Ins. 52 I B 2, 57 I B 2, 57 II B 2
Man, Kgr. 110 B 2
Man, Kgr. (Hebriden) 66 II B 2
Manaos, Manaus 118 III D 3
Manahiki, Ins. 158 I H 5
Manasse, V. 8 IV B 3
Manche, Dép. 122/123 III A 1
Manchester, Mancunium 36 B 2, 110 B 2, 156/157 I C 3
Manching, Vallatum 40 II E 3
Mancunium, Manchester 36 B 2
Mandacheregg 40 III B 1
Mandäer-Sekte 52 III
Mandalai 135 I D 2, 158 I B 3
Mandate d. Völkerbundes i. Afrika 146 I, 152 I
Manderscheid, Amt u. O. 80 I B 1
Mandingo, V. 98/99 IV
Mandola 30/31 II B 1
Mandschu, Dschurtschen, V. 98/99 I N 3
Mandschukuo, jap. Protektorat, Kaiserreich 136/I E—G 1—3, 136 III B—D 1—3, 154 III, 158 I C/D 2, 158 II C/D 2
Mandschurei, Ld. 136 I E—G 1—3, 138/139 VI A—C 1—3, 149 IV F 2, 159 I H 2, 159 II H 2, 162 II D 1
Mandschu-Reich, China 111 II D—F 1/2
Mandschuria, O. 138/139 VI A 2
Mandubii, V. 36 C/D 3
Manduria 30/31 I H 4
Manfredonia, Ebm. 88/89 I F 5
Manfredonia, O. 94 I F 4, 94 II F 4, 116/117 I G 5
Mangalia, Callatia, Kallatis 38/39 I E 2, 145 V C 2
Mangalore, Mangalur 98/99 I H 6, 116/117 IV B 3
Mangaseja 98/99 I H 1
Mangku-Negara, Staat 135 II C 1/2
Mani 100/101 II D 1
Manichäer, Religion 52 III D 3, 52 III E 3, 52 III E/F 2/3
Manihiki-Ins. 138/139 I A/B 5
Manika 4 VII A 3
Manila 98/99 I N 6, 111 II F 2, 158 I D 4, 158 II D 4, 162 II D 3
Manila-Handel 118 III B 1/2
Manimer, V. 41 I
Manipur, Staat 135 I D 2
Manisa, Manissa, Magnesia 130/131 I H 4, 153 VI B 2
Manitoba, kanad. Provinz 133 I C/D 2, 133 III C/D 1/2
Manliana, O. b. Clusium 30/31 I B 1
Manliana, O. b. Populonia 30/31 I A 2
Manlo, Wüstung 77 IV B 1
Mannäer, V. 9 III F/G 2
Mannersdorf 106/107 I I 6
Mannheim 105 I C 2, 114 E 3, 122/123 I C 4, 128 I B 2, 156/157 III B 3
Mannhof 81 I
Manosca 24 II B 3
Manresa 58/59 I D 8
Mansfeld, Gft. 68/69 I F 3, 122/123 I D 3
—, Bg. O. 86 I A 1, 115 I C 2
Mansura, Ldsch. i. Sind 72/73 V A 2
—, O. i. Sind 50/51 H 5
Mansurah, O. i. Ägypten 64/65 II E 3
Mantes 58/59 I D 4
Mantineia, Mantinea 18/19 I C 4
Mantinum 25 I B 2
Mantua, Bm. 88/89 II C 2
—, Hft. d. Gonzaga 94 I D 2
—, Hzm. 96/97 I F 7, 106/107 I F 7, 115 I C 3
—, Mgft. 94 II D 2
—, O. 4 VI B 1, 24 II E 2, 25 I C 1, 63 I C 2, 130/131 III C 2
Manuel-Stil, portugies. Gotik 90 I u. II
Manzikert 72/73 III C 3
Maon 8 III B 3
Mäotis, Maeotis, Asowsches Meer 14/15 E 2, 38/39 I G 1
Mapungubwe 132 I D 5
Maracaibo 100/101 VII B 2, 118 III D 2, 133 II B 1
Marada, Wannah-was-Sadum 6 III B 2, 6 IV B 2
Maragha 72/73 II D 4
Marakanda,Samarkand 14/15 I H 3, 22/23 I H 2, 26/27 I H 2, 46/47 I E 3
Maran, Fl. 40 IV
Marand, Ulchu 9 III G 2
Maranhão, O. 118 III E 3
Marañon, Fl. 100/101 III B 2, 133 II B 2
Maras, Marasch 8 I B 2, 64/65 IV B 2
Marathen-, Mahratten-Staaten 111 II C 2, 116/117 IV A—C 2/3, 135 I B 2
Marathesion 18/19 H 4
Marathokephala 10 I A 1
Marathon, O. 13 I B 1
—, Ebene v. 13 I B/C 1
Marathos 18/19 IV A 2
Marburg, O. a. d. Drau 58/59 III C 2, 75 B 5, 112 II A 2, 156/157 I E 4
Marburg, O. a. d. Lahn 58/59 I H 3, 68/69 I E 3, 122/123 I C 3
March, Fl. 86 I D 2, 112 II B 1
Marche, Gouv. 122/123 II B 2
Marche, La Marche, Gft. 58/59 I D/E 5/6
Marchfeld, Ldsch. 68/69 I I 4
Marchthal, Kl. 128 I B 2
Marcianopolis, Marcianopel 38/39 I E 2, 48 I D 2
Marcina 30/31 I E 4
Marcomagus, Marmagen 37 I A 1
Marcomanni, V., s. Markomannen 36 E 2/3
Marcus-Ins. 158 I E 3, 158 II E 3
Marder, V. 22/23 I F 2
Mardin 8 II C 2, 134 II C 2
Marea 29 II A 1
Marengo 63 I C 2, 124 I C 3
Mareotis-See b. Alexandrien 26/27 V
Marescha 8 III A 3
Margareten, Ot. i. Wien 109 V
Margiana, Ldsch. 46/47 I D/E 3
Margiane, Alexandria Margiane, Meno, O. 14/15 I H 3, 22/23 I H 2, 26/27 I H 2
Margos, Margus, Morawa, Fl. 38/39 I D 2
Margos, Fl. i. Baktrien 14/15 I H 3
Margrethausen 120 V A 2
Margum 38/39 I D 2
Margus, Margos, Morawa, Fl. 38/39 I D 2
Mari, O. a. Cypern 8 I A 3
Mari, Hariri, O. a. Euphrat 6 III B 2, 6 IV B 2, 8 II C 2
Mari, V. 61 V D 2
Mari-ASSR 150/151 I H/I 3
Mariaba, Marib 34/35 I G 5
Mariaberg, Kl. 120 V B 1
Mariahilf, Ot. i. Wien 109 V
Maria Laach, Kl. 80 I C 1
Mariampol 124 I F 1
Mariana, Bm. 88/89 II C 2
Mariana, O. a. Korsika 38/39 I A 2
Mariana, O. i. Tarragonensis 38/39 II B 2
Mariandyni, Mariandyner 38/39 I F 2
Marianen, Ins. 100/101 VIII B/C 1/2, 137 I E 4, 158 I E 4, 158 II E 4, 164/165 I R 3/4
Marianum, O. a. Korsika 38/39 I A 2
Marianus saltus, Geb. 38/39 II A 2
Maria Saal, Virunum 49 III D 2
Maria-Theresiopel, Subotica 112 II C 2, 150/151 I E 4
Marib, Mariaba 34/35 I G 5, 46/47 III C 4
Maridunum 36 B 2
Marienbad 122/123 I E 4
Marienberg, Bg. O. i. Erzgeb. 86 I B 1
Marienborn, O. 161 I u. V
Marienburg, Marienbourg, O. b. Givet 114 C 2, 126/127 IV B 2
Marienburg, O. i. Livland 68/69 II C 2, 104 IV C 2
Marienburg, Burg i. Preußen 68/69 II A 3, 104 IV A 2/3
—, Plan 64/65 VII
Mariendorf 143 II
Marienfeld, Kl. 88/89 III A 1
Marienfelde, Ot. v. Berlin 143 II, 161 II
Marienfels, O. 40 II A 1, 80 I C 1
Marienhaus 104 IV C 2
Marienhausen, Kl. 80 I C 1
Marienrode, Kl. 88/89 III A 1
Marienstatt, Kl. 88/89 III A 1
Mariental, Kl. a. d. Aller 88/89 III B 1
Marienthal, Kl. a. d. Ahr 80 I C 1
Marienthal, Kl. i. Luxemburg 80 I B 2
Marienwerder, O. 68/69 II A 3, 104 IV A 3, 152 II H 2
Marienwerder-Pomesanien, Bm. 88/89 I F 3
—, Bm.-Territ. 68/69 II
Marignano 96/97 I E 7
Marion-Ins. 164/165 IV
Marion, Arsinoë, O. 22/23 II B 3
Maris 6 II C 2
Marisa 22/23 II B 3, 34/35 II A 3
Marisia, Marosch, Fl. 38/39 I D 1
Maritime Kultur Chinas 3 III B/C 1
Maritza, Fl. 54/55 I G/H 4, 130/131 I G H 3, 145 V B/C 2, 145 VI B/C 2
Mariupol 116/117 I L 4
Mari-Zeit 8 II
Mark, Gft. 96/97 I D 4, 104 II A 2, 106/107 I D 4
Mark, O. b. Hamm 142 IV C 1
Markab, Burg 64/65 IV A 3
Markasch 9 III E 2
Mark Brandenburg, NS-Gau 155 I B/C 2
Marken, ital. Ldsch. a. Adria 94 II E 3, 130/131 I E 3
Markiya 64/65 IV A 3
Markloh 52 II C 1
Marköbel 40 II B 1
Markomannen, Marcomanni, V. 41 I B/C 3
Markranstädt 77 II
Markus-Ins., V. St. 137 I E 3
Marl 142 IV B 1, 142 V B 1
Marmagen, Marcomagus 37 I A 1
Marmaketo 10 I B 1
Marmarameer, Propontis 92/93 I H 5, 130/131 I H 3
Marmarica, Ldsch. 38/39 I D/E 4
Marmariden, V. 26/27 I D 2
Marmoutier, Kl. 87 I C 2
Marne, Dép. 122/123 III B/C 1
Marne, Matrona, Fl. 36 C/D 3, 54/55 II C/D 3, 95 B/C 3/4, 114 B/C 3, 148 I B/C 4, 148 II B/C 2
Marokko, Sultanat 64/65 II A 3, 130/131 I A/B 4/5, 132 I B 2
Marnia, Numerus Syrorum 38/39 II B 3
Marokko, Ldsch., Staat 150/151 I C 5, 162 III A 1 164/165 III, 166/167 I, 168
Maronea, O. i. Samnium 30/31 I E 3
Maronia, O. i. Kreta 10 I C 1
Maroneia, O. i. Thrakien 18/19 I F 1
Maros, Mieresch, Fl. 67 III C 3, 112 II D—F 2/3
Maros Vasarheli 148 I F 4
Marpessa, Bg. 18/19 I F 4
Marple 118 II A 2
Marquesas-Ins., frz. 137 I H/I 5
Marra 64/65 IV B 3
Marrakesch 132 I B 2
Marrana 63 I B 3
Marrucini, V. 24 II F/G 3/4, 30/31 I E 2

Marruvium 30/31 I D 2/3
Marsal 68/69 I D 4, 114 D 3
Marsa Matruk 156/157 I F 5
Marsciano 25 II C 2
Marseille, Bm. 88/89 II B 3
—, Kl. St. Victor 87 I D 3
—, Massilia, O. 36 D 4, 49 II C 3, 104 I D 4, 110 D 4, 156/157 I D 4, 156/157 III B 3
Marshall-Ins., dt., jap. 137 I F 4, 158 I F 4, 158 II F 4, 164/165 I S 4
Marsi, Marser, Germanen, V. 37 I B 1, 37 II A 2, 41 I A 2, 41 II B/C 2
Marsi, Marser, Italiker, V. 24 II F 4, 30/31 I D 3
Marsigner, V. 41 I C 3
Marsiliana, Caletra 25 II B 2
Marstommoor 110 B 2
Marstrand 116/117 I F 2
Marta, Fl. 30/31 I B 2
Martanum 30/31 I B 2
Marten 56 V B 2
Martigny, Octodurus 37 I A 3, 80 II B 2
Martineschti, Rimnik 116/117 I I 4
Martinique, Ins. 100/101 VII C 2, 118 III D 2, 133 II B 1
Martyrapolis 38/39 I H 3, 46/47 III C 2
Maru, Ldsch. 46/47 I F 4
Märw, siehe Merw
Maryland, amer. Staat 118 I C 2
Marylebone 109 I
Marzabotto 4 VI C 3, 24 II E 2
Marzahn 143 II
Masada 34/35 II B 3
Masändäran, pers. Gau 119 I 7
Masat 8 I B 1
Maschau, Kl. 88/89 III B 1
Mäschhäd 134 II D 2
Maschonaland, Ldsch. 138/139 II B/C 1
Masclianae 34/35 III B 1
Mas d'Azil 1 IV B 2
Mases 18/19 I D 4
Masjid i Sulaiman, Erdölfeld 163 II C 3
Masilia Graecorum, Massalia, s. Massilia 24 II B 3
Maskara 130/131 I C 4
Maskat, O. 50/51 G 5, 98/99 I F 5, 111 II B 1
Masowien, Hzm. 67 III B/C 2, 71 I A/B 2, 96/97 I K/L 3, 113 D/E 4
Masowien-Plozk, Bm. 88/89 I F/G 3
Masowier, V. 50/51 C/D 2
Masrata 112 I B 2
Massa di Carrara 68/69 I F 6, 94 I D 2, 94 II D 2
Massa, O. a. Po 63 II C 1
Massa, O. i. Toskana 94 I D 3, 94 II D 3
Massachusetts, amer. Staat 118 I C/D 1, 133 III F 2
Massageten, V, 14/15 I H/I 2
Massaua 34/35 I F 5, 111 II A 2, 138/139 III B 2, 154 IV A 1
Massa Veternensis 30/31 I A 1
Masserano 96/97 I E 7
Massilia, Massalia, Masilia Graecorum, Marseille 24 II B 3
Massina, Ldsch. 132 I B 3
Mastaura 38/39 I E 3
Mastia 26/26 I A 2
Masulipatum 98/99 I I 6, 111 II D 2, 116/117 IV C 3, 135 I C 3
Masuren, V. 106/107 III C 1
Matala 10 III B 2
Matabeleland, Ldsch. 138/139 II B 1
Mataram, Djokjakarta, O. 135 II C 1
Mataram, Reich 98/99 I L/M 8, 111 II E 3, 135 II
Matera, Ebm. 88/89 I F 5
Matera 2 II C 2, 30/31 I G 4, 63 I F 4
Materano, Forum Clodii 30/31 II A 1
Maternum 30/31 I B 2
Mathan, Ldsch. 46/47 I L 3
Mathildische Güter 63 II
Mathura 22/23 I I 3, 46/47 I F 4, 135 I B 2
Matilica 30/31 I D 1
Matinum 30/31 I G 3
Matisco, Mâcon 36 C 3
Matisonensium vicus, Bietigheim 40 II C 3
Mato Grosso, brasil. Prov. 118 III E 3, 133 II C 2
Matreium 37 I C 3
Matricorum 41 IV
Matrida 70 II G 1
Matrinum 30/31 I E 2
Matrona, Marne, Fl. 36 C 3
Matschwa, Banat 70 II C/D 2
Matsu, Ins. 162 I B/C 2
Mattana 8 III B 3
Mattara 6 II B 1
Matthia, O. a. Kreta 10 I B 1
—, O. i. Messenien 18/19 I B 5
Mattiaker, V. 41 I A 2
Mattium 41 II C 2
Matzwitz 77 III B 1/2
Maubeuge 114 B 2, 148 II B 1
Mauer, Locus Felicis, O. a. d. Donau 44 I C 2
Mauer, O. b. Heidelberg 1 III C 2
Mauges, Ldsch. 58/59 I C 5
Maulbronn, Kl. 87 II B 3, 114 E 3, 128 I B 2
Mauls 44 I C 2
Maultasch, Burg 68/69 I F 5
Mau-Mau-Bewegung 162 III C 2
Maupertuis 68/69 III C 2
Mauren, V. 14/15 I A 3
Mauretania, röm. Prov. 34/35 I B/C 3
— Caesariensis, röm. Prov. 34/35 III A/B 1/2, 38/39 II B/C 2/3, 42/43 I B/C 3
— Tingitana, röm. Prov. 38/39 II A/B 2/3, 42/43 I B/C 3
Mauretanien, Ldsch. 28 I A 2, 28 II A/B 3, 132 I B 3
Mauretanien, Staat 162 III A 1/2, 164/165 III, 166/167 I u. III, 168
Maurische Kunst 53 II, 67 I A—C 3
Mauritius, Ile de France, Ins. 98/99 I F 9/10, 132 I E 5, 138/139 I M 5
Maursmünster 54/55 II E 3
Maurusier 48 I A/B 3
Maurya-Dynastie i. Indien 26/27 I
Mautern, Favianae, Favianis 38/39 I B 1, 54/55 I F 3, 58/59 II B 1
Mauthausen, NS-Konzentrationslager 155 I C 3
Mavrospelio 11 IV
Ma wara an nahr. Transoxanien, Ldsch. 50/51 H/I 4
Maxen 122/123 I E 3
Maxima Caesariensis, röm. Prov. 42/43 I B 1
Maxima Sequanorum, röm. Prov. 42/43 I C 2
Maxula 34/35 III C 1
Maxyer, V. 9 I C 3
Mayakultur 100/101 II C/D 1—3
Mayapan 100/101 II C 1
Mayen, Amt, Oberamt 80 I C 1
Mayen, O. 40 II A 1, 80 I C 1
Mayenne, Dép. 122/123 III A 1/2
Mayenne, Fl. 58/59 C 4/5
Mayenne, O. 110 B 3
Mayfair, Ot. i. London 109 I
Maylapur, Nestorianer-Bm. 52 III E 4
Mayo, Fl. 100/101 III C 3
Mazaghan 54/55 I C 5
Mazaka, Eusebeia, Chilokku 9 III E 2, 22/23 II C 2
Mazara, Bm. 88/89 I E 6
Mazara, O. 17 I A 3, 54/55 I E 5
Mazatlan 100/101 II C 2
Mazedonier, V. 150/151 II
Maziker, V. 34/35 I B 3
Meaux, Bm. 88/89 I C 4
Meaux, O. 54/55 II C 3, 148 II B 2
Mecheln 85 II C 1, 104 III B 2, 126/127 IV B 2
Mecklenburg, Bm. 88/89 II C 1
—, Fsm., Hzm. 68/69 I F/G 1/2, 96/97 I F/G 2/3, 106/107 II
—, Ghzm. 129 I D/E 1/2
—, O. 58/59 I I 2
Mecklenburg, evang. Landeskirche 161 VII
Mecklenburg, Land 160 III B 2, 161 IV B 1
Mecklenburg, NS-Gau 155 I B/C 1/2
Mecklenburg-Schwerin, Hzm. 122/123 I D/E 1/2, 124 I C/D 1, 129 II E/F 1/2
Mecklenburg-Schwerin, Land 152 II D/E 1/2
Mecklenburg-Strelitz, Hzm. 122/123 I E 2, 124 I D 1, 129 II E/F 2
Mecklenburg-Strelitz, Land, 152 II D/E 2
Meclosedum 29 I B 1
Medamut 6 I A 2
Medan 136 II A 3
Medellin 133 II B 1
Medelpad, Ldsch. 113 D 2
Medeon, O. i. Akarnanien 18/19 I B 3
Medeon, O. i. Phokis 18/19 I C 3
Meder, V. 3 I F/G 3
Mederreich 9 III D—H 1—4
Mediana, Gnotzheim 40 II D 2
Mediasch 112 II F 2
Media-Atropatene, Ldsch. 46/47 I C 3
Medicerra 34/35 III C 1
Medici-Bank 86 II
Medici-Hft. 92/93 I E 5
Medien, Ldsch. 22/23 I F/G 2, 46/47 I C/D 3
—, pers. Satrapie 14/15 I F 3
Medina, Jathrib, Lathrippa 34/35 I F 4, 46/47 I B 4, 50/51 E 5, 52 III C 3, 72/73 II C/D 5, 98/99 I D 5, 132 I D 2
Medina de Rioseco 85 I A 2
Medina Sidonia 102/103 I B 6
Medinet 6 I A 2
Medinet Habu 7 IV
Mediolanium, Saintes 36 B 3
Mediolanum, Evreux 36 C 3
Mediolanum, Mailand, 25 I B 2, 38/39 I A 1
Mediomatrici, V. 36 D 3
Medische Mauer Nebukadnezars 9 III F 3
Medma, Fl. 17 I D/E 2
Medma, O. 17 I D 2
Medscherda, Fl. 92/93 I D 6, 130/131 I D/E 4
Medulli, V. 38/39 I A 1
Medullia 30/31 II B 1
Meer, äußeres, s. Okeanos, oceanus 14/15 VI
Meerengen v. Konstantinopel 145 III u. IV
Meerland, Kilikien 16 II F 3
—, Sumer 8 II C 2, 9 III G 3
Meersburg, O. 80 II D 1, 122/123 I C 5
Mefula 30/31 I D 2
Megalith-Bauten, Großsteingräber-Kultur 3 II
Megalopolis 18/19 I C 4, 20 III B 2
Meganthropus, Rasse 1 I, 1 II
Megara, O. a. Isthmos 13 I A 1/2
Megara Hybläa, O. i. Sizilien 17 I D 3
Megaris, Ins. 30/31 III B 1
Megaris, Ldsch. 13 I A 1/2
Megiddo 8 III B 2, 9 III E 3
Meg Vryssi 10 I B 1
Mehadia 64/65 I C 3
Mehalla el Kobra 138/139 IV B 2
Mehebel 8 III B 1
Mehrum, 142 IV A 1, 142 V A 1
Meidum 6 I A 2
Meilberg, O. 58/59 III D 1
Meiningen, O. 122/123 I D 3, 152 II D 3, 161 VI
—, Hzm. 122/123 I D 3
Meir 6 I A 2
Meiringen 80 II C 2
Meisenheim 80 I C 2
Meißen, Bm. 88/89 II C 1, 161 VI
—, Bm. Territ. 68/69 I G/H 3
—, Mark 56 IV, 58/59 I K/L 3, 68/69 I G 3
—, O. 56 IV, 122/123 I E 3
Mekbere 8 III B 2
Mekka 34/35 I F/G 4, 42/43 I F 4, 50/51 F 5, 98/99 I D 5, 132 I D/E 2, 153 VI C 3
Mekka-Scherifen, Reich der 72/73 II C/D 5/6
Meknes 150/151 I C 5
Mekong, Fl. 72/73 I C/D 2—4, 98/99 I K/L 4—6, 136 I C/D 3—5, 136 II A/B 1/2
Mekran, Ldsch. 50/51 H 5, 134 II D/E 3
Mekyberna 18/19 I D 1
Melaina, Kap 18/19 I G 3
Melainai 18/19 IV C 2
Melanesien, Ldsch. 100/101 VIII C/D 3/4
Melas, Fl. 18/19 I G 1
Melas-Golf 18/19 I G 1
Melbourne 137 I E 6, 137 II C 3
Meldi, V. 36 C 3
Meldorf 56 I B 1, 122/123 I C 1
Meleagrum 41 III B 1
Meleda, Ins. 94 I G 3, 94 II G 3
Melfi, Bm. 88/89 I F 5
Melfi, O. 63 I E 4
Melibocus mons, Harz-Geb. 37 I C 1
Meliboia 18/19 I C 2
Melid 9 III E 2
Melilla, Busaddir 38/39 II B 2, 50/51 A 4, 102/103 I C 6, 130/131 I B 4
Melita, Melite, Malta, Ins., s. auch Malta 2 I C 3, 11 II C 2
Melita, O. i. Armenien 20 I G 3
Melitaia 18/19 I C 2
Melite, Ot. v. Athen 12 VI
Melitene, Malatia 38/39 I G 3, 50/51 E 4
Melito 30/31 I E/F 3
Melitopol 148 I I 4
Melk, Kl. 58/59 III C 1, 87 I F 2, 122/123 I F 4
Mellaria 38/39 II A 2
Mellifont, Kl. 87 II A 2
Mellrichstadt 58/59 I I 3
Melnik 58/59 I L 3,
Meloria, Ins. 68/69 I F 7
Melos, Ins. u. Ort 18/19 I E 5
Melpum 24 II D 2
Melrose, Kl. 87 II A 2
—, O. 54/55 I B 1
Melsele 143 I a—b
Melselehoek 143 I b
Melta 38/39 I D 2
Mélun 54/55 II C 3
Melus, Melos, Ins. 38/39 I D 3
Melville-Ins., brit. 138/139 I Q 5
Membidsch 64/65 IV B 2
Membig, Hierapolis Bombyke 38/39 I G 3
Membressa 28 IV A 2
Memel, Njemen, Fl. 1 V D 1, 67 III C/D 1/2, 115 I E/F 1/2
Memel, Klaipeda, O. 68/69 II B 2, 104 IV B 2, 106/107 III C 1, 113 E 3, 152 II I 1, 156/157 I F 3, 160 III D 1
Memelland, Ldsch. 152 II I/K 1, 155 I E 1, 155 II D 1
Memleben, Pfalz 58/59 I I 3
Memmingen, RSt. 68/69 I F 5, 81 II C 2/3, 122/123 I D 4/5, 128 I B 2/3
Memphis, O. i. Ägypten 6 I A 2, 29 II B 2, 50/51 E 5
Memphis, Pyramiden (Giseh), Plan 7 II
Memphis, O. i. Tennessee 133 III E 3
Menado 111 II F 2
Menangkabau, Staat 111 II D/E 2/3
Menapier, Menapii, V. 29 I B/C 1, 36 C 2
Menasstadt 44 II D 3
Mende, Bm. i. Frankreich 88/89 I C 5
Mende, O. a. Chalkidike 18/19 II C 3
Mende, O. i. Frankreich 58/59 I E 6
Menderes, Mäander, Fl. 130 131 I H 4
Mendes 6 I A 1
Mendesische Nil-Mündung 29 II B 1
Mendoza, O. i. Argentinien 133 II B 3
Mendrisio 80 II C 3
Menekine 17 I E 1
Menelaion, T. 13 II A 1
Menelaoshafen 20 I D 4
Menevia, St. Davids 52 I A 2
Mengede 142 IV B 1, 142 V B 1
Mengen 62 IV C 3, 120 V B 2
Mengtze 136 I D 4
Menin 114 B 2
Meninx, Ins. 26/27 II C 2
Mennoniten, niederld. (Konfession) 105 I
Menorca, Ins. 64/65 I B 2/3, 102/103 I D 6, 116/117 I D 5/6, 125 I C 3/4
Mensale-See 138/139 IV B/C 1
Mensine 10 I B 1
Menteroda 77 IV B 1
Mentesche, Ldsch. 70 II E 3, 71 II C 4
Mephaat 8 III B 3
Meppen 56 I A 1, 122/123 I B 2, 126/127 II A 1
Meran 49 III B 2, 96/97 I F 6
Meranien, Ldsch. 70 I E 3
Meran-Obermais, Maia 37 I C 3
Merawe, Merowe 6 I A 4, 9 I D 6
Mercia, Kgr., Ldsch. 52 I B 2, 54/55 I B 2, 57 II B 2
Mercurii Promontorium, Kap 34/35 III C 1
Mergentheim, Besitz d. Deutschen Ordens 68/69 I E 4, 122/123 I C 4, 128 I B 2
Merida, O. i. Mexico 118 III C 1
Merida, s. Emerita Augusta, O. i. Spanien 38/39 II A 2, 50/51 A 4, 154 V A 2
Merida, O. i. Venezuela 133 II B 1
Merimde 6 I A 1
Merinum 30/31 I G 3
Merja, V. 50/51 E/F 2, 57 I G 2
Merkit, V. 72/73 II K 2
Merksem 143 I a—b
Meroë, Umm Ala 6 I A 4
Merom 8 III B 2
Merowe, Merawe 6 I A 4, 9 I D 6
Merowingerreich 48 II, 49 I u. II, 50/51, 52 II, 54/55 II
Mersa Umbarek 6 I A 2
Mersch 80 I B 2
Merseburg, Bm. 88/89 II C 1
—, Bm. Territ. 68/69 I F/G 3
—, Mark 58/59 I K 3
—, O. 62 I C 2, 122/123 I D/E 3
Mersen 54 II D 2, 54 III B 2, 54 IV B 2
Mersin, Mersina 2 I E 3, 8 II B 2, 64/65 IV A 2, 150/151 I G 5
Mers el Kebir 102/103 I C 6, 150/151 I C 5
Meru-See 132 I D 4
Merw, Märw, Antiochia, Alexandria Margiane, Margiane 14/15 I H 3, 22/23 I H 2, 26/27 I H 2, 46/47 I E 3, 50/51 H 4, 52 III E 3, 72/73 II F 4, 134 II E 2
Merzig, O. u. Amt 40 VI A 2, 80 I B 2
Meschesch 6 I A 2
Mesembria, O. i. Moesien 11 II D 1, 38/39 I E 2, 54/55 I H 4
Mesembria, O. i. Thrakien 18/19 I F 1
Mesene, Ldsch. i. Elam 34/35 I G 3
Meseritz 122/123 I F 2
Meskene, Barbalissus 38/39 I G 3
Mesoa, Spartiatendorf 12 VII
Mesogeion, Ldsch. 13 I B 1/2
Mesouisia 10 I A 1
Mesopotamia, röm. Prov. 38/39 I G/H 3, 42/43 I F/G 3, 42/43 II E/F 3
Mesopotamien, Ldsch. 6 II—IV, 22/23 I E/F 2, 50/51 E/F 4, 112 I D/E 2
Mespelbrunn, Schloß 106/107 I E 5
Mespila, Ninive 22/23 III C 2
Messa 18/19 I C 5
Messad, Castellum Dimmidi 34/35 III A 2
Messalios, Fl. 10 III B 1
Messana, Zankle-, O. i. Sizilien 17 I D 2
Messapii, Messapier, V. 25 I F/G 3, 30/31 I H/I 4
Messara, Ebene 10 I A/B 1
Messeleres 10 I B 1
Messene, Ithome, Bg., T., Burg i. Messenien 18/19 I B 4, 20 III A 2
Messenia, Messenien, Ldsch. 18/19 I B/C 4
Messenischer Golf 18/19 I C 5
Messina, Ebm. 88/89 I F 6
Messina, Messana, Zankle, O. 17 I D 2, 48 II C 3, 54/55 I F 5, 56 II B 4, 63 I E 5, 130/131 I F 4
Messina, Straße von 17 I D 2
Messoyis, Geb. 18/19 I H 3/4
Metá, Rio, Fl. 100/101 VII B/C 3
Metallkulturen, frühe 2 I
Metapontum, Metapont, Metapontion 30/31 I G 4
Metauro, Metaurus, Fl. 30/31 I C/D 1, 53 I B 2
Metauron, O. 17 I D 2
Metellinum 38/39 II A 2
Methana 18/19 I C 4
Methler 142 IV C 1, 142 V C 1

Methone, O. l. Argolis 18/19 I D 4
Methone, O. i. Makedonien 18/19 II B 2
Methone, Methoni, Modon, O. i. Messenien 18/19 I B 5, 50/51 D 4, 70 II B 4
Methone, O. i. Susiana 22/23 II E/F 3
Methydrion 18/19 I C 4
Methymna 18/19 I G 2
Metropolis, O. i. Akarnanien 18/19 I B 3
Metropolis, O. a. Golf v. Ambrakia 18/19 I B 3
Metropolis, O. b. Ephesos 18/19 V A 1
Metropolis, O. i. Thessalien 18/19 I B 2
Metropolitie (nördl. Rußland) 88/89 I H—K 2
Mettlach, Kl. 54/55 II E 3, 80 I B 2
Metz, Bm. 88/89 II B 2, 145 I
—, Bm. Territ. 68/69 I D, 114 D 3
—, Kl. 87 I D 2
—, Divodurum, O., Pfalz, RSt. 37 I A 2, 49 II C 1, 54/55 II E 3, 68/69 I D 4, 114 D 3, 148 II D 2, 152 II B 4
Metz u. Verdun, Gouvernement 122/123 II C 1
Metze, Mattium 41 II C 2
Metzingen, Armisensium Vicus 40 II C 3
Metztitlan, Ldsch. 100/101 II B 1
Meurthe, Dép. 122/123 III C 1
Meury 54/55 II D 3
Meuse, Dép. 122/123 III C 1
Meuse, s. Maas, Fl.
Meuse inférieure, Dép. 122/123 III C 1
Mevania 30/31 I C 2
Mevaniola 30/31 I B 1
Mewar, Ldsch. 135 I B 2
Mewe 68/69 II A 3
Mexiko, Golf v. 100/101 II B/C 1/2
Mexiko, Ld. 100/101 II
Mexiko, Tenochtitlán, O. 100/101 VI A 2, 118 III C 2
Mexiko, Staat 133 I C/D 3/4, 164/165 III, 166/167 II u. III, 168
Mexikaner i. d. USA 144 II
Mézières 110 C 3, 148 II C 2
Mezöbereny 112 II D 2
Mezötur 112 II D 2
Miamu 10 I A 2
Miao, V. 3 III B 3
Michailowka 140 IV B 2
Michelsberg, O. i. Böhmen 86 I B 2
Michelsberg, O. a. Rhein 2 I B 2
Michelsberg-Kultur 2 I B 1/2
Michelstadt 53 II B 2
Michelstein, Kl. 88/89 III B 1
Michigan, amer. Staat 133 III E 2
Michigan-See 133 III E 2
Micia 38/39 I D 1
Midaeon, Midasstadt 5 II E 4, 9 II D 2, 9 III D 2
Midasgrab 9 III D 2
Midasstadt, siehe Midaeon
Middelburg 78 IV A 2, 104 III A 2, 126/127 IV A 2
Middle East, Erdölzone 163 II B/C 4
Middlesex, Gft. 109 I
Middletown, O. i. Pennsylvania 118 II A 2
Mideia, O. i. Argolis 18/19 I C 4
Midia, O. i. Thrakien 145 IV C 2, 145 V C 2
Midian, V. u. Ldsch. 8 IV A/B 6
Midway-Ins., V. St. 137 I G 3, 158 I G 3, 158 II G 3
Miedniki, Bm. 88/89 I G 2
Miedniki, O. 113 F 4
Mieresch, Maros, Fl. 112 II D/F 2/3
Mies, Bg. O. 86 I B 2, 106/107 I G 5
Mieza 18/19 I C 1
Mikrolith-Kulturen 1 V
Mikronesien, Ldsch. 100/101 VIII C/D 2/3
Milas, s. Mylasa 10 II E 3, 38/39 I E 3
Milatos, O. a. Kreta 10 I B 1
Milaveče 5 II C 3
Mileto, Bm. i. Calabrien 88/89 I F 6
Milet, Ebm. i. Kleinasien 88/89 I H 6
—, Miletos, Miletus, O. 13 III A 1, 18/19 I H 4, 48 I D 3, 48 II D 3
—, Plan 21 VI
Miletopolis 38/39 I E 2
Mileu, Mileu Colonia 34/35 III B 1
Milford 92/93 I A/B 3
Milhaud 110 C 4
Miliana, Zucchabar 34/35 III A 1, 38/39 II C 2
Milionia 30/31 I D 3
Militärgrenze, österreich.-ungar. 112 II, 130/131 I E/H 2/3
Militärverwaltung, französ. i. Algerien 150/151 I D 5
Militsch, Hft. u. O. 122/123 I G 3
Millesimo 124 I C 3
Milne-Bay 158 I E 5
Milos, Melos, Ins. 145 V B 3, 145 VI B 3
Miltenberg 40 II C 2, 128 I B 2
Milvische Brücke, Ponte Molle 45 II
Milwaukee 133 III E 2
Milziener, V. 58/59 I K/L 3
Mimas, Geb. 18/19 I G 3
Min, V. 3 IV B 3
Mina, Relizane, O. i. Algerien 34/35 III A 1
Mina Al Ahmadi, O. i. Kuweit 163 II C 4
Minäer, V. 34/35 I G 5, 46/47 I C 4/5
Miñas Geraes, Ldsch. 118 III E 3
Mindanao, Ins 98/99 I N 7, 111/II F 2, 137 I D 4, 158 I D 4, 158 II D 4
Mindeleiszeit 1 II
Mindelheim 62 II C 3, 122/123 I D 4, 128 I B 2
Minden, Bm. 56 I B 1, 88/89 II B 1
—, Bm. Territ. 68/69 I E 2, 115 I B 2
—, Fsm. 122/123 I C 2
—, O. 37 II A 1, 84 I B 3, 84 II B 3
Mindoro, Ins. 158 II D 4
Minervae promontorium, Kap 30/31 III B 2
Minervino 30/31 I G 3
Mingrelien, Ldsch. 134 I C/D 2, 134 II C 1
Ming-tschou 46/47 V G 4
Minho, Minius, Fl. 38/39 II A 1, 126/127 I B 5
Minho, port. Prov. 116/117 I B 5
Minius, Minho, Fl. 38/39 II A 1
Minneapolis 133 III D 2
Minnesota, amer. Staat 133 III D 2
Minnodunum, Moudon 37 I A 3
Minoa, O. a. Amorgos 18/19 I F 5
Minoa, O. Lakonien 18/19 I D 5
Minoa, O. i. Nord-Kreta 10 III B 1
Minoa, O. i. Ost-Kreta 10 III C 1
Minoer, Eteokreter, V. 5 I, 10 I u. III
Minoische Kultur 2 I D 3, 2 II D 3, 9 I, 10 I u. II
Min-schan 46/47 I I 3
Minsk 67 III D 2, 71 I C 2, 75 E 3, 113 F 4, 119 D 4, 148 I G 3, 149 III B 2, 156/157 III D 2, 160 III E 2
Mintard 142 IV A 2, 142 V A 2
Minturnae 30/31 I D 3
Min-yüeh, Ldsch. 46/47 I K 4
Mirandola 63 II C 2
Mirat 135 I B 2
Mires 10 I A 1
Mirgisseh 6 I A 3
Miriquidi, Erzgebirge 58/59 I K 3
Mirobriga 38/39 II A 1
Miropol 75 E 4
Mirsaani 163 II C 2
Mirsapur 135 I C
Misenum 30/31 III B 1
Misis 8 I B 2
Miskolcz 112 II D 1
Misox 80 II D 2
Misr, Misri, s. Ägypten, Ld. 9 III C/D 3/4, 50/51 E 4/5
Missanello 30/31 I G 4
Mission, christliche angelsächs. 52 I u. II, 61 I; byzantin. 56 II, 61 II u. V; deutsch 56 II, 61 I u. II; fränk. 52 II, 56 I u. II, 58/59 II; irisch 52 I u. II; päpstl.-röm. 52 I, 56 II
Mississippi, amer. Staat 133 III D/E 3
Mississippi, Fl. 111 I B 1/2, 116/117 II B/C 2—4, 133 I D 2/3
Mississippi-Territorium 118 I B 2
Missolunghi 130/131 I G 4
Missouri, amer. Staat 133 III D/E 3
Missouri, Fl. 144 IV C/D 2/3
Missouri-Territorium 133 I C/D 2/3
Mistra, Despotat 71 II B 4
Mistra, O. 70 II D 3, 92/93 I G 6
Misurata, O. 147 E 5
Misurata, Prov. 150/151 I E 5
Mitanni, V. 3 I E/F 3, 8 II B/C 2
—, Reich 9 I E/F 2
Mitau, Jelgava 68/69 II B 2, 75 D 2, 113 E 3, 119 C 3 150/151 I F 3
Mitla 100/101 II B 2
Mitrowitza 145 VI B 2
Mittelamerika 118 III, 133 I
Mittelamerikaner i. d. USA 144 II
Mitteldeutscher Handelsverein 129 I
Mittelkongo, franz. Besitz 146 I C 2/3
Mittelland-Kanal 161 I
Mittelmächte 152 III
Mittelmark, Ldsch. 106/107 I G 3
Mittelmeer, Inneres Meer 14/15 I B—E 2/3, 50/51 A—E 3/4, 64/65 I A—E 2/3, 130/131 I B—K 2—5, 156/157 I C—G 4/5
Mittelmeerklima 11 II
Mittelstandspartei, deutsche 154 I
Mittelsteinzeit 1 V
Mittenwald, Scarbia 37 I C 3
Mitterburg, O. 96/97 I G 7
Mitzeli 18/19 I D 2
Mixteco-Zapoteken, V. 100/101 II B 2
Mizda 34/35 III C 2
Mizpa 8 III B 3
Mizquic 100/101 VI B 2
Mjitkjina 136 II A 1, 158 I B 3
Mlawa 96/97 I L 3, 124 I F 1
Mo 3 III B 2
Moab, Ldsch. u. Staat 8 III B 3, 8 IV B/C 4
Moabiter, V. 8 III
Mobile 133 III E 3
Moçambique, Mozambique, Mosambik, O. 98/99 I E 9, 98/99 IV E 9, 132 I E 4
Moçambique, Mosambik, port. Kol. 132 I D/E 4/5, 132 II D/E 4/5, 138/139 II C 1/2, 162 III C/D 3/4
Moccadeni, V. 38/39 I E/F 3
Mocha 111 II B 2
Mochau (Burgward) 56 IV
Moche 100/101 III B 2
Möchling 58/59 III C 2
Mochlos 10 I B 1
Mochos 10 I B 1
Modein 34/35 II B 3
Modena, Bm. 88/89 II C 3
—, Hft. d. Este 68/69 I F 6, 94 I D 2
—, Hzm. 94 II D 2, 102/103 I F 5, 130/131 I E 3
Modena, Mutina, O. 4 VI B 2, 38/39 I B 2, 63 II B 2, 124 I C 3
Modica 17 I C 4, 63 I E 6
Modin 8 III B 3
Modion 10 III A 1
Modlin 124 I F 1, 148 I F 3, 156/157 I F 3
Modon, Bm. 88/89 I G 6
Modon, Methone, O. i. Griechenland 50/51 D 4, 70 II D 3, 112 I C 2
Modon, O. i. Livland 156/157 III D 2
Modrusch, Bm. 88/89 II D 2
Möen, Ins. 106/107 I G 2
Moenus, Main, Fl. 40 II B—D 1/2
Moeris-See, Fajjum 6 I A 2
Moers, Fsm. 122/123 I B 3
Moesia, röm. Provinz 34/35 I F 2, 48 II D 2
— I et II, röm. Provinz 42/43 I D/E 2
— superior, röm. Provinz 38/39 I D 2, 42/43 II C/D 2
— inferior, röm. Provinz 38/39 I D/E 2, 42/43 II D 2
Moesia, röm. Diözese 42/43 I D/E 2/3
Mogadischo, Mogadischu 98/99 I E 7, 98/99 IV E 7, 132 I E 3, 162 III D 2
Mögeldorf 81 I
Mogentianae 38/39 I C 1
Mogila, Kl. 88/89 III C 1
Mogilew, O. a. Dnjepr 71 I D 2, 75 F 3, 113 G 4, 116/117 I K 3, 156/157 I G 3, 156/157 III E 2
—, O. b. Krakau 86 II F 2
Mogontiacum, Mainz 40 II B 1/2, 41 II C 2
Mogulreich 98/99 I G—K 4—6, 111 II C/D 1/2, 116/117 IV B 2
Mohacs 112 I B 1, 112 II C 2
Mohammedaner, Moslems, Muslime, s. auch Islam 52 III, 64/65 III, 72/73 VI, 98/99 IV, 163 I
Mohenjo-Daro 3 II H 4
—, Plan 7 VI
Mohi, Theißebene 67 III B 3, 72/73 II B 3
Möhne, Fl. 56 V B/C 2
Mohra, Moliarah 21 III
Mohra Moradu 21 III
Mohrin 121 I, III u. IV
Mohrungen, O. i. Ostpr. 124 I E 1
Moissac, Kl. 87 I C 3
Mokpo 154 III B 3
Mola 94 I G 4, 94 II G 4
Molada 34/35 II B 3
Moldau, Fl. 86 I B/C 2, 122/123 I F 3/4
Moldau, Fsm. 70 II E 1, 71 I C 3, 112 I C 1, 119 D 5
Moldau, Ldsch. 130/131 I H 2
Moldauische ASSR 150/151 I F/G 4
Moldauische SR 160 III E 3
Molde 147 D 2
Molesmes, Kl. 87 II B 3
Molfetta, Natiolum 2 I C 2, 30/31 I G 3
Mollwitz 122/123 I G 3
Molodowo 140 IV B 1
Moloeis, Fl. 13 I A 1
Molosser, V. 16 I A 2
Molossis, Ldsch. 18/19 I A 2
Molotow, Perm 150/151 I I 3
Molsheim 105 I B 2
Molukken, Gewürzinseln 111 II F 2/3, 158 I D 4/5, 158 II D 4/5
Molykreion 18/19 I B 3
Mombasa 98/99 I D 8, 98/99 IV D 8, 111 II A 3, 132 I D 4, 162 III C 3
Momein 136 I C 4
Mömpelgard, Gft. 80 II A 1, 122/123 I B 5
Mömpelgard, Montbéliard, O. 106/107 I D 6, 130/131 II A 1
Monaco, Fsm. 94 II B 3, 130/131 I D 3
Monaco, Monoikos, Herakles Monoikos, O. 24 II C 3
Monastir, Bitolj, Bitolia 145 V B 2, 145 VI B 2, 148 I F 5
Monastiraki 10 I A 1
Moncastro, Bm. 88/89 I I 4
Moncastro, Akkerman, O. 70 II F 1
Monceaux 109 IV
Mönchengladbach, O. 161 IV A 1
Moncontour 102/103 I C 4
Mondberge, Geb. 98/99 V
Mondoñedo, Bm. 88/89 I A 5
Mondovi, Bm. 88/89 II B 3
Mondovi, O. 94 I B 2, 94 II B 2, 124 I B 3
Mondsee, Kl. 58/59 II A 2, 87 I E 2
Mondsee, O. 2 II C 2
Mondsee-Laibach-Vučedol-Kultur 2 II C 2
Monemwasia, Malvasia 50/51 D 4, 92/93 I G 6
Mongolei, Ldsch. 72/73 II I—M 3, 72/73 IV B/C 1, 98/99 I K—M 3
Mongolei, chines. Vasall 137 I B/C 2
Mongolei, Äußere, Volksrep. 136 I B—E 1/2, 136 III A/B 1/2, 162 II B/C 1, 164/165 III, 166/167 I u. III, 168
Mongolei, Innere 136 I C—E 2/3, 136 III A/B 2/3
Mongolen, Tataren, V. 1 II, 52 III F/G 2, 67 III, 72/73 II, 134 I
Mongolenreich 72/73 II
Monkwearmouth 142 I—III B 2
Monoikos, Herakles, Monoikos, Monaco 24 II C 3
Monophysiten, christl. Bekenntnis 44 II D/E 3, 52 III 64/65 I u. III, 72/73 VI
Monopoli 94 I G 4
Monreal, O. u. Amt a. d. Mosel 80 I C 1
Monreale, Ebm. i. Sizilien 88/89 I E 6
—, O. 63 I D 5
Monroe, Fort 133 III F 3
Monrovia, O. 132 I B 3
Monrovia-Staatengruppe 169 III
Mons, Bergen 95 B 2, 104 III A 2, 126/127 IV A 2
Monschau 122/123 I B 3
Montabaur, O. u. Amt 80 I C 1
Montagne, Ldsch. 95 C 4
Montaigu 58/59 I C 5
Montalcino 25 II B 1
Montalto 25 II B 2
Montana, amer. Staat 133 III B/C 2
Montauban, O. 83 IV B 3, 104 I C 4
Montbéliard, s. Mömpelgard 130/131 II A 1
Mont Blanc, Dép. 122/123 III C 2
Mont Cenis, Paß 58/59 I G 6, 68/69 I D 6, 160 III A 3
Montdidier, O. 95 B 3, 148 II B 2
Monte Alban, O. i. Mexico 100/101 II B 2
Monte Cassino, Kl. 48 II C 2, 63 I D 4, 87 I E 3, 156/157 I E 4
Montefeltre, Bm. 88/89 II C 3
Montefeltro, Burg 63 I D 3
—, Gft. 94 I E 3
Monteferrand, O. i. Syrien 64/65 IV B 3
Montefiascone, O. 53 I B 2
Monte Gargone, Geb. 58/59 I L/M 8
Montegiorgio 30/31 I D 1
Monteleone di Spoleto 24 II F 3
Montenegro, Ldsch., Fsm. 92/93 I F 5, 112 I B 1, 128 V, 130/131 I F 3, 145 V A 2, 145 VI A/B 2, 148 I E/F 5, 155 II C/D 2, 160 III C 4
Montenotte 124 I C 3
Monteoru-Kultur 5 I D 3
Monte Pelosa, O. 63 I F 4
Montepulciano 25 II B 1, 53 I A 2
Montereau, O. 95 B 3
Monteriggioni, O. 25 II B 1, 53 I A 2
Monterrey 133 I C 3
Montesa 64/65 II A 3
Montescudaio 25 II A 1
Montevideo 118 III E 4, 133 II C 3
Montferrat, Mgft., Hzm. 68/69 I E 6, 94 I B/C 2, 94 II B/C 2, 96/97 I D/E 7, 106/107 I D/E 7, 110 D 3/4
Montfort, Gft. a. Bodensee 68/69 I E/F 5
—, O. i. d. Bretagne 58/59 I C 4
—, O. a. d. Maas 95 C 2
Mont Genèvre, Paß 49 II C 2
Montgomery, Schloß. i. Wales 102/103 I C 3
—, O. i. VSt. 133 III E 3
Monthey 80 II A 2
Montiel 71 III A 3
Montivilliers 85 II B 2
Montlaurès 24 II A 3
Montl'héry 95 B 3
Montmartre, O. 109 IV
Montmedy 114 C 3, 148 II C 2
Montone, Fl. 53 I A/B 1
Montpellier, O. 58/59 I E 7, 104 I C 4
—, Universität 91 V B 2
Montpensier 95 B 4, 102/103 I D 4
Montreal 118 I C 1, 133 III F 2
Montreuil 85 II B 2
Montroyal 114 D 3
Mont St. Michel, Kl. 87 I B 2
Montserrat, Kl. 58/59 I D 8
Mont Tonnerre, Dép. 122/123 III C/D 1
Monza 49 III A 3, 63 I B 2
Moosbach, O. b. Nürnberg 81 I
Moosburg, O. 58/59 II C 2
Mopsion 18/19 I C 2
Mopsuestia, Mopsuhestia, Seleukeia 9 III E 2, 22/23 II C 2, 38/39 I G 3

Morawa, Fl. 56 II C 3, 130/131 I G 3, 145 V B 2, 145 VI B 2
Moray, Ldsch. 88/89 I B 2
Morbihan, Dép. 122/123 III A 1/2
Mörchingen 148 II D 2
Mordillo, Interamnium 17 I E 1
Mordwinen, V. 50/51 F 2, 119 H/I 4, 160 I
Mordwinische ASSR 150/151 I H 3
Möre, Ldsch. 60 I F 1
Morea, Peleponnes, Ldsch. 92/93 I G 6, 112 I C 2, 116/117 I H 6, 130/131 I G 4
Moreruela, Kl. 87 II A 3
Morescheth 8 III A 3
Morfinon, Athos-Kl. 45 VI B 2
Morgarten 80 II C 1
Morges 80 II A 2
Moriah, Hügel i. Jerusalem 34/35 V
Morimond, Kl. 87 II B 3
Morimondo, Kl. 87 II B 3
Morini, V. 36 C 2
Morlaas, Kl. 87 I B 2
Morlaix 110 B 3
Mormonda 18/19 I H 3
Morotai 158 II D 4
Mörs, O. 115 I B 2, 142 IV A 2, 142 V A 2
Mortara 130/131 III B 2
Mortsel 143 Ib
Mosa, Maas, Fl. 36 C/D 2/3
Mosambik, s. Moçambique
Mosarna 46/47 I E 4
Mosbach, O. a. Neckar 81 II B 2, 128 I B 2
Moscha 46/47 I D 5
Mosdok 134 I E 2
Mosella, Mosel, Fl. 37 I A 1/2, 80 I B/C 1/2, 95 D 2—4, 114 C/D 2/4
Moselland, NS-Gau 155 I A 2/3
Moselle, Dép. 122/123 III C 1
Mösen 77 III B 2
Moshaisk 125 I F 2
Moskau, Gouv. 119 F/G 3/4
—, Gfsm. 71 I E/F 1, 92/93 I I—L 1—3, 105 II B/C 2/3
—, Metropolitie 88/89 I H—K 2
—, O. 71 I E 1, 98/99 I D 2, 113 H 3, 119 F 3, 125 I F 2, 149 I C 2, 149 III C 2, 156/157 I G 3
—, Plan 105 IV
—, Patriarchat 113 H 3
Moskau-Wolga-Kanal 150/151 I G 3
Moskwa, Fl. 126/127 I L 2
Moslems, s. Mohammedaner
Mosquito-Küste 118 III C 2
Mossamedes 132 I C 4
Mossi, Ldsch. 132 I B 3
Mossul, Mosul, O. 50/51 F 4, 72/73 II D 4, 112 I E 2, 148 III B 2, 163 II C 3
—, Wilajet 134 II C 2
Mossynoiker, Mosynoeci, V. 38/39 I G 2
Mostaganem 150/151 I D 5
Mostar, O. i. Bosnien 94 I G 3, 130/131 I F 3, 145 V A 2, 145 VI A 2
Mostene 18/19 I H 3
Mosterö, Ins. 60 I F 2
Mosul, siehe Mossul
Mosyllon 46/47 I C 5
Mosynoeci, Mossynoiker, V. 38/39 I G 2
Mosyr 75 F 3
Motril 154 V B 2
Motye 17 I A 3
Moudon, Minnodunum 37 I A 3, 80 II A 2
Moulins 95 B 4, 110 C 3
Moulmein 136 II A 2, 158 I B 4
Moûtiers, Tarantaise, Ebm. 88/89 II B 2
—, O. 58/59 I G 6
Mouzon 54/55 II D 3
Moyenmoutier, Kl. 87 I D 2
Moys 122/123 I F 3
Mozambique, Moçambique, O. 98/99 I E 9, 98/99 IV E 9, 132 I E 4
Mpraeso 163 IV B 2
Mseira 6 II B 2
Mstislawl 113 G 4, 116/117 I K 3
Muansa 132 I D 4
Mudejar-Stil, span. Gotik 90 I
Mudros 148 I G 6
Mugaiyar, Ur 6 II C 2
Mugan-Steppe 134 I G 4
Mugelli, V. 30/31 I B 1
Mügeln 56 IV
Müggel-See 161 II
Mughla 134 II A 2
Mühlacker 40 II B 3
Mühlbach, O. 75 E 5
Mühlberg, O. 96/97 I G 4,
Mühldorf 58/59 III B 1, 68/69 I G 4, 122/123 I E 4, 128 I D 2
Mühlhausen, RSt. i. Thüringen 68/69 I F 3, 77 IV A 2, 122/123 I D 3, 126/127 II C 2
Mukden, Schenjang 136 I F 2, 136 III C 2, 138/139 VI B 2, 158 I D 2, 158 II D 2, 162 I C 1
Mulde, Fl. 77 II, 86 I B 1
Mühlhausen, RSt. i. Elsaß 80 II B 1, 114 D 4, 124 I B 3, 148 II D 3
Mülheim, O. a. d. Ruhr 142 IV A 2, 142 V A 2
Muliana 10 I B 1
Müllrose 121 I
Multen, O. u. Ldsch. 50/51 I 4/5, 72/73 III F 3, 116/117 IV B 1, 135 I B 1
Mulucha, Fl. 28 I A 2
Mülverstedt 77 IV B 2
Mümling, Fl. 40 II C 3
Mumpf 40 III A 1
München 66 I D 2, 105 I C 2, 122/123 I D 4, 152 II D 4, 153 II, 155 I B 3, 161 IV B 2
München-Freising, Ebm. 145 I, 161 VI
Münchengrätz, Kl. 88/89 III B 1
München-Oberbayern, NS-Gau 155 I B/C 3
Münchingen, Plan 76 III
Münchshöfen 2 I C 2
Munda 28 II A 3, 38/39 II A 2
Münden, Hannoversch-81 III A 2, 122/123 I C 3
Münder 83 II A 2
Munderkingen 120 V C 2
Munichia, Festung u. Hafen 12 V, 14/15 IV A 2
Munkatsch, Munkacs 112 II E 1, 150/151 I F 4
Münnerstadt 122/123 I D 3
Munningen, Losodica 40 II D 3
Munster, Gft., Ldsch. i. Irland 92/93 I A 3, 110 A 2
Münster, O. b. Biel 80 II B 1
Münster, O. i. Elsaß 68/69 I D 4, 114 D 3, 148 II D 2
Münster i. Westfalen, Bm. 56 I A 2, 88/89 II B 1, 145 I, 161 VI
—, Bm.-Territ. 96/97 I D/E 3/4, 122/123 I B/C 2/3
—, Niederstift 122/123 I B/C 2
—, Oberstift 122/123 I B/C 2/3
—, O. 68/69 I D 3, 105 I B 2, 124 I B 2, 125 I C 2, 126/127 I E 3, 155 I A 2, 161 IV A 1
Münsterappel 80 I C 2
Münsterberg, O. 77 III B 1, 92/93 II D 3
—, Fsm. 96/97 I I 4, 122/123 I G 3
Münster-Mayfeld, O. u. Amt 80 I C 1
Münzenberg, O. 122/123 I C 3
Munzingen 1 IV B 2
Mur, Fl. 58/59 III B—D 2, 106/107 I G—I 4
Murab-Ba'at 34/35 II B 3
Murano, Plan 78 I
Muranum 30/31 I G 5
Murau 58/59 III C 2, 122/123 I F 5
Murbach, Kl. 58/59 I G 5
Murbogi, V. 38/39 II B 1
Murcia, Bm. 88/89 I B 6
Murcia, O. 54/55 I B 5, 64/65 II A 3, 130/131 I B 4
Murcia, Prov. 130/131 I B 4
Murgantia 30/31 I E 3
Murmanküste 113 G—I 1
Murmansk, Romanowsk 149 I C 1, 149 III C 1, 156/157 I G 2
Murom 61 V D 2, 119 G 3
Murray, Fl. 164/165 IV
Murrensium Vicus, Benningen 40 II C 3
Murrhardt 40 II C 3
Mursa 38/39 I C 1
Mursuk 132 I C 2
Murten 95 D 4
Murten-See 42/43 III
Murton 142 I B 2, 142 II B 2, 142 III B 2
Murus 37 I B 3
Murviedro, Saguntum 38/39 II B 2
Mürzsteg 145 IV
Musalamer, Musulami, V. 34/35 III B 1/2
Musasir 9 III F 2
Musauwarat 6 I A 4
Musch 148 III B 2
Museion, T. 18/19 IV B 2
Musga, Fl. 12 VII
Musignano 25 II B 2
Muskau 122/123 I F 3
Muski, Phrygisches Reich 9 III C/D 1/2
Muslime, s. Islam, Mohammedaner
Mussomeli 17 I B 3
Musulami, Musalamer, V. 34/35 III B 1/2
Mutenum 38/39 I C 1
Mutina, Modena 25 I C 1
Muza, Ldsch. i. Kusch 42/43 I F 4
Muza, O. i. Arabien 34/35 I G 5
Muziris 46/47 I F 5
Muzri, V. 9 I F 2
Myania 18/19 I C 3
Mygdonia, Mygdonien 18/19 I C/D 1
Mykale, Geb. 13 III A 1, 18/19 I H 4
Mykalessos 18/19 IV C 2
Mykenäer, s. auch Achäer, V. 10 II u. III
Mykenai, Mykene 10 II C 3
—, Plan 11 V
Mykerinos-Pyramide, Plan 7 II
Mykonos, Ins. u. Ort 18/19 I F 4
Mylä, Mylai, O. i. Sizilien 17 I D 2, 28 II C 3
Mylai, O. i. Thessalien 18/19 I C 2
Mylasa, Milas 10 II E 3, 38/39 I E 3
Myndos 18/19 I H 4
Myos Hormos, Myus Hormos 29 II B 2, 46/47 I B 4
Myra 38/39 I F 3
Myriandos 20 I G 3
Myrina, O. i. Jonien 18/19 I H 3
Myrina, O. a. Lemnos 18/19 I F 2
Myrkinos 18/19 I D 1
Myrlea, Myrleia, Apameia 22/23 II A 1, 26/27 III B 1
Myron 30/31 I I 4
Myrrhinus 13 I C 2
Myrrhinutte 13 I C 1
Myrsinos 11 I B 2
Myrtilis 38/39 II A 2
Myrton, Ins. 18/19 I E 4
Myrtoisches Meer 18/19 I D/E 4/5
Myrtuntion 18/19 I 83
Myser, V. 10 II E 1/2
Mysia, Mysien, Ldsch. 18/19 I H 1/2
Mysio, Fl. 18/19 I H 2
Mytilini, Ebm. 88/89 I H 6
Mytilini, Lesbos, Ins. 112 I C 2, 145 V C 3, 145 VI C 3
Mytilene, O. 18/19 I G 2
Mytistraton 17 I C 3
Myus, O. i. Jonien 13 III A 1
Myus Hormos, Myos Hormos, i. Ägypten 29 II B 2, 46/47 I B 4
Mzcheth 134 I E 3

Naab, Fl. 86 I B 2, 128 I D 2
Naarden 96/97 I C 3, 104 III B 1
Naasdorf 77 III B 2
Nabatäer, V. 9 III E 3, 38/39 I G 4, 46/47 I B 3/4
Nabburg 58/59 I K 4
Nablus, Neapolis, Sichen 64/65 IV A 4, 162 IV B 1
Naburni, V. 41 IV
Nachdschowan, Nachitschewan, O. 134 I E 4
—, Chanat 134 I E/F 4
Nachod 92/93 II D 3
Nacolea 38/39 I F 3
Nadeshdinsk 150/151 I K 3
Nadsauen, Ldsch. 68/69 II B 2
Näfels 80 II D 1
Naft i Schah 163 II C 3
Naft Khaneh 163 II C 3
Naga 6 I A 4
Naga ed Deir 6 I A 2
Nagasaki 98/99 I O 4, 136 III C 3, 158 I D 3, 158 II D 3
Naghas, V. 111 II D 1
Nagidos 11 II E 2
Nagoja 46/47 IV H 3
Nagpur 135 I B 2
Nahalal 8 III B 2
Nahanarvalen, V. 41 I
Naharain, Hurri, Mitanni, V. u. Reich 9 I E/F 2
Nahe, Nava, Fl. 40 II A 2, 80 I C 2,
Nahne, Plan 76 I
Nahr-el-kelb, Hunds-Fl. 8 IV B 1/2
Naiman, V. 72/73 II I 2/3
Nain 34/35 II B 2
Naïri, Ldsch. 9 III E/F 2
Nairobi 132 I D 4, 162 III C 3
Naissus, Nisch 38/39 I D 2, 48 I D 2, 50/51 D 3, 71 II B 3
Naix 54/55 II D 3
Najera 58/59 I B 7
Nakel 68/69 I I 2, 122/123 I G 2
Nakkar 6 II B 2
Nakrasa 22/23 II A 2
Nal 3 II H 4
Naleiki, Ot. v. Moskau 105 IV
Naltschik 150/151 I H 4
Namaland, Ldsch. 138/139 II A 2
Nammerlager 37 II A 1
Namnetes, V. 36 B 3
Namri, V. 9 III G 3
Namslau 68/69 I I 3
Namsos 156/157 I E 2
Namur, Gft. 95 C 2, 104 III B 2
Namur, O. 36 C 2, 58/59 I F 3, 114 C 2, 126/127 IV B 2, 148 II C 1
Nan, Tschiang-ling, Ying 3 IV B 2, 46/47 II H 3
Nancy 68/69 I D 4, 95 D 3, 114 D 3, 148 II D 2, 156/157 III B 3
Nan-hai, Nanhei, Pan-yü, O. i. Südchina 3 V B 3, 46/47 I K 4
Nan-hei, O. i. d. Mongolei 46/47 III I 1
Nanking 98/99 I M 4, 136 I F 3, 136 III B 3, 158 I C 3, 158 II C 3, 162 I B 2
Nanning 136 I D 4
Nantes, Bm. 88/89 I B 4
—, Gft. 58/59 I B/C 5
—, Kl. 87 I B 2
—, Portus Namnetum, O. 36 B 3, 49 II A 2, 58/59 I C 5, 110 B 3, 156/157 I C 4, 156/157 III A 3
—, Universität 91 V A 2
Nantschang 98/99 I M 5, 136 I E 4
Nantuani, V. 41 IV
Nantuati, V. 29 I C 2
Napata 6 I A 4
Napcuis, Fl. 38/39 I E 2
Nape 18/19 I G 2
Naphtali, Geb. 34/35 II B 1/2
Naphtali, V. 8 IV B 2/3
Napoca, Klausenburg 38/39 I D 1
Nar, Fl. 30/31 I C/D 2
Nara 46/47 III M 2
Narbada, Fl. 46/47 I F 4, 135 I B/C 2
Narbo Martius, Narbonne, O. 36 C 4
Narbonensis, röm. Prov. 28 II B 2, 36 C/D 3/4, — I et II 42/43 I C 2
Narbonne, Ebm. 88/89 I C 5
Narbonne, Narbo Martius, O. 36 C 4, 49 II B 3, 50/51 B 3, 104 I C 4
Narce 25 II C 2
Narenses, V. 38/39 I C 2
Narenta, Fl. 58/59 I M/N 7
Narentana, V. 54/55 I F 4
Narew, Fl. 68/69 II B 3, 124 I F 1
Narisker, V. 41 I B 3
Narni, Narnia, Nequinum 30/31 I C 2, 53 I B 2
Narona 38/39 I C 2
Narotsch-See 148 I G 3
Narthakion 18/19 I C 3
Narvik 156/157 I E 2, 156/157 II G 1
Narwa 75 F 2, 104 IV D 1, 119 D 3, 155 II D 1, 156/157 I F 3, 156/157 III D 2
Naryka 18/19 IV A 1
Narym 98/99 I I 2
Nasamonen, V. 34/35 I D 3
Naseby 116/117 I C 3
Nashville 133 III E 3
Nasium 36 D 3
Nasrätabad 134 II E 2
Nasridenreich, Kgr. Granada 64/65 II A 3
Nasrya 148 III B 2
Nassau, Fort, a. Bahama-Ins. 118 III D 1
Nassau, Gft. 68/69 I D/E 3, 104 II A 2
Nassau, Hzm. 126/127 II A/B 2, 128 III, 129 I B/C 3
Nassau, O. 68/69 I D 3
Nassau-Diez, O. 96/97 II B 2
Nassau-Saarbrücken, Gft. 122/123 I B 4
Nassenfels, Vicus Scuttar. 40 II E 3
Natal, brit. Besitz 138/139 II B/C 2/3
Natal, O. i. Brasilien 156/157 II E 5
Natiolum, Molfetta 30/31 I G 3
Nationalsozialismus 153 II, 154 I u. II, 155 I u. II, 160 I
Nationalversammlung, deutsche 153 I
Nato-Pakt 166/167 II
Natron-Tal i. Ägypten 6 I A 1
Natzweiler, NS-Konzentrationslager 155 I A 3
Naukratis, Naucratis 11 II E 2, 38/39 I F 4
Naulochos, O. b. Milet 13 III A 1
Naulochus, O. a. Sizilien 28 II C 3
Naumburg, Bm. 61 II B 1, 88/89 II C 1
—, Bm. Territ 68/69 I F/G 3
—, O. 58/59 I I 3, 122/123 I D 3
Naunhof 77 II
Naupaktos, Naupactus 18/19 I B 3, 38/39 I D 3
Nauplia, Nauplion 18/19 I C 4, 50/51 D 4, 71 II B 4, 112 I C 2, 130/131 I G 4
Nauportus 38/39 I B 1
Nauru, Ins. 137 I F 5, 158 I F 5, 158 II F 5
Nava, Nahe, Fl. 40 II A 2
Navajo-Indianer, V. 144 IV B/C 3
Navarin, Pylos 130/131 I G 4, 145 V B 3
Navarra, Kgr. 58/59 I C 7, 64/65 I A 2, 70 I A 3, 102/103 I C 5
Navarra, span. Prov. 130/131 I B 3
Navarra et Béarn, Gouv. 122/123 II A 3
Navarra u. Béarn, Kgr. (frz.) 110 B 4
Navas de Tolosa 64/65 II A 3
Naxos, Hzm 64/65 II D 3, 70 II D/E 3
Naxos, Naxus, Ins. u. O. 18/19 I F 4/5, 54/55 I H 5, 112 I C 2, 130/131 I H 4
Naxos, O. a. Sizilien 17 I D 3
Nazareth 34/35 II B 2, 64/65 IV A 4, 148 III A 2, 162 IV B 1
Nazca 100/101 III B 3
Nazerini, V. 38/39 I G 3
Nazianzus 38/39 I F 3
Nazza 77 IV A 2
Neaithos, Fl. 17 I E 1
Neandertal, Tal 1 III C 1
Neandertaler, Menschenrasse 1 I u. II
Neandreia, Neiandreia 18/19 I G 2
Neanthropinen, Menschenrasse 1 II
Neapel, Ebm. 88/89 I E 5
—, Kgr. 70 II B/C 2/3, 92/93 I E/F 5/6, 116/117 I F/G 5/6, 124 II C/D 2, 125 I D 3/4
Neapel, Neapolis, O. i. Italien 24 II G 4, 48 I C 2, 63 I E 4, 130/131 I E 3, 156/157 I E 4, 156/157 III C 3
—, Universität 91 V C 2
Neapolis, Nablus, Sichem 64/65 IV A 4
Neapolis, O. i. Afrika 34/35 III C 1
Neapolis, Ot. v. Alexandria 26/27 V
Neapolis, O. i. Calabrien 30/31 I H 3
Neapolis, O. a. Chalkidike 18/19 I D 1
Neapolis, Ot. v. Emporion, Plan 21 IV
Neapolis, O. a. Euphrat 22/23 II D 3
Neapolis, Magara, Ot. v. Karthago, Plan 21 II
Neapolis, O. a. Krim 38/39 I F 2
Neapolis, O. a. Propontis 18/19 I H 1
Neapolis, Sichem 38/39 I F/G 4
Neapolis, O. i. Thrakien 18/19 I E 1
Nebit Dag 163 II D 3
Nebo, Bg. 8 III B 3
—, O. 8 III B 3
Nebraska, amer. Staat 133 III C/D 2

Nebrissa 38/39 II A 2
Nebrodes Mons, Geb. 17 I C 3
Necheb, El Kab 6 I A 2
Nechen, Hierakonpolis, Kom el Ahmar 6 I A 2
Neckar, Nicer, Fl. 40 II B/C 2/3, 81 II B 2
Neckarburken 40 II C 2
Neda, Fl. 18/19 I B 4
Nediensium Vicus, Lobenfeld 40 II B 2
Nedjran, Ldsch. 42/43 I G 5
Nedschd, Ldsch. 42/43 I G 4, 50/51 F 5, 162 III C/D 1/2
Nedschd, Sandschak 134 II C 3
Nedschd, Sultanat 153 VI C/D 3
Nedschran, Nestorianer-Bm. 52 III D 4
Nedwiyet al Odeyr 41 III D 2
Neeton, Neetum 17 I D 4, 25 I E 5
Neferis 28 IV B 2
Nefta, Aggarsel Nepte 34/35 III B 2
Nefud, Wüste 50/51 E/F 5
Negade, Negadeh 6 I A 2
Negapatam, Negapattan 98/99 I H/I 6, 135 I B 3
Negeb, Ldsch. 8 IV A/B 5
Negervölker 1 II, 6 I A 4
Neger in Südafrika 144 V
Neger in den USA 144 IV
Negerhandel 118 III
Negev, Ldsch. 162 IV A/B 2/3
Negrine, Ad Majores 34/35 III B 2
Negri Sembilan, Staatenbund 138/139 V A/B 2
Negroponte, Euböa, Ins. 70 II D 3, 112 I C 2
Negrowa 140 IV B 1
Negub 6 IV B 1
Neiandreia, Neandreia 9 II C 2, 18/19 I G 2
Neidenburg 74 I D 1, 106/107 III C 1
Neikaia 18/19 V C 1
Neinstedt, Wüstung 56 VI B 2
Neiße, Glatzer, Fl. 96/96 I I 4
—, Görlitzer, Fl. 106/107 I H 4, 160 III B 2
—, Fsm. 68/69 I I 3, 122/123 I G 3
—, O. 67 III B 2, 75 C 4
Nekawend 50/51 F 4
Nellenburg, Landgft. 128 I B 3
Nellore, Nellur 111 II C 2, 135 I B 3
Nelson, Fl. 133 I D 2
Nemausus, Nîmes 24 II B 3
Nemea 18/19 I C 4
Nemesis-T. b. Rhamnus 13 I C 1
Nemetacum, Arras 36 C 2
Nemetes, Nemeter, V. 37 I A/B 2
Nemetobriga 38/39 II A 1
Nemi 24 II F 4
Nemora Vacunae 30/31 I D 2
Nemorensis lacus, See 30/31 II B 2
Nemours, Hzm. 95 B 3
Nemors, O. 58/59 I E 4
Nemrud Dagh 44 I E 3
Nemus Dianae, T. 30/31 II B 2
Neocaesarea 38/39 I G 2
Neonteichos 18/19 I H 3
Nepal, Ld. 22/23 I K 3, 46/47 III G 3, 72/73 IV B 2, 98/99 I I 5, 135 I C 2, 136 I B 4, 162 II B 2, 164/165 III, 168
Nepet, Nepete, Nepi 24 II F 3, 25 II C 2, 30/31 I C 2
Nephin, Burg 64/65 IV A 3
Nephtoah 8 III B 3
Nepi, O. u. Kl. 25 II C 2, 87 I E 3
Nepomuk 68/69 I G 4
Neptunia 30/31 I H 4
Neptunius mons, Geb. 17 I D 2/3
Nequinum, Narni 25 II C 2
Nera, Fl. 53 I B 2
Nera, Ins. 14/15 IV A 2
Nérac 110 C 4
Nerchau 77 II
Neresheim, Kl. 87 I E 2, 128 I C 2
Neretum 30/31 I I 4
Nerike, Ldsch. 113 C/D 3
Nerium promontorium, Kap 38/39 II A 1
Neronias, Akko, Ptolemais, Col. Claudia Felix, Caesarea Philippi 34/35 II B 2
Nerreth 81 I
Nersae 30/31 I D 2
Nerthusvölker 41 I A/B 2
Nertobriga, O. i. Baetica 38/39 II A 2
Nertobriga, O. i. Tarragonensis 38/39 II B 1
Nertschinsk 105 III F 2
Nerulum 30/31 I F/G 5
Nervier, Nervü, V. 29 I B/C 1
Nesa 50/51 G 4
Nesactium, Nesazio 24 II F 2, 25 I D 1
Nesis, Ins. b. Neapel 30/31 III B 1
Nesis, O. i. Kaukasien 38/39 I G 2
Nesos 18/19 I G 2
Nesswish 75 E 3
Nestorianer, christl. Bekenntnis 44 II F 3, 52 III, 64/65 III, 72/73 IV u. VI
Nestos, Fl. 18/19 I E 1, 20 II C/D 2/3
Nethe, Fl. 37 II B 2
Netherby, Castra Exploratorum 40 I B 1
Netolitz 58/59 I L 4
Netteia 10 II E 3
Netze, Fl. 74 III C/D 1, 122/123 I F/G 2
Netzebruch, Ldsch. 121 I
Netze-Distrikt 122/123 I G 2
Netze-Warthe-Kanal 122/123 I G 2
Netzstall 81 I
Neu-Altmannsdorf 77 III B 1
Neu-Amsterdam 111 I C 1
Neu-Arcis 140 IV B 1
Neubabelsberg, Ot. v. Berlin 161 II
Neubabylonisches Reich, Chaldäerreich 9 III E—G 2/3
Neubau, Ot. v. Wien 109 V
Neubrandenburg, O. 83 II C 2, 106/107 I G 3
Neu-Braunschweig, Kanad. Provinz 133 III G 2
Neu-Breisach, O. u. Festung, Plan 120 II
Neuburg, Bm. i. Baiern 52 II C 3, 88/89 II C 2
Neuburg, O. a. d. Donau 40 II E 3, 58/59 I I 4, 128 I C 2
Neuburg, Pfalz-, Fsm. 122/123 I D/E 4
Neudamm 121 I
Neu-Delhi 163 I B 2
Neudorf b. Straßburg 77 I A 1
Neue Hebriden, Ins. 100/101 VIII D 3, 137 I F 5, 158 I F 5/6, 158 II F 5/6
Neu-Elft, Fère Champenoise 140 IV A 1
Neue Maas, Fl. 96/97 IIIc u. IIId
Neuenburg, Fsm. 115 I B 3, 130/131 II A 1
Neuenburg, Gft. 80 II A/B 1/2
Neuenburg, Neufchâtel, O. 80 II A 2, 130/131 II A 1
Neuenburger See 80 II A 2
Neuendorf, O. i. Neumark 121 I
Neuengamme, NS-Konzentrationslager 155 I B 2
Neu-England-Kolonien, -Staaten 118 I
Neuenhaus 40 II C 3
Neuenkamp, Kl. 88/89 III B 1
Neuenstadt, O. a. Bieler See 80 II B 1
Neuerburg, O. i. Eifel 80 I B 1
„Neue Welt“ 98/99 VII u. VIII
Neufchâteau, O. a. Maas 58/59 I F 4
Neufchâtel, s. Neuenburg, O. i. d. Schweiz 148 II C 2
Neu-Fundland, brit., kanad. Provinz 111 I D 1, 116/117 II F 1/2, 133 I F 2
Neufundländer i. den USA 144 II
Neu-Georgia, Ins. 158 I E 5, 158 II E 5
Neu-Granada, Vizekgr. 118 III D 2/3, 125 II
Neu-Guinea, Ins., s. auch West-Irian 100/101 VIII B/C 3, 137 I D/E 5, 137 II B/C 2, 158 I E 5, 158 II D/E, 162 II D 2, 164/165 I Q/R 5
Neuhardenberg, O. 121 IV
Neuhaus, O. i. Böhmen 68/69 I H 4, 122/123 I F 4
Neuhaus, O. i. Solling 62 III C 2
Neuhäusel 115 I D 3
Neuhausen, O. i. Livland 104 IV C 2
—, O. i. Samland 121 II
Neu-Holland, O. 106/107 III A 1
Neuilly 150/151 I D 4
Neu-Irland, Ins. 100/101 VIII C 3
Neu-Kaledonien, Ins., frz. 137 I F 6, 158 I F 6, 158 II F 6
Neu-Karthago, Nova Carthago 26/27 II A/B 2
Neukastilien, span. Prov. 130/131 I B 3/4
Neukölln, Rixdorf, Ot. v. Berlin 144 I u. II
Neu-Lerchenfeld 109 V
Neumagen, Noviomagus 40 VI A 2
Neumark, Ldsch. 68/69 I H 2, 71 III C 1, 96/97 I H 3, 106/107 I H 3, 115 I C/D 2
Neumarkt, O. Beskiden 75 C 4, 106/107 I L 5, 106/107 III C 2
Neumarkt, O. i. Kärnten 58/59 III C 2
Neumarkt, O. i. Schlesien 75 C 4
Neu-Mexiko, amer. Staat 133 III C 3
Neu-Milet, Plan 21 VI
Neumittelwalde, Hft. u. O. 122/123 I G 3
Neumünster 58/59 I H 1
Neunhof (2 Orte b. Nürnberg) 81 I
Neu-Ostpreußen, Ldsch. 115 I E 2
Neu-Paris, Eigenfeld 140 IV B 1
Neuruppin 122/123 I E 2
Neu-Sandez 68/69 I L 4, 106/107 I L 5, 106/107 III C 2
Neusatz, O. i. Ungarn 112 II C 3
Neu-Schlesien, Ldsch. 115 I D 2
Neuschottland, kanad. Provinz 133 III G 2
Neuschweden, Ldsch. 111 I C 2
Neuseeland, Dominion 137 I F—H 5—7, 137 II D 3/4, 164/165 III, 166/167 I u. II, 168
Neu-Seeland, Ins. 100/101 VIII D 4/5
Neuseeland, brit. Verwaltungsbereich 138/139 I S/T 5—7
Neuseel. Besitz i. Antarktis 164/165 IV
Neusiedel, Ujhely, Plan 121 VI
Neusiedler See 106/107 I I 6
Neusohl 86 I F 2, 86 II F 2, 112 II C 1
Neu-Spanien, Vizekgr. 118 III B/C 1/2
Neuß, Novaesium 37 I A 1, 54/55 I D 2, 95 D 2, 122/123 I B 3
Neustadt, Kl. a. Main 56 I B 2
Neustadt, O. a. d. Haardt 78 III A/B 3, 114 E 3, 155 I B 3, 161 IV A 2
Neustadt, O. i. Holstein 83 II A 2
Neustadt, O i. Mähren 116/117 I G 4
Neustadt, O. i. d. Oberpfalz 128 I C 2
Neustadt, O. a. d. Saale 96/97 I F 4
Neustadt an der Tafelfichte, 86 I C 1
Neustadtl, O. i. Krain 106/107 I H 7
Neustettin 106/107 III B 1
Neustrelitz 122/123 I E 2
Neustrien, Ldsch. 50/51 B 3, 54/55 I B/C 3, 58/59 I C—E 4/5
Neu-Süd-Wales, Territ. 137 I E 6
Neutra, Bm. 61 II B 2, 88/89 I F 4
Neutra, O. i. Schwaben 120 V B 2
Neutra, O. i. Ungarn 56 II B 2, 75 C 4, 112 II C 1
Neuwedel, Plan 121 V
Neuwerk, Ins. 68/69 I E 2
Neu-Wilmsdorf 77 III A 2
Neuzelle, Kl. 88/89 III B 1
Nevada, amer. Staat 133/III B 2/3
Nevers, Bm. 88/89 I C 4
—, Gft. 58/59 I E 5, 95 B/C 4
—, O. 58/59 I E 5
Newa, Fl. 84 I G 2, 84 II G 2, 109 III, 113 G 3
Newbottle 142 II, 142 III B 2
Newbrough 40 I B 2
Newburn 142 I—III A 2
Newburg 116/117 I C 3
Newcastle, O. i. Australien 137 II C 3, 138/139 I R 6
Newcastle, Pons Aelius, O. i. England 92/93 I B 2/3, 110 B 1/2, 142 I—III A 2
Newel 113 F 3, 156/157 I F 3
New Grange 5 I A 2
New Hampshire, amer. Staat 118 I C 1, 133 III F 2
Newington 109 I
New Jersey, amer. Staat 118 I C 2, 133 III F 3
New Orleans 116/117 II B 3
New Town 118 II A 2
New York, O. 133 III F 2
New York, amer. Staat 118 I C 1, 133 III F 2
Ngami-See 138/139 II B 2
Nghara, Khursay-Kalama 6 III B 2, 6 IV B 2
Nheyla 41 III E 2
Niagara, Fort 116/117 II C 2
Niamey 162 III B 2
Nicäa, Nicaea, Nikaia, Isnik, Iznik, O. i. Bithynien, 38/39 I E 2, 44 II D/E 2, 50/51 D/E 3, 64/65 I D/E 2, 64/65 II D/E 2
Nicaea, siehe Nicäa
Nicaragua, s. Nikaragua
Nicephorium Callinicum. Rakka 41 III D 2
Nicer, Neckar, Fl. 40 II B/C 2/3
Nicomedeia, Nicomedia, Nikomedia, Ismid 26/27 IV A 1, 38/39 I E 2, 48 I D 2, 70 II E 2
Nicopolis, Nikopolis, O. i. Epirus 38/39 I D 3
Nicopolis, O. i. Kappadokien 38/39 I G 2
Nicopolis, O. i. Kilikien 22/23 II C 2, 38/39 I G 3
Nicopolis ad Istrum, Nikjup, Nikopolis, O. i. Moesien 38/39 I E 2
Nicopolis, O. i. Thrakien 38/39 I D 2
Nicosia, Nikosia, O. a. Cypern 70 II F 3
Nida, Civitas Taunensium, Heddernheim 40 II B 1
Nidaros 60 I G 1
Nid dem Wald, Ldsch. i. Unterwalden 130/131 II B 1
Nidri 10 II B 2
Nidum 36 B 2
Nieder-Altaich, Kl. 87 I E 2
Nieder-Baiern, Hzm., s. auch Baiern-Landshut, Baiern-Straubing 70 I D 2, 128 I C/D 2
Nieder-Berg, O. 40 II A 1
Niederbieber 40 II A 1
Niederbronn 40 II A 3
Niederburgund, Kgr. 54/55 IV B 3/4, 58/59 I E—G 5—7
Niederdeutsche Sprache 49 II C/D 1
Niederdonau, NS-Gau 155 I C/D 3
Niederehe 80 I B 1
Nieder-Kalifornien, Ldsch. 133 I C 3
Niederlande, Bevölkerungsverluste 161 III
Niederlande, Ldsch. 90 I B 1
Niederlande, Kgr. 124 III, 128 II—V, 141 I A/B 2, 141 II A/B 2, 155 II B 1, 156/157 I D 3, 156/157 III B 2, 160 I A 2, 160 II A 2, 164/165 III, 166/167 II u. III, 168
—, Kgr. d. vereinigten 126/127 I D/E 3/4, 126/127 IV A—C 1/2
Niederlande, österreich. 114 B—D 2/3, 115 I A/B 2
Niederlande, Rep. d. verein. 104 I C/D 2, 104 III
Niederlande, spanische 102/103 I D/E 3, 104 III A—C 2/3, 105 I A/B 2, 114 B—D 2/3
Niederländer in den USA 144 II
Niederländ.-Amerika, Kol. 118 III
Niederländ.-Java 135 II
Niederländ.-Indien 116/117 IV, 137 I B—E 4/5, 137 II A/B 1/2, 158 I B—D 4/5
Niederländische Kolonien 111 I u. II
Niederländ. Kolonien i. Asien 98/99 I
Nieder-Lausitz, Mgft. 92/93 II B/C 2/3, 96/97 I G/H 4, 122/123 I F 2/3
Nieder-Lothringen, Hzm. 58/59 I F/G 2—4
Niedernberg, O. 40 II C 2
Niederösterreich, s. Österreich
Nieder-Plottnitz 77 III A 2
Nieder-Pomsdorf 77 III B 2
Niederrheinisch-Westfälischer-Reichs-Kreis 96/97 II A/B 2
Niedersachsen, Land 160 III A/B 2, 161 IV A/B 1
Niedersächsischer Reichs-Kreis 96/97 II B/C 2
Niederschlesien, NS-Gau 155 I C/D 2
Nieder-Schöneweide 143 IV
Nieder-Schönhausen 143 II
Nieder-Sprockhövel 142 IV B 2, 142 V B 2
Niederwald, O. i. Schlesien 77 III B 2
Nieder-Wartha 56 IV
Nienburg a. d. Saale 62 I C 2
Nienburg, O. a. d. Weser 83 II A 2, 122/123 I C 2
Nierstein, Buconica 40 II B 2
Nieuport 96/97 I B 4, 148 II B 1
Nieuwendam 109 II
Nièvre, Dép. 122/123 III B 2
Niffar, Nippur 6 II C 2
Nigde, Tyane 64/65 IV A 2
Niger, Fl., 132 I B/C 3
Niger-Kolonie, franz. Besitz 146 I C 2
Niger, Staat 162 III B 1/2, 164/165 III, 166/167 I u. III, 168
Nigeria, Staat 162 III B 2, 164/165 III, 166/167 I, 168
Nigerien, brit. Besitz 132 I C 3, 138/139 I K 4
Nija 9 I E 2
Nikäa, Nikaia, Nizza 11 II B 1, 24 II C 3
Nikaea, O. i. Kaschmir 22/23 I I 2
Nikaia, Kaiserreich 64/65 II D/E 2/3, 66 II E/F 3/4
Nikaia, Nicaea, Nicäa, Isnik, Iznik, O. i. Bithynien 38/39 I E 2, 44 II D/E 2, 50/51 D/E 3, 64/65 I D/E 2
Nikaia, Nikäa, Nizza 11 II B 1, 24 II C 3
Nikaragua, Staat 133 I D 4, 164/165 III, 166/167 II u. III, 168
Nikatoris 22/23 II C 2
Nikephorion 22/23 II C 2
Nikjup, Nikopolis ad Istrum 38/39 I E 2
Nikobaren, Ins. brit. 136 II A 3, 162 II B 3
Nikolajew 130/131 I I 2
Nikolajewsk 137 I E 2
Nikolaistad, Vaasa, Wasa 147 F 2
Nikolsburg 129 II H 4
Nikolstadt, Bg. O. 86 I D 1
Nikomedia, Nikomedeia, Nicomedia, Ismid, Izmid 22/23 II A 1, 38/39 I E 2, 48 I D 2, 70 II E 2
Nikopol, O. a. Dnjepr 150/151 I G 4
Nikopolis, Byzantin. Thema i. Epirus 54/55 I G 5
Nikopolis, Nicopolis, O. i. Epirus 38/39 I D 3, 48 II D 3
Nikopolis, Nicopolis, O. i. Kilikien 22/23 II C 2, 38/39 I G 3
Nikopolis, Nicopolis ad Istrum, Nikjup, O. i. Moesien 38/39 I E 2, 70 II D 2, 71 II B 3, 112 I C 1
Nikopolis, O. i. Thrakien 38/39 I D 2
Nikosia, Nicosia 70 II F 3, 112 I D 2, 130/131 I I 4
Nikotera 17 I D 2
Niksar 112 I D 1
Nikschitsch 145 V A 2
Nil, Nilus, Fl. 6 I, 29 II B 1/3, 98/99 IV, 132 I D 2/3, 138/139 III B 1/2, 138/139 IV B 1/2, 162 III C 1/2
Nildelta 29 II A/B 1
Nilgaue, altägyptische 6 I
Nilkatarakte 6 I A 3/4, 72/73 II C 5
Niloten 132 III
Nilus siehe Nil
Nimburg, O. 92/93 II C 3
Nîmes, Bm. 88/89 I C 5
Nîmes, s. Nemausus, O. 36 C 4, 48 II B 2, 49 II C 3, 104 I C 4

Nimit Ischtar, Tell Afar 6 IV B 1
Nimptsch 58/59 I M 3, 92/93 II D 3
Nimrud, Kalach 6 III B 1
Nimwegen, Noviomagus 36 D 2, 54/55 II D 2, 68/69 I C 3, 78 IV B 2 114 C 2
Nina, Surghul 6 II C 2, 6 III C 2
Ninaia 17 I D 1
Nine Elms 109 I
Ning-hsia, Nestorianer-Bm. 52 III G 3
Ninghsia, chin. Prov. 136 I D 3
Ningpo 136 I F 4
Ninive, Mespila 6 II B 1, 6 III B 1, 6 IV B 1, 50/51 F 4
Niort 92/93 I B 4
Nippur, Niffar 6 II C 2, 6 III C 2, 6 IV C 2
Niru Chani 10 I B 1
Nisa 46/47 III D 2
Nisaia 18/19 IV B 3, 13 I A 2
Nisam von Haidarabad, Reich des 116/117 IV B/C 3, 135 I B/C 3
Nisan, Gau 56 IV
Niscemi 17 I C 3
Nisch, Naissus 38/39 I D 2, 48 I D 2, 50/51 D 3, 71 II B 3, 112 I C 1, 130/131 I G 3, 148 I F 5, 155 II D 2, 156/157 I F 4, 156/157 III D 3
Nischapur 46/47 III D 2, 50/51 G 4, 52 III D 3
Nishnij Nowgorod, Gorki, O. 119 G 3
—, Gouvernement 119 G/H 3/4
Nisibin, Nisibis, Antiocheia 6 IV B 1, 22/23 II D 2, 38/39 I H 3, 50/51 F 4, 52 III D 3, 112 I E 2, 148 III B 2
Nisteri, V. 37 I B 1
Nisyros, Ins.u. O. 18/19 I H 5
Nitiobroger, Nitiobroges, V. 36 C 4
Nitterwitz 77 III B 2
Niue, Savage-Ins. 138/139 I T 5
Nivelles, Kl. 54/55 II D 2, 87 II B 2
Nivernais, Gouv. 122/123 II B 2
Nizza, Bm. 88/89 II B 3
Nizza, Gft. 68/69 I D 6/7
Nizza, Nikaia, O. 49 II C 3, 63 I A 3, 110 D 4, 124 I B 4, 130/131 I D 3
Njarasa-See 1 I
Njassaland, brit. Besitz 132 I D 4, 162 III C 3
Njemen, Memel, Fl. 67 III C/D 1/2, 115 I E/F 1/2, 148 I F/G 2/3, 160 III D/E 1/2
Njeshin 75 F 4, 113 G 4
Nobadae, V. 42/43 I F 4
Nob Hill, Ot. i. S. Francisco 143 III
Nocera, O. b. Assisi 53 I B 2
—, O. i. Campanien 63 I E 4
Nogaier, V. 105 II C/D 3, 134 I E/F 1
Nogat, Fl. 64/65 VII, 122/123 I H 1/2
Nograd 106/107 I K 6
Noia 30/31 I G 3
Noirmoutier, Ins. 57 I B 3
Nola 30/31 I E 4, 94 I F 4, 94 II F 4
Nollendorf 126/127 III D 2
Nombre de Dios, O. 100/101 VII B 3
Nomentum 30/31 II B 1
Nomeny 114 D 3
Nomia, Ldsch. 18/19 I B 4
Nona, Bm. 61 II B 2
Nona, O. 54/55 I F 4
Nonantola, Kl. 4 VI C 2, 63 II C 2
Nonnenweier 77 I A 2
Nootka 125 II
Nora, O. i. Sardinien 25 I B 4
Nora, O. i. Schweden 113 C 3
Norba, O. i. Apulien 30/31 I H 4
Norba, Cáceres 38/39 II A 2
Norba, O. i. Latium 30/31 II B 2
Norchia 25 II C 2
Nord, Dép. 122/123 III B 1
Nordamerika, Erdteil 111 I, 115 II, 116/117 II, 118 I u. II, 125 II, 133 I u. III, 138/139 I, 143 III
Nordaustralien, Nord-Territorien 137 I D 5 138/139 I Q 5/6
Nord-Borneo, brit. Besitz 138/139 I P 4, 162 II C 3
Nord-Bukowina, Ldsch. 160 III E 3
Nord-Carolina, amer. Staat 118 I B/C 2, 133 III E/F 3
Nord-Dakota, amer. Staat 133 III C/D 2
Norddeutscher Bund 129 II
Norddeutschland, Kathol. Vikariat 145 I
Norden, O. 58/59 I G 2, 122/123 I B 2
Nordenskiöld-See, Laptew-See 159 I G/H 1, 159 II G/H 1
Nordeurasische Kultur 2 I C—E 1
Nordfriesen, V. 61 III A 1/2
Nordgau, bair. Mark 54/55 I E 3
—, Mgft. 58/59 I I/K 4
Nordgermanen, V. 48 I B/C 1, 50/51, 57 I—III, 60 I—IV, 61 I—V
Nordhausen, NS-Konzentrationslager 155 I B 2
Nordhausen, O. i. Elsaß 77 I A 2
Nordhausen, O. i. Thüringen 62 II C 2
—, RSt. 68/69 I F 3, 122/123 I D 3, 124 I C 2
Nordischer Kulturkreis 5 I B/C 1
Nordische Trichterbecherkultur 2 I B—D 1
Nordisch-norddeutsche Bronzekultur 5 II B—D 1/2
Nordkap 156/157 I F 1
Nordkaukasien, Ldsch. 149 III D 3
Nordkirchen 56 V B 1, 142 IV C 1, 142 V C 1
Nord-Korea, Staat 162 I C 1/2, 166/167 III
Nordleute, Sachsen, V. 54/55 I D/E 2
Nördliche Sarkars, Ldsch. 116/117 IV C 3
Nördlicher Okeanos 22/23 VI
Nördliches Eismeer, Nordpolarmeer 159 I A—L 1, 159 II A—L 1
Nördliches Meer = Mittelmeer 14/15 VI
Nördlingen, RSt. 40 II D 3, 68/69 I F 4, 81 II C 2, 122/123 I D 4, 128 I C 2
—, Messen 83 V C 3
Nordmark (Havelland) 58/59 I K 2
Nordost-Grenzprovinz, indische 163 I D 2
Nord-Ostsee-Kanal, Kaiser-Wilhelm-Kanal 152 II C/D 1/2, 161 IV A 1
Nord-Pazifik-Bahn (USA) 133 III A—D 2
Nordpol **164/165 II**
Nordpolargebiete 164/165 II
Nordpolarmeer 105 III A—I 1, 156/157 II F/G 1, 164/165 II
Nordrach 77 I B 2
Nordrhein-Westfalen, Ld. 160 III A 2, 161 IV A 1
Nord-Rhodesien, brit. Besitz 162 III C 3
Nordsee, Friesisches Meer, Germanisches Meer, Mare Germanicum 36 B—D 1/2, 50/51 B 2, 57 I C 2, 84 I A/B 1—3, 84 II A/B 1—3, 110 B—D 1/2, 148 I A—C 2/3, 156/157 I D 3
Nordsiebenbürgen, Ldsch. 155 II D 2
Nordstrand, Ins. 61 III A 1
Nordsweben, V. 48 I C 1
Nord-Territorien, Nordaustralien 138/139 I Q 5/6
Nord-Vietnam, Staat 162 II C 2/3, 166/167 I u. III
Nordwales, Wales, Ldsch. 52 I B 2, 57 II B 2
Nordwest-Griechen, V. 10 II C 2, 11 I
Nordwestl. Grenzprovinzen (in Indien) 135 I B 1
Nordwest-Territorium (in Kanada) 133 I B—E 1/2
Nordwest-Territorium (USA) 118 I A/B 1/2
Noreia 24 I D 3
Norfolk, Ins. 100/101 VIII D 4, 138/139 I S 6
Norfolk, Ldsch. i. England 102/103 I D 3
Norfolk, O. i. d. USA 133 III F 3
Noricum, röm. Provinz 38/39 I B/C 1, 48 I C 2, 48 II C 2
— mediterraneum, römische Provinz 42/43 I D 2
— ripense, röm. Prov. 42/43 I D 2
Noriker, Taurisker, V. 24 I D 3
Normandie, Gouvernement 122/123 II A/B 1
Normandie, Hzm. 58/59 I C/D 4, 66 I A/B 2, 68/69 III B/C 1
Normannen, Norweger, Wikinger, V. 54/55 I A/B 1—3, 57 I—III
— (aus Normandie in Italien), V. 53 I B 3, 63 I D—F 4—7
Normannenreich in Italien, s. auch Sizilien, Kgr. 63 I D—F 4—7
Normannische Inseln (im Kanal) 70 I A 2, 147 C 4
Normannische Kunst 67 I A/B 1, 67 I C 2/3, 90 III B/C 2/3
Normannisierung Schottlands 71 III A 1
Norrköping 113 D 3
Northampton 85 I A 1, 85 II A 1
North Atlantic Treaty Organisation, NATO 166/167 II
Northeim 58/59 I I 3, 81 III A/B 2, 122/123 C/D 3
North-Shields 142 I—III B 1
Northumbria, Northumberland, Kgr. , Ldsch. 52 I B 1/2, 54/55 I B 1/2, 57 II B 2
Nortorf 61 III B 2
Norwegen, Bevölkerungsverluste 161 III
Norwegen, Kgr. 155 II B/C 1, 156/157 I D—F 1—3, 156/157 III B/C 1/2, 164/165 III, 166/167 I u. III, 168
Norweger, Normannen, V. 50/51 B 1/2, 57 I C/D 1/2, 150/151 II
Norweger i. d. USA 144 II
Norwegischer Besitz i. d. Antarktis 164/165 IV
Norwich, Bm 88/89 I C 3
Norwich, O. 57 II C 2, 110 C 2
Nossen 56 IV
Nossi Bé 132 I E 4
Nöteborg 113 G 3
Notion, O. b Ephesos 18/19 I H 3
Notion, O. a. Hermos 18/19 I H 3
Notion, O. b. Smyrna 18/19 I H 3
Notre Dame de l'Isle de Ré, Kl. 87 II A 3
Nottingham 57 II B 2
Nouveau Orléans, s. New Orleans 111 I B 2
Nova Carthago, Cartagena, Neu-Karthago 26/27 II A/B 2, 38/39 II B 2
Novae, O. i. Dalmatien 38/39 I C 2
Novae, Svistov, O. i. Moesien 38/39 I E 2
Novaesium, Neuß 37 I A 1
Novantae, V. 36 B 1
Novara, Bm. 88/89 II B 3
Novara, O. 66 I C 2, 94 I C 2, 94 II C 2, 96/97 I E 7, 130/131 III B 2
Novaria, O. 25 I B 1
Nova Roma, s. Constantinopolis 42/43 I E 2
Novempopulana, röm. Provinz 42/43 I B/C 2, 42/43 II A/B 2
Novi, Nowi 116/117 I G 4, 145 V A 1/2
Novigrad, Nowigrad 94 I F 2, 94 II F 2
Novilara 24 II F 3
Noviodunum, O. i. Belgien 29 I B 1
Noviodunum, O. i. Biturigenland 29 I B 2
Noviodunum, O. i. Moesien 38/39 I E 1
Noviodunum, Nevers 29 I B 2
Noviodunum, Nyon 36 D 3
Noviomagus, Chichester 36 B 2
Noviomagus, Neumagen 40 VI A 2
Noviomagus, Nimwegen 36 D 2
Noviomagus, O. i. d. Normandie 36 C 3
Noviomagus, Speyer 37 I B 2
Nowag 77 III B 1
Nowaja Semlja, Ins. 164/165 I M/N 1
Nowgorod a. Ilmensee, Ebm. 88/89 I I 2
—, Fsm. 68/69 II D 1/2, 92/93 I H—K 1/2, 105 II B/C 2/3
—, Gouvernement 119 E/F 2/3
—, Holmgard, O. 57 I F 2, 98/99 I D 2, 119 E 3, 156/157 I G 3
—, Plan 78 VI
—, St. Peterhof, Hansekontor 84 I G 2, 84 II G 2
Nowgorod-Sewersk, Fsm. 67 III E/F 2
Nowgorod-Sewersk, -Sewerskij, O. 66 II F 2 71 I D 2 113 G 4
Nowi, Novi 112 II B 3, 145 V A 1/2
Nowigrad, Novigrad 94 I F 2, 94 II F 2
Nowipasar, O. u. Sandschak 130/131 I F/G 3, 145 V A/B 2, 145 VI A/B 2, 148 I F 5
Nowo-Alexandrowsk 134 II D 1
Nowogrodek (Metropolitie) Ebm. 88/89 I H 3
Nowogrodek, O. 71 I C 2, 75 E 3, 113 F 4, 116/117 I I 3
Nowo Margelan 134 II F 1
Noworossijsk 134 I A 1, 156/157 I G 4
Nowosibirsk 137 I B 2
Nowosil 71 E 2
Noyon, Bm. 88/89 I C 4
Noyon, O. 54/55 II C 3, 58/59 I E 4, 148 II B 2
Nsawam 163 IV B 3
NSDAP, Nationalsozialistische deutsche Arbeiterpartei 153 II, 154 I u. II
NS-Staat 155 I u. II, 160 I
Nuakschott 162 III A 2
Nubien, Ld. 4 V, 6 I 3/4, 98/99 IV
Nubier, V. 64/65 III E 5
Nuceria, O. i. Bruttium 17 I E 1
Nuceria, O. i. Umbrien 30/31 I C 1
Nuceria Alfaterna, O. i. Kampanien 30/31 I E 4
Nucha 134 I F 3
Nueva Cadiz 100/101 VII C 2
Nuitonen, V. 41 I
Nules 154 V B 2
Numana 30/31 I D 1
Numantia, O. 28 I A 1, 38/39 II B 1
Numantia, Römerlager, Plan 29 VI
Numea 158 I F 6
Numerus Syrorum, Marnia 38/39 II B 3
Numider, V. 3 I A/B 3
Numidia, röm. Provinz 28 II B 3, 34/35 III A/B 1/2
Numidicus Sinus, Golf 34/35 III B 1
Numidien, Ldsch., Staat 28 I A—C 2
Numistrum 30/31 I F 4
Nuraghenkultur 2 II B 3/4, 5 I B 3/4
Nuri 6 I A 4
Nuristan, Kafiristan 135 I A/B 1
Nürnberg, Burggft., s. auch Ansbach-Bayreuth, Fsm. 68/69 I F 3/4
—, Pfalz 58/59 I I 4
—, O., RSt. 68/69 I F 4, 81 I, 86 II E 2, 105 I C 2, 122/123 I D 4, 128 I C 2, 155 I B 3, 156/157 III C 3
Nürnberger Messen 83 V C 3
— Recht 75 A 4
Nursia 30/31 I D 2, 53 I B 2
Nusa Penida, Ins. 135 II D 2
Nuschki 135 I A 2
Nützigerode, Wüstung 77 IV A 2
Nuzi, Yorgan Tepe 6 III B 1 6 IV B 1
Nydala, Kl. 87 II C 2
Nyen 113 G 2
Nyiregyháza 112 II D 2
Nyköping 126/127 I G 2
Nyland, Ldsch. (finn.) 113 E/F 2
Nymphaion, Kap auf Chalkidike 18/19 I E 1
Nymphaion, O. i. Lydien 18/19 I H 3
Nymphäon, O. a. d. Krim 16 II G 1
Nymphenburg, Schloß 122/123 I D 4
Nyon, Col. Julia Equestris, a. Noviodunum 37 I A 3, 80 II A 2
Nysa, Antiocheia, O. a. Mäander 22/23 II A 2, 38/39 I E 3
Nysa, Geb. 14/15 VI
Nyslott 113 F 2
Nyssa 38/39 I F 3
Nystad 113 E 2

Oakland, O., Plan 143 IV
OAS, Organisation of American States 166/167 II
Oase, große, El Charge, Hibe 6 I A 2
—, kleine 29 II A 2
Oaxaca 118 III C 2
Ob, Fl. 98/99 I G—I 1/2, 138/139 I N 1/2
Oba 38/39 II A 2
Obbia 154 IV B 2
Ob dem Wald, Ldsch. i. Unterwalden 130/131 II B 1
Obdorsk 100/101 I M 1
Oberaden 37 I A 1, 41 II B 2, 142 IV C 1, 142 V C 1
Oberägypten, Ld. 6 I A 2/3
—, Gaue 6 I A 2/3
Oberanven, Andethanna 37 I A 2
Oberbayern, Hzm. 70 I D 2, 106/107 I F/G 6
Ober-Burma, Ldsch. brit. 135 I D 2, 138/139 I O 3
Oberdonau, NS-Gau 155 I C 3
Oberdorf, Opia 40 II D 3
Ober-Ehnheim 81 II A 2, 114 D 3
Ober-Elsaß, Landgft. 95 D 3/4
Oberer Bund (Graubünden) 80 II C/D 2
Oberer See 133 III D/E 2
Ober-Florstadt 40 II B 1
Ober-Geldern, Hzm. 104 III B/C 2, 115 I B 2
Oberhausen 142 IV A 1, 142 V A 1/2
Ober-Hermsdorf 77 III B 2
Oberijssel, Overijssel, Hfl. 104 III C 1
Oberkirch 77 I B 1
Oberkrain, NS-Gau 155 I C 3
Ober-Lausitz, Mgft. 92/93 II C 3, 115 I C/D 2, 122/123 I F 3
Oberleuken 40 VI A 2
Ober-Lothringen, Hzm. 58/59 I F/G 3—5
Obermarchthal, Kl. u. Territ. 120 V C 1/2
Obermarsberg 37 I A 2
Ober-Mimberg 81 I
Obermühle, O. 81 I
Obernburg 40 II C 2
Oberndorf 122/123 I C 4
Ober-Österreich, s. Österreich
Ober-Peru, Ldsch. 118 III D 3
Oberpfalz, Pfalzgft., Hzm. 68/69 I F/G 4, 86 I A/B 2, 104 II B 3, 106/107 I F/G 5, 128 I C/D 2
Ober-Pomsdorf 77 III A 1
Oberrheinischer Reichskreis 96/97 II B 2/3
Obersächsischer Reichskreis 96/97 II C/D 2
Obersalzberg, O. 155 I C 3
Ober-Scheidenthal 40 II C 2
Oberschlesien, NS-Gau 155 I D 2/3
—, Polenaufstand 153 II
—, preuß. Provinz 152 II G/H 3/4
Ober-Schöneweide, Ot. v. Berlin 143 II
Obersitzko 105 I E 1
Oberstadion 120 V C 2
Oberstdorf 128 I C 3
Oberstein 80 I C 2, 114 D 3
Oberstimm 40 II E 3
Ober-Vellach, Bg. O. 86 I B 3
Ober-Volta, Ldsch. 146 I B/C 2
Obervolta, Staat 162 III A/B 2, 164/165 III, 166/167 I u. III, 168
Ober-Wallis, Ldsch. 80 II B/C 2/3
Oberwesel, Vosolvia, O. 40 II A 1, 80 I C 1
—, Oberamt 80 I C 1
Ober-Winterthur, Vitudurum 40 III B 1
Öbisfelde 161 I u. V
Obodriten, V. 54/55 I E 2, 58/59 I I 1/2
Obok, frz. Besitz 138/139 III C 2
Obra, Kl. 88/89 III C 1
Obulco 38/39 II B 2
Obulenses, V. 38/39 I E 2
Ocaña, O. i. Kolumbien 133 II B 1

—, O. i. Spanien 125 I B 4
Occaraba 41 III C 2/3
Oceanus, Äußeres Meer, Atlantischer Okeanos 14/15 VI, 22/23 VI
Oceanus Indicus, Südliches Meer 14/15 VI, 34/35 VI
Ocelis 42/43 I G 5
Ocelodurum, Zamora 38/39 II A 1
Oche, Bg. 18/19 I E 3
Ochotsk 105 III G 2
Ochotskisches Meer 137 I E 2
Ochrida, O. 56 II C 3, 130/131 I G 3, 145 V B 2, 145 VI B 2
Ochrida, Patriarchat 61 II C 2, 88/89 I G 5
Ochsenbruck 81 I
Ochsenfurt, Kl. 52 II C 2
Ochsenhausen, 120 V C/D 2
Ochsenweg, Straße 61 III B 1, 61 IV B/C 1/2
Ochtendung 80 I C 1
Ockergräber-Kultur 2 II E 2, 5 I D—F 2/3
Ocriculum 30/31 I C 2
Octavianum 30/31 III B 1
Octodurus, Martigny 37 I A 3
Octogesa 38/39 II C 1
Oddi 57 III A 2
Ödenburg, Scarbantia 38/39 I C 1, 58/59 III D 2, 75 C 5, 106/107 I I 6, 112 II B 2
Odense, Bm. 88/89 I E 2
Odense, O. 60 I G 2, 75 A 3, 106/107 I F 2
Oder, Fl. 41 I B/C 2/3, 58/59 I L—N 2—4, 106/107 I H—K 3—5, 156/157 III C 2
Oder-Neiße-Linie 160 III B 2, 161 IV
Öderan, Bg. O. 81 I B 1
Oderberg, Hft. i. Schlesien 96/97 I K 5, 106/107 I K 5, 115 I D 3
Oderberg, O. i. Oderbruch 121 III u. IV
Oderbruch, Ldsch. 121 III u. IV
Oder-Schnurkeramik 2 II C 1
Oderwald, Bge. 58/59 V A/B 1
Odessa, O. i. d. Ukraine 116/117 I K 4, 148 I H 4, 149 III C 3, 156/157 I G 4
Odessos, Odessus, o. i. Bulgarien 38/39 I E 2
Odowakar-Reich 48 I C 2
Odrysae, V. 38/39 I E 2
Odrysenreich der Thraker 16 II D/E 2
Oëa, O. i. Libyen 11 II C 2, 34/35 I D 3
OECD, Organisation for Economic Cooperation and Development 166/167 III
Oels, Fsm. u. O. 68/69 I I 3, 96/97 I I 4, 122/123 I G 3
Oenanthea 38/39 I G 2
Oenoanda 38/39 I E 3
Oer 142 IV B 1
Oer-Erkenschwick 142 V B 1
Oëroë, Fl. 13 I A 1
Oëroë, O. 18/19 IV B 2
Oescus, O. u. Fl. 38/39 I D 2
Ofen, Buda, Ofen-Pest, s. auch Budapest 38/39 I C 1, 58/59 I N 5, 75 C 5, 112 II C 2
—, Universität 91 V C 2
Offa-Wall 57 II B 2
Offenbach, Kl. 80 I C 2
Offenbach, O. 129 I C 3
Offenburg, RSt. 40 II A 3, 68/69 I D 4, 77 I A 2, 114 D 3, 128 I B 2
Offleben 56 VI B 2
Ofnethöhle 1 IV C 2
Ogaden, Ldsch. 132 I E 3, 154 IV B 2
Ogen 77 III B 1
Oglasa, Ins. 30/31 I A 2
Ogle 142 II A 1, 142 III A 1
Oghusen, Ogusen, V. 50/51 G/H 3, 72/73 III D 2
Oglio, Fl. 63 II A/B 1
Ogowe, Fl. 132 I C 4
Ogusen, Oghusen, V. 50/51 G/H 3, 72/73 III D 2
Ohanet, Erdölfeld 163 III B 3
Ohio, Fl. 116/117 II C/D 2/3, 118 I B/C 1/2, 133 III E 3
Ohio, amer. Staat 133 III E 2/3
Ohlau 122/123 I G 3
Ohle, Fl. 76 VIII
Ohod, Bg. 50/51 F 5
Ohrberg, Bg. 37 II B 1
Ohrdruf, Kl. 52 II C 2
Öhringen, Vicus Aurel. 40 II C 2
Ohrum 58/59 V B 1
Oia 13 I B 1
Oiantheia 18/19 I C 3
Oichalia 18/19 I B 3
Oine 18/19 I G 4
Oineon 18/19 I B/C 3
Oiniadai, Öniadä 18/19 I B 3
Oinoë, O. i. Argolis 18/19 I C 4
Oinoë, O. b. Marathon 13 I B 1
—, O. i. West-Attika 13 I A 1
Oinoë, O. a. Golf v. Korinth 18/19 I D 3
Oinophyta 13 I B 1
Oinotrer, Oenotrer, V. 17 I E 1
Oinus, Fl. 13 II A 1
Oinus, O. 18/19 I C 4
Oinussai, Ins. 18/19 I B 5
Oion 12 V
Oiraten, Kalmücken, V. 72/73 II I/K 2, 98/99 I I/K 2/3
Oise, Dép. 122/123 III B 1
Oise, Fl. 95 B/C 3, 114 B 3, 148 II B 2
Oistrymnische Ins. 24 I B 3
Oisyme 18/19 I E 1
Oita, Geb. 18/19 I C 3
Oitaia, Ldsch. 18/19 I C 3
Oitaier, V. 20 III A/B 1
Oitylos 18/19 I C 5
Oka, Fl. 61 V C/D 2, 119 F/G 3/4
Okalea 18/19 IV B 2
Okarben 40 II B 1
Okas 50/51 F 5
Okeanos, Atlantischer, s. auch Oceanus 22/23 VI
Okeanos, nördlicher 22/23 VI
Okeanos, östlicher 22/23 VI
Oker, Fl. 58/59 V
Okinawa, Ins. 158 I D 3, 158 II D 3, 162 II D 2
Oklahoma, amer. Staat 133 III D 3
Öla, Dedan 34/35 I F 4
Öland, Ins. 75 C 2, 113 D 3
Olantaytambo 100/101 III B 3
Olba 38/39 I F 3
Olbasa 38/39 I F 3
Ölbaumgrenze am Mittelmeer 11 II
Ölberg, Bg. b. Jerusalem 34/35 V
Olbia, Hyères 24 II C 3
Olbia, O. a. Sardinien 25 I B 3
Olbia Borysthenes, O. a. Schwarzen Meer 38/39 I F 1
Olcachites Sinus, Golf 34/35 III B 1
Old Benwell 142 I A 2, 142 II A 2
Old Church 40 I B 2
Oldenburg, Bm. i. Wagrien 88/89 II C 1
Oldenburg, evang. Landeskirche 161 VII
Oldenburg, Gft. 68/69 I D/E 2, 96/97 I D/E 3, 106/107 I D/E 3
Oldenburg, Ghzm. 129 I B/C 2, 129 II C/D 2
Oldenburg, Hzm. 122/123 I B/C 2, 124 I B/C 1
Oldenburg, L.d 152 II B/C 2
Oldenburg, O. i. Oldenburg 62 I B 1, 122/123 I C 2
Oldenburg, O. i. Wagrien 58/59 I I 1
Oldesloe 1 V C 1, 83 II B 2
Olenos, O. i. Achaia 18/19 I B 3
Olenos, O. a. Acheloos, Fl. 11 I B 1
Oléron, Ins. 110 B 3
Oleros 10 III C 1
Olfen 142 IV B 1, 142 V B 1
Olgassys mons, Geb. 38/39 I F 2
Oliaros, Ins. 18/19 I F 4/5
Olicana 36 B 2
Olifant, Fl. 138/139 II A 3
Olisipo, Lissabon 38/39 II A 2
Olita 75 D 3, 148 I F 3
Oliva, Kl. 87 II C 2, 92/93 II E 1, 106/107 I K 2, 161 VI
Olivenza, O. i. Brasilien 111 I C 4
Olivenza, O. i. Spanien 116/117 I B 6, 126/127 I B 6
Olizon 18/19 I D 2
Olkaden, V. 26/27 II A 1/2
Olkusch, Bg. O. 86 I E 1, 113 D 4
Ollioules 24 II B 3
Olmones 18/19 IV B 1
Olmütz, Bm. 88/89 II D 2
Olmütz, O. 54/55 I F 3, 75 C 4, 105 I E 2, 106/107 II, 106/107 III B 2
Olonez, Bm. 88/89 I I 1
Olonez, O. 113 G 2, 160 IV C 3
Olonne 110 B 3
Oloosson 18/19 II B 3
Olophyxos 18/19 I E 1
Oloron, Bm. 88/89 I B 5
Oloron, Iluro, O. 36 B 4, 58/59 I C 7
Olos 18/19 I C 4
Olpai, Olpä 18/19 I B 3
Olt, Alutus, Fl. 38/39 I D/E 1/2
Olten 37 I A 3
Olty 134 I D 3
Olus 10 III C 1
Olympia, Heiligtum, Plan 14/15 III
Olympia, O. 18/19 I B 4
Olympos, Bg. i. Attika 13 I B 2
Olympus mons, Bg. i. Bithynien 38/39 I E 3
—, Bg. i. Jonien 18/19 I H 3
—, Bg. i. Thessalien 18/19 I C 1, 145 V B 2
Olynthos 18/19 II C 2
Ölzone Middle East, s. auch Erdöl 163 II B/C 4
Omaha 133 III D 2
Omaijaden-Emirat, Kalifat Cordoba 54/55 I B/C 4/5, 57 I B 4
Omaijadenreich, Kalifat 50/51 A—I 3—5, 54/55 I B—E 5/6
Omalais 10 I B 1
Oman, Staat, auch Maskat und Oman 46/47 III D 3, 50/51 G 5, 72/73 II E 5, 98/99 I F 5, 132 I E 2, 162 III D 1/2, 164/165 I M 4
Omana, O. 46/47 I D 4
Omari 6 I A 2
Ombos, O. b. Assuan 6 I A 3
Ombos, Ballas, O. b. Theben 6 I A 2
Ombrone, Fl. 53 I A 2
Omdurman 138/139 III B 2
O-mi-schan, Heiligtum 72/73 IV C 2
Ommelande, Groninger, Ldsch. 104 III C 1
Omsk 137 I A 2, 149 IV C 2
Oña, Kl. 87 I B 3
Onchestos 18/19 IV B 2
Ondod, Pußta-Wüstung 140 V B 2
Onega-See 61 V C 1, 113 G/H 2
Öniadä, Oiniadai 16 I A 2
Onide 10 I A 1
Ono 8 III A 2
Onoba 38/39 II A 2
Onoguren, Onogurische Völker, s. auch Bulgaren, V. 46/47 III D 1, 48 I F 2, 49 I D/F 1/2
Ontario, kanad. Provinz 133 III D—F 1/2
Ontario-See 133 III F 2
Onuphrios 10 I A 1
Onysia, Ins. 10 III D 1
Oorderen 143 I a—b
Ooster-Schelde, Fl. 96/97 III a—d
Oosterweel 143 I a—b
Ophel, Hügel in Jerusalem 34/35 V
Opherdecke, Opherdicke 142 IV C 2, 142 V C 2
Ophioneis, Ldsch. 18/19 I B/C 3
Ophiusa, Ins. d. Pityusen 38/39 II C 2
Ophiusa, Ins. i. d. Propontis 18/19 I H 1
Ophra, Heiligtum b. Gilboa 8 III B 2
Ophra, O. b. Jericho 8 III B 3
Ophryneion 18/19 I G 1
Opia, Oberdorf 40 II D 3
Opini, V. 25 I B 2
Opinum 30/31 I F 2
Opis, Seleukeia 9 III F 3, 22/23 II D 3
Opitergium, Oderzo 38/39 I B 1
Oplontiae 30/31 III B 1/2
Opolanen, V. 50/51 C 2/3
Opone 46/47 I D 6
Oporto 130/131 I A 3
Oppeln, Fsm., Hzm. 96/97 I I/K 4, 122/123 I G/H 3
Oppeln, O. 58/59 I M 3, 106/107 III B 2, 152 II G 3, 161 IV C 1, 161 VI C 1
Oppenau 77 I B 2
Oppenheim 95 E 3, 114 E 3
Oppershausen 77 IV A 2
Oppidum Novum 34/35 III A 1
Opsikion, byzant. Thema 50/51 D/E 3/4
Opus, Kap 18/19 I C 3
Opus, O. i. Böotien 18/19 IV B 1
Opus, O. i. Elis 18/19 I B 4
Oradour 155 II B 2
Oran, Dép. 147 C/D 5
Oran, O. 3 II A 3, 54/55 I B 5, 102/103 I C 6, 116/117 I C 6, 130/131 I B 4, 163 III A 1
Orange, Bm. 88/89 II A 3
Orange, Fsm. 116/117 I D 5
Orange, O. 58/59 I F 6, 110 C 4
—, Universität 91 V B 2
Oranienbaum, O. 156/157 I F 3
Oranienburg, O. 122/123 I E 2
Oranier-Fsm. Fulda 126/127 II B/C 2
Oranje, Fl. 138/139 II A/B 2/3
Oranje-Freistaat 138/139 II B 2/3
Orb 122/123 I C 3
Orbe, Urba 37 I A 3, 80 II A 2
Orbetello 25 II B 2, 94 I D 3, 94 II D 3, 124 II B 2
Orchies 95 B 2, 104 III A 2
Orchoë, Uruk 22/23 II E 3
Orchomenos, O. i. Arkadien 18/19 I C 4
Orchomenos, O. i. Böotien 18/19 IV A 2
Orda 34/35 II A 3
Ordersus 38/39 I F 1
Ordessus, Fl. 38/39 I E 2
Ordos, Ldsch. 46/47 I I 3, 98/99 I L 3, 111 II E 1
Ordovices, V. 36 B 2
Ordshonikidse, Wladikawkas 150/151 I H 4
Ordu-Balyk, Karakorum 46/47 IV E 2
Örebro 75 B 2
Oregon, amer. Staat 133 III A/B 2
Oregon-Territorium 133 I B/C 2
Oreioi, Geb. 10 III A 1
Orel 119 F 4, 156/157 I G 3
Orenburg, O. 119 K 4, 149 III E 2, 163 II D 1
Oreos, Ldsch. 18/19 I D 3
Orestheion 18/19 I C 4
Orestis, Ldsch. 18/19 I A/B 1
Öresund, Sund, Meerenge 113 C 3
Oretana iuga, Geb. 38/39 II B 2
Oretaner, Oretani, V. 38/39 II B 2
Oretum 38/39 II B 2
Orgas 13 I A 1
Orgjejew 75 F 5
Orgon 24 II B 3
Oria 63 I F 4
Oriens, Praefektur 49 I E 3
Oriens, Röm. Diözese 42/43 I F 3
Orihuela, Bm. 88/89 I B 6
Orinoko, Fl. 100/101 VII C 3, 118 III D 2
Orippo 38/39 II A 2
Orissa, Jajnagar, Ldsch., Staat 72/73 II H 5/6, 72/73 V C 2, 98/99 I I 5, 135 I C 2
Oristano, Ebm. 88/89 I D 6
Oriza, Tayibe 41 III D 2
Orizaba, O. 133 I D 4
Orkaden-Jarltum 60 I C/D 2
Orkaden, Orkanen, Orkney-Ins. 24 I B/C 2, 57 I B 2, 92/93 I B 2, 102/103 I C 2
Orkanen, Orkaden, Orkney-Ins. 24 I B/C 2
Orkas, Kap 24 I B 2
Orkney-Ins., s. Orkaden
Orkney-Ins., Bm. 88/89 I B 2
Orlamünde 68/69 I F 3
Orl-Bach 77 IV B 2
Orléanais, Gouvernement 122/123 II B 1/2
Orléans, Bm. 88/89 I C 4
Orléans, Hzm. 95 A/B 3/4
Orléans, Cenabum Aureliani, O. 36 C 3, 49 II B 2, 54/55 II B 4, 92/93 III C 2, 102/103 I D 4, 104 I C 3, 156/157 I D 4, 156/157 III B 3
—, Universität 91 V B 2
Orléansville, Castellum Tingitanum 34/35 III A 1
Örlinghausen 37 II A 2
Ormenion, Orminion, O. a. Golf v. Pagasai 18/19 I D 2
Ormenion, O. i. Thessalien 11 I C 1
Ormuz, Hormus 100/101 I L 3
Ornavasso 24 II D 2
Orne, Dép. 122/123 III A/B 1
Orneiai, Orneai 18/19 I C 4
Ornies 10 I B 1
Orobiai 18/19 I D 3
Orolaunum, Arlon 36 D 3
Oron, Uromagus 37 I A 3
Orontes, Asi, Fl. 8 I B 2/3, 41 III B 1/3, 64/65 IV A/B 2/3
Oropia, Ldsch. 13 I B 1
Oropos, Oropus, O. i. Attika 13 I B 1
Oropos, O. i. Epirus 18/19 I A 2
Oropos, Fl. 18/19 I A 2
Oropus, Oropos 38/39 I D 3
Orospeda mons, Geb. 38/39 II B 2
Orrhoë, Antiocheia-Edessa 22/23 II C 2
Orscha 75 F 3, 119 E 4, 148 I H 3, 156/157 I G 3, 156/157 III E 2
Orsk 163 II D 1
Orsowa 67 III C 4, 145 V B 2, 145 VI B 2
Orsoy 142 IV A 1, 142 V A 1
Orte, Horta 25 II C 2
Ortenau, Hft. 122/123 I C 4
Ortenburg, O. u. Gft. 68/69 I G 4, 128 I D 2
Orthe, O. i. Achaia Phthiotis 18/19 I C 2
Orthe, O. a. Peneios 11 I C 1
Orthodoxe, griech. Christen, Kirche 52 III, 64/65 I u. III, 72/73 VI, 88/89 I
Orthosia 22/23 II C 3, 41 III A 3
Ortona 30/31 I E 2
Ortopla 38/39 I B 2
Ortygia, Ot. v. Syrakus 17 II
Orvai, Kl. 87 II B 3
Orvieto, Volsinii 25 II C 2, 63 I D 3
Orvinium 30/31 I D 2
Osaka 72/73 I G 2, 136 III D 3
Osca, Huesca 38/39 II B 1
Oschatz 56 IV
Osci, Osker, V. 24 II F/G 3/4, 30/31 III B 2
Ose, Fl. 29 V
Ösel, Ins. 68/69 II B 1, 74 II B 2, 113 E 3, 116/117 I H 2, 148 I F 2, 150/151 I F 3, 156/157 I F 3, 156/157 III D 2
Ösel-Wiek, Bm. 88/89 I G 2
Ösel-Wiek, Bm.-Territ. 104 IV B/C 1
Osen, V. 41 I C 3
Oserain, Fl. 29 V
Osere, Kl. 87 II A 3
Oseriates, V. 38/39 I C 1
Oscyrad-Dibel 41 III D 2
Osimo 94 I E 3, 94 II E 3
Osismier, Osismii, V. 36 B 3
Osker, V. 24 II F/G 3/4, 30/31 III B 2
Oslo Bm. 88/89 I E 2
Oslo, Kristiania, O. 84 I C 2, 84 II C 2, 150/151 I E 3, 156/157 I E 3
Osma, Bm. 88/89 I B 5
Osma, O. 58/59 I B 8
Osmanen, V. 72/73 II B/C 3/4, 134 I A—D 3/4
Osmanisches Reich, s. auch Türkei, Türkisches Reich 70 II, 71 II A—D 2—4, 72/73 VI A/B 2/3, 85 II C—F 1—3, 98/99 I B—E 3/4, 112 I, 119 C—G 5—7, 130/131 I D—K 2—6, 134 II A—C 1—3, 145 V A—C 2/3, 153 VI
Osnabrück, Bm. 56 I B 1, 88/89 II B 1, 145 I, 161 VI
Osnabrück, Bm.-Territ. 68/69 I D/E 2, 122/123 I B/C 2
Osnabrück, O. 37 II A 1, 54/55 I D 2, 68/69 I E 2, 106/107 I E 3, 124 I C 1, 126/127 II B 1
Osning, Geb. 37 II A 1
Osorno 118 III D 5
Öspel 56 V B 2
Osrhoene, Ldsch. 29 IV C 2, 38/39 I G 3
Ossa, Geb. 18/19 I C 2
Osseg, Kl. 88/89 III B 1
Osseg, O. 106/107 I G 4
Ossen, Osseten, V. 134 I
Ossero, Bm. 88/89 II C 3
Osseten, V., siehe Ossen
Ossetien, Ldsch. 134 I D/E 2
Ossiach, Kl. 87 I E 2
Ossola, s. Domodossola 68/69 I E 5
Ossonoba 38/39 II A 2
Ossowiec 148 I F 3
Ostafrika, brit. Besitz 138/139 I L/M 4/5
Ostafrika, dt. Kolonie 132 I D 4
—, brit. Mandat 152 I
Ost-Anglia, Ostangeln, Kgr. 50/51 B 2, 57 II C 2, 58/59 I D 2
Ostanitza 18/19 I A 1/2
Ost-Apennin-Kultur 4 VI
Ostasien, Ldsch. 46/47 I—IV, 72/73 I, II u. IV, 98/99 I,

136 I—III, 158 I—III, 162 I u. II
Ostblockstaaten 164/165 I, 168
Ostchines. Meer 136 I F 3/4
Ostende 96/97 I B 4, 126/127 IV A 2, 148 II B 1
Oster-Badeleben 56 VI B 2
Osterbg., v., Reichritter 120 V D 2
Österbotten, Ldsch. 113 E/F 1/2
Osterburken 40 II C 2
Österdal-Älv, Fl. 113 C/D 2
Österdal, Ldsch. 60 I G 1
Österfeld 142 IV A 1, 142 V A 1
Oster-Insel 164/165 I D 6
Osterland, Ldsch. 66 I D 1
Osterode 81 III B 2, 126/127 II C 2
Österreich, Ostmark (bair. Mark) 54/55 I E/F 3, 56 II A/B 2, 57 I D 3, 58/59 I L/M 4/5, 58/59 II L/M 4/5, 58/59 III C/D 1/2
Österreich, Besatzungszonen 160 III
Österreich, Bevölkerungsverluste 152 III, 161 III
Österreich, Hzm., Erzhm. (ob d. Enns = Oberösterreich, unter d. Enns = Niederösterreich) 66 I D/E 2, 68/69 I G—I 4/5, 70 I D/E 2, 105 I D/E 2/3, 106/107 I G—I 5/6
Österreich, Kaiserreich, s. auch Habsburg 124 I D—F 1—3, 124 II B—D 1/2, 124 III, 125 I D/E 2/3, 126/127 I E—I 3—5, 128 II—IV
Österreich, Rep. 141 II B—D 3, 141 IV A/B 3, 152 II C—F 4/5, 160 III A—C 3, 164/165 III, 166/167 III, 168
Österreicher u. Ungarn in den USA 144 II
Österreichische Lande, s. auch Habsburgische Lande 115 I
Österreichischer Reichskreis 96/97 II C/D 3
Österreichisches bürgerl. Gesetzbuch 124 III
Österreichisch-Schlesien 129 II H/I 3/4
Österreich-Ungarn, Kaiserreich-Kgr. 128 V, 130/131 I D—H 1—3, 141 I B—E 2/3, 141 III A—C 2—4, 145 III u. IV, 145 V A/B 1/2, 145 VI A/B 1/2, 148 I C—G 3—5, 150/151 I D—F 3/4
Österreich-Ungarn, Bevölkerungsverluste 152 III
Östersund, O. 147 E 2
Ostfalen, Ldsch. 54/55 I E 2, 58/59 I I 2
Ostfranken, Ldsch., s. Mainfranken 54/55 I D/E 3
Ostfränkisches Reich 54/55 III B/C 1—3, 54/55 IV A—C 1—3, 56 II
Ostfriesische Inseln 122/123 I B 2
Ostfriesland, Gft., Fsm. 96/97 I D 3, 106/107 I D 3, 115 I B 2, 124 I B 1
Ostgoten, V. 42/43 I F 2, 48 I C 2, 48 I D/E 2, 49 III
Ostgotenreich 48 II B/C 2/3
Ostgötland, Östergötland, Ldsch. 60 I G/H 2, 61 I C 2, 113 C/D 3
Ost-Griqualand, Ld. 138/139 II B 3
Osthannover, NS-Gau 155 I B 2
Ostia, suburbikarisches Bm. 88/89 I E 5
Ostia, O. 30/31 II A 2, 53 I B 3
—, Plan 32 III
Ostingersleben 56 VI B 2
Ostjaken, Wogulen, V. 50/51 G/H 2, 98/99 I G/H 1, 105 III C 1
Ostkolonisation, deutsche 67 II, 68/69 II, 74 I—III, 75, 76 IV—VIII, 77 2/3, 78 V, 79 V—VIII, 82 I—III u. V
Östlicher Okeanos 22/23 VI
Östliches großes Erg, Wüste 163 III A/B 2/3
Ostmark, bair., = Österreich 54/55 I E/F 3, 56 II A/B 2, 57 I D 3, 58/59 I L/M 4/5, 58/59 II, 58/59 III C/D 1/2
Ostmark = NS-Österreich 155 II C 2, 156/157 I E 4
Ostoberschlesien, Ldsch. 152 II H 3/4, 155 II C 1/2
Ostpreußen, Hzm. Preußen 115 I D/E 1/2
—, preuß. Prov. 129 II I—L 1/2, 152 II H—K 1/2, 160 III C/D 2
Ostpreußen, NS-Gau 155 I D/E 1/2
Ostra 30/31 I D 1
Ostrog 67 III D 2
Ostrolenka 124 I F 1, 148 I F 3
Oströmisches Reich, s. auch Byzantinisches Reich 48 I C—E 2/3, 48 II C/D 2/3
Ostrow, O. a. Welikaja 92/93 I H 2, 113 F 3
—, O. i. Wolhynien 71 I C 2
Ostrowo, O. i. Polen 122/123 I G 3
Ost-Rumelien, Ldsch. 145 V B/C 2
Ostrymner, V. 14/15 I A 2
Ostsee, Meer 50/51 C/D 1/2, 57 I D/E 1/2, 75 A—F 1—3, 84 I C—F 1—3, 84 II C—F 1—3, 113 C—F 1—4, 148 I D—G 1—3, 156/157 I E/F 2/3, 156/157 III C/D 1/2
Ostsee-Weißmeer-Kanal 150/151 I G 2
Ostslawen, V. 67 III, 106/107 III, 150/151 II
Ost-Turkestan, Sinkiang, Ld. 136 I A—C 2/3
Osurgeti 134 I C 3
Oswego, Fort 116/117 II D 2
Otadini, V. 36 B 1
Otawi 138/139 II A 1
Othniel, V. 8 IV A 4
Othrys, Geb. 18/19 I C 2/3
Otranto, Ebm. 88/89 I F 5
Otranto, O. 63 I G 4, 102/103 I G 5
Otrar, Farab 50/51 H 3, 52 III E 2, 72/73 II F 3
Otryne 13 I B 2
Otschakow 119 E 5
Ottakring 109 V
Ottawa 133 III F 2
Ottenhöfen 77 I B 1
Otterberg, Kl. 80 I C 2, 88/89 III A 2
Otterndorf 83 II A 2
Otterwisch 77 II
Ötting, s. Altötting 128 I D 2
Öttingen, Frhr. v. 120 V C/D 2
Öttingen, Gft. 81 II C 2, 122/123 I D 4
Öttingen, O. 128 I C 2
Ottitz 2 I C 1/2
Ottmachau 77 III B 2, 92/93 II D 3
Otvac, Bm. 88/89 II D 3
Otzaki 4 VII A 2
Oude Good 143 Ib
Oudenaarde 114 B 2
Oudendyk, O. 143 Ib
Oudh, Awadh, Ldsch., Staat 72/73 V C 2, 98/99 I I 5, 116/117 IV B/C 2
Ouessant, Uxisama 24 I B 3
Oulu, Uleaborg 150/151 I F 2
Ourique 64/65 I A 3
Ourthe, Dép. 122/123 III C 1
Ouse, Fl. 110 B 2
Outokumpo 160 IV B 3
Overijssel, Hft., s. auch Oberijssel 78 IV C 1, 96/97 I D 3, 104 III C 1
Oviedo, Bm. 88/89 I A 5
Oviedo, Lucus Asturum, O. 38/39 II A 1, 50/51 A 3, 102/103 I B 5, 154 V A 1
Ovilava, Wels 38/39 I B 1
Owambo, V. 138/139 II A 1
Owrutsch 75 F 4
Oxford, O. 92/93 I B 3, 104 I B 2
—, Universität 91 V A 1
Oxos-See, Aral-See 14/15 I G/H 2
Oxos, Oxus, Dschihun, Amu-darja, Fl. 14/15 I G—I 2/3, 22/23 I G—I 1/2, 26/27 I G—I 1/2, 50/51 H 3/4, 72/73 II E—G 3/4, 72/73 III E/F 2
Oxydraken, V. 22/23 I I 2/3
Oxyrrhynchos 29 II B 2
Özbegen, Usbeken, V. 98/99 I F/G 3/4
Ozeanier in den USA 144 II
Ozora, Banat 70 II C 2
Pa 46/47 I I 4, 46/47 II G 4
Paarl 144 V A 3
Paarsteiner See 121 III
Pacatnamu 100/101 III B 2
Pachacamac 100/101 III B 3
Pachten, Crutisium 37 I A 2
Pachyammos 10 I B 1
Pachynos, Pachynon, Kap 17 I D 4
Packeisgrenze i. d. Polarmeeren 164/165 II u. IV
Padang 111 II E 3
Paddington 109 I
Paderborn, Bm. 56 I B 2, 88/89 II B 1, 145 I
Paderborn, Bm.-Territ. 68/69 I E 3, 122/123 I C 3
—, Ebm. 161 VI
—, O. 37 II A 2, 54/55 I D 2, 68/69 I E 3, 105 I C 2, 126/127 II B 2
Padis, Kl. 88/89 III C 1, 104 IV B 1
Padjang 135 II C 1
Padua, Bm. 88/89 II C 2
Padua, Hft., Carrara 68/69 I F/G 6, 94 I D 2, 94 II D 2
Padua, Patavium, O. 38/39 I B 1, 63 I C 2, 130/131 III C 2
—, Universität 91 V C 2
Padus, Po, Fl. 25 I A—D 1
Paeligni, V. 24 II F 3, 30/31 I D 2
Paemanen, V. 24 I
Paeoner, Paioner, V. 10 II C 1, 24 I E 3
Paeonia, Paionia, Ldsch. 38/39 I D 2
Paestanus sinus, Golf v. Salerno 30/31 I E 4
Paestum, s. auch Poseidonia 30/31 I E 4
Pagai 13 I A 1
Pagan, O. 72/73 I C 3, 72/73 II I 5, 72/73 IV B 2
Pagan-Reich 72/73 I C 3/4
Pagasä, s. Pagasai, O.
Pagasai, Golf v. 18/19 I C/D 2
Pagasai, Pagasä, O. 18/19 I C 2
Pago, Ins. 94 I F 2, 94 II F 2
Pagrae 41 III B 1
Pagus Urbanus, O. 30/31 I E 2
Pahang, Sultanat 138/139 V A/B 2
Paiania 13 I B 2
Paias 64/65 IV B 2
Painshaw 142 I—III B 2
Paioner, V. 10 II C 1, 24 I E 3
Paionia, Päonien, Ldsch. 18/19 II C 1
Paionidai 13 I B 1
Paisos 18/19 I G 1
Paitak-Paß 148 III B 2
Paithan, Pratischtana 46/47 I F 5, 46/47 II D 5
Pakhoi 136 I D 4
Pakistan, Islam. Rep. 162 II A/B 2, 163 I A—D 1/2, 164/165 III, 168
Pakulan, Staat 135 II C 1
Paläanthropinen, Rasse 1 II
Palaeolithikum, s. Altsteinzeit
Palaeopolis, O. b. Neapel 30/31 III B 1
Palaer, V. 8 II B 1
Palaeste, Palaiste, O. 9 I A 1
Palaestina, Ld. 8 III u. IV, 34/35 II
—, röm. Provinz 38/39 I F/G 4, 42/43 II E 3
— I—III, röm. Provinzen 42/43 I F 3/4
Palaia 13 II B 2
Palaiapolis, Emporion, Plan 21 IV
Palaikastro 10 I C 1
Palaipharsalos 18/19 I C 2
Palairos 18/19 I A 3
Palali 46/47 IV C 4
Palamedion 18/19 I G 2
Palanga 8 I B 3
Pala-Reich 46/47 IV C 4
Palästina, Ldsch., s. Palaestina
Palästina, Mandats-Land 150/151 I G 5/6
Palatinus mons, Hügel in Rom 32 II, 33 I u. II, 45 I
Palatium, O. 30/31 I C 2
Palatium Diocletiani, Spalato, Plan 42/43 VIIIa/b
Palau, Ins. 137 I D 4, 158 I D 4, 158 II D 4
Pale 18/19 I A 3
Palembang, Schrividschaja, O. 72/73 I D 6, 111 II E 3, 158 I C 5, 158 II C 5
Palencia, Bm. 88/89 I B 5
Palencia, O. 48 II A 2
—, Universität 91 V A 2
Palenque 100/101 II C 2
Palermo, Ebm. 88/89 I E 6
Palermo, s. auch Panormos, O. 48 I C 3, 56 II A 4, 63 I D 5, 130/131 I E 4
Palestrina, Praeneste, O. u. suburbikar. Bm. 30/31 II B 2, 53 I B 3
Palibothra 34/35 VI
Palike 17 I C 3
Palime 163 IV C 2
Palla 25 I B 3
Pallakottas-Kanal 22/23 I F 2
Pallanthion 18/19 I C 4
Pallantia 38/39 II B 1
Pallanum 30/31 I E 2
Pallanza 80 II C 3
Pallars, Gft. 58/59 I D 7
Pallava, Hft. 46/47 III F/G 4
Pallene, Halbinsel a. Chalkidike 18/19 I D 1/2
Pallene, O. i. Attika 13 I B 1
Pallia, Fl. 30/31 I B/C 2
Palm, Frhr. v., Reichsritter 120 V C 1
Palma, Bm. 88/89 I C 6
Palma, O. a. d. Balearen 38/39 II C 2, 54/55 I C 5, 85 I B 3, 130/131 I C 4
—, Universität 91 V B 3
Palma di Montechiaro, O. a. Sizilien 17 I B 3
Palmella 3 II A 3
Palmnicken 121 II
Palmyra, Tadmor 9 III E 3, 38/39 I G 4, 48 I E 3
Palmyra-Ins. 158 I G 4
Palos 85 I A 3, 102/103 I B 6
Paltus 38/39 I G 3
Paludes Pomptinae, Sümpfe 30/31 II B/C 2/3
Paluka 14/15 IV A 2
Palukat, Felluja 6 IV B 2
Palura 46/47 I G 4/5
Palyuros 38/39 I D 4
Pamekasan 135 II C 1
Pamir, Ldsch. 22/23 I I 2, 135 I B 1
Pamisos, Fl. 18/19 I B/C 4
Pamisos-Quelle, T. 18/19 I C 4
Pampas-Indianer 100/101 III B/C 5/6
Pamphylia (röm. Prov.), siehe auch Lyciaet Pamphylia 34/35 I F 3, 42/43 I F 3
Pamphylien, Ldsch. 9 I D 2,
Pamphylische Sprache 9 II D 2
Pamplone, Bm. 88/89 I B 5
Pamplona, Pompaelo, O. 38/39 II B 1, 48 II A 2, 54/55 I B 4, 58/59 I C 7, 110 B 4
Panachaikon, Geb. 18/19 I B/C 3
Panagia, O. 10 I B 1
Panaitolion, Geb. 18/19 I B 3
Panakton 13 I A 1
Panama, O. 100/101 VII B 3, 118 III D 2
Panama, Staat 133 I D/E 4, 164/165 III, 166/167 II u. III, 168
Panama-Kanalzone 133 I E 4
Panamerikanische Sicherheitszone 156/157 II
Panaria, Ins. 17 I D 2
Panaro, Fl. 4 VI C 1/2
Panarukan 135 II C 1
Pancras, O. i. Middlesex 109 I
Pancsova 112 II D 3
Panda 18/19 I H 3
Pandateria, Ins. 30/31 I D 4
Pandosia, O. i. Bruttium 17 I E 1
Pandosia, O. i. Epirus 18/19 I A 2
Pandsch, Fl. 135 I A/B 1
Pandschab, Ldsch. 22/23 I I 2, 26/27 I I 2, 135 I B 1
Pandya 46/47 I F 6
Paneas, Caesarea Philippi 34/35 II B 1
Pangaion, Geb. 18/19 I D/E 1
Pangkor-Insel 138/139 V A 2
Panion, O. a. thrak. Chersonesos 18/19 I G 1
Panion, O. i. Syrien 26/27 I E 2
Panionion, Tempel 11 I E 2, 13 III A 1
Panipat 72/73 V B 2, 135 I B 2
Panke, Fl. 143 II
Pankow, Ot. v. Berlin 143 II, 161 II
Panmunjon 162 II D 2
Pannonia, röm. Provinz 34/35 I D 2
— inferior, röm. Provinz 38/39 I C 1/2, 42/43 II C 2
— superior, röm. Provinz 38/39 I C 1, 38/39 II C 2
— I et II, röm. Provinzen 42/43 I D 2
Pannoniae, röm. Diözese 42/43 I D 2
Pannonien, Ldsch. 48 I C 2, 48 II C 2
Pannonier, V. 41 I
Pannonische Marken 54/55 I F 3, 58/59 II
Panopeus 18/19 IV A 1
Panopolis, Achmim 6 I A 2
Panormos, Meeresbucht b. Milet 13 III A 4
Panormos, O. a. Kreta 10 III B 1
Panormos, O. b. Megara 18 I A 1
Panormos, O. a. Naxos 18/19 I F 5
Panormos, O. a. Peparethos 18/19 I D 2
Panormos, Panormus, Palermo, O. a. Sizilien 17 I B 2
Panormus, Panormos, Palermo, O. 25 I D 4, 44 I C 3
Pansgrotte, Heiligtum i. Attika 13 I B 1
Panslawismus 128 V, 145 III u. IV
Pantalica 17 I D 3
Pantanus lacus, See 30/31 I F 3
Panteleimon, Rossikon, Athos-Kl. 45 VI B 2
Pantelleria, Ins. 2 II C 3, 54/55 I E 5, 156/157 I E 5
Panticapaeum, Kertsch 38/39 I G 1
Pantikapäon, Bosporos (Kertsch) 11 II E 1, 16 II G 1
Pantokrator, Athos-Kl. 45 VI B 1
Pantschewo 145 V B 2
Panysus, Fl. 38/39 I E 2
Pan-yü, Nan-hai 46/47 I K 4
Paos 18/19 I B 4
Papaloapan, Rio, Fl. 100/101 II B 2
Papenburg, O., Plan 140 III
Papenburg-Obenende, O., Plan 140 III
Papenburgerweg, O. 140 III
Paphlagoner, V. 9 III D 1
Paphlagonia, Paphlagonien, Ldsch. 20 I F/G 2, 26/27 IV B 1, 38/39 I F 2
Paphos, Paphus 8 I A 3
Papirianus, See 30/31 II A 1
Pappelau 120 V C 1
Pappenheim, Gft. 122/123 I D 4
Pappenheim, O. 128 I C 2
Papua, austral. Kolonie 137 I E 5
Pará, Belem 118 III E 3
Paracas 100/101 III B 3
Paradies d. ersten Menschen 98/99 VI
Paradies, Kl. 88/89 III C 1
Paraetakene, Ldsch. 26/27 I F/G 2
Paraguay, Fl. 118 III E 3/4
Paraguay, Staat 133 II B/C 2/3, 164/165 III, 166/167 II u. III, 168
Parahyba 118 III F 3
Paraitonion, Paraetonium 38/39 I E 4
Paralia, Ldsch. 13 I A/B 1, 13 I B/C 1/2
Paramaribo 133 II C 1
Paraná, Fl. 133 II C 3
Paraná, O. 133 II B/C 3
Paraná, brasil. Prov. 133 II C 3
Paranymphi 10 I B 2
Parapamisos, Hindukusch, Geb. 22/23 I H/I 2
Parapotamioi 18/19 IV A 1
Parauaia, Ldsch. 18/19 I A 1, 20 II B 2
Paray le Monial, Kl. 67 I B 2
Parchim 83 II B 2, 122/123 I D 2
Parczow 92/93 I G 3
Pardubitz 122/123 I F 3
Parentium, Parenzo, O. 38/39 I B 1
Parenzo, Bm. 88/89 II C 2
Parga 116/117 I H 6
Parion, Parium 18/19 I H 1
Paris, O. i. Bessarabien 140 IV A 1
Paris, Bm. i. Frankreich 88/89 I C 4
—, Kl. St. Martin 87 I C 2

—, Lutetia Parisiorum, Parisii, O. i. Frankreich 36 C 3, 42/43 I C 2, 49 II B 1, 52 III B 2, 54/55 II C 3, 58/59 I E 4, 92/93 III C 1, 110 C 3, 148 II B 2, 156/157 I D 4, 156/157 III B 3
—, Pläne 102/103 III, 109 IV
—, Universität 91 V B 2
Parisii, V. 36 C 3
Parium, Parion 38/39 I E 2
Parlag, Pußta-Wüstung 140 V B 1
Parlais 38/39 I F 3
Parma, Bm. 88/89 II C 3
Parma, Fl. 4 VI A 2, 53 I A 1
Parma, Hzm. 96/97 I E/F 7, 115 I B/C 4, 130/131 I D/E 2/3
Parma, O. 4 VI A 2, 25 I C 1, 63 I C 2, 94 I D 2, 94 II D 2, 124 II B 1, 124 III B 1
Parmunca 100/101 III B 3
Parnassos, Geb. 18/19 I C 3, 18/19 IV A 1/2
Parnes, Geb. 13 I B 1, 18/19 I D 3
Parnon, Geb. 13 II B 1
Paros, Parus, Ins.u. Ort 18/19 I F 4/5
Parrhasia 18/19 I B/C 4
Parrodunum, Unterhausen 40 II E 3
Pars, Fars, s. auch Persis, Ldsch. 46/47 III D 2/3
Parsus, Ldsch. 9 III G 2
Partenkirchen, Parthanum 37 I C 3, 58/59 I I 5, 128 I C 3
Parthanum, s. Partenkirchen
Parthe, Fl. 77 II
Parthenion, O. a. Leros 18/19 I G 4
Parthenion, T. i. Arkadien 18/19 I C 4
Parthenium promont., Kap 38/39 I F 2
Parthenon, T. i. Athen, Plan 12 I u. II
Partheopäische Republik 124 II C/D 2
Parther, sakische, V. 3 I H 2, 46/47 II B 2/3
Parther-Reich 26/27 I G/H 2, 34/35 I F—H 3, 46/47 I B—E 3/4
Parthien, Ldsch. 22/23 I G 2, 26/27 I G/H 2, 46/47 I D 3, 46/47 II B 3
—, Pers. Satrapie 14/15 I G 3
Partira 10 I B 1
Parus, Ins., s. Paros 38/39 I D 3
Paschtunen, V. 163 I A/B 1
Pas de Calais, Dép. 122/123 III B 1
Pasewalk 122/123 I E 2
Passani 135 I A 2
Passaron, Kalpaki 18/19 I A 2
Passarowitz 112 II D 3
Passau, Bm. 52 II D 2, 88/89 II C 2, 145 I, 161 VI
Passau, Bm.-Territ. 68/69 I G 4, 122/123 I E 4. 128 I D 2
Passau, Castra Batava, Batava, O. 38/39 I B 1, 49 III C 1, 75 B 4, 122/123 I E 4
Passauer Mission 56 II, 58/59 II A—D 1
Pasto 133 II B 1
Pasurgadae, Pasurgadai 14/15 I G 3, 22/23 I G 2, 46/47 III D 2
Pasuruan 135 II C 1
Patagonien, Ldsch. 133 III B 4
Patalia 135 I B 1
Pataliputra, Patna 22/23 I K 3, 46/47 I G 4
Patani 111 II E 2
Patara, Arsinoë 22/23 II A 2
Patavium, Padua 38/39 I B 1
Patay 92/93 III C 1
Pateli 18/19 II A 2
Paternum 30/31 I H 5
Pati 135 II C 1
Patmos, Ins. u. O. 18/19 I G 4
Patna, Pataliputra 22/23 I K 3, 98/99 I I 5, 135 I C 2
Patrae, Patrai, Patras, O. 18/19 I B 3, 50/51 D 4, 130/131 I G 4
Patras, Ebm. 88/89 I G 6
Patriarchate 52 III, 88/89 I
Patrimonium Petri, s. auch Kirchenstaat 50/51 C 3, 53 I A/B 2/3
Patroklunesos, Ins. 13 I B 2
Patronis 18/19 IV A 1
Patschkau 77 III B 2
Patsos 10 I A 1
Pattala 22/23 I H 3
Patti, Bm. 88/89 I E 6
Patura 34/35 VI
Pau 58/59 I C 7, 110 B 4
Paulinzella, Kl. 87 I E 1
Paumotu-Ins., frz. 137 I H/I 6/7, 158 I H 6
Pausilypon 30/31 III B 1
Pausulae 30/31 I D 1
Pautalia, Küstendil 38/39 I D 2
Pautou 159 II G 2
Pavia, Bm. 88/89 II B 2
Pavia, Hft. Beccaria 94 I C 2
Pavia, O. 49 III A 3, 50/51 B 3, 63 I B 2, 102/103 I E 4, 124 I C 3, 130/131 III B 2
—, Universität 91 V B 2
Pawlowka 140 IV B 2
Pax Julia, Beja 38/39 II A 2
Payerne, s. auch Peterlingen 80 II A 2
Pazanan, Erdölfeld 163 II D 3
Pazarli 9 II D 1
Pazifik, westlicher, brit. Verwaltungsbereich 138/139 I A/B 4—6, 138/139 I R—T 4—6
Pazifik-Bahnen, s. auch Nord-, Union-Zentral-, Süd-, Kanad.-Bahn 133 III
Pazifischer Ozean 100/101 I A—E 1—8, 100/101 I P—R 1—8, 100/101 VIII B—F 1—5, 111 II F 1/2, 137 I D—I 1—6, 138/139 I A—F 1—7, 138/139 I Q—T 1—7, 158 I D—I 1—6, 158 II D—I 1—6, 164/165 II u. IV
Pearl Harbor 137 I H 3, 158 I H 3
Peć, Ipek, Patriarchat 88/89 I G 5
Pecs, s. Fünfkirchen 150/151 I E 4
Pedasa 18/19 I H 4
Pedasos 11 I B 2
Pedena, Bm. 88/89 II C 2
Pedieis 18/19 IV A 1
Pedion, Ldsch. 13 I B 2
Pedo 24 II C 2
Pedum 30/31 II B 2
Peene, Fl. 58/59 I K 2, 122/123 I E 2
Peenemünder Schanze 106/107 I G 2
Pegae, O. i. Syrien 38/39 I G 3
Pegai, O. i. Adrastea 18/19 I H 1
Pegau, O. 77 II
—, Kl. 87 I E 1
Pegnitz, Fl. 81 I, 86 I A 2
Pegu, O. 46/47 IV D 5, 72/73 I C 4
—, Ldsch. 72/73 II I 6, 98/99 I K 6, 111 II D 2, 135 I D 3
Peine 122/123 I D 2
Peipussee 68/69 II C 1, 113 F 3
Peiraieus, Piräus 12 V
Peiraion 18/19 I C 3
Peirasiai 18/19 I C 2
Peiros, Fl. 18/19 I B 3
Pekalongan 135 II B 1
Pekche, Hft. 46/47 III L 2
Peking, Chanbalik 72/73 II L 4, 98/99 I M 4, 136 I E 3, 136 III B 3, 158 I C 3, 158 II C 3, 162 I B 2
—, Plan 98/99 II
Peking-Mensch 1 I
Pelagonien, Ldsch. 20 II B/C 2
Pelasger, V. 10 II E 2
Pelasgiotis, Ldsch. 18/19 I C 2
Pele, Ins. 18/19 I G 3
Pelekes 13 I B 1
Pelendava, Craiova 38/39 I D 2
Pelendones, V. 38/39 II B 1
Pelim 98/99 I G 2
Pelinna 18/19 I B 2
Pelion, Geb. 18/19 I C/D 2
Pelion, O. 18/19 I A 1, 20 II B 2
Pelkin 10 III A 1
Pelkum 142 IV C 1, 142 V C 1
Pella, O. i. Makedonien 18/19 II B 2
Pella, Berenike, O. i. Palästina 22/23 II C 3, 34/35 II B 2
Pella, Reich von —, Makedonien 16 I B 1
Pellana 13 II A 1
Pelle, O. i. Judäa 34/35 II A 3
Pellene 18/19 I C 3
Peloponnesos, s. auch Morea, Halbins. 18/19 I B—D 3—5,
Peloponnes, byzant. Thema 54/55 I G 5
—, byzant. Restgebiet 70 II D 3
Peloponnesischer Bund 9 III B 2, 16 II
Pelos A VII A 2
Pelplin, Kl. 88/89 III C 1
Pelplin-Kulm, Bm. 145 I
Pelso lacus, Plattensee 38/39 I C 1
Peltai 22/23 II A 2
Peltainum 30/31 I D 2
Pelusion, Pelusium 6 I A 1
Pelusische Nilmündung 29 II B 1
Pelva 38/39 I C 2
Pemba-Ins. 98/99 I D 8, 111 II A 3, 138/139 I L 5
Pembroke 110 A 2
Peneios, Fl. i. Elis 18/19 I B 4
Peneios, Penius, Fl. i. Thessalien 18/19 I B/C 2
Penki 154 III B 2
Penneloci, Villeneuve 37 I A 3
Pennes 24 II B 3
Pennsylvania, amer. Staat 118 I C 1, 133 III E/F 2
Pennsylvanien, Siedlungspläne 118 II
Peñon de Velez 130/131 I B 4
Pensa 119 G/H 4, 149 III D 2
Pensacola 118 III C 1
Pentamodi 10 I B 1
Pentapolis, Cyrenaica, Ldsch. 34/35 I E 3
Pentapolis inferior, Ldsch. 38/39 I D 4
Pentapolis, Ldsch. i. Italien 33 I B 2
Pentapolis, O. i. Burma 46/47 I H 4, 46/47 II F 4
Pentele 13 I B 1
Pentelikon, Geb. 13 I B 1
Pentri, V. 30/31 I E 3
Penuel 8 III B 2
Peparethos, Ins. u. O. 18/19 I D 2
Pephnos 13 II A 2
Perachora, Heraion, T. 18/19 I C 3
Peraea, Ldsch. 34/35 II B 2/3
Perak, Sultanat 138/139 V A 1/2
Perche, Gft. 58/59 I D 4
Perejaslawl, Bm. 88/89 I I 3
Perejaslawl, Fsm. 67 III E/F 2
Perejaslawl, O. 67 III E 2, 113 G 4
Perekop 67 III E 3, 102/103 I K 4, 149 III C 3
Pergamon, Pergamum, Bergama, O. i. Kleinasien 18/19 I H 2, 38/39 I E 3, 54/55 I H 5
—, Plan 22/23 V
Pergamon, O. i. Thrakien 18/19 I E 1
Pergamon, Reich 26/27 I D 2, 26/27 III B 2, 26/27 IV A/B 1/2, 28 I D/E 1/2
Pergamos, O. a. Kreta 10 III A 1
Pergase 13 I B 1
Perge 9 II D 2, 38/39 I F 3
Pericharaxis 18/19 I H 2
Périgord, Gft. 58/59 I D 6, 110 C 3
Périgueux, Bm. 88/89 I C 4
Périgueux, Petrocorii, Vesunna, O. 36 C 3, 49 II B 2, 58/59 I D 6
—, Plan 42/43 V
Perim, Ins. 132 I E 3
Perinth, Perinthos, Perinthus 14/15 V B 1, 38/39 I E 2
Perithoidai 18/19 IV C 3
Perkiomen Creek, Fl. 118 II A 1
Perkote 18/19 I G 1
Perl 80 I B 2
Perlis, Staat 138/139 V A 1
Perm, Molotow 105 II D 3, 119 K 3, 149 III E 2, 150/151 I I 3
Permier, V. 50/51 G 1/2
Permlandfahrt, Seeroute 57 I D—G 1
Pernambuco, Recife 118 III F 3
Pernau 75 E 2, 84 I E 2, 84 II 2, 104 IV C 1, 119 C 3, 148 I F 2
Péronne 95 B 3, 148 II B 2
Perowsk, Ak-Metschat 134 II E 1
Perpendicular-Stil, engl. Gotik 90 I
Perperene 18/19 I G 2
Perpignan, O. 58/59 I E 7, 110 C 4, 156/157 I D 4
—, Universität 91 V B 2
Perrégaux, Castra nova 38/39 II C 2
Perrhaibia, Ldsch. 18/19 I B/C 2
Perschkenstein, O. 77 III B 1/2
Persepolis, O. 14/15 I G 4, 46/47 I D 4
—, Palast, Plan 14/15 II
Perser, V. 3 I G 3, 9 III H 3/4
Perserreich 14/15 I D—I 2—4, 16 II E—G 2—4, 20 I E—H 2—4, 22/23 III
Perserreich, Sassanidenreich 46/47 III B—E 2/3, 50/51 D—H 3—5
Persiceto 4 VI C 2
Persien, Iran, islam. Staat 98/99 I E—G 4/5, 111 II B/C 1, 112 I E/F 2, 134 I E—H 3/4, 134 II C—E 1—3, 149 II, 164/165 I M 3
Persis, Fars, Pars, Ldsch. 14/15 I G 3/4, 46/47 I D 4, 50/51 G 4
Persischer Golf 14/15 I F/G 3/4, 50/51 F/G 4/5, 134 II C/D 4
Persische Tore, Paß 22/23 I G 2/3
Perth, O. i. Schottland 66 II B 2, 102/103 I C 2
—, O. i. Australien 137 I C 6, 137 II A 3
Perthes 148 II C 2
Peru, Vizekgr. 118 III D 3
—, Staat 125 II, 133 II A/B 2, 164/165 III, 166/167 II u. III, 168
Perugia, Bm. 88/89 I E 5
—, Dukat 53 I B 2
Perugia, Perusia, O. 24 II F 3, 50/51 C 3, 53 I B 2/3, 102/103 I F 5
—, Universität 91 V C 2
Pesaro, Pisaurum 24 II F 3, 53 I B 2
Pescadores, Ins. 111 II E 1, 136 I E 4
Pescara 94 I F 3, 94 II F 3
Peschawar 72/73 II G 4, 98/99 I H 4, 116/117 IV B 1, 135 I B 1, 138/139 I N 3
Peschiera 94 I D 2, 94 II D 2, 130/131 III C 2
Peschwa, Ldsch. 116/117 IV B 3
Pessinus 22/23 II B 2, 38/39 I F 3
Pest, s. auch Budapest 58/59 I N 5, 112 II C 2
Petaliai, Ins. 18/19 I E 3/4
Petelia 17 I F 1
Petén-See 100/101 II C/D 2
Peteon 18/19 IV B 2
Peter I.-Ins. 164/165 IV
Peterborough 102/103 I C 3
Peterhof 126/127 I I 2
Peterlingen, Payerne, Kl. 58/59 I G 5, 87 I D 2
Petersberg, O. b. Bonn 161 IV A 1
Petersburg, s. St. Petersburg, Petrograd, Leningrad
Petersdorf 77 III B 2
Peterwardein 67 III B 3, 112 II C 3
Peterwitz 77 III B 2
Petinesca 37 I A 3
Petra, O. i. Mauretanien 34/35 III A 1
Petra, O. i. Nabataeerland 38/39 I G 4, 46/47 I B 3
Petra, O. i. Pierien 18/19 I C 1
Petra, O. a. Schwarzen Meer 48 I F 2
Petra Herculis, Ins. 30/31 III B 2
Petrais 10 I C 1
Petriana, Stanwik 40 I B 2
Petrikau 68/69 I K 3, 106/107 III B 2, 115 I D 2, 124 I E 2
Petrocorii, O., Petrucoriorum oppidum, Périgueux, Vesunna 36 C 3, 42/43 I C 2
—, Plan 42/43 V
Petrocorii, V. 36 C 3
Petrograd, s. St. Petersburg, Leningrad 148 I H 1
Petropawlowka 140 IV B 1
Petropawlowsk 137 I E 2, 164/165 II
Petrosawodsk 119 E 2, 156/157 I G 2
Petsamo 156/157 I G 2, 160 IV C 2
Petschenegen, V. 50/51 F/G 3, 57 I F/G 3, 61 V C 3, 64/65 I D 2
Petschora, Fl. 119 I/K 1/2
Petsofa 10 I C 1
Pettau 58/59 II B 2, 112 II A 2
Peucetii, V. 30/31 I G/H 3/4
Peuke, Donau-Ins. 20 II D 1
Peukelaotis 22/23 I I 2
Peukiner, Bastarnen, V. 41 D 3
Peuma 18/19 I C 2
Pevensey 58/59 I D 3
Pfäfers, Kl. 58/59 I H 5
Pfaffenhofen, O. i. Bayern 122/123 I D 4
—, O. b. Ulm 120 V D 1
Pfafferode, Wüstung 77 IV A 2
Pfahlbau-Kultur am Po 5 I C 3
Pfalz, Kurfsm., Kurpfalz 68/69 I D/E 3/4, 106/107 II, 122/123 I B/C 4
—, bay., Prov. 128 I A/B 2, 129 I B/C 4
Pfalz, ev. Landeskirche 161 VII
Pfalz-Mosbach, Pfalzgft. 81 II C/D 2
Pfalz-Neuburg, Hzm. 106/107 I F/G 5
Pfalz-Simmern, Pfalzgft. 96/97 I D 4/5
Pfalz-Sulzbach, Hzm. 106/107 I F/G 5
Pfalz-Zweibrücken 96/97 I D 5
Pfalzburg, O. 114 D 3
Pfalzel, O. u. Amt 54/55 II E 3, 80 I B 2
Pfeddersheim 81 II B 2
Pfirt, Gft. 78 III A 4
—, O. 95 D 4
Pflummern 120 V B 2
Pförring, Celeusum 40 II E 3
Pforta, Kl. 88/89 III B 1
Pforzheim, Port. Vicus 40 II B 3, 114 E 3, 128 I B 2
Pfullendorf, RSt. 68/69 I E 5, 81 II B 3, 122/123 I C 5, 128 I B 3
Pfünz, Vetoniana 40 II E 3
Pfyn, Ad Fines 40 III B 1
Phaeniana, Unter-Kirchberg 40 II D 3
Phagres 18/19 I D 1
Phaia, Pheia 18/19 I B 4
Phaika 18/19 I B 2
Phaistinos 18/19 I C 3
Phaistos, Phästos 10 I A 1
Phalanna, O. a. Kreta 10 III B 1
Phalanna, O. i. Thessalien 18/19 I C 2
Phalara 18/19 I C 3
Phalasarna 10 III A 1
Phalerische Mauer Athens 12 V
Phaleron 12 V
Phaloreia 18/19 I B 2
Phanagoria-Agrippeia 38/39 I G 1
Phanai 18/19 I F 3
Pharai, O. i. Achaia 18/19 I B 3
Pharai, O. i. Böotien 13 I A 1
Pharis 11 I C 2
Pharkadon 18/19 I B 2
Pharmakussai-Ins. 14/15 IV A 2
Pharnakeia, Kerasus 22/23 II C 1
Pharos-Ins. i. Alexandria 26/27 V
Pharos, Ins., Pharus, i. Dalmatien 20 I C 2
Pharphar, Fl. 34/35 II B/C 1
Pharsala, Ebm. 88/89 I G 6
Pharsalos 18/19 I C 2, 26/27 III A 2
Pharus, Ins., Pharos, i. Dalmatien 28 I C 1
Phasaëlis, O. i. Samaria 34/35 II B 2
Phaselis, O. i. Lykien 38/39 I F 3
Phasis, Fl. 38/39 I H 2
Phasis, O. i. Kolchis 38/39 I H 2, 46/47 I C 2
Phatnitische Nil-Mündung 29 II B 1
Phaura, Ins. 13 I B 2
Phayttos 18/19 I C 2
Phazania, Ldsch. 34/35 I C/D 4
Phegaia 13 I B 1
Pheia, Phaia 18/19 I B 4
Phellus 38/39 I E 3
Pheneos 18/19 I C 4
Pherai, Pherä, O. i. Messenien 18/19 I C 4
Pherai, Pherä, O. i. Thessalien 18/19 I C 2
Phigaleia, Phigalia 18/19 I B 4
Philä, Nilinsel 6 I A 3
Philadelphia, County i. Amerika 118 II A/B 1

Philadelphia, O. i. Ägypten 29 II B 2
Philadelphia, O. i. Amerika 118 I C 1/2, 118 II B 2
Philadelphia, O. i. Kleinasien 71 II C 4
Philadelphia, O. i. Lydien 22/23 II A 2
Philadelpheia, Rabbath Ammon 22/23 II C 3, 34/35 II B 3
Philaidai 13 I C 2
Philänen-Altäre 14/15 I C 3
Philetaireia 22/23 II A 2
Philippeville, Rusicade, O. i. Algerien 34/35 III B 1, 150/151 I D 5
Philippeville, O. i. Belgien 114 C 2, 126/127 IV B 2
Philippi 20 II D 2, 28 II D 2
Philippinen, Ins. 98/99 I M/N 6/7, 111 II F 2, 137 I D 4
—, Staat 158 I D 4, 158 II D 4, 162 I C 3, 164/165 I Q 4, 166/167 II, 168
Philippinen-See 158 II D 4
Philippolis, Philippopel, Plovdiv, O. 38/39 I D 2, 54/55 I G 4, 70 II D 2, 130/131 I G 3, 145 V B 2, 145 VI B 2, 150/151 I F 4
Philippopel, Ebm. 88/89 I G/H 5
Philippsburg, O. 106/107 I E 5, 114 E 3
Philippupolis, O. i. Ostjordanland 38/39 I G 4
Philistäa, Ldsch. 8 III A 3, 8 IV A 3/4
Philister, V. 3 I E 3, 8 III, 8 IV A 3/4, 9 I A 2, 9 I C/D 3
Philomelium, Philomelion 38/39 I F 3, 22/23 II B 2, 64/65 I E 3
Philoteras 29 II B 2
Philoteris 29 II B 2
Philotheria 22/23 II C 3
Philotheu, Athos-Kl. 45 VI B 2
Phintias 25 I D 5
Phison, Paradieses-Strom 98/99 VI
Phistyon, T. 18/19 I B 3
Phlegraei campi, Ldsch. 30/31 III B 1
Phleius, Phlius 18/19 I C 4
Phlya 13 I B 1
Phoboliais 10 I C 1
Phocaea, s. Phokaia 38/39 I E 3
Phoenice, Phoenicia, röm. Provinz 38/39 I G 4, 42/43 I F 3
Phoenice, Phoenike, O. i. Epirus 38/39 I D 3
Phoenix, a. Kreta (2 Orte!) 10 III B 1
Phöniker, Phönikier, Phönizier, V. 3 I C/D 3
Phönikien, Ldsch. 8 III B 1/2, 8 IV B/C 1/3
Phönikische Kultur 5 I E 4 u. 5 II E 4
Phoinikus, O. i. Jonien 18/19 I G 3
Phoinikus, O. i. Messensien 18/19 I B 5
Phoitiai 18/19 I B 3
Phokaia, Phocaea 11 II D 2, 18/19 I G 3, 70 II E 3
Phokikon, T. 18/19 IV A 2
Phokis, Ldsch. 18/19 I C 3
Pholegandros, Ins. 18/19 I E 5
Pholoë, Bg. 18/19 I B 4
Phönix-Ins., brit. 138/139 I T 5, 158 I G 5
Phoris, Vafio 13 II A 1
Phoron Limen, Schmugglerhafen i. Piräus 12 V
Photice 38/39 I D 3
Phrada 22/23 I H 2
Phrearrioi 13 I C 2
Phrixa 18/19 I B 4
Phryger, V. 3 I D 2, 9 II C/D 2
Phrygia, röm. Provinz 28 II D/E 3, 38/39 I E/F 3
Phrygien, Ldsch 14/15 I D/E 3
Phrygisches Reich, Muski 9 III C/D 1/2
Phryskos, Fl. 22/23 III C 2
Phthia, Ldsch. 18/19 I C 2
Phthiotis, Achaia, Ldsch. 18/19 I C 2
Phycus 38/39 I D 4
Phylakai, Phylake, O. i. Thessalien 18/19 I C 1
Phylake, O. auf Leukas 18/19 I A 3
Phylakopi 4 VII A 2
Phyle 13 I B 1
Phyllos 18/19 I C 2
Pi 3 III B 2
Piacenza, Bm. 88/89 II B 2
—, Hft. 94 I C 2
—, O. 63 I B 2, 130/131 III B 2
—, Universität 91 V B 2
Piadena 63 II B 1
Piakos 17 I C 3
Pialeia 18/19 I B 2
Piasek 79 VII
Piasten, Herrschergeschlecht i. Polen 68/69 I
—, i. Schlesien 71 I A 2/3
Piatra 75 E 5
Piave, Fl. 68/69 I G 5/6, 130/131 III D 1/2, 148 I D 4
Piazza Armerina 25 III A 2
Picardie, Gouv. 122/123 II B 1
Picardie, Ldsch. 95 A/B 2/3
Picener Kultur 5 II C 3
Picenses, V. i. Moesien 38/39 I D 2
Picentes,V. i. Italien 24 II F 2/3, 30/31 I D 1/2
Picentia 30/31 I E 4
Picenum, Ldsch. (Regio Italiae) 30/31 I D/E 1/2
Pichelsdorf 143 II
Pichincha 133 II B 2
Pictones, V. 36 B 3
Piedmont, Ot. v. Oakland 143 IV
Piedras Negras, O. 100/101 II C 2
Piemont, Fsm., Hzm. 68/69 I D 6, 94 II B 2, 110 D 3/4, 116/117 I E 4/5, 124 II A/B 1
Piemont-Sardinien, Kgr. 116/117 I E 4—6, 130/131 I D 2—3
Piemontesische Waldenser-Sekte 105 I
Pienza 25 II B 1, 90 IV B 2
Pierer, V. 10 II C 1
Pieria, Ldsch. i. Makedonien 18/19 II B 2
Pieria, Ldsch. i. Thrakien 18/19 I E 1
Pieros, Geb. 18/19 I C 1
Pieterborough 58/59 I C 2
Pietermaritzburg 138/139 II C 2, 144 V C 2
Pietole 4 VI B 1
Pieve di Cadore 24 II F 1
Pieve Torino 30/31 I D 1
Pikten, V. 50/51 A 2 52 I B 1
Piliza, Fl. 74 III D/E 2, 124 I E/F 2
Pillau 113 D 4, 121 II, 156/157 III C 2
Pillenreuth 81 I
Pillnitz, Schloß 122/123 I E 3
Pillwösche 77 III B 1
Piloros 18/19 I D 1
Pilsen, Plzeň, Bg. O. 86 I B 2, 106/107 I G 5, 150/151 I E 4
Pilten, Bm. 88/89 I G 2
—, Bm.-Territ. 68/69 II B 2
—, O. 75 D 2, 113 E 3
Pinang, Sultanat, Ins. 138/139 V A 1
Pincius, Pincio, Hügel i. Rom 32 II, 33 I, 45 I
Pincour 109 IV
Pindal 1 IV A 2
Pindassos, Geb. 18/19 I G/H 2
Pind Gakr 21 III
Pindora 21 III
Pindos, Geb. 18/19 I B 2
Pindos, O. 18/19 I C 3
Pinerolo 94 I B 2, 94 II B 2, 110 D 4
Ping, Ldsch. 46/47 I I/K 3
Pinguente 94 I E 2
Pinkie 102/103 I C 2
Pinna 30/31 I D 2
Pinneberg, O. u. Gft. 96/97 I E 3, 122/123 I C 2
Pinsk, O. 75 E 3, 92/93 I H 3, 113 F 4, 116/117 I I 3, 148 I G 3, 156/157 I F 3, 156/157 III D 2, 160 III E 2
—, Fsm. (Turow-P.) 67 III D 2
Pintschow 106/107 I L 4
Pinus mons, Geb. 38/39 I B 1
Pinzgau, Ldsch. 58/59 I K 5, 122/123 I E 5
Piombino, Fsm. 124 II B 2
Piombino, Hzm. 94 II D 3
—, O. 25 II A 2, 63 I C 3, 110 E 4, 126/127 I F 5
Pipil, V. 100/101 II C/D 3
Pippli 111 II D 1/2
Pirano 94 I E 2, 94 II E 2
Piratenküste, Ldsch. 146 I E 1
Piräus, Peiraieus 12 V, 145 V B 3, 145 VI B 3
Pirna 122/123 I E 3
Pirot 130/131 I G 3, 148/I F 5
Pir-sar, Aornos 22/23 I I 2
Pisa, O. i. Elis 18/19 I B 4
Pisa, Ebm. i. Toskana 88/89 I E 5
—, Republik 94 I D 3
Pisa, Pisae, O. 30/31 I A 1, 63 I C 3, 126/127 I F 5
—, Universität 91 V C 2
Pisatis, Ldsch. i. Elis 18/19 I B 4
Pisaurum, Pesaro, O. 30/31 I C 1
Pisaurus, Fl. 30/31 I C 1
Pisek 68/69 I H 4
Pisga-Geb. 34/35 II B 3
Pisida 34/35 III C 2
Pisider, V. 9 III D 2
Pisidia, Pisidien, Ldsch. 26/27 IV B 2, 38/39 I F 3
Pisidische Kultur 2 I D/E 3
Pisino 94 I E 2
Piskokephali 10 I C 1
Pistagi 10 I A 1
Pisticci 30/31 I G 4
Pistoia, Bm. 88/89 II C 3
Pistoia, Pistoriae, O. 30/31 I A 1, 63 I C 3
—, Rep. 94 I D 3
Pitane, O. i. Aiolis 18/19 I G 3
Pitane, Spartiatendorf 12 VII
Pitassa, Ldsch. u. V. 8 I A 2
Pitcairn-Ins. 138/139 I C 6
Piteå 113 E 1
Piteschti 75 E 5
Pithecanthropus, Menschenrasse 1 I u. II
Pithekussai, Aenaria, Ischia, Ins. u. O. 30/31 III A 1/2
Pithom 6 I A 1
Pitigliano, Hft. 94 I D 3
—, Statonia, O. 25 II B 2, 94 II D 3
Pitinum 30/31 I D 2
Pitinum Mergens 30/31 I C 1
Pitinum Pisaurense 30/31 I C 1
Pitkäranta 160 IV C 3
Pitten, Mark 58/59 III C/D 2
Pittsburg, O. i. Pennsylvania 118 I C 1, 133 III F 2
Pittsburg, O. i. Tennessee 133 III E 3
Pitya, Pityeia 18/19 I H 1
Pityus, O. 38/39 I G/H 2
Pityusae, Pityusai, Pityusen, Ins. d. Balearen 38/39 II C 2
Pityussa, Ins. i. Argol. Golf 18/19 I D 4
Pizzo 116/117 I G 6
Pizzughi 24 II F 2
Pjatigorsk 134 I D 1, 149 III D 3, 156/157 I H 4
Pjöngjang 162 I C 2
Placentia, Piacenza 24 II D 2, 25 I B 1
Plaka, Kap 10 I C 1
Plakos, Geb. 18/19 I H 2
Planasia, Ins. 30/31 I A 2
Planina 30/31 I D 1
Plantagenet, Herrscherhaus 66 I, 70 I
Plasencia, Bm. 88/89 I A 5
Plaß, Kl. 87 II C 2/3
Plassey 135 I C 2
Plaszow 155 I E 2
Plataiai 13 I A 1
Platanistas, Ot. v. Sparta 12 VII
Platanistus, Kap 18/19 I C 5
Platanos 10 I A 1
Plateresco-Stil, span. Gotik 90 I u. II
Plattensee, See 58/59 II C/D 2, 112 II B/C 2
Platy 10 I B 1
Plau, O. i. Mecklenburg 75 B 3
Plaue, Bg. O. i. Thüringen 86 I A 1
Plauen, O. 62 II D 2, 122/123 I E 3
Plauen, Vögte Reuß v. 68/69 F/G 3
Plauer Kanal 122/123 I D/E 2
Plavis, Piave, Fl. 24 II F 1/2
Pleiße, Fl. 77 II
Pleißnerland, Ldsch. 66 I D 1, 68/69 I G 3
Pleistarcheia, Herakleia 22/23 II A 2
Plemmysion, Kap 17 I D3/4
Pleraei, V. 38/39 I C 2
Pleskau, Bm. 88/89 I H 2
Pleskau, Pskow, O. 68/69 II D 2, 104 IV D 2, 105 II A 3, 148 I G 2, 150/151 I F 3, 156/157 I F 3
—, Fsm. 92/93 I H 2
Pleß, O. u. Hft. 96/97 I K 4/5, 122/123 I H 3/4
Plessis, Burg 92/93 I C 4
Plestia 30/31 I C 1
Pleuron 18/19 I B 3
Plewen, s. Plewna
Plewna, Plevna, Plewen 130/131 I G 3, 145 V B 2
Pliska 54/55 I H 4
Plöckenpaß, 24 II F 1, 49 III C 2
Ploëşti 145 VI C 2, 148 I G 5, 156/157 III D 3
Plön 68/69 I F 1
Plotheia 13 I B 1
Plotinopolis 38/39 I E 2
Plotzk, O. i. Bessarabien 140 IV B 2
Plovdiv, Plowdiw, s. Philippopolis 38/39 I D 2, 150/151 I F 4, 156/157 I F 4
Plozk-Masowien, Bm 88/89 I F/G 3
Plozk, O. 67 III B 2, 75 C 3, 106/107 III B 1
Plymouth 68/69 III A 1, 104 I B 2, 156/157 I C 3, 156/157 III A 2
Plymouth-Township (Pennsylv.) 118 II A 1
Plzeň, s. Pilsen
Pniel 34/35 II B 2
Pnom-Penh 72/73 II K 6, 98/99 I L 6, 136 II B 2, 162 II C 3
Pnyx, Hügel i. Athen 12 VI
Po, Padus, Fl. 24 II C—F 2, 63 I A—D 2, 130/131 I D/E 2/3
Po, O. i. China 3 III B 2
Pöchlam 58/59 II B 1
Podandus 38/39 I F/G 3
Podgoritza 145 V A 2
Podhajce 113 F 5
Podlachien, Ldsch. 113 E 4
Podlesien, Ldsch. 113 E/F 4
Podolien, Ldsch. 71 I C 3, 92/93 I H/I 4, 113 F 5, 116/117 I I 4
Po-Ebene 4 VI
Poetovio, Pettau 38/39 I C 1
Poggibonsi 94 I D 3, 94 II D 3
Poggio allemura 25 II B 1
Pogon 18/19 I D 4
Pogranitschnaja 158 III A 1
Po-hai, Hft. 46/47 IV G 2
Pöhlde, Pfalz 58/59 I I 3
Poieessa, O. a. Keos 18/19 I E 4
Poieessa, O. i. Messenien 11 I C 2
Poignaart 143 Ib
Poikilassos 10 III A 1
Poimanenon 22/23 II A 1
Pojnek, Bg. O. 86 I E 2
Poissy 104 I C 3
Poitiers, Bm. 88/89 I C 4
Poitiers, Limonum, O. 36 C 3, 49 II B 2, 50/51 B 3, 52 III B 2, 68/69 III C 2, 91 V B 2, 110 C 3
—, Universität 91 V B 2
Poitou, Gouv. 122/123 II A/B 2
Poitou, Gft. 58/59 I C/D 5, 104 I B 3
Pola, Bm. 88/89 II C 3
Pola, O. 24 II F 2, 54/55 I E 4, 94 I E 2, 94 II E 2, 102/103 I F 5, 130/131 I E 3, 150/151 I E 4
Polaben, V. 58/59 I I 2
Polangen, O. 84 I E 2, 84 II 2, 113 E 3
Polarmeere, s. auch Eismeere 164/165 II u. IV
Polarnoje 150/151 I G 2
Polch 40 II A 1
Polemoniacus Pontus, Ldsch. 38/39 I G 2
Polen, Gfsm., Kgr. 60 I H/I 3, 61 II B/C 1/2, 71 I A/B 2/3, 92/93 I F—H 3/4, 104 II C/D 2/3, 106/107 III A—C 1/2, 113 D—H 3—5, 116/117 I G—K 2—4
Polen, Ghzm. Warschau 124 I D—F 1/2, 124 III, 125 I D/E 2
—, Kgr. russisch), Kongreßpolen 126/127 I G/H 3, 148 I E/F 3
Polen, Republik 149 I A/B 2, 149 I A/B 2, 149 III A/B 2/3, 150/151 I E/F 3/4, 156/157 I E/F 3/4
—, Volksrepublik 160 II B/C 2/3, 160 III C/D 2/3, 164/165 III, 166/167 I—III, 168, 170 III
Polen, Lechen, V. 50/51 C 2, 67 III, 112 II C/D 1, 150/151 II, 160 I u. II
Polen, Bevölkerungsverluste 161 III
Polen (V.) im Bismarckreich 145 I
Polen in den USA 144 II
Polenaufstand in Oberschlesien 153 II
Polen-Litauen, Unions-Kgr. 71 III C—E 1/2
Polesien, Ldsch. 102/103 I H/I 3
Policastro 63 I E 4
Polichna, O. i. Lakonien 18/19 I C 4
Polichna, O. b. Syrakus 17 II
Polichne, O. i. Jonien, Halbins. Mimas 18/19 I G 3
Polichne, O. i. Jonien b. Klazomenai 18/19 I G 3
Polichne, O. a. Kreta 10 III B 1
Polichne, O. i. Messenien 18/19 I B 4
Polichne, O. i. Mysien 18/19 I H 2
Polimartium 30/31 I C 2
Poliochni 18/19 I F 2, 4 VII B 2
Polirone, Kl. 87 I E 2
Polis, O. a. Golf v. Korinth 18/19 I C 3
Polis, O. auf Ithaka 4 VII A 2
Poljanen, V. 50/51 D/E 2/3
Poljanowa 116/117 I K 2
Pollentia, Pollenza, O. i. Ligurien 38/39 I A 2, 48 I B 2
Pollentia, O. a. Mallorca 38/39 II C 2
Pollenza, O. i. Ligurien, siehe Pollentia
Pollusca 30/31 II B 2
Polnische Teilungen 116/117 I G—K 2—4
Polnisch-Livland, Ldsch. 113 F 3, 116/117 I I 2
Polnisch verwaltete deutsche Ostgebiete 161 IV B—D 1
Polowzer, Kumanen, V. 61 V C/D 2/3, 67 III B/C 3
Polozk, Bm. 88/89 I H 2
Polozk, Fsm. 67 III D 2
Polozk, O. 57 I E 2, 71 I C 1, 75 F 3, 113 F 3, 116/117 I I 2, 156/157 III D 2
Poltawa 119 E 5, 148 I H 4
Polyaigos, Ins. d. Sporaden 18/19 I E 5
Polyaigos, Ins. östl. Thessalien 18/19 I E 2
Polygar, Ldsch. 111 II C 2
Polynesien, Inseln 100/101 VIII E/F 2—4
Polyrrhenia 10 III A 1
Polystylo 4 VII A 1
Pomaken, V. 150/151 II
Pomarance 25 II A 1
Pomaria, Tlemsen 38/39 II B 3
Pomavico 30/31 I G 4
Pombal 116/117 I B 6
Pomerellen, Hzm. 66 I E 1, 67 III B 2, 68/69 II A 2/3, 96/97 I I/K 3, 106/107 I I/K 2/3
Pomesanien, Bm. 88/89 I F 3
Pommern, evang. Landeskirche 161 VII
Pommern, poln. Besitz 60 I H 3
—, Hzm. 66 I D/E 1, 84 I C/D 3, 84 II C/D 3, 104 II B/C 2, 106/107 II
Pommern, Schwedisch- 124 I D 1
—, Preuß. Prov., s. auch Hinterpommern, Vorpommern 124 I D/E 1, 129 II F—H 1/2
Pommern, Land 160 III B/C 2, 161 IV B/C 1
Pommern, NS-Gau 155 I C/D 1/2
Pommern-Stettin, Hzm. 68/69 I G/H 2
Pommern-Wolgast, Hzm. 68/69 I G—I 1/2
Pomoranen, V. 54/55 I F 2
Pompadour, Schloß 116/117 I D 4
Pompaelo, Pamplona 36 B 4
Pompeiupolis, O. i. Galatien 38/39 I F 2
Pompeiupolis, O. i. Kilikien 38/39 I F 3
Pompeji 30/31 III B/C 1/2
—, Plan 32 I
Pomposa, Kl. 53 I B 1
Pondicherry 135 I B 3, 162 II A 3
Pondo, Ld. 138/139 II B/C 3
Ponione, Aislingen 40 II D 3
Ponione, Faimingen 40 II D 3
Ponorogo 135 II C 1
Pons Aelius, Newcastle 40 I C 2
Pons Aeni, Rosenheim 37 I D 3
Pons Aluti 38/39 I D 2

Pons Saravi, Saarburg 37 I A 2
Pont, Fl. 142 I—III A 1
Pontarlier, Ariolica 37 I A 3, 95 D 4, 122/123 I B 5
Pont de Cé 110 B 3
Pontebba, O. 96/97 I G 6
Pontebba-Paß 49 III C 2
Pontecagnano 24 II G 4, 30/31 I E 4
Pontecorvo, Fsm. 125 I D 3
Pontecorvo, O. 94 I E 4, 94 II E 4, 102/103 I F 5
Ponteland, O. 142 I A 1, 142 II A 1, 142 III A 1
Ponte Molle, Milvische Brücke 45 II
Pontes 36 B 2
Ponthieu, Gft. 70 I B 1, 95 A 2
Ponthion, Pfalz 54/55 II D 3
Pontia, O. 30/31 I C 4
Pontiae, Ins. 30/31 I C 4
Pontica, röm. Prov. 49 I E 2/3
Pontigny, Kl. 87 II B 3
Pontische Bronzekultur 5 II D—F 2/3
Pontoise 95 B 3
Pontos, s. Pontus
Pontsemoli 63 II A 2, 94 I C 2, 94 II C 2, 124 II B 1
Pontus, Pontos, Ldsch. 22/23 I E 1
—, Röm. Diözese 42/43 I E/F 2/3
—, Staat 28 I E 1, 29 III C 1
Pontus Euxinus, Pontos Euxeinos, Schwarzes Meer 38/39 I E—H 1/2
Pontus Galaticus, röm. Prov. 38/39 I F/G 2
— Polemoniacus, röm. Prov. s. auch Dios Pontus, Bithynia et Pontus 38/39 I G 2, 42/43 I F/G 2
Ponzone 94 I C 2
Poopó-See 100/101 III C 3
Popayan 100/101 VII B 3, 133 II B 1
Poplar 109 I
Popocatepetl, Berg 100/101 VI B 2
Poppenreuth 81 I
Popperode, Wüstung 77 IV A 2
Populonia, Fufluna, Populonium 24 II E 3, 30/31 I A 2, 53 I A 2
Pori, Björneborg 113 E 2
Porkkala 156/157 III D 1, 160 IV A 3
Porolissum 38/39 I D 1
Poros-Reich i. Indien 22/23 I I 2
Porsulae 38/39 I E 2
Port Arthur 138/139 VI B 3, 158 III A 2, 162 I C 2, 162 II D 2
Port Blair 138/139 I O 4
Port Darwin 138/139 I Q 5, 158 I D 5, 158 II D 5
Port Elizabeth 138/139 II B 2, 144 V B 3
Port Florence 132 I D 3/4
Port Francqui 146 I D 3
Port Fuad 138/139 IV C 1
Porthmos 18/19 I E 3
Port Hudson 116/117 II B 3, 133 III D 3
Porti 10 I A 2
Port Jackson, Sydney 138/139 I R 6
Portland, O. 133 III A 2
Port Mahon 116/117 I D 6, 130/131 I C 4
Port Moresby 158 E 5, 158 II E 5
Port Natal, s. Natal 125 II
Porto, Bm i. Portugal 88/89 I A 5
Porto, Portus Cale, O. i. Portugal 38/39 II A 1, 49 I A 2, 64/65 I A 2, 125 I B 3
Porto, suburbikar. Bm. 53 I B 3
Porto Alegre 118 III E 4
Porto Bello 100/101 VII B 3, 118 III D 2
Porto Cabello 133 II B 1
Portofino 110 D 4
Port of Spain 156/157 II C 4
Porto Maurizio 94 I C 3, 94 II C 3
Porto Novo, O. i. Dahomé 132 I C 3, 162 III B 2
Porto Rico, Ins. 100/101 VII C 2
Porto Seguro 118 III F 3
Portovecchio 94 I C 4, 94 II C 4
Portovenere 94 I C 2, 94 II C 2
Port Royal, O. i. Carolina 133 III E 3
—, O. i. Neu-Schottland 116/117 II E 2
Port Said 138/139 IV C 1, 148 III A 2
Port St. Simeon 64/65 IV A 2
Portsmouth, O. i. England 58/59 I C 3, 110 B 2, 156/157 I C 3
—, O. i. d. USA 133 I E 2
Port Sudan 153 VI C 4
Port Tewfik 138/139 IV C 3
Portugal, Gft. 64/65 I A 2/3
—, Kgr. 64/65 II A 2/3, 92/93 I A 5/6, 102/103 I B 5/6, 111 I F 1/2, 124 III, 125 I B 3/4, 126/127 I B 5/6, 128 II, IV u. V
Portugal, Republik 147 C 4/5, 164/165 III, 166/167 II u. III, 168
Portugiesen i. d. USA 144 II
Portugiesisch-Afrika 132 I
Portugiesisch-Amerika 118 III
Portugiesische Entdeckungsreisen 100/101 I
Portugiesische Kolonien 98/99 I, 100/101 I, 111 I u. II
Portugiesisch-galicische Bronzekultur 5 I A 3/4
Portugiesisch Guinea, Ldsch. 146 I B 2
Portugiesisch-Indien 116/117 IV, 135 I
Portunate, Ins. 30/31 I F 1
Portus Cale, Porto 38/39 II A 1
Portus-Divini 38/39 II B 2
Portus Herculis, O. i. Bruttium 17 I D 2
Portus Herculis, O. i. Etnirien 30/31 I B 2
Portus Julius 30/31 III B 1
Portus Magnus 38/39 II B 2
Portus Namnetum, Nantes 36 B 3
Portus Pisanus 30 I A 1
Portus, Portus Romae 30/31 II A 2
Portus Syracusanus, O. auf Korsika 25 I B 3
Portus Traianus, O. i. Etrurien 25 II A 2
Portus Vicus, Pforzheim 40 II B 3
Poseideion, Al Mina, O. i. Phönikien 11 II E 2
Poseideion, Kap. i. Jonien 18/19 I H 4
—, Kap a. Pallene 18/19 I D 2
—, Kap a. Strymonischen Golf 18/19 I D 1
—, T. i. Argolis 18/19 I C 4
—, T. i. Jonien 13 III A 2
Poseidion, O. auf Euboa 18/19 I D 3
Poseidonia, s. Paestum, O. 11 II C 1, 30/31 I E 4
Poseidonion, T. i. Sunion 13 I C 2
Posen, Bm. 88/89 II D 1
—, Messen 83 V D 2
Posen, Poznań, O. 58/59 I M 2, 105 I E 1, 106/107 III B 1, 113 D 4, 115 I D 2, 150/151 I E 3, 155 I D 2, 156/157 III C 2
Posen, preuß. Prov. 152 II F/G 2/3
Posen-Gnesen, Ebm. 145 I
Posen-Westpreußen, Grenzmark 152 II F/G 2
Posidium promontorium, Kap i. Lucanien 30/31 I E 4
Poswol 104 IV C 2
Potaissa 34/35 I E 2, 38/39 I D 1, 44 I D 2
Potamiais 10 I B 1
Potamos, O. i. Ost-Attika 13 I C 2
--, O. am Kephissos 13 I B 1
Potchefstroom, O. 144 V B 2
Potaidaia = Kassandreia 18/19 II C 2
Potentia, Potenza, O. i. Lucanien 30/31 I F 4, 63 I E 4
Potentia, O. i. Picenum 30/31 I D 1
Potenza, O., siehe Potentia (Lucanien)
Pothia 10 II E 3
Poti 134 I C 2
Potniai 13 I A 1
Potosi 118 III D 3, 133 II B 2
Potsdam 122/123 I E 2, 152 II E 2, 160 III B 2
Pötzschau, Gr.- u. Kl.- 77 II
Powjenez 119 E 2
Pozega, O. i. Serbien 112 II D 4
Pozega, O. i. Slawonien 58/59 I M 6, 96/97 I I 7, 106/107 I I 7
Poznań, s. Posen 150/151 I E 3
Pozoblanco 154 V B 2
Prachatitz 92/93 II B 4
Pradl 38/39 I D 1
Praeneste, Palestrina, Praineste 24 II F 4, 30/31 II B 2
Praetorium 38/39 I D 1
Praetutti, V. 24 II F 3, 30/31 I D 2
Praevalitana, röm. Provinz 42/43 I D 2
Prag, Bm. 61 II B 1
—, Ebm. 88/89 II C 1
—, Praha, O. 54/55 I E 2, 75 B 4, 105 I D 2, 106/107 I H 4, 106/107 II, 106/107 III A 2, 148 I D 3, 150/151 I E 3, 155 I C 2, 156/157 III C 2
—, Plan 78 V
—, Universität 91 V C 1
Praga bei Warschau 96/97 I L 3, 115 I E 2
Praha, s. Prag
Prä-homo-sapiens-Rassen 1 I—III
Praineste, Palestrina, Praeneste 24 II F 4, 30/31 II B 2
Praisos 10 III D 1
Praitoria 10 I B 1
Praktion 10 II E 1
Prambanam 72/73 I D 6
Prasa 10 I B 1
Prasiai, O. i. Attika 13 I C 2
Prasiai, O. i. Lakonien 18/19 I C 4
Prason, Kap 34/35 VI
Prater, Ot. i. Wien 109 V
Pratihara-Reich 46/47 IV B/C 4
Pratischtana, Paithan 46/47 I F 5
Prato 25 II B 1, 94 I D 3, 94 II D 3
Praunheim 40 II B 1
Prayaga 46/47 III G 3
Preanger Regentschaften 135 II B 1
Predeal-Paß 148 I G 4
Predmost 1 III D 2
Pregel, Fl. 106/107 I L/M 2
Premberg, O. 54/55 I E 3
Premis, Primis, Ibrim 29 II B 3, 42/43 I F 4
Prémontu, Kl. 58/59 I E 4
Prenzlau 68/69 I G 2, 75 B 3, 122/123 I E 2
Prepesinthos, Ins. 18/19 I F 5
Prerau 122/123 I G 4
Preschau 106/107 III C 2
Preslaw 50/51 D 3, 54/55 I H 4
Prespa 54/55 I G 4
Preßburg, Bratislava, O. 58/59 II C 1, 58/59 III D 1, 112 II B 1, 150/151 I E 4
—, Universität 91 V C 2
Prestea 163 IV A 3
Preston 110 B 2
Prestonpans 116/117 I C 2
Pretoria 138/139 II B 2, 144 V B 2
Prettelmühle 81 I
Pretzfeld 56 III
Preußen, Deutsch-Ordensland 68/69 II A/B 2/3, 74 I C/D 1
—, Hzm. (Ostpreußen) 96/97 I K—M 2/3, 104 II C/D 1/2, 104 IV A/B 2/3, 105 I E/F 1, 106/107 I K—M 2/3, 115 I D/E 1/2
Preußen, Kgr. 115 I, 124 I C—F 1/2, 124 III C—F 1/2, 129 I B—K 1—4, 129 II C—L 1—4
Preußen, Republik 152 II B—K 1—4
Preußen, V., s. Pruzzen
Preußischer Zollverband 129 I
Preußisches allgem. Landrecht 124 III
Preußisch Eylau 124 I F 1
Preußisch-hessisches Zollgebiet 129 I
Preußisch Stargard 122/123 I H 2
Prevesa 145 VI B 3
Priansos 10 III C 1
Priapos 18/19 I H 1
Pribina-Fsm. 56 II B 2, 58/59 II C/D 2
Příbram, Bg. O. 86 I C 2, 122/123 I F 4
Priene 13 III A 1
Prieska 138/139 II B 2
Prifernum 30/31 I D 2
Prignitz, Ldsch. 68/69 I F/G 2, 122/123 I D/E 2
Prilep 54/55 I G 4, 148 I F 5
Primaporta, Villa ad Gallinas 30/31 II A 2
Priment, Kl. 88/89 III C 1
Primis, Ibrim, Premis 29 II B 3
Principe, Ins. 132 I C 3
Prinias, Rhizenia 10 I A 1
Priniat. Pyrgos 10 I B 1
Prinsen-Ins. 135 II B 1
Prinz-Edward-Ins., Kanad. Prov. 133 III G 2
Pripjet, Pripet, Fl. 54/55 I H 2, 113 E—G 4, 148 I F—H 3, 156/157 I F 3, 156/157 III D 2
Pripjetsümpfe 50/51 D 2
Prischtina 71 II B 3, 145 V B 2, 145 VI B 2, 148 I F 5
Prisren 145 V B 2, 145 VI B 2, 148 I F 5
Prista 38/39 I E 2
Privernum 30/31 II C 3
Probalinthos 13 I B 1
Probstfels 1 IV B 2
Probstheida 77 II
Probstzella 161 I u. V
Prochyta, Ins. 30/31 III B 1/2
Procolitia, Carrowburgh 40 I B 1
Proërna 18/19 I C 2
Prokonnesos, Ins. u. O. 18/19 I H 1
Prome 46/47 IV D 5
Pronnoi 18/19 I A 3
Prophthasia 22/23 I H 2
Propontis, Marmara-Meer 18/19 I H 1, 38/39 I E 2
Prosna, Fl. 122/123 I G/H 2/3
Prospalta 13 I B 2
Prosymna 18/19 I C 4
Prote, Ins. 18/19 I B 4
Protektorat Böhmen u. Mähren 155 I C/D 2/3, 155 II C 1/2
Protesilaos-Grab 4 VII E 1
Protestanten i. d. Niederlanden 126/127 IV
Protestantismus 104 I u. II, 105 I
Protohattier, V. 8 II B 2
Prötzel 121 III u. IV
Provençalische Sprache 49 II
Provence, Gouv. 122/123 II C 3
Provence, Gft., aragon. 66 I C 3
—, Gft., burgund. 58/59 I F/G 6/7
—, Gft., französ. 92/93 I D 5, 104 I C/D 4
—, Gft., Haus Anjou 66 II B/C 3
Provence, Ldsch., röm. 48 I B 2
—, gotisch 48 II B 2
—, fränkisch 49 I B 2
Providence, Ins., brit. 138/139 I M 5
Providence, O. i. Pennsylv. 118 II A 2
Provins, O. 85 II C 2
—, Messen 83 IV B 2
Prüfening 58/59 I K 4
Prüm, Fl. 80 I B 1/2
Prüm, Fürstabtei (Territ.) 80 I B 1
Prüm, Kl. 54/55 II E 2
Prüm, O. 122/123 I B 3
Prum 81 I
Pruntrut, Porrentruy 80 II B 1, 122/123 I B 5
Prusa, Brussa 22/23 II A 1, 38/39 I E 2
Prushany 75 E 3
Prusias, Kieros 22/23 II B 1
Prusias, Kios 22/23 II A 1
Pruth, Fl. 54/55 I H 3, 130/131 I G/H 2, 148 I G 4, 155 II D 2
Pruzzen, V. 50/51 C/D 2, 67 III C 2
Prymnessus 38/39 I F 3
Przemysl, Bm. 88/89 I G 4
Przemysl, O. 67 III C 3, 115 I E 3, 148 I F 4, 156/157 I F 4
Przemysliden, Geschlecht 66 I D/E 1/2, 70 I
Psakon, Kap 10 III A 1
Psammathus 18/19 I C 5
Psaphis 13 I B 1
Pseira 10 I B 1
Pselchis, Dakke 29 II B 3
Psessius, Fl. 38/39 H 1/2
Pskow, s. Pleskau 68/69 II D 2
Psophis 18/19 I B 4
Pssiol, Fl. 67 III E/F 2/3
Psycheion, Kap 10 III B 1
Psycheion, O. 10 III B 1
Psychro 10 I B 1
Psyra, Ins. u. O. 18/19 I F 3
Psyttaleia, Ins., Lipsokutali 14/15 IV A 2
Pteleon, O. i. Achaia Phthiotis 18/19 I C 2
Pteleon, O. i. Jonien 18/19 I G 3
Ptoion 18/19 IV B 2
Ptolemäerreich 26/27 I C—E 2/3, 29 II, 29 III B/C 2, 29 IV B/C 2
Ptolemais, Col. Claudia Felix, Caesarea Philippi, Neronias, s. Akko 34/35 II B 2
Ptolemais, O. i. Ägypten 29 II B 2
Ptolemais, Lebedos 22/23 II A 2
Ptolemais, O. i. Pamphylien 22/23 II B 2
Ptolemais, Tolmeta, O. i. Cyrenaika 38/39 I D 4
Ptolemais-Theron 34/35 I F 5
Pucara 100/101 III B 3
Püchau 77 II
Pueblo, O. 133 I D 4
Pueblo-Indianer 144 IV C 3
Puertoriko, Ins. 118 III D 2, 133 I E 4
Pukkanz, Bg. O. 86 I E 2
Pulchrum promontorium, Kap 34/35 III C 1
Pule Condor, Ins. 111 II E 2
Pulikat 135 I C 3
Pultusk 75 D 3, 105 I F 1, 148 I F 3, 156/157 III D 2
Puna 135 I B 3
Punakha 163 I C 2
Punier, V. 3 I B/C 3
Punt, Somaliland, Weihrauchland 6 I A 2, 9 I E 6
Punta Arenas 133 II B 4
Punta del Este 166 II u. III
Pura 22/23 I H 3, 46/47 II C 4
Puritaner (Konfession) 104 I
Puru, Ldsch. 22/23 I I 2
Pusan 98/99 I N 4, 136 I F 3, 136 III C 3
Puschlav, Ldsch. 80 II E 2
Pußta (Ebene) 140 V
Putbus 122/123 I E 1
Puteoli, Puzzuoli, Dikaiarcheia 30/31 III B 1
Putignano 30/31 I H 4
Putiwl 113 G 4
Pu-to-schan, Heiligtum 72/73 IV D 2
Pütthausen, Wüstung 77 IV A 2
Putujaman, Libyen, Cyrenaica, Ld. 9 III B 3
Putzig 106/107 I K 2
Puy de Dôme, Dép. 122/123 III B 2
Pazurisch Dagan 6 III C 2, 6 IV C 2, 6 III u. IV C 2
Puzzuoli, s. Puteoli, Dikaiarcheia 30/31 III B 1
Pydna 18/19 I C 1, 28 I D 1
Pygela 18/19 I H 4
Pylene 11 I B 1
Pyloros 10 III B 2
Pylos, i. Elis u. Golf v. Kyparissia 18/19 I B 4
Pylos, O. i. Elis a. Peneios 11 I B 2
Pylos, Navarin, O. i. Messenien 18/19 I B 5, 145 V B 3, 145 VI B 3
Pyramiden, ägyptische 6 I
— v. Memphis, Giseh 125 I F 5
—, Plan 7 II
Pyramis, Fl. 38/39 I G 3
Pyramus, Fl. 64/65 IV A/B 1/2
Pyranthos 10 III C 1
Pyrasos 18/19 I C 2
Pyrenaei Montes, Pyrenäen, Geb. 38/39 II B/C 1, 53 II A/B 2
Pyrenaeum promontorium, Kap 36 C 4
Pyrene 14/15 VI
Pyrénées orientales, Dép. 122/123 III B 3
Pyretus, Pruth, Fl. 38/39 I E 1
Pyrgi, Pyrgoi, Santa Severa 24 II E 3, 25 II B 2, 30/31 I B 2
Pyrgion, Dios Hieron 18/19 V C 1
Pyrgos, O. i. Attika 4 VII A 2
Pyrgos, O. i. Elis 18/19 I B 4
Pyrgos, Priniat, O. auf Kreta 10 I B 1
Pyritz 74 I B 1
Pyrmont 126/127 II B 2
Pyrrha, O. a. Lesbos 18/19 I G 2
Pyrrha, O. b. Milet 13 III A 1
Pyrrhichos 18/19 I C 5

Pythikos, Fl. 18/19 I H 3
Pythion 18/19 I C 1
Pytho, s. Delphi 17 III
Pyu, Ldsch. 46/47 III H 4, 46/47 IV D 5
Pyxus, Buxentum 30/31 I F 4

Quadi, Quaden, V. 41 I C 3
Quasr Duib 34/35 III C 2
Quatrebras 125 I C 2
Quauhtemallan, Iximché 100/101 II C 3
Quauhtitlan, Rio, Fl. 100/101 VI A 1
Quauhtitlan, O. 100/101 VI A 1
Quaunahuac 100/101 II B 2
Quebec, kanad. Provinz 133 III F/G 1/2
Quebec, O. 118 I C 1
Quedlinburg 58/59 I I 3, 62 I C 2, 122/123 I D 3
Queens County 110 A 2
Queensland, Territ. 138/139 I R 5/6
Queenstown 144 V B 3
Queis, Fl. 58/59 I L 3
Quelimane 98/99 IV, 132 II
Queipart- Ins., Saischuto 154 III B 3
Quemoy, Ins. 162 I B 2
Quentowik 54/55 I C 2
Quercianello 25 II A 1
Quercy, Gft. 58/59 I D 6
Queretaro 133 I C 3
Querfurt 58/59 I I 3, 122/123 I D 3
Quetta 3 II H 3, 135 I A 1
Quezon 162 II D 3
Quiberon 116/117 I C 4
Quiché-Reich der Maya-Indianer 100/101 II C 2/3
Quierzy, Pfalz 54/55 II C 3
Quilitz 121 III
Quilon, Kollam 52 III E 4, 135 I B 4
Quimper, Bm. 88/89 I B 4
Quimper, O. 58/59 I A 4/5
Quirigua 100/101 II D 2
Quirinalis, Hügel i. Rom 32 II, 45 I
Quito 100/101 III B 1/2, 118 III D 3, 133 II B 2
Qumran 34/35 II B 3
Quonset 156/157 II C 2
Quraisa, V. 50/51 E 5

Raab, Bm. 88/89 I F 4
Raab, Fl. 58/59 II B/C 2, 122/123 I F/G 5
Raab, O. 58/59 I M 5, 75 C 5, 112 II B 2
Raabs, Burg 58/59 III C 1
Raas, Ins. 135 II C 1
Rabat 92/93 I A 7, 130/131 I A 5, 162 III A 1
Rabaul 137 I E 5, 158 I E 5, 158 II E 5
Rabba, Areopolis, Rabbath Moab 34/35 II B 3, 38/39 I G 4
Rabbath Moab, s. Rabba
Rabbath Ammon, Philadelphia 8 III B 3
Rabutin, Fl. 29 V
Rachmani 4 VII A 2
Radenzgau, Ldsch. 56 III
Radicofani 53 I A 2
Radimitschen, V. 50/51 E 2
Radnor Township 118 II A 1
Radolfszell 81 II B 3
Radom 67 III C 2, 113 E 4, 115 I E 2
Radschastan, Ldsch. 163 I B 2
Radschputana, Ldsch. 98/99 I G/H 5, 135 I B 2
Radschputen- Staaten 116/117 IV B 2
Radstatt 75 B 5
Raebiana 30/31 II A 2
Raedykes 36 B 1
Raeti, Raeter, V. 3 I C 2, 24 II D/E 1/2
Raetia, röm. Prov. 34/35 I C/D 2, 38/39 I A/B 1, 49 III A/B 1/2
Rafa 148 III A 2
Ragnit 68/69 II B 2
Ragosero 156/157 I G 2
Ragusa, Ebm. 88/89 I F 5
Ragusa, Dubrownik, O. 50/51 C 3, 57 I D 3, 63 I G 3, 126/127 I G 5, 150/151 I E 4
Ragusa, Rep. 70 II C 2, 94 I G 3, 94 II G 3, 102/103 I G 5
Rai, Rhagai, Theran 50/51 G 4, 52 III D 3, 72/73 II E 4
Rajagriha 22/23 I K 3
Raim, Aralskoje 134 II E 1
Rain 106/107 I F 5
Rainton 142 I B 2, 142 II B 2, 142 III B 2
Raipur 135 I C 2
Rakabeh 6 I A 3
Rakka, Nicephorium Callinicum 41 III D 2, 112 I D 2
Rakkath 8 III B 2
Rakonitz 122/123 I E 3
Rakowa 92/93 I H 4, 112 I C 1
Ralik-Ins. 100/101 VIII D 2
Rama, Bosnien, Ldsch. 66 I E 3, 66 II D 3
Rama, O. i. Palästina 8 III B 3
Ramandagh, Erdölfeld 163 II C 3
Ramadi 148 III B 2
Ramathaim 8 III B 2
Ramle 162 IV A 2
Ramoth-Gilead 8 III C 2
Ramses, Tanis, Avaris 6 I A 1
Ramsey, Kl. 87 I B 1
Randeia 34/35 I F 3
Ranen, V. 58/59 I K 1
Rangun 135 I D 3, 158 I B 4, 158 II B 4, 162 II B 3
Rania 6 II B 1, 6 IV B 1
Ranrike, Ldsch. 60 I G 2
Ranthambhor 72/73 V B 2
Rantzau, Gft. 122/123 I C 2
Rapae, Schwabmünchen 37 I C 2
Rapallo 94 I C 2, 94 II C 2, 150/151 I D 4
Raphana 34/35 II C 2
Raphanea 41 III B 3
Raphia 29 II B 1
Raphina 4 VII A 2
Raphon 8 IV C 3
Rapidum 34/35 III A 1
Rapiku 6 IV B 2
Rappenmünzbund 83 III
Rapperswyl 80 II C 1
Rappoltstein 128 I A 2
Rappoltsweiler 122/123 I B 4
Ras, Rasch, O. i. Serbien 64/65 I D 2, 64/65 II D 2
Rasch, O. b, Nürnberg 81 I
Raschin 154 III C 2
Räscht, Rescht 134 II C 2
Rasenna = Etrusker, V. 24 II E/F 3/4
Ras Gharib, Erdölfeld 163 II B 4
Rashtrakuta-Reich 46/47 IV B 4/5
Raska, Raszien, Ldsch. 54/55 I F/G 4
Raslavice 116/117 I H 3
Ras Schamra, Ugarit 8 I B 2, 5 I E 4
Rassenpolitik 160 I
Ras Tanura 163 II C/D 4
Rastatt 114 E 3, 122/123 I C 4
Raszien, Kgr. Serbien 66 II D/E 3
Ratae, Leicester 36 B 2
Ratak-Ins. 100/101 VIII D 2
Ratekau 124 I C 1
Räterepublik, bayrische 153 II
Räterepublik, russische, s. Sowjetunion 149 II
Rathenow 122/123 I E 2
Rathmannsdorf 77 III B 2
Ratiaria 38/39 I D 2
Ratibor, O. 68/69 I K 3, 156 157 III C 3
—, Fsm. 96/97 I K 4, 106/107 III B 2, 122/123 I H 3
Ratibořitz, Bergstädtl, Bg. O. 86 I C 2
Ratisbona, s. Regina Castra 42/43 I D 2
Rätoromanen, V. 49 III A/B 2
Rätoromanische Sprache 70 II
—, Sprachgrenze 130/131 II
Ratta Pind 21 III
Rattenberg, Bg. O. 86 I B 3
Ratzeburg, Bm. 88/89 II C 1
Ratzeburg, Bm.-Territ., Fsm. 68/69 I F 2, 122/123 I D 2
Ratzeburg, O. 58/59 I I 2
Raubersrieth 81 I
Raudnitz 106/107 I H 4
Rauraci, V. 37 I A 3
Rauraci, Raurica, s. Augusta Rauricorum, Augst 40 III A 1
Rauris, Bg. O. 86 I B 3
Rauschenbach, Bg. O. 86 I F 2
Rauschenburg, Burg 142 IV B 1, 142 V B 1
Rausslitz 56 IV
Rauwijan, Nilinsel 6 I A 4
Ravenna, Ebm. 88/89 II C 3
—, Exarchat (Romagna) 50/51 C 3/4, 53 I A/B 1
Ravenna, O. 24 II F 2, 49 III C 2, 102/103 I F 5, 156/157 III C 3
—, Universität 91 V C 2
Ravensberg, Gft. 68/69 I E 2/3, 115 I B 2
Ravensbrück, NS-Konzentrationslager 155 I C 2
Ravensburg, Pfalz a. Bodensee 66 I C 2
—, RSt. 80 II D 1, 81 II B 3, 122/123 I C 5, 128 I B 3
Ravenstein, Hft. u. O. 122/123 I A 3
Rawa 67 III C 2
Rawalpindi 135 I B 1, 162 II A 2
Rawitsch 105 I E 2, 106/107 III B 2
Rbedha 6 II B 2, 6 III B 2
Rbeyt 41 III C 2
Ré, Ins. u. Kl. 87 II A 3, 110 B 3
Reading 110 B 2
Reate 30/31 I C 2, 48 II C 2
Rechberg, Gft. 81 II B 2
Rechberg, O. 128 I B 2
Rechtsradikale Aufstände in Deutschland 153 II
Recife, s. Pernambuco 156/157 II E 5
Reckberg 37 I A 1
Recklinghausen 78 III A 2, 122/123 I B 3, 124 I B 2, 126/127 II A 2, 142 IV B 1, 142 V B 1
Recuay 100/101 III B 2
Redarier, V. 58/59 I K 2
Redeyef 3 II B 3
Redez, Gft. 58/59 I E 7
Rednitz, Fl. 81 I
Redon 58/59 I B 5
Redones, V. 36 B 3
Red River, Fl. 133 III C/D 3
Redut Kalé 134 C 2
Reepsholt 58/59 I G 2
Reformierte, s. auch Kalvinisten (Konfession) 104 I u. II, 105 I
Reformierte Landeskirchen Deutschlands 161 VII
Regen, Sächsisch-, O. 112 II F 2
Regensburg, Bm. 88/89 II C 2, 145 I, 161 VI
—, Bm.-Territ 68/69 I G 4, 122/123 I E 4, 128 I D 2
—, Kl. St. Emmeram 87 I E 2
Regensburg, Regina Castra, Legio Ratisbona, Ratisbona, O. RSt. 40 II F 2/3, 49 III C 1, 68/69 I G 4, 105 I D 2
Regents-Kanal, London 109 I
Regent's Park, London 109 I
Reggio / Calabria, Ebm. 88/89 I F 6
—, O. 63 I E 5, 102/103 I G 6
Reggio, O. i. Emilia, Bm. 88/89 II C 3
—, Hft. der Este 94 I D 2
—, O. 4 VI B 2, 63 II B 2
—, Universität 91 V C 2
Regiates, V. 25 I C 1
Regillus lacus, See 30/31 II B 2
Regina, O. i. Kanada 133 III C 1
Regina castra, s. Regensburg 40 II F 2/3
Registan, Ldsch. 134 II E 2
Regium Lepidi 38/39 I B 2
Regni, V. 29 I A/D 1
Regnitz, Fl. 56 III, 81 I, 128 I C 2
Regulbium 36 C 2
Rehme 37 II A 1
Rehob 8 III B 2
Rei, Riez 24 II C 3
Reichelsdorf 81 I
Reichenau, Kl. im Bodensee 52 II C 3, 87 I D 2
Reichenau, O. i. Schlesien 77 III A 1/2
Reichenbach, O. i. Erzgeb. 74 I B 2
Reichenbach, O. i. Schlesien 122/123 I G 3
Reichenberg, O. 122/123 I F 3, 155 I C 2
Reichenhall, O. 86 I B 3, 122/123 I E 5
Reichenstein, O. 86 I D 1, 86 II F 1, 106/107 III B 2
Reichensteiner Geb. 77 III A/B 2
Reichenweier 128 I A 2
Reichlin v. Meidegg, Reichsritter 120 V B—D 1/2
Reichsbevollmächtigter f. Dänemark 155 II B/C 1
Reichskommissariat Niederlande 155 II B 1
—, Norwegen 155 II B/C 1
—, Ostland 155 II D 1
—, Ukraine 155 II D/E 1/2
Reichsgrafen 122/123 I
Reichsritterschaft 120 V, 122/123 I
Reichsstadt, O. 124 I D 2
Reichsstädte 122/123 I
Reichstag, deutscher (Weimarer Rep.) 154 I u. II
Reichstett 77 I A 1
Reifenstein, Kl. 88/89 III B 1
—, O. 77 IV A 1
Reims, Ebm. 88/89 I C 4
Reims, Durocortorum, Remi, O. 36 C 3, 54/55 I C 3, 58/59 I E/F 4, 85 II C 2, 114 C 3, 148 II C 2, 156/157 III B 3
Reinfeld, Kl. 88/89 III B 1
Reinickendorf 143 II
Reinosa 154 V B 1
Reinsdorf 56 VI B 2
Reis Apollinaris, Rei, Riez 41 IV
Reisendorf 77 III B 1
Reiser 77 IV A 1
Reisewitz 77 III B 1
Reitervölker 3 I D—G 1/2
Relizane, Mina 38/39 II C 2
Rellinghausen 142 IV B 2, 142 V B 2
Remada 34/35 III C 2
Remagen, Rigomagus 37 I A 1, 156/157 III B 2
Remedello, O. 2 II C 2
Remedello-Kultur 2 II B/C 2
Remi, V. 36 C 3
Remi, O., Reims, s. auch Durocortorum 42/43 I C 2
Remich 80 I B 2
Remigiusberg, Kl. 80 I C 2
Remiremont, Kl. 52 II B 2
Remisiana 38/39 I D 2
Renaisance, Kunst 90 II—IV
Rench, Fl. 77 I B 1
Renchen, O. 77 I B 1
Rendsburg, O. 83 II A 1, 122/123 I C 1
Rennes, Bm. 88/89 I B 4
Rennes, Gft. 58/59 I C 4
Rennes, Condate, O. 36 B 3, 54/55 I B 3, 110 B 3
Reno, Fl. 4 VI C 2/3, 63 II C 2
Rens, Rhens 68/69 I D 3
Renterode, Wüstung 77 IV A 2
Repelen 142 IV A 2, 142 V A 2
Reppen 121 I
Rerik 54/55 I E 2
Resapha 38/39 I G 3
Reschen-Scheideck-Paß 37 I C 3, 49 III B 2
Rescht, Räscht 134 II C 2, 148 III B 2
Restan 8 I B 3
Rethel, Gft. 95 C 3
Rethel, O. 58/59 I F 4, 114 C 3, 148 II C 2, 156/157 I D 4
Rettel, Kl. 80 I B 2
Retz 92/93 II C 4
Retzuni 18/19 II B 3
Reudigner, V. 41 I A/B 2
Reundorf 56 III
Réunion, Bourbon, Ins. 111 II B 4
Reuß, Fl. 80 II C 1, 130/131 II B 1
Reuß, Fsm. 124 I D 2
Reuß, Gft. 96/97 I F/G 4, 122/123 I D/E 3
Reuß von Plauen, Vögte, s. auch Vogtland 68/69 I F/G 3
Reußische Fürstentümer Litauens 71 I C/D 2/3
Reutles 81 I
Reutlingen, RSt. 68/69 I E 4, 81 II B 2, 122/123 I C 4, 128 I B 2
Revel, Bm. 88/89 I G 2
—, Bm.-Territ. 68/69 II C 1
Reval, Tallinn, O. 68/69 II C 1, 74 II C 2, 84 I E 2, 84 II E 2, 104 IV C 1, 113 E 3, 148 I F 2, 150/151 I F 3, 156/157 I F 3, 156/157 III D 2
Revilla-Gigedo, Ins. 164/165 I N 5
Rewa, Staat 135 I C 2
Rewandus 148 III B 2
Rew Ardaschir 52 III D 3
Reye, Fl. 79 IV
Reykjanes, Kap 57 III A 2
Reykjavik 147 A 2
Rha, Wolga, Fl. 34/35 VI, 46/47 I C 2
Rhagä, Rhagai, Rai 9 III H 2, 46/47 I C/D 3
Rhakidai 13 I B 1
Rhakotis 20 I E 4
Rhakotis, Ot. v. Alexandria 26/27 V
Rhamnus 13 I C 1
Rhaukos 10 III C 1
Rheda, Hft. 122/123 I C 3
Rheda, O. 126/127 II B 2
Rhegion, Rhegium, O. i. Bruttium 17 I D 2, 25 I E 4
Rheider Au, Fl. 61 IV B/C 2
Rhein, Rhenus, Fl. 36 C/D 2/3, 41 I A 2/3, 58/59 I F/H 3/5, 115 I B 2/3, 156/157 I D 3/4, 156/157 III B 2/3
Rheinau 40 II A 3, 77 I A 2
Rheinberg, O. 122/123 I B 3, 142 IV A 1, 142 V A 1
Rheinbund 124 I
Rheine 41 II B 1
Rheineck 80 II D 1
Rheinfelden 80 II B 1
Rheingönheim 40 II B 2
Rheinhausen 142 V A 2
Rhein-Herne-Kanal 142 V A/B 1
Rheinischer Städtebund 68/69 I, 78 III, 81 II
Rheinkamp 142 V A 1
Rheinland, evang. Landeskirche 161 VII
Rheinland-Separatismus 153 II
Rheinland-Pfalz, Land 160 III A 2/3, 161 IV A 1/2
Rhein-Mündung, Fl. 96/97 III a—d
Rheinprovinz, preuß. 129 II C 3/4, 152 II B/C 3/4
Rheinsberg, O. 122/123 I E 2
Rheintal, Ldsch. i. d. Schweiz 80 II D 1
Rheinzabern, Tabernae 40 II B 2
Rheitoi-Seen 14/15 IV A 1
Rheneia, Ins. 18/19 I F 4
Rhens, s. Rens 70 I C 1
Rhenus, Rhein, Fl. 36 C/D 3/4, 41 I A 2/3
Rhesaenae 38/39 I G 3
Rhesos, Fl. 18/19 I H 1
Rhethymna 10 III B 1
Rhetra 58/59 I K 2
Rhin et Moselle, Dép. 122/123 III C 1
Rhinokolura 29 II B 1
Rhion, Kap 18/19 I B 3
Rhion, O. 18/19 I B 3
Rhipaea, Geb. 34/35 VI
Rhizenia, Prinias 10 III B 1
Rhizon 26/27 II C 1
Rhizus, O. i. Pontus 38/39 I H 2
Rhizus, O. i. Thessalien 18/19 I C 2
Rhodae, Rhoda 36 C 4
Rhodamus, Rhône, Fl. 36 C 3/4
Rhode Island, amer. Staat 118 I C 1, 133 III F 2
Rhodesien, Ld. (Nord-, Süd-) 1 I, 132 I D 4, 138/139 I L 5/6, 162 III C 3/4
Rhodios, Fl. 18/19 I G 1
Rhodope mons, Geb. 38/39 I D 2
Rhodope, röm. Prov. 42/43 I E 2
Rhodos, Ebm. 88/89 I H 6
—, Ins., s. auch Johanniterorden 4 VII B 2, 10 II E/F 3/4, 50/51 D 4, 10 III E 3, 112 I C 2, 145 V C 3, 145 VI C 3, 156/157 I F 5
Rhodos, O. 20 I E 3
Rhoidias, Fl. 18/19 I C 1
Rhoiteion 18/19 I G 1
Rhône, Dép. 122/123 II C 2
Rhône, Rhodanus, Fl. 37 I A 3, 49 II C 2/3, 130/131 I C/D 2/3, 156/157 III B 3
Rhône-Kultur 5 I B 3
Rhynern 142 IV C 1, 142 V C 1
Rhypes 18/19 I C 3
Rhytion 10 III C 2
Ribagorza, Gft. 58/59 I D 7
Ribchester, Bremetennacum 36 B 1
Ribe, Ripen, Bm. 88/89 I D 2
—, O. 75 A 3
Ribemont, O. 54/55 II C 3, 54/55 IV A 2
Ribla 9 III E 3
Ribnitz 83 II C 1
Riburg 40 III A 1
Richelieu 110 C 3
Richmond, O. i. England 92/93 I B 3, 110 B 2
—, O. i. Virginia 116/117 II D 3, 133 III F 3
Richthausen 81 I
Ricina 30/31 I D 1
Rickenriede 77 IV A 1
Ridania 112 I D 3
Riddagshausen, Kl. 88/89 III B 1
Ridly-Township 118 II A 2
Ried, Ldsch. 96/97 I E 5

Ried, O. i. Innviertel 122/123 I E 4
Riedlingen 120 V B 2
Riegel 37 I A 2, 77 I A 3
Rieneck, Gft. 122/123 I C 3
Rieneck, O. 128 I B 1
Riesa 56 IV, 122/123 I E 3
Riesenburg, Burg 68/69 I G 4
Rietberg, Gft. 122/123 I C 3
Rieti 53 I B 2
Riez, Bm. 88/89 II B 3
Riez, Rei, O. 24 II C 3
Rif, Geb. 130/131 I A/B 4/5
Rifeh 6 I A 2
Riga, Ebm. 88/89 I G 2
Riga, Ebm.-Territ. 68/69 II C 2, 104 IV C 2
Riga, O. 68/69 II C 2, 84 I E 2, 84 II E 2, 104 IV C 2, 113 E 3, 116/117 I H 2, 148 I F 2, 150/151 I F 3, 156/157 I F 3, 156/157 III D 2
Rigodulum (Riol) 40 VI A 2
Rigomagus, O. a. Po 25 I B 1
Rigomagus, Remagen 37 I A 1
Rigusci, V. 37 I B 3
Rijssel, Lille 95 B 2
Rijswijk 106/107 I C 4
Rimini, Bm. 88/89 II C 3
Rimini, Ariminum, O. 24 II F 2, 53 I B 1, 94 I E 2, 94 II E 2
Rimmon, Gath 8 III B 2
Rimnik, Martineschti 116/117 I I 4
Rinaldone-Kultur 2 I C 2
Rinteln 37 II B 1, 106/107 I E 3
Rio Colorado, Fl. 100/101 III C 5
Rio de Janeiro, O. 118 III E 4, 166 III
Rio de la Hacha, O. 100/101 VII B 2
Rio de la Plata, Fl. 118 III E 4
Rio de las Balsas, Fl. 100/101 II B 2
Rio de Oro, span. Kol. 132 I B 2
Rio Grande, Fl., Nebenfl. d. Amazonas 100/101 III C 2/3
Rio Grande(del Norte), Fl. 118 B/C 1, 133 III C/D 3/4
Rio Grande, O. i. Brasilien 118 III E 4
Rio Grande do Sul, brasil. Prov. 133 II C 3
Riol, Rigodulum 40 VI A 2
Riom 156/157 I D 4
Rio Muni, span. Kol., s. auch Spanisch-Guinea 132 I C 3
Rion, Fl. 134 I C/D 2
Rio Negro, Fl. 133 II B 2
Rio-Pakt 166/167 II
Rio Papaloapen, Fl. 100/101 II B 2
Ripatransone 30/31 I D 1/2
Ripen, Ribe, Bm. 88/89 I D 2
—, O. 56 I B 1
Ripoll, Kl. 87 I C 3
Ripon, Kl. 58/59 I C 1, 87 I B 1
Ripuarier, fränk. V. 54/55 II E 2
Risapha, Sergiopolis 41 III D 2
Rischenau 37 II B 2
Risingham, Habitancum 40 I B/C 1
Risinium 38/39 I C 2
Riß, Fl. 120 V C 1/2
Rißeiszeit 1 II
Rissen 1 IV B 1
Rißtissen, Riusiava 40 II C 3
Rittium 38/39 I D 2
Ritzebüttel 106/107 I E 3
Ritzingen 40 VI A 2
Riu-kiu-Inseln 136 I F 4, 158 I D 3, 158 II D 3, 158 III A 2
Riusiava, Rißtissen 40 II C 3
Riva 96/97 I F 7
Rivne, s. Rowne, Rowno 150/151 I F 3
Rivoli 124 I C 3
Rixdorf, Neukölln 143 II
Rjasan, Fsm. 71 E 2
—, O. 71 III E 1, 105 II B 3, 119 F 4
Rjetschiza 113 G 4
Roanne 68/69 I C 5, 114 C 4
Roboraria 30/31 II B 2
Rocca Vecchia 30/31 I I 4
Rochefort 116/117 I C 4
Rochester, Bm. 88/89 I C 3
—, Durobrivae, O. 36 C 2, 52 I C 2
Rochlitz 106/107 I G 4
Röckenbrunn, O. 81 I
Rockenhausen 80 I C 2
Röckenhof 81 I
Rocroy 106/107 I C 5
Roda, Nilinsel 98/99 III
Rodemachern 114 D 3
Röder, Fl. 56 IV
Rodez, Bm. 88/89 I C 5
—, Gft. 58/59 I E 6
Rodez, Segodunum, O. 36 C 4, 68/69 III C 2
Rodna 75 E 5
Rodosto 145 V C 2
Rodriguez, Ins., brit. 138/139 I N 5
Roer, Dép. 122/123 III C 1
Roer, Fl. 78 IV C 2, 104 III C 2
Roermond 78 IV C 2, 95 D 2, 122/123 I A 3
Rogaland, Ldsch. 60 I F 2
Roggenburg, O. 122/123 I C/D 4
Rohan 110 B 3
Rohilas, Staat 116/117 IV B 2
Rohilkhand, Ldsch. 135 I B/C 2
Rohnhof 81 I
Rohr, O. a. Rhein 58/59 I H 4
—, O. b. Fulda 62 III D 2
Rokitzan 58/59 I K 4
Rolstedt, Wüstung 56 VI A 2
Rom (Dukat) 53 I A/B 2/3
Rom (Klöster) 87 I E 3, 87 II C 3
Rom, Roma, Ruma, O. 24 II F 4, 30/31 II A/B 2, 48 II C 2, 53 I B 3, 86 II E 3, 130/131 I E 3
—, Pläne 32 II, 33 I—III, 45 I u. II
Rom, Papstsitz 88/89 I E 5
—, St. Peter, Pläne 45 I—III, 102/103 IV
—, Universität 91 V C 2
Roma nova, s. Constantinopolis
Romagna, Exarchat Ravenna, Ldsch. 53 I A/B 1
Romagna, Ldsch. 63 I C/D 2, 94 II D/E 2, 130/131 I E 3
Romainmôtier, Kl. 52 II B 3
Romanen, V. 49 II u. III
Romanische Baukunst 67 I
Romanische Sprachen 49 II u. III
Romanowsk, s. Murmansk 149 I C 1
Romans 110 C 4
Romanum imperium, Römisches Reich 28 I u. II, 29 III u. IV, 34/35 I—III, 42/43 I u. II
Römer-Wall am Tyne, s. Hadrianswall 142 I A 2, 142 II A 2, 142 III A 2
Römische Christen, Kirche, s. Katholische Christen, Kirche
Römische Republik 124 II B/C 2
Römisches Reich, unter römischen Kaisern 46/47 III A/B 1—3, 48 I u. II, 49 I
—, unter fränkischen Kaisern, s. auch Karolingerreich 54/55 I u. III
—, unter deutschen Kaisern, Hl. Röm. Reich deutscher Nation, s. auch Deutsches Reich, Kaisertum 58/59 I, 61 II, 64/65 I—III, 66 I u. II, 68/69 I, 70 I u. II, 71 III, 96/97 I u. II, 102/103 I, 122/123 I
Römisches Reich, Ostrom, s. Byzantinisches Reich
Romont 80 II A 2
Romula 38/39 I D 2, 44 I D 2
Romulea 30/31 I F 4
Roncaglia 63 I B 2
Roncevalles, Paß 54/55 I B 4
Ronciglione, Burg 53 I B 2
Rönne 75 B 3
Roosebeke 68/69 III C 1
Roquepertuse 24 II B 3
Rosacker Au, Fl. 61 IV B 1
Rosario 133 II B 3
Rosenau, Bg. O. 86 I F 2
Rosenberg, O. i. Böhmen 68/69 I H 4, 122/123 I F 4
—, O. i. Franken 122/123 I C 4
—, O. i. Oberschlesien 122/123 I H 3
—, Bg. O. a. Waag 86 I E 2
Rosenfelde, Friedrichsfelde 143 II
Rosenheim, Pons Aeni 37 I D 3, 122/123 I E 5
Rosenthal, O. i. Berlin 143 II
Rosette 130/131 I I 5
Rosheim 114 D 3
Rositten, Rossitten, O. i. Livland 68/69 II C 2
Roskilde, Bm. 61 I C 2, 88/89 I E 2
Roskilde, O. 96/97 I G 2, 113 C 3
Rösmühle 81 I
Ross, Fort 125 II
Ross, Ldsch. 88/89 I A/B 2
Ross-Meer 164/165 IV
Rossano, Ebm. 88/89 I F 6
Rossano, O. 63 I F 5
Roßbach 122/123 I D 3
Rössen 2 I C 1
Rössener Kultur 2 1 B/C 1/2
Rossikon, Panteleimon, Athos-Kl. 45 VI B 2
Rosslawl 113 G 4
Roßstall, Pfalz 62 III D 3
Rosswein 56 IV
Rostock, O. 68/69 I G 1, 75 B 3, 122/123 I E 1
—, Universität 91 V C 1
Rostow, O. a. Don 130/131 I K 2, 148 I I 4, 156/157 I G 4, 163 II B 2
Rostow, O. a. d. Wolga 57 I F 2, 92/93 I K 2
—, Fsm. 71 I E 1
Rotae 30/31 I E 3
Rote Armee im Ruhrgebiet 153 II
Rotebro 92/93 I F 2
Rotenturm-Paß 112 II F 3
Roter Fluß i. Jünnan, Tongking 163 I E 2
Rotes Kreuz, Genfer 146 II
Rotes Meer, s. Arabicus sinus 14/15 I E 4/5, 52 III C/D 3/4, 72/73 II C/D 5/6, 98/99 I D/E 5/6, 111 II A/B 1/2, 154 IV A/B 1
Roth, Fl. 120 V C/D 1/2
Roth, Kl. i. Schwaben 120 V C/D 2
Roth, Kl. b. Vianden 80 I B 2
Roth, O. b. Ulm 120 V C 2
Röthenbach, Fl. 81 I
Röthenbach, O. 81 I
Rothenburg/Tauber, Pfalz 66 I D 2
—, RSt. 68/69 I F 4, 81 II C 2, 122/123 I D 4, 128 I C 2
Rothenfels, Gft. 122/123 I D 5, 128 I B/C 3
Rothensee, Schleuse 161 I
Rotherhithe 109 I
Rothwasser, Alt-, Neu-, O. b. Ottmachau 77 III B 2
Rotomagus, Rouen 36 C 3
Rotreußen, Ldsch. 67 III C/D 2/3, 71 I B/C 2/3, 113 E 4/5
Röttelsee, Wüstung 77 IV A 2
Rottenacker 120 V C 2
Röttenbach, O. 81 I
Rottenburg, Bm. 145 I, 161 VI
Rottenburg, Sumelocenna, O. 40 II B 3, 122/123 I C 4
Rotterdam 78 IV B 1, 96/97 IIIa—d, 126/127 IV B 2, 156/157 I D 3
Rottweil, Arae Flaviae, O., RSt. 40 II B 3, 68/69 I E 4, 80 II C 1, 122/123 I C 4, 128 I B 2
Rouen, Ebm. 88/89 I C 4
—, Kl. 87 I C 2
—, Rotomagus, O. 36 C 3, 49 II B 1, 54/55 II B 3, 58/59 I D 4, 85 II B 2, 156/157 I D 4, 156/157 III B 3
Rouergue, Gft. 110 C 4
Roussillon, Gouv. 122/123 II B 3
Roussillon, Gft. 58/59 I E 7, 66 I B 3, 92/93 I C 5, 116/117 I D 5
Roussillon, Ruscino, O. 24 II A 3, 110 C 4
Rovaniemi 156/157 I F 2
Rovegno 94 I C 2
Roveseto 94 I D 2, 94 II D 2, 106/107 I F 7
Rovigno 94 I E 2, 94 II E 2
Rovigo 96/97 I F 7, 130/131 III C 2
Rowness 40 I A 2
Rowno, Rowne, Rivne 113 F 4, 156/157 I F 3
Rowuma, Fl. 132 I D 4
Roxolani, Roxolanen, V. 38/39 I G 1
Roye 95 B 3
Rshew 71 I D 1, 113 G 3, 156/157 I I 3
Ruanda, Staat 162 III C 3, 164/165 III, 168
Ruben, V. 8 IV B 3/4
Rubi, Ruvo 30/31 I G 3
Rubico, Fl. 30/31 I C 1
Rucantii, V. 37 I C/D 2
Ruckelrode, Wüstung 77 IV A 2
Rückersdorf 81 I
Rückingen 40 II B 1
Ruda, Bg. O. 86 I F 2
Rudau 71 III D 1
Rudbar 134 II E 2
Rudchester, Vindobala 40 I C 1
Rudelshof 81 I
Ruden 106/107 I G 2
Rudiae, O. i. Apulien 30/31 I G 3
Rudiae, O. i. Calabrien 30/31 I I 4
Rüdigershagen 77 IV A 1
Rudolf-See 138/139 III B 2
Rudolfstadt, Bg. O. 86 I C 2
Rudolstadt, Bg. O. i. Schlesien 86 I D 1
Rudolstadt, O. i. Thüringen 96/97 I F 4, 122/123 I D 3
Rudow 144 II
Ruessium 36 C 3
Ruffenhofen 40 II D 2
Rufiniana, Heidelberg 40 II B 2
Rufrae 30/31 I D/E 3
Rügen, Ins. 41 I B 2, 58/59 I K 1, 67 III A 2, 122/123 I E 1
—, Fsm. 70 I D 1
—, kirchlich 88/89 II C 1
Rügenwalde, O. 68/69 I I 1, 122/123 I G 1
Rugier, V. 34/35 I D 1, 41 I B 2, 48 I C 1/2
Rühen 161 I u. V
Ruhleben 143 II
Ruhr, Fl. 41 II B/C 2, 52 II B/C 2, 56 V A/B 2, 126/127 II A/B 2, 142 IV A—C 2, 142 V A—C 2
Ruhrgebiet 142 IV u. V
Ruhrkontrolle, alliierte 160 III A 2
Ruhrort 142 IV A 2, 142 V A 2
Ruma, s. Roma 24 II F 4
Ruma, O. i. Palästina 8 III B 2
Rumänen, Walachen, V. 67 III, 112 II, 150/151 II, 160 I u. II
Rumänen, V. i. Bessarabien 140 IV
Rumänen, Bevölkerungsverluste 152 III, 161 III
Rumänien, Fsm., Kgr. 124 III, 128 V, 130/131 I G/H 2/3, 145 III u. IV, 145 V B/C 1/2, 145 VI B/C 1/2, 148 I F/G 4/5, 150/151 I F 4, 155 II D 2, 156/157 I F 4, 156/157 III D 3, 160 I C 3
Rumänien, Volksrepublik 160 II C 3, 160 III D/E 3/4, 164/165 III, 166/167 I—III, 168
Rumänische, walachische, wlachische Sprache 70 II
Rumelien, Ldsch 145 V B/C 2
Rumerode, Wüstung 77 IV A 2
Rumkalat, Hromkla 64/65 IV B 2
Rummelsburg, O. 122/123 I G 1
Rummunidu 6 IV B 1
Rum-Seldschuken, Sultanat der, s. auch Ikonion-, Konia-Sultanat 64/65 I E/F 2/3, 64/65 E/F 2/3
Rum-Seldschuken, V., s. auch Seldschuken 64/65 III D/E 2/3, 72/73 II C 3/4
Rungholt 61 III A 2
Runstedt 56 VI A 2
Rupert, Fort 116/117 I D 1
Rupertsland, Ld. 116/117 II C/D 1/2
Ruphais 10 I A 1
Ruppertsberg, Kl. 80 I C 2
Ruppin, Hft. 96/97 I G 3, 122/123 I E 2
Ruppin, O. 68/69 I G 2
Rusaddir, Melilla 38/39 II B 2
Rusazus 34/35 III A 1
Ruscino, Roussillon 24 II A 3
Rusella 30/31 I B 2
Rusguniae 34/35 III A 1
Rusicade, Philippeville R. colonia 34/35 III B 1
Ruspina 34/35 III C 1
Russais 10 I B 1
Russan 24 II B 3
Russe, s. Rustschuk 160 III E 4
Russen, Großrussen, V. 67 III, 74 II C/D 2/3, 160 I u. II
Russen, V. i. Bessarabien 140 IV
Russen i. d. USA 144 II
Russische Fürstentümer 66 II E/F 2/3, 71 I, 72/73 II B—E 1—3
Russische Kolonien in Asien 100/101 I
Russischer Einfluß in Persien 134 II
Russische SFSR 150/151 I F—K 2—4, 159 II C—L 1/2, 164/165 I L—T 1/2
Russisches Recht 124 III
Russisches, Reich, Rußland, Kaiserreich (Zartum) 98/99 I C—G 1—3, 105 II u. III, 113 F—I 1—4, 115 II H—N 1/2, 116/117 I H—M 1—5, 119, 124 III, 125 I E—G 1—3, 134 I u. II, 136 I A—G 1/2, 145 III u. IV, 145 V C 1, 145 VI C 1, 148 I E—I 1—4, 148 III B 1/2, 149 I u. II, 159 I B—L 1—3
Russisches Reich, Bevölkerungsverlust (1914—17) 152 III
Russisch-Polen, Ld. 130/131 I F/G 1
Russu 10 III D 1
Rüste 56 V A 1
Rustschuk, Russe, O. 130/131 I H 3, 145 V C 2, 145 VI C 2
Rusuccuru 34/35 III A 1
Ruteni, V. 29 I B 2/3
Ruthenborn 142 IV C 2
Rütli 80 II C 2
Rutulen, V. 134 I F 3
Rutupiae 36 C 2, 42/43 I C 1
Ruvo, Rubi 30/31 I G 3
Rybinsk 156/157 I G 3
Ryhope 142 I—III B 2
Ryojun 154 III B 3
Ryton 142 II A 2, 142 III A 2

Saacidava 44 I D 2
Saale, Fränk., Fl. 37 I B/C 1
Saale, Thüring., Fl. 74 I A 2, 122/123 I D/E 3
Saalekreis, preuß. Bezirk 122/123 I D/E 3
Saalburg (Kastell) 40 II B 1
—, Plan 37 III
Saalfeld a. d. Saale, O. 58/59 I I 3, 124 I C 2
—, Kl. 87 I E 1
Saalfeld b. Mühlhausen, O. 77 IV B 1
Saanen 80 II B 2
Saar, Saravus, Fl. 37 I A 2, 95 D 3, 114 D 3
Saarbrücken, Gft. 68/69 I D 4
Saarbrücken, O. 40 II A 2, 96/97 I D 5, 122/123 I B 4, 141 I B 3, 141 II B 3, 152 II B 4, 155 I A 3, 161 IV A 2
Saarburg, Amt 80 I B 2
Saarburg, Pons Saravi, O. 37 I A 2, 80 I B 2, 148 II D 2
Saargebiet 150/151 I D 2
Saarland 160 III A 3, 161 IV A 2
Saarlouis 114 D 3
Saarn 142 IV A 2, 142 V A 2
Saarpfalz, NS-Gau 155 I A/B 3
Saarwerden, Gft. u. O. 68/69 I D 4, 122/123 I B 4
Saaz 68/69 I G 3, 92/93 II B 3
Saba, Ldsch. i. Arabien 42/43 I F 5
Saba, O. i. Arabien 46/47 I C 5
Saba, O. i. Äthiopien 34/35 I F 5
Saba, O. a. Kreta 10 I B 1
Sabaa, O. i. Babylonien 6 IV B 2
Sabäer, V. 34/35 I S 5
Sabaritu 6 IV B 2
Sabate 30/31 II A 1
Sabatinus lacus, See 30/31 II A 1
Sabatos, Fl. 17 I E 1
Sabeller, V. 20 I B/C 2
Säben, Bm. 88/89 II C 2
Säben, Saebio, Burg 37 I C 3, 49 III B 2
Sabend, Bg. 9 III G 2
Sabi, Fl. 138/139 II C 1/2
Sabier (Täufersekte) 52 III
Sabina, Ldsch. 53 I B 2/3
Sabini, Sabiner, V. 24 II F 3, 30/31 I C/D 2, 30/31 II B 1
Sabota 46/47 I C 5
Sabra, Sabratha 11 II C 2, 34/35 III C 2, 50/51 C 4
Sabus 38/39 I G 3
Sacae, Saken, V. 34/35 VI
Saccaea 38/39 I G 4
Sacco, Fl. 53 I B 3
Sachalin, Karafuto, Ins. 138/139 VI D 1/2, 149 IV G 2,

158 I E 2, 158 II E 2, 158 III B 1
Sachsen (Land), evang. Landeskirche 161 VII
— (Provinz), evang. Landeskirche 161 VII
Sachsen, Hzm. d. Kaiserzeit, s. auch Welfische Lande 58/59 I G/H 1—3, 66 I C/D 1
—, Hzm. d. Albertinischen Wettiner 96/97 I G/H 4
—, Hzm. d. Ernestinischen Wettiner 106/107 I F 4
—, Kgr. 124 I C/D 2, 124 III, 126/127 I F 3, 128 III, 129 I E/F 3, 129 II F/G 3
Sachsen, Kurfsm. d. Albertin. Wettiner 96/97 I G 3/4, 106/107 I F/H 3/4, 106/107 II
—, Kurfsm. d. Askanier 68/69 I G 2/3
—, Kurfsm. d. Ernestin. Wettiner 96/97 I F/G 3/4
—, Kurfsm. d. Wettiner, s. auch Kursachsen, Wettiner Lande 92/93 II A/B 3
Sachsen, Land 152 II E/F 3, 16 III B 2, 161 IV B 1
Sachsen, NS-Gau 155 I C 2
Sachsen, preuß. Prov. 129 II E/F 2/3, 152 II D/E 2/3
Sachsen, V. Stammesgebiet 42/43 I C 1, 52 II B/C 1/2, 54/55 I D/E 2, 56 I A/B 1/2
—, V., in Frankreich, s. auch Saxonicum litus 49 II A 2
—, V., in England, s. auch Angelsachsen 49 I A/B 1
—, Obersachsen, Neustamm 74 I A/B 2
Sachsen, s. auch Thüringische Herzogtümer, Wettiner Lande, Altenburg, Coburg, Eisenach, Gotha, Hildburghausen, Meiningen, Rudolstadt, Weimar
Sachsen-Anhalt, Land 160 III B 2, 161 IV B 1
Sachsenhausen, NS-Konzentrationslager 155 I C 2
Sachsen-Hildburghausen, Hzm. 128 III
Sachsen-Lauenburg, Hzm. 68/69 I F 2
Sachsen-Meiningen, Hzm. 129 II E 3
Sachsen-Rudolstadt, Hzm. 128 III
Sachsen-Weimar, Ghzm. 128 III
Sächsische Herzogtümer 105 I C/D 2
Sächsisch-Ernestinische Lande 106/107 I F 4
Sächsisches bürgerl. Gesetzbuch 124 III
Sächsisch Regen, O. 112 II F 2
Sacile 124 I D 3
Sack 81 I
Säckingen, O. 81 II A 3
—, Kl. 52 II B 3
Sacramento, O. i. Kalifornien 133 III A 3
Sacramento, O. i. Uruguay 118 II E 4
Sacrum promontorium, Kap auf Korsika 38/39 I A 2
Sacrum promontorium, Kap i. Portugal 38/39 II A 2
Sada, O. i. Arabien 42/43 I G 5
Sada, O. i. Burma 46/47 I H 4
Sadija 135 I D 2
Sadunajewa 140 IV A 2
Saena, Siena 30/31 I B 1
Saepinum 25 I E 3, 30/31 I E 3
Saepta 38/39 II A 2
Saetabis, Jativa 38/39 II B 2
Safad 162 IV B 1
Safanyia, Erdölfeld 163 II C 4
Safar 34/35 I G 5
Safavidenreich, Persien 111 II B/C 1
Sagan, Fsm., Hzm. 96/97 I H 4, 122/123 I F 3
Sagan, O. 68/69 I H 3, 105 I D 2, 122/123 I F 3
Sagara 72/73 I D 4
Sagartien, Ldsch. (Pers. Satrapie) 14/15 I G 3/4
Sagartier, V. 22/23 I G 2
Sagasik 138/139 IV B 2
Sagra, Fl. 17 I E 2
Sagres 98/99 IV
Sagros, Zagros, Geb. 163 II C/D 3
Sagunto 154 V B 2
Saguntum, Murviedro 26/27 II A 2, 38/39 II B 2
Sahagun, Kl. 87 I A/B 3
Sahara, Wüste 138/139 I I/K 3
Sahara-Atlas, Geb. 163 III A/B 1/2
Sahiun, Burg 64/65 IV B 3
Sai, Nilinsel 6 I A 3
Saida 163 II B 3
Saigon 98/99 I L 6, 136 II B 2, 158 I C 4, 158 II C 4, 162 II C 3
Saint, Sainte, Saintes:
St. Acheul 1 III C 2
St. Albans, Verulamium 36 B 2, 40 IV 110 B 2
St. Andrews, Ebm. 88/89 I B 2
St. Andrews, O. 52 I B 1, 110 B 1
—, Universität 91 V A 1
St. Antoine (Faubourg i. Paris) 109 IV
St. Asoph, Bm. 88/89 I B 3
—, O, 110 B 2
St. Augustin 118 III C 1
St. Bertin, Kl. 87 I C 1
St. Blaise 24 II B 3
St. Brieuc, Bm. 88/89 I B 4
St. Brieuc, O. 58/59 I B 4
St. Chaptes 24 II B 3
St. Clair, Kl. 58/59 I D 4
St. Cloud, Schloß 125 I C 3
St. Davids, Bm. 88/89 I A 3
St. Davids, Menevia, O. 52 I A 2, 110 A 2
St. Denis, O. (u. Faubourg v. Paris) 88 II B 2, 109 IV
—, Kl. 54/55 II C 3, 87 I C 2
St. Dié 95 D 3
St. Dizier 95 C 3
Sainte Mariaburg 143 Ib
Ste. Marie, Ins. 132 I E 4
Saintes, Bm. 88/89 B 4
Saintes, Mediolanium 36 B 3, 49 II A 2, 68/69 III B 2
Stes. Maries 24 II B 3
St. Etienne 147 D 4
St. Flour, Bm. 88/89 I C 4
St. Germain des Prés, (Faubourg i. Paris) 109 IV
St. Germain en Laye 106/107 I B 5, 150/151 I D 4
St. Gilles 67 I B 2
St. Helena, Ins. 132 I B 4, 138/139 I I 5
St. Honoré (Faubourg i. Paris) 109 IV
St. Hubert 104 III B 2
St. Jaques (Faubourg i. Paris) 109 IV
St. Jean, O. i. Béam 110 B 4
St. Jean d'Acre, Akkon 64/65 IV A 4, 125 I F 4
St. Jean d'Angely, Kl. 87 I B 2
St. Jean de Losne 66 I B 2
St. Jean de Maurienne, Bm. 88/89 II B 2
—, O. 58/59 I G 6
St. Johns 138/139 I G 2, 156/157 II D 2
St. Ives 85 I A 1
St. Laureis 143 Ib
St. Liziers, Bm. 88/89 I C 5
St. Liziers, O. 58/59 I D 7
St. Lô 110 B 3
St. Louis, O. a. Senegal 132 I B 3
St. Louis, O. i. d. USA 116/117 II B 3, 118 I A 2, 133 I D 3, 133 III D 3
St. Malo, Bm. 88/89 I B 4
St. Malo, O. 85 I A 2, 85 III A 2, 110 B 3
St. Marcel (Faubourg i. Paris) 109 IV
St. Martin (Faubourg i. Paris) 109 IV
St. Martin, O. auf Ré 110 B 3
St. Maur 95 B 3
St. Menehould 148 II C 2
St. Michel (Faubourg v. Paris) 109 IV
St. Mihiel 148 II C 2
St. Nazaire 156/157 I C 4, 156/157 II F 2, 156/157 III A 3
St. Nectaire, Kl. 67 I B 2
St. Omer 54/55 I C 2, 114 B 2, 126/127 IV A 2, 148 II B 1
Saintonge et Angoumois, Gouv. 122/123 II A/B 2
Saintonge, Gft. 58/59 I C 6
St. Paul, Ins. i. Atlantik 164/165 I H 4
St. Paul, Ins. i. Ind. Ozean 164/165 I N 6
St. Paul, O. i. d. USA 133 I D 2, 133 III D 2
St. Philipp, Fort 133 III E 4
St. Pierre, Fort 116/117 II B 2
St. Pol, O. i. Artois 58/59 I E 3
—, Gft. 95 B 2
St. Pol, O. i. d. Bretagne 58/59 I A/B 4
—, Bm. 88/89 I B 4
St. Pol de Léon 110 B 3
St. Pons, Bm. 88/89 I C 5
St. Pons, Kl. 87 I C 3
St. Quentin, Augusta Viromanduorum 36 C 3, 58/59 I E 4, 144 B 3, 148 II B 2
St. Rémy, Glanum 24 II B 3
St. Riquier, Centula, Kl. 54/55 II B 2, 87 I C 1
St. Savin, Kl. 67 I B 2
St. Trond, Truyden, Kl. 58/59 I F 3
—, O. 85 II C 2
St. Tropez, Athenopolis 24 II C 3
St. Truyden, Kl., s. St. Trond 85 II C 2
St. Valéry 95 A 2
St. Victor (Faubourg i. Paris) 109 IV
St. Vith 80 I B 1, 122/123 I B 3
St. Wandrille, Kl. 54/55 I C 3
St. Willebort 143 Ia
Saipan, Ins. 158 II E 4
Saïs 6 I A 1
Saischuto, Quelpart-Ins. 154 III B 3
Sakaria, Fl. 8 I A 1/2
Sakastana, Ldsch. 46/47 I E 3/4, 46/47 III E 2
Sakataly 134 I F 3
Sakçagözü 2 I E 3, 8 I B 2
Saken, Sacae, V. 3 I H 2, 14/15 I F—H 2, 26/27 I H 1, 46/47 II C 2
Sakenreich 46/47 I E/F 3/4
Sakische Parther, V. 46/47 II B 2/3
Sakkara 6 I A 2
Sala 38/39 II A 3
Salacia 38/39 II A 2
Salaga 163 IV B 1
Salamanca, Bm. 88/89 I A 5
Salamantica, Salamanca, O. 38/39 II A 1, 50/51 A 3, 130/131 I A 3
—, Universität 91 V A 2
Salaminias 41 III C 2
Salamis, Ins. u. O. 13 I A/B 2
Salamis, O. a. Cypern 9 III D 2, 38/39 I F 3
Salapia, O. i. Apulien 30/31 I F 3
Salapia, vicus, O. i. Apulien 30/31 I G 3
Salapia, O. i. Calabrien 30/31 I I 4
Salaria 38/39 II B 2
Salasser, V. 34/35 I C 2
Sala y Gomez, Ins. 164/165 I D 6
Salbacus mons, Geb. 38/39 I E 3
Salberg, Bg. 113 D 3
Salculza 2 I D 2
Saldae, Bougie 34/35 III B 1
Sale 18/19 I F 1
Salebro 30/31 I A 2
Saleh 85 I A 3
Salem, Kl. 87 II B 3
—, Kl.-Territ. 120 V B/C 2
Salem, O. i. Indien 135 I B 3
Saleph, Fl. 64/65 I E 3
Salerno, Ebm. 88/89 I E 5
—, Fsm. 63 I E 4
Salernum, Salerno, O. 30/31 I E 4, 54/55 I E 4, 130/131 I E 3, 156/157 I E 4
—, Universität 91 V C 2
Saletio, Selz 40 II B 3
Salganeus 18/19 IV C 2
Salice, Taprobane, Ins. Ceylon 34/35 VI
Salier (Franken), V. 54/55 II C/D 2
Salinae, O. i. Apulien 30/31 I F/G 3
Salinae, O. i. Picenum 30/31 I E 2
Salinae Tubunenses (Salzseen) 34/35 III A/B 1
Salinarum Romanarum campus, Lagune 30/31 II A 2
Salins 95 C 4, 114 C 4
Saliop. Vicus, Sinsheim 40 II B 2
Salisbury, Bm 88/89 I B 3
Salisbury, O. i. England 90 I A 1, 110 B 2
Salisbury, O. i. Rhodesien 132 I D 4
Salla, Kuolajärvi 156/157 I F 2. 160 IV B 2
Sallentini, V. 30/31 I H/I 4/5
Sallentinum, Japygium prom., Kap 30/31 I I 5
Salluvii, V. 29 I C 3
Salm, Fsm. i. Westfalen 126/127 II A 1/2
Salm, Gft. u. O. i. Elsaß 68/69 I D 4, 122/123 I B 4
Salmona, Fl. 40 VI A 1/2
Salmydessus, Salmydessos 38/39 I E 2
Salomon-Ins. 100/101 VIII C/D 3, 137 I E/F 5, 158 I E/F 5, 158 II E/F 5
Salona, Salonae, Spalato 38/39 I C 2, 50/51 C 3
Salona, O. i. Griechenland 71 II B 4
Saloniki, Thessalonike, Ebm. 88/89 I G 5
Saloniki, s. Thesalonike, O. 71 III D 2, 112 I C 1, 145 V B 2, 145 VI B 2, 148 I F 5, 156/157 I F 4, 156/157 III D 3
Salpensa 38/39 II A 2
Salsette, Ins. 135 I B 3
Saltigis 38/39 II B 2
Salt Lake City 133 III B 2
Saluen, Salwin, Lu-kiang, Fl. 72/73 I C 3/4, 135 I D 2/3
Salumias 34/35 II B 2
Salurn 49 III B 2
Salurner Klausen 58/59 I I 5
Saluzzo, O. 58/59 I G 6, 110 D 4
—, Mgft. 94 I B 2, 94 B 2
Salvador, Bahia, O. 164/165 I H 5
Salvador, El (Staat) 133 I D 4
Salwin, Saluen, Fl. 46/47 IV D 3—5
Salz 62 III D 2, 62 IV D 2
Salzach, Fl. 58/59 I K 5, 122/123 I E 4/5
Salzburg, Bm. 52 II D 3
—, Ebm. 88/89 II C 2
—, Ebm.-Territ. 68/69 I G 5, 122/123 I E 5, 128 I D 3
—, Kl. 87 I E 2
—, Kurfsm. 124 II C 1
Salzburg, NS-Gau 155 I C 3
Salzburg, Iuvavum, O. 38/39 I B 1, 49 III C 2, 130/131 I E 2, 155 I C 3, 160 III B 3
—, österr. Ld. 130/131 I E 2
Salzburger Mission 56 II, 58/59 II A—C 2
Salzburger Lutheraner, Konfession 105 I
Salzdahlum 58/59 V B 1
Salzgitter 161 IV B 1
Salzstraße b. Leipzig 77 II
Salzstraße, b. Rom 32 II
Salzungen, Bg. O. 86 I A 1
Salzwedel 68/69 I F 2, 75 A 3, 122/123 I D 2
Samachonitis-See 34/35 II B 1
Sam'al, Zincirli 8 I B 2
Samara, O. i. Mesopotamien 148 III B 2
Samara, Kuibyschew, O. i. Rußland 105 II D 3, 149 III E 2, 163 II D 1
Samaria, Ldsch. 34/35 II B 2
Samaria, Sebaste, O. 8 III B 2, 22/23 II C 3, 34/35 II B 2
Samarkand, Bm. 52 III E 3
—, Marakanda, O. 1 I, 22/23 I H 2, 46/47 I E 3, 64/65 III H 3, 72/73 II F 4, 98/99 I G 4, 134 II E 2
Samarobriva, Amiens, s. auch Ambiani 29 I B 1
Samarra 6 II B 2
Samastro 102/103 I K 5
Samatata, Ldsch. 46/47 III G/H 3
Sambach, O. i. Radenzgau 56 III
Sambach, Wüstung b. Mühlhausen 77 IV A 2
Sambesi, Fl. 98/99 IV, 132 I D 4, 132 II D 4
Sambor 75 D 4
Sambre, Fl. 95 B C2, 126/127 IV A/B 2, 148 II B/C 1
Sambre et Meuse, Dép. 122/123 III C 1
Same 10 II B 2, 16 I A 2, 18/19 I A 3
Samikon 18/19 I B 4
Samland, Bm. 88/89 I F/G 3
Samland, Ldsch. 54/55 I G 2, 121 II
Sammonion, T. 10 III D 1
Samniten, Samnites, V. 24 II G 4, 30/31 I E 3
Samnitenbund 25 I
Samnium, Ldsch., Regio Italiae 30/31 I E/F 3
Samoa-Ins. 100/101 VIII E 3, 137 I G 5, 138/139 I T 5
Samogitien, Schamaiten, Ldsch. 104 IV B/C 2, 119 C 3
Samojeden, V. 98/99 I F/H 1, 119 I/K 1
Samonium, Sammonion prom., Kap 38/39 I E 3
Samo-Reich 50/51 C 2/3
Samos, Fl. 112 II E 2
Samos, Fsm. 130/131 I H 4, 145 V C 3, 145 VI C 3
Samos, Samus, Ins. u. O. 4 VII B 2, 18/19 I G 4, 64/65 II D 3, 70 II E 3, 102/103 I I 6, 156/157 I F 5
—, byznt. Thema 54/55 I H 5
Samosata, Kummuch 9 III E 2, 38/39 I G 3, 64/65 IV C 2
Samothrake, Samothrace, Ins. u. Ort 18/19 I F 1
Samsat 8 I B 2
Samsun, s. Amisos 38/39 I G 2, 70 II G 2, 112 I D 1
Samur, Fl. 134 I F/G 3
Samus, Ins., s. Samos 38/39 I E 3
San, Fl. 74 III E 2, 124 I F 2
Sana, O. 34/35 I G 5, 72/73 II D 6, 111 II B 2, 162 III D 2
—, Bm. 52 III D 4
San Antonio 116/117 II B 4, 133 I D 3, 133 III D 4
Sancerre, Gft. 58/59 I E 5
Sandarna 1 V C 1
Sandetz, s. auch Neu-Sandez 82 I D 2
San Diego 118 III B 1, 133 III B 3
San Domingo, span. Gen.-Kapitanat 116/117 II D/E 5
San Domingo, O. 118 III D 2
Sandomir, O. 67 III C 2, 113 E 4, 115 I E 2, 150/151 I F 3, 156/157 III D 2
—, Hzm. 67 III C 2
Sàndorhaza, Alexanderhausen, Plan 121 VI
Sandschak Nowipasar, Ldsch. 130/131 I F/G 3
Sandweier, Bibiensium Vicus 40 II B 3
Sane 18/19 II C 2
San Francisco Bay (Meeresbucht) 143 III u. IV
San Francisco, Fl. 133 II C/D 2
San Francisco, O. 133 I B 3, 133 III A 3
—, Plan 143 III u. IV
Sangala 22/23 I I 2
Sangar, Babylonien, Ldsch. 9 I F/G 3
Sangarios, Sangarius, Fl. 26/27 IV B 1—2, 38/39 I F 2—3
San Germán 100/101 VII C 2
San Germano 63 I D 4
San Gimignano 94 I D 3, 94 II D 3
S. Godenzo-Paß 63 I C 3
Sangrus, Sangro, Fl. 30/31 I E 2/3, 156/157 I E 4
San Ildefonso, Schloß 116/117 I C 5
San Juan, O. a. Porto Rico 100/101 VII C 2, 156/157 II C 4
San Juan de la Peña, Kl. i. Aragon 87 I B 3
Sankt:
St. Andrä, Lavant, Bm.-Territ. 68/69 I H 5
St. Andreas 111 I F 3
St. Anna, O. b. Antwerpen 143 Ib
St. Bernhard, Großer (Paß) 80 II B 3
—, Kl. 83 IV C 2
St. Bernhardin, Paß 80 II D 2
St. Blasien, Kl. 87 I D 2, 122/123 I C 5, 128 I B 3
St. Emmeran, Kl. i. Regensburg 87 I E 2
St. Gallen, Kl. 52 II C 3, 87 I D 2
—, —, Idealplan 53 III
—, Kl.-Territ. 80 II D 1
—, O. 81 II B 3
St. Gallen, Kanton 130/131 II B 1
St. Georgenthal, Bg. O. 86 I C 1
St. Goar 80 I C 1, 122/123 I B 3
St. Gotthard, O. i. Ungarn 112 II B 2
St. Gotthard, Paß 58/59 I H 5, 124 I C 3
St. Helena, Ins. brit. 138/139 I I 5
St. Jakob, Kl. b. Basel 80 II B 1
St. Katharinen, O. b. Mühlhausen 77 IV B 1
St. Laureis, Ot. v. Antwerpen 143 Ib
St. Leonberg, Bg. O. 86 I C 3
St. Leonhard, O. b. Nürnberg 81 I

St. Lorenz-Strom, Fl.
116/117 II D/E 2, 133 III F 2
St. Mariaburg 143 Ib
St. Maximin, Kl. u. Amt
80 I B 2
St. Moritz, Kl. u. O. 48 II B 2,
80 II A/B 2
St. Peter, Kirche i. Rom,
Pläne 45 I—III, 102/103 IV
St. Peter im Holz, Teurnia
49 III C 2
St. Petersburg, O., s. auch
Petrograd, Leningrad
119 E 3, 148 I H 1, 149 I C 2
—, Plan 109 III
—, Gouvernement
119 D—F 2/3
St. Pölten, Cetium
38/39 I C 1 58/59 II B 1,
112 II A 1, 156/157 III C 3
St. Thomas, Ins., dän.
111 I C 3
S. Thomas, Ins. 156/157 II C 4
St. Thomas, Kl. a. Kyll
80 I B 1
St. Trudpest, Kl. 52 II B 3
St. Victor, Kl. b. Mainz
80 I D 2
St. Wendel 44 I B 2, 80 I C 2
Sanlucar 85 I A 3,
102/103 I B 6
San Marco de Leon, Ritter-
priorat 88/89 I A 6
San Marino, Rep. 94 I E 3,
94 II E 3, 130/131 I E 3
San Mauro Forte 30/31 I G 4
Sann-Mark 58/59 I L 5/6
Sanntal-Gft. 58/59 III C 2/3
Sanok 75 D 4
San Pietro, O. i. Toscana
25 II A 1
San Remo 24 II C 3,
94 I B 3, 94 II B 3
San Salvador, Guanahani,
Ins. 100/101 VII B 1
San Sebastian 116/117 I C 5
San Severo 94 I F 4, 94 II F 4
Sansibar, Ins. 98/99 I D 8,
111 II A 3, 132 I D 4
Sansibar, Sultanat
132 I D/E 4
San Silvestro, Kl. b. Civita
Castellano 63 I D 3
San Stefano, Kl. i. Kala-
brien 87 II C 4
San Stefano, O. i. Thrakien
130/131 I H 3
Sta. Barbara, Ins. 118 III B 1
Santa Caterina, O. 118 III E 4
Santa Catherina, brasil.
Prov. 133 II C 3
Santa Cruz-Ins., brit.
138/139 I S 5, 158 I F 5,
158 II F 5
Santa Fé, O. i. Argentien
118 III D 4
Santa Fé, O. i. Neu-Mexiko
118 III B 1, 133 I C 3,
133 III C 3
Sta. Lucia, Ins. 156/157 II C 4
Santa Lucia, O. i. Friaul
24 II F 1
Sta. Lucia-Bai 138/139 II C 2
Santa Martha, O. i. Kolum-
bien 100/101 VII B 2,
133 II B 1
Sta. Maura, Leukas, Ins.
102/103 I H 6
Santander 71 III A 2,
102/103 I C 5, 154 V B 1
Sant Angelo di Muxaro
17 I B 3
Sant Apollinare in Classe,
Kl. 87 I E 3
Santarem, Scallabis
38/39 II A 2, 64/65 I A 3,
102/103 I B 6
Sta. Rufina, suburbikar.
Bm. 53 I B 3
Santa Severa, Pyrgi
24 II E 3, 25 II B 2
Santa Severina, Ebm.
88/89 I F 6
Stes. Creus, Kl. 87 II B 3
San Thomé, Ins. 98/99 IV,
132 I C 3
San Thomé, O. a. Orinoco
100/101 VII C 3
Santiago, O. i. Chile
118 III D 4
Santiago, O. auf Cuba
100/101 VII B 2, 133 I E 3/4
Santiago di Compostela,
Ebm. 88/89 I A 5
Santiago di Compostela, O.
57 I B 3, 102/103 I B 5
Santicum, Villach 38/39 I B 1
Sant Ilario 4 VI A 2
Santo Domingo, O. auf Haiti
100/101 VII C 2
Sant Omero 30/31 I D 2
Santonen, Santones, San-
toni, V. 36 B 3
Sant Onofrio 30/31 II A 2
Santorin, Ins. 145 VI C 3
Santos 118 III E 4
Santo Spirito, Kl. auf Sizilien
87 II C 4
Santschi 22/23 I I 3,
46/47 III F 3
S. Vicente, Kap 92/93 I A 6
San Vicenzo 25 II A 1
Sanxay, Heiligtum 36 B 3
San Yuste, Kl. 102/103 I B 5
San Zeno, Kl. b. Verona
63 II B 1
São Luis 118 III D 4
Saône, Fl. 95 C 4, 114 C 4
Saône et Loire, Dép.
122/123 III C 2
São Paulo, O. 118 III E 4
São Paulo, brasil. Prov.
133 II C 3
São Tomé, Ins. 162 III B 2/3
São Vicente 118 III E 4
Sapaica, Ldsch 38/39 I E 2
Sapolje 102/103 I K 2
Saporoger Kosaken, V.
119 E/F 5
Saporoshje 156/157 I G 4
Sappho 34/35 II B 2
Sapudi, Ins. 135 II C 1
Särachs 134 II E 2
Sarai, Alt, u. Neu-
72/73 II D 3
Sarajeh, Erdölfeld 163 II D 3
Sarajewo, Bm. 88/89 I F 5
Sarajewo, O. 92/93 I F 5
112 I B 1, 145 V A 2,
145 VI A 2, 150/151 I E 4,
156/157 I E 4, 156/157 III C 3
Sarapana 38/39 I H 2
Sarapidis insulue, Ins.
46/47 I D 4
Sarata, Fl. 140 IV B 1/2
Sarata, O. 140 IV B 1
Saratoga 118 I C 1
Saratow 119 H 4, 149 III D 2
Saratsi, Lete 18/19 II C 2
Saravenae Aquae 38/39 I F 3
Saravus, Saar, Fl. 37 I A 2
Saravus Vicus, Lördingen
37 I A 2
Sarawak, brit Kol.
138/139 I P 4, 162 II C 3
Sarbut el-Chadem 6 I A 2
Sardauri 9 III F 2
Sarden, Sardes, V. 3 I B 2/3,
9 I C 3
Sardes, Sardis, O, 9 III C 2,
16 I E 2, 54/55 I H 5
Sardica, Sardika, s. Sofia
48 II D 2, 50/51 D 3
Sardinia, Sardinien, Sardo,
Ins., s. auch Arborea
25 I B 3/4, 48 I B 2/3,
48 II B 2/3, 49 I B 2/3,
57 I C 3/4, 63 I B 4,
64/65 II B 2/3, 70 II A 2/3,
102/103 I E 5/6, 115 I B/C 4,
116/117 I E 5/6, 130/131 I D 3/4
Sardinien-Piemont, Kgr.
126/127 I E 4—6, 128 II u. IV,
130/131 I D 2/4
Sardis, s. Sardes
Sardo, s. Sardinia 14/15 VI
Sarepta 34/35 II B 1, 119 G 5
Sargans, O. u. Gft. 80 II D 1/2
Sargonsburg, Dur Schar-
rukin, Khorsabad 9 III F 2
Sarid Schadud 8 III B 3
Sarkars, nördliche (Ldsch.)
116/117 IV C 3, 135 I C 3
Sarkel 50/51 F 3, 52 III D 2
Sarlat, Bm. 88/89 I C 5
Sarlowitz 77 III B 2
Sarmaten, Sarmatae, V.
3 I E/F 2, 24 I F 3
Sarmizegetusa 38/39 I D 1
Särna, Ldsch. 113 C 2
Sarnen 80 II C 2
130/131 II B 1
Sarnus, Fl. 30/31 III B/C 1/2
Saron, Ebene 8 III A 2
Saron, Fl. 64/65 IV A 2
Saronischer Golf 18/19 I D 4
Sarospatak 75 D 4
Sarpsborg 60 I G 2
Sarre, Dép. 122/123 III C 1
Sarsina, Bm. 88/89 II C 3
Sarsina, O. 30/31 I C 1
Sarsinates, V. 24 II E 2,
30/31 I B/C 1
Sarte 18/19 I D 1
Sarteano 25 II B 2
Sarthan 8 III B 2
Sarthe, Dép.
122/123 III A/B 1/2
Sarthe, Fl. 110 B/C 3
Saruchan, Ldsch. 71 II C 4
Sarudsch, Sororge
64/65 IV C 2
Sarus, Fl. 38/39 I G 3
Sarzana, Bm. 88/89 II B 3
Sarzana, O. 94 I C 2, 94 II C 2
Sasamon, Segisama
38/39 II B 1
Sasau, Fl. 122/123 I F 4
Saseno, Ins. 148 I E 5
Saskatchewan, kanad.
Provinz 133 I C 2,
133 III C/D 1/2
Sassanidenreich, Perser-
reich 42/43 I G 3,
42/43 II F 2/3, 44 II F 3,
46/47 III C—E 1—3,
50/51 D—H 3—5
Sassari, Ebm. 88/89 I D 5
Sassari, O. 130/131 I D 3
Sassenstädte (Städtebund)
81 III
Sassnitz 161 IV B 1
Satakunta, Ldsch. 113 E 2
Satala 38/39 I G 2/3
Satara 116/117 IV B 3
Säter 113 D 2
Saticula 24 II G 4
Satledsch, Fl. 50/51 I 4/5
135 I B 1/2
Satneios, Fl. 18/19 I G 2
Satrae, V. 38/39 I D 2
Satricum 30/31 II B 2
Satteldorf 77 III B 1
Satu-Nou 140 IV B 1
Saturni promontorium, Kap
38/39 II B 2
Saturnia, s. Aurinia
30/31 I B 2
Satyaputra, Ldsch.
46/47 I F 5
Saubsdorf 77 III B 2
Saudi-Arabien, Staat, s.
auch Nedschd, Hedschas u.
Nedschd 153 VI,
162 III C/D 1/2,
163 II B—D 3/4, 164/165 III,
166/167 I, 168
Sauer, Sura, Fl. 40 VI A 2,
80 I B 2
Sauije, Geb. 41 III B 2
Saule 68/69 II C 2
Säulen des Herkules (He-
rakles) 22/23 VI, 34/35 VI
Saulgau, O. 120 V B 2
Sault Ste. Marie, Fort
116/117 II C 2
Saumur 110 B 3
Sauromaten, V. 24 I F/G 3
Sausalito 143 IV
Sauxillanges, Kl. 87 I C 2
Sava, Fl. 34/35 III A 1
Savage- Ins., Niue
138/139 I T 5
Savannah 133 III E 3
Savaria, Steinamanger
38/39 I C 1
Savenda 18/19 V B 1
Savia, röm. Prov. 42/43 I D 2
Savignano 4 VI C 3
Savigny, Kl. 87 II A 3
Savolaks, Ldsch. 113 F 2
Savona, Bm. 88/89 II B 3
Savona, O. 94 I C 2,
94 II C 2, 130/131 I D 3
Savonlinna 116/117 I I 1
Savoyen, frz. Dép.
130/131 I D 2
Savoyen, Gft., Hzm.
66 I C 2/3, 68/69 I C/D 5/6,
92/93 I D 4, 94 I A/B 1/2,
94 II A/B 1/2, 102/103 I E 4/5,
106/107 I C/D 6/7, 114 C/D 4/5
Savoyer (Geschlecht) 66 I
Savoyische Lande
70 I B/C 2/3
Savus, Save, Sawe, Fl.
38/39 I B—D 1/2,
54/55 I E—G 3/4,
58/59 II A—E 2/3,
106/107 I G—L 6/7,
130/131 I E—G 2/3,
156/157 I E 4, 156/157 III C 3
Sax, O. 80 II D 1
Saxa rubra, O. 30/31 II A 1
Saxones, Sachsen, V.
36 D/E 2
Saxonicum litus, Ldsch., s.
auch Sachsen, V.
42/43 I B/C 1/2, 49 II A/B 1
Say, O. a. Niger 132 I C 3
Sayid Muhammad 6 II C 2
Sayn, Gft. 122/123 I B 3,
126/127 II A 2
Sbeïtla, Sufetula 34/35 III B 1
SBZ, s. Sowjetische Besat-
zungszone
Scadinavia, Ld., s. Scandia
41 I B/C 1
Scala, della (Hft. Verona)
68/69 I F 6
Scallabis, Santarem
38/39 II A 2
Scamnum 30/31 I H 4
Scampa 38/39 I D 2
Scandalium, Burg
64/65 IV A 4
Scandia, s. Scadinavia, Ld.
34/35 VI
Scapa Flow 156/157 II F 2
Scapitani, V. 25 I B 4
Scarbantia, Ödenburg
38/39 I C 1
Scarbia, Mittenwald 37 I C 3
Scarborough 110 B 2
Scardona, Bm. 88/89 II D 3
Scardona, O. 30/31 I F 1
Scardus mons, Geb.
38/39 I D 2
Schaaken 121 II
Schaanabim 8 III A 3
Schabatz 112 II C 3
Schachty 150/151 I H 4
Schachtrasar, Ldsch.
112 I E 2
Schadi Kani, Araban
6 IV B 1
Schadow 75 D 3
Schaffhausen, O. u. Kanton
80 II C 1, 130/131 II B 1
Schahasima 8 III B 2
Schaheinab 6 I A 4
Schahrain, Eridu 6 II C 2
Schahrisäbs 134 II E 2
Schalunen, Ldsch.
68/69 II B 2
Scham, Syrien, Prov. d.
Kalifats 50/51 E 4
Schamaiten, Samogitien,
Ldsch. 104 IV B/C 2
Schamaiten, Schmuden,
Ldsch., V. 54/55 I G 1,
68/69 II B/C 2, 74 II B/C 3
Schamanismus, Relig.
72/73 IV B/C 1
Schamanistische Wald- u.
Steppenvölker
72/73 VI E—G 1/2
Schamatz 112 II C 3
Schammar, Ldsch.
134 II B/C 2
Schang, Ldsch. 3 III B 2
Schang-Dynastie i. China
3 III
Schanghai 136 I F 3,
136 III C 3, 149 IV F 3,
158 I D 3, 158 II D 3
Schang-tschiu, O.
3 III B 2, 3 IV B 2
Schangtu 72/73 II L 3
Schanidar 6 II B 1
Schans 37 I B 3
Schansi, chin. Prov. 136 I F 3
Schan-Staat 163 I D 2
Schan-Staaten 136 II A/B 1
Schantung, chin. Prov.
136 I E 3
Schantung-Kultur
3 III B/C 2
Schapur 46/47 III D 3
Schärding 68/69 I G 4
Schari, Fl. 132 I C/D 3
Schari, Ldsch. 146 I C/D 2
Scharnebeck, Kl. 88/89 III B 1
Schartchenrode, Wüstung
77 IV A 1
Scharuhan, Scharuhen, Fara
8 III A 3, 9 I D 3
Schasch, Taschkent 50/51 H 3
Schäßburg, O. 75 E 5,
112 II F 2
Schasu, Beduinen, V.
9 I D/E 3
Schaubek, Krak von
Montréal, Burg
64/65 IV A 5
Schauenburger Grafen
66 I C/D 1
Schaulen 148 I F 2
Schaumberg, Gft. i. Ober-
österreich 68/69 I G 4
Schaumburg, Burg a. d.
Weser 66 I C 1
Schaumburg, Gft. 68/69 I E 2,
122/123 I C 2
Schaumburg-Lippe, evang.
Landeskirche 161 VII
Schaumburg-Lippe, Gft.,
hess. 126/127 II B 1,
129 I C 2, 129 II D 2
—, Land 152 II C 2
Schech Said 6 I A 2
Scheer 120 V B 2
Scheeßel 54/55 I D 2
Scheh Abadeh 6 I A 2
Scheich Abd-el-Gurna 7 IV
Scheka (Chanat) 134 I F 3
Schelde, Escaut, Fl. 95 B/C 2,
114 B/C 2
Schelde-Mündung
96/97 III a—d
Schelif, Fl. 92/93 I C 6/7,
130/131 I C 4
Schelklingen 120 V C 1
Schellenberg, Schloß
142 V B 2
Schemacha 134 I G 3
Schemesch 8 III A 3
Schemmerberg, O. 120 V C 2
Schemnitz, Bg.-O. 74 I C 2,
86 I E 2, 112 II C 1
Schen 8 III A 3
Schenjang, s. auch Mukden
162 I C 1
Schenkursk 119 G 2,
149 III D 1
Schensi, chin. Prov.
136 I D 3, 162 I B 2
Scherau 81 I
Schermbeck 142 IV A 1,
142 V A 1
Schesch Fadl, Nilinsel 6 I A 2
Scheyern, Burg 58/59 I I 4,
128 I C 2
Schibaniba, Tell Billa
6 III B 1, 6 IV B 1
Schibin el Kom
138/139 IV A/B 2
Schickelsheim, Wüstung
56 VI A 1/2
Schieder 37 II B 2
Schiermonnikoog, Ins.
104 III C 1
Schigatse 136 I B 4
Schighnan, Ldsch. 50/51 I 4
Schiiten, Mohammedanische
Konfession 72/73 VI,
137 III A/B 2
Schikarpur 135 I A 2
Schikoku, Ins. 72/73 I G 2,
136 I G 3
Schillingsfürst, O. 128 I C 2
Schillong 135 I D 2
Schimonoseki 138/139 VI C 3
Schiniais 10 I B 1
Schintoismus, Religion
72/73 IV, 137 III D 1/2
Schipka-Paß 22/23 I D 1,
130/131 I H 3, 145 V B 2
Schiras 50/51 G 5, 98/99 I F 5,
134 II D 3
Schirbin 138/139 IV B 1
Schirenhof 40 II C 3
Schirwan (Chanat)
134 I F/G—3/4
Schirwan, Ldsch. 50/51 F 3,
64/65 III F—2/3, 112 I E 1
Schkeuditz 77 II
Schlachtensee, O. 143 II
Schladen, Burg 58/59 V B 1
Schladitz 77 II
Schladming, Bg. O. 86 I B 3
Schlaggenwald, Bg. O.
86 I B 1
Schlangenberggau, ägypt.
8 II B 3
Schlaupitz 77 III B 1
Schlawe, Ldsch. 67 III B 2
—, O. 68/69 I I 1
Schleenhain 77 II
Schlei, Förde 61 III B 1
Schleibitz 77 III B 2
Schleiden 80 I B 1
Schleitheim, Juliomagus
37 I B 3
Schleiz 122/123 I D 3
Schlesien, evang. Landes-
kirche 161 VII
Schlesien, Ldsch. (poln.,
böhm.) 58/59 I L—N 3
—, Hzm d. Piasten 66 I E 1,
67 III A/B 2/3, 71 I A 2/3
—, Hzm. d. Krone Böhmen
68/69 I H—K 2—4,
92/93 II C—E 2—4,
96/97 I H—K 4/5
—, Hzm. (ungar.)
92/93 I E/F 3/4
Schlesien, Hzm., habsburg.
104 II C 2/3, 105 I D/E 2,
106/107 I H—K 4/5,
106/107 II H—K 4/5
—, Hzm., Österreichisch-
122/123 I G/H 3/4
Schlesien, Hzm., preuß.
Prov. 115 I D 2/3,
122/123 I F—H 3/4
—, unter poln. Verwaltung
161 IV B/C 1
Schlesien, Siedlungsgesch.
74 I B/C 2, 77 III,
82 I B/C 2, 86 I
Schleswig, Bm. 88/89 II B 1
Schleswig, Mark 58/59 I H/I 1
—, Hzm. 96/97 I E 2,
105 I C 1, 122/123 I C 1,
129 I C 1, 129 II D 1
Schleswig, O. 61I V C 1,
75 A 3, 122/123 I C 1
Schleswig-Holstein, Hzm.
128 IV
Schleswig-Holstein, evang.
Landeskirche 161 VII
Schleswig-Holstein, kathol.
Präfektur 145 I
Schleswig-Holstein, Land
160 III A/B 2, 161 IV A/B 1
—, preuß. Prov. 152 II C/D 1/2
Schleswig-Holstein, NS-Gau
155 I D 1/2
Schlettstadt 81 II A 2,
114 D 3
Schlierschwende 77 IV A 2
Schliestedt 56 VI A 2
Schlochau 68/69 I I 2
Schlossau 40 II C 2
Schlüchtern 122/123 I C 3
Schlüsselburg, O. 119 E 3,
156/157 I G 3
Schlutup 161 I u. V
Schmalkalden 96/97 I F 4,
122/123 I D 3
Schmalklingenkulturen 1 III
Schmargendorf 143 II

Schmidtburg, O. 80 I C 2
Schmiedeberg, Bg. O.
86 I C 1
Schmieheim 77 I A 2
Schmuden, Schamaiten, V.
54/55 I G 1
Schmugglerhafen, Phoron
Limen, i. Piräus 12 V
Schnackenburg, O.
161 I u. V
Schneckenberg, O. 2 II D 2
Schneckenberg-Glina-
Kultur 2 II D 2
Schneeberg, Bg.-O. 86 I B 1
Schneidemühl (Freie
Prälatur) 161 VI
Schneidemühl, O.
122/123 I G 2, 152 II G 2,
160 III C 2
Schnellingen 77 I B 2
Schnepfenreuth 81 I
Schnurkeramik-Kultur 2 II
Schnürpflingen 120 V C 1
Schoa, Ldsch. 132 I D/E 3,
154 IV C 1
Schoinus 18/19 IV B 2
Scholapur 135 I B 3
Scholmer Au, Fl. 61 III B 1
Schonanko, s. Singapur
158 II C 4
Schönau, Kl. i. Hessen-
Darmstadt 88/89 III A 2
Schönau, b. Borna 77 II
Schönau, O. d. Gft. Katzen-
elnbogen 80 I C 1
Schönau, O. b. Leipzig 77 II
Schönberg, Gft. i. Sachsen
122/123 I E 3
Schönberg, O. i. Eiffel
80 I B 1
Schönberg, Mährisch-, O.
122/123 I G 4
Schönberg, O. b. Nürnberg
81 I
Schönbrunn, O. i. Krs.
Sagan, Plan 76 VII
Schönbrunn, Schloß b. Wien
109 V
Schöneberg, O. i. Berlin
143 I u. II, 161 II
Schönecken, Amt u. O. a. d.
Prüm 80 I B 1
Schönefeld, Ot. v. Berlin
161 II
Schonen, Ldsch. 60 I G 2,
96/97 I G/H 2, 113 C 3
Schöneweide, Ober-, Ndr.-
143 II
Schönfeld, Bg. O. i. Böhmen
86 I B 1
Schönfließ, O. 121 I
Schongau 81 II C 3,
122/123 I D 5
Schöngeising, Ambra
37 I C 2
Schönhausen, Ot. v. Berlin
143 II
Schöningen 56 VI A 2
Schönlanke 106/107 III B 1
Schönow 143 II
Schönsee, O. 122/123 I E 4
Schönstedt 77 IV B 2
Schöppenstedt 56 VI A 2
Schoppershof, O. 81 I
Schoschonen, V. 144 IV B 2
Schoten 143 I a—b
Schotten, Skoten, V. 48 I A 1,
50/51 A 2, 54/55 I A 1
Schöttenbach, Unter-, Ober-,
O. 81 I
Schottische, s. iroschottische
Kirche 52 I u. III
Schottland, Ldsch.
52 I A/B 1, 60 I D 2
—, Kgr. 66 II B 2, 71 III A 1,
102/103 I B/C 2,
104 I A/B 1/2, 110 A/B 1/2
s. auch Alba, Kgr.
Schotts (Salzseen) 163 III B 2
Schrebitz (Burgward) 56 IV
Schrimm 122/123 I G 2
Schrinagar, s. Srinagar
Schrividschaja, Palembang,
O. 72/73 I D 6
Schrividschaja, Staat
72/73 I D/E 6,
72/73 IV B/C 3/4
Schroda 129 II H 2
Schroppengrund, O.
77 III B 2
Schtip 145 V B 2, 145 VI B 2
Schu 46/47 I I 3
Schumeiko 24 I F 2
Schumla 130/131 I H 3
Schunem 8 III B 2
Schunter, Fl. 56 VI A 1/2
Schu-pa, Ldsch. 3 V A 2
Schuruppak, Fara 6 III C 2
Schuscha 134 I F 4
Schussenquelle (Höhle)
I IV B/C 2
Schussenried, Kl. 120 V C 2,
128 I B 2
Schütt-Insel, große
106/107 I I 5/6
Schüttenhofen, Bg. O.
86 I B 2
Schutter, Fl. 77 I A 2/3
Schützendorf 77 III B 1
Schützengrund, O. i. Krs.
Ortelsburg, Plan 140 II
Schuylkul River, Fl.
118 II A/B 1/2
Schwabach, Bach b.
Erlangen 56 III
Schwaben, Hzm.
58/59 I G/I 4/5, 66 I C/D 2,
s. auch Alamannien
Schwaben, Ldsch. 120 V
Schwaben Landvogtei
128 I B 3
Schwaben, NS-Gau 155 I B 3
Schwäbischer Münzbund
83 III B 1/2
Schwäbischer Reichskreis
96/97 II B/C 3
Schwäbischer Städtebund
68/69 I, 81 II
(Schwäbisch) Gmünd, Pfalz
62 IV C 3
—, RSt. 68/69 I E 4, 81 II B 2,
122/123 I C 4, 128 I B 2
(Schwäb.) Hall, Pfalz
62 II B 3
—, RSt. 68/69 I E 4, 81 II B 2,
122/123 I C 4, 128 I B 2
Schwabmünchen, Rapae
37 I C 2
Schwaig 81 I
Schwammelwitz 77 III B 2
Schwanheide, O. 161 I u. V
Schwansen, Ldsch. 61 III B 1
Schwarzach, Fl. 81 I
Schwarzburg, Gft., Fsm.
68/69 I F 3, 122/123 I D 3
Schwarzburg-Sonders-
hausen, Fsm. 129 I D 3,
129 II E 3
Schwarze Kroaten, V.
54/55 I F 2/3
Schwarzenacker 40 II A 2
Schwarzenberg, Fsm.
120 V D 2
Schwarzenberg, Schloß
128 I C 2
Schwarzenbrück, O. 81 I
Schwarzenlohe 81 I
Schwarzer Volta
163 IV A/B 1
Schwarzes Meer, Pontus
Euxinus 14/15 I D/E 2,
50/51 D—F 3, 70 II E—H 1/2,
112 I C—E 1, 119 D—G 5/6,
130/131 I H—K 2/3,
149 III B—D 3
Schwarzfuß-Indianer, V.
144 IV B/C 2
Schwarz-Korkyra, Ins.
20 I C 2
Schwarzmeer-Kosaken, V.
119 F/G 5
Schwarz-Neuses 81 I
Schwarzwald, Abnoba mons,
Geb. 37 I A/B 2/3,
54/55 II E/F 3/4, 74 III B 2,
77 I A/B 1—3
Schwarzwasser, O. 77 III B 2
Schwaz, Bg. O. 86 I A 3,
86 II E 2
Schwechat 160 III C 3
Schweden, Kgr. 61 I C 1/2,
68/69 II A 1, 71 III C/D 1,
84 I C—F 1/2, 84 II C—F 1/2,
113 C—G 1—4,
126/127 I F/G 1/2, 128 II—V,
149 II, 156/157 I u. II E/F 2/3,
164/165 III, 166/167 III, 168
Schweden i. d. USA 144 II
Schweden-Norwegen, Kgr. i.
Personalunion 147 D—F 1/3
Schweden, Sweonen, V.
50/51 C 1/2, 60 I G/H 1/2,
74 II A 1/2, 150/151 II, 160 I
Schwedische Kolonien 111 I
Schwedische Siedlung 74 II
Schwedisches Recht 124 III
Schwedisch-Pommern,
Ldsch. 116/117 I F 3
Schwedt 68/69 I H 2,
122/123 I F 2
Schweidnitz, Fsm. 96/97 I I 4,
122/123 I G 3
Schweidnitz, O. 68/69 I I 3,
105 I D 2, 124 I E 2
Schweidnitz-Jauer, Hzm.
70 I E 1
Schweighausen 77 I A 3
Schweinau 81 I
Schweinfurt, Pfalz 58/59 I I 3
—, RSt. 68/69 I F 3,
122/123 I D 3, 128 I C 1
Schweiz, Eidgenossenschaft,
Staat 130/131 II,
150/151 I D/E 4, 155 II B/C 2,
166/167 III
—, Helvetische Republik
124 II A/B 1
Schweizer i. d. USA 144 II
Schwentine, Fl. 56 I B 1
Schwerin, Bm. 88/89 II C 1
Schwerin, Bm.-Territ.
68/69 I F 2
Schwerin, Burg u. O. i.
Mecklenburg 60 I G 3,
75 A 3, 122/123 I D 2,
155 I B 2, 161 IV B 1,
161 VI B 1, 161 VII B 1
Schwerin, O. a. d. Warthe
68/69 I H 2, 121 I
Schwertbruderorden
68/69 II C 1/2
Schwerte 56 V B 2,
142 IV C 2, 142 V C 2
Schweta (Burgward) 56 IV
Schwetz 68/69 I K 2,
122/123 I H 2
Schwiebus, Land 121 I
Schwiebus, O. 68/69 I H 2,
96/97 I H 3, 115 I D 2
Schwyz, O. u. Kanton
80 II C 1, 130/131 II B 1
Scidrus, Skidrus, Skidros
30/31 I F 5
Scilly-Ins. 60 I C 4
Scirtones, V. 38/39 I D 2
Scodra 38/39 I C 2
Scolacium 25 III B 1
Scone 60 I D 2
Scordisci, V. 38/39 I C/D 2
Scoti, Schotten, V.
42/43 I B 1
Scridefinnen, Lappen, V.
61 I C 1
Scupi, Üsküb 38/39 I D 2
Scuttar, Vicus, Nassenfels
40 II E 3
Scyrus, Skyros, Ins.
38/39 I D 3
Scythia, Skythenland
34/35 VI
Scythia, röm. Prov.
42/43 I E 2, 48 II D 2
Scythicum regnum, Bospo-
ranisches Reich
38/39 I F 1/2
Scythopolis, Bethsean,
Skythopolis 22/23 II C 3,
34/35 II B 2
Sealsea, Chichester 52 I B 2
Seato-Pakt 166/167 II
Seaton, Fl. 142 II A/B 1
Seaton Delaval 142 II B 1
Seattle 137 I I 3
Sebalder Wald 81 I
Sebaste, Samaria 34/35 II B 2
Sebasteia, Sebastia, O. a.
Halys 38/39 I G 3,
42/43 I F 3
Sebastopolis, Dioskurias,
O. a. Schwarzen Meer
34/35 I G 2
Sebastopolis, O. i. Kappa-
dokien 50/51 E 3/4
Sebeda, Wüstung 77 IV A 2
Sebenico, Bm. 88/89 II D 3
Sebenico, O. 130/131 I F 3
Sebennytische Nil-Mündung
29 II B 1
Sebennytus, Sebennytos
6 I A 1
Sebua 6 I A 3
Sebulon (Ebene) 34/35 II B 2
Sebulon, V. 8 IV B 3
Secchia, Fl 4 VI B 1—3,
53 I A 1
Sechsstädtebund 68/69 I
Seckau, Bm. 88/89 II C 2
Seckau, O. 58/59 III C 2
Seckmauern 40 II C 2
Sedan 95 C 3, 114 C 3,
148 II C 2, 156/157 I D 4
Seddin 5 II C 2
Sedeinga 6 I A 3
Sedes 18/19 II C 2, 4 VII A 1
Sedetani, V. 38/39 II B 1
Sedletz, Kl. 88/89 III C 1/2
Seduni, V. 37 I A 3
Seebach, O. 77 IV B 2
Seeburg, Grobin, O.
54/55 I G 1, 60 I I 2
Seedorf 56 VI B 2
Seehandel 118 III
Seehausen, O. b. Leipzig
77 II
Seehausen, O. b. Magdeburg
75 A 3
Seehausen, Wüstung b.
Mühlhausen 77 IV A 1
Seeland, Gft. (Ndld.)
58/59 I E/F 3, 68/69 I B 3,
70 I B 1, 95 B 2,
104 III A/B 2
Seeland, Ins. (dän.) 60 I G 2,
106/107 I F/G 1/2
Seelschen 56 VI B 2
Seeon, Kl. 87 I E 2
Seevölker-Wanderung 3 I,
5 I, 9 I
Séez, Bm. 88/89 I C 4
Séez, O. 58/59 I D 4
Segder, V. 22/23 I H/I 3
Segeberg, O. 58/59 I I 2,
106/107 I F 3
Segedunum, Wallsend
40 I C 2
Segessera 36 C 3
Segesta 17 I A 3
Segewold, O. 68/69 II C 2
Seggiano 25 II B 2
Seghill 142 II A 1
Segisama, Sasamon
38/39 II B 1
Segner, V. 24 I
Segni 53 I B 3
Segobriga, O. a. Anas
38/39 II B 2
Segobriga, O. b. Saguntum
38/39 II B 2
Segodunum, Rodez 36 C 4
Segontia 38/39 II B 1
Segontium, Carnarvon
36 B 2
Segorbe, Bm. 88/89 I B 6
Segorbe, O. 54/55 I B 5
Segorigiensium Vic.,
Worringen37 I A 1
Segovia, Bm. 88/89 I B 5
Segovia, O. 38/39 II B 1,
92/93 I B 5, 154 V B 1
Segu 132 I B 3
Segusiavi 36 C 3
Segusio, Susa, O. i. Piemont
24 II C 2
Segustero, Sisteron 36 D 4
Seianum, Villa 30/31 III B 2
Seidenstraße 26/27 I F—I 2,
42/43 I G/H 2/3,
46/47 IV A—E 2/3,
136 I C/D 2/3
Seifertshain 77 II
Seiffersdorf 77 III B 1
Seim, Fl. 67 III E/F 2,
113 G/H 4
Seima-Ananino-Kultur
5 I E 1/2, 5 II E 1/2
Seine, Sequana, Fl. 36 C 3,
54/55 II B/D 3/4, 110 C 3,
148 I B 4, 156/157 I D 4
Seine et Marne, Dép.
122/123 III B 1
Seine et Oise, Dép.
122/123 III B 1
Seine inférieure, Dép.
122/123 III B 1
Seine-Oise-Marne-Kultur
2 II A/B 1/2, 5 I A/B 2/3
Seinsheim 122/123 I D 4
Seischin 154 III B 2
Seistan, Ldsch. 50/51 H 4,
134 II E 2
Seitun 64/65 IV B 2
Sekondi-Takoradi 163 IV B 3
Selangor (Sultanat)
138/139 V A 2
Selarong, O. 135 II C 1
Selarong, Staat 135 II B 1
Seldschukenstaaten, s. auch
Groß-Seldschuken, Rum-
Seldschuken, Ikonion-Sul-
tanat, Turkmenen, Turk-
völker 64/65 I E/F 3,
64/65 III B—E 3/4,
72/73 III B—E 3/4
Sele 9 I D 3
Seleburg, Bm. 88/89 I H 2
Selefke 130/131 I I 4
Selen, V. 74 II C 2
Selenga, Fl. 98/99 I K/L 2/3
Seletica, Ldsch. 38/39 I E 2
Seleucia, O. i. Gaulanitis,
siehe Seleukeia (Gaula-
nitis)
Seleucia, O. i. Pieria, siehe
Seleukeia (Pieria)
Seleukeia, Abila 22/23 II C 3
Seleukeia, O. i. Assyrien
22/23 II D 2
Seleukeia, Seleucia, O. i.
Gaulanitis 22/23 II C 3,
34/35 II B 1
Seleukeia, Mopsuestia
22/23 II C 2
Seleukeia, Seleukia, Opis
(Bagdad), O. a. Tigris
22/23 II D 3, 46/47 I C 3,
52 III D 3
Seleukeia, O. i. Pemphylien
22/23 II B 2
Seleukeia, Susa, i. Persien
22/23 II E 3
Seleukeia, Seleucia, in Pieria
(Syrien) 22/23 II C 2,
41 III A/B 1
Seleukeia, i. Pisidien
22/23 II B 2
Seleukeia, Tralles, Tralleis
22/23 II A 2
Seleukeia, Zeugma
22/23 II C 2, 38/39 I G 3
Seleukia, O. i. Kilikien
22/23 II B 2, 38/39 I F 3,
57 I F 4, 64/65 IV A 2
Seleukia, Seleukeia, Opis
(Bagdad) 22/23 II D 3,
46/47 I C 3, 52 III D 3
Seleukidenreich
26/27 I D—H 1—3,
26/27 IV C/D 2, 28 I E/F 2,
29 III C 2, 46/47 I B 3,
46/47 II B 3/4
Selge 26/27 IV B 2
Selgin 8 I B 2
Selgovae, V. 36 B 1
Seligenstadt, Kl. 58/59 I H 3
—, O. 40 II B 1, 78 III B 2
Selinunt, Selinus, O. auf
Sizilien 16 II B 3, 17 I A 3
Selinus, Fl. i. Achaia
18/19 I B/C 3
Selinus, O. i. Lakonien
13 II B 1
Selinus, O. a. Peponethos
18/19 I D 2
Selinus, Selinunt, O. a. Si-
zilien 17 I A 3
Selinus, Traianopolis
38/39 I F 3
Selja 61 I B 1
Selker Noor (See) 60 IV B 2
Sellasia 13 II A 1
Selm 56 V B 1,
142 IV B 1, 142 V B 1
Selymbria 16 I E 1
Selyon 9 II D 2
Selz, Saletio (Pfalz) O.
40 II B 3, 54/55 II F 3,
128 I B 2
—, Kl. 58/59 I H 4
Semachidai 13 I B 1
Semaraim 8 III B 3
Semarang 135 II C 1
Semendria 112 II D 3
Semeros 38/39 I D 4
Semgallen, Ldsch.
68/69 II C 2, 104 IV C 2
Semgaller, V. 50/51 D 2,
74 II B 2
Semipalatinsk 136 I B 1
Semiten, V. 3 I C—F 3/4, 3 II
Semiten, V. i. Afrika 132 III
Semlin 67 III C 4, 112 II D 3,
148 I F 5
Semljanoigorod, Ot. v.
Moskau 105 IV
Semmering, Paß
58/59 III C 2, 122/123 I F 5
Semne 6 I A 3
Semnones, V. 36 E 2, 41 I B 2
Sempach 80 II C 1
Sémur 95 C 4
Sena Gallica 30/31 I D 1
Sénanque, Kl. 87 II B 3
Sendai 154 III D 3
Seneffe 106/107 I C 4
Senegal, Fl. 132 I B 3
Senegal, frz. Kol. 132 I B 3
Senegal, Staat 162 III A 2,
164/165 III, 166/167 I u. III,
168
Senegambien, Ldsch.
115 II F 4
Senez, Bm. 88/89 II B 3
Senheim 80 I C 1
Senigallia 53 I B 2
Senlis, Bm. 88/89 I C 4
Senlis, O. 54/55 II C 3, 95 B 3,
114 B 3, 148 II B 2
Sennar, V. 98/99 IV
Senne, Ldsch. 37 II A 2
Senonen, Senones, V.
36 C 3
Senonia, röm. Provinz
42/43 I C 2
Senot. Vicus, Wilferdingen
40 II B 3
Sens, Ebm. 88/89 I C 4
Sens, Agedineum, O.
36 C 3, 54/55 II C 3,
58/59 I E 4, 110 C 3
Sentinum 30/31 I C 1
Senussi, V. 98/99 IV,
132 I D 2
Seo de Urgel 154 V C 1
Separatisten im Rheinland
153 II
Seph 34/35 II B 2
Sephela, Ebene 8 III A 3
Sepphoris 34/35 II B 2
Septempeda 30/31 I D 1
Septimanca 38/39 II B 1
Septimanien, Ldsch.
48 II B 2, 50/51 B 3,
54/55 I C 4
Septimer-Paß 49 III A 2,
80 II D 2
Sequana, Seine, Fl. 36 C 3
Sequaner, Sequani, V.
36 D 3
Serampur 111 II D 1
Serapeum, T. b. Memphis
29 II B 2
Serben, V. 50/51 C/D 3,
56 II B/C 3, 61 II B/C 2,
71 II A/B 3, 112 II,
150/151 II, 160 I u. II
Serbien, Großserbien, Ser-
bisches Reich, Kgr., s. auch
Raszien 64/65 I C/D 2,
64/65 II C/D 2, 70 II C/D 2/3
—, osman. Prov.
92/93 I F/G 5, 112 II C/D 3/4
Serbien, habsburg.
115 I D/E 4

—, tributär. Fsm. 126/127 I G/H 5, 128 V, 130/131 I F/G 3
—, unabh. Fsm., Kgr. 145 III—VI A/B 2, 148 I E/F 5
Serbien, Bevölkerungsverluste 1914—18 152 III
Serbien, Staat unter NS-Verwaltung 155 II C/D 2, 156/157 I E/F 4, 156/157 III C/D 3, 160 I B/C 3
Serchio, Fl. 53 I A 1/2
Serdica, Ldsch. 38/39 I D 2
Serdica, Sofia, O. 38/39 I D 2
Serdjilla, Stabl Antar 41 III C 2
Sereda 8 III B 2
Seres, Ebm. 88/89 I G 5
Seres 92/93 I G 5, 145 V B 2, 145 VI B 2
Sereth, Bm. u. O. 71 I C 3, 88/89 I H 4
Sereth, Fl. 75 E 4/5, 130/131 I H 2
Seretha Schahar 8 III B 3
Sergiopolia, Risapha 41 III D 2
Seriane 41 III C 2
Seringapatam 135 I B 3
Seriphos, Ins. u. O. 18/19 I E 4
Sermylia 18/19 II C 2
Serra 6 I A 3
Serrey 115 I E 2
Serrinum 25 II C 2
Serrorum montes, Südkarpaten, Geb. 38/39 I D/E 1
Servia 4 VII A 1, 18/19 II A 2
Servianische Stadtmauer Roms 32 II
Servilium 38/39 I C 1
Sesebi 6 I A 3
Sesia, Fl. 124 I C 3
Sesklo 4 VII A 2
Sestiaria, promontorium, Kap 38/39 II B 2
Sestinum 30/31 I C 1
Sesto Calende, Vargiate 24 II D 2
Sestos, Sestus 18/19 I G 1
Setaia 10 III D 1
Sete 24 II A 3
Setia, Kap 10 III D 1
Setia, O. 30/31 II C 3
Sétif, Sitifis 34/35 III B 1
Setubal 85 I A 3, 102/103 I B 6
Setzdorf 77 III B 2
Seussling 56 III
Sevaces, V. 36 E 3, 38/39 I B 1
Sevem, Fl. 57 II B 2
Severin, Sewerin (Banat) 64/65 II D 2
Severin, Sewerin, O. 67 III C 4
Sevilla, Ebm. 88/89 I A 6
—, Hispalis, O. 38/39 I A 2, 48 I A 3, 50/51 A 4, 64/65 II A 3, 130/131 I A 4
—, span. Prov. 130/131 I A 4
—, Universität 91 V A 3
Sèvres 150/151 I D 4
Sewan-See 134 I E 3
Seward 137 I H 1/2
Sewastopol, s. Chersonesus 38/39 I F 2, 116/117 I K 5, 130/131 I I 3, 148 I H 5, 149 III C 3, 156/157 I G 4
Sewerien, Ldsch. 105 II B 3, 113 G 4
Sewerjanen, V. 50/51 E 2
Sexi 38/39 II B 2
Seychellen, Ins., brit. 132 I E 4, 138/139 I M 5
Seykan, Fl. 8 I B 2
Sfax, Taparura 34/35 III C 2, 64/65 I C 3, 130/131 I E 5, 156/157 I E 5
Sforza-Herrsch. (Mailand) 92/93 I D/E 4/5
Shadwell 109 I
Shan-Stämme, Thai, Siamesen, V. 72/73 II I/K 6, 98/99 I K 5/6
Sheffield 110 B 2
Sheppey 57 II C 2
Sherborne, Bm. 52 I B 2
Sherburn 142 II A/B 2
s'Hertogenbosch, s. Hertogenbosch
Shetland-Ins., Hjaltland 50/51 A 1, 57 I B 1, 61 I A 1, 92/93 I B 1, 102/103 I C 1
Shiloh 133 III E 3
Shitomir 67 III D 2, 75 F 4, 113 F 4, 119 D 4, 148 I G 3, 156/157 I F 3
Shkodra, s. Skutari, O. i. Albanien 150/151 I E 4
Shlobin 156/157 III D 2
Shoreditch 109 I
Shou-shan, s. Awaren, V. 46/47 III G—L 1
Shravasti 22/23 I K 3
Shresthapura 46/47 III I 4
Shrewsbury 58/59 I B 2, 102/103 I C 3
Siam, Golf v. 136 II A/B 2/3
Siam, Thai, s. auch Thailand, Staat 98/99 I K/L 6, 111 II D/E 2, 136 II A/B 2/3
Siamesen, Thai, Shan, V. 72/73 II I/K 6
Si Aoun 34/35 III C 2
Siarum 38/39 II A 2
Siberine 17 I F 1
Sibir (Chanat) 98/99 I G/H 2, 105 II E 3
Sibir, O. 105 III C 2
Sibirien, russ. Reich 105 III, 119 I—M 2/3, 159 I E—H 1/2
Sibirien, Interventions-Feldzug 149 IV
Sibirische Tataren, V. 98/99 I G—I 2
Sibiu, s. Hermannstadt 150/151 I F 4
Sibma 8 III B 3
Sicca Veneria 34/35 III B 1
Sichem, Neapolis, Nablus 8 III B 2, 34/35 II B 2, 64/65 IV A 4
Sicilia, röm. Prov., s. auch Sizilien 25 I D/E 4/5, 25 III
Sicilibba 28 IV A 2
Sicyon, Sikyon 38/39 I D 3
Sidamo, Ldsch. 154 IV A 2
Siddim 8 III B 3
Side, O. i. Lakonien 18/19 I D 5
Side, O. i. Pamphylien 8 II B 2, 38/39 I F 3
Sidi Barrani 156/157 I F 5
Sidi bel Abbès 150/151 I C 5
Sidnacester, Bm. 52 I B 2
Sidney, O. i. Canada 156/157 II D 2
Sidon 8 IV B 2, 38/39 I G 4, 64/65 IV A 4
Sidus 18/19 I D 4
Sidusa 18/19 I G 3
Sidyma 34/35 I E 3
Siebenbürgen, Fsm. 92/93 I G/H 4, 102/103 I H/I 4, 106/107 I L—M 5/6, 112 II E/F 2/3
—, Grfsm. 124 III, 130/131 I G/H 2
Siebenbürgen, Ldsch. 70 II D/E 1, 150/151 I D 4
Siebenhufen 77 III B 2
Siedlce 115 I E 2
Sieg, Fl. 37 I A 1, 126/127 II A 2
Siegburg, Kl. 87 I D 1
Siegburg, O. 122/123 I B 3
Siegen 68/69 I E 3, 122/123 I C 3, 126/127 II B 2
Siegersleben 56 VI B 2
Siena, Ebm. 88/89 I E 5
—, Saena, O. 25 II B 1, 53 I A 2
—, Republik 94 I D 3, 94 II D 3
—, Universität 91 V C 2
Sien-bi, Tungusen, V. 46/47 I K/L 1/2
—, Reich 46/47 III G—L 1
Sieradz 67 III B 2, 75 C 4, 122/123 I H 3
Sierck 114 D 3
Sierra Leone, portug. Besitzung 98/99 IV
Sierra Leone, brit. Kol. 132 I B 3, 138/139 I I 4
Sierra Leone, Staat 162 III A 2, 164/165 III, 166/167 I, 168
Siewierz 68/69 I K 3, 96/97 I K 4
Sifta 138/139 IV B 2
Siga 38/39 II B 2
Sigeion, Sigeon 18/19 I G 2
Sigmaringen 120 V B 2
Signia 30/31 II C 2
Sigtuna, O. 60 I H 2
Siguenza, Bm. 88/89 I B 5
Siguenza, O. 54/55 I B 4
—, Universität 91 V A 2
Sigynner, V. 14/15 VI
Si Hia, tibetan. Tanguten, V. u. Hft. 72/73 I C/D 1/2
Sihun, Jaxartes, Syr darja, Fl. 50/51 H/I 3
Sikaner, V. 17 I B 3, 3 I C 3
Sikhs, V. 116/117 IV B 1, 137 III A 2, 163 I A 2
Sikiang, Fl. 136 I D/E 4
Sikinos, Ins. u. O. 18/19 I F 5
Sikkim, Staat 135 I C 2, 136 I B 4
Siklag 8 III A 3
Sikuler, V. 17 I C 3, 9 I C/D 3
Sikulische Kultur 2 II C 3, 5 I C 4, 5 II C 4
Sikyon, Sicyon 18/19 I C 4
Sila, Geb. 17 I E 1
Silarus, Fl. 30/31 I E/F 4
Silberberg, Bg. O. i. Böhmen 86 I B 2
—, Bg. O. i. Schlesien 86 I D 1, 122/123 I G 3
Silberflotten, spanische 111 I B—F 2/3
Silberhausen 77 IV A 1
Silberstedter Au, Fl. 61 IV B 1/2
Silda 38/39 II A 3
Sile, Abu Seif 6 I A 1
Silingen, Wandal., V. 42/43 I D 1, 48 I A 3, 48 I C 1
Silinger, Slawen-V. 54/55 I F 2
Silistria, Ebm. 88/89 I H 5
Silistria, Durostorum, Dorostol, O. 38/39 I E 2, 54/55 I H 4, 145 V C 2, 145 VI C 2
Silla, Staat 46/47 III L 2, 46/47 IV G 3
Sillein 74 III D 2, 106/107 III B 2
Silo 8 III B 2
Silos, Kl. 87 I B 3
Silsile (Gebel) 6 I A 3
Silures, Silurer, V. 36 B 2
Silves, Bm. 88/89 I A 6
Silvium 30/31 I G 4
Simbabwe 132 I D 5
Simbirsk, Uljanowsk 119 H 4, 149 III D 2, 150/151 I H 3
Simeon, O. 8 III B 2
Simeon, V. 8 IV A 4
Simferopol 130/131 I I 3
Simitthu 34/35 III B 1
Simla 135 I B 1
Simmern, O. 80 I C 2, s. auch Pfalz-Simmern 122/123 I B 4
Simmern-Bach 80 I C 2
Simnitza 145 V C 2
Simonos Petra (Athos-Kl.) 45 VI B 2
Simonshofen 81 I
Simplon, Paß 37 I B 3, 80 II B 2
Simrishamn 75 B 3
Simylla 34/35 VI, 46/47 I F 5
Simyra 9 I E 3
Sinai, Geb. 6 I A 2
Sinai-Halbinsel 130/131 I I 5/6, 148 III A 3
Sinanthropus-Rasse 1 I u. II
Sinanthropus Pekinensis-Rasse 3 III
Sincoc, Berg 100/101 VI A 1
Sind, s. auch Sindh, Ldsch. 163 I A 2
Sindelfingen 96/97 I E 5
Sinder, O. 132 I C 3
Sinder, V. 20 I G 2
Sindfeld 37 II A 2
Sindh, Sind, Ldsch. 46/47 I E 4, 50/51 H 5, 116/117 IV A 2, 135 I A/B 2
Sindhia, Ldsch. 116/117 IV B 2
Sindjar 112 I E 2
Sindos, Lembet 18/19 II C 2
Sinear, Suach, Ldsch. 9 I F 3
Singapur, s. auch Schonanko 136 II B 3, 138/139 V B 2, 158 I C 4, 158 II C 4, 162 II C 3
Singara 38/39 I H 3
Singaradja 135 II D 2
Singhala, Taprobane, Ceylon, Ins. 46/47 I F/G 6
Singidunum, Belgrad 38/39 I D 2, 48 II D 2
Singos, Golf von 18/19 I D/E 1
Singos, O. 18/19 II C 2
Sining 136 I D 3
Sinisca 37 I C 3
Sinis Colonia 38/39 I G 3
Sinjar 6 IV B 1
Sinjucha, Fl.. 71 I D 3
Sinkara, Larsa 6 III C 2
Sinkiang, Ost-Turkestan, s. auch Hsinkiang, chines. Prov. 136 I A—C 2—3, 149 IV D 2
Sinope, Sinop 9 III E 1, 38/39 I G 2, 48 I E 2, 64/65 II E 2, 70 II G 2, 112 I D 1
Sinsen 142 IV B 1, 142 V B 1
Sinsheim, Vicus Saliop. 37 I B 2, 114 E 3, 128 I B 2
Sinuessa 25 I D 3, 30/31 I D 3, 38/39 I B 2
Sinzig, Pfalz 54/55 II E 2
—, O. 78 III A 2
Sioux, V. 116/117 II B 2/3, 144 IV C 2
Siparuntum 38/39 I D 2
Siph 34/35 II B 3
Siphai 18/19 IV B 2
Siphnos, Ins. u. O. 18/19 I E 4/5
Siponto-Manfredonia, Ebm. 88/89 I F 5
Sipontum, Siponto, O. 30/31 I F 3, 63 I E 4
Sippar, Abu Habba 6 III B 2, 6 IV B 2
Sipylos, Geb. 18/19 I H 3
Siraf 46/47 III D 3
Sirbitum 42/43 I F 5
Sirbonischer See 29 II B 1
Sirenusae, Ins. 30/31 III B 2
Sirenusarum promontorium, Kap 30/31 III C 2
Sirgenstein 1 IV B 2
Siris, Fl. 30/31 I G 4
Siris, O. 30/31 I G 4
Sirkeli 8 I B 2
Sirmium, O. 38/39 I C 2, 48 I C 2, 50/51 C 3, 67 III B 3/4
—, Ebm. 56 II B 3
Sirsukh (Taxila), Plan 21 III
Sis, O. u. Patriarchat 64/65 IV A 2
Sisahli Tepe 6 II B 2
Sisapo 38/39 II B 2
Siscia, Sisek, Sissek 38/39 I C 1, 54/55 I F 3, 96/97 I I 7, 115 I D 3
Sisseln 40 III A 1
Sisteron, Bm. u. O. 88/89 II B 3
Sistowa 130/131 I H 3
Sitake 22/23 III C 2
Sithonia, Halbins. 18/19 I D/E 1/2
Sitia 10 I C 1
Sitifensis, röm. Prov 42/43 I C 3
Sitifis, Sétif 34/35 III B 1
Sitka 125 II
Sitonen, V. 41 I B/C 1
Sitsch 119 E 5
Sitten, Bm. 88/89 II B 2
Sitten, Bm.-Territ. 68/69 I D 5
Sitten, O. 37 I A 3, 80 II B 2, 130/131 II A 1
Sittichenbach, Kl. 88/89 III B 1
Siva, O. a. Kreta 10 I A 1
Siwa, Oase, Ammonion 14/15 I D 4, 130/131 I H 6
Siwas, O. 70 II G 3
—, Wilajet 134 II B 1/2
Sizara, Larissa 22/23 II C 2
Sizilien, Sicilia, Ins. 17 I A—D 2—4, 48 I C 3, 48 II C 3, 49 I C 3, 54/55 I E 5, 56 II A/B 4, 63 I D/E 5/6
Sizilien, Kgr., normann.-stauf. 64/65 I C 2/3
—, d. Anjou u. Aragonesen 70 II B/C 3, 102/103 I F/G 6
Sizilien, Kgr., österr. 115 I B/C 4
—, piemontes. 116/117 I F/G 6
—, bourbon. 116/117 I F/G 6, 125 I D 4
—, Kgr. beider 130/131 I E/F 3/4
Sizilien, ital. Prov. 156/157 I E 5
Sjewsk 113 G 4
Skagerrak (Meerenge) 84 I B 2, 113 B 3, 148 I C/D 2
Skalaholt, Bm. u. Hof 57 III A 2, 88/89 I A 1
Skalais 10 I C 1
Skalani 10 I B 1
Skalitz, Kl. 88/89 III B 2
Skallia 10 I B 1
Skamandros, Fl. 18/19 I G 2
Skambonidai, Ot. v. Athen 12 VI
Skandeia, O. 18/19 I D 5
Skandeira, Ins. 18/19 I E 2
Skandinavisches Unionskönigtum 92/93 I A—H 1—3
Skanör 84 I C 2, 113 C 3
Skaphai 13 I A 1
Skapsa 18/19 II C 2
Skara, Bm. 88/89 I E 2
Skara, O. 60 I G 2, 75 B 2
Skarphe, Skarpheia 18/19 I C 3
Skeninge 75 B 2
Skepsis 18/19 I G 2
Skiathos, Ins. u. O. 18/19 I D 2
Skidra (Thrakien), pers. Satrapie 14/15 V B 1
Skidros, Skidrus, Scidrus 30/31 I F 5
Skierniewice 147 F 3
Skillus 18/19 I B 4
Skione 18/19 II C 3
Skiren, V. 24 I D/E 2, 48 I C 2
Skiringsal 60 I F 2
Skiritis, Ldsch. 18/19 I C 4
Skironischer Fels 13 I A 2
Sklavenhandel 111 I
Sklavokambos 10 I A 1
Skodra 38/39 I C 2
Skolopoeis 13 III A 1
Skolos 13 I A 1
Skoplje, Üsküb 54/55 I G 4, 145 V B 2, 145 VI B 2, 148 I F 5, 155 II D 2, 156/157 I F 4, 160 III D 4
Skordisker, V. 24 I D/E 3
Skoten, s. auch Schotten 52 I A 1/2, 54/55 I A 1
Skotieno 10 I B 1
Skotussa 18/19 I C 2
Skutari, Shkodra, O. i. Albanien 54/55 I F 4, 130/131 I F 3, 145 V A 2, 145 VI A 2, 148 I E 5, 150/151 I E 4
Skutari, Üsküdar, O. a. Bosporus 70 II E 2, 145 V C 2, 145 VI C 2, 150/151 I F 4
Skyllaion, Kap, i. Argolis 18/19 I D 4
Skyllaion, O. i. Bruttium 17 I D 2
Skylletion 17 I E 2
Skyros, Scyrus, Ins. u. O. 18/19 I E 3
Skythen, V, 3 I E 2, 9 III G 1, 14/15 I D—F 2, 20 II E 1
Skythen, entflohene, V. 14/15 VI
Skythenland, Scythia 34/35 VI
Skythopolis, Bethsean, Scythopolis 34/35 II B 2
Slankamen 112 II D 3
Slawen, V. 3 I D/E 1, 34/35 I E/F 1, 48 I, 49 I D/E 1/2, 50/51 C—E 2—4, 54/55 I E—H 1—5, 57 I D—G 2/3, 67 III, 150/151 II
Slawen-Mission 56 II, 58/59 II, 61 I u. II
Slawische Siedlung 77 II u. III
Slawische Sprachen 70 II
Slawische Völker 134 I
Slawjansk 130/131 I K 2
Slawkow, Bg. O. 86 I E 1
Slawnikinge, Fsm. der 58/59 I L/M 3
Slawonien, Ldsch. 67 III B 3, 70 II C 1, 112 II B/C 3, 115 I D 3
—, Banat 70 II C 1
Sliwnitza 145 V B 2
Slonin 75 E 3, 160 III E 2
Slowakei, Staat 155 II C/D 2, 156/157 I E/F 4, 156/157 III C/D 3
Slowaken, V. 50/51 C 3, 54/55 I F 3, 56 II B 2, 67 III B 3, 104 II C/D 3, 112 II, 150/151 II, 160 II
Slowenen, Winden, V. 49 III C/D 2, 50/51 C 3, 54/55 I E/F 3, 56 II A/B 2, 58/59 II B/C 2, 112 II A 2, 150/151 II
Slowenien 160 III B/C 3
Sluis 70 I B 1, 78 IV A 2, 96/97 IIIa—d, 104 III A 2
Slutsch, Fl. 75 E 4
Sluzk 67 III D 2, 113 F 4, 156/157 III D 2
Småland, Ldsch. 113 C/D 3
Smolensk, Ebm. 88/89 I I 3
—, Fsm. 67 III E 1/2
—, Gouvernement 119 E/F 3/4
—, Ort 61 V C 2, 71 I D 2, 113 G 4, 119 E 4, 125 I F 2, 156/157 I G 3
Smolina-See 104 IV C 2
Smorgon 113 F 4, 148 I G 3
Smyrna, Ebm. 88/89 I H 6
Smyrna, Eurydikeia, Izmir, O. 18/19 I H 3, 48 I D 3, 70 II E 3, 130/131 I H 4, 153 V B 2
Snaefell, Ldsch. 57 III B 2
Snaefellsjökull, Berg 57 III A 2
Só (Banat) 70 II C 2
Soana 53 I A 2
Soba 6 I A 4
Sobat, Fl. 132 I D 3
Sobernheim 80 I C 2
Sobibor, NS-Konzentrationslager 155 I E 2
Sobrado, Kl. 87 II A 3
Socho, O. i. Samaria 8 III B 2
Socho, O. i. Judaea 8 III A 3
Sochumi, Suchum, Suchum-Kalé 134 I C 2
Söderköping 75 C 2, 113 D 3
Södermanland, Ldsch. 113 D 3
Södertelge 113 D 3
Sodom 162 IV B 2

Soest 68/69 I E 3, 78 III B 2, 126/127 II B 2
Sofala 98/99 I D 10, 132 I D 5
Sofia, s. Sardika, Serdica 38/39 I D 2, 54/55 I G 4, 71 II B 3, 130/131 I G 3, 145 V B 2, 145 VI B 2, 156/157 I F 4, 156/157 III D 3
Söflingen, Kl. 120 V C 1
Sogdiana, Sogdien, Ldsch. 22/23 I H 1/2, 26/27 I H/I 2, 46/47 I E/F 3, 50/51 H 3
—, pers. Satrapie 14/15 I H/I 2/3
Sogdier, V. 3 I H 3
Sögel 5 I B 2
Sogn, Ldsch. 60 I F 1
Soissons, Bm. 88/89 I C 4
Soissons, O. 49 II B 1, 54/55 II C 3, 58/59 I E 4, 114 B 3, 148 II B 2
Sokal 75 E 4
Sokhotai 72/73 II I/K 6
Sokoto, Ldsch. 132 I C 3
Sokotra, Ins. 98/99 I F 6, 111 II B 2, 138/139 I M 4
—, Nestorianer-Ebm. 52 III D 4
Soldau 74 III E 1, 106/107 I L 3, 152 II I 2
Sölde 142 IV C 1, 142 V C 1
Soldin 92/93 II C 2, 121 I
Soleb 6 I A 3
Soletum 30/31 I 74
Solferino 130/131 III C 2
Soli, O. a. Cypern 38/39 I F 3
Soli, O. a. Taunus 8 I A 2
Solikamsk 105 III C 1
Solingen 110 D 2
Solling, Geb. 37 II B 2
Sollion 18/19 I A 3
Sollum 156/157 I F 5
Sollstedt 77 IV A 1
Solms, Gft. 122/123 I C 3, 126/127 II B 2
Solnhofen, Kl. 52 II C 2
Solocha 24 I F 3
Solodurum, Solothurn 37 I A 3
Soloeis, s. Soluntum 17 I B 2
Soloi, Soli, O. a. Cypern 22/23 II B 2
Solonius Campus, Ldsch. 30/31 II A/B 2
Solorius mons, Geb. 38/39 II B 2
Solothurn, Solodurum, O. u. Kanton 37 I A 3, 80 II B 1, 130/131 II A 1
Solowetzkij-Kloster 119 F 1
Soltau 122/123 I C 2
Soluntum, Solus, Soloeis, O. a. Sizilien 25 I D 4
Solus, s. Soluntum 11 II C 2, 25 I D 4
Solutré 1 III C 2
Solway Moss 102/103 I C 2
Solygeion 18/19 I C 4
Solymer, V. 9 I C/D 2
Somalia, Staat 162 III D 2, 164/165 III, 166/167 III, 168
Somali-Küste, Punt, Weihrauchland 6 I A 2, 9 I E 6
Somaliland, brit. Kol. 132 I E 3, 138/139 I M 4
Somaliland, frz. Kol. 154 IV B 1
Somaliland, italien. Kolonie 132 I E 3, 138/139 III C 2
Somerset, Gft. 57 II B 2
Somme, Dép. 122/123 III B 1
Somme, Fl. 95 A/B 2/3, 114 A/B 2/3, 148 II A/B 1/2
Sommersdorf 56 VI B 2
Somnath 72/73 II G 5
Sonderburg, O. 96/97 I E 2
Sondershausen 122/123 I D 3
Sondrio 68/69 I E 5, 80 II D 2, 116/117 I E 4, 126/127 I E 4
Songhai, V. 98/99 IV
Sonneberg, O. i. Thüringen 122/123 I D 3
Sonnenberg, Bg. O. i. Böhmen 86 I B 1
Sonnenburg, O. 121 I
Sonthofen, NS-Ordensburg 155 I B 3
Sonthofen, O. 122/123 I D 5
Soor 122/123 I F 3
Sopatma 46/47 I F/G 5
Sophanene, Ldsch. 38/39 I H 3
Sophene, Ldsch. 38/39 I G 3
Sopianae 38/39 I C 1
Sor (Mütessaryflyk) 134 II B/C 2
Sora 30/31 I D 3, 94 I E 4
Soracte Mons, Soratte, Bg. 30/31 I C 2, 53 I B 2
Sorau 68/69 I H 3, 122/123 I F 3
Sorben, V. 50/51 C 2, 54/55 I E 2, 58/59 I K 3, 150/151 II B 2
Sorbiodunum 36 B 2
Sorbische Mark 54/55 I E 2
Sorbolo 63 II B 2
Sorek, Fl. 8 III A 3
Sorg 81 I
Sorge, Fl. i. Holstein 61 III B 2
Sorge, O. i. Schlesien 77 III B 2
Sörgsdorf 77 III B 2
Soria 54/55 I B 4, 58/59 I B 8
Sorö, Kl. 87 II C 2
Sororge, Sarudsch 64/65 IV C 2
Sorrent, Ebm. 88/89 I E 5
Sorrent 54/55 I E 4
Sorrina 30/31 I C 2
Sortavala 113 G 2, 160 IV C 3
Sorviodurum, Straubing 37 I D 2
Sostra 38/39 I D 2
Sotiates, V. 36 B/C 4
Sotillo 1 III B 2
Sotschi 149 III C 3
Sotuta 100/101 II D 1
Souchez 148 II B 1
Soudschbulak 148 III B 2
Souhne 41 III D 3
Söul, Keijo 98/99 I N 4, 136 I F 3, 136 III C 3, 162 I C 2
Soulosse 54/55 II D 3
Sousse, s. Hadrumetum 34/35 III C 1, 163 III C 1
Southampton 68/69 III B 1, 110 B 2, 156/157 III A 2
South Gosforth 142 II A 1
South Hetton 142 II B 2
South Shields 40 I C 1/2, 142 III B 2
Southwark 109 I
Southwick 142 II B 2
Southwold 110 C 2
Sou-tschou 98/99 I K 4, 136 I C 3
Souvigny, Kl. 87 I C 2
Sovana, Suana 24 II E 3, 25 II B 2
Sowjetische Besatzungszone in Deutschland (SBZ), s. auch „DDR“, „Deutsche Demokrat. Rep.“ 160 III B 2
Sowjetische Besatzungszone in Österreich 160 III B/C 3
Sowjetischer Sektor v. Berlin 161 II
Sowjetunion, UdSSR, Union der Sozialist. Sowjet-Republiken, s. auch Rußland 136 III A/E 1/2, 149 II—IV, 150/151 I F/K 2—5, 150/151 II C/D 1—3, 152 I, III u. IV, 153 III u. IV, 154 VI, 155 II D/E 1/2, 156/157 I F—I 2—5, 156/157 III D/E 1—3, 158 I u. II B—F 1/2, 158 III A/B 1, 159 I u. II, 160 I u. II C/D 1—3, 160 III D—F 1—3, 160 IV B/C 1—4, 163 II A—D 1—3, 164/165 II u. III, 166/167 I—III, 168
Sowjetunion, Bevölkerungsverluste 152 III, 161 III
Sozialdemokratische Partei Deutschlands (SPD) 145 II, 153 I 154 I u. II
Sozopolis 54/55 I H 4, 70 II E 2
Spa 148 II C 1
Spalato, Ebm. 88/89 II D 3
Spalato, Salona, Split, O. 50/51 C 3, 94 I G 3, 94 II G 3, 102/103 I G 5, 124 II D 2
Spalato, Palatium Diocletiani, Plan 42/43 VIIIa—b
Spalauthra 18/19 I D 2
Spandau 115 I C 2, 143 II
Spanien, Kgr. (seit 1479) 86 II A—C 3/4, 92/93 I A—C 5/6, 102/103 I B—D 5/6, 111 I F/G 1/2, 116/117 I B—D 5/6, 124 III, 125 I B/C 3/4, 128 II u. IV, 145 IV
Spanien, Republik 128 V, 149 II, 150/151 I C/D 4/5, 154 V u. VI, 156/157 II F/G 2/3, 164/165 III, 166/167 III, 168
Spanier in den USA 144 II
Spanisch-Afrika, Kol. 132 I
Spanisch-Amerika, Kolonialbesitz 118 III
Spanische Entdeckungsreisen 100/101 I, II, VII u. VIII
Spanische Kolonien 111 I u. II
Spanische Mark d. Frankenreiches 54/55 I B/C 4
Spanische Niederlande 110 C/D 2/3
Spanische Sahara, Ldsch. 162 III A 1
Spanische Silberflotten 118 III
Spanische Sprache 49 II A 3
Spanisch-Guinea, s. auch Rio Muni 162 III B 2
Spanisch-Marokko 154 V A/B 2
Sparta 13 II, 56 II C 4
—, Plan 12 VII
Spartakus-Aufstände 153 II
Spartalos 18/19 I D 1
SPD, Sozialdemokratische Partei Deutschlands 153 I, 154 I u. II
Speiraion, Kap 13 I A 2
Spellen 142 IV A 1, 142 V A 1
Speluncae 30/31 I H 4
Speos Artemidos 29 II B 2
Spercheiai 18/19 I C 3
Spercheios, Fl. 18/19 I B/C 3
Speth, Frhr. v., Reichsritter 120 V B/C 1/2
Speyer, Bm. 88/89 II B 2, 145 I, 161 VI
—, Bm.-Territ. 68/69 I E 4, 122/123 I B/C 4, 128 I B 2
—, Noviomagus, O. RSt. 40 II B 2, 54/55 II F 3, 68/69 I E 4, 122/123 I C 4, 128 I B 2
Spezia, La Spezia 63 I B 2, 94 I C 2, 94 II C 2, 116/117 I E 5, 130/131 I D 3, 156/157 I D 4, 156/157 III B 3
Sphaka 10 I B 1
Sphakoriako 10 I A 1
Sphakteria, Ins. 18/19 I B 5
Sphendale 13 I B 1
Sphettos 13 I B 2
Spina 24 II F 2
Spinalonga 116/117 I I 6
Spinazzola 63 I F 4
Spinetoli 30/31 I D 2
Spittelhorn, Wüstung 77 IV A 2
Spitzbergen, Ins. 164/165 I K/L 1, 164/165 II K/L 1
Spizza 145 V A 2
Split, s. auch Spalato 150/151 I E 4
Splügen, Paß 37 I B 3, 80 II D 2
Spoleto, Bm. 88/89 I E 5
Spoleto, Hzm. 53 I B 2, 63 I D/E 3/4, 94 I E 3
Spoletium, Spoleto, O. 30/31 I C 2, 50/51 C 3, 53 I B 2, 63 I D 3, 94 I E 3, 94 II E 3, 130/131 I E 3
Sponheim, Gft. 96/97 I D 5, 122/123 I B 4
Sponheim, O. 80 I C 2
Sporaden, Ins. 18/19 E—G 4/5
Sporaden, südl., Ins. 145 V C 3
Spree, Fl. 58/59 I K/L 2/3, 122/123 I E/F 2/3
Spremberg 122/123 I F 3
Springfield 118 II A 2
Springs 144 V B 2
Squillace 63 I F 5
Srebrnik 102/103 I G 5
Srednij-, Fischer-Halbins. 160 IV C 2
Sri Lanka = Ceylon 162 II A/B 3, 164/165 I, 168
Srinagar 72/73 II G 4, 98/99 I H 4, 135 I B 1, 163 I B 1
Srirampur, Frederiksnagar 135 I C 2
Srondol 135 II C 1
Ssumao 136 I D 4
Staaken, Ot. v. Berlin 161 II
Staatspartei, Deutsche 154 II
Stabiae, Castellamare 30/31 III B 2
Stabl Antar, Serdjilla 41 III C 2
Stablo, Kl. 54/55 II D 2, 87 I D 1, 122/123 I A 3
Stachr 46/47 III D 2
Stad 60 I F 1
Stade 68/69 I E 2, 106/107 I E 3, 122/123 I C 2
Stadion, Gft. 120 V C 2
Stadtlohn 106/107 I D 4, 126/127 II A 2
Stadt-Sulza, Bg. O. 86 I A 1
Stäffis 80 II A 2
Stafford 58/59 I B 2
Stageiros, Stagira 18/19 II C 2
Stahnsdorf 143 II
Stain v. Rechtenstein, Reichsritter 120 V C 1/2
Stalingrad, Zarizyn, Wolgograd 150/151 I H 4, 156/157 I H 4
Stalino 156/157 I G 4
Stalinstadt, Eisenhüttenstadt 161 IV B 1
Stalleiken 142 IV B 2, 142 V B 2
Stamford 85 II A 1
Stamfordbridge 58/59 I C 2
Stangop 140 IV B 1
Stanislau 113 E 5, 116/117 I H 4, 149 III B 3, 156/157 I F 4, 160 III D 3
Stanleyville 132 I D 3
Stannington 142 II A 1
Stans 80 II C 2
Stanwik, Petriana 40 I B 2
Staraja Russa 156/157 I G 3
Stara Zagora, s. Beroea Traiana Augusta 38/39 I E 2
Starbuck-Ins. 138/139 I B 5
Starčevo 2 I D 2
Stargard, O. i. Mecklenburg 68/69 I G 2
Stargard, O. i. Pommern 68/69 I H 2, 75 B 3, 122/123 I F 2
Starhemberg, Schl. 106/107 I I 6
Starodub 75 G 3, 113 G 4
Starrwitz 77 III B 1
Staßfurt, Bg. O. 86 I A 1
Stato degli Presidii, Ldsch. 102/103 I F 5
Statonia, Pitigliano 25 II B 2, 30/31 I B 2
Statulae 30/31 I D 2
Staufen, Hohenstaufen, (Burg) 62 II B 3, 62 IV C 3
Staufer, Geschlecht, s. Hohenstaufen
Stauffenberg, Frhr. v., Reichsritter 120 V B/C 1/2
Staufische Herzogtümer u. Güter 62 II, 66 I u. II
Stavanger, Bm. 88/89 I D 2
Stavanger, O. 60 I F 2, 113 B 3, 156/157 I D 3, 156/157 II G 2
Stavoren 68/69 I C 2, 78 IV B 1
Stavrakia 10 I B 1
Stawronikita, Athos-Kl. 45 VI B 1
Stawropol, Woroschilowsk 134 I C 1, 150/151 I H 4
Steckhaus 109 V
Stecknitz-Kanal 68/69 I F 2
Steele 56 V B 2, 142 IV B 2, 142 V B 2
Steglitz 143 II
Steiermark, Mark, Hzm. 58/59 I L 5, 58/59 III C 2, 66 I D/E 2, 104 II B/C 3, 106/107 I H 6
Steiermark, NS-Gau 155 I C/D 3
Steigerthal, Krs. Nordhausen, O., Plan 140 Ia/b
Stein, O. b. Nürnberg 81 I
Stein, O. am Rhein 80 II C 1
Steinach, O. b. Haslach 77 I B 2
Steinach, O. b. Nürnberg 81 I
Steinamanger, s. Savaria 38/39 I C 1, 58/59 II C 2, 122/123 I G 5
Steinau, O. a. d. Oder 92/93 II D 3, 106/107 I I 4, 106/107 II I 4
Steinen 142 IV C 1, 142 V C 1
Steinerner Turm i. Sakenland 34/35 VI
Steinfeld 80 I B 1
Steinfurt, Gft. 122/123 I B 2
Steinfurt, O. 126/127 II A 1
Steingaden, Kl. 62 II C 4
Steinstücken, Ot. v. Berlin 161 II
Steiria 13 I C 2
Steiris 18/19 IV A 2
Stelai 10 III D 1
Stellaland, Ldsch. 138/139 II B 2
Stellerburg (Burg) 61 III B 2
Stenay 114 C 3
Stendal 68/69 I F 2, 75 A 3, 122/123 I D 2
Steniklaros, Ldsch. 18/19 I B/C 4
Stentinello 2 I C 3
Stentoris-See 18/19 I G 1
Stephansdorf 77 III B 1
Stepney 109 I
Sterkrade 56 V A 1, 142 IV A 1, 142 V A 1
Sterling-Zone 170 II
Sterlitamak 163 II D 1
Sternberg, Burg u. O. 68/69 I H 4
Sternberg, O. (Neumark) 121 I, 122/123 I F 2
Sterzing, Vipitenum, Bg. O. 37 I C 3, 86 I A 3
Steterburg, Burg 58/59 V A 1
Stetten, O. b. Sigmaringen 120 V B 2, 128 I B 2
Stetten, O. b. Ulm 120 V C 1
Stettfeld 40 II B 2
Stettin 68/69 I H 2, 75 B 3, 106/107 I H 3, 115 I C 2, 155 I C 2, 156/157 I E 3, 156/157 III C 2, 160 III B 2
Steuerverein dt. Zollvereinigung) 129 I
Stevensweerd 114 C 2
Stever, Fl. 142 IV B 1
Steyer, Steyr 58/59 II B 1, 58/59 III C 1, 122/123 I F 4
Stichbandkeramik-Kultur 2 I C/D 1
Stiklestad 60 I G 1
Stilfser Joch, Paß 63 I C 1
Stillfried 38/39 I C 1
Stirling 110 B 1
Stobi, Stoboi 38/39 I D 2
Stöckach 56 III
Stockholm 75 C 2, 113 D 3
Stockstadt 40 II C 2
Stockton 110 B 2
Stockum 142 IV C 1, 142 V C 1
Stöhna 77 II
Stolberg, Gft. 122/123 I D 3
Stolberg, Bg. O. 86 I A 1
Stolbowa 113 G 3
Stollhofen 114 E 3
Stolp 68/69 I I 1, 75 C 3, 122/123 I G 1
Stolpe, Kl. 88/89 III C 1
Stolpen 122/123 I F 3
Stonehenge, Heiligtum 3 II A 1, 5 I A 2
Stoppenberg, O. 142 IV B 2, 142 V B 2
Storkow, Ldsch. u. O. 96/97 I G 3, 115 I C 2
Stormarn, Ldsch. 58/59 I H/I 2
Stotzingen, v., Reichritter 120 V C 2
Stradom 79 VII
Straits Settlements, Kronkolonien 136 II B 3, 138/139 V
Stralau, Ot. i. Berlin 143 II
Stralsund 68/69 I G 1, 75 B 3, 113 C 4
Strapellum 30/31 I F 4
Strasburg, O. i. Preußen 74 I C 1, 122/123 I H 2
Straßberg, O. i. Schwaben 120 V B 2
Straßburg, Bm. 88/89 II B 2, 145 I
—, Bm.-Territ. 68/69 I D 4, 122/123 I C 4, 128 I A/B 2
—, Messen 83 V B 3
—, Münze 83 III A 1
Straßburg, Argentorate, O., RSt. 40 II A 3, 48 II B 2, 54/55 II E 3, 68/69 I D 4, 114 D 3, 147 D 4, 152 II B 4, 155 II B 2, 156/157 III B 3
—, Stadt u. Festung, Plan 120 I
Strata Diocletiana (Straße) 38/39 I G 4
Stratford, O. i. Mittelengld. 102/103 I C 3
Stratford le Bow, Ot. v. London 109 I
Strathclyde, Ldsch. 57 II B 1
Stratie, Ldsch. 18/19 I B/C 2
Stratonikeia, O. a. Chalkidike 18/19 I D 1
Stratonikea, Stratonicea, O. i. Karien 22/23 II A 2, 38/39 I E 3
Stratonikeia, O. i. Mysien 22/23 II A 2
Stratonis 38/39 I E 2
Stratons-Turm, s. Caesarea, O. i. Palästina 34/35 II A 2
Stratos 18/19 I B 3
Straubing, s. Sorviodurum 37 I D 2, 58/59 I K 4, 122/123 I E 4
Streaneshalch, Whitby 52 I B 2
Strehla (Burgward) 56 IV
Strehlen 122/123 I G 3
Streitaxtkulturen 2 II
Strengnäs, Bm. 88/89 I F 2
Strengnäs, O. 91 IV C 1, 113 D 3
Strepsa 18/19 I C 1
Stresa 24 II D 2
Strimmig 40 II A 1
Stromboli, Ins. 17 I D 2
Struma, Strymon, Fl. 38/39 I D 2
Strumica, Strumitza 54/55 I G 4, 145 V B 2, 145 VI B 2, 148 I F 5
Struth 77 IV A 2
Stryj 148 I F 4
Stryme 18/19 I F 1

Strymon, Struma, Fl. 38/39 I D 2
Strymon (Byzantin. Thema) 54/55 I G/H 4
Strymonischer Golf 18/19 I D/E 1
Stuben, Kl. 80 I C 1
Stübendorf 77 III B 2
Studianka 125 I E 2
Stühlingen 96/97 I E 6
Stuhlweißenburg, O. 58/59 I N 5, 75 C 5, 112 II C 2
Stuhmsdorf 113 D 4
Sturni 30/31 I H 4
Stuttgart 68/69 I E 4, 122/123 I C 4, 155 I B 3, 161 IV A 2, 161 VII A 2
Stutthof, NS-Konzentrationslager 155 I D 1
Stygia palus (Sumpf) 30/31 III B 1
Stymphalos, O. 11 I C 2, 18/19 I C 4
Stymphalos-See 18/19 I C 4
Styra 18/19 I E 3
Styrum 142 IV A 2, 142 V A 2
Suach, Sinear, Ldsch. 9 I F 3
Suakin 132 I D 3
Suana, Sovana 30/31 I B 2
Suanetes, V. 37 I B 3
Suardonen, V. 41 I
Subasani, V. 38/39 I A 2
Subeitala 50/51 B 4
Subertum 30/31 I A 1
Subiaco, Kl. 53 I B 3, 87 I E 3
sub Lanuvio 30/31 II B 2
Sublaqueum, Subiaco 30/31 I D 3, 30/31 II C 2
sub Lupatia 30/31 I G 4
Subotica, s. Maria Theresiopel 150/151 I E 4
Subur, Fl. 38/39 II A 3
Suburbikarische Bistümer 53 I
Succosa 21 V
Suceava, Sutschawa, Ebm. 71 I C 3, 88/89 I H 4
Suchono, Fl. 119 F—H 2/3
Suchum Kalé, Sochumi, Suchum 98/99 I E 3, 134 I C 2
Sucidava 38/39 I D 2
Sucre 133 II B 2
Sucro, Fl. 38/39 II B 2
Suczawa, 102/103 I I 4
Suda- Bai 145 V B 3
Südafrika, Republik, s. auch Südafrikan. Union 162 III B/C 4, 164/165 III, 168
Südafrikanische Republik, Transvaal 138/139 II B/C 2
Südafrikanische Union, s. auch Südafrika, Republik 138/139 II, 144 V A—C 2/3
Sudak 64/65 I E 2, 70 II G 2, 112 I D 1
Südamerika, Erdteil 118 III, 133 II
Südamerikaner in den USA 144 II
Sudan, ägyptischer Besitz 132 I D 2/3
Sudan, anglo-ägypt. Besitz 138/139 I L 3/4, 138/139 III A/B 2
Sudan, franz. Besitz 146 I B/C 2
Sudan, Ldsch. 132 I B/C 3, 132 II B—D 3
Sudan, Staat 162 III C 2, 164/165 III, 166/167 I, 168
Sudanneger, V. 132 III
Südarabisches Kolonisationsgebiet (Äthiopien) 34/35 I F/G 5
Südasien 163 I
Sudauen, Territ. 68/69 II B 2
—, s. Suwalki, O. 155 I E 1
Süd-Australien, Ldsch. 137 I D 6
Südburg (Burg) 58/59 V A 2
Süd-Carolina, amer. Staat 118 I B/C 2, 133 III E/F 3
Südchinesisches Meer 137 I C 4, 158 I C 4, 158 II C 4
Süd-Dakota, amer. Staat 133 III C/D 2
Süderinseln, s. Hebriden 60 I C 2
Suderwich 142 IV B 1, 142 V B 1
Sudeten, Geb. 74 III C/D 2
Sudetendeutsches Gebiet, Sudetenland, Ldsch. 152 II, 156/157 I E 3/4
Sudetenland, NS-Gau 155 I C/D 2/3, 155 II C 1/2
Süd-Georgien, Ins. 164/165 IV
Südhannover-Braunschweig, NS-Gau 155 I B 2
Südjemen, Staat 162 III D 2, 164/165 I
Südkarpaten 74 III E/F 3
Südkirchen 142 IV C 1, 142 V C 1
Süd-Korea, Staat 162 I C 2
Südliches Meer, Indischer Ozean 14/15 VI
Süd-Orkney-Ins. 164/165 IV
Südostasien-Pakt 166/167 II
Südosteuropäische Kulturen 5 I C/D 3/4
Südostpreußen, NS-Gau 155 II C/D 1
Süd-Pazifik-Bahn (USA) 133 III B—D 3/4
Südpol 164/165 IV
Südpolargebiet 164/165 IV
Südpreußen, Prov. 115 I D 2
Sudr 163 II B 4
Süd-Rhodesien, brit. Besitz 162 III C 3/4
Südrussische Bronzekultur 5 II D—F 2/3
Süd-Sandwich-Ins. 164/165 IV
Südsee, Meer 100/101 VIII, 137 I F—I 5/6, 158 I G/H 5, 158 II G/H 5
Süd-Shetland-Ins. 164/165 IV
Südslawen, V. 67 III, 150/151 II
Südstaaten-Konföderation, amerik. 133 I u. III
Südsteiermark, NS-Gau 155 I C 3, 155 II C 2
Südterritorien, algerische 146 I B/C 1
Südtirol, Ldsch. 160 III B 3
Süd-Vietnam, Staat 162 II C 3, 163 I E 3/4
Südwest-Afrika, dt. Kol. 132 I C/D 4/5, 138/139 II, 144 V A 1/2
—, südafrikan. 162 III B 3/4
Sueben, s. Sweben
Suebenreich, s. Swebenreich
Suebi Nicretes, V. 37 I B 2
Suebisches Meer, Ostsee 41 I B—D 1/2
Suel 38/39 II B 2
Sues, Golf v. 138/139 IV C 3
Sues, O. 138/139 IV C 3, 148 III A 2/3, 162 III C 1
Suesa 30/31 I C 1
Sues-Kanal 138/139 III B 1, 138/139 IV C 1/2
Sues-Kanal-Zone, brit. 138/139 IV, 156/157 I G 5/6
Suessa Aurunca, Suessa, O. i. Campanien 30/31 I D 3, 63 I D 4
Suessa, O. i. Latium 30/31 II B 2
Suessiones, V. 29 I B 1
Suessula 24 II G 4, 30/31 I E 3/4
Suevia, Ldsch. 41 IV
Sufas 34/35 I C 3
Sufetula, Sbeïtla 34/35 III B 1
Suffolk 102/103 I D 3
Sugambri, V. 37 I A/B 1
Sugdaia, Surosh 61 V C 3
Sugdidi 134 I C 2
Suhl, Bg. O. 86 I A 1, 161 IV B 1
Suindinum, Le Mans 36 C 3
Suionen, V. 41 I B/C 1
Suitschou 136 I D 4
Suiyüan, chines. Prov. 136 I D/E 2/3
Sukkoth, O. i. Ägypten 6 I A 1
Sukkoth, O. i. Gilead 8 III B 2
Sulak, Fl. 134 I F 2
Sulawesi, Ins., s. Celebes 162 II C/D 3/4
Sulci 25 I B 4
Suleim, V. 50/51 F 5
Sulejow, Kl. 87 II D 2
Su-li, Ldsch. 46/47 I I/K 3
Sulia 10 III B 1
Sulioten, V. 130/131 I F/G 3/4
Sulkadyr, Ldsch. 112 I D 2
Sullana 100/101 III A 2
Sully 96/97 I B 6, 110 C 3
Sulmo, Sulmona 30/31 I D 2, 63 I D 3
Sultanabad 148 III B 2
Sultanhan 8 I B 2
Sulz 40 II B 3
Sulzbach, O. u. Fsm. 68/69 I F 4, 122/123 I D 4, 128 I C 2
Sumadang 135 II B 1
Sumatra, Ins. 72/73 I C/D 5/6, 98/99 I K/L 7/8, 111 II D/E 2/3, 136 II A/B 3/4, 137 I B/C 4/5, 158 I B/C 4/5, 158 II B/C 4/5, 162 II B/C 3/4
Sumbawa, Ins. 135 II D 2
Sumelocenna, Rottenberg 40 II B 3
Sumer, Ldsch. 8 II C 2
Sumerer, V. 3 I F 3, 6 III
Summa Rapida 40 III B 1
Summuntorium (Burghöfe) 40 II D 3
Summus Lacus, O. 37 I B 3
Sumter, Fort 133 III F 3
Sumy 156/157 I G 3
Suna 30/31 I D 2
Sund, Meerenge 84 I C 2, 84 II C 2, 92/93 I E 2
Sunda-Ins., Kleine 164/165 I P/Q 5
Sunda-Straße, Meerenge 135 II A/B 1
Sunderland, O. 142 III B 2
Sundgau, Ldsch. i. Elsaß 80 II A/B 1, 95 D 4, 114 D 4
Sundhausen 77 I A 2
Sundsvall 126/127 I G 1
Sung, Staat 3 IV B 2
Sungei Ujong, Ldsch. 138/139 V A/B 2
Sunion, Kap 18/19 I E 4
Sunion, O. u. T. 13 I C 2
Sunjani 163 IV A 2
Sunmijani 135 I A 2
Sunniten, islam. Konfession 72/73 VI, 137 III
Süntel, Geb. 37 II B 1, 54/55 I D 2
Sün-tschün 46/47 III I 3
Suojärvi 160 IV C 3
Suomen, Finnen, V. 60 I I 1
Superaequum 30/31 I D 2
Supinum 30/31 I D 3
Süpplingenburg, Pfalz 62 II C 1
Sura, Sauer, Fl. 37 I A 2
Sura, O. i. Syrien 41 III D 2
Surabaja 135 II C 1, 137 I C 5, 137 II A 2, 158 I C 5, 158 II C 5
Surakarta, O. 135 II C 1
Surakarta, Staat 135 II C 1/2
Suraschtra, Ldsch. 46/47 I F 4
Surat 98/99 I H 5, 111 II C 1, 116/117 IV B 2, 135 I B 2
Surghul, Nina 6 II C 2
Surgut 98/99 I H 1
Suri, Suwar 6 III B 1
Surinam, brit. Kol., s. auch Guayana 111 I D 3, 118 III E 2
Surosh, Sugdaia 61 V C 3
Surparaka 46/47 III F 4
Surpicanum 30/31 I D 2
Surrentinimontes, Geb. 30/31 III B/C 2
Surrentum 30/31 III B 2
Surrey, Gft. 109 I
Susa, Seleukeia, O. i. Elam 3 II F 3, 14/15 I F 3, 22/23 II E 3, 50/51 F 4
Susa, Segusio, O. i. Piemont 24 II C 2, 63 I A 2, 94 I B 2, 94 II B 2, 106/107 I D 7
Susa, Sousse, O. i. Tunesien 130/131 I E 4
Susdal 61 V D 2, 105 II C 3
Susiana, Ldsch. 22/23 I F 2
—, Pers. Satrapie 14/15 I F 3
Sussex, Ldsch. 52 I B/C 2, 54/55 I B 2
Süßwasser-Kanal Nil-Ismailia 138/139 IV B/C 2
Sutkagen-Dor 3 II H 4
Sutrium, Sutri 30/31 I C 2, 53 I B 2
Sutchawa, Suceava, O. 75 E 5
— Ebm. 88/89 I H 4
Sutschou, Kiutschwan 136 I F 3, 164/165 I O 3
Sutunurca 28 IV A 2
Suva 138/139 I S 5
Suvasa 8 I A 2
Suwalki, Sudauen, O. 116/117 I H 3, 148 F 3, 155 I E 1
Suwar, Suri 6 III B 1
Svatos 18/19 I B 1
Svistov, s. Novae 38/39 I E 2
Sveaborg, siehe Sweaborg
Swakopmund 132 I C 5, 144 V A 2
Swanen, V. 119 G 6
Swanetien, Ldsch. 134 I D 2
Swansea 110 B 2
Swasiland, Ldsch. u. Staat 138/139 I L 6, 138/139 II C 2, 162 III C 4, 164/165 I L 6
Swatou 136 I E 4, 158 I C 3
Sweaborg, Sveaborg, (Festung) 116/117 I H/I 1
Sweben, V., s. auch Nord-Sweben 24 I D 2, 42/43 I D 1, 48 I A 2, 48 I C 2
Swebenreich 48 II A 2, 49 I A 2, 50/51 A 3
Sweonen (Schweden) V. 50/51 C 1/2, 57 I D 1/2
Swerdlowsk, Jekaterinburg 150/151 I K 3, 163 II D 1
Swidérien-Kultur 1 IV C 1
Swidry 1 V D 1
Swijn, Fl. 95 B 2
Swinemünde, O. 122/123 I F 2, 160 III B 2
Swir, Fl. 119 E/F 2, 156/157 I G 2
Swistow 148 I G 5
Syagrius-Reich 48 I A/B 2
Sybaris 17 I E 1
Syberos, Fl. 13 I B 1
Sybota-Ins. 16 II D 3
Sybridai 13 I B 1
Sybrita 10 III B 1
Syburg (Burg) 54/55 I D 2, 142 IV B 2, 142 V B 2
Sydney, Port Jackson 137 I E 6, 137 II C 3, 138/139 I R 6
Syene, Assuan 6 I A 3
Syia 10 III A 1
Sykia 10 I C 1
Syktywkar 150/151 I I 2
Sylt, Ins. 122/123 I C 1
Symaithos, Fl. 17 I C 3
Symbri, V. 25 I B 3
Syme 11 I E 2
Synuada 22/23 II B 2, 38/39 I F 3
Sypalettos 13 I B 1
Syrakus, Bm. 88/89 I F 6
—, Syracusae, O. 17 I D 3, 48 I C 3, 56 II B 4, 63 I E 6, 130/131 I F 4
—, Plan 17 II
Syrakuser Hafen, a. Korsika 20 I A 2
Syr-darja, Jaxartes, Sihun, Fl. 50/51 H/I 3, 72/73 II F 3, 98/99 I G/H 3, 134 II E/F 1
Syria, röm. Prov. 28 II E 3, 29 IV C 2, 38/39 I G 3/4
Syrias, Lepte promontorium, Kap 38/39 I F/G 2
Syrien, Ldsch. 8 IV B/C 1—3, 22/23 II C 2/3
Syrien, Scham, Ldsch. 50/51 E 4
Syrien, osman. Ld. 112 I D 2
Syrien, frz. Mandat 150/151 I G/H 5, 153 VI C/D 2, 156/157 I G/H 5
Syrien, Staat, s. auch VAR 162 III C 1, 163 II B/C 3, 164/165 III, 166/167 I, 168
Syrien (Wilajet) 134 II B 2
Syrische Wüste 22/23 I E/F 2, 50/51 E/F 4
Syrjänen, V. 119 I K 1/2
Syros Ins. u. O. 18/19 I E 4
Syrtis maior, Syrte, Große, (Meeresbucht) 26/27 II C 2
Syrtis minor, Syrte, Kleine, (Meeresbucht) 26/27 II C 2
Sysran 149 III D 2, 163 II C 1
Szalókmonostor, Pußta-Wüstung 140 V B 1
Szalók-Sámson, Pußta-Wüstung 140 V B 2
Szatmar 75 D 5, 112 II E 2
Szegedin, Szeged 75 D 5, 96/97 I L 6, 112 II D 2, 150/151 I F 4, 156/157 III D 3
Szekelyhida 112 II E 2
Szekler, V. 112 II F/G 2/3
Szent György, Pußta-Wüstung 140 V B 1
Szent Palteleke, Pußta-Wüstung 140 V B 2
Szetschwan, chin. Prov. 136 I D 3
Szetschwan-Tibet-Straße 163 I D 1/2
Sziget, Szigetvar 96/97 I I 6, 112 I B 1, 112 II B 2
Szolnok 112 II D 2

Taanach 8 III B 2
Tabae, O. i. Karien 38/39 I E 3
Tabai, O. i. Parthien 22/23 I G 2
Tabal, Ldsch. 9 III E 2
Tabalati 34/35 III C 2
Tabaristan, Ldsch. 50/51 G 4
Tabasco 100/101 II C 2
Tabassaraner, V. 134 I F/G 3
Tabatinga 118 III D 3, 133 II B 2, 164/165 I F 5
Tabbäs 134 II D 2
Tabellaria 30/31 I B 2
Tabernae, Rheinzabern 40 II B 2
Tabgatsch, Ldsch. 50/51 I 4
Tabor, Geb. 8 III B 2
Tabor, O. 92/93 II C 4, 122/123 I F 4
Tabora 132 I D 4
Täbris 9 III G 2, 52 III D 3, 72/73 II D 4, 112 I E 2, 134 II C 2, 148 III B 2, 163 II C 3
Tacapsae, Gabes 34/35 III C 2
Tachau 92/93 II B 4
Tacna 133 II B 2
Tacola 46/47 I H 6
Tademait, Wüstenplateau 163 III A 3
Tadinum 30/31 I C 1
Tadmor, Palmyra 8 II B 2, 38/39 I G 4
Tadschikische SSR, Tadschikistan 159 II E 3
Taenarum, Tainaron, prom., Kap 38/39 I D 3
Taexali, V. 36 B 1
Tafilelt 150/151 I C 5
Tagenrog 119 F 5, 148 I I 4, 156/157 I G 4
Taginae 48 II C 2
Tagliacozzo 66 II D 3, 94 I E 3, 94 II E 3
Tagus, Fl., Tajo 38/39 II A/B 1/2
Tahert 50/51 B 4
Tahiti, Ins. 100/101 VIII F 3, 137 I H 5
Tai, O. 46/47 III K 1
Taif 42/43 I G 4, 50/51 F 5
Taij, Ldsch. 50/51 F 5
Tai-jüan, Tai-yüan 46/47 I K 3, 136 I E 3
Tainan 111 II F 1
Tainaron, Kap 18/19 I C 5
Tainaron, T. 18/19 I C 5
Taipeh 162 I C 2
Taiwan, Formosa, Ins. 98/99 I N 5, 136 I F 4, 158 I D 3, 158 II D 3, 162 I C 2
Tai-yüan, Tai-jüan 46/47 I K 3
Tajo, Tagus, Fl. 38/39 II A/B 1/2, 64/65 I A 2/3, 64/65 II A 2/3
Tak-i-Bostan 42/43 I G 3
Takompso, Nilinsel 6 I A 3
Takoradi 156/157 II F 4, 162 III A 2, 163 IV B 3
Takrür, V. 98/99 I C 4
Takt-i-Suleiman 42/43 I G 3
Taku 138/139 VI A 3
Talaing, Ldsch. 46/47 IV D 5
Talandonisi, Ins. 14/15 IV A 2
Talas, Ldsch. 50/51 H/I 3
Talas, O. 50/51 I 3
Talavera 125 I B 4
Talbis, Thilabus 6 IV B 2
Tal der Könige 7 IV
Taler-Währung 144 I
Taleton, Ldsch. 13 II A 1
Taliata 38/39 I D 2
Tallaion-Grotte 10 II B 1
Tallin, siehe Reval, O. 150/151 I F 3
Talmis, Kalabscheh 6 I A 3
Taluca 100/101 II B 2
Talysch (Chanat) 134 I G 4
Talyschen, Taten, V. 134 I
Tamak 41 III C 2
Taman 71 I E 3
Tamatave 125 II, 132 I D 4, 162 III D 3
Tambow 119 G 4, 156/157 I H 3
Tammerfors, Tampere 92/93 I G 1, 113 E 2, 150/151 I F 2
Tamnium, Heiligtum 36 B 3
Tampico 118 III C 1
Tamralipti 46/47 I G 4
Tamra Nala, Fl. 21 III
Tamuda 38/39 II A 2
Tamurka 140 IV B 1
Tamynai 18/19 I E 3
Tana, Fl. 132 I D/E 4
Tana, Asow, O. 70 II G 1
Tana, O. i. Indien 52 III E 4
Tana-See 154 IV A 1
Tanager, Fl. 30/31 I F 4
Tanagra 13 I B 1
Tanais, Don, Fl. 34/35 I F 2
Tanais, O. 11 II E 1, 38/39 I G 1
Tananarivo 132 I D 4, 162 III D 3
Tanaos, Fl. 18/19 I C 4
Tanarus, Fl. 24 II C/D 2
Tandschur 72/73 I A 4, 135 I B 3
Tanfield 142 II A 2
Tanga 132 I D 4
Tanganjika, Ldsch. 146 I D 3
Tanganjika, Republik 162 III C 3, 164/165 III, 166/167 I, 168
Tanganjika-See 132 I D 4
Tanger, Tingis 38/39 II A 2, 50/51 A 4, 85 I A 3, 102/103 I B 6, 116/117 I B 6, 132 I B 2, 147 C 5, 150/151 I C 5, 162 III A 1
Tangermünde 68/69 I F 2
Tanguten (tibetan.), Si Hia, V. 72/73 I C/D 1/2, 98/99 I K 4
Tanis, Ramses, Avaris 6 I A 1
Tanitische Nil-Mündung 29 II B 1

Tannenberg, O. i. Preußen 71 I B 2, 104 IV B 3, 148 I F 3
Tannenberg, O. i. Schlesien 77 III B 2
Tannetum 25 I C 1
Tannu Tuwa, Sowj. Rep. 136 I C 1, 149 IV D 2, 162 II B 1
Tanta 138/139 IV A 2
Taocher, Dajaeni 9 III F 1
Taoismus (Religion) 72/73 IV
Taormina 56 II B 4, 63 I E 6
Taoughzout 34/35 III A 1
Taparura, Sfax 34/35 III C 2
Taphiai, Ins. 18/19 I A 3
Taphos, Ins. 18/19 I A 3
Tapiau 68/69 II B 2
Taprobane, Salice, Singhala, Ceylon, Ins. 34/35 VI, 22/23 VI, 46/47 I F/G 6, 46/47 II D/E 6
Tapurer, V. 22/23 I G 2
Tara, O. i. Irland 60 I C 3
Tara, O. a. Irtysch 98/99 I H 2
Tarakan 158 I 4, 158 II C 4
Tarantaise, Moûtiers, Ebm. 88/89 II B 2
Tarantaise, Moûtiers, O. 54/55 I D 3
Taraori 72/73 V B 2
Taras, s. Tarentum 30/31 I H 4
Tarasken, V. 100/101 II A 2
Tarasp 80 II E 2
Tarawa, Ins. 158 II F 4
Tarbelli, V. 36 B 4
Tarbes, Bm. 88/89 I C 5
Tarbes, O. 54/55 I C 4
Tarbisu 6 IV B 1
Tarent, Ebm. 88/89 I F 5
Tarent, O. 50/51 C 3, 56 II B 3, 63 I F 4, 130/131 I F 3
Tarentinus sinus, Golf 30/31 I G/H 4/5
Tarentum, Taras, Neptunia, Tarent 30/31 I H 4
Targu-Jiu 75 D 5
Tarichaea 34/35 II B 2
Tarifa, Julia Traducta 71 III A 3
Tarim, Fl. 46/47 I F/G 2/3
Tarim-Becken 46/47 I F/G 2/3, 50/51 I/K 3/4, 52 III E/F 2/3, 72/73 II G H 3/4, 98/99 I H/I 3/4, 136 I B 2/3
Tarjovist 70 II E 2, 116/117 I K 4
Tarkwa 163 IV B 3
Tarn, Dép. 122/123 III B 3
Tarn, Fl. 49 II B 2/3
Tarn et Garonne, Dép. 122/123 III B 2/3
Tarnogrod 113 E 4
Tarnopol 74 III F 2, 113 F 5, 115 I F 3, 126/127 I I 4, 148 I G 4, 150/151 I F 4, 156/157 III D 3
Tarnow 67 III C 2, 106/107 I L 4, 106/107 III C 2, 130/131 I G 1
Tarnowitz, Bg. O. 86 I E 1
Taro, Tarus, Fl. 4 VI A 2, 63 II A/B 2
Taronitis, Ldsch. 38/39 I H 3
Tarouca, Kl. 87 II A 3
Tarquinii, Corneto 24 II E 3, 30/31 I B 2
Tarracina 30/31 I D 3
Tarraco, Tarragona, O. 38/39 II C 1, 54/55 I C 4, 130/131 I C 3
Tarraconensis, röm. Prov. 34/35 I B 2/3, 38/39 II A/B 1/2
Tarragona, Ebm., Primat 88/89 I C 5
Tarrasa 53 II B 2
Tarrazona, Bm. 88/89 I B 5
Tarrha 10 III B 1
Tarsatica 38/39 I B 1
Tarsios, Fl. 18/19 I H 2
Tarsis, Tartessos 11 II A 2
Tarsos, Tarsus, Antiocheia 5 I E 4, 22/23 II B 2, 38/39 I F 3, 50/51 E 4, 64/65 IV A 2
Tartessos, Tarsis, O. 11 II A 2, 5 II A 4
Tartessus sinus, Golf v. Cadiz 38/39 II A 2
Tartu, Dorpat, Jurjew 147 F 3, 150/151 F 3
Tartus 163 II B 3
Taruma, Hft. 72/73 I D 6
Tarus, Taro, Fl. 24 II D/E 2
Tarusco, O. i. Pyrenäen 36 C 4
Tarusco, O. a. d. Rhône 24 II B 3
Tarutia 41 III B 2
Tarutino 140 IV A 1
Tarvessedum 37 I B 3
Tarvis, O. 124 I D 3
Tarvis-Paß 63 I D 1
Tasa 6 I A 2
Tasaccora 38/39 II B 2
Taschilumpo 136 I B 4
Taschkent, Schasch 50/51 H 3, 64/65 III H 2, 72/73 II F 3, 134 II E 1
Tasch Köpri 134 II E 2
Taschlik 140 IV A 2
Tasci 8 I B 2
Tasgaetium 40 III B 1
Tasmanien, Van Diemen's Land, Ins. 100/101 VIII C 5, 138/139 I R 7
Tatar Bunar, O. 140 IV B 2
Tataren, V., s. auch Mongolen 72/73 II L 3, 105 III C/D 2, 119 I 3
Tataren, Sibirische, V. 98/99 I G—I 2
Tatareneinfall in Osteuropa 64/65 II F 2, 67 III
Tatarenherrschaft in Osteuropa 71 I
Tatarenreiche 72/73 II u. VI s. auch Astrachan-, Kasan-, Krim-, Sibir-Chanat, Goldene Horde, Krim-Tataren
Tatarische ASSR 150/151 I H/I 3
Tatarische Sprache i. Osteuropa 70 II
Taten, Talyschen, V. 134 I
Tatta lacus, Tuz-Gölu (See) 38/39 I F 3
Tauber, Fl. 40 II C/D 2
Tauberbischofsheim, Kl. 52 II C 2
Taucha 77 II
Taucheira 11 II D 2
Taufers, Bg. O. 86 I B 3
Täufersekten (Religion) 52 III, 105 I
Taulantii, Taulantier, V. 38/39 I C 2
Taum 36 B 1
Taunton 110 B 2
Taunus mons, Geb. 54/55 II E/F 2
Taurasia, O. am Po 25 I A 1
Taurasia, O. i. Samnium 30/31 I E 3
Taurer, V., a. Krim 20 I F 2
Taurien, Ldsch. 134 II B 1
Taurini, Tauriani, Tauriner, V. 25 I A 1
Taurinorum, Augusta Taurinorum, Turin 42/43 I C 2
Tauris, Krim, Ldsch. 16 II F 1
Taurisium 38/39 I D 2
Taurisker, Noriker, V. 24 I D 3, 28 I C 1
Tauroeis, O. i. Bruttium 17 I D 2
Tauroeis, Bandol, O. i. d. Provence 24 II B 3
Tauroggen 75 D 3, 115 I E 1, 125 I E 2
Tauromenium, Tauromenion, Taormina 17 I D 3
Tauropolion, T. 18/19 I G 4
Tauros, Kap 17 I D 3
Taurus, Geb. 38/39 I F 3
Taus 92/93 II B 4, 106/107 III A 2
Tauschersreuth 81 I
Tavastehus 113 E 2
Tavastland, Ldsch 113 E/F 2
Tavastländer, Hämen, V. 60 I I/K 1
Tavium 38/39 I F 3
Tawen 71 I D 3
Tawern 40 VI A 2
Taxila 14/15 I I 3, 22/23 I I 2, 26/27 I I 2
—, Plan 21 III
Taxis, Schloß 128 I C 2
Tayasal 100/101 II D 2
Taygetos, Geb. 18/19 I C 4/5
Tayibe, Oriza 41 III D 2
Taza-Khurmatu 6 IV B 1
Tbilisi, s. Tiflis 150/151 I H 4
Team, Fl. 142 II A 2
Teanum Apulum 30/31 I F 3
Teanum Sidicinum 30/31 I E 3
Teate 30/31 I E 2
Tebes 8 III B 2
Tebessa, Theveste 34/35 III B 1, 156/157 I D 5
Tebtynis 29 II B 2
Tebuk 50/51 E 5
Tecklenburg, Hft. u. O. 68/69 I D 2, 115 I B 2, 122/123 I B 2
Tecoh 100/101 II D 1
Tectosages, Tektosager, Volcae, V. 24 I F 3/4, 29 I B 3, 36 C 4
Teerleben, Wüstung 56 VI B 2
Tegal 135 II B 1
Tegea 18/19 I C 4
Tegel 143 II, 161 II
Tegeler See 143 II
Tegernsee, Kl. 58/59 I I 5, 87 I E 2
Tegianum 30/31 I F 4
Tegna 24 II B 2
Tegyra 18/19 IV A 1
Tehenu, dunkle Libyer, V. 3 II D 3, 9 I C 3
Teheran, Gau 134 II D 2
Teheran, O. 52 III D 3, 98/99 I F 4, 164/165 I M 3
Tehneh 6 I A 2
Teichiussa 13 III A 2
Tei-Kultur 5 I D 3
Teima 26/27 I E 3, 50/51 E 5
Teithras 13 I B 1
Teke 11 IV
Tekir 8 I B 2
Tekke, Ldsch. 70 II E/F 3
Tekmon 18/19 I A 2
Tekoah 8 III B 3
Tekrit, Itu 9 III F 3, 148 III B 2
Tektosager, Tectosages, V. 24 I F 3/4, 29 I B 3
Telamon, Tlamu 24 II E 3, 30/31 I B 2
Telelat Gassul 3 II E 3
Tel Aviv, Tel Awiw 162 IV A 1
Telesia 30/31 I E 3
Telethrion, Geb. 18/19 I D 3
Telgte 78 III A 2
Telingana, Ldsch. i. Indien 72/73 V C 3
Telingara, Ldsch i. Burma 46/47 I H 5
Tell Abta 6 IV B 1
Tell Açana, Alalach 8 I B 2
Tell Afar, Nimit Ischtar 6 IV B 1
Tell Ahmar 8 I B 2, 6 IV B 2
Tell Ajrab 6 III C 2
Tell Aschara, Tirka 6 IV B 2
Tell Asmar, Eschnuna 6 III B 2
Tell Aswad 6 III B 2
Tell-Atlas, Geb. 163 III A/B 1
Tell-baschir, Turbessel 64/65 IV B 2
Tell Billa, Schibaniba 6 III B 1
Tell Brak 6 II B 1, 6 III B 1
Tell Dauk 8 III B 2
Tell el-Amarna, Echet Aten, Echut Aten 6 I A 2
Tell el Kebir 138/139 IV B 2
Tell el Madain 6 II C 2, 6 III C 2, 6 IV C 2
Tellenae 30/31 II B 2
Tell es-Senaina 6 I A 2
Tell-Fara 8 III B 2
Tell Fhede 41 III D 2
Tell Halaf, Guzana 2 I F 3, 6 IV B 1
Tell Halawa 41 III C 2
Tell-Hamdun 64/65 IV B 2
Tell Hammam 6 III C 2
Tell Jawan 6 IV B 2
Tell Judeide, O. i. Syrien 2 I E 3
Tell Judaida, O. i. Sumer 6 III C 2
Tell Khoschi 6 III B 1, 6 IV B 1
Tell Lahm 6 III C 2, 6 IV C 2
Tell Mahroun 41 III C 1
Telloh, Lagasch 6 II C 2
Tell Sabi 6 IV C 2
Tell Safije 8 III A 3
Tell Sifir, Kutalla 6 III C 2
Tell Sifra 6 II B 1, 6 IV B 1
Tell Tainat 8 I B 2
Telma, Thaema 34/35 I F 4
Telmessus, Telmessos 22/23 II A 2, 38/39 I E 3
Telo Martius, Toulon 36 D 4
Telos, Ins. u. O. 18/19 I H 5
Teltow 143 II
Teltow-Kanal i. Berlin 143 II
Tema 163 IV B/C 3
Temala 46/47 I H 5
Tembu, Ldsch. 138/139 II B 3
Temenitis, Ot. v. Syrakus 17 I
Temesvar, Timişoara, O. 71 II B 2, 112 II D 3, 150/151 I F 4 s. auch Banat Temesvar
Temhu, blonde Libyer, V. 3 II C/D 4
Temir Chan Schura 134 I F 2
Temnos 18/19 I H 3
Tempe, O. 18/19 II B 3
Tempe-Tal 18/19 I C 2
Tempelhof, O. 143 II, 161 II
Temple (Faubourg v. Paris) 109 IV
Tempsa 17 I E 2
Tempyra 18/19 I F 1
Temrjuk 134 I A 1
Tenasserim, Ldsch. 136 II A 2
Tenayocan 100/101 VI A 1
Tencteri, V. 37 I A/B 1, 41 I A 2
Tenda 94 I B 2, 94 II B 2, 160 III A 4
Tenea 18/19 I C 4
Tenebrium, promontorium, Kap 38/39 II C 2
Tenedo, Zurzach 40 III B 1
Tenedos, Ins. 18/19 I G 2, 71 II C 4, 116/117 I I 6
Teneriffa, Ins. 132 I B 2
Ténès, Cartennae 38/39 II C 2
Teng, Staat 3 V B 2
Tenkterer, Tencteri, V. 41 I A 2
Tennenloh 81 I
Tennessee, amer. Staat 118 I B 2, 133 III E 3
Tenochtitlan, Mexiko 100/101 II B 2, 100/101 VI A 2
Tenos, Tenus, Ins. u. O, 18/19 I F 4, 92/93 I G 6
Tentyra, Dendera 29 II B 2
Tenus Tenos, Ins. 38/39 I E 3
Teos, Teus 18/19 I G 3
Teotihuacan, O. 100/101 II B 2, 100/101 VI B 1
—, Tempelbezirk, Plan 100/101 V
Teotitlan del Camino, Ldsch. 100/101 II B 2
Tepe Gawra 6 II B 1, 6 IV B 1
Tepe Giyan 3 II F 3
Tepe Hissar 3 II G 3
Tepe Sialk 3 II G 3
Tepetzinco 100/101 VI A 2
Tepexpan 100/101 VI B 1
Tephrika 57 I F 4
Teplitz, O. i. Bessarabien 140 IV A 2
Teplitz, O. i. Böhmen 129 II F 3
Tepotzotlan 100/101 VI A 1
Tera, Fl. 29 VI
Teramo 63 I D 3, 94 I E 3, 94 II E 3
Terdschan 112 I E 2
Teredon 9 III G 3
Terek, Fl. 134 I E/F 2, 156/157 I H 4
Terek-Kosaken, V. 105 II C 4
Terenuthis 29 II B 1
Tereventum 30/31 I E 3
Tergeste, Triest 38/39 I B 1
Tergovist 102/103 I I 4/5
Terina 17 I E 2
Teriola, Teriolis, Zirl 36 E 3, 37 I C 3
Termantia 38/39 II B 1
Termera 18/19 I H 4
Termerion, Kap 18/19 I H 5
Termes 38/39 II B 1
Termessus 38/39 I F 3
Termidh 46/47 III E 2
Termoli 94 I F 3/4, 94 II F 3/4
Terni 53 I B 2
Terpensiedlungen 36 D 2
Terracina 53 I B 3, 130/131 I E 3
Terra ferma, venezian. Territorium 94 II C—E 1/2
Terra incognita 34/35 VI
Terramare-Kultur 4 VI, 5 I B/C 3
Territoires du Sud (Algerien) 147 D 5, 150/151 I D 5
Terschelling, Ins. 104 III B 1
Tersk 134 I F 2
Tertry 50/51 B 2/3, 54/55 II C 3
Teruel 64/65 I A 2, 64/65 II A 2, 130/131 I B 3, 154 V B 1
Teschen, O. 58/59 I N 4, 68/69 I K 4, 105 I E 2, 106/107 I K 5, 122/123 I H 4, 152 II H 4, 160 III C 3
—, Hzm. 96/97 I K 5
Tesfeld, Wüstung 77 IV A 1
Tessin, Ticinus, Fl. 37 I B 3, 94 I C 1/2, 94 II C 1/2, 130/131 II B 1/2, 130/131 III B 1/2
Tessin, Kanton 130/131 II B 1/2
Tete 111 II A 3
Teterow 83 II C 2
Tetrapolis, Ldsch. 13 I B/C 1
Tetrapyrgium 41 III D 2
Tetschen 58/59 I L 3, 122/123 I F 3
Tettenhall 57 II B 2
Tetuan 71 III A 3, 150/151 I C 5
Teumessos 13 I A 1
Teumeusos 41 III B 2
Teura 25 III B 1
Teurnia, St. Peter im Holz 42/43 II C 2, 49 III C 2
Teus, s. Teos 38/39 I E 3
Teuthrania, Ldsch. 18/19 I G/H 2
Teuthrania, O. 18/19 I H 2
Teuthrone 18/19 I C 5
Teutoburgiensis saltus, Geb. 37 II B 1/2
Teutoburgium, O. i. Pannonien 38/39 I C 1
Teutonen, V. 24 I C/D 2/3
Tewkesbury 92/93 I B 3
Texas, amer. Staat 118 III B/C 1, 133 I C/D 3, 133 III C/D 3/4
Texcuco, O. 100/101 II B 2, 100/101 VI B 1
Texcuco, Rio, Fl. 100/101 VI B 1/2
Texcuco-See 100/101 VI A/B 1/2
Texel, Ins. 78 IV B 1, 104 III B 1
Thaben 80 I B 2
Thabraca 34/35 III B 1
Thaema, Telma 34/35 I F 4
Thagaste 34/35 III B 1
Thai, Thailand, Siam, Staat 111 II D/E 2, 136 II A/B 2/3, 158 I B/C 4, 158 II B/C 4, 162 II B/C 3, 164/165 III, 166/167 II, 168
Thai-Stämme, Shan, Siamesen, V. 46/47 IV E 4, 72/73 I D 3, 72/73 II I/K 6
Thailfingen 120 V B 2
Thalamai 18/19 I C 5
Thaliades 18/19 I B 4
Thamna 34/35 II B 2
Thamugadi, Timgad 34/35 III B 1
—, Plan 32 VI
Thamysida 38/39 II A 3
Thanaramusa 34/35 III A 1
Thanet, Ins. 57 II C 2
Thann 83 III A 2
Thapsakos, Amphipolis 14/15 I E 3, 22/23 II C 2
Thapsos, Thapsus, O. i. Afrika 11 II C 2, 34/35 III C 1
Thapsos, O. i. Sizilien 17 I D 3
Tharnau 77 III B 1
Tharr, Wüste 22/23 I I 3
Tharros 11 II B 22, 25 I B 4
Thasos, Thasus, Ins. u. O. 18/19 I E 1, 54/55 I G 4, 71 II B 3, 92/93 I G 5, 145 V B 2, 145 VI B 2, 147 F 4
Thaton 46/47 IV D 5
Thaumakia 11 I C 1
Thaumakoi 18/19 I C 2
Thaya, Fl. 58/59 III D 1, 74 I B/C 2, 122/123 I F/G 4
Thayngen 1 IV B 2
Theadelphia 29 II B 2
Thebae, Theben, Thebai, O. i. Böotien 18/19 IV B 2
Thebai, O. i. Jonien 13 III A 1
Thebai, O. i. Thessalien 18/19 I C 2
Thebaïs, ägypt. Ldsch. 29 II B 2/3
Thebais, röm. Provinz 42/43 I F 4
Thebe, O. i. Mysien 18/19 I G/H 2
Theben, Ebm. i. Böotien 88/89 I G 6
Theben, Diospolis, Thebae, O. i. Ägypten 6 I A 2
—, Plan d. Totenstadt 7 IV
—, Amuntempel (Karnak), Plan 7 V
Thebez 34/35 II B 2
Theches, Bg. 22/23 III C 1
Thedinghausen 126/127 II B 1
Theilenhofen, Iciniacum 40 II D 2
Theiß, Fl. 54/55 I G 3, 67 III C 3, 74 III E 2/3, 112 II D—F 1—3
—-Kultur 2 I C/D 2
Thelaw 134 I E 3
Theleda 41 III B 2
Thelepte, Fèriana 34/35 III B 2
Thella 34/35 II A 3
Thelpusa 18/19 I B 4
Themakos 12 V
Themen, byzantinische 50/51, 54/55 I, 56 II
Themiscyra, Themiskyra 20 I G 2, 22 III B 1, 38/39 I G 2
Themisonion 22/23 II A 2
Themse, Fl. 58/59 I C/D 3, 110 B/C 2
Theodosia, O. a. d. Krim 11 II E 1, 38/39 I G 1/2
Theodosiopolis 50/51 F 4
Thera, Ins. u. O. 18/19 I F 5
Therambos 18/19 I D 2
Therapne, T. 10 II C 3, 18/19 I C 4
Theresienstadt, NS-Konzentrationslager 155 I C 2

Thermäischer Golf 18/19 I C/D 1/2
Thermai, O. auf Ikaria 18/19 I G 4
Thermai, Thermi, O. auf Lesbos 18/19 I G 2
Thermai Himeraiai, Thermae Himeraeae 17 I B 3
Thermai Selinuntiai, Thermae Selinuntia 17 I B 3
Therme, O. b. Thessalonike 18/19 I C 1
Thermon, Thermos 18/19 I B 3
Thermopylai, Thermopylae, Paß 18/19 III
Thermos 18/19 I B 3
Thérouanne, Bm. 88/89 I C 3
Thérouanne, O. 54/55 II C 2
Thespiai, Thespiae 18/19 IV B 2, 38/39 I D 3
Thesproter, V. 16 I A 2
Thesprotia, Thesprotien, Ldsch. 18/19 I A 2
Thessalia, Thessalien, Ldsch. 18/19 I B/C 2, 70 II D 2/3, 130/131 I G 3/4, 145 V B 3, 145 VI B 2/3
Thessaliotis, Ldsch. 18/19 I B/C 2
Thessalonike (Byzant. Thema) 54/55 I G 4/5
—, Ebm. 88/89 I G 5
—, Kgr. 64/65 II D 2/3
—, Thessalonice, Saloniki, O. 18/19 IV B 2, 54/55 I G 4, 71 II B 3
Thestia 18/19 I B 3
Thetonion 18/19 I C 2
Theudorion 18/19 I B 2
Theveste, Tebessa 34/35 III B 1
Thibilis 34/35 III B 1
Thibiuca 28 IV A 2
Thiede 58/59 V A 1
Thiengen 83 III B 2
Thilabus, Talbis 6 IV B 2
Thiltauri 41 III C 1
Thimida 28 IV B 2
Thimnath 8 III B 2
Thingbezirke in Island 57 III
Thingvellir 57 III A 2
Thinis 6 I A 2
Thisbe 18/19 IV A 2
Thisiduum 28 IV A 2
Thisoa 18/19 I C 4
Thmuis 6 I A 1
T'ho 100/101 II C 1
Tholey 80 I C 2
Thomala 42/43 I G 4
Thomar 90 I A 3, 90 II A 3
Thon 81 I
Thonon 80 II A 2
Thorenburg 74 III E 3
Thorikos 13 I C 2
Thorn 67 III B 2, 84 I u. II D 3, 104 II C 2, 105 I E 1, 106/107 III B 1, 115 I D 2, 124 I E 1, 129 I H 2, 152 II H 2, 156/157 III C 2
Thorr, Tiberiacum 37 I A 1
Thouars 58/59 I C 5
Thracia, röm. Provinz 38/39 I D/E 2, 48 II D 2
Thraciae (röm. Diözese) 42/43 I E 2
Thracien, Ldsch. 153 V A/B 1
Thracium mare (Meer) 38/39 I D 2/3
Thrake, Thrakien, Ldsch. 18/19 E—G 1
Thraker, V. 3 I D 2, 10 II C—E 1
Thraker, Odrysenreich 16 II D/E 2
Thrakesion (byzantin. Thema) 54/55 I H 5
Thrakien (byzantin. Thema) 54/55 I H 4
Thrakien, Thrake, Ldsch. 14/15 I D 2, 22/23 I D 1, 71 II C 3
Thrakisches Meer 18/19 I D—F 1/2
Thria 18/19 IV C 2, 13 I B 1, 14/15 IV A 1
Thriasische Ebene 13 I B 1
Throckley 142 II A 2, 142 III A 2
Thronion 18/19 I C 3
Thuburbo maius 34/35 III B 1
Thuburbo Minus 28 IV A 2
Thuburnica 34/35 III B 1
Thugga 34/35 III B 1
Thughur, Ldsch. 50/51 E 4
Thuisbrunn 56 III
Thule, Ins. (Norwegen) 22/23 VI, 34/35 VI, 24 I C 1
Thun 80 II B 2
Thuner See 80 II B 2, 130/131 II A 1
Thur, Fl. 40 III B/C 1, 80 II C/D 1, 130/131 II B 1
Thurgau, Ldsch. u. Kanton 80 II C/D 1, 130/131 II B 1
Thuria 18/19 I C 4
Thüringen, Hzm. 50/51 C 2/3
—, fränkisch 52 II C 2
—, Landgft. 66 I C/D 1, 68/69 I F 3
—, Reichsgebiet 58/59 I I 3
—, Siedlungsbild 77 IV
Thüringen, evang. Landeskirche 161 VII
Thüringen, Ld. 152 II D/E 3, 160 III B 2, 161 IV B 1
—, NS-Gau 155 I B/C 2
Thüringer, V. 42/43 I C/D 1, 48 I B/C 1
Thüringerreich 48 II C 1/2
Thüringer Wald 74 III B 2
Thüringische Herzogtümer, Staaten, s. auch Wettiner Lande, Sachsen, Reuß, Schwarzburg 129 I D/E 3, 129 II E/F 3
Thurioi, Thurii, Thuria, Copia 17 I E 1
Thurn u. Taxis, Fsm. 120 V B/C 2
Thyaira 18/19 V B 1
Thyatira 22/23 II A 2, 38/39 I E 3
Thymbra 18/19 I G 2
Thymoitadai 12 V
Thyne, Fl. 57 II B 1/2
Thyner, Thyni, V. 16 I E 1, 38/39 I E/F 2
Thynias promontorium, Kap 38/39 I E 2
Thyrea 18/19 I C 4
Thyrgonidai 13 I B 1
Thyrides, Kap 18/19 I C 5
Thyros 11 I B 2
Thyrrheion 18/19 I A 3
Thyrrhenum mare 30/31 III
Thysdrus 34/35 III C 1
Thyssageten, V. 14/15 VI
Thyssos 18/19 I E 1
Tiahuanaco 100/101 III C 3, 118 III D 3
Tiaret 34/35 III A 1
Tiber, Tiberis, Fl. 30/31 I C 1—3, 53 I B 2/3, 130/131 I E 3
Tiberiacum, Thorr 37 I A 1
Tiberias, Genezareth, O. 34/35 II B 2, 64/65 IV A 4, 162 IV B 1
Tiberias, See 162 IV B 1
Tiberis, Tiber, Fl. 30/31 I C 1—3
Tibesti, Ldsch. 132 I C 2/3
Tibet, Ld. 46/47 IV B—E 3/4, 72/73 II H/I 4/5, 98/99 I I/K 4/5, 111 II D 1, 136 I A—C 3/4, 162 II B 2, 163 I B—D 1/2
Tibetan. Tanguten, Sittia, V. 72/73 I C/D 1/2
Tibeter, Bod-schi, V. 46/47 II E/F 3/4
Tibiscum 38/39 I D 1
Tibiscus, Fl. 38/39 I D 1
Tibur, Tivoli 30/31 II B 2
Tiburon 143 IV
Tichilla 34/35 III B 1
Tichwin 113 G 3
Ticinum, Pavia 38/39 I A 1
Ticinus, Tessin, Fl. 24 II D 2
Ticonderoga 116/117 II D 2
Tiefental, Wüstung 77 IV A 2
Tieferode, Wüstung 77 IV A 2
Tiel 58/59 I F 3, 78 IV B 2
Tientsin 136 I E 3, 136 III B 3, 158 I C 3, 158 II C 3
Tieum, Tios 38/39 I F 2
Tifernum Mataurense 30/31 I C 1
Tifernum Tiberinum, Citta di Castello 30/31 I C 1
Tifernus, Fl. 30/31 I E 3
Tifernus mons, Geb. 30/31 I E 3
Tiflis, Tbilisi 50/51 F 3, 72/73 II D 3, 112 I E 1, 134 I E 3, 149 III D 3, 163 II C 2
Tigranokerta, Tigranocerta, 22/23 II D 2, 38/39 I H 3, 46/47 I C 3
Tigre, Ldsch. 154 IV A/B 1
Tigris, Fl. 9 I F/G 2/3, 50/51 F 4, 134 II C 2
Tiguentourine, Erdölfeld 163 III B 3
Tigullia 24 II D 2
Tigzirt, Iomnium 34/35 III A 1
Tihwa, Urumtschi 136 I B 2, 164/165 I O 2
Tikal 100/101 II D 2
Tikrit 6 IV B 2
Tilan 8 I B 2
Tilgarim 9 III E 2
Tilki Tepe 3 II F 3
Tilleda, Pfalz 62 II C 2
Tilsit 75 D 3, 115 I E 1
Timacum 38/39 I D 2
Timbuktu 98/99 IV, 132 I B 3, 132 II B 3
Timgad, Thamugadi 34/35 III B 1
—, Plan 32 VI
Timişoara, s. Temesvar 150/151 I F 4
Timmari 5 II C 3
Timor, Ins. 100/101 VIII B 3, 111 II F 3, 137 I D 5, 137 II B 2
Timsah-See 138/139 IV C 2
Timur-Reich 72/73 VI
Timziuin 44 I B 3
Tinchebrai 66 I A 2
Tingis, Tanger 11 II A 2, 38/39 II A 2
Tinia, Fl. 30/31 I C 2
Tinian, Ins. 100/101 VIII C 2, 158 II E 4
Tinna, Fl. 30/31 I D 1/2
Tinnetio, Tinzen 37 I B 3
Tintern, Kl. 87 II A 2
Tios, Tieum 26/27 IV B 1
Tipasa 34/35 III A 1
Tipperah, Staat 135 I D 2
Tirana 145 VI A 2, 156/157 I E 4
Tiraspol 150/151 I F 4
Tiriolo 17 I E 2
Tirizis prom., Kap 38/39 I E 2
Tirka, Tell Aschara 6 IV B 2
Tirlemont 126/127 IV B 2
Tirmidh 50/51 H 4
Tirnowo, Trnowo, O. 54/55 I H 4, 130/131 I H 3
Tirnowo, Patriarchat 88/89 I H 5
Tirol, Burg 68/69 I F 5
Tirol, Gft. 68/69 I F 5, 70 I D 2, 106/107 I F 6, 124 I C/D 3, 130/131 I E 2
Tirol-Vorarlberg, NS-Gau 155 I B/C 3
Tirgus 4 VII A 2, 18/19 I C 4
—, Plan 12 III
Tisavar 34/35 III B 2
Tisia, Theiß, Fl. 38/39 I D 1
Titane 18/19 I C 3/4
Tithorea 18/19 I C 3
Titicaca-See 100/101 III C 3, 118 III D 3
Tito-Partisanen 156/157 III C 3
Tityros, Geb. 10 III A 1
Tivoli, Tibur 30/31 II B 2, 63 I D 4
Tiwerzen, V. 50/51 D 3
Tiyas 41 III C 3
Tjilatjan 135 II B 1
Tjirebon, O. u. Staat 135 II B 1
Tjumen 98/99 I G 2
Tlacopan 100/101 VI A 2
Tlamácaz 100/101 VI B 2
Tlamu, Telamon 24 II E 3
Tlapa 100/101 II B 2
Tlatlauhquitepec 100/101 II B 2
Tlaxcala 100/101 II B 2
Tlemsen, Ldsch. 92/93 I B/C 6
Tlemsen, Pomaria, O. 38/39 II B 3, 50/51 A 4
Tmutarakan 57 I F 3
Tobago, Ins. 118 III D 2, 138/139 I F 4
Tobna 50/51 B 4
Tobol, Fl. 50/51 H 1/2, 105 III C 2
Tobolsk 98/99 I G 2, 105 II C 2
Tobruk, Antipyros 38/39 I D 4, 156/157 I F 5
Tocantins, Fl. 133 II C 2
„Tocharer“ 3 I I 3
Tocharer, Jüe-dschi, V. 46/47 I E/F 3, 46/47 II F 3
Tocharistan, Ldsch. 50/51 H 4
Tócó, Fl. 140 V B 1/2
Tôd 6 I A 2
Todi, Tuder, Tutese 24 II F 3, 30/31 I C 2, 53 I B 2
Todmir, Ldsch. 54/55 I B 5
Todtnau 83 III A 2
Tofting 61 III A 2
Toggenburg, Burg u. Gft. 68/69 I E 5, 80 II C/D 1
Togo, dt. Kol., Mandat 132 I B/C 3, 149 II, 152 I
Togo, Staat 162 III A/B 2, 164/165 III, 166/167 III, 168
Tokaj 106/107 I L 5
Tokat 130/131 I K 3
Tokelau, Ins. 158 I G 5
Tokio 136 III D 3, 138/139 VI C 3, 158 I D 3, 158 II D 3
Tokmak 52 III E 2
Tolbiacum, Zülpich 37 I A 1
Toledo, Ebm., Primat 88/89 I B 6
Toledo, Toletum, O. 50/51 A 4, 64/65 I A 3, 130/131 I B 4, 154 V B 2
Tolentinum, Tolentino 30/31 I D 1, 124 II C 2
Tolerium 30/31 II C 2
Toletum 38/39 II B 2
Tolfa 25 II B 2, 86 II E 3
Tolistoagii, Tolistoagier, V. 24 I F 4, 38/39 I F 3
Tolmein 148 I D 4
Tolmeta, Ptolemais, O. i. d. Cyrenaica 38/39 I D 4
Tolosa, Toulouse 36 C 4
Tolosati, V. 29 I B 3
Tolous 36 C 4
Tölz 122/123 I D 5
Tomaros, Geb. 18/19 I A 2
Tombos, Nilinsel 6 I A 4
Tomi, Tomis-Constantiana, Constanza 38/39 I E 2
Tömös-Paß 112 II F 3
Tomsk 105 III D 2, 159 I F 2, 159 II F 2
Tondern 75 A 3, 122/123 I C 1, 152 II C 1
Tonga-Ins. 100/101 VIII E 4, 138/139 I T 6
Tongaland, Ld. 138/139 II C 2
Tongarewa- Ins., br. 137 I H 5
Tongatabu, Ins. 100/101 VIII E 4
Tongeren, Tongern, Bm. 88/89 II B 2
Tongeren, Aduatuca, O. 36 D 2, 54/55 II D 2
Tongking, Ld. 111 II E 1, 136 I D 4
Tonina 100/101 II C 2
Tonka-Fl. 132 I C/D 4
Tonnerre 58/59 I E 5
Tönning 116/117 I E 3
Tonosa 38/39 I G 3
Tönsberg, O. 60 I G 2, 84 I C 2, 84 II C 2, 102/103 I F 2
Topada 8 I A 2
Töpen 161 I u. V
Top Zawa 6 IV B 1
Torcello, Bm. 88/89 II C 2
Torcello, O. 63 I D 2
Tordesillas, O. 92/93 I A 5
Tordesillas-Vertrag 118 III
Torgau 68/69 I G 3, 96/97 I G 4, 122/123 I E 3, 126/127 I F 3, 156/157 III C 2
Torna, Pußta-Wüstung 140 V B 2
Torneå, Tornio 113 E 1, 119 C 1, 156/157 I F 2
Torne-Älv, Fl. 113 E 1
Torone, Golf v. 18/19 I D 1/2
Torone, O. 18/19 I D 1
Toronto 133 III F 2
Toropez 71 I D 1, 113 G 3
Torre Galli 17 I D 2
Torres, Turris 63 I B 4
Torthyneion 18/19 I C 4
Tortona, Bm. 88/89 II B 3
Tortona, O. 66 I C 3, 94 I C 2, 94 II C 2
Tortosa, Bm. i. Spanien 88/89 I C 5
Tortosa, O. i. Spanien 54/55 I C 4, 64/65 I B 2, 130/131 I C 3
—, O. i. Syrien 64/65 IV A 3
Tortuga, Ins. 116/117 II D 4
Tos 46/47 III D 2
Toseur 163 III B 2
Toskana, Ldsch., s. auch Tuscien 67 I C 2, 90 III B 2, 90 IV B 2
Toskana, Grhzm. 102/103 I F 5, 115 I C 4, 124 II B 2
—, ital. Provinz 130/131 I E 3
Tosko 6 I A 3
Töß, Fl. 40 III B 1/2
Tost 122/123 I H 3
Toszeg 5 I D 3, 5 II D 3
Totes Meer 8 III B 3, 64/65 IV A 5, 162 IV B 2
Touba 41 III B 2
Touggourt 34/35 III B 2
Toul, Bm. 52 II B 2, 88/89 II B 2
—, Bm.-Territ. 95 C 3
—, Kl. 87 I D 2
Toul, Gouvernement 122/123 II C 1
—, O., RSt. 58/59 I F 4, 68/69 I C 4, 114 C 3, 148 II C 2
Toulon, Bm 88/89 II B 3
Toulon, Telo Martius, O. 36 D 9, 58/59 I F 7, 130/131 I D 3, 156/157 I D 4, 156/157 III B 3
Toulouse, Ebm. 88/89 I C 5
Toulouse, Gft. 58/59 I D/E 6/7, 64/65 I B 2
—, Grafenhaus 66 I A—C 3
Toulouse, O. 49 II B 3, 50/51 B 3, 104 I C 4, 110 C 4
—, Universität 91 V B 2
Touraine, Gouv. 122/123 II B 2
Touraine, Gft. 58/59 I D 5
Tourane 136 II B 2
Tournai, Bm. 88/89 II A 1
—, Bm.-Territ. 95 B 2
Tournai, Turnacum, O. 36 C 2, 49 II B 1, 54/55 II C 2, 85 II C 2, 106/107 I B 4, 114 B 2, 126/127 IV A 2
Tournhout 104 III B 2
Tours, Ebm. 88/89 I C 4
—, Kl. 87 I C 2
—, Caesarodunum, Turones, O. 36 C 3, 42/43 B/C 2, 49 II B 2, 110 C 3
Toutones, V. 37 I B 2
Townsville 164/165 I R 5
Towton 92/93 I B 3
Toxandrien, Ldsch. 49 II C 1
Tozeur 34/35 III B 2
Trabzon, s. Trapezunt, Trapezus 38/39 I G 2
Trachenberg, Hft. u. O. 122/123 I G 3
Trachin 18/19 IV A 2
Trachis 18/19 III
Trachonitis, Ldsch. 34/35 II C 1/2
Traeis, Fl. 17 I E 1
Trafalgar, Kap 125 I B 4
Tragia, Ins. 18/19 I G/H 4
Tragilos 18/19 II C 2
Tragurium, Tragurion, Trau 38/39 I C 2
Traiana, s. Ulpia Traiana, Xanten 44 I B 1
Traiana castra 38/39 I D 1
Traianopolis, O. i. Kilikien 38/39 I F 3
Traianopolis, O. i. Thrakien 38/39 I E 2
Traiectum, Utrecht 36 C 2, 41 II A 1
Tralles, Tralleis, Aydin, Seleukeia 38/39 I E 3, 22/23 II A 2
Tramilen, V. 9 I C/D 2
Trani, Ebm. 88/89 I F 5
Trani, O. 63 I F 4, 94 I G 4, 94 II G 4
Trankebar, Tranquebar 135 I B 3
Transjordanien, Staat, s. auch Jordanien 150/151 I G 5/6
Transjordanland, Kreuzfahrer-Hft. 64/65 IV A 5
Transkaukasische SFSR 150/151 I H 4/5
Transkei, Ldsch. 138/139 II B 3
Transmarisca 38/39 I E 2
Transnistrien, Ldsch. 155 II D/E 2
Transoxanien, Ma wara an nahr, Ldsch. 50/51 H/I 4
Transpadana, röm. Provinz 38/39 I A 1
Transtagnensis, Ldsch. 34/35 III A 1/2
Transvaal, südafrikan. Republik 138/139 II B/C 2
Trapani 63 I D 5
Trapeza, O. b. Mallia 10 I B 1
Trapeza, O. am Ida-Geb. 10 I A 1
Trapezunt, Kaiserreich 64/65 II E/F 2
Trapezunt, Trapezus, Trabzon, O. a. Schwarzen Meer 11 II E 1, 38/39 I G 2, 50/51 E 3, 112 I D/E 1, 148 III A 1
—, Wilajet 134 II B 1
Trapezus, O. i. Arkadien 18/19 I B 4
Trapezus mons, Geb. a. d. Krim 38/39 I F/G 2
Trapheia, O. 18/19 IV B 2
Trapheia-See 18/19 IV B 2
Traprain Law 36 B 1
Trasimenischer See, Trasimenus lacus 30/31 II C 1
Trau, Bm. 88/89 I F 5
Traun, Fl. 86 I B/C 2/3
Traunstein, O. 122/123 I E 5
Trausnitz, Burg 68/69 I G 4
Trautenau 74 I B 2, 122/123 I F 3
Trave, Fl. 79 VI
Travedal, Schloß 116/117 I F 3
Trawankur, Staat 135 I B 3/4
Traz os Montes, portug. Prov. 116/117 I B 5
Trea 30/31 I D 1
Treasure-Ins. 143 IV
Treba 30/31 I D 3
Trebbin 121 III u. IV
Trebia, Fl. 25 I B 1

Trebiac 30/31 I C 2
Trebinje, Bm. 88/89 I F 5
Trebinje, O. 145 V A 2
Trebitsch 122/123 I F 4
Trebnitz, Kl. 66 I E 1
Trebula, O. i. Campanien 30/31 I E 3
Trebula, O. a. Sangrus 30/31 I C 3
Trebula Matuesca, O. i. Latium 30/31 I C 2
Trebula Suffenas, O. i. Latium 30/31 II B 2
Treene, Fl. 61 III B 1/2
Tréguier, Bm. 88/89 I B 4
—, O. 58/59 I B 4
Treibeis-Grenze 164/165 II u. IV
Treiden 68/69 II C 2
Trelleborg, Plan 60 II u. III
Trembowla 75 E 4
Tremp 154 V C 1
Trennfurt 40 II C 2
Trent, Fl. 110 B 2
Trento, s. Trient 150/151 I E 4
Trentschin 58/59 I N 4, 112 II C 1
Tre Pieve, Ldsch. 80 II D 2
Treptow 83 II D 1
Trerus, Fl. 30/31 II C 2
Tres Tabernae, O. i. Latium 30/31 II B 2
Tres Tabernae, Zabern 40 II A 3
Trestina 25 II C 1
Tretos, Kap 10 III A 1
Treverer, Treveri, V. 37 I A 2
Treveri, Trier, s. Augusta Treverorum 42/43 I C 2
Trevi 53 I B 2
Trevicum 30/31 I F 3
Treviso, Bm. 88/89 II C 2
Treviso, O. 63 I D 2, 94 I E 2, 94 II E 2, 130/131 III D 2
—, Universität 91 V C 2
Trianon, Schloß b. Versailles 120 III, 150/151 I D 4
Triballer, V. 20 II C/D 1
Triberg, O. 122/123 I C 4
Triboker, V. 37 I A 2
Tribur, Pfalz 62 II B 3
Tribus-Einteilung von Rom 30/31 II
Tricamarum 48 II C 3
Tricarico 63 I F 4
Tricasses, V. 36 C 3
Tricca, Trikka 18/19 I B 2
Tricesimae, Tricesima, Legionslager 32 V
Trichonion 18/19 I B 3
Trichonis-See 18/19 I B 3
Trichterbecherkultur, nordische 2 I B—D 1
Tricornenses, V. 38/39 I D 2
Tridentum 38/39 I B 1
Triebisch, Fl. 56 IV
Trient, Bm. 88/89 II C 2
—, Bm.-Territ. 68/69 I F 5, 106/107 I F 6/7
Trient, Trento, O. 49 III B 2, 104 II B 3, 130/131 III C 1, 150/151 I E 4, 160 III B 3
Trier, Bm. 145 I, 161 VI
—, Ebm. 88/89 II B 2
—, Ebm.-Territ., Kurfsm., Kurtrier 80 I, 114 D 2/3, 122/123 I B 3/4
Trier, Augusta Treverorum, Trevesi, O. 37 I A 2, 40 VI A 2, 49 I B 2, 54/55 II E 3, 80 I B 2, 105 I B 2, 156/157 III B 3
Trier, St. Maximia, Kl. 87 I D 2
—, Universität 91 V B 2
Triesch, Bg. O. 86 I C 2
Triest, Bm. 88/89 II C 2
Triest, Freistaat 160 II B 3, 160 III B 3
Triest, O. 63 I D 2, 68/69 I G 6, 115 I C 3, 125 I D 3, 150/151 I E 4
Trifels, Burg 62 II A 3
Trikka, Tricca 18/19 I B 2
Trikkala 145 V B 3, 145 VI B 3
Trikorythos 13 I B 1
Trimontium 36 B 1
Trinasos 18/19 I C 5
Trinemeia 13 I B 1
Tringanu, Sultanat 138/139 V B 1/2
Trinidad, Ins. 118 III D 2, 138/139 I F 4
Trinidad, Staat 164/165 III, 168
Trinil 135 II C 1
Trinius, Fl. 30/31 I E 2/3
Trinkomali, Trinkonanalai 116/117 IV C 4, 135 I C 4
Trinobanten, Trinovanten, Trinobantes, Trinovantes, V. 36 C 2
Triopion, T. 18/19 I H 5
Triphylia, Ldsch. 18/19 I B 4
Tripodiskos 13 I A 1
Tripolis, Gft. i. Syrien 64/65 IV A/B 3
Tripolis, Tripolitanien, Ldsch. i. Libyen 112 I B 2/3, 130/131 I D—G 5/6, 132 I C 2
Tripolis, Oëa, O. i. Libyen 50/51 C 4, 98/99 IV, 112 I B 2, 130/131 I E 5, 132 I C 2, 162 III
Tripolis, ital. Provinz i. Libyen 150/151 I E 5
Tripolis, Apollonia, O. a. Mäander 22/23 II A 2
Tripolis, O. a. Peloponnes 130/131 I G 4
Tripolis, O. i. Syrien 22/23 II C 3, 38/39 I G 4, 64/65 IV A 3, 134 II B 2
Tripolitana, röm. Provinz 34/35 I D 3, 42/43 I D 3, 48 I C 3
Tripolitza 116/117 I H 6
Tripolje, O. 2 I D/E 1
Tripolje-Kultur 2 II D 2, 4 III
Tripontium 30/31 II B 2/3
Tristan da Cunha, Ins., brit. 138/139 I I 6, 164/165 IV
Tritaia 18/19 I B 4
Triton, Fl. 10 III C 1
Tritonsee, Tritonis lacus, (Bitterseen) 34/35 III B 2
Tritschinapalli 135 I B 3
Trnowo, s. Tirnowo 130/131 I H 3
Troas, Ldsch. 18/19 I G 2
Trocmi, Trokmer, V. 38/39 I F 3
Troer, V. 10 II E 1/2
Troësmis 38/39 I E 1
Troezen, s. Troizen 38/39 I D 3
Trogilion 13 III A 1
Trogilos, Bucht b. Syrakus 17 II
Troglodyten, V. 29 II B/C 3, 34/35 I F 4/5
Troia, Bm. i. Italien 88/89 I F 5
Troia, O. i. Italien 63 I E 4
Trois, Chateaux, Bm. 88/89 II A 3
Trois Fréres (Höhle) 1 IV D 2
Troizen, Troezen 18/19 I D 4
Troizk 119 L 4
Troja-Ilion, O. i. Kleinasien 10 II E 2, 2 I D 3
Troja-Yortan-Kultur 2 I D 2/3
Troki 67 III C 2, 104 IV C 2
Trokmer, Trocmi, V. 38/39 I F 3
Tromsö 156/157 I E 2
Tröndelag, Ldsch. 60 I F/G 1
Trondheim, s. auch Drontheim 156/157 I E 2, 156/157 II G 1
Tropaeum Augusti 38/39 I A 2
Tropaeum Traiani 38/39 I E 2
Troppau, O. 75 C 4, 115 I D 3
—, Fsm. 96/97 I I/K 5, 122/123 I G/H 4
Trotilon 17 I D 3
Troyes, Bm. 88/89 II A 2
—, Messen 83 IV B 2
Troyes, Augustobona, O. 36 C 3, 49 II B 1, 54/55 II D 3
Troznow 92/93 II C 4
Trubach, Fl 56 III
Truchseß v. Waldburg, Gft. 120 V C 2, 122/123 I C/D 5
Truentus, Fl. 30/31 I D 2
Trujillo 100/101 II D 2, 100/101 VII A 2, 118 III D 3, 133 II B 2
Truk, Ins. 158 I E 4, 158 II E 4
Trundholm 5 I C 2
Truso 54/55 I F 2, 60 I H 3
Trypiti 10 I A 2
Trysa 20 I F 3
Trzebinia, Bg. O. 86 I E 1
Trzniec-Kultur 5 I D 2
Tsangli 4 VII A 2
Tsangpo, Fl. 135 I C 2
Tsang-wu 46/47 I K 4
Tsani 4 VII A 2
Tschaban, Widschaja 72/73 I D/E 4
Tschad, Ldsch. 146 I C/D 2
Tschad, Staat 162 III B/C 2, 164/165 III, 166/167 I u. III, 168
Tschad-See 132 I C 3, 132 II C 3, 138/139 III A 2
Tschad-Wadai, Ldsch. 146 I C 2
Tschaga, Fl. 140 IV A/B 1
Tschagatai-Chanat 72/73 II F—I 2—4
Tschagos-Ins., brit. 125 II, 138/139 I N 5
Tschahar, Ldsch. 98/99 I M/N 3, 136 I E 2
Tschaldiran 112 I E 1
Tschambal, Fl. 135 I B 2
Tschampa, O. a. Ganges 46/47 III G 3
Tschampa, Reich 46/47 III I 4, 98/99 I L 6
Tschandernagar 135 I C 2, 162 II B 2
Tschandigar 163 I B 1
Tschang-an 46/47 I I 3
Tschang-scha 3 V B 3, 46/47 I K 4, 136 I E 4, 136 III B 4, 158 I C 3, 158 II C 3
Tschang-tschun, Hsinking 136 I F 2, 136 III C 2, 138/139 VI B 2, 154 III B 3
Tschao, Ldsch. 3 V B 2
Tschao-Hsin, Korea, Ld. 3 IV C 1, 46/47 I L 2/3
Tschardschui 134 II E 2
Tscharnikau 68/69 I I 2
Tschaslau, Bg. O. 86 I C 2
Tschataldscha 145 VI C 2
Tschauschwitz 77 III B 2
Tschechen, Böhmen, V. 50/51 C 3, 54/55 I E/F 3, 106/107 III A/B 2, 150/151 II, 160 II
Tschechische Legion 149 III D 2, 149 IV D 2
Tschechoslowakei, Staat 141 II C—E 2/3, 141 IV A—C 2/3, 150/151 I E/F 3/4, 153 III u. IV, 160 III B/D 2/3, 164/165 III, 166/167 I—III, 168
Tschechoslowakische Bevölkerungsverluste 161 III
Tschechnitz, Plan 76 VIII
Tschekiang, chin. Prov. 136 I E/F 4
Tscheleken 163 II D 3
Tscheljabinsk 159 II E 2
Tscheng, Staat 3 IV B 2
Tscheng-tu 46/47 III I 2
Tschen-la, Hft. 46/47 III I 4
Tschenstochau, Częstochowa 68/69 I K 3, 113 D 4, 115 I D 2, 124 I E 2, 130/131 I F 1, 150/151 I E 3
Tscheremissen, V. 50/51 F 2, 119 G/H 3
Tscherikow 75 F 3
Tscherkassy 67 III E 3, 113 G 5, 116/117 I K 4, 156/157 I G 3
Tscherkessen, Kassogen, Zirkassier, V. 50/51 E/F 3, 70 II G/H 2, 105 II B/C 4, 130/131 I K/L 2/3, 134 I B/C 1
Tschernigow, Fsm. 67 III E 2
Tschernigow, O. 71 I D 2, 75 F 4, 105 II B 3, 113 G 4
Tschernomen 71 II C 3
Tschernowitz 75 E 4, 119 D 5
Tschersk 68/69 I L 3
Tschertomlysk 24 I F 3
Tscheschdorf 77 III B 1
Tschetschen, Ins. 134 I F 2
Tschetschenen, V. 112 I E 1, 134 I E/F 2
Tschi, Staat, Ldsch. 3 IV B 2, 46/47 I K 3
Tschiang-ling, Nan 46/47 I K 3
Tschiang-tu 46/47 I K 3
Tschiao, Ldsch. 46/47 I I/K 4
Tschiao-tschih 46/47 I I 4
Tschiaturi 134 I D 2
Tschiengmai 163 I D 3
Tschien-kang 46/47 III K 2
Tschien-wei 46/47 I I 4
Tschifu 136 I F 3
Tschigirin 113 G 5, 116/117 I K 4
Tschikischlar 134 II D 2
Tschili, Hopei, chines. Prov. 136 I E 2/3
Tschilianwala 135 I B 1
Tschiligider, Fl. 140 IV B 1
Tschiltsch 77 III B 1
Tschimkent 134 II E 1
Tschindiri 163 IV B 1
Tsching, Kwantung, Ldsch. 46/47 I K/L 3
Tsching, Ldsch. i. Mittelchina 46/47 I K 3/4
Tschinghai-Tibet-Straße 163 I D 1
Tschingkiang 136 I E 3
Tschita 105 III F 2, 136 I E 1, 136 III B 1, 149 IV
Tschitor 98/99 I H 5
Tschittagong 72/73 V D 2, 135 I D 2
Tschiu-hua-schan, Heiligtum 72/73 IV C 2
Tschiu-tschüan 46/47 I H 3
Tschkalow 150/151 I I 3
Tschola, Ldsch. 72/73 II G 6
Tschola-Reich 72/73 I A/B 4
Tschöng 3 III B 2
Tschöng-hsin 3 III B 2
Tschöng-tschou, Lo-yang 3 IV B 2
Tschöngtu 72/73 II K 4, 136 I D 3, 162 I B 2
Tschosen, Korea, japan. Besitz 154 III B 2/3
Tschou, Staat 3 III A 2
Tschou-Dynastie i. China 3 IV
Tschoul 98/99 I H 6
Tschu, Fl. 50/51 I 3
Tschu, O. 46/47 I K 3
Tschu, Staat 3 IV B 2
Tschüantschou, Zaiton 46/47 IV F 4, 72/73 II L 5
Tschuden, Esten, V. 50/51 D 2
Tschuden, V. a. d. Dwina 50/51 F 1
Tschugutschak 136 I B 2
Tschuktschen, V. 105 III H/I 1
Tschumbi 136 I B 4
Tschumlekiöj 140 IV A 1
Tschungking 136 I D 4, 162 I B 2
Tschussowaja, Fl. 119 K 3
Tschussowoj 98/99 I F 2
Tschutja-Nagpur, Staat 135 I C 2
Tschuwaschen, V. 119 H 3
Tschuwaschische ASSR 150/151 I H 3
Tschu-yai, Hainan, Ins. 46/46 I I/K 5
Tsermiades 10 I B 1
Tsin, Staat 3 IV B 2
Ts'in, Staat 3 IV A 2
Ts'in-, Chin-Dynastie i. China 3 V
Tsinan 136 I E 3
Tsingtau 138/139 VI B 3, 149 II E/F 3, 149 IV E/F 3
Tsurchli 18/19 I B 1
Tsuschima 138/139 VI B 3
Tuam, Ebm. 88/89 I A 3
Tuam, O. 126/127 I B 3
Tuamotu-Archipel 164/165 I B/C 5/6
Tuapse 130/131 I K 3, 156/157 I G 4
Tuareg, V. 132 I B/C 2
Tuat, Ldsch., V. 132 I B/C 2
Tuban 135 II C 1
Tubernae 38/39 II A 2
Tübingen, O. 58/59 I H 4, 122/123 I C 4, 161 IV A 2
—, Universität 91 V B 2
Tubuai-Ins. 100/101 VIII F 4, 137 I H 6
Tubusuptu 34/35 III A 1
Tucci 38/39 II A 2
Tuchel 92/93 II D 2
Tucson 133 I C 3
Tucuman 118 III D 4
Tudae 38/39 II A 1
Tude Aa, Fl. 60 II u. III
Tudela 54/55 I B 4, 64/65 I A 2, 116/117 I C 5
Tuder, Tutere, Todi 24 II F 3, 30/31 I C 2
Tudor-Stil, engl. Gotik 90 I u. II
Tuficum 30/31 I D 1
Tuggurt 163 III B 2
Tugia 38/39 II B 2
Tujmasi 163 II D 1
Tukkum 156/157 III D 2
Tukulti Ninurta, Al Akrkar 6 IV B 1
Tula, O. i. Mexico 100/101 II B 1
Tula, O. i. Rußland 92/93 I K 3, 105 II B 3, 156/157 I G 3
Tulagi, Ins. 158 I F 5, 158 II F 5
Tulkarm 162 IV B 1
Tulle, Bm. 88/89 I C 4
Tulln 38/39 I C 1, 58/59 I M 4, 112 II B 1
Tullner Feld 58/59 II B 1
Tullum, Toul 36 D 3
Tulum, O. i. Yucatan 100/101 II D 1
Tumbez 100/101 III A 2, 118 III D 3, 133 II A/B 2
Tunbridge 110 C 2
Tünchhausen, Wüstung 77 IV A 2
Tunes, Tunis 34/35 III C 1
Tunesien, Tunis, türk. Tributärstaat 102/103 I E/F 6/7, 130/131 I D/E 4/5
Tunesien, frz. Protektorat 147 D/E 5, 156/157 I D/E 5
Tunesien, Republik 162 III B 1, 163 III B/C 1/2, 164/165 III, 166/167 I, 168
Tung-hu, V. 46/47 I K/L 2
Tungri, Aduatuca, Tongern, O. 42/43 I C 1
Tungri, V. 36 D 2
Tungusen, s. auch Sien-bi, V. 46/47 I K/L 1/2, 105 III D—F 1/2
Tunguska, Fl. 72/73 II I/K 2
Tung-yung 46/47 III L 3
Tun-huang 46/47 III H 1
Tunis, Tunesien, Ldsch. 92/93 I D 6/7
Tunis, O. 34/35 III C 1, 50/51 C 4, 98/99 IV, 130/131 I E 4, 156/157 I E 5
Tunni, Bg. 9 III D 2
Turah 6 I A 2
Turbessel, Tellbaschir 64/65 IV B 2
Turbie 24 II C 3
Turdetani, Turdetaner, V. 38/39 II A 2
Turduli, V. 38/39 II A/B 2
Turduli veteres, V. 38/39 II A 1
Turenne 58/59 I D 6
Turenum 30/31 I G 3
Turfan 46/47 IV C 2, 52 III F 2, 136 I B 2
Turgalium 38/39 II A 2
Turiaso 38/39 II B 1
Turicum, Zürich 37 I B 3
Turin, Bm. 88/89 II B 2
Turin, O. 63 I A 2, 94 I B 2, 94 II B 2, 130/131 I D 2
—, Universität 91 V B 2
Turinsk 100/101 I M 2
Türkei, Osmanisches Reich 112 I, 124 III, 128 V, 132 I C—E 1—3, 134 II A—C 1—3, 145 III B/C 2/3, 145 IV B/C 2/3, 148 I G/H 5/6, 148 III A/B 1/3
Türkei, Republik 150/151 I F—H 4/5, 150/151 II C/D 3/4, 153 V B 1/2, 153 VI B—D 1/2, 159 II C/D 2/3, 164/165 III, 166/167 II u. III, 168
Türken, V. 150/151 II, 153 V, 160 I u. II
Turkestan, Ldsch. 98/99 I H/I 4, 134 II E/F 1
Turkestan, Ost-, Ldsch. 135 I B/C 1
Turkestan, O. 134 II E 1
Türkheim 114 D 3
Türkisch Armenien, Ldsch. 150/151 I H 4/5
Türkische Bevölkerungsverluste (1914—18) 152 III
Türkische Sprachen 70 II
Türkisches Reich, s. Türkei, Osman. Reich
Türkisch-Ungarn, Ldsch. 102/103 I G/H 4, 112 II B—E 1—3
Turkmenen, Turkvölker, Türkische Völker, s. auch Seldschuken-Staaten 46/47 III E/F 1, 50/51, 134 I D/E 1, 134 II D/E 1/2
Turmenische Chanate 125 II
Turkmenische SSR, Turkmenistan 159 II D/E 2/3, 164/165 I M/N 2/3
Turku, Åbo, O. 68/69 II B 1, 113 E 2, 150/151 I F 2, 156/157 I F 3, 156/157 III D 1
—, Bm. 88/89 I G 1
Turkvölker 134 I
Turloti 10 I B 1
Turmogidi, V. 38/39 II B 1
Turmuli 38/39 II A 2
Turnacum, Tournai 36 B/C 2
Turnat, Dijala, Fl. 9 III F/G 3
Turnhout-Kanal 143 I b
Turnu Severin 112 II E 3, 145 V B 2
Turones, Tours, O. 42/43 I C 2
Turoni, Turones, V. 36 C 3
Turoqua 38/39 II A 1
Turow, Bm. 88/89 I H 3
Turow, O. 61 II C 1
Turow-Pinsk, Fsm. 67 III D 2
Turres, O. b. Serdica 38/39 I D 2
Turris, O. i. Africa 28 IV A 2
Turris, Libisonis, Turris, O. a. Sardinien 38/39 I A 2, 54/55 I D 4
Tuscana, O. 24 II E 3, 30/31 I B 2
Tuschchan 9 III F 2
Tuscia et Umbria, Regio Italiae 42/43 I D 2
Tuscien, Mgft., s. auch Toskana 53 I A 2, 63 I B/C 2/3
Tusculum, Bm. 53 I B 3
Tusculum, O. 24 II F 4, 30/31 II B 2, 63 I D 4
Tuspa 9 III F 2

Tutanchamon-Grab, b. Theben 7 IV
Tutere, s. Tuder, Todi 24 II F 3
Tutikorin 111 II C 2, 135 I B 4
Tutrakan 148 I G 5
Tuttenrode, Wüstung 77 IV A 1
Tutterrode, Wüstung 77 IV A 2
Tutti, V. 38/39 II B 1
Tuttlingen 106/107 I E 6
Tutuila, Ins., V. St. 137 I G 5
Tutul, Tuttul 8 II C 2
Tuwaim 6 III B 1, 6 IV B 1
Tu-yü-hun, V. u. Hft. 46/47 III H 2
Tuz-Gölu, Tatta lacus (See) 8 I A 2
Tuz Khirmatu 6 III B 2, 6 IV B 2
Tuzla 112 II C 2
Twer, Bm. 88/89 I K 2
Twer, Fsm. 71 I E 1
Twer, Kalinin, O. 92/93 I K 2, 105 II B 3, 119 F 3, 150/151 I G 3
Twieflingen 56 VI A 2
Tyana, Tyane, Eusebeia, Dana, Nigde 9 I D 2, 22/23 II B 2, 38/39 I F 3, 64/65 IV A 2
Tyche, Ot. v. Syrakus 17 I
Tylis 24 I E 3
Tylissos 10 I B 1
Tylos-Ins., Bahrein-Ins. 22/23 I G 3
Tymphaia, Ldsch. 18/19 II A 3
Tymphe, Geb. 18/19 I B 1/2
Tymphrestos, Geb. 18/19 I B 3
Tyndaris 17 I D 2
Tyne, Fl. 40 I B/C 2, 142 II A/B 2
Tynemouth, O. 142 III B 1
Typaneai 18/19 I B 4
Tyrambe, Ldsch. 38/39 I G 1
Tyras, s. Dnjestr, Fl. 38/39 I E/F 1
Tyras, Akkerman, O. 11 II E 1, 38/39 I F 1
Tyriaeum 38/39 I F 3
Tyrmeidai 12 V
Tyrnau 75 C 4, 105 I E 2, 112 II B 1
Tyrodiza 18/19 I H 1
Tyrone, Ldsch. 110 A 2
Tyros, O. i. Argolis 18/19 I C 4
Tyros, Tyrus, O. i. Phönizien 8 II B 2, 38/39 I G 4
Tyrrhenum mare, Tyrrhenisches Meer 30/31 I A—F 1—5, 63 I B—F 3—5
Tyrsener, Rasenna, Etrusker, V. 9 I B 3, 24 II
Tyrus, Tyros, O. 34/35 II B 1, 64/65 IV A 4
Tzompanco, O. 100/101 VI A 1
Tzompanco-See 100/101 VI A 1
Tzutuhil-Reich der Maya-Indianer 100/101 II C 3

Ual-Ual 154 IV B 2
Uames 34/35 III C 2
Uaxactun 100/101 II D 2
—, Tempelbezirk, Plan 100/101 IV
Ubangi, Fl. 132 I C/D 3
Ubangi-Schari, Ldsch. 146 I C/D 2
Ubase 6 IV B 1
Uberi, V. 37 I A 3
Überlingen, RSt. 68/69 I E 5, 81 II B 3, 122/123 I C 5, 128 I B 3
Ubier, Ubii, V. 37 I A 1
Ubon 163 I E 3
Uch 72/73 V B 2
Uchta, O. i. Finnland 156/157 I G 2
—, O. i. Nordrußland 150/151 I I 2
Uckermark, Ldsch,. 122/123 I E 2
Ückermünde 83 II D 2
Ucubi 38/39 II B 2
Udaipur, O. i. Mittelindien 135 I B 2
—, O. i. Ostindien 135 I C 2
Uden, V. 134 I F 3
Udine 49 III C 2, 94 I E 1, 94 II E 1, 106/107 I G 6, 130/131 I E 2
Udjda 132 I B 2
Udjidji 132 I D 4
Udmurten-ASSR 150/151 I I 3
Udschda 147 C 5
Udschein, Udschschein 46/47 I F 4, 135 I B 2
UdSSR, s. Sowjetunion
Uëlle, Fl. 132 I C/D 3
Uerdingen 142 V A 2
Ufa 98/99 I F 2, 105 II D 3, 150/151 I I 3, 163 II D 1
Ufenau, Ins. 80 II C 1
Ufens, Fl. 30/31 II B/C 2/3
Ufte 56 V A 1
Uganda, brit. Kol. 138/139 I L 4/5, 138/139 III B 2/3
Uganda, Staat 162 III C 2/3, 164/165 III, 168
Ugarit, Ras Schamra 8 I B 2
Uglitsch 105 II B 3
Uhaimir, Kisch 6 III B 2, 6 IV B 2
Uigur, s. Hsinkiang, Sinkiang, Ldsch. 164/165 I N/O 2/3
Uiguren, V. 72/73 I B/C 1, 98/99 I I/K 3
Uiguren, gelbe, V. 72/73 I C/D 1/2
Uiguren-Reich 46/47 IV D—F 2
Uisdis, Ldsch. 9 III G 2
Uitenhage 144 V B 3
Ujhely, Neusiedel, Plan 121 VI
Ukermark, Ldsch. 68/69 I G 2, 106/107 I G 3
Uknu, Choaspes, Fl. 9 I G 3
Ukraine (Hetmanschaft) 113 F/G 4/5
Ukraine, Ldsch. 119 D/E 5, 148 I G/I 3/4
Ukraine, Reichskommissariat 155 II D/E 1/2
Ukraine, Republik 149 I B/C 2/3, 149 III B/C 3
—, Ukrainische SSR, (Sowjet-Republik) 150/151 I F/G 3/4, 156/157 I F/G 3/4, 160 III D/F 2/3, 164/165 III, 168
Ukrainer, V. 67 III, 106/107 III C 2, 134 I, 150/151 II, 160 I u. II
Ukrainer, V. i. Bessarabien 140 IV
Ukrainer, V. i. Ungarn 112 II
Ulai, Euläos, Fl. 9 I G/H 3
Ulan Bator-Choto, Urga 136 I D 2, 162 II C 1,
Ulatha, Ldsch. 34/35 II B 1
Ulchu, Marand 9 III G 2
Ulcinium 38/39 I C 2
Uleåborg, Oulu 113 F 2, 150/151 I F 2
Ulfsby 75 D 1
Ulithi, Ins. 158 II E 4
Ulitschen 50/51 D/E 3
Uljanowsk, Simbirsk 150/151 I H 3
Ullais, Vologesias 50/51 F 4
Ullersdorf 77 III B 2
Ulm, Frhr. v. (Reichsritter) 120 V C 2
Ulm, O. u. RSt. 58/59 I H 4, 68/69 I E 4, 81 II B/C 2, 120 V C/D 1, 122/123 I C 4, 128 I B 2
Ulmen, O. u. Amt 80 I B/C 1
Ulmer Recht 81 II
Ulmetum 38/39 I E 2
Ulpiana 38/39 I D 2
Ulpia Traiana, Col.; Xanten. Traiana 37 I A 1
—, Plan 32 V
Ulster, Gft. 92/93 I A 3, 104 I A 1/2, 110 A 2, 150/151 I C 3
Ulubrae 30/31 II B 2
Ülzen 81 III B 1, 122/123 I D 2
Um-al-Akarib 6 II C 2, 6 III C 2, 6 IV C 2
Uman 113 G 5, 119 E 5
Umana 53 I B 2
Umbennum 24 II B 2
Umbri, Umbrer, V. 24 II E/F 3, 30/31 I C 1/2
Umbria, Umbrien, Ldsch. 30/31 I B—D 1/2, 94 II E 3
Umbro, Fl. 30/31 I B 1/2
Umbro-Sabeller, V. 5 II C 3, 30/31 I
Umeå 113 E 2
Ume-Älv, Fl. 113 D/E 1/2
Umm Ali, Meroë 6 I A 4
Umma, Jokha 6 III C 2
Umm Said 163 II D 4
Umsiedlungen, Vertreibungen von Minderheiten 153 V, 160 I u. II, 160 IV, 162 IV, 163 I
Una, Fl. 112 II A/B 3
Unabhängige sozialdemokrat. Partei Deutschlands (USPD) 153 I
Undankeshausen, Wüstung 77 IV A 1
Ungarische Sprache 70 II
Ungarn, Kgr. 61 II C 2, 64/65 I C/D 2, 64/65 II C/D 2, 67 III B—D 3/4, 70 II C—E 1/2, 92/93 I F—H 4/5, 96/97 I H—L 5—7, 102/103 I G—I 4/5, 104 II C/D 3, 112 I B/C 1, 112 II B/C 1, 115 I D—F 3/4, 124 III, 126/127 I G—I 4, 128 IV u. V
Ungarn, Republik 150/151 I E/F 4, 154 VI, 155 II C/D 2, 156/157 I E/F 3, 156/157 III C/D 3
—, Volksrepublik 160 III C/D 3, 164/165 III, 166/167 I—III, 168
Ungarn, Magyaren, V. 50/51 G/H 2, 57 I, 67 III, 112 II, 150/151 II, 152 III, 160 I u. II, 161 III
Ungelstetten 81 I
Ungvar, Uzhorod 112 II E 1, 150/151 I F 4, 160 III D 3
Unierte Christen (Orthodoxe Christen der Papstkirche) 64/65 I
Unierte latein. Bistümer 71 I
Unierte evang. Landeskirchen 161 VII
Union der Soz. Sowjetrepubliken, s. Sowjetunion
Unions-Ins. 138/139 I T 5
Unionskönigtum Skandinaviens 71 III B/C 1
Union-Zentral-Pazifik-Bahn (USA) 133 III A—E 2/3
United Nations, s. Uno, Vereinte Nationen
Unna 142 IV C 1, 142 V C 1
Uno, United Nations, Vereinte Nationen 164/165 III, 168
Unstan-Kultur 2 I A 1
Unstrut, Fl. 81 III B 2
Unterägypten, Ld. 6 I A 1
—, Gaue 6 I A 1
Unter-Böbingen 40 II C 3
Unter-Burma, Ldsch. 135 I D 3
Unter-Elsaß (Landvogtei) 95 D/E 3, 115 I B 3
Unterhausen, Parrodunum 40 II E 3
Unter-Kirchberg, Phaeniana 40 II D 3
Unterndorf 81 I
Unter-Schwaningen 40 II D 2
Unterwalden (Urkanton) 80 II C 2, 130/131 II B 1
Unter-Wallis, Ldsch. 80 II A/B 2/3
Upi, Ldsch. 9 I E 3
Upland, Ldsch. i. Schweden 60 I H 1, 113 D 2
Üplingen 56 VI B 2
Uppland, Ldsch. i. Norwegen 60 I F/G 1
Upsala, O. u. Heiligtum 50/51 C 2
—, Ebm. 88/89 I F 2
—, O. 75 C 2, 113 D 3
—, Universität 91 V C 1
Uquair 6 II B 2, 6 III B 2
Ur, Mugaiyar 6 II C 2, 6 III C 2, 6 IV C 2
—, Plan 7 I
Urach 58/59 I H 4, 128 I B 2
Ural, Jaik, Fl. 34/35 I H 1/2, 50/51 G 2/3, 105 II D 3/4, 119 I/K 3/4
Ural, Erdölfeld 163 II D 1
Ural-Gebiet 159 II D 2
Ural, Geb. 105 II D/E 1/3, 119 K/L 2/3
Ural-Kosaken, V. 105 II C/D 4
Uralsk 150/151 I I 3
Urania 38/39 I F 3
Urartu, Ld. 8 II C 2, 9 III E—G 1/2
Urba, Orbe 37 I A 3
Urbach, Gemarkung 140 I a—b
Urbana 30/31 I E 3
Urbanus, Fl. 38/39 I C 2
Urbino, O. 53 I B 2
—, Hzm. 94 I E 3, 94 II E 3
Urbs Salvia 30/31 I D 1
Urci 38/39 II B 2
Urcinium 38/39 I A 2
Ürdingen 142 V A 2
Urfa, s. Edessa 38/39 I G 3, 122 I D 2
Urga, Ulan-Bator, Choto 136 I D 2, 162 II C 1
Urgändsch 134 II E 1
Urgel, Bm. 88/89 I C 5
Urgel, O. 54/55 I C 4
Urgendsch, Urgentsch 50/51 G 3, 52 III D 2
Uri, O. i. Campanien 24 II G 4
Uri (Urkanton) 80 II C 3, 130/131 II B 1
Uria, O. i. Calabrien 30/31 I H 4
Uria, Urium, O. a. Mte. Gargano 30/31 I F 3
Urkantone der Eidgenossenschaft 80 II C 1/2
Urmenschen — Rassen 1 I
Urmia, O. 134 II C 2
Urmia-See 9 III G 2, 119 H 7, 148 III B 2
Ürmitz 2 I B 1
Urnenfelder-Kultur 5 II A—D 2/3
Uromagus, Oron 37 I A 3
Uronarti, Nilinsel 6 I A 3
Ursberg, Kl. 122/123 I D 4, 128 I B 2
Urseren, Ldsch. 80 II C 2
Ursitz, Kl. 52 II B 3
Urso 38/39 II A 2
Urspring, Ad Lunam 40 II C 3, 120 V C 1
Uruguay, Fl. 118 III F 4
Uruguay, Staat 133 II C 3, 164/165 III, 166/167 II u. III, 168
Uruk, Warka, Orchoë 6 II C 2, 6 III C 2, 6 IV C 2 22/23 II E 3
Urukug, El-Hiba 6 II C 2, 6 III C 2
Urumtschi, Tihwa 136 I B 2, 162 II B 1
Urundi, Ldsch. 146 I D 3
Urvinum Hortense 30/31 I C 2
Urvinum Mataurense 30/31 I C 1
US-Dollar-Zone 170 II
USA (United States of America) 118 I, 125 II, 133 I u. III, 143 III, 144 V, 149 II, 156/157 II, 164/165 I A—F 1—3, 164/165 II—IV, 166/167 II u. III, 168
USA, Bevölkerung 144 II—IV
USA, Bevölkerungsverluste 152 III, 161 III
Usaila 6 II C 2
Usbeken, Özbegen, V. 98/99 I F/G 3/4, 134 II D—F 1/2
Usbekische SSR, Staat 159 II D/E 2/3
Usboi, Fl. 72/73 II E 4
Uschak 134 II A 2
Uscosium 30/31 I E 2
Usdicenses, V. 38/39 I D/E 2
Usedom 83 II C/D 2, 106/107 I G 3, 106/107 II G 3
Useldingen, Kl. 80 I A 2
Usellis 34/35 I C 3
Usen, V. 57 I G/H 2/3, 61 II C 2, 61 V C 3
Usilla 11 II C 2
Usingen 122/123 I C 3
Usipeter, Usipetes, V. 41 I A 2
Üsküb, Skoplje 71 II B 3, 145 V B 2, 145 VI 2, 148 I F 5, 150/151 I F 4
Üsküdar, Skutari, O. a. Bosporus 153 V B 1
Usruschana 50/51 H 4
Üß, Fl. 80 I B/C 1
Ussa, Ldsch. u. V. 8 I A 2
Ussa, O. 8 I A 2
Ussuri, Fl. 138/139 VI C 2
Ustiushna 113 H 3
Ust-Urt-Plateau 119 I/K 5/6
Usumbura 132 I D 4
Usworth 142 II A 2
Utah, amer. Staat 133 III B/C 2/3
Utatlan 100/101 II C 2
Uthina 28 IV B 2
Utholm, Ins. 61 III A 2
Utica 11 II C 2, 34/35 III C 1, 48 II C 3
Uticensis Sinus, Golf v. Utica 34/35 II C 1
Utrecht, Bm. 88/89 II B 1
—, Bm.-Territ. 68/69 I D 2
—, Hft. 104 III B 1
Utrecht, Oberstift 95 D 1
—, Traiectum, O. 36 C 2, 41 II A 1, 52 II B 1, 54/55 II D 1, 78 IV B 1, 104 III B 1
—, Prov. 115 I A/B 2
Utrechter Union 102/103 I E 3
Uxama 38/39 II B 1
Uxellodunum, O. i. Gallien 29 I B 2
Uxellodunum, Castlesteads, O. i. Schottland 40 I B 1
Uxier, V. 22/23 I G 2
Uxisama, Quessant 24 I B 3
Üxküll 68/69 II C 2, 104 IV C 2
Uxmal 100/101 II D 1
Uzentum 30/31 I I 5
Uzès, Bm. 88/89 II A 3
Uzès, O. u. Gft. 58/59 I F 6
Uzgand 50/51 I 3
Uzhorod, Ungvar 112 II E 1, 150/151 I F 4, 160 III D 3
Uzsoker, Paß 148 I F 4

Vaal, Fl. i. Südafrika 138/139 II B 2
Vaarby Aa, Fl. 60 II u. III
Vaasa, Wasa, Waasa, Nikolaistad 113 E 2, 150/151 I F 2
Vabres, Bm 88/89 I C 5
Vaccaei, V. 38/39 II A/B 1
Vacomagi, V. 36 B 1
Vada Volaterrana, Vada 30/31 I A 1, 94 I D 3
Vadena-Pfattei 24 II E 1
Vado, Vadis Sobates, O. i. Ligurien 24 II D 2
Vadstena, Kl. 66 II D 2
Vafio, Phoris 13 II A 1
Vagi 10 I C 1
Vaglio 30/31 I F 4
Vahr, Dorfplan 76 VI
Vaiono 25 II C 1
Vaishali 22/23 I K 3
Vaison, Bm. 88/89 II B 3
Vakataka, Reich 46/47 III F 4
Vakkäer, s. Vaccaei, V. 26/27 II A 1
Valabhi 46/47 III F 3
Valangin 80 II A 1
Valbuena, Kl. 87 II A 3
Valdivia 118 III D 4, 164/165 I F 6
Valdres, Ldsch. 60 I F 1
Valence, Bm. 88/89 II A 3
—, Valentia, O. i. Frankreich 36 C/D 4, 49 II C 2, 66 I B 3, 130/131 I C 3
—, Universität 91 V B 2
Valencia, Ebm. i. Spanien 88/89 I B 6
—, Valentia, O. i. Spanien 38/39 II, 50/51 A 4, 64/65 I A 3, 64/65 II A 3, 125 I B 4, 154 V B 2
—, span. Prov. 130/131 I B/C 3/4
—, Universität 91 V A 3
Valencia, O. i. Venezuela 133 II B 1
Valencia de Alcántara 154 V A 2
Valenciennes 54/55 II C 2, 68/69 I B 3, 85 II C 2, 104 III A 2, 114 B 2
Valentia, s. Valence, Valencia
Valentia, O. i. England 42/43 I B 1
Valeria, röm. Prov. 42/43 I D 2
Valetium 30/31 I I 4
Valé 10 I B 1
Valkenburg 36 C 2
Valladolid, O. 66 II B 3, 130/131 I B 3
—, Universität 91 V A 2
Vallatum, Manching 40 II E 3
Vallendar, O., Amt, Oberamt 80 I C 1
Vallenses, V. 37 I A 3
Vallis 28 IV A 2
Vallombrosa, Kl. 53 I A 2
Vallum Antonini, i. England 36 B 2
Vallum Hadriani, i. England 36 B 1/2, 40 I
Valmy 124 I B 2
Valois, Geschlecht 70 I
Valois, Gft. 58/59 I E 4
—, Hzm. 95 B 3
Valona, s. Avlona 71 II A 3, 145 V A 2, 145 VI A 2, 147 E 4, 148 I E 5
Valparaiso 118 III D 4, 133 II B 3
Valvata 30/31 I A 1
Vancouver 133 I B 2, 138/139 I C 2
Van Diemen's Land, Tasmanien, Ins. 138/139 I R 7
Väner-See, s. auch Wener-See 60 I G 2
Vangionen, V. 37 I A/B 2
Vannes, Bm. 88/89 I B 4
Vannes, Dariorigum, O. 36 B 3, 54/55 I B 3
Van-See, Wan-See 9 I F 2
Vaphio, Vafio, Phoris 13 II A 1
VAR, s. Verein. Arabische Republik (Ägypten, Syrien)
Var, Dép. 122/123 III C 3
Vardar, Axios, Wardar, Fl. 18/19 II B 1/2
Vardaroftsa, Abydon 18/19 II B 2
Varduli, V. 38/39 II B 1
Varel 122/123 I C 2
Varennes 95 C 3, 148 II C 2
Varese 80 II C 3
Vargas 3 II A 2/3

Vargiate, Sesto Calende 24 II D 2
Varini, Variner, V. 36 E 2, 41 I B 2
Vascones, Vasconen, Basken, V. 38/39 II B 1
Vasiliki, O. i. Nordkreta 10 I B 1
Vasiliki, O. i. Südkreta 10 I B 2
Vasio 24 II B 2
Vassy 96/97 I C 5
Vathia 14/15 IV A 2
Vathypetro 10 I B 1
Vaticanus campus, Ot. v. Rom 33 I
Vatikan i. Rom, Pläne 45 I u. III, 102/103 IV
Vatikanstadt, souveräner Staat 153 III
Vatnajökull, Berg 57 III B 2
Vatopedion, Athos-Kl. 45 VI B 1
Vattina 5 I D 3
Vatya 5 I C 3
Vaucluse, Dép. 122/123 III C 2/3
Vaugirard 109 IV
Vauxhall 109 I
Vechta, O. 68/69 I E 2, 122/123 I C 2, 126/127 II B 1
Vechte, Fl. 78 IV C 1
Vectis, Wight, Ins. 36 B 2
Vedianti, V. 38/39 I A 2
Vedra, Fl. 40 I C 2
Veglia, Bm. 88/89 II C 2
Veglia, Ins. 94 I F 2, 94 II F 2
Veji 24 II F 3, 30/31 II A 1
Velathri, s. Volaterrae 24 II E 3
Velciates, V. 25 I B 1
Veldenz, Gft. 68/69 I D 4
—, O. 80 I C 2
Veldes 68/69 I H 5, 106/107 I H 6
Veldidena, Wilten 37 I C 3
Veleia 24 II D 2
Veles 145 V B 2
Velia, Elea 30/31 I F 4
Veliokassier, Veliocasses, V. 24 I C 3, 29 I B 1
Velitrae 30/31 II B 2
Vellalavella, Ins. 158 II E 5
Vellavii 29 I B/C 2
Velletri, O. u. Bm. 53 I B 3
Vellica 38/39 II B 1
Velsu, s. Volsinii 24 II F 3
Veltlin, Ldsch. 80 II D 2, 106/107 I E/F 6, 124 II B 1
Vemania 37 I C 3
Venafrum 30/31 I E 3
Venaissin, Gft. 68/69 I C 6/7, 70 I B/C 3, 122/123 II C 2/3
Vence, Bm. 88/89 II B 3
Vendée, Ldsch. 116/117 I C 4
Vendée, Dép. 122/123 III A 2
Vendôme, Gft. 58/59 I D 5
—, O. 66 I B 2, 102/103 I D 4
Veneder, Wenden, V. 41 I D 2
Venedig, O. 49 III C 3, 54/55 I E 3, 124 I D 3, 124 II C 1, 130/131 I E 2
—, Plan 78 I
—, Bm., Patriarchat 88/89 II C 2
—, Republik 58/59 I K 6, 64/65 II C 2, 68/69 I G—I 6/7, 70 II B 1, 85 III C 2, 86 II D—F 2/3, 94 II C—G 2/3, 102/103 I E/F 4, 116/117 I E/F 4
Venelli, V. 29 I A 1
Veneris mons, Geb. 38/39 II A/B 1
Veneter, Veneti, V. i. d. Bretagne 36 B 3
Veneter, Veneti, V. i. Venetien 14/15 I C 2, 24 II E/F 2
Venetia, röm. Prov. 38/39 I B 1
Venetia et Histria, röm. Prov. 42/43 I D 2
Venetien, Ldsch 124 I C/D 3, 124 II B/C 1, 130/131 III C/D 1/2
Venetische Romanen 49 III B/C 3
Venetus lacus, Bodensee 37 I B 3
Venezuela, Staat 133 II B 1, 164/165 III, 166/167 II u. III, 168
Venicones, V. 36 B 1
Venlo 95 D 2, 104 III C 2
Vennontes, V. 37 I B 3
Venosa 63 I E 4
Venosti 37 I C 3
Venta Belgarum, Winchester 36 B 2
Ventadour 58/59 I E 6
Venta Icenorum, Caistor b. N. 36 C 2
Venta Silurum, Caerwent 36 B 2
Ventimiglia, Bm. 88/89 II B 3
Ventimiglia, Album Intimilium, O. 24 II C/D 3, 94 I B 3
Ventium 24 II C 3
Ventspils, s. Windau 150/151 I F 3
Venusia 30/31 I F 4
Ver, Fl. 40 IV
Vera, Baria 38/39 II B 2
Veracruz 118 III C 2
Veragri, V. 37 I A 3
Vercelli, Bm. 88/89 II B 2
—, Vercellae, O. 38/39 I A 1, 54/55 I D 3, 66 I C 2, 94 I C 2, 94 II C 2
—, Universität 91 V B 2
Verden, Bm. 56 I B 1, 88/89 II B 1
—, Bm.-Territ. 68/69 I E 2
Verden, Fsm. 106/107 I E 3, 122/123 I C 2
Verden, O. 54/55 I D 2, 83 II A 2, 126/127 II B 1
Verdun, Bm. 52 II B 2, 88/89 II B 2
—, Bm.-Territ. 95 C 3
—, Kl. 87 I D 2
Verdun, O. u. RSt. 54 I D 3, 54 II D 3, 68/69 I C 4, 114 C 3, 148 I C 4, 148 II C 2
Vereinigte Arabische Republik, s. auch Ägypten
Vereinigte Staaten v. Nord-Amerika, USA 118 I, 125 II, 133 I u. III, 143 II A—E 2/3, 144 I—IV, 149 II, 156/157 II, 164/165 I A—F 1—3, 164/165 II—IV, 166/167 II u. III, 168
Vereinigte Staaten v. Nord-Amerika, Bevölkerungsverluste 152 III, 161 III
Vereinigte Staaten v. Nord-Amerika, Stützpunkte 156/157 II
Vereinigte Staaten v. Zentralamerika 133 I D 4
Vereinte Nationen, UN, Uno, United Nations 164/165 III, 168
Veretum 30/31 I 75
Vergy 95 C 4
Veringen 120 V B 2
Vermand 54/55 II C 3
Vermandois, Gft. 58/59 I E 4, 95 B 3
Vermland, Ldsch. 60 I G 2
Vermont, amer. Staat 118 I C 1, 133 III F 2
Verneuil 92/93 III C 1
Verona, Bm. 88/89 II C 2
—, Hft. d. Scaligeri (della Scala) 68/69 I F/G 5/6, 94 I D 2
—, Hft. v. Mailand 71 III C 2
—, Hft. v. Venedig 94 II D 2
—, Mark 58/59 I I/K 5/6
—, O. 24 II E 2, 49 III B 3, 63 I C 2, 130/131 III C 2, 156/157 III C 3
Veroneser Bund 66 I
Veroneser (Berner) Klause 63 II B 1
Verria 13 II B 1
Verrugo 30/31 II B 2
Versailles, O. 114 B 3, 150/151 I D 4
Versailles, Schloß u. Stadt, Plan 120 III
Vertreibungen, Umsiedlungen von Minderheiten 153 V, 160 I, II u. IV, 162 IV, 163 I
Verulae 30/31 I D 3
Verulamium, St. Albans 36 II B 2, 40 IV
Vervedrum prom., Kap 36 B 1
Vervins 95 B 3
Vescinus saltus, Bg. 30/31 I D/E 3
Vesontio, Besançon 37 I A 3
Vesoul 95 D 4, 122/123 I B 5
Vespasiae 30/31 I C 2
Vesterås, Bm. 88/89 I F 2
Vesterås, O. 113 D 3
Vestervig-Börglum, Bm. 88/89 I D 2
Vestervik, O. 113 D 3
Vestini, V. 24 II F 3, 30/31 I D/E 2
Vestmanna-eyjar, Inseln 57 III A/B 2
Vesunna, Périgueux, O. 36 C 3
—, Plan 42/43 V
Vesuvius mons, Bg. 30/31 III B 1, 48 II C 2
Veszprem, Bm. 88/89 I F 4
Veszprem, O. 58/59 I M 5, 96/97 I I 6, 112 II B 2
Vetera, Birten, O. 37 I A 1
—, Plan 32 V
Vetluna, s. Vetulonia 24 II E 3
Vetoniana, Pfünz 40 II E 3
Vettersfelde 24 I D 2
Vettona 30/31 I C 2
Vettones, V. 38/39 II A 1/2
Vetulonia, Vetluna 24 II E 3, 30/31 I A 2
Vetus Salina 38/39 I C 1
Vevey 80 II A 2
Vexin, Gft. 58/59 I D 4
Vexiö, Bm. 88/89 I E 2
Vézelay, Kl. 58/59 I E 5, 87 I C 2
Via Aemilia 30/31 I C 1
Via Aemilia Scauri 30/31 I A 1
Via Appia 30/31 I C—H 3/4, 30/31 II B 2
Via Ardeatina 30/31 II B 2
Via Augusta 38/39 II B 1/2
Via Aurelia 30/31 I A—C 1/3, 30/31 II A 2
Via Caecilia 30/31 I D 2
Via Campana 30/31 II A 2
Via Caria 30/31 I C 2
Via Cassia 30/31 I B/C 2/3, 30/31 II A 1
Via Claudia Augusta 37 I C/D 3
Via Clodia 30/31 I B/C 2/3, 30/31 II A 1
Via Collatina 30/31 II B 2
Via Domitia 29 I B/C 3
Via Egnatia 29 III A/B 1
Via Flaminia 30/31 I C 1—3, 30/31 II A 1
Via Labicana 30/31 II B 2
Via Latina 30/31 I C/D 3, 30/31 II C 2
Via Laurentina 30/31 II A/B 2
Vianden 80 I B 2
Via Nomentana 30/31 II B1/2
Via Ostiensis 30/31 II A 2
Via Popilia 30/31 I E—G 4/5
Via Praenestina 30/31 II B 2
Via sacra, i. Rom 32 II
Via Salaria 30/31 I C/D 2/3, 30/31 II B 1
Via Serviana 30/31 II B 2
Via Tiberina 30/31 II B 1
Via Tiburtina 30/31 II B 2
Via Traiana 30/31 I F/G 3/4
Via Valeria 30/31 I C/D 2/3, 30/31 II B 1/2
Vibinum 30/31 I F 3
Vibo 25 III B 1
Viborg, Bm. i. Jütland 61 I B 2, 88/89 I D 2
—, O. 60 I F 2
Vicenza, Bm. 88/89 II C 2
Viceta, Vicenza, O. 38/39 I B 1, 63 I C 2, 66 I D 2, 94 I D 2, 94 II D 2, 130/131 III C 2
Vich, Bm. 88/89 I C 5
Vich, O. 54/55 I C 4
Vichy, O. 155 II B 2
Vichy-Frankreich, Staat 155 II B 2
Vicksburg 133 III D 3
Vico Equense, Aequana 30/31 III B 2
Victimulae 25 I B 1
Victoria, austral. Territor. 137 I E 6
Victoria, O. i. Kanada 138/139 I C 2
Victoria- See 132 I D 3/4
Vicus, O. i. Apulien 63 I E 4
Vicus Novus 30/31 I C 2
Vicus V. V., Dieburg 40 II B 2
Vidin, Bononia 38/39 I D 2
Vielbrunn 40 II C 2
Vienenburg 58/59 V B 2
Vienna, Vigenna, Vienne, O. 36 C/D 3, 49 II C 2, 58/59 I F 6, 68/69 I C 6, 104 I C 3
Vienne, Dép. 122/123 III B 2
Vienne, Ebm. 88/89 II A 2
Vienne, Fl. 54/55 I C 3
Vienne-Charente-Kultur 2 II A/B 2
Viennensis, röm. Diözese 42/43 I B/C 2
Vientiane 163 I E 3
Vier Ämter (holländ. Seeland) 58/59 I E/F 3
Vierwaldstätter See 80 II C 1/2
„Vierzonen-Städte" 160 III
Vieste 63 I F 4
Vietmin-Partei 163 I E 2—4
Vietnam, Ld., s. auch Nord-V., Süd-V. 162 I B 2/3, 162 II C 2/3, 163 I E 2—4
Vietnitz 121 III u. IV
Vigenna (Vienna) 41 IV
Vigevano 130/131 III B 2
Vigo 116/117 I B 5
Viipuri, s. auch Wiborg 160 IV B 3
Viken, Ldsch. 60 I F/G 2
Viktring, Kl. 87 II C 3
Vilagos 130/131 I G 2
Vilaine, Fl. 58/59 I B/C 4/5
Vilcas 100/101 III B 3
Villa ad Gallinas, Primaporta 30/31 II A 2
Villa Astura 30/31 II B 3
Villach, Santicum 38/39 I B 1, 58/59 I K 5, 58/59 II A 2, 58/59 III B 2, 106/107 I G 6
Villa Cisneros 146 I B 1
Villafranca 130/131 III C 2
Villafrati 2 II C 3
Villagio Duca degli Abruzzi 154 IV B 2
Villa Gordiani 30/31 II B 2
Villa Hadriani 30/31 II B 2
Villa Horatii 30/31 II B 1
Villalon 85 I A 2
Villamagna 30/31 I E 2
Villanova 4 VI C 3
— -Kultur 4 VI, 5 II C 3
Villa Viciosa, O. i. Asturien 102/103 I B 5
—, O. i. Kastilien 116/117 I C 5
Villa Viçosa, O. i. Portugal 116/117 I B 6
Villemaur 95 B 3
Villeneuve, Penneloci 37 I A 3
Villingen 81 II B 2, 83 III B 1, 128 I B 2
Vils, Fl. 86 I A 2
Vilseck 128 I C 2
Vilshofen 122/123 I E 4
Viminacium, Kostelatz 38/39 I D 2
Viminalis, Hügel i. Rom 32 II, 45 I
Vinaroz 154 V C 1
Vinča, O. 2 I D 2
Vinča-Kultur 2 I D 2
Vindelici, V. 37 I B/C 2/3
Vindhja-Geb. Vindius, Geb. i. Indien 22/23 I I 3
Vindius Mons, Kantrabrisches Geb. 38/39 II A/B 1
Vindobala, Rudchester 40 I C 1
Vindobona, Wien 38/39 I C 1
Vindolanda, Chesterholm 40 I B 2
Vindomora, Ebchester 40 I C 2
Vindonissa 40 III B 2
Vineta, Jumne, Jomsburg, Wollin 57 I D 2
Vinkenhoek 143 Ib
Vinovia 36 B 2
Vintschgau, Ldsch. 58/59 I I 5, 68/69 I F 5
Vipitenum, Sterzing 37 I C 3
Virdo, Wertach, Fluß 37 I C 2/3
Virginia, amer. Staat 118 I B/C 2, 133 III E/F 3
Viroconium, Wroxeter 36 B 2
Virodunum, Verdun 36 D 3
Viromandui, V. 29 I B 1
Virovesca 38/39 II B 1
Virovitica 106/107 I I 7
Virunum, Maria Saal 38/39 I B 1, 49 III D 2
Visagapatam 135 I C 3
Visbeck 56 I B 1
Visconti-Herrschaft, Mailand 68/69 I E/F 5/6, 71 III B/C 2, 94 I B—D 1/2
Visegrad, O. i. Ungarn 68/69 I K 5
Visentium 25 II B 2, 30/31 I B 2
Viseu, Bm. 88/89 I A 5
Visp 80 II B 2
Visurgis, Weser, Fl. 36 D 2
Vitellia 30/31 II B 2
Viterbo, Bm. 88/89 I E 5
Viterbo, O. 53 I B 2, 124 II C 2
Vitoria 125 I B 3
Vittorio Veneto 148 I D 4
Vitry 58/59 I F 4, 148 II C 2
Vitsköl, Kl. 87 II B 2
Vitudurum, Oberwinterthur 40 III B 1
Vivarais, Ldsch. 70 I B 3
Vivarium, Kl. 48 II C 3
Viviers, Bm. 88/89 II A 3
Viviers, O. 58/59 I F 6
Vivisci, Bituriges, V. 36 B 3/4
Viviscus 37 I A 3
Vix 24 I C 3
Vlamen, V., 126/127 IV
Vlieland, Ins. 95 C 1, 104 III B 1
Vlissingen 95 B 2, 104 III A 2
Vlotho 37 II A 1
Vocates, V. 29 I A 2
Voclanniorum vicus 40 V A 2, 40 VI A 2
Vocontii, V. 36 D 3/4
Vogelherdhöhle, Plan 1 III D 2, 4 I
Vogelhof 81 I
Vogelsang, NS-Ordensburg 155 I A 2
Vogesen, Geb. 54/55 II E 3/4
Vöhl 126/127 II B 2
Voigtland, Vogtland 62 II C/D 2, 96/97 I F/G 4, 106/107 I G 4
Volaterrae, Velathri 24 II E 3, 30/31 I A 1
Volcae, Welsche, V., a. d. Donau 24 I D 3
Volcae, V. i. d. Provence 29 I B 2/3
Volcei, O. i. Lucanien 25 III B 1, 30/31 I F 4
Volci, O. i. Etrurien 24 II E 3, 30/31 I B 2
Volkenroda (Volkenrode), O. u. Kl. 77 IV B 2, 88/89 III B 1
Völkerbund 152 I
Völkerbundsmandate, Treuhandgebiete d. Völkerbundes (später der Uno) 146 I, 150/151 I, 162 III
Volksdeutsche (im Ausland) 150/151 II, 160 I u. II, 161 III
Völlen 140 III
Völlener Fehn, O. 140 III
Völlener Königsfehn, O. 140 III
Volmarstein 142 IV B 2, 142 V B 2
Vologesia, Vologesias, Ullais 34/35 I G 3, 50/51 F 4
Volsci, V. 24 II F 4, 30/31 I C/D 3
Volsinii, Velsu, Orvieto 24 II F 3, 30/31 I C 2
— novi 30/31 I B/C 2
Volsiniensis lacus, See 30/31 I B 2
Volta, Burg 63 II B 1
Volta, Fl. 163 IV
Volta-Projekt 163 IV
Volterra, Bm. 88/89 I E 5
Volterra, Volaterrae, O. 53 I A 2, 94 I D 3, 94 II D 3
Voltur mons, Bg. 30/31 I F 4
Volturno, Fl. 130/131 I E 3
Volturnum, O. 30/31 I D 3
Volturnus, Fl. 30/31 I D/E 3
Volubilis 38/39 II A 3
Volustana, Geb. 18/19 I B 1/2
Vomanus, Fl. 30/31 I D 2
Vorarlberg, Ldsch. 80 II D/E 1, 122/123 I C 5, 128 I B/C 3
Vörde, O. b. Dinslaken 142 IV A 1, 142 V A 1
Vorderasien, Ldsch. 46/47 I u. III, 50/51, 52 III, 64/65 I—IV, 72/73 II, III u. VI, 98/99 I, 111 II, 112 I, 130/131 I, 132 I, 134 I u. II
Vorderer Orient 148 III, 150/151 I, 153 VI, 156/157 I, 162 III, 163 II, 164/165 I, 166/167 I—III
Vorderösterreich, Ldsch. 115 I B/C 3, 120 V
Vorder-Rhein, Fl. 80 II C/D 2
Vordingborg 84 II C 2
Vorganium 36 B 3
Vorlausitzer Kultur 5 I C 2
Vorpommern, Ldsch. 106/107 I G/H 2/3, 122/123 I E/F 1/2, 126/127 I F 3
Vorsfelde, O. 161 I u. V
Voru 10 I B 1
Vosagus Silva, Vosegus mons, Vogesen, Geb. 37 I A 2/3
Vosges, Dép. 122/123 III C 1
Vosolvia, Oberwesel 40 II A 1
Vosseberg, O. 140 III
Vossem 106/107 I C 4
Votonosion 18/19 I B 2
Vouillé 48 II B 2
Vrachasi 10 I B 1
Vranja 145 V B 2
Vreden 78 III A 1
Vremde 143 Ia—b
Vriesedonk 143 Ib
Vrokastro 10 I B 1
Vrontamas 13 II B 2
Vučedol 2 II C 2
Vught, Konzentrationslager 155 I A 2
Vukovar 75 C 5
Vulkan-Paß 112 II E 3
Vyadhapura 46/47 III I 4

Waadt, Ldsch. 68/69 I D 5, 80 II A 2, 130/131 II A 1
Waag, Fl. 86 I D/E 2/3, 112 II B/C 1/2
Waal, Fl. 95 C 2, 126/127 IV B 2
Waasa, s. Wasa, Vaasa, Nikolaistad
Wadai, Ldsch. 98/99 IV, 138/139 III A/B 2
Wadelai 132 I D 3
Wadi Alaki 6 I A 3
Wadi al Kebir, Guadalquivir Fl. 64/65 I A 3
Wadi Feiran, Erdölfeld 163 II B 4
Wadi Gasus 6 I A 2
Wadi Halfa 138/139 III B 1, 153 VI C 3
Wadi Hammamat 6 I A 2
Wadi Kene 6 I A 2
Wadi Maghara 6 I A 2
Wadrill 80 I B 2
Wafra, neutrale Zone, Erdölfeld 163 II C 4
Wagadugu 146 I B 2
Wagram 124 I E 2
Wahabiten, V., Sekte 153 VI D 3
Wahlstatt 67 III B 2, 126/127 III F 2
Währing 109 V
Währungszonen der Welt 170 II
Waiblingen 62 II B 3
Waidhofen 68/69 I H 5, 122/123 I F 5
Wain 120 V D 2
Waitzen, Bm. 88/89 I F 4
Waitzen, O. 58/59 I N 5, 96/97 I K 6, 112 II C 2
Wake, Ins., V. St. 137 I F 4, 158 I F 4, 158 II F 4, 164/165 I S 4
Wakenitz, Fl. 79 VI
Walachei, Fsm. 70 II D/E 2, 71 II B/C 2/3, 112 I C 1
—, Kirchenorganisation 88/89 I G/H 5
—, Ldsch. 67 III C/D 3/4, 130/131 I G/H 2/3
Walachei, Große 119 C/D 5/6
—, Kleine 115 I E 3/4
Walachen, Rumänen, V. 54/55 I G/H 3/4, 67 III
Walachische, Wlachische, Rumänische Sprache 70 II
Walbeck, Burg, Kl. 58/59 I I 2, 62 III D 1
Walberberg, Kl. 88/89 III A 1
Walchen-Gau 49 III B 2
Walchensee, O. 24 I D 3
Walcheren, Ins. 104 III A 2, 124 I A 2, 156/157 III B 2
Waldbauer, O. 56 V B 2
Waldburg, Gft. 122/123 I C/D 5, 128 I B 3
Waldeck, Gft., Fsm. 68/69 I E 3, 126/127 II B 2, 129 I C 3
—, Land (Rep.) 152 II C 3
—, O. 122/123 I C 3
Waldek, O. b. Jauernig 77 III A 2
Waldenburg, O. i. Schlesien 161 IV C 1
Waldenser-Sekte, Piemontesen 64/65 II B 2, 104 I D 3/4, 105 I
Walderbach, Kl. 88/89 III B 2
Waldfischbach 40 II A 2
Waldmössingen 40 II B 3
Waldsassen, Kl. 88/89 III B 1/2, 122/123 I E 3/4
Waldshut 81 II B 3
Waldstein, Burg 106/107 I H 4
Waldvölker, Tropen-Indianer, V. 100/101 III B/C 2/3
Walensee (See) 49 III A 2
Wales, Ldsch. 104 I B 2, 110 B 2
Wales, Nordwales, Ldsch. 52 I B 2, 57 II B 2, 66 II B 2, 92/93 I B 3
Wales, Westwales (Devon u. Cornwallis), Ldsch. 52 I B 2
Walfischbai, brit. 138/139 II A 2
Walgau, Ldsch. 49 III A 2
Walheim 40 II C 2
Walk 75 E 2, 104 IV C 2
Walkenried, Kl. 88/89 III B 1
—, O. 161 V
Walker 142 III A 2
Wallach 142 IV A 1, 142 V A 1
Walldürn 40 II C 2
Wallhausen, Pfalz 62 II C 2
Wallis-Ins., frz. 137 I G 5
Wallis, Ldsch., Kanton 68/69 I D 5, 80 II A—C 2/3, 130/131 II A/B 1/2
Wallis, Republik 124 I B/C 3, 124 II A/B 1
Wallonen, V. 126/127 IV
Wallonische Kalvinisten 105 I
Wallsend, Segedunum 40 I C 2, 142 III A 1/2
Walma, V. u. Ldsch. 8 I A 2
Walsdorf 80 I D 1
Walsleben 58/59 I I 2
Walsum 142 V A 1
Walternienburg 2 I C 1
Waltrop 56 V B 1, 142 IV B 1, 142 V B 1
Walworth 109 I
Wan, O. u. Wilajet 112 I E 2, 134 II C 2, 148 III B 2
Wandalen, V. 42/43 I D/E 1/2, 48 A—C 3, 48 C/D 1/2
Wandalenreich 48 II B/C 2/3
Wangen, RSt. i. Algäu 81 II B 3, 122/123 I C 5, 128 I B 3
—, O. a. d. Aare 83 III A 2
Wannah-was-Sadum, Marada 6 III B 2
Wanne-Eickel 142 V B 1
Wan-, Van-See 9 I F 2, 119 G 7
Waräger, Wikinger i. Rußland, s. Kiewer Reich 57 I E/F 2
Warangal 72/73 II G 6
Warasdin 75 C 5, 112 II B 2
Warberg, O. i. Halland 84 I C 2
Wardar, Axios, Fl. 18/19 II B 1/2, 54/55 I G 4, 145 V B 2, 145 VI B 2
Waren, O. i. Mecklenburg 83 II C 2
Warendorf 78 III B 2
Wargla 130/131 I D 5, 163 III B 2
Warka, Uruk, O. i. Mesopotamien 6 II C 2
Warka, O. a. d. Weichsel 156/157 III D 2
Warna, Ebm. 88/89 I H 5
Warna, O. 50/51 D 3, 70 II E 2, 92/93 I H 5, 112 I C 1, 130/131 I H 3, 160 III E 4
Warnaben, V. 58/59 I I/K 1/2
Warneton 114 B 2
Warschau, Ghzm. 124 I D—F 1/2, 125 I D/E 2
Warschau, O. 75 D 3, 113 E 4, 115 I E 2, 124 I F 1, 126/127 I H 3, 148 I F 3, 152 II I 2, 155 II D 1, 156/157 I E/F 3, 156/157 III D 2, 160 III D 2
Warschauer Pakt 166/167 II
Wartburg, Burg 62 II C 2, 128 III
Wartenberg, Burg i. Böhmen 68/69 I H 3
Wartenberg, Hft. u. O. i. Schlesien 122/123 I G 3
Wartenberg, O. i. Berlin 143 II
Wartenburg, O. 126/127 III D 2
Wartha 161 I u. V
Warthausen 120 V C 2
Warthe, Fl. 54/55 I F 2, 106/107 III B 1/2, 121 I
Warthebruch, Ldsch. 121 I
Wartheland, NS-Gau 155 I D 2, 155 II C 1
Warwick 57 II B 2, 102/103 I C 3
Wasa, Waasa, Vaasa, Nikolaistad 113 E 2, 150/151 I F 2
Wash, Meeresbucht 57 II C 2
Washington, amer. Staat 133 III A/B 2
Washington, O. 133 I E 3
Wassilij Ostrow, Ot. v. St. Petersburg 109 III
Wassuganni 9 I F 2
Wassulu, Ldsch. 132 I B 3
Waterberg, O. 138/139 II A 2
Waterford 57 II A 2, 102/103 I B 3
Waterloo 125 I C 2
Watling-Straße 40 IV, 57 II B 2
Watsch 24 II F 1
Wattenscheid 142 IV B 2, 142 V B 2
Waverley, Kl. 87 II A 2
Wawel, Burg i. Krakau, Plan 79 VII
Wear, Fl. 142 II A/B 2
Wearmouth 52 I B 2
Weberstedt 77 IV B 2
Wedau 142 V A 2
Wedell-Meer 164/165 IV
Wedenskoje 140 IV B 1
Wedmore 57 II B 2
Wefensleben 56 VI B 2
Wegersleben 56 VI B 2
Wehlau 113 E 4
Wei-Reich 46/47 III H—K 1/2
Wei, Staat 3 IV B 2
Weichsel, Fl. 41 I C/D 2, 50/51 C/D 2, 74 III D/E 1/2, 105 I E/F 1/2, 148 I F 3, 150/151 I E/F 3, 156/158 I G—I 3/4, 156/157 III D 2
Weickershof 81 I
Weida 62 II D 2
Weiden 122/123 I E 4
Weidenau 77 III B 2
Weidensee, Wüstung 77 IV A 2
Weidich 77 III B 2
Weigenhofen 81 I
Weihaiwei 136 I F 3, 138/139 VI B 3, 149 IV F 3
Weiherhaus, O. 81 I
Weihrauchland, Punt, Somaliland 9 I E 6, 14/15 VI
Weihrauchstraße 29 II C 2, 42/43 I F/G 3—5
Weilburg, O. 58/59 I H 3, 126/127 II B 2
Weil der Stadt, RSt. 68/69 I E 4, 81 II B 2, 122/123 I C 4, 128 I B 2
Weimar, O. 58/59 I I 3, 96/97 I F 4, 106/107 I F 4, 152 II D 3, 155 I B 2, 160 III B 2
—, Hzm 122/123 I D 3
Weimarer Republik, Deutsches Reich 150/151 I u. II, 152 II, 153 I—IV, 154 I u. II
Weingarten, Kl. 62 II B 4, 122/123 I C 5, 128 I B 3
Weinberg, O. 58/59 I H 4, 81 II B 2
Weisbach, O. 77 III A 2
Weiße, Rassen 1 II
Weiße (Europäer) in Südafrika 144 VI
„Weiße“ (gegenrevolutionäre) Russen 149 II—IV
Weiße Horde d. Tataren, (Reich) 72/73 II F/G 2
Weiße Hunnen, Hephthaliten, V. 46/47 III E—G 1/2
Weiße Kroaten, V. 50/51 D 3
Weißenbrunn, O. 81 I
Weißenburg, Biriciana, O. a. d. Altmühl, RSt. 40 II D 2, 68/69 I F 4, 81 II C 2, 122/123 I D 4, 128 I C 2
Weißenburg, i. Elsaß, Kl. 54/55 II F 3, 68/69 I D 4
—, RSt. 114 D 3
Weißenburg, O. i. Siebenbürgen 102/103 I H 4
Weißenfels 122/123 I D 3
Weißenhorn 120 V D 1
Weißensee, O. 143 II
Weißenstadt, Bg. O. 86 I A 1
Weißenstein, O. i. Estland 74 II C 2, 104 IV C 1
Weißer Berg b. Prag 105 I D 2
Weißer Hafen, Koseir, Leukos Limen 29 II B 2
Weißeritz, Fl. 120 IV
Weißer Nil, Fl. 132 I D 3
Weißer Volta, Fl. 163 IV B 1
Weißes Meer 113 G/H 1/2
Weißes Venn (Sumpf) 41 II B 2
Weißmeer-Ostsee-Kanal 150/151 I G 2
Weißrußland, Weißruthenien, Ldsch. 113 F/G 4, 119 D/E 4
Weißrussische SSR. 150/151 I F/G 3, 150/151 II C/D 2, 164/165 I L 2, 164/165 III L 2, 168
Weißruthenen, Weißrussen, V. 67 III, 150/151 II, 160 I u. II
Weißruthenien, Ldsch., s. Weißrußland
Weißwasser, O. 77 III A 2
Weitmar 142 IV B 2, 142 V B 2
Wei-tschou 46/47 IV F 3
Welanao, Kl. 56 I B 2
Welden, Frhr. v., Reichsritter 120 V C 2
Welfen, Geschlecht 62 II, 66 I, 66 II C/D 2
Welfenpartei i. Dt. Reich 145 I
Welfische Lande, s. auch Sachsen, Braunschweig (Hzm.), Hannover (Hzm.) 84 II B/C 3, 104 II A/B 2, 106/107 I E/F 3/4
Welikaja, Fl. 68/69 II D 3
Welikije Luki 113 G 3, 156/157 I G 3
Welikij Ustjug 119 H 2
Welish 113 G 3
Wellesley, Sultanat 138/139 V A 1
Wellington 138/139 I S 7
Wells 110 C 2
Wels, s. Ovilava 38/39 I B 1, 58/59 I L 4
Welschbillig, O. u. Amt 80 I B 2
„Welsche“, Volcae, V. 24 I D 3
Welsche Confinen, habsbg. Territ. 96/97 I F 6/7, 106/107 I F 6/7
Welschensteinach 77 I A 2
Welsche Vogteien d. Eidgenossenschaft 80 II C/D 2/3
Weltbild der Araber 98/99 V
Weltbild des Mittelalters 98/99 V—VIII
Weltenburg, Kl. 52 II C 2
Weltkarte des Idrisi (1154) 98/99 V
Weltkarten d. 12.—16. Jh. 98/99 V—VIII
Welt-Währungszonen 170 II
Welwyn 40 IV
Welzheim 40 II C 3
Wendel, Ldsch. 61 I B 2
Wendelstein, O. b. Nürnberg 81 I
Wenden, O. i. Livland 68/69 II C 2, 74 II C 2, 104 IV C 2
Wenden, Slawen-Stamm i. Lausitz 67 III A 2, 106/107 III A 2
Wendischer Münzverein 83 II
Wenersee (See) 84 I C 2, 84 II C 2, 113 C 3
Wengrow 106/107 III C 1
Wenig-Nossen 77 III B 1
Wentschou 136 I F 4
Wepsen, V. 50/51 E 2
Werbas, Fl. 54/55 I F 4
Werben 58/59 I I 2
Werchne Udinsk 149 IV E 2
Werden, a. Ruhr, Kl. 56 I A 2, 56 V A 2, 122/123 I B 3, 126/127 II A 2, 142 IV B 2, 142 V B 2
—, Territ. 56 V u. VI
Werdenberg, Gft. 68/69 I E 5
—, O. 80 II D 1
Werdenfels, Gft. 122/123 I D 5, 128 I C 3
Werelä 113 F 2
Werenwag 120 V B 2
Werfen 58/59 III B 2
Wergsterode, Wüstung 77 IV A 1
Werl 56 V B 1, 58/59 I G 3
Werla, Pfalz 58/59 V B 1
—, Plan 58/59 IV
Wermland, Ldsch. 113 C 2/3
Werne 56 V B 1, 142 IV C 1, 142 V C 1
Wernigerode 115 I C 2
Werra, Fl. 37 I B/C 1, 58/59 I H/I 3, 126/127 II B/C 2
Werre, Fl. 37 II A 1/2
Werschetz 112 II D 3
Wertach, Virdo, Fl. 37 I C 2/3
Werthausen 37 I A 1
Wertheim, Gft. 122/123 I C 4
Wertheim, O. a. Main 96/97 I E 5, 128 I B 2
Wertheim-Walldürn, Gft. 78 III B 3
Werwick 85 II B/C 2
Wesel 84 II B 3, 104 III C 2, 105 I B 2, 115 I B 2, 156/157 III B 2
Wesenberg 68/69 II C 1, 104 IV C 1
Weser, Visurgis, Fl. 41 I A 2, 52 II C 1/2, 105 I C 1/2
Weser-Ems, NS-Gau 155 I A/B 2
Wesermünde 156/157 I D 3
Wesoła 79 VII
Wessex (Reich) 52 I B 2, 54/55 I B 2, 57 II B 2
Wessobrunn, Kl. 54/55 I E 3, 87 I E 2
Westafrika, frz. Kol. 132 I B/C 3
Westanatol. Bronzekultur 2 II D 3
Westaustralien, Territ. 137 I C/D 6, 138/139 I P/Q 6
Westensee, See a. d. Eider 61 III B 2
Westerbotten, Prov. 113 D/E 1/2
Westerholt 142 IV B 1, 142 V B 1
Westernbach 40 II C 2
Wester-Schelde, Honte, Fl. 96/97 III a—d
Westerwald, Geb. 54/55 II E/F 2
Westeuropäische Kulturen, Bronzezeit 2 I A/C 1/3
—, Jungsteinzeit 5 I A/B 2—4, 5 II A/B 2—4
Westfalen, evang. Landeskirche 161 VII
Westfalen, sächs. Teil-Stamm 54/55 I D 2, 78 III A/B 2
—, Hzm. 122/123 I B/C 3, 126/127 II A/B 2
Westfalen, Kgr. 124 I C 1/2
—, Ldsch. 91 I B 1
Westfalen, Prov. 129 II C/D 2/3, 152 II B/C 3
Westfalen-Nord, NS-Gau 155 I A/B 2
Westfalen-Süd, NS-Gau 155 I A/B 2
Westfold, Ldsch. 57 I C 2
Westfränkisches Reich, s. auch Frankreich 54/55 III A/B 2—4, 54/55 IV A/B 2
Westfriesiche Inseln 122/123 I A/B 2
Westfriesland, Ldsch. 95 C 1, 122/123 I A/B 2
West-Galizien, österr. Ld. 115 I E 2
Westgoten, V. 42/43 I E 2, 48 I A/B 2, 48 I D 2
Westgotenreich 48 II A/B 2/3, 49 I A/B 2/3, 50/51 A/B 3/4
Westgotisches Sprachgut 49 II
West-Götland, Ldsch. 60 I G 2, 113 C 3
Westgriqualand, Ldsch. 138/139 II B 2
Westhaid 81 I
West Ham Abbey, O. 109 I
Westhofen 142 IV C 2, 142 V C 2
Westindier in USA 144 II
West-Irian, Ldsch. 162 II D 4
Westland, Westnorwegen, Ldsch. 60 I F 1/2
Westl. großes Erg (Wüste) 163 III A 2
Westliches Liao-Reich, Kitan, Kara-Chitai 72/73 I A—C 1/2
„Westmächte“ 168
Westmanland, Ldsch. 113 C/D 3
Westmark, NS-Gau 155 I A/B 3
Westminster, Kl. 58/59 I C 3, 67 II A 1, 109 I
Westmoreland, Ldsch. 57 II B 2
Westpreußen, Prov. 115 I D 2, 129 II H/I 1/2, 152 II G/H 1/2
West-Samoa, Staat 164/165 I
Westsemiten, V. 8 II
Westslawen 106/107 III, 150/151 II
West-Sudan, Ldsch. 132 I B/C 3
Westukraine, poln. Besitz 149 III B 3
West-Virginia, amer. Staat 133 III E/F 3
Westwales, Devon 52 I B 2
Westwall, Befestigung 155 I
Wetter 142 IV B 2, 142 V B 2
Wetter-See 84 I C 2, 113 C 3
Wettin, Burg 58/59 I I/K 3
Wettiner, Geschlecht 92/93 II A/B 2/3
—, Albertiner Linie 96/97 I F/G 4
—, Ernestiner Linie 96/97 I F/G 4
Wettiner Lande, s. auch Sachsen (Kurfsm.), Sachsen (Hzm.) 66 I D 2, 66 II 2, 86 I A/C 1
Wetzelrode 77 IV A 2
Wetzendorf 81 I
Wetzlar, RSt. 58/59 I H 3, 68/69 I E 3, 122/123 I C 3, 128 I B 1
Wewak 158 II E 5
Wexford 57 II A 2, 110 A 2
Wezendorf 81 I
Whalton 142 II A 1, 142 III A 1
Wheathampstead 40 IV
Whickham 142 III A 2
Whitby, Streaneshalch 52 I B/C 2
Whitechapel 109 I
Whithorn, Withorn, Candida casa, Bm. 52 I B 2, 88/89 I B 3
Whitley 142 III B 1
Wiblingen 120 V C 1
Wiborg, Viipuri, O. i. Finnland 68/69 II D 1, 113 F 2, 150/151 I F 2, 155 II D 1, 156/157 I F 2, 156/157 III D 1

Wickede 56 V B 1, 142 IV C 1/2, 142 V C 1/2
Wida 77 IV B 1
Widin 67 III C 4, 70 II D 2, 112 II E 3
Widschaja, Tschaban 72/73 I D/E 4
Widschajanagar, O. 72/73 V B 3
Widschajanagar-Reich 72/73 V B 3, 98/99 I H 6
Wieck-Ösel, Bm. 88/89 I G 2
—, Bm.-Territ. 68/69 II B/C 1
Wied, Fl. 80 I C 1
Wied, Gft. 68/69 I D 3, 122/123 I B 3, 126/127 II A 2
—, O. 96/97 I D 4
Wiedelah 58/59 V B 2
Wieden, Ot. v. Wien 109 V
Wiek, Ldsch. 113 E 3
Wieliczka, Groß-Salze, Bg. O. 86 I F 2, 124 I F 2
Wielun 68/69 I K 3, 122/123 I H 3
Wien-Fl. 109 V
Wien, Bm. 88/89 II D 2
Wien, Vindobona, O. 38/39 I C 1, 58/59 I M 4, 75 C 4, 105 I E 2, 148 I E 4, 150/151 I E 4, 156/157 III C 3, 160 III C 3
—, Plan 109 V
—, Universität 91 V C 2
Wien, NS-Gau 155 I D 3
Wiener Neustadt, Bm. 88/89 II D 2
Wiener Neustadt, O. 75 C 5, 112 II B 2
Wieringen, Ins. 95 C 1
Wierland, Ldsch. 104 IV C 1
Wiesau 77 III B 2
Wiesbaden, Aquae Mattiacorum 40 II B 1, 62 III C 2, 126/127 II B 2, 129 II D 3, 152 II C 3, 161 IV A 1
Wiese, Fl. 40 III A 1
Wieselburg, O. i. Österreich 58/59 III C 1
Wieselburg, O. i. Ungarn 58/59 I M 5, 112 II B 2
Wiesensteig 128 I B 2
Wiesent, Fl. 56 III
Wiesloch 40 II B 2, 106/107 I E 5
Wigandsthal, Bg. O. 86 I C 1
Wight, Ins. 57 II B 2, 110 B 2
Wigorn, Worcester 52 I B 2
Wijnegem 143 I b
Wikinger, s. auch Normannen, V. 54/55 I A—C 1—3, 57 I u. II, 60 I—IV, 61 I—V
Wilde Felder, Ldsch. a. Dnjepr 102/103 I K 4
Wildenhaan 143 I b
Wildeshausen, Kl. 58/59 I H 2, 106/107 I E 3, 122/123 I C 3, 126/127 II B 1
Wildes Moor (Moor) 140 III
Wildgraf b. Rhein 78 III A 3
Wildnis, litauisch-preußische 68/69 II B/C 2/3, 74 II B/C 2/3
Wildschütz, O. 77 III B 2
Wilferdingen, Senot. Vicus 40 II B 3
Wilflingen 120 V B 2
Wilhelmshaven 129 II D 2, 148 I C 3
Wilhelmsthal, Bg. O. 86 I D 1
Wilija, Fl. 67 III C/D 2
Wilkomir 75 E 3
Willendorf 1 III D 2
Williams, Fort 116/117 IV C 2
Willitzleithen, Ober-, Unter- 81 I
Willmanstrand, O. 113 F 2
Willstätt 77 I A 1
Wilmarsdonk 143 I a—b
Wilmersdorf 143 II
Wilna, Bm. 88/89 I H 3
Wilna, Wilno, O. 71 I C 2, 75 E 3, 113 F 4, 116/117 I I 3, 125 I E 2, 148 I G 3, 150/151 I F 3, 155 II D 1, 160 III E 2
Wilrijk 143 I a—b
Wilsnack 84 II C 3
Wilsons Creek 133 III D 3
Wilten, Veldidena 37 I C 3
Wilzen, Liutizen, V. 54/55 I E 2, 58/59 I K 2
Wimpfen, Alisiniensium Vic., O., Pfalz, RSt. 40 II C 2, 58/59 I H 4, 62 II B 3, 68/69 I E 4, 81 II B 2, 122/123 I C 4, 128 I B 2
Winchester, Bm. 88/89 I B 3
—, Kl. 87 I B 1
Winchester, Venta Belg., O. 36 B 2, 57 II B 2, 110 B 2
Windau, Ventspils 68/69 II B 2, 104 IV B 2, 148 I F 2, 150/151 I F 3, 156/157 III D 2
Windeberg 77 IV B 1
Winden, Slowenen, V. 54/55 I E/F 3, 58/59 II B 2
Windhuk 144 V A 2
Windisch, Bm. 88/89 II B 2
Windisch, Vindonissa, O. 40 III B 2
Windische Mark 68/69 I H 6
Windisch-Matrei, Bg. O. 86 I B 3, 122/123 I E 5
Windmill-Hill, O. 2 I A 1
Windmill-Hill-Kultur 2 I A/B 1
Windsheim, RSt. 68/69 I F 4, 81 II C 2, 122/123 I D 4, 128 I C 2
Windsor, Schloß 90 I A/B 1, 90 II A/B 1, 102/103 I C 3
Windward-Ins. 138/139 I F 4
Winkelhaid 81 I
Winland, Labrador, Ldsch. 60 I A/B 1
Winlaton 142 II A 2
Winn 81 I
Winnipeg 133 I D 2, 133 III D—1/2
Winniza 113 F 5, 148 I G 4
Winterberg 91 II C 2, 122/123 I C 3
Winterthur, Vitudurum 40 III B 1, 80 II C 1
Winwaedfield 54/55 I B 2
Wirballen 106/107 III C 1
Wirkeshagen, Wüstung 77 IV A 1
Wisby 75 C 2, 84 I D 2, 84 II D 2, 113 D 3
Wisconsin, amer. Staat 133 III D/E 2
Wiskiauten 60 I I 3
Wislanen, V. 50/51 C/D 2
Wismar 68/69 I F 2, 83 II B 2, 113 C 4, 124 I C 1
Wistritsa, Haliakmon, Fl. 18/19 II A 2/3
Witebsk 61 V C 2, 71 I D 1, 113 G 3, 116/117 I K 2, 150/151 I G 3, 156/157 I G 3, 156/157 III E 2
Withorn, Whithorn, Candida casa, Bm. 52 I B 2, 88/89 I B 3
Wittekindsburg 37 II A 1, 41 II C 1
Wittelsbach, Burg 62 II C 3
Wittelbacher, Geschlecht 62 II, 66 I D 2, 70 I
Witten 142 IV B 2, 142 V B 2
Wittenau, Dalldorf 143 II
Wittenberg, Malojaroslawetz, O. i. Bessarabien 140 IV A 1
Wittenberg, O. i. Sachsen 68/69 I G 3, 96/97 I G 4, 122/123 I E 3
Wittenberge 122/123 I D 2
Wittenburg 83 II B 2
Wittensee (See) 61 III B 2
Wittgenstein, Gft. 122/123 I C 3, 126/127 II B 2
Wittingau 91 I C/D 2
Wittlich, O. u. Amt 80 I B/C 1/2
Wittnauer Horn, O. 40 III A 2
Witton Gilbert 142 II A 2
Wittstock 106/107 I G 3, 106/107 II G 3
Witu 132 I E 4
Witwatersrand, Ldsch. 138/139 II B 3
Wjasma 71 I D 1, 113 G 3, 125 I F 2, 156/157 I G 3
Wjatitschen, V. 50/51 E 2
Wjatka, Fl. 119 H/I 3
Wjatka, Kirow, O. 105 II C 3, 150/151 I H 3
Wlachische, Walachische, Rumänische Sprache 70 II
Wladikawkas, Ordshonikidse 134 I E 2, 149 III D 3, 150/151 I H 3
Wladimir, Metropolitie (nördl.) 88/89 I H—K 2
Wladimir, O. b. Susdal 61 V D 2, 119 G 3
Wladimir Wolhynsk, Bm. 71 I B 2, 88/89 I G 3
—, Fsm. 64/65 I D 1/2
—, O. 61 V B 2, 67 III C 2, 113 E 4
Wladiwostok 149 IV F 2, 138/139 VI C 2
Wlodawa 156/157 I F 3
Wlozlawek, O. 68/69 I K 2, 122/123 I H 2
Wlozlawek-Kujawien, Bm. 88/89 I F 3
Wnesapnaja 134 I F 2
Wöbbelin 124 I C 1
Wobeck 56 VI A 2
Wogastisburg (Burg) 50/51 C 2
Wogulen, Ostjaken, V. 50/51 G/H 2, 119 L 2
Wohlau, O. 96/97 I I 4, 122/123 I G 3
—, Fsm. 105 I E 2, 106/107 I I 4
Woitz 77 III B 2
Woitzdorf 77 III B 2
Wojwodina, Ldsch. 130/131 I G 2/3, 160 III C 3
Wolchow, Fl. 84 I G 2, 84 II G 2, 113 G 3, 156/157 I G 3
Woldenberg 121 I
Wolfegg 122/123 I C 5
Wolfenbüttel, Hzm. 106/107 I E/F 3/4
Wolfenbüttel, O. 58/59 V B 1, 122/123 I D 2, 161 VII
Wolfsburg, O. 161 IV B 1
Wolfshain 77 II
Wolfstein 80 I C 2
Wolga, Rha, Itil, Fl. 34/35 I G 1/2, 50/51 E/F 2/3, 119 E—H 3—5, 150/151 I G/H 3/4, 156/157 I G—I 3/4
Wolgabulgaren, V. 50/51 F/G 2, 52 III D 2, 57 I G/H 2
Wolgadeutsche, V. 119 G/H 4/5, 160 I
Wolgadeutsche ASSR 150/151 I H 3
Wolgast 68/69 I G 1, 122/123 I E 1
Wolgograd, s. Stalingrad, Zarizyn 163 II C 2
Wolhynien, Fsm. 67 III D 2/3, 71 I C 2
Wolhynien, Ldsch. 116/117 I H/I 3
Wolhynier, Dulebner, V. 50/51 D 2/3
Wolkramshausen, Wüstung 77 IV A 1
Wollaton Hall 90 II A 1
Wollin, Bm. 88/89 II C 1
Wollin, Vineta, Jumac, Jomsburg, O. 58/59 I L 2, 122/123 I F 2
Wolmar 68/69 II C 2, 104 IV C 2
Wologda 92/93 I K 2, 119 F 3, 150/151 I G 3
Wolos 130/131 I G 4
Wommelgem 143 I a—b
Wonchozk, Kl. 87 II D 2
Wongrowitz, Kl. 88/89 III C 1
Wonitza 116/117 I H 6
Wonsan 136 I F 3
Worcester, Bm. 88/89 I B 3
—, Kl. 87 I B 1
—, Wigorn, O. 52 I B 2, 110 B 2
Worms, Bm. 52 II C 2, 88/89 II B 2
—, Bm.-Territ. 68/69 I E 4, 122/123 I C 4
—, Borbetomagus, O. Pfalz, RSt. 40 II B 2, 54/55 II F 3, 62 I B 3, 62 III B 3, 68/69 I E 4, 128 I B 2
Worms, Ins., i. Baltikum 74 II B 2, 148 I F 2
Wormstedt 56 VI A 2
Woronesh, Gouv. 119 F—H 4/5
Woronesch, Woronesh, O. 24 I F 2, 98/99 I D 2, 119 F 4, 156/157 I G 3
Woroschilowgrad 150/151 I G 4, 156/157 I G 4
Woroschilowsk, Stawropol 150/151 I H 4
Worringen, Segorigiensium Vic. 37 I A 1, 78 III A 2
Worskla, Fl. 71 I D 3
Wörth, O. a. Main 40 II C 2
Worzelsdorf 81 I
Wosart, Wüstung 77 IV A 1
Woskressenskij-Kloster 113 H 3
Wosneschenskaja 140 IV B 1
Woten, V. 50/51 D/E 2
Wotjaken, V. 119 I 3
Wrechow 121 III u. IV
Wreschen 122/123 I G 2, 129 II H 2
Wriezen 121 III u. IV
Wroxeter, Viroconium 36 B 2, 54/55 I B 2
Wu 3 IV C 2, 46/47 I L 3
Wuhan, s. Hankau 162 I B 2
Wuhle, Fl. 143 II
Wu-huan, Ldsch. 3 IV B/C 1
Wu-huan, V. 46/47 I K/L 2
Wulfen 142 IV B 1, 142 V B 1
Wülferode, Wüstung 77 IV A 1
Wulfersdorf 56 VI B 2
Wullenstetten 120 V D 1
Wunsiedel 128 I C 1
Wuppertal, O. 141 II B 2
Würben 77 III B 2, 92/93 II D 3
Würbenthat, Bg. O. 86 I D 1
Würmeiszeit 1 II
Württemberg, evang. Landeskirche 161 VII
Württemberg, Gft., Hzm. 68/69 I E 4, 81 II B 2, 96/97 I E 5, 104 II A 3, 105 I C 2, 106/107 II, 122/123 I C 4
Württemberg, Kgr. 128 I B/C 2/3, 128 III B/C 2/3, 129 I C/D 4/5, 129 II D/E 4/5
Württemberg, Land (Republ.) 152 II C/D 4/5
Württemberg-Baden, Ld. 160 III A 3
Württemberg-Hohenzollern, Ld. 160 III A 3
Württemberg-Hohenzollern, NS-Gau 155 I B 3
Würzberg, O. 40 II C 2
Würzburg, Bm. 52 II C 2, 88/89 II B 2, 145 I, 161 VI
—, Bm.-Territ. 68/69 I E/F 3/4, 122/123 I C/D 3/4, 128 I B/C 1/2
Würzburg, Ghzm. 124 I C 2
Würzburg, Kurfsm. 126/127 II B/C 2/3
Würzburg, O. 54/55 I D/E 3, 105 I C 2, 155 I B 3, 161 IV A 2
Wurzen 68/69 I G 3, 77 II, 122/123 I E 3
Wu-sun, Arschi, V. 3 I I 2, 46/47 I F 2, 46/47 II F 2
Wutach, Fl. 40 III B 1
Wu-tai-schan, buddhist. Heiligtum 72/73 IV C 2
Wu-tschang 98/99 I M 4/5
Wutschou 98/99 I M 5, 136 I E 4
Wyhra, Fl. 77 II
Wyl 81 II B 3
Wyoming, amer. Staat 133 III B/C 2
Wyschehrad, Burg b. Prag 78 V
Wytschega, Fl. 119 H/I 2

Xaltocan, O. 100/101 VI A 1
Xaltocan-See 100/101 VI A 1
Xanten, Col, Ulpia Treiana 37 I A 1, 54/55 II E 2, 106/107 I D 4
—, Plan 32 V
Xanthi 145 VI B 2
Xanthus, O. i. Lykien 38/39 I E 3
Xenophontos, Athos-Kl. 45 VI B 2
Xerokampos 10 I C 1
Xerolimni 10 I C 1
Xeropotamu, Athos-Kl. 45 VI B 2
Xerxes-Kanal am Athos 18/19 I D 1, 45 VI A 1
Xingu, Fl. 111 I D 4
Xochimilco, O. 100/101 VI A 2
Xochimilco-See 100/101 VI A 2
Xoconocho 100/101 II C 3
Xois 6 I A 1
Xuthia 17 I D 3
Xyniai 18/19 I C 2
Xynias-See 18/19 I C 2
Xypete 12 V

Yadava, Ldsch. 72/73 II G 5
Yagri 8 I A 2
Yalu, Fl. 138/139 VI B 2
Yamato, Reich, s. auch Japan 46/47 I M 3
Yamura, Fl. 22/23 I I/K 3
Yang, Ldsch. 46/47 I K 3/4
Yang-schao-Kultur 3 III B 2
Yang-tschou 46/47 IV F 3
Yarimja 6 III B 1, 6 IV B 1
Yarmouth 95 A 1, 110 C 2
Yasin Tepe 6 II C 1, 6 IV C 1
Yaxchilan 100/101 II C 2
Yazilikaja 9 I D 1
Ybbs 58/59 II B 1
Yen, O. 46/47 I K 3
Yen, Staat, Ld. 3 IV B 1/2, 46/47 I K 3
Yerba-Buena-Ins. 143 IV
Ying, Nan 3 IV B 2
Yonne, Dép. 122/123 III B/C 1/2
Yonne, Fl. 95 B 3/4
Yopitzinco, Ldsch. 100/101 II B 2
Yorgan Tepe, Nuzi 6 II B 1, 6 III B 1
York, Ebm. 88/89 I B 3
—, Eburacum, O. 36 B 2, 52 I B 2, 57 II B 2, 110 B 2
Yortan 2 I D 3
Yotbata 162 IV B 3
Ypern 58/59 I E 3, 85 II B 2, 114 B 2, 126/127 IV A 2, 148 I B 3, 148 II B 1
Yser, Fl. 148 II B 1
Ystad 106/107 I G 2
Yu, Ldsch. 46/47 I K 2/3
Yü, Ldsch. 46/47 I K 3
Yüan, O. nördl. Hwangho 3 III B 2
Yüan, O. südl. Hwangho 46/47 I K 3
Yucatan, Halbinsel 100/101 II C/D 1/2, 100/101 VII A 1/2, 118 III C 1/2, 133 I D 3/4
Yüeh, V. 3 IV B 2/3
Yukon, Fl. 133 I A/B 1
Yukon-Territorium, kanad. 133 I B 1
Yü-tschang 46/47 I K 4
Yü-tschou, O. i. Mittelchina 46/47 IV F 3
Yü-tschou, O. i. Nordchina 46/47 IV F 3
Yverdon, Bm. 88/89 II B 2
Yverdon, Eburodunum, O. 37 I A 3, 80 II A 2

Zaachila 100/101 II B 2
Zaandam 104 III B 1
Zabae 46/47 I I 5/6
Zaban, Altun Kupri 6 IV B 1
Zabern, Tres Tabernae 40 II A 3, 58/59 I G 4, 106/107 I D 5, 114 D 3
Zabi 34/35 III A 1
Zabulistan, Ldsch. 50/51 H/I 4
Zacatecas 118 III B 1
Zachuren, V. 134 I F 3
Zaci 100/101 II D 1
Zadar, s. Zara 160 III C 4
Zadel (Burgward) 56 IV
Zadrakarta 22/23 I G 2
Zafer Papuras 11 IV
Zagreb, s. Agram 150/151 I E 4
Zagros, Geb. 9 III G/H 3
Zahle 64/65 IV A 4
Zähringen, Burg 62 II A 3
Zähringer, Gesch. 66 I C 2
Zaiton, Tschüantschou 72/73 II L 5
Zaire, s. Kongo (Dem. Rep.)
Zakkari, V. 9 I D 3
Zakro 10 I C 1
Zakyab 6 I A 4
Zakynthos, Zacynthus, Ins. u. O. 18/19 I A 4
Zaldapa 38/39 I E 2
Zalmakum, Ldsch. 8 II B/C 2
Zama, O. i. Afrika 26/27 II B 2, 34/35 III B 1
Zama, O. i. Galatien 38/39 I F 3
Zamboanga, Ins. 111 II F 2
Zamboanga, O. 98/99 I N 7
Zamora, Bm. 88/89 I A 5
Zamora, Ocelodurum, O. 38/39 II A 1, 64/65 I A 2
Zamość 113 E 4, 124 I F 2
Zamua, Ldsch. 9 III G 2
Zankle, Messana 17 I D 2
Zante, Bm. 88/89 I G 6
Zante, Zakynthos, Ins. 112 I C 2, 126/127 I H 6, 130/131 I G 4, 156/157 I F 5
Zantoch, Burg 60 I H 3
Zapatas, Fl. 22/23 III C 2
Zapoteken, V. 100/101 II B 2
Zapotitlan 100/101 II C 3
Zara, Ebm. 88/89 II D 3
—, O. 63 I E 2, 64/65 II C 2, 94 I u. II F 2, 116/117 I G 5, 124 I D 3, 124 II C 1, 150/151 I E 4, 155 II C 2, 160 III C 4
Zaragoza, Ebm. 88/89 I B 5
Zaragoza, Caesaraugusta, O. 38/39 II B 1, 58/59 III A 2, 54/55 I B 4, 64/65 I A 2, 85 I A 2, 125 I B 3
Zara vecchia 94 I F 3
Zarax 18/19 I D 5
Zarethra 18/19 I E 3
Zarigrad, s. Konstantinopel 61 V B 3
Zarizyn, Stalingrad 105 II C 4, 119 G 5, 150/151 I H 4
Zarnow 106/107 I L 4
Zarskoje Selo 126/127 I K 2
Zarzaitine 163 III B 3
Zator, O. u. Fsm. 68/69 I K 4, 96/97 I K 5
Zaunröden 77 IV A 1
Zaupitz 77 III B 1
Zauritz 77 III B 1
Zawichost 67 III C 2
Zawijet el Meitin 6 I A 2
Zea, Hafen v. Athen 12 V
Zebed 41 III C 2
Zechin 121 III u. IV

Zedlitz, O. b. Oppeln, Plan 121 V
Zedlitz, O. b. Ottmachau 77 III B 1
Zeebrügge 96/97 IIId, 148 II B 1
Zehden 121 III u. IV
Zehlendorf 143 II
Zehngerichtebund (Teil v. Graubünden) 80 II D 2
Zehren, Burg 56 IV
Zeiring, Bg. O. 86 I C 3
Zeitz, Bm. 88/89 II C 1
Zeitz, Mark 58/59 I I/K 3
Zeitz, O. 58/59 I K 3, 96/97 I G 4
Zela 38/39 I G 2
Zeleia 18/19 I H 1
Zelemé, Pußta-Wüstung 140 V A/B 1
Zell, O. a. Harmersbach 77 I B 2, 122/123 I C 4, 128 I B 2
Zell, O. u. Amt a. d. Mosel 80 I C 1/2
Zell, O. b. Offenburg 77 I A 2
Zell am See 122/123 I D 5
Zella, O. a. Unstrut 77 IV A 1
Zellin 121 III u. IV
Zengg, Bm. 88/89 II C 3
Zengg, O. 58/59 I L 6, 112 II A 3
Zenina 38/39 II C 3
Zenobia 41 III E 2
Zenta 112 II D 3
Zentralafrikanische Föderation, Dominion 162 III C 3/4
Zentralafrikanische Republik 162 III B/C 2, 164/165 III, 166/167 I u. III, 168
Zentralamerika, Ver. Staaten v. 133 I D 4
Zentralamerikanische Wirtschaftsgemeinschaft 166/167 III
Zentralanatolische Kultur 3 II E 2/3
Zentral-Indien 135 I B/C 2
Zentralprovinz, indische 135 I B/C 2
Zentrum (Partei) 154 I u. II
Zephyrion, Kap i. Bruttium 17 I E 3
Zephyrion, Kap i. kleinasiat. Doris 18/19 I H 4
Zephyrion, Kap a. Kreta 10 III C 1
Zerbst 81 III C 2, 122/123 I E 3
Zerelia 4 VII A 2
Zerzabelshof 81 I
Zeta, Ldsch. 70 II C 2
Zeugma, Seleukeia 38/39 I G 3, 22/23 II C 2
Zeus Hellanios-Altar, a. Aigina 13 I A 2
Zeven, Kl. 122/123 I C 2
Zia 34/35 II B 2
Zibliyat 6 III C 2, 6 IV C 2
Ziegelhütte, O. b. Nürnberg 81 I
Ziegelstein, O. b. Nürnberg 81 I
Ziegenhain, Gft. 68/69 I E 3
Zielenzig 121 I
Zierikzee, O. 68/69 I B 3, 96/97 IIIa—d, 104 III A 2
Zikkurat, T. i. Babylon, Plan 7 III
Zilis 38/39 II A 2
Zillertal, Ldsch. 68/69 I F 5
Zimises, V. 41 IV
Zimt-Land, i. Afrika 34/35 VI
Zincirli, Sam'al 8 I B 2
Zinna, Kl. 88/89 III B 1
Zinnhandel, assyrischer 2 II
Zion, Ot. i. Jerusalem 34/35 V
Zipangu, Japan (Reich) 72/73 II N/O 3/4
Ziph 8 III B 3
Zips, Ldsch. 67 III C 3, 71 I B 3, 75 D 4, 112 II D 1, 116/117 I II 4
Zipser Neudorf, Bg. O. 86 I F 2
Zircz, Kl. 87 II C 3
Ziriden-Reich i. Tunesien 64/65 I B/C 3
Zirkassier, Tscherkessen, V. 105 II B/C 4, 134 I
Zirl, Teriola 37 I C 3
Zistersdorf 160 III C 3
Zisterzienser-Klöster, -Orden 87 II, 88/89 III
Zittau 68/69 I H 3, 96/97 I H 4, 122/123 I F 3
Zizichar, Zizikar 136 I F 2, 162 I C 1
Zlota-Kultur 2 II D 1
Znaim 58/59 I M 4, 122/123 I G 4
Zoara 34/35 II B 3
Zobah, Ldsch. 8 IV C 1/2
Zobten, Bg. 50/51 C 2
Zofingen 80 II B 1, 83 III A 2
Zographu, Athos-Kl. 45 VI B 1
Zoighe, Wüstung 77 IV A 2
Zollern, Gft., s. auch Hohenzollern 68/69 I E 4
Zollgebiet, preuß.-hess. 129 I
Zollverband, preußischer 129 I
Zollverein, Bayr.-württemberg. 129 I
—, Deutscher 129 I
Zombor 102/103 I G 4
Zone, O. 18/19 I F 1
Zonengrenzen 161 I u. IV—VII
Zoreni 140 IV B 1
Zorge, Bg. O. 86 I A 1
Zorndorf 116/117 III, 122/123 I F 2
Zoroastrier, Rel. 52 III C/D 3
Zossen 96/97 G 3
Zoster, Kap 13 I B 2
Zou 10 I C 1
Zschaitz (Burgward) 56 IV
Zschocher, Groß- 77 II
Zsitva, Fl. 112 II C 1/2
Zubair, Erdölfeld 163 II C 3
Zucchabar, Miliana 34/35 III A 1
Zuckmantel, Bg. O. 86 I D 1
Zug, Kanton u. O. 80 II C 1, 130/131 II B 1
Zugmantel 40 II B 1
Zuhab 6 III C 2
Zuidersee (See) 78 IV B 1
Zula, Adulis 34/35 I F 5
Züllichau 106/107 I H 3
Zülpich, Tolbiacum 37 I A 1, 54/55 II E 2
Zululand, Ld. 138/139 II C 2
Zuma 6 I A 4
Zürich, Turicum, O. u. Kanton 37 I B 3, 54/55 I D 3, 80 II C 1, 104 II A 3, 130/131 II B 1
Züricher Münze 83 III B 2
Züricher See (Zürich-See) 80 II C 1
Zurzach, Messen 83 V B 3
—, Tenedo, O. 40 III B 1, 80 II C 1
Zusmarshausen, Kl. 128 I B 2
Zutfen, Zutphen 68/69 I D 2, 78 IV C 1, 104 III C 1
Zweenfurth 77 II
Zweibrücken, Gft., Hzm. s. auch Pfalz-Zweibrücken 68/69 I D 4, 122/123 I B 4
Zweibrücken, O. 95 D 3, 114 D 3, 128 I A 2
Zweinaundorf 77 II
„Zweites Baku", Erdölfeld 159 II D 2, 163 II D 1
Zwenkau 77 II
Zwergvölker i. Afrika 132 III
Zwettl, O. 74 I B 2
—, Kl. 87 II C 3, 122/123 I F 4
Zwickau 68/69 I G 3, 122/123 I E 3
Zwiefalten, Kl. 68/69 I E 4, 120 V B/C 1/2, 128 I B 2
Zwijndrecht 143 Ia—b
Zwischeneuropa 150/151 II
Zwittau 96/97 I I 5
Zwochau 77 II
Zwölfmeilenland, Dodekaschoinos, Ldsch. 29 II B 3
Zwolle 68/69 I D 2, 78 IV C 1, 83 I B 1, 104 III C 1
Zwönitz, Bg. O. 86 I B 1
Zygris 38/39 I E 4
Zyguries 10 II C 3, 4 VII A 2
Zypern (Cypern), Staat 164/165 I L 3